Corée

Martin Robinson, Andrew Bender,
Rob Whyte

Sommaire

Lonely Planet réalise ses guides en toute indépendance et n'accepte aucune publicité. Tous les établissements et prestataires mentionnés dans l'ouvrage le sont sur la foi du seul jugement des auteurs, qui ne bénéficient d'aucune rétribution ou réduction de prix en échange de leurs commentaires.

(Lonely Planet) 책들은 독립된 의견을 제공합니다. 저희는 가이드북에 광고를 싣지 않으며, 어떠한 장소나 사업장으로부터 댓가를 받고 책에 싣지 않습니다. 저희 작가들은 어떠한 긍정적인 보도에 대한 할인이나 보수를 받지 않습니다.

CORÉE DU NORD
p. 355

GANGWON-DO
p. 168

SÉOUL p. 89

GYEONGGI-DO
p. 144

CHUNGCHEONGBUK-DO
p. 340

CHUNGCHEONGNAM-DO
p. 321

GYEONGSANGBUK-DO
p. 195

JEOLLABUK-DO
p. 307

GYEONGSANGNAM-DO
p. 237

JEOLLANAM-DO
p. 263

JEJU-DO p. 284

Destination Corée

Prise en sandwich entre la Chine et le Japon et moins connue que ses voisins, la Corée se distingue par une langue, une culture et une cuisine bien particulières. La Corée du Sud, tigre asiatique en matière d'économie, exporte porte-containers, voitures, appareils photos et ordinateurs dans le monde entier. Dans ses villes, modernes, animées et sûres, abondent les cybercafés, les restaurants et les boîtes de nuit, tandis que les palais, les forteresses et les demeures de bois coiffées de tuiles des *yangban* (aristocrates) témoignent du passé féodal du pays.

La campagne offre une toute autre vision. Des sentiers de randonnée bien entretenus sillonnent des montagnes couvertes de forêts et longent des vallées, émaillées de somptueux temples bouddhiques. Un excellent réseau de transports publics bon marché permet aux visiteurs de découvrir les villages, les parcs nationaux et les îles bordées de plages.

Prenez le temps d'explorer ce petit pays méconnu et laissez-vous surprendre par les superbes parcs nationaux ou provinciaux, les monuments inscrits au patrimoine mondial, les musiques et les danses traditionnelles, la cuisine variée et une population accueillante. Enfin, ne résistez pas au plaisir du shopping sur les marchés traditionnels, dans les galeries marchandes souterraines et les centres commerciaux flambant neufs.

Véritable mosaïque d'ancien et de moderne, la péninsule offre villages folkloriques et minicaméras DV, pagodes de pierre antiques et bars rock'n roll, bouddhas et pistes de bowling. Traditions asiatiques et modes occidentales, idéaux confucéens et aspirations démocratiques, yin et yang se côtoient et se mélangent.

Une visite de la DMZ (zone démilitarisée) révèle la douloureuse division du pays. Le Nord est toujours enserré dans un carcan totalitaire, imposé après la chute du gouvernement colonial japonais en 1945. Les relations entre les deux Corée restent un sujet brûlant.

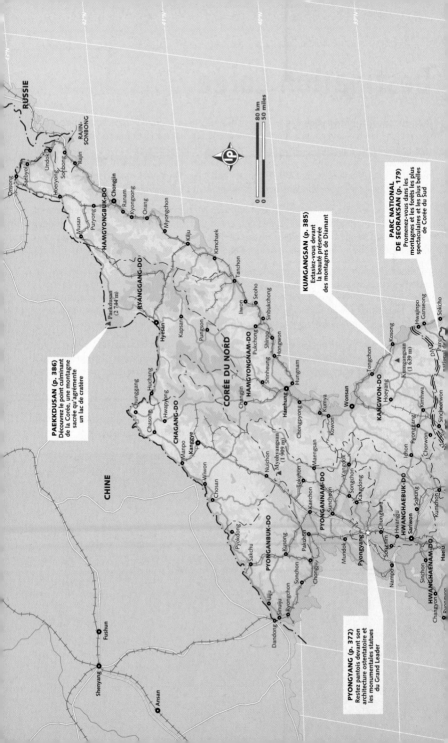

RUSSIE

CHINE

Shenyang

Fushun

Ansan

Dandong

Sinuiju

Uiju

Myongchon

Sakchu

Pyoktong

Changju

Kusong

Pakchon

Sonchon

Changsong

Chosan

Wiwon

Manpo

Kanggye

CHAGANG-DO

Chasong

Huchang

Hwapyong

Chunggang

PYONGANBUK-DO

Myohyangsan
(1 909 m)

Nujhon

Tokchon

Kaechon

Sinchang

Hamhung

Chongyong

HAMGYONGNAM-DO

Shinheung

Pukchong

Shinpo

Hongwon

Hungnam

Kumya

Kowon

Wonsan

Hoeyang

KANGWON-DO

Kumgangsan
(1 639 m)

Tongchon

Kosong

HAMGYONGBUK-DO

Chongjin

Ranam

Kyongsong

Orang

Myongchon

Kimchaek

Tanchon

Seoho

Iwon

Sinbukchong

HYANGGANG-DO

Paekdusan
(2 744 m)

Hyesan

Kapsan

Pungson

Kilju

CORÉE DU NORD

HWANGHAEBUK-DO

HWANGHAENAM-DO

Pyongyang

Nampo

Sinchon

Changyon

Ryongyon

Haeju

Sariwon

Songnim

Sohung

Kaesong

Kumchon

Chungwha

Hwangju

Munchon

Sinmi

Kaesong

Ryongyang

Songchon

Suncheon

Mundok

PYONGANNAM-DO

Kaechon

Kagdong

Yangdok

Maengsan

Sinchang

Changjin

RAJIN-SONBONG

Onsong

Saebyol

Undok

Hoeryong

Sonbong

Rajin

Pungyong

Kusan

Puryong

Hwajinpo

Ganseong

Sokcho

Hoeyang

Kimhwa

Pyonggang

Chorwon

Sinpyong

Idhon

Kumchon

Kaesong

DMZ

PAEKKDUSAN (p. 386)
Découvrez le point culminant
de la Corée, une montagne
sacrée qu'agrémente
un lac de cratère

KUMGANGSAN (p. 385)
Extasiez-vous devant
la beauté préservée
des montagnes de Diamant

**PARC NATIONAL
DE SEORAKSAN (p. 179)**
Promenez-vous dans les
montagnes et les forêts les plus
spectaculaires et les plus belles
de Corée du Sud

PYONGYANG (p. 372)
Restez pantois devant son
architecture ostentatoire et
les monumentales statues
du Grand Leader

80 km
50 miles

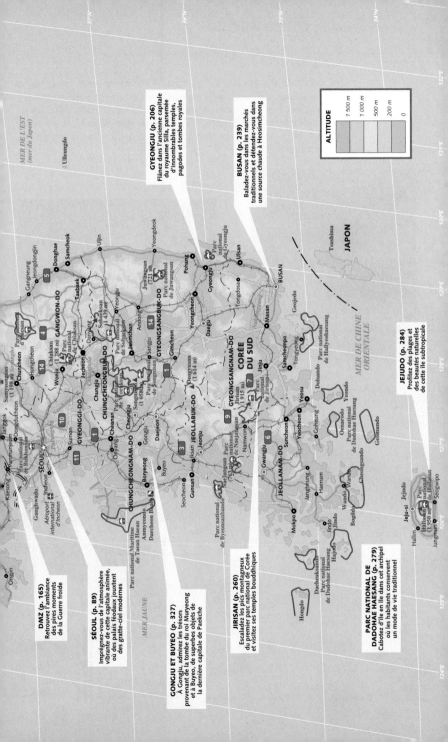

DMZ (p. 165)
Retrouvez l'ambiance des pires moments de la Guerre froide

SÉOUL (p. 89)
Imprégnez-vous de l'atmosphère vibrante de cette capitale animée, où des palais féodaux jouxtent des gratte-ciel modernes

GONGJU ET BUYEO (p. 327)
À Gongju, admirez les trésors provenant de la tombe du roi Muryeong et à Buyeo, de superbes objets de la dernière capitale de Paekche

JIRISAN (p. 260)
Escaladez les pics montagneux du premier parc national de Corée et visitez ses temples bouddhiques

PARC NATIONAL DE DADOHAE HAESANG (p. 279)
Cabotez d'île en île dans cet archipel où les habitants conservent un mode de vie traditionnel

GYEONGJU (p. 206)
Flânez dans l'ancienne capitale du royaume Silla, parsemée d'innombrables temples, pagodes et tombes royales

BUSAN (p. 239)
Baladez-vous dans les marchés traditionnels et détendez-vous dans une source chaude à Heosimcheong

JEJUDO (p. 284)
Profitez des plages et des beautés naturelles de cette île subtropicale

MER DE L'EST
(mer du Japon)

MER JAUNE

MER DE CHINE ORIENTALE

JAPON

CORÉE DU SUD

ALTITUDE

	1 500 m
	1 000 m
	500 m
	200 m
	0

Une multitude de chemins de randonnée traversent vingt magnifiques parcs nationaux, qui englobent montagnes densément boisées, rivières, cascades, antiques forteresses et temples bouddhiques somptueux. Les visiteurs apprécient l'animation des villes modernes, mais aussi les plages de sable, les sports nautiques et les restaurants de poisson des îles tranquilles qui ponctuent le littoral.

JOHN BORTHWICK

Savourez la cuisine de la cour royale en admirant un spectacle de danse et de musique traditionnelles à la Korea House (p. 131)

JEFF YATES

Imprégnez-vous de l'atmosphère de la cour féodale à Changdeokgung (p. 111)

À ski, en snowboard ou sur une luge, dévalez une piste à Muju Ski Resort (p. 315)

MARTIN VINCENT ROBIN

BILL WASSMAN

Découvrez la splendeur de la dynastie Choson en visitant l'imposant Genjeongjeon (p. 109), à Gyeongbokgung

JEFF YATES

Laissez-vous éblouir par les lumières de Séoul (p. 89) à la tombée de la nuit

Parcourez le relief accidenté du parc national de Wolchulsan (p. 280)

MARTIN MOOS

MICHAEL S. YAMASHITA/APL COF

Rejoignez les jeunes mariés sur l'île semi-tropicale de Jeju (p. 284)

Émerveillez-vous du talent des bâtisseurs du
Bulguksa (p. 212)

JOHN BORTHWICK

BILL WASSI

Explorez les riches traditions
culinaires d'une cuisine
singulière (p. 72)

MARTIN VINCENT ROBINSON

Tambours traditionnels, au Seoul
Norimadang (p. 137)

PATRICK HORTON

Un calligraphe à l'œuvre, parc Tapgol, Séoul,
(p. 112)

Vue depuis le rempart de la forteresse
de Séoul, (p. 118)

MARTIN VINCENT ROBINSON

Vers la gare
de Wondang

Goyang-si

Jichuk

Eunpyeong-gu

Daegok Hwajeong
Vers la gare
de Daehwa

Dupabal

Parc national
de Bukhansan

RENSEIGNEMENTS
Principal bureau de l'Immigration
서울 출입국 관리 사무소 **1** B4

À VOIR ET À FAIRE   **p. 109**
Jardin botanique couvert........................**2** F3
Musée national d'Art contemporain
국립 현대 미술관 **3** E6
Seoul Land Amusement Park
서울 랜드 **4** E6
Zoo...(voir 2)

OÙ SE LOGER   **p. 121**
Airport Hotel 에어포트 호텔.................**5** A3
Dreamtel Youth Hostel
드림텔 유스호스텔 **6** A2
Gimpojang 김포장 **7** A3
Sheraton Grande Walkerhill Hotel
쉐라 그랜드 워커힐 호텔 **8** G3

Yeonsinnae Dokbawi

Gusan

Bulgwang

Yeokchon

Nokbeon

Eungam

Saejeol

Bugaksan
(342 m)

Voir carte Hongik, Sinchon
et Ewha (p. 102)

Voir carte Centre de Séoul
(p. 94-95)

Seodaemun-gu

Ansan
(296 m)

Bukhansan
(338 m)

Banghwa

Gaehwasan

Voie rapide Gangbyeon

Voie rapide Olympic

Mapo-gu

Susaek

World Cup
Stadium

World
Cup
Stadium

Gimpo Airport
Aéroport national de Gimpo

Gangseo-gu

Parc
de l'Aube

Parc
du Ciel Parc
de la Paix

Mapo-gu
Office

Songjeong Magok

Balsan

Ligne 2

Ligne 6

Ujangsan

Fontaine

Seonyudo

Pont
de Yanghwa

Hwagok

Jardin
Yanghwa

Pont
de l'Arc-en-ciel

Dangsan

Voir carte Yeouido (p. 108)

Voir carte Gangnam
(p. 104-105)

Bucheon-si

Voie rapide Gyeong-in

Krachisan

Mok-dong Omokgyo

Sinjeong

Yeongdeungpo-gu
Office

Yangpyeong

Yongsan-g

Sinjeongnegeori

Yangcheon-gu
Office

Yangcheon-gu

Mullae

Ligne 2

Dorimcheon

Sindorim

Guro

Yeongdeungpo-gu

Guro-gu

Gaebong

Guil

Ligne 7

Vers la gare
d'Incheon

Onsu

Cheonwang

Oryu-dong

Gwangmyeong

Yeokgok

Daerim

Namguro

Ligne 1

Dongjak-gu

Cheolsan

Garibong

Gurogongdan

Bongcheon

Namseong

Sadan

Seoul National
University

Nakseongdae

Gwanak-gu

Namtaeryeong

Université
nationale
de Séoul

OÙ SORTIR   **p. 134**
Casino ....(voir 8)
Korea Film Archives **9** E5
Centre national des arts du spectacle
traditionnels de Corée 국립 국악원·**10** E5
Centre des Arts de Séoul
서울 예술의 전당 ....(voir 9)
Hippodrome de Séoul 서울 경마장 ·**11** E6

ACHATS   **p. 137**
Marché d'antiquités de Janghanpyeong
장한평 고미술 상가 **12** F3
Galerie marchande Samhui
삼희 고미술 상가 **13** F3

TRANSPORT
Embarcadère Yanghwa 영화 선착장 ·**14** B3

Siheung

Gwanaksan
(632 m)

Seoksu

Vers la gare
de Suwon

Anyang-si

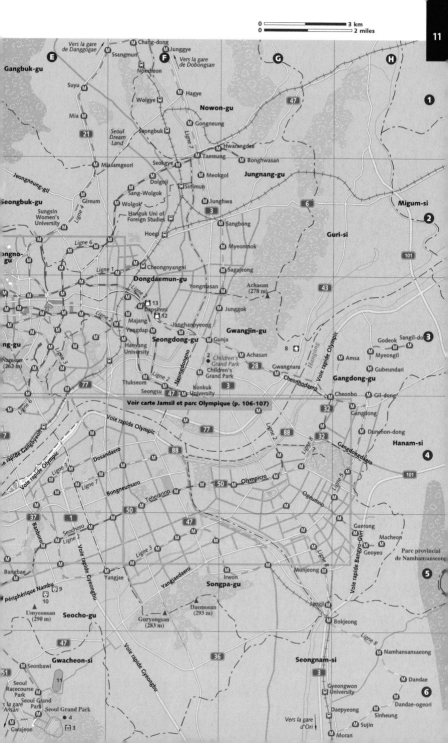

0 _____ 3 km
0 _____ 2 miles

E **F** Vers la gare de Dobongsan **G** **H**

Gangbuk-gu

Vers la gare de Danggogae
Chang-dong
Ssangmun Junggye
Nokcheon
Suyu
Wolgye Hagye
Mia **21** Nowon-gu **47** **1**
Seongbuk Gongneung
Seoul Dream Land Ligne 7
Jeongneung-gil Miasamgeori Seokgye Hwarangdae
Seokgye Taereung Bonghwasan
Dolgoji Meokgol Jungnang-gu
Seongbuk-gu Gireum Sang-Wolgok Sirimun
Sungsin Women's University Wolgok **3** Junghwa Migum-si
Ligne 4 Hanguk Uni of Foreign Studies Sangbong **2**
Hoegi
ongno-gu Ligne 6 Myeonmok **6** Guri-si **101**
Sagajeong
Cheongnyangni Achasan (278 m)
Ligne 1 Dongdaemun-gu Yongmasan **43**
Ligne 2 13 Dapsimni Junggok
M **M** Majang 12 Janghanpyeong Gwangjin-gu
Yeoggap Seongdong-gu Gunja
ng-gu Hanyang University 2 Children's Grand Park Achasan Godeok Sangil-do
Namsan (262 m) Ligne 3 Children's Grand Park **28** 8 Amsa Myeongil **3**
Ttukseom **47** Gwangnaru Gangdong-gu Gubeundari
Ligne 6 Seongsu Konkuk University Cheonhodaero Cheonho Gil-dong
Voir carte Jamsil et parc Olympique (p. 106-107) **32** Gangdong
Voie rapide Olympic Gangdong
77 **77** **88** **32** Dunchon-dong
Voie rapide Gangbyeon Dosandaero **88** Ligne 2 Hanam-si **4**
Voie rapide Olympic Ligne 3 Bongneunsaro Olympicro **50** Gangdongdaero **101**
7 Ligne 7 Teheranno Ogeumno
37 **1** **50** Ligne 5
Bainporo Seochoro Ligne 2 **47** Gaerong Macheon
Bangbae Ligne 3 Geoyeo Parc provincial de Namhansanseong
Yangjae Irwon Munjeong
périphérique Nambu 9 Yangjaedaero Songpa-gu Jangji **5**
10 Daemosan (293 m) Bokjeong
Umyeonsan (290 m) Seocho-gu Guryongsan (283 m)
47 Seongnam-si Namhansanseong
Gwacheon-si **36** **3** Dandae
Seonbawi Gyeongwon University Dandae-ogeori **6**
51 Seoul Racecourse Park 11 Daepyeong Sinheung
s la gare l'Ansan Seoul Grand Park 4 Vers la gare d'Ori Sujin
Gwajeon 3 Moran

MÉTRO ET RÉSEAU FERROVIAIRE DE SÉOUL

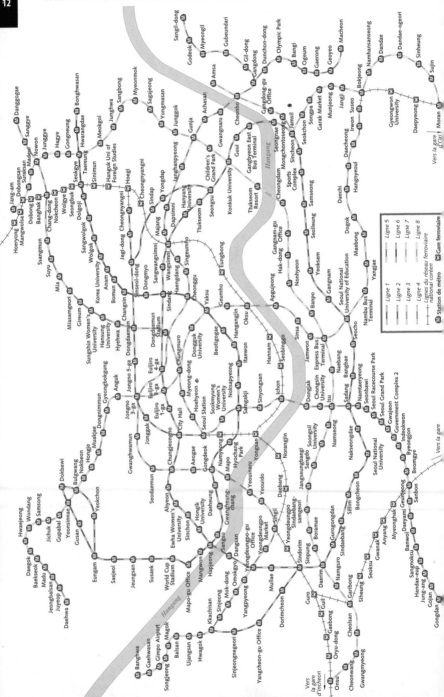

Mise en route

La Corée du Sud est un petit pays généralement sûr, facile à visiter et assez bon marché. Elle compte nombre de parcs nationaux et de temples, ainsi que des montagnes et des îles vierges à explorer. Les quartiers commerçants des villes offrent de bonnes affaires, notamment dans les domaines de l'habillement, des accessoires et de l'électronique. Bref, il y a mille choses à voir, à faire et à déguster. L'économie coréenne fait partie des plus dynamiques de la planète, aussi attendez-vous à des changements concernant certaines informations de ce guide : restaurants et motels peuvent avoir été démolis ou avoir changé de propriétaires et il arrive même que des musées disparaissent !

Le gouvernement a instauré en 2000 un nouveau système de transcription en caractères latins, mais sa mise en place prend du temps. Ainsi, vous verrez quantité d'orthographes différentes : Pusan pour Busan, Chongju pour Jeonju ou *kimbap* pour *gimbap*. Ce guide utilisant le nouveau système, les panneaux ne correspondront pas toujours aux termes que nous indiquons, mais vous ne tarderez pas à deviner que sous *vivimbop* se cache *bibimbap* !

Rares sont les Coréens qui parlent couramment anglais ou français, surtout dans les régions isolées. Apprenez quelques expressions coréennes et consacrez une ou deux heures à l'apprentissage des caractères *hangeul* – ce n'est pas si difficile (voir p. 434 le chapitre *Langue*). Le *Korean Phrasebook* de Lonely Planet (en anglais) vous sera utile.

QUAND PARTIR

La Corée possède quatre saisons bien distinctes. La meilleure période pour visiter le pays est sans doute l'automne, de septembre à novembre, lorsque le temps est d'ordinaire chaud et ensoleillé et que les versants des montagnes se parent de teintes chatoyantes.

Voir p. 400 la rubrique *Climats*

Le printemps, d'avril à mai, est également superbe, avec ses températures douces et la floraison des cerisiers qui s'étend dans le pays du sud

---

N'OUBLIEZ PAS

- De vérifier les questions de visa (voir p. 409) ; les ressortissants français, belges et suisses peuvent séjourner en Corée du Sud jusqu'à 90 jours sans visa, les Canadiens 180 jours.
- De souscrire une assurance de voyage (p. 399). Même dans un pays sûr, nul n'est à l'abri d'un accident et les soins peuvent coûter très cher.
- De prendre vos chaussures de marche car le pays regorge de parcs nationaux et de régions montagneuses pourvues de sentiers bien balisés (p. 69).
- D'apprendre quelques mots de coréen (voir p. 434).
- De consulter le chapitre *La cuisine coréenne* (p. 72), afin de découvrir les spécialités locales comme le *bibimbap*, le *samgyetang* et le *samgyeopsal*.
- De glisser votre maillot de bain dans votre sac, surtout si vous partez en juillet-août.
- De vous munir d'un sac de couchage si vous envisagez de loger dans des établissements bon marché, qui ne fournissent souvent qu'un drap et une couette.
- D'emporter vos produits de toilette et vos médicaments, parfois difficiles à trouver sur place.
- De prendre des chaussettes en bon état, car vous vous déchausserez sans cesse.

au nord au fil du mois d'avril. Camélias, azalées et de multiples autres plantes et arbres fruitiers s'épanouissent aussi à cette saison.

L'hiver, de décembre à mars, se révèle sec et parfois rigoureux, notamment en janvier lorsque les vents venus de Sibérie font chuter les températures en dessous de zéro dans la majorité des régions. En montagne, montrez-vous prudent et emportez crampons et vêtements appropriés. C'est à cette époque de l'année que l'on apprécie le mieux l'*ondol* (chauffage par le sol), les sources chaudes et les saunas omniprésents. Le manteau neigeux qui couvre les toits des temples offre un spectacle superbe et les amateurs de ski, de snowboard et de patin à glace s'en donneront à cœur joie. Les festivals du mois de janvier donnent lieu à maints divertissements liés à la neige.

Essayez d'éviter le cœur de l'été, de fin juin à fin août, saison de la mousson durant laquelle le pays reçoit 60% des pluies annuelles et souffre d'un climat terriblement chaud et humide. Si vous venez en août, vous comprendrez l'engouement des habitants pour la climatisation. Les citadins fuient la touffeur urbaine pour les plages et les parcs nationaux, alors bondés, et les hôtels de ces villégiatures doublent leurs tarifs. De plus, c'est pendant cette saison que l'on risque de subir des typhons !

L'île de Jejudo, au large de la côte sud, l'endroit le plus chaud de Corée, jouit d'un climat presque subtropical sur sa façade méridionale. Les pluies sont mieux réparties sur l'année, mais l'automne et l'hiver demeurent les saisons les plus sèches, comme dans le reste du pays.

Vous trouverez des prévisions météo quotidiennes, en anglais, sur le site www.kma.go.kr.

COÛT DE LA VIE

Pays industrialisé, la Corée du Sud pratique des prix raisonnables et reste accessible aux petits budgets. Les transports publics, la nourriture de base, les entrées sur les sites et les hébergements sont relativement bon marché, même si les boutiques hors taxes et les hôtels de luxe affichent des tarifs parfois élevés. Le taux de change peut fait une différence considérable, sachant que plus le won est fort, plus la Corée sera chère pour les visiteurs étrangers.

LIVRES À EMPORTER

Pauvre et douce Corée (Zulma, 1993), de Georges Ducrocq, est le récit d'un voyage à travers la Russie qui aboutit en Corée, en 1901. Édité plusieurs fois en Corée, ce texte évoque le quotidien et les traditions du peuple coréen.

Les Bouddhas de l'avenir (Actes Sud, 1993), de Patrick Maurus. L'auteur réside en Corée depuis de longues années et nous peint ce pays à travers ses multiples rencontres.

Les nuits kimonos (LGF, 1996), d'Ysabelle Lacamp et Jean-Marie Galliand. En 1950, un reporter américain, confronté à l'horreur de la guerre de Corée, découvre l'Asie à travers une jeune orpheline.

Yônsan (Les solitaires intempestifs, 1998), de Yin Yun-T'Aeck, est un superbe conte aux multiples personnages (divinités, fantômes et humains), revisitant l'histoire de la Corée.

Rencontres coréennes : la visiteuse de l'autre rive, de Christine de Larroche (L'Harmattan, 1999). À travers six textes poétiques, la narratrice retrace l'expérience parfois déroutante d'une année passée dans un temple à Séoul.

Pour ceux qui lisent l'anglais, *A Walk Through the Land of Miracles*, de Simon Winchester, relate un voyage à pied de Jejudo à Séoul. L'auteur,

---

QUELQUES PRIX

Billet de cinéma
7 000 W

Bouteille d'eau (1 l)
800 W

Bouteille de bière (500 ml)
1 500 W

Costume sur mesure
200 000 W

Déjeuner dans un hall de restauration
6 000 W

Dîner avec steak
25 000 W

En-cas *tteokbokki*
2 000 W

Journal local
600 W

Litre d'essence
1 250 W

T-shirt souvenir
5 000 W

un journaliste anglais réputé, narre avec verve ses rencontres avec des moines, des nonnes, des artistes, des entremetteuses et des généraux américains. L'épisode le plus savoureux est une séance chez un barbier.

Le *Seoul Food Finder* d'A. et J. Salmon passe en revue 100 des meilleurs restaurants de Séoul.

SITES INTERNET

Actualité coréenne (www.korea.net). Véritable boîte aux trésors pour tout ce qui concerne la Corée.

Centre culturel coréen (www.coree-culture.org). Cours, ateliers et revue culturelle coréenne.

Corée (www.coree.com). Un panorama culturel de la Corée (artisanat, cinéma, peinture, arts scéniques, etc.), ainsi que des informations touristiques.

Corée en France (www.coreenfrance.com). Un site excellent sur l'actualité culturelle coréenne en France, ainsi que des informations sur l'actualité et les voyages en Corée.

Korean Films (www.koreanfilm.org, en anglais). Tout sur l'industrie cinématographique coréenne et des centaines de critiques de films.

Korean News (www.koreaherald.co.kr, en anglais). Informations remises à jour quotidiennement, section week-end et liens vers des magazines.

Korean Traditional Music (www.gugakfm.co.kr, en coréen). Pour écouter de la musique coréenne traditionnelle.

Lonely Planet (www.lonelyplanet.fr). Une mine d'informations sur la Corée, ainsi que les derniers conseils de voyageurs sur la destination.

Office national du tourisme coréen (http://french.tour2korea.com/). Le site du KNTO(office national du tourisme coréen) en France offre de multiples informations culturelles (arts, manifestations, gastronomie, etc.) et touristiques (formalités d'entrée, transports sur place, etc.) sur la Corée.

Itinéraires

Si, en général, le bus constitue le mode de transport le plus pratique pour découvrir le pays, le train est préférable pour les longs trajets.

GRANDS CLASSIQUES

ROUTE DE LA CÔTE EST   1 semaine / 750 km

De Séoul, ce circuit conduit, à travers montagnes, rizières et lacs, aux plages sablonneuses, aux restaurants de poisson et aux aurores romantiques de la rocheuse côte orientale. Des grottes, des temples et des tombeaux antiques, des villages traditionnels et une île isolée, peuplée de pêcheurs de calmars, ponctuent la route vers la cité cosmopolite de Busan.

Prenez le train de Séoul à **Gangchon** (p. 174), puis ralliez à vélo sa cascade et son site de saut à l'élastique. Montez ensuite dans un bus à destination de **Chuncheon** (p. 170), une ville située au bord d'un lac dont vous parcourerez les berges à bicyclette, en faisant étape pour déguster du *dakgalbi* (dés de poulet grillés). Rendez-vous au barrage de Soyang, prenez un bateau jusqu'à Yanggu et goûtez aux sports d'aventure proposés à **Inje** (p. 174).

Régalez-vous de produits de la mer dans le port de **Sokcho** (p. 175), sur la côte orientale, avant de rejoindre la plage de **Hwajinpo** (p. 178). Faites ensuite une randonnée dans le **parc national de Seoraksan** (p. 179)

La route de la côte est s'étire sur 750 km, ponctuée de paysages variés et de sites historiques. Sur le parcours, vous vous détendrez sur les plages et dans des sources chaudes.

et séjournez à Seorak-dong. Visitez le temple et la plage de Naksan (p. 179), puis continuez vers le sud jusqu'à **Jeongdongjin** (p. 186), où vous admirerez un sous-marin espion nord-coréen. À **Samcheok** (p. 189), ne manquez pas l'exposition consacrée aux grottes et **Hwanseondonggul** (p. 191), toute proche, avant d'explorer quelques **criques** (p. 191) et le surprenant **parc du Pénis**.

Remontez le temps au **village folklorique de Hahoe** (p. 224), visitez le **musée de masques**, voisin, et les musées culturels d'**Andong** (p. 221). Vient ensuite l'incontournable **Gyeongju** (p. 206), l'ancienne capitale du royaume de Silla, où il vous faudra au moins 2 jours pour découvrir, à pied ou à vélo, les tombes et les trésors bouddhiques. Pour un changement de décor radical, prenez un bateau jusqu'à la petite île accidentée d'**Ulleungdo** (p. 230). Enfin, rejoignez **Busan** (p. 239), une ville portuaire dotée de marchés, de plages et de sources chaudes ; des liaisons maritimes rapides sont possibles vers le Japon.

ÎLE DE LA LUNE DE MIEL   1 semaine / 300 km

De nombreux vols et ferries permettent de rejoindre rapidement et facilement **Jeju-do**, l'île où les Coréens passent leur lune de miel ou leurs vacances. Au programme : hôtels de charme, farniente au soleil, plages idylliques, sports nautiques et dîners iodés. Des cratères volcaniques, des cascades et d'étonnantes formations rocheuses ajoutent aux attraits de l'île.

Point culminant de la Corée, le **Hallasan** (p. 305), un volcan éteint, domine Jeju-do. On peut l'escalader ou l'admirer de loin. Plus près du niveau de la mer, vous marcherez au bord du **cratère de Sangumburi** (p. 295) ou dans le **Manjanggul** (p. 295), un des plus longs tunnels de lave au monde. Ne manquez pas le spectaculaire "pic du soleil levant", le **Seongsan Ilchulbong** (p. 296). **Udo** (p. 297), une petite île où des *haenyeo* (femmes plongeuses) continuent de pêcher, se parcourt à vélo. **Seong-eup** (p. 298) et le **village folklorique de Jeju** (p. 298) vous donneront un aperçu du passé de l'île.

Vous verrez partout des *harubang*, des statues de "grand-père" traditionnelles, taillées dans la roche volcanique, y compris dans les **parcs de sculptures**, le parc d'art de Jeju (p. 303) et le musée d'Art Shincheonji (p. 305).

Au sud, près de Seogwipo, on trouve de célèbres **cascades** dont celle de Jeongbangpokpo (p. 299), qui se jette dans la mer, et l'on peut faire une **excursion en bateau ou en sous-marin** (p. 299). Les petites îles avoisinantes

Explorez des grottes de lave, aventurez-vous sur les pentes d'un volcan éteint, longez des cascades, régalez-vous de poissons et bronzez sur des plages subtropicales... Vous comprendrez alors pourquoi Jeju-do est l'île favorite des Coréens pour les vacances.

se prêtent à merveille à la **plongée avec tuba** (p. 299). **Yakcheonsa** (p. 302) possède un hall impressionant et de superbes fresques. Les deux serres géantes qui se dressent près de Jungmun abritent le **jardin botanique Yeomiji** (p. 302). Vous pourrez également assister à une **représentation de dauphins** (p. 302), visiter une **plantation de thé** (p. 304) et son musée en forme de tasse, ainsi qu'un **parc de bonsaïs** (p. 304), mais ne manquez pas le **cirque chinois** (p. 304) et ses fabuleuses acrobaties à cheval.

HORS DES SENTIERS BATTUS

D'UNE CÔTE À L'AUTRE   2 semaines / 800 km

Ce parcours permet de traverser de splendides paysages montagneux, arpenter des vallées fluviales et savourer du faisan et du canard dans de petites stations balnéaires. Vous vous détendrez sur des plages de sable et dans des sources chaudes. En chemin, visitez la villa d'été présidentielle et admirez les trésors de la dynastie Paekche, vieux de 1 300 ans.

À **Séoul**, prenez le métro jusqu'à **Suwon** (p. 151), promenez-vous dans la forteresse inscrite au patrimoine de l'humanité, dégustez des *galbi* (côtes de bœuf) et consacrez quelques heures au **village folklorique** (p. 153). Votre prochaine étape vous mènera au **hall de l'Indépendance de la Corée** (p. 338), près de Cheonan. Réservez les 2 jours suivants aux capitales du royaume de Paekche, **Gongju** (p. 327) et **Buyeo** (p. 331).

Dirigez-vous ensuite vers la côte occidentale, où vous apprécierez la superbe plage de **Daecheon** (p. 335) et ses délicieux produits de la mer. Découvrez les petites îles environnantes : séjournez dans une famille de pêcheurs à **Sapsido** (p. 336) avant d'explorer **Anmyeondo** (p. 337) et d'admirer le coucher du soleil sur la **plage de Mallipo** (p. 338). Obliquez

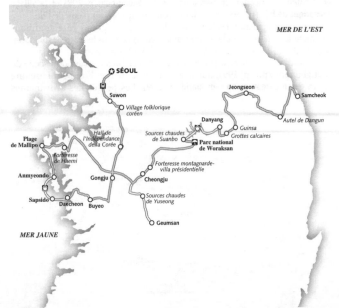

De l'effervescence de Séoul aux villages de pêcheurs isolés, d'un motel-château à une forteresse montagnarde, de la villa présidentielle aux grottes calcaires, voyager d'une côte à l'autre permet d'appréhender la diversité du pays.

vers l'arrière-pays, en passant par la **forteresse de Haemi** (p. 338), Daejeon et les **sources chaudes de Yuseong** (p. 324). Achetez du ginseng à **Geumsan** (p. 327), découvrez le motel-château de **Cheongju** (p. 343), déjeunez dans une **forteresse montagnarde** (p. 343) et visitez la **villa présidentielle** (p. 345), si son occupant est absent.

Tâchez d'apercevoir une goral antelope dans le **parc national de Woraksan** (p. 349), chassez toute fatigue aux **sources chaudes de Suanbo** (p. 348), puis dînez d'un faisan. Un joli parcours en bateau sur le lac Chungju vous conduira à **Danyang** (p. 351). De là, vous pourrez explorer des **grottes calcaires** (p. 353) et **Guinsa** (p. 353), un étonnant ensemble de temples. Retrouvez la nature à **Jeongseon** (p. 193), où l'on voit encore des bœufs tirant la charrue. Visitez l'**autel de Dangun** (p. 192), perché au sommet d'une montagne dans le parc provincial de Taebaeksan. Enfin, vous pourrez vous baigner dans la mer du Japon sur une plage proche de **Samcheok** (p. 191). Pour Samcheok et la région au-delà, voir p. 189.

PROVINCES DE JEOLLA ET ÎLES DE LA CÔTE SUD
2 semaines / 1 200 km

Les provinces de Jeolla, grenier à riz de la Corée, représentent aussi les piliers de la tradition. La région est célèbre pour le *bibimbap* (mélange de riz, d'œufs, de viande et de légumes dans une sauce épicée), mais aussi pour son opéra *pansori* (opéra traditionnel chanté par un seul interprète), ses poètes, ses poteries et ses contestataires. Sa côte méridionale compte parmi les plus belles du pays, avec ses îles aux plages immaculées qui invitent au farniente.

Le fascinant **village hanok** (p. 309) de Jeonju regroupe maisons et édifices traditionnels. Goûtez aux spécialités locales telles que le bibimbap, le *kongnamulgukbap* (gruau relevé aux pousses de soja rouges) et le *moju* (breuvage sucré au gingembre servi chaud). Découvrez le jardin de pierres,

Découvrez les spécialités culinaires des provinces de Jeolla, explorez les parcs nationaux et provinciaux de Jeollabuk-do et imprégnez-vous de l'histoire des îles de la côte méridionale.

escaladez l'oreille d'un cheval au **parc provincial de Maisan** (p. 314), puis allez skier ou marcher dans le **parc national de Deogyusan** (p. 314). D'autres paysages splendides vous attendent au **parc national de Naejangsan** (p. 317) et au **parc provincial de Seonunsan** (p. 318). Prenez un bateau de Gunsan à la paisible **Seonyudo** (p. 320) et, si vous aimez les oiseaux, ne manquez pas **Eocheongdo** (p. 320).

À Gwangju, vous visiterez le **parc du mémorial du 18-mai** (p. 266), qui rend hommage aux victimes du soulèvement étudiant de 1980. Admirez les céramiques du **musée national de Gwangju** (p. 265), flânez dans **Art Street** (p. 269) et restaurez-vous dans **Duck Street** (p. 269).

À Mokpo, explorez le **musée Maritime** (p. 277) avant de découvrir **Hongdo**, l'"île rouge" (p. 279), **Heuksando**, l'"île des pêcheurs" (p. 279), **Jindo**, l'"île du chien" (p. 283) ou **Bogildo**, l'"île du poète" (p. 283). Goûtez au *gakkimchi* (kimchi de feuilles) à Yeosu, montez à bord d'une réplique du **bateau-tortue de l'amiral Yi** (p. 274) sur l'île de Namhae, puis visitez la belle **Hwa-eomsa** (p. 270), dans le parc national de Jirisan. Sirotez du thé vert fraîchement cueilli à la **plantation de thé Boseong** (p. 275) et réalisez votre propre poterie à **Gangjin** (p. 276) ou à **Yeong-am** (p. 280).

Ne manquez pas la **forteresse de Jinju** (p. 255), témoin d'un passé tragique, le camp de prisonniers de guerre de l'**île de Geoje** (p. 257) et son musée ou encore le jardin botanique de la petite **île d'Oe** (p. 258). Votre périple s'achèvera à **Busan** (p. 239), ville portuaire animée d'où l'on peut prendre un bateau pour le Japon.

VOYAGES THÉMATIQUES

PÈLERINAGE DANS LES TEMPLES   10 jours / 1 500 km

Les superbes montagnes boisées de Corée abritent quelques-uns des temples bouddhiques les plus extraordinaires d'Asie. Leur éloignement complique les pèlerinages en bus, d'autant que le parcours s'étend sur quelque 1 500 km. Presque tous ces temples datent de plusieurs siècles et, même si les bâtiments se révèlent souvent assez récents, ils respectent le style traditionnel avec leurs avant-toits au décor coloré, leurs fresques, leurs toits aux lignes audacieuses, leurs portes treillissées et leurs plafonds superbement sculptés et peints.

Au départ de Séoul, des bus mènent au **Guinsa** (p. 353), le siège imposant de la secte Cheontae, très différent des autres temples coréens avec ses édifices modernes à plusieurs étages de part et d'autre d'une vallée escarpée. On y sert des repas végétariens gratuits dans une atmosphère irréelle. De là, empruntez un bus à destination de Danyang, Gongju et du **Magoksa** (p. 331), un ancien temple traditionnel dont une salle contient un millier de disciples miniatures, tous légèrement différents. Dirigez-vous ensuite vers Daegu, au sud-est, et vers l'étonnant **Haeinsa** (p. 204), qui renferme une bibliothèque riche de 80 000 blocs de bois du XIVe siècle, sculptés pour tenter de repousser les envahisseurs mongols et désormais inscrits au patrimoine de l'humanité. À une heure de bus de Daegu, Gimcheon est la porte d'accès au **Jikjisa** (p. 221), un temple impressionnant qui date du Ve siècle. Un de ses moines-soldats, Sa-myeong, conduisit la lutte

Progressez vers l'éveil spirituel en visitant quelques-uns des plus beaux temples bouddhiques d'Asie.

contre l'invasion japonaise, en 1592. À cette époque, les moines ne prônaient pas le pacifisme lorsque la nation était menacée. Regagnez Daegu, prenez un bus pour Jeonju, puis une correspondance pour Jinan, d'où vous pourrez rejoindre le **Tapsa** (p. 314), un temple minuscule encadré de deux montagnes en forme d'oreilles de cheval et flanqué d'un extraordinaire jardin de tours en pierre, érigées par un mystique bouddhiste. Revenez à Jeonju *via* Jinan, puis faites route vers le sud jusqu'à Gwangju et l'**Unjusa** (p. 270), ses pagodes et ses inhabituels bouddhas couchés jumeaux. De Gwangju, des bus conduisent à Busan, puis au **Tongdosa** (p. 254), le plus vaste temple du pays, qui abrite un excellent musée d'art bouddhique. Empruntez un bus à destination d'Ulsan, puis un autre jusqu'au **Seongnamsa** (p. 253), un chef-d'œuvre enchâssé dans un parc provincial. Vous devrez repasser par Ulsan et Gyeongju pour découvrir le **Bulguksa** (p. 212), la réplique d'un temple qui constitue le joyau de l'architecture silla et s'élève sur une terrasse de pierre. À proximité, la grotte de Seokguram renferme un splendide bouddha de pierre du VIIIe siècle.

CORÉE DU NORD

CIRCUIT DE 3 JOURS

Trois jours en Corée du Nord permettent d'en appréhender l'atmosphère. Ce circuit suffira probablement à ceux qui doutent de leur capacité à apprécier les commentaires enthousiastes des guides dans un État stalinien.

En 3 jours, les autorités s'attendent à ce que vous visitiez une série de villes, décrétées touristiques, en commençant par l'extraordinaire vitrine

Il faut visiter la Corée du Nord pour croire qu'un tel pays existe. On peut en avoir un aperçu en 3 jours, mais une semaine vous permettra de mieux ressentir cet étrange pays.

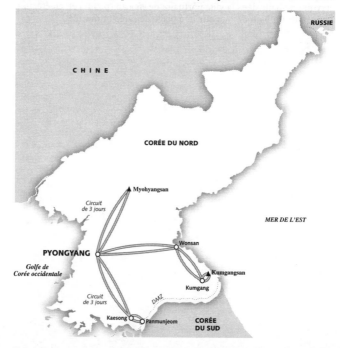

révolutionnaire de **Pyongyang** (p. 372). Avec ses habitants effacés qui circulent entre des édifices monolithiques et ses rues étrangement vides de toute circulation, l'incroyable capitale nord-coréenne ressemble à un gigantesque musée urbain. Ce lieu bâti pour impressionner les visiteurs est l'expression en béton du pouvoir absolu.

Le lendemain, on vous emmènera vers le sud, dans l'ancienne capitale coréenne de **Kaesong** (p. 382) et à **Panmunjeom** (p. 383), le dernier endroit où la Guerre froide bat encore son plein. Voir les soldats sud-coréens surveiller les troupes de leur voisin du nord est une expérience bizarre, surtout quand on observe la scène du nord de la Zone Démilitarisée (ou DMZ). Le dernier jour est généralement consacré à une excursion dans les montagnes : le superbe **Myohyangsan** (p. 384), réputé à juste titre pour ses randonnées, se trouve à proximité de l'**International Friendship Exhibition**, qui expose les cadeaux plutôt kitsch offerts par les dictateurs étrangers au "Grand et au Cher Leader".

CIRCUIT DE 7 JOURS

Un séjour d'une semaine permet de mieux découvrir la République populaire de Corée. Vous visiterez la plupart des sites accessibles aux étrangers sans vous sentir trop écrasé par l'incessante propagande. Toutefois, même ces circuits moins rapides ne laissent guère l'occasion d'apprécier l'ambiance du pays ou de se détendre ailleurs que dans un karaoké !

Outre **Pyongyang**, **Kaesong**, **Panmunjeom** et **Myohyangsan**, vous découvrirez des régions plus reculées et de magnifiques paysages montagneux. La station de **Kumgangsan** (p. 385), au milieu d'un environnement préservé, semble bien loin de la propagande frénétique de Pyongyang. L'itinéraire prévoit une halte dans la ville portuaire de **Wonsan** (p. 387) et, en été, une étape pour un bain de mer sur une plage de sable immaculé.

Les auteurs

MARTIN ROBINSON
Séoul, Gyeonggi-do, Gangwon-do, Jeollabuk-do, Chungcheongnam-do, Chungcheongbuk-do

Martin, qui a coordonné l'écriture de ce guide, s'est chargé des chapitres introductifs (sauf *La cuisine coréenne* et *Le bouddhisme coréen*) ; de celui de Séoul et de ceux des cinq provinces les plus septentrionales de Corée du Sud. Il est également l'auteur du guide Lonely Planet *Seoul*. Martin a vécu 2 ans en Corée-du-Sud, enseignant l'anglais, travaillant auprès d'un gouverneur provincial et rédigeant un guide des randonnées dans le Jeollabuk-do. Auparavant, il a été employé au British Council de Tokyo, a exploré l'Asie et publié des articles et des photographies consacrés à ses voyages dans divers journaux et magazines. Né à Londres et diplômé de l'université d'Oxford, il est marié et vit en Nouvelle-Zélande lorsqu'il ne parcourt pas la planète.

Son coup de cœur

Les lacs superbes, les hautes montagnes boisées et un paisible lever de soleil sur la mer du Japon ont rendu inoubliable mon voyage de Séoul à la côte orientale. À Chuncheon (p. 170), j'ai longé le lac à vélo tandis que le soleil disparaissait derrière les sommets brumeux avant de savourer un délicieux *dakgalbi* (poulet épicé). Après une rapide traversée en ferry des eaux limpides du lac Soyang (p. 174), je suis descendu dans un motel aux allures de château et je me suis régalé de poisson frais à Sokcho (p. 175). Dans le parc national de Seoraksan, j'ai escaladé les falaises de granit d'Ulsanbawi (p. XXX) et fêté cet exploit d'un verre de *soju* (vodka coréenne). Après une nuit sur la plage de Naksan, je me suis levé à l'aube pour rejoindre à pied le temple (p. 179), où les moines saluaient déjà le lever du soleil de mélopées rythmées.

ANDREW BENDER
La cuisine coréenne, Gyeongsangbuk-do, Jeollanam-do, Jeju-do

Andy a découvert la Corée par hasard, en étudiant la transcription *hangeul* des noms de stylistes dans le magazine de Korean Air. Ce natif de Nouvelle-Angleterre possède un MBA ; il a vécu au Japon et voyagé dans toute l'Asie avant de s'établir à Los Angeles, qui abrite la plus importante diaspora coréenne du monde (et comble les amateurs de *bibimbap*). Il a écrit pour *Travel & Leisure*, *Fortune* et des magazines de compagnies aériennes et a rédigé quatre autres guides Lonely Planet. Quand il ne court pas le monde, il est consultant en communication interculturelle, passe la plupart de son temps avec sa famille et ses amis, fait du vélo sur la plage et gâte ses neveux et nièces, en particulier Dayna, qui est née pendant qu'il travaillait sur cet ouvrage.

ROB WHYTE   Gyeongsangnam-do

Rob habite Busan, en Corée du Sud, depuis sept ans. Vétéran de l'enseignement de l'anglais en Corée, il a gagné ses galons dans des académies privées, des *chaebol* (conglomérats familiaux) et de nombreux établissements d'enseignement supérieur. Entre ses périples à travers la province de Gyeongsangnam, il a également occupé un emploi de bureau au sein de l'administration de la ville de Busan, où il a découvert les aléas financiers de la gestion municipale. Rob et quatre autres étrangers furent les premiers expatriés embauchés par un gouvernement local coréen. Originaire du Canada, Rob vit avec les siens à Busan, où il travaille, écrit et rêve de contrées où le parcours de golf coûte moins de 200 $US.

AUTRES AUTEURS

La **Corée du Nord** a fait l'objet de recherches nouvelles pour cette édition, mais nous avons décidé de ne pas divulguer le nom de l'auteur, afin de protéger son anonymat et celui des Nord-Coréens qui l'ont aidé.

Luc Paris, docteur en médecine du service de Parasitologie-Mycologie de l'hôpital de la Pitié Salpétrière, a contribué à la rédaction du chapitre *Santé*.

Didier Férat, journaliste et auteur pour Lonely Planet France, a rédigé le chapitre sur le bouddhisme. Lors de son voyage en Corée, il est parti à la rencontre de moines bouddhistes, en séjournant dans un temple.

Instantané

À la surprise générale, le président sud-coréen Roh Moo-hyun a été élu en 2002 grâce aux jeunes votants. Toutefois, cet avocat de 56 ans d'origine modeste, spécialisé dans la défense des droits de l'homme, a connu un début de mandat difficile (le président ne peut exercer qu'un seul quinquennat). La révélation des ambitions nucléaires militaires de la Corée-du-Nord, une forte agitation sociale et de violentes manifestations écologistes ont constitué son baptême du feu. L'euphorie suscitée par les succès de l'équipe coréenne lors de la Coupe du monde de football s'est effacée devant l'épidémie de SRAS, qui a fait chuter la croissance économique à 3%, et les retombées d'un tragique accident de la route mettant en cause un G.I., qui a provoqué d'importantes manifestations anti-américaines.

Un parcours délicat attend ceux qui instaurent une plus grande démocratisation et de nouvelles libertés. Les figures traditionnelles de l'autorité (pères, maris, professeurs, directeurs d'entreprise, maires et présidents) perdent peu à peu leur emprise sur la société et nul ne sait comment la nouvelle génération se comportera. La classe dirigeante a incontestablement réussi à développer des industries d'exportation et à améliorer le niveau de vie, mais sa réputation d'avidité et de corruption la prive de l'autorité morale dont jouissent les leaders respectés et aimés. Un nouvel équilibre des pouvoirs entre les régions, entre le gouvernement central et ses pendants locaux, entre jeunes et vieux et entre syndicats et patronat doit s'établir. Un consensus national réactualisé doit remplacer les anciens dogmes de centralisation et d'industrialisation.

En dépit de tout cela, le futur s'annonce bien pour la Corée-du-Sud. Celle-ci bénéficie d'une main-d'œuvre dynamique, qualifiée et motivée. Le taux de criminalité y est bas, hormis dans les strates supérieures des cercles politiques et des affaires. Nombre d'industries locales s'imposent à l'échelle mondiale, ou ne tarderont pas à le faire, et le cinéma coréen concurrence aujourd'hui Hollywood au box-office du Pays du matin calme – voir p. 47. Avec une bonne équipe dirigeante, on peut accomplir des miracles – et pas seulement sur les terrains de football. Les espoirs que le peuple fonde dans son jeune président anticonformiste se réaliseront peut-être malgré ses débuts difficiles.

La politique de détente que la Corée-du-Sud pratique à l'égard de son voisin du Nord depuis 1997 n'a guère amélioré les relations entre les deux États, malgré le déminage de la DMZ (Zone démilitarisée) afin que routes et voies ferrées les relient à nouveau dans l'avenir. Des années de progrès sont régulièrement anéanties en une journée par quelque aveu imprévu de la Corée-du-Nord au sujet de ses armes nucléaires ou de l'enlèvement de citoyens japonais. Kim Jong-il s'étant révélé le digne successeur de son père, les souffrances des Nord-Coréens perdurent et l'avenir reste incertain, donc dangereux.

Un jour la DMZ disparaîtra, mais dans la mesure où la Corée-du-Sud se développe tandis que la Corée-du-Nord vit quasiment en situation de famine, le coût d'une éventuelle réunification s'alourdit d'année en année. Amener le niveau de vie des Nord-Coréens à celui de leurs voisins du sud représenterait un défi bien plus grand que celui qu'a relevé l'Allemagne de l'Ouest lors de sa réunification avec la RDA. En outre, plusieurs décennies de régimes politiques et économiques aussi disparates ont fait des habitants des deux Corées des étrangers. Les dissidents nord-coréens éprouvent parfois de grandes difficultés à s'adapter à la vie chez leurs voisins méridionaux.

Histoire

L'ANTIQUITÉ

Selon la légende, le premier État coréen aurait été fondé en 2333 av. J.-C. par Tangun, fils de Hwanung et de son épouse ourse. Autre souverain légendaire, Kija aurait établi le Ko Choson (ou Pays du matin calme) en 1122 av. J.-C., un royaume qui aurait duré jusqu'en 206 av. J.-C. Ce même Kija aurait introduit la riziculture, de l'élevage des vers à soie et l'art du tissage. Peu après, l'empereur chinois Wu, de la dynastie han, envahit le Ko Choson et le divisa en quatre commanderies : Lolang, Xuantu, Lindun et Zhenfan. Malgré le haut degré de civilisation dont bénéficièrent ces commanderies, les habitants se rebellèrent contre la mainmise de leur puissant voisin et les Chinois ne conservèrent que le Lolang.

LES TROIS ROYAUMES

En 37 av. J.-C. l'État de Koguryo couvrait tout le nord de la péninsule, puis les Han perdirent leur influence dans le sud, où se formèrent les royaumes de Paekche et de Silla. L'éthique confucéenne et la foi bouddhiste animaient les trois royaumes, proches au niveau ethnique et linguistique. Cela ne les empêcha pas de s'affronter pour établir leur hégémonie tout au long du Ve siècle. Au VIIe siècle, le Silla demanda l'aide de la Chine, alors dirigée par la dynastie Tang, pour vaincre le Koguryo et le Paekche. L'Empire du milieu en profita pour établir deux nouvelles colonies en Corée, territoires que le Silla récupéra en 735. Le Silla conserva le contrôle du pays pendant plus de deux siècles, une période de paix et de prospérité qui vit s'épanouir les arts, le bouddhisme, le commerce et l'éducation. Plus d'un million d'habitants vivaient dans la capitale, l'actuelle Gyeongju, qui abritait nombre de palais et de temples bouddhiques.

LE ROYAUME DE KORYO

Vers la fin du IXe siècle, le déclin du royaume de Silla s'accompagna de révoltes paysannes et de tentatives de morcellement du territoire. Le souverain du royaume dissident de Koryo (dont la Corée tire son nom) obligea le roi de Silla à abdiquer en 918. Durant les 450 ans que dura la dynastie Koryo, le bouddhisme connut un véritable âge d'or et joua un rôle fondamental sur le plan spirituel, politique et social. L'artisanat connut un formidable essor, comme en témoigne les merveilleuses poteries en céladon, l'invention des premiers caractères mobiles en métal (en 1234) et la réalisation des 81 340 tablettes gravées du *Tripitaka Koreana*, conservé au Haeinsa, dans le Gyeongsangbuk-do. Toutefois, les escarmouches incessantes avec les Liao chinois aboutirent à la perte d'une partie du royaume et l'invasion des Mongols, en 1232, provoqua la fuite de la cour sur l'île de Ganghwa (Ganghwado), où elle resta jusqu'en 1270. La dynastie mongole des Yuan s'affaiblit à partir de 1350, puis céda la place aux Ming, qui souhaitaient récupérer les anciens territoires.

L'*Histoire de la Corée*, d'André Fabre (L'Asiathèque, 2001), relate l'histoire de la Corée, de la préhistoire à nos jours.

Les Bouddhas de l'avenir, de Patrick Maurus (Actes Sud, 1993), offre une rencontre au quotidien avec la société de Corée du Sud.

L'ouvrage *Mémoires d'une reine de Corée*, de Hyegyonggung Hong-ssi (Picquier, 2002), vous donnera un aperçu de la vie quotidienne à la cour de la dynastie Yi au XVIIIe siècle.

CHRONOLOGIE

2333 av. J.-C.	557 av. J.-C.
Fondation de la nation coréenne par Tangun, fils de Hwanung et de son épouse ourse.	Période des Trois Royaumes : Koguryo (nord), Paekche (sud-ouest) et Silla (sud-est).

LA DYNASTIE CHOSON

Le roi de Koryo décida d'envoyer le général Yi Songgye (1355-1408), à la tête de 38 000 hommes, pour s'opposer aux prétentions des Ming, mais le général utilisa ses troupes pour renverser son souverain. Yi Songgye reçut la bénédiction et l'appui de l'empereur de Chine, en échange desquels il lui fit allégeance. En 1392, il se proclama roi sous le nom de Taejo et fonda la dynastie Choson, qui dura jusqu'en 1910. Le confucianisme se développa alors au détriment du bouddhisme ; il devint l'idéologie prédominante et inspira un nouvel ordre social. Comme nombre d'autres États frontaliers, la Corée accepta de verser un tribut à la Chine jusqu'à quatre fois par an, selon le système du *sadae* (service des grands). Devenu le plus loyal des États "tributaires", le pays conserva son indépendance, malgré les incursions japonaises de la fin du XVIe siècle et les attaques mandchoues du XVIIIe siècle.

En vertu de ces rapports privilégiés, quand le Japon envahit la Corée dans les années 1590, des troupes chinoises furent dépêchées pour l'aider à repousser les assaillants. Trente mille soldats chinois périrent lors de la seule bataille de Sanchon alors que les samouraïs japonais avaient déjà largement dévasté le pays.

Le sadae resurgit en 1950, pendant la guerre de Corée, lorsque d'innombrables soldats chinois attaquèrent les forces de l'ONU (pour l'essentiel composées de militaires américains et sud-coréens), épargnant au Nord une

---

LE TRIBUT VERSÉ À LA CHINE

La composition du tribut apporté trois ou quatre fois l'an à Beijing (Pékin) pendant presque toute la période Choson offre un aperçu des productions coréennes de l'époque. Ce tribut, introduit à l'époque des Trois Royaumes, symbolisait l'allégeance du vassal coréen. Même si l'empereur de Chine envoyait des présents en retour, ils ne pouvaient se comparer au tribut reçu, ni à la réception fastueuse de ses envoyés à Séoul, qui pouvait dévorer jusqu'à 15% des ressources du gouvernement.

Le roi accueillait les Chinois au Seodaemun, la porte d'Orient de Séoul (démolie par les Japonais en 1915). En 1898, on construisit à proximité la porte de l'Indépendance, la Corée s'étant libérée du joug chinois en 1897, lorsque le roi Gojong se proclama empereur sous le nom de Kwangmu. Toutefois, cette brève autonomie fut balayée par la domination japonaise, qui préleva une dîme bien plus lourde que le tribut versé à la Chine.

Les marchandises apportées à la Cité interdite de Beijing variaient, mais un accord stipulait la livraison régulière de certains biens. En tête de liste venaient 100 taels d'or et 1 000 taels d'argent. Un tael pesant environ 40 g, cela représentait 4 kg d'or et 40 kg d'argent. L'empereur devait aussi recevoir 100 peaux de tigre, 100 peaux de cerf et 400 autres peausseries. Le liste des présents mentionnait encore un millier de paquets de thé vert, du riz, du ginseng et des pignons. Chevaux, épées et arcs en corne de buffle accompagnaient de grandes quantités de papier, de coton, de *ramie* (un tissu presque transparent fabriqué à partir d'écorces) et de nattes décorées de motifs floraux de Ganghwado. On se faisait plus discret sur les vierges et les eunuques destinés au gigantesque harem de l'empereur.

En remerciement, l'empereur de Chine envoyait des soies de première qualité, des remèdes à base de plantes, de délicates porcelaines et des centaines de livres. L'économie de tribut entraînait des échanges culturels et économiques entre les deux pays.

Les 300 émissaires chargés d'apporter le tribut mettait de un à deux mois pour parcourir les 1 200 km jusqu'à Beijing, y séjournaient autant de temps puis entamaient le pénible trajet de retour. Cette ambassade se composait de généraux, de lettrés, de peintres, de médecins, d'interprètes, de hérauts, de secrétaires, de palefreniers, ainsi que de porteurs de parasol et de chaise.

---

72 av. J.-C.

668–918

Apparition du bouddhisme et du confucianisme, venus de Chine.	Les rois de Silla règnent sur une Corée unifiée depuis leur capitale de Gyeongju.

défaite certaine. Mao Zedong, l'empereur communiste de Chine, volait au secours de son petit frère communiste Kim Il-sung. Cette assistance militaire n'avait rien de surprenant au regard de l'histoire des deux nations.

Si le *sadae* se justifiait lors de la dynastie Choson, il ne présentait pas que des avantages car il impliquait que la Corée compte sur la Chine pour se défendre et s'abstienne de se forger une armée solide. La caste *yangban* (élite ou aristocratie) comportait une section civile et une section militaire, mais la première jouissait d'un statut plus élevé. En 1894, la Chine fut battue par la Japon et la Corée, vulnérable, fut conquise presque sans coup férir. Bien plus qu'un retard technologique ou un manque d'argent, c'est l'habitude de se reposer sur le voisin chinois qui avait placé le roi Gojong et son pays dans cette position de faiblesse.

Non content de faire figure de grand frère protecteur, l'Empire du milieu était le soleil autour duquel *tournait* la culture *yangban*. La classe dirigeante coréenne considérait la Chine comme la source de tout savoir philosophique, politique, économique, littéraire et culturel et méprisait sur ce plan le Japon et l'Occident – ce qui explique l'échec de toutes les tentatives de modernisation et de réforme. Pour ces confucianistes convaincus, la Chine et tout ce qui en provenait faisaient figure de divinités. L'empereur, fils du Ciel, sacré pour régner sur le monde, était également leur souverain.

Pendant toute la période choson, presque toutes les activités gouvernementales et culturelles firent appel à la complexe écriture chinoise. L'écriture *hangeul*, inventée sous le règne de Sejong le Grand en 1443, ne se propagea réellement qu'après 1945. Jusque-là, les *yangban* en avaient combattu l'usage, afin que les examens gouvernementaux restent aussi difficiles que possible et que seuls leurs enfants aient le temps et les moyens de les réussir. Ils jugeaient le hangeul "médiocre, vulgaire et sans intérêt" et le réservaient aux femmes et aux enfants. Jusque dans les années 1960, les journaux sud-coréens utilisaient nombre de caractères chinois.

LE SAVIEZ-VOUS ?

Le chignon demeura des siècles durant la coiffure masculine traditionnelle. En 1895, le roi Gojong coupa le sien, mais rares furent ceux qui suivirent son exemple ou partagèrent son enthousiasme pour les réformes.

POMPES ROYALES ET CÉRÉMONIES

La clé de voûte du système confucéen de l'époque choson était le roi, de droit divin et doté d'un pouvoir absolu, même s'il était supposé faire preuve de bienveillance envers ses sujets. On imagine difficilement aujourd'hui la richesse, la puissance et le statut des souverains choson. Leur palais principal, le Gyeongbokgung, comprenait quelque 800 bâtiments et plus de 200 portes ; en 1900, son coût de fonctionnement représentait 10% des dépenses gouvernementales. La maison royale regroupait 400 eunuques, 500 dames d'honneur, 800 dames de la cour et 70 *kisaeng* (courtisanes, chanteuses et danseuses de talent). Seuls les eunuques et les femmes logeaient au palais ; les serviteurs, les gardes, les officiels et les visiteurs de sexe masculin devaient partir au coucher du soleil. La plupart des femmes menaient une existence monacale et ne quittaient jamais la résidence royale.

Les dames de la cour étaient enfermées derrière les neuf portes du palais, servant le roi, la reine, les princes et les princesses. Seules les plus chanceuses devenaient favorites royales, tandis que les autres voyaient leur jeunesse se consumer dans la servitude.

Ha Tae-hung,
Guide to Korean Culture

| La dynastie koryo règne sur la Corée – des esclaves confectionnent les merveilleuses poteries céladon. | Les Mongols conquièrent la Corée et dominent le pays pendant plus d'un siècle. |

Angus Hamilton assista à un spectacle de danse donné en plein air par 18 kisaeng pour le roi Gojong. "Souples et gracieuses" dans leurs longues robes de soie et sous leurs énormes perruques, elles dansaient et chantaient "au son étrange" de la musique. "La danse incarnait toute la poésie et la grâce des gestes humains. La délicate élégance des artistes était empreinte de douceur."

Les témoignages sur la cour du roi Gojong révèlent la grandeur d'une époque révolue. En 1895, Isabella Bird rendit visite à ce monarque et à la reine Min dans le Gyeongbokgung récemment restauré :

> Entre les 800 soldats, les 1 500 serviteurs et officiels en tous genres, les courtisans, les ministres et leurs assistants, les secrétaires, les messagers et les badauds, l'immense enceinte du palais semblait aussi bondée et populeuse que la ville elle-même.
>
> Isabella Bird,
> *Korea and Her Neighbours*

Si vous lisez l'anglais, l'ouvrage *At the Court of Korea*, de William Franklin Sands, est un témoignage direct sur le roi Gojong et son gouvernement à l'orée du XXe siècle.

Harriet Heron Gale, l'épouse d'un missionnaire, raconte l'existence luxueuse du prince héritier, le futur empereur Sunjong :

> Une armée de serviteurs et de servantes en longues chemises de soie bleue et vestes jaunes bourdonnent toute la journée autour de Sa petite Altesse, lui poudrant le visage, peignant ses lèvres et ses ongles, rasant le sommet de son crâne, épilant ses sourcils, découpant ses mets en morceaux minuscules, le rafraîchissant au moyen de monstrueux éventails à long manche, ne le laissant jamais seul un instant... Même la nuit, ils veillent à son chevet, chantant pour l'endormir une étrange petite berceuse.
>
> James Scarth Gale,
> *History of the Korean People*

Les familles fournissaient à la famille royale de jeunes eunuques, le seul personnel "masculin" autorisé à vivre au palais. Ils connaissaient tous les secrets d'État et leur influence provenaient du fait qu'eux seuls servaient directement le roi (voir l'encadré *La vie des eunuques*):

LE SAVIEZ-VOUS ?
Soupe, poisson, caille, canard sauvage, faisan, roulade de bœuf farcie, légumes, crèmes, noix glacées, fruits, vin de Bordeaux et café figuraient au menu lorsqu'Isabella Bird dîna à la table du roi Gojong et de la reine Min.

LE SYSTÈME DE CASTES CHOSON

Le néo-confucianisme fut l'idéologie dominante de la période Choson, qui dura plus de cinq siècles, de 1392 à 1910. Il renforça le système de castes hérité des dynasties précédentes. Vivre sous la tutelle d'érudits confucéens n'avait rien de réjouissant pour la majeure partie de la population. La société coréenne traditionnelle se divisait en quatre groupes héréditaires.

Les yangban

Au sommet de la hiérarchie trônaient les *yangban* bilingues qui écrivaient en caractères chinois. Essentiellement propriétaires terriens, ils collectaient les loyers pour eux-mêmes et les taxes pour le gouvernement, que les fermiers payaient habituellement en récoltes ou en tissus, les monnaies d'échange de l'époque. Les yangban y ajoutaient volontiers des impôts illégaux, dont ils conservaient le produit.

1392	1443
Établissement de la dynastie Choson par le général Yi Songgye, qui fait de Séoul la capitale.	Invention du *hangeul*, l'écriture coréenne, par des érudits au service du roi Sejong le Grand.

LA VIE DES EUNUQUES

Hommes hors du commun, les eunuques pouvaient devenir aussi puissants que les plus hauts fonctionnaires du gouvernement à cause de leur étroite et incessante proximité avec le roi et la famille royale. Ils contrôlaient l'accès au monarque puisqu'ils en étaient les gardes du corps, responsables de sa sécurité. Cette position leur offrait un excellent moyen de s'enrichir, et la plupart d'entre eux en profitaient.

Ces eunuques-gardes du corps, aguerris par un rude entraînement aux arts martiaux, étaient en outre les serviteurs personnels du roi et parfois même les nurses des petits princes. Cumuler ainsi les fonctions devait se révéler exténuant, d'autant que la moindre erreur pouvait entraîner d'effarants châtiments physiques.

Quoique souvent illettrés et dépourvus d'éducation, quelques-uns devinrent des conseillers écoutés de leur maître, occupant des postes élevés au sein du gouvernement et accumulèrent des fortunes colossales. La plupart d'entre eux venaient de familles pauvres et leur rapacité faisait scandale, même si certains aristocrates yangban ne se comportaient pas mieux. Les eunuques étaient supposés servir leur maître sacré, le roi, avec la même dévotion que les moines servaient Bouddha, sans jamais se préoccuper de détails matériels tels que la fortune ou le statut social – mais bien peu témoignaient d'une telle élévation d'esprit.

Détail surprenant, la plupart des eunuques se mariaient et adoptaient de jeunes eunuques qu'ils élevaient comme leurs fils dans le but de leur voir suivre leurs traces. Ainsi, l'eunuque chargé de la santé du roi transmettait son savoir médical à son "fils". Le système confucéen imposait en effet aux homosexuels et aux eunuques de prendre femme.

Ce système perdura jusqu'en 1910, date à laquelle les nouveaux maîtres japonais convoquèrent tous les eunuques du gouvernement au palais Deoksu et les licencièrent. Contrairement aux souverains chinois, vietnamien et coréen, l'empereur du Japon ne possédait pas de harem gardé par des eunuques.

Les magistrats locaux soutenaient les yangban et appliquaient les lois sans pitié. Les confessions obtenues sous la torture relevaient de la routine et le châtiment consistait d'ordinaire en une terrible bastonnade. Dans les cas les plus graves une famille entière pouvait être punie – une méthode toujours en vigueur en Corée du Nord.

Les yangban les plus puissants résidaient à Séoul et s'efforçaient de devenir des lettrés confucéens et des hommes du monde recevant fastueusement leurs amis masculins pour discuter d'art, de musique et de philosophie. Leur mode de vie est dépeint dans le film dûment primé *Ivre de Femmes et de Peinture* (*Chihwaseon* ; 2002), d'Im Kwon-taek.

Ces aristocrates n'avaient que dédain pour les activités militaires et les affaires, mais admiraient les professeurs, les érudits, les poètes et les artistes – un mode de pensée qui perdure aujourd'hui. Leur distraction favorite était un pique-nique dans les montagnes agrémenté de danseuses kisaeng, de récitations de *sijo* (poèmes de trois lignes, souvent sur le thème de la nature), de chansons, de thé vert et de vin de riz.

Le paiement des impôts et le service militaire faisaient rarement partie de leurs obligations. Parmi les symboles de leur rang figuraient maisons au toit de tuiles, robes de soie, chapeaux noirs en crin de cheval tissé, longues pipes, pierres à encre et pinceaux de calligraphie. Au XIXe siècle, de nombreux yangban vendirent une place dans leur registre familial à des non-yangban désireux d'acquérir le statut social et les exemptions

---

1592–1598

Les invasions japonaises dévastent la Corée.

1801

Le gouvernement affranchit la plupart des esclaves de sexe masculin.

militaires et fiscales accordées à l'aristocratie héréditaire. Tous n'étaient pas fortunés : dépenses extravagantes, malchance, échec aux examens gouvernementaux, exil politique, esclaves en fuite ou non-octroi d'un emploi public en ruinèrent plus d'un.

Leur position au sein de leur caste dépendait de la taille de leur domaine, du nombre d'esclaves et de concubines (épouses de second rang) qu'ils possédaient et de leur poste auprès du gouvernement. Pour devenir haut fonctionnaires, il leur fallait apprendre à lire et écrire le chinois et mémoriser les principaux textes confucéens. Alors seulement ils pouvaient se présenter aux fameux examens gouvernementaux, étroite et unique voie vers un bon poste, la fortune et la puissance.

Les érudits et les professeurs jouissent toujours d'un profond respect dans les deux Corée. Les examens d'entrée dans les universités jouent un rôle prédominant dans l'existence de la plupart des enfants et de leurs mères, dont le premier devoir consiste à veiller à ce qu'ils réussissent cette étape cruciale de leur éducation afin de pouvoir fréquenter une bonne université. Cette obsession de l'éducation rassemble les Coréens de tous âges, de toutes époques, quel que soit l'endroit où ils vivent.

Malheureusement, les yangban les plus influents s'associèrent souvent à des factions reposant sur d'importants groupes familiaux et régionaux. Durant de longues phases de la période choson, les rivalités entre ces féodaux, bien plus puissants que leurs rois affaiblis, ensanglantèrent le pays. De part et d'autre de la DMZ, la vie politique reste menée par des factions regroupées autour d'individus dominants.

Bien souvent, les factions yangban se répartissaient selon les frontières des royaumes de Paekche, de Silla et de Koguryo. Ces divisions régionales empoisonnent encore la vie de la péninsule. Le Nord est un État séparé et hostile et, lors de l'élection présidentielle de 2002, 90% des Sud-Coréens de la province de Jeolla, dans l'ouest du pays, ont voté pour "leur compatriote" Roh Moo-hyun.

Consultez le site www.henny-savenije.pe.kr (en anglais) pour découvrir le fascinant récit d'Hendrick Hamel, qui passa 13 années en Corée avec 36 autres marins à la suite de leur naufrage sur Jejudo, en 1653.

Les chungin

En dessous des yangban venaient les *chungin*, les membres de la classe moyenne, qui étaient comptables, officiers supérieurs, gros commerçants ou magistrats locaux. La plupart d'entre eux occupaient des postes gouvernementaux spécialisés à Séoul, qu'ils transmettaient à leurs enfants. Les marchands restaient rares car le gouvernement taxait tous les biens meubles et, plus généralement, contrôlait et restreignait l'économie. Les commerçants ambulants se multiplièrent vers la fin de cette dynastie, mais n'accédèrent jamais au statut de chungin.

Un des groupes les plus turbulents de cette classe moyenne rassemblait les nombreux enfants des yangban et de leurs concubines. "Nous épousons nos femmes, mais nous aimons nos concubines", expliqua un yangban à Isabella Bird. Les enfants des concubines n'avaient pas le droit de se présenter aux examens gouvernementaux. Rarement admis parmi les yangban, ils faisaient partie de la classe des chungin, voire d'une classe inférieure.

Les sangmin et les chonmin

Les fermiers, les travailleurs libres et les pêcheurs formaient le groupe le plus nombreux, les *sangmin*, ou gens du commun. Contraints de payer

Ivre de femmes et de peinture (Chihwaseon, 2002), réalisé par Im Kwon-taek, repose sur l'histoire vraie d'un peintre talentueux, mais anticonformiste, qui vécut à la fin de la dynastie Choson. Son existence fut une succession de drames personnels, qui lui inspirèrent ses plus belles oeuvres. Ce film a remporté le prix du meilleur réalisateur au Festival de Cannes.

Des milliers de catholiques coréens sont exécutés.

La Corée ouvre ses ports au commerce étranger.

des loyers et des impôts exorbitants (jusqu'à 50% de leur production), ils étaient aussi régulièrement soumis à la conscription militaire et aux travaux forcés pour les projets gouvernementaux, comme la construction de routes, de réseaux d'irrigation, de forteresses ou de palais.

À la merci des hivers glaciaux, des caprices de la nature et des usuriers, les paysans menaient souvent une existence misérable, dont la monotonie n'était brisée que par de rares fêtes chamanistes ou des beuveries de *makgeolli* (vin de riz fermenté).

Les musées folkloriques sud-coréens présentent une image d'Épinal de joyeux paysans qui passaient leur temps à chanter et à danser. Ceux du Nord, tout aussi excessifs, dénoncent une vie de cauchemar, sous la coupe de propriétaires diaboliques, avides d'argent et de filles.

"L'esclavage était héréditaire... Même si un esclave épousait un non-esclave, leurs enfants restaient esclaves."

La condition des paysans était à peine meilleure que celle des *chonmin* de basse naissance, qui représentaient l'échelon inférieur de la société. Dans cette classe, les esclaves, soit 30% de la population, constituaient le groupe le plus important. L'esclavage remontait à la période des Trois Royaumes. Les premiers esclaves furent sans doute des prisonniers de guerre, des criminels ou des enfants que leurs parents avaient été contraints de vendre. Le gouvernement possédait de nombreux esclaves (450 000 en 1467) ; les autres appartenaient à des propriétaires privés et travaillaient dans les fermes ou les maisons.

Si les familles fortunées pouvaient détenir 50 esclaves, la plupart n'en possédaient que quelques-uns. Les registres d'une académie confucéenne en recensaient 757. Les esclaves n'avaient pas de nom de famille (uniquement un surnom dégradant), coûtaient moins cher qu'une vache ou un cheval et on pouvait leur enlever ou vendre leurs enfants dès qu'ils étaient en âge de travailler. Leur prix – adultes ou enfants, hommes ou femmes – était fixé par le gouvernement. Ils constituaient un cadeau de mariage apprécié.

La condition d'esclave était héréditaire. Si un esclave épousait un conjoint libre, leurs enfants demeuraient esclaves. Le seul moyen d'échapper à ce sort consistait à s'engager dans l'armée, qui affranchissait parfois les soldats ayant fait preuve de bravoure. Souvent maltraités, certains s'enfuyaient pour mener une vie errante. Même si le nombre d'esclaves en fuite (environ 100 000 en 1467) constituait un problème social majeur, les maîtres les battaient, voire les tuaient, en toute impunité. Un rapport de 1692 déplorait que "les gouverneurs locaux violent les femmes esclaves appartenant à l'État selon leur bon plaisir".

L'esclavage a contribué à la faiblesse du pays : les esclaves ne payaient pas d'impôts, ne servaient pas dans l'armée et, ne recevant pas de gages, produisaient peu. Une rébellion de paysans et d'esclaves (voir l'encadré *Les exigences du Tonghak*) devait d'ailleurs favoriser la chute de la dynastie et la prise de contrôle japonaise.

La plupart des esclaves gouvernementaux de sexe masculin furent affranchis en 1801, mais l'esclavage ne fut définitivement aboli qu'en 1897. Certains esclaves possédaient eux-mêmes des esclaves et les chanceux dotés de talents particuliers pouvaient améliorer leur condition – ainsi l'un d'eux devint-il un peintre de renom. De nombreux artisans étant esclaves, ce type d'activité n'offrait aucune reconnaissance sociale. Pourtant, la plupart des merveilleuses poteries céladon koryo et choson furent réalisées par des mains serviles.

1894	1894–1895
La révolte paysanne du Tonghak est écrasée.	Le Japon est victorieux de la Chine.

LES EXIGENCES DU TONGHAK

La rébellion du Tonghak, qui débuta en 1893 dans la province de Jeolla, rassembla de nombreux paysans et des groupes de castes inférieures. En dépit de leur armement primitif, les rebelles défirent l'armée gouvernementale envoyée pour les mettre au pas. L'insurrection s'étendit alors aux provinces avoisinantes et, lorsque le roi Gojong fit appel aux troupes chinoises, des troupes japonaises vinrent leur prêter main-forte. Les rebelles furent vaincus et leurs chefs – parmi lesquels Chon Pong-jun, surnommé le "général Petit pois" à cause de sa petite taille – fusillés par des pelotons d'exécution japonais.

Les exigences des rebelles révèlent leurs griefs à l'encontre du système social choson :

- Affranchissement des esclaves.
- Meilleur traitement des sujets de basse naissance.
- Redistribution des terres.
- Suppression des taxes sur le poisson et le sel.
- Fin des levées d'impôts illégaux et lourdes peines pour les *yangban* corrompus.
- Effacement de toutes les dettes.
- Abolition du favoritisme et des factions régionales.
- Autorisation du remariage des veuves.
- Sanctions contre les traîtres soutenant les ingérences étrangères.

Les *paekchong* occupaient des emplois particulièrement méprisés, à l'instar des *burakumin* au Japon. Fossoyeurs, gardiens de prison, vanniers, hôtesses *kisaeng*, artistes ambulants, guérisseurs chamanistes, moines et nonnes faisaient partie de ce groupe dédaigné. Tout en bas de l'échelle sociale, les bouchers et les tanneurs devaient porter des chapeaux et des vêtements distinctifs et adopter une démarche ridicule. Ces parias devaient vivre dans des hameaux isolés, à l'écart des villes et des villages. En 1923, des paekchong créèrent la Hyongpyongsa (Société pour l'égalité), une organisation qui luttait contre la discrimination et pour le droit à l'éducation de leurs enfants. Cet apartheid social mit longtemps à disparaître.

Cette hiérarchie stricte, basée sur la naissance, explique sans doute le succès du christianisme en Corée, nettement plus conséquent que dans la plupart des autres pays asiatiques. Le concept chrétien d'égalité des hommes (et des femmes), révoltant aux yeux des yangban confucéens, représentait l'espoir d'une vie meilleure pour les femmes et les masses opprimées. Les missionnaires protestants, arrivés en 1884, bâtirent maintes écoles et hôpitaux encore en service aujourd'hui. Une religion offrant une bonne éducation aux enfants ne pouvait que séduire les Coréens.

Le site www.coree-culture.org propose un bon aperçu de l'histoire de la Corée.

Un système hiérarchisé encore en vigueur

Le système social traditionnel continue d'influencer la société : tous aspirent à un emploi tertiaire et les activités manuelles sont dédaignées. L'autorité – qu'il s'agisse de celle des parents, des professeurs, des anciens, du gouvernement ou de la police – inspire un fort sentiment de respect et d'obéissance. Les hommes restent perçus comme plus importants que les femmes.

1897	**1904-1905**
Abolition de l'esclavage.	Le Japon vainc la Russie. La Corée devient un protectorat japonais.

Cette soumission à la hiérarchie et aux rigueurs de l'existence aide à comprendre la passivité du peuple nord-coréen. Passé sans transition de l'esclavage de la période choson au statut de colonie japonaise, puis au régime communiste totalitaire des deux Kim, il n'a jamais connu, fût-ce un seul jour, la démocratie ni les droits civils.

Kim père et fils ont scindé la société nord-coréenne en trois groupes héréditaires : les "fiables" comprennent les membres du Parti communiste, les militaires et les descendants de paysans. Ceux dont la famille comptait des *yangban*, des collaborateurs des Japonais pendant la colonisation, des leaders religieux ou des dissidents réfugiés à l'étranger font partie des "non-fiables". Tous les autres sont catalogués comme "neutres". Tout comme sous la dynastie Choson, l'existence des Nord-Coréens (et celle de leurs enfants, de leurs petits-enfants et ainsi de suite) dépend de la position de la famille. Seuls les "fiables" ont le droit d'habiter Pyongyang, de s'inscrire dans une bonne université ou d'épouser un "fiable".

Deux voyages en Corée, de Charles Varat et Charles Chaillé-Long (Kailash, 1994), relate le périple en Corée d'un explorateur français et d'un diplomate américain en 1888 et fait revivre une époque révolue.

Coupés du monde extérieur, incapables de se déplacer ou de penser librement, noyés sous la propagande, menacés de tortures policières, de travail forcé dans des camps-prisons et de punition de la famille entière pendant des générations au moindre velléité de rébellion, les Nord-Coréens sont totalement à la merci de leur gouvernement. Les plus désespérés tentent de s'enfuir en Chine ; les autres se résolvent à subir leur triste sort.

LA CORÉE ET LE JAPON

Les relations entre ces deux pays ont toujours été délicates et sujettes à la controverse. Les Coréens affirment que leurs dynasties d'antan, en particulier la dynastie Paekche, ont exercé une influence primordiale sur la culture japonaise et que la civilisation chinoise a pénétré au Japon au travers de la Corée. Les historiens japonais interprètent les faits différemment et rares sont les points sur lesquels ces rivaux s'entendent.

Pendant la période choson, les pirates japonais ne cessèrent de harceler le pays, mais le désastre se produisit quand le shogun Toyotomi Hideyoshi unifia le Japon et décida d'attaquer la Corée, puis la Chine. En 1592, neuf armées japonaises bien équipées, regroupant 150 000 hommes, fondirent sur la Corée, tuant, violant et pillant sur leur passage. Des palais et des temples s'envolèrent en fumée, tandis que des trésors culturels inestimables étaient détruits ou volés. Des villages entiers de céramistes furent emmenés au Japon.

Si vous lisez l'anglais, l'ouvrage *Samurai Invasion*, de Stephen Turnbull (Cassell & Co, 2002), relate en détail les invasions japonaises de la Corée dans les années 1590.

Par chance, une série de brillantes victoires navales de l'amiral Yi Sun-sin contribua à retourner la situation, notamment grâce à ses cinq cuirassés, les *geobukseon* (bateaux-tortues). L'arrivée des troupes chinoises et les contre-attaques de partisans et de moines-soldats contraignirent les Japonais à battre en retraite en 1593.

Ils conservaient cependant quelques forts au sud du pays et revinrent à la charge en 1597, massacrant la population de Namwon et tuant 30 000 soldats chinois à Sanchon. L'amiral Yi anéantit une nouvelle fois leur flotte. La résistance acharnée des Coréens et la mort de Hideyoshi en 1598 déjouèrent de nouveau le rêve japonais de dominer l'Asie, mais au prix de destructions massives et d'un effondrement économique en Corée.

1910	1919
Le Japon annexe la Corée et abolit la monarchie.	Écrasement du mouvement national de protestation contre la domination japonaise.

Les plans de conquête de la Corée et de la Chine devaient resurgir au Japon trois siècles plus tard, à la fin du XIXe siècle. Après avoir rapidement vaincu la Chine puis la Russie, l'Empire du soleil levant fit de la Corée un protectorat en 1905 et une colonie en 1910.

Les héros et les collaborateurs

L'occupation japonaise de la Corée dura 35 ans, de 1910 à 1945. Elle a provoqué un traumatisme bien loin d'être oublié ou absous. Plus de 50 ans après les faits, les cicatrices demeurent sensibles.

En Corée du Nord, d'innombrables films et programmes télévisés mettent encore l'accent sur les atrocités commises par les Japonais. Cette démarche vise à renforcer la gratitude du public envers Kim Il Sung, qui se vantait (à tort) d'avoir chassé les Japonais. Les descendants des Coréens ayant travaillé pour les forces d'occupation subissent encore de sévères discriminations.

La Corée du Sud, en revanche, a sanctionné peu de collaborateurs, en partie parce qu'elle en avait besoin pour lutter contre le communisme. Si vous visitez le hall de l'Indépendance, le sanctuaire sud-coréen dédié aux héros de la résistance anti-japonaise, près de Cheonan, dans le Chungcheongnam-do, rappelez-vous que, pour chaque résistant, on dénombrait une centaine de collaborateurs.

Le 1er mars 1919, la mort de l'ex-roi Gojong déclencha dans tout le pays d'énormes manifestations en faveur de l'indépendance. La répression impitoyable fit, selon les Japonais, 500 morts, 1 400 blessés et fut suivie de 12 000 arrestations. D'après les estimations coréennes, le nombre de victimes serait dix fois plus élevé.

Si la collaboration était en partie inévitable, surtout pendant les dernières années de guerre, les Coréens allèrent bien au-delà. La moitié des policiers qui pourchassaient et torturaient les combattants indépendantistes étaient coréens. Des Coréens parcouraient le pays pour inciter les étudiants à s'engager dans l'armée japonaise et 800 000 d'entre eux se portèrent volontaires. D'autres s'enrichirent en forçant les jeunes filles à des relations sexuelles avec des soldats japonais. Les yangban projaponais furent récompensés par des titres spéciaux. Cette collaboration massive n'a jamais fait l'objet d'un débat ouvert en Corée du Sud et les souvenirs les plus pénibles de l'occupation japonaise se rattachent au comportement de certains Coréens.

Le gouvernement colonial fut confié à des bureaucrates japonais occidentalisés qui mirent en œuvre une politique de développement industriel et de modernisation administrative, d'où un traumatisme plus psychologique qu'économique ou politique. En outre, dans les années 1930, le Japon s'attela à détruire l'identité nationale coréenne. On obligea les Coréens à adopter des noms japonais, à parler et à écrire en japonais, à s'incliner devant le portrait de l'empereur du Japon et à prier dans les sanctuaires shintoïstes. Chaque jour, ils lisaient et voyaient la propagande japonaise ; ils faisaient leurs achats dans des grands magasins japonais, déposaient leur argent dans des banques japonaises, buvaient de la bière japonaise, voyageaient à bord de trains gérés par les Japonais et rêvaient d'étudier dans une université de Tokyo. Des villes furent rebaptisée, le hangeul interdit dans les écoles et les livres d'histoire coréens brûlés.

Dans le *War Diary of Admiral Yi Sun-sin* (en anglais), présenté par Sohn Pow-key (Yonsei University Press, 1977), le plus grand amiral coréen raconte sans détour les batailles, les bastonnades et les intrigues de cour qui constituaient son fascinant quotidien.

1945	1948
Reddition des troupes japonaises aux forces alliées et libération de la Corée.	Création de la République de Corée.

Comment s'étonner que certains Coréens aient alors commencé à se considérer comme Japonais ? La Corée avait officiellement disparu pour devenir une province du puissant Japon.

En 1940, les Japonais possédaient 40% des terres et 700 000 d'entre eux s'étaient établis en Corée. Quelque 3 millions de Coréens des deux sexes furent envoyés à l'étranger, principalement au Japon et en Chine, pour y travailler comme mineurs, employés agricoles, ouvriers ou soldats. Au Japon, plus de 130 000 mineurs coréens trimaient 12 heures par jour sous la coupe de contremaîtres brutaux pour un salaire de misère (voire pas de salaire du tout) et une nourriture abjecte. Plus de 100 000 jeunes Coréennes furent contraintes de devenir "femmes de réconfort" (voir l'encadré *Une longue protestation*).

La Corée vivait ses heures les plus noires, mais la résistance perdurait grâce aux groupes de partisans en Chine et en Union soviétique et aux campagnes incitant à "acheter coréen" et à préserver le *hangeul*.

La reddition du Japon en 1945 ouvrit un nouveau chapitre dans les relations houleuses des deux pays.

LA GUERRE DE CORÉE

Après la reconnaissance du droit à l'indépendance de la Corée lors de la conférence du Caire en 1943, la Chine, les États-Unis, la Grande Bretagne et l'U.R.S.S. se virent confier le rôle de garants de cette indépendance par la conférence de Potsdam, en 1945. Les accords secrets de Yalta permirent aux États-Unis et à l'U.R.S.S. de désarmer les troupes japonaises, respectivement au sud et au nord du 38e parallèle, entamant ainsi le processus de la partition du pays. Destinées à rétablir l'unité et l'indépendance de la Corée, des élections générales, prévues par les Nations unies en 1946 et organisées sous son égide en septembre 1947, ne purent se dérouler au Nord, la commission de l'ONU s'étant vu interdire l'accès à la zone soviétique. Au Nord fut alors constituée la République populaire de Corée, avec Kim Il Sung comme Premier ministre, tandis qu'au Sud les élections portaient le Dr Syngman Rhee à la présidence de la République de Corée. En 1949, les États-Unis retirèrent progressivement leurs troupes de Corée du Sud et les escarmouches commencèrent à se multiplier à la frontière. Le 25 juin 1950, les troupes de Corée du Nord envahirent le Sud, prirent Séoul en 3 jours et la quasi-totalité du pays en 1 mois. L'ONU décida alors de venir au secours de la Corée du Sud. Placées sous le commandement du général Mac Arthur, les forces des Nations unies, principalement américaines, inversèrent rapidement la situation et parvinrent même jusqu'à la frontière chinoise. L'entrée des troupes chinoises dans le conflit et le départ du général Mac Arthur changèrent une fois de plus la donne. Les combats, entraînant de lourdes pertes, continuèrent jusqu'à la signature de l'armistice à Panmunjon, le 27 juillet 1953, consacrant la partition du pays. Depuis, la Corée reste divisée de part et d'autre du 38e parallèle.

L'APRÈS-GUERRE

Les quatre décennies entre 1953 et 1992 furent une période de développement économique rapide (surtout à partir de 1960), mais une époque sombre de l'histoire politique de la Corée du Sud. Des dirigeants mili-

1950–1953	1988
Guerre de Corée.	Jeux olympiques à Séoul ; publication du premier guide *Korea* (en anglais) de Lonely Planet.

UNE LONGUE PROTESTATION

Hwang Geum-joo et quelques autres femmes de réconfort coréennes, rescapées des camps de la Seconde Guerre mondiale dans lesquels elles furent livrées aux soldats japonais, manifestent devant l'ambassade du Japon à Séoul chaque mercredi à 12h depuis 1992. "Chaque année, nous sommes moins nombreuses", explique-t-elle, "et rien n'a changé". Entourées de jeunes sympathisants, ces vieilles dames tiennent des pancartes exigeant des excuses et une indemnisation. Hwang Geum-joo a participé à plus de 554 manifestations devant l'ambassade et refuse de renoncer. "Notre colère n'est pas apaisée et ils devraient demander pardon pour ce qu'ils nous ont fait !"

taires corrompus et autocrates censuraient les médias, emprisonnaient et torturaient les opposants, truquaient les élections et modifiaient la constitution au gré de leurs besoins. Souvent violents, les mouvements étudiants et ceux, moins fréquents, des syndicats étaient férocement réprimés par la police ou l'armée.

À l'issue de la guerre de Corée, en 1953, le régime dictatorial de Syngman Rhee se poursuivit jusqu'en 1961, date à laquelle il s'enfuit avec son épouse à Hawaï après une flambée de manifestations contre sa politique. Quelques mois plus tard, un coup d'État militaire porta au pouvoir trois généraux, qui dirigèrent le pays à tour de rôle, gagnant régulièrement les élections en dépit d'une agitation estudiantine presque continue. Enfin, en 1992, Kim Young-sam, un civil, remporta les suffrages et inaugura une phase de démocratie plus réelle – même s'il ne parvint pas à éradiquer la corruption généralisée, héritée de ses prédécesseurs militaires. Si ses successeurs Kim Dae-jung et Roh Moo-hyun ont introduit des réformes plus démocratiques, la structure économique du pays reste bien plus moderne et avancée que son système politique.

Depuis 1945, la Corée du Sud admire et copie plutôt l'Occident. Elle possède toujours un grand frère protecteur, les États-Unis ayant repris le rôle ancestral dévolu à la Chine, à un détail près : les forces américaines stationnent en permanence dans le pays. Sa rivalité avec le Japon s'exerce désormais sur le marché mondial : entreprises et ouvriers de chaque nation luttent pour produire les meilleurs bateaux, voitures, aciers et équipements électroniques. Petit État coincé entre des voisins puissants, la Corée est accoutumée à ravaler son orgueil national en cas de besoin.

La Corée du Nord, elle, posséda longtemps deux grands frères, la Chine et la Russie, qui lui fournissaient une importante aide militaire et économique. Mais les robinets se sont taris au début des années 1990 et la Corée du Nord a découvert à ses dépens que, si la vie dans l'ombre de grandes puissances présente des inconvénients, le *juche* – l'autonomie ou la capacité de se débrouiller seul – peut relever du cauchemar.

Culture et société

LA SOCIÉTÉ CORÉENNE

La Corée est sans doute le pays le plus confucéen d'Asie. La doctrine confucéenne s'articule autour des Cinq Relations, qui réglementent les rapports entre souverain et sujet, père et fils, mari et femme, vieux et jeunes et entre amis. Comprendre cette structure des rapports sociaux est indispensable pour appréhender la société coréenne.

Toute relation implique le positionnement dans une hiérarchie, de façon à ce que chacun sache comment se comporter et converser dans le respect de l'autre. L'employé de bureau d'âge mûr qui passe devant vous à la caisse du supermarché n'a même pas conscience de votre présence puisque vous ne lui avez pas été présenté et qu'il ignore où vous placer sur l'échelle sociale. Des présentations et un échange de cartes de visite vous classeraient immédiatement dans une catégorie exigeant de lui une attitude spécifique.

Une fois le contact établi, tout change. La courtoisie est fort prisée et la plupart des Coréens se mettent en quatre pour se montrer aimables et serviables. À vous de savoir leur rendre la politesse en restant courtois et souriant, même lorsque vous discutez les prix sur un marché.

LA CORÉE ET VOUS

Même s'ils doivent surmonter leur timidité et la barrière de la langue, les Coréens se montrent souvent plus aimables avec les étrangers qu'avec leurs compatriotes. Cela résulte en partie de leur souci de laisser aux visiteurs une bonne impression. À l'instar des citoyens d'autres petits pays, les Coréens se préoccupent de l'image que vous garderez de leur pays.

Tout n'est pas idéal : il arrive qu'on vous bloque le passage ou qu'on vous bouscule, les automobilistes roulent trop vite et grillent les feux rouges et on se lasse parfois de ces gens toujours affairés. Afficher une mine rébarbative et ignorer les étrangers fait aussi partie des mœurs locales. Les Coréens se montrent souvent réservés, au départ, mais si vous adoptez une attitude ouverte et amicale, ils se mettent rapidement au diapason. Pour faire un voyage agréable et enrichissant, faites preuve d'ouverture d'esprit et conservez une attitude positive, au lieu de vous répandre en critiques et en jugements. La Corée diffère de ce à quoi vous êtes accoutumé, mais c'est sans doute la raison de votre voyage !

Le principal problème auquel vous serez confronté est la méconnaissance de l'anglais ou du français. Avant de partir, consacrez un peu de temps à apprendre l'écriture *hangeul*, les chiffres et quelques expressions simples – voir le chapitre *Langue*, p. 434. La plupart des restaurants ne possèdent pas de cartes en anglais : étudiez aussi le chapitre *La cuisine coréenne* (p. 72). Même si la criminalité est faible et que des femmes se promènent seules tard le soir, prenez les précautions d'usage.

Le respect envers les aînés compte parmi les aspects les plus positifs du confucianisme. Les visiteurs âgés se verront offrir un siège dans le bus ou le métro par des jeunes gens. Nous ne pouvons que conseiller aux jeunes voyageurs d'adopter les coutumes locales et un état d'esprit confucéen.

Quand vous entrez dans un temple, une demeure privée, un restaurant ou une pension traditionnelle, ôtez vos chaussures et laissez-les à côté de la porte. Il est plus poli de se déplacer en chaussettes ou pieds nus. En Corée, on vous jugera sur votre apparence ; habillez-vous de manière décontractée, mais toujours proprement.

La coutume veut que l'on apporte un petit cadeau quand on est invité. Lorsque vous offrirez votre présent, votre hôte commencera peut-être par le refuser. Cela ne signifie pas qu'il ou elle n'en veut pas – le but est de ne pas paraître avide. Vous devez insister pour qu'on l'accepte, ce qu'on finira par faire "pour vous faire plaisir". Pour la même raison, le paquet n'est pas ouvert immédiatement ; on le met de côté pour le déballer plus tard. Si vous voulez respecter les usages coréens, prenez avec les deux mains les cadeaux qu'on vous offre.

La hiérarchie sociale complique les choses. L'idéal néo-confucéen implique la soumission à l'autorité des pères, des maris, des professeurs, des patrons et des gouvernements, une mentalité qui évolue lentement. Les personnes de rang élevé font souvent preuve d'arrogance envers ceux moins bien placés dans la pyramide sociale. Le statut de chacun dépend de quelques facteurs clé : qui est le plus âgé ? Qui possède le poste le plus prestigieux ? Qui a fréquenté la meilleure université ? Qui appartient à la famille la plus respectable ?

Il s'agit-là d'un des aspects de la culture coréenne les plus difficiles à accepter pour les étrangers (ou ceux qui prônent l'égalité entre les individus). Si vous travaillez en Corée, votre employeur vous fera peut-être comprendre sans délicatesse qu'il occupe un rang supérieur au vôtre. Toutefois, cela pose rarement problème aux touristes ; la plupart des Coréens souhaitant faire bonne impression, les visiteurs sont traités avec une grande gentillesse et beaucoup de respect. Les ressortissants d'États riches jouissent néanmoins de plus de considération que ceux des pays pauvres.

Le caractère coréen comporte une touche de fanatisme : les maniaques des jeux sur ordinateur emplissent les cybercafés, les étudiants travaillent des nuits entières de façon obsessionnelle, les programmes d'entraînement sportif sont intensifs et les horaires de travail, souvent excessifs. Tout est pris au sérieux, y compris les activités de loisir comme le bowling, la marche à pied ou le golf. L'agressivité au volant est monnaie courante et les manifestations étudiantes, syndicales ou écologistes peuvent virer à l'affrontement violent.

La compétition et le stress qui en découle ne sont atténués par aucune aide sociale. Seuls ceux qui travaillent bénéficient d'une assurance maladie et d'une retraite. Les impôts sont bas, mais chacun doit compter sur ses propres efforts. Les démunis ne peuvent survivre correctement sans l'aide de leur famille et de leurs amis. Les horaires de travail restent éprouvants, même si la semaine de 5 jours se généralise peu à peu.

Si les fans de jeux vidéo passent leur temps libre vissés devant un écran en se nourrissant de nouilles instantanées, nombre de Coréens se préoccupent de leur santé. D'innombrables randonneurs envahissent les montagnes le week-end pour profiter de la nature tout en entretenant leur forme. Les saunas et les sources thermales attirent les foules. Mille boissons et aliments-santé sont en vente sur les marchés et dans les pharmacies, qui proposent des remèdes traditionnels et des médicaments occidentaux. Parmi ces boissons curatives figurent des tisanes, des breuvages vitaminés et des boissons alcoolisées traditionnelles, parfumées de plantes et de racines médicinales, comme l'élixir au ginseng. Presque tous les aliments se proclament aphrodisiaques – "bon pour l'énergie", dit-on pudiquement.

La vie privée s'occidentalise rapidement, avec une prédominance des familles nucléaires et un pourcentage élevé de divorces et d'avortements. Le coût de la vie et de l'éducation dissuade les couples d'avoir plus de deux enfants. De nombreuses unions sont encore arrangées par les parents ou des entremetteurs, même si les rencontres et les mariages d'amour progressent. La condition féminine s'améliore également, mais on est encore loin de l'égalité des sexes.

La générosité est un trait caractéristique des Coréens. Les luttes pour régler l'addition sont banales et lorsqu'un Coréen vous prend sous son aile, il ou elle vous laissera rarement sortir votre porte-monnaie. Dans le monde du travail, on s'offre souvent une boisson ou un en-cas entre collègues et, quand on part en vacances, on ramène couramment un petit souvenir à chacun. Les collectes pour des repas, des voyages ou un collègue malade sont fréquentes. Pour le Nouvel An et la fête de Chuseok (Jour d'action de grâces), l'échange de présents confine à la frénésie et

"Presque tous les aliments se prétendent aphrodisiaques – "bon pour l'énergie" dit-on pudiquement."

des montagnes de paquets-cadeaux – cartons de raisins secs et caisses de poires de 10 kg ou jarres de *kimchi* (légumes marinés et conservés dans du vinaigre) de 5 kg – envahissent les supermarchés.

L'esprit confucéen

Malgré son développement économique rapide et la modernisation des dernières décennies, la Corée demeure confucéenne. Une Occidentale qui sort avec un Coréen ne tardera pas à le découvrir, tout comme un Occidental qui enseigne dans un lycée coréen. Même si tout le monde ne respecte pas à la lettre les préceptes confucéens, ils restent présents à divers degrés dans tous les esprits.

L'héritage des cinq siècles de la dynastie Choson, disparue depuis moins de 100 ans, subsiste. Mais qu'est-ce au juste que le confucianisme ? Il ne s'agit pas vraiment d'une religion, même s'il comprenait autrefois des rites ancestraux, des sanctuaires dédiés à d'importants lettrés confucéens chinois et coréens et des offrandes faites au Ciel par le roi. C'est plus une philosophie, une idéologie et un état d'esprit :

Made in Korea : nouveaux récits de Corée du sud, de Frédéric Barbe (Atalante, 2001) propose une autre réalité de ce pays, loin des préjugés et de la compétitivité obsessionnelle.

■ Le respect et l'obéissance envers l'autorité et les aînés, en toute circonstance, restent primordiaux. Ne répondez jamais à vos parents, à vos professeurs ni à votre patron. Montrez-vous poli envers vos frères et sœurs plus âgés. Dans le bus ou le train, laissez votre siège à une personne âgée. Ne commencez pas à manger avant vos aînés. Usez de termes courtois lorsque vous parlez à, ou de, quelqu'un plus âgé que vous. Attendez-vous à une sévère réprimande (voire à un châtiment physique), si vous contrevenez à ces règles.

■ L'éducation est primordiale et seuls les gens éduqués sont civilisés et respectés. Être admis dans une bonne université est la première ambition des jeunes Coréens.

■ Les hommes et les femmes ont des rôles distincts et devraient vivre chacun de leur côté. Dans les maisonnées *yangban* (aristocratiques), hommes et femmes possédaient des quartiers séparés. La femme est vouée à une existence d'obéissance au service des autres, même si, à la maison, la mère tient souvent les rênes. Les hommes ne devraient pas avoir à accomplir des tâches domestiques, à cuisiner ou à s'occuper des enfants. Dans le passé, les femmes héritaient rarement et les veuves ne pouvaient se remarier. Aujourd'hui encore, elles ne peuvent être chefs de famille, mais cela est susceptible de changer.

■ Le statut social et la dignité jouent un rôle de premier plan. Chacun de vos actes rejaillit sur votre famille, votre école, votre entreprise et votre pays. Les criminels cachent leur visage et éprouvent de la honte. Ne faites jamais perdre la face à votre patron, même sur un point véniel, et il réglera toujours la note lorsque vous prendrez un repas ou un verre ensemble.

■ Il existe toujours un ordre de préséance. N'oubliez jamais qui est plus ancien que vous, ou moins ancien. Même les différentes variétés de riz et de fruit sont classées selon une hiérarchie, tout comme les montagnes, les rivières, les chapeaux et les marques ! Les écoles et les universités ne sont pas égales, les gens ne sont pas égaux et on toise les travailleurs manuels.

■ La famille est plus importante que l'individu, qui n'est qu'un élément insignifiant d'une lignée reliant le passé à l'avenir. Le but de chacun est d'élever la réputation et la fortune de sa famille : on doit donc étudier et travailler dur. Nul ne devrait choisir une carrière ou un conjoint contre l'avis de ses parents, car il risquerait en se fourvoyant de ruiner l'acquis des générations passées. Et puisque tous doivent se marier et avoir un fils afin de perpétuer la famille, les homosexuels sont des pervers.

- La loyauté est cruciale. Pendant la période choson, des milliers de catholiques périrent sous la torture plutôt que de renier leur foi. Une épouse qui s'était suicidée à la mort de son mari fut encensée pour sa loyauté par des érudits néo-confucéens. Un "menteur loyal" est une personne vertueuse. Chacun est tenu d'aider ses parents ou ses amis dans l'adversité.
- Économisez et refusez l'extravagance. Préférez les teintes pastel aux couleurs vives et sachez que seules les femmes immorales portent des vêtements dévoilant leur corps. Ne vous vantez pas. Soyez avare de louanges. La vie est une affaire sérieuse et non une partie de rigolade.

US ET COUTUMES

La tradition coréenne veut que l'on dorme sur un *yo* (matelas semblable à un futon) posé sur le sol, que l'on prenne ses repas assis sur des coussins disposés autour d'une table basse. Les sols sont chauffés par un système placé en dessous, appelé *ondol*. Les hôtels offrent souvent le choix entre un yo ou un lit. Même si les tables et les chaises sont de plus en plus répandues, les clients des restaurants traditionnels s'installent toujours sur le sol.

Les Coréens reçoivent rarement chez eux, à cause de la séparation ancestrale entre la vie familiale "de l'intérieur", régentée par les femmes, et la vie professionnelle "de l'extérieur", dominée par les hommes. On retrouve de préférence ses amis et ses collègues de travail au restaurant, dans un café ou dans un bar. Rares sont ceux qui prennent leur repas seuls – on préfère intégrer un groupe.

De rurale, la société coréenne est devenue urbaine en l'espace d'une génération et, même si presque tous préfèrent la vie citadine, beaucoup conservent la nostalgie de leur village d'origine.

Les horaires d'étude et de travail restent interminables, bien que quelques sociétés aient adopté la semaine de 5 jours. Les ateliers de mécanique automobile résonnent encore le samedi soir à 21h et nombre de lycéens étudient jusqu'à 2h du matin. En permanence pressés – ce que l'on constate en particulier sur les routes –, la plupart des Coréens habitent des ensembles résidentiels, truffés des derniers gadgets, et portent des vêtements de marque.

Comme on l'a dit plus haut, l'obsession de l'éducation est l'une des principales caractéristiques de la société coréenne. Un vieil adage

The Way Home (2002), écrit et réalisé par Lee Jeong-hyang, étudie sans sentimentalité mais de façon poétique les rapports d'une grand-mère campagnarde avec son petit-fils égoïste et mal élevé venu de Séoul pour séjourner auprès d'elle. Original et attachant, ce film à petit budget sur le contraste entre ville et campagne remporta un grand succès auprès du public local.

PROVERBES

Les adages traditionnels fournissent un aperçu révélateur sur la société coréenne.

- L'importance que les Coréens accordent à l'éducation se reflète dans ce proverbe : "Enseigner un livre à son enfant vaut mieux que lui laisser une fortune."
- Un espoir habite tous les Coréens d'origine modeste : améliorer leur mode de vie et devenir "un dragon qui surgit d'un fossé".
- L'humour paysan sans détour des Coréens s'exprime dans la lamentation de ce pauvre hère : "Je ne possède rien d'autre que mes testicules".
- Les Coréens se méfient des juristes et des gouvernements et préfèrent régler leurs différends à leur manière : "La loi est loin, mais le poing est proche."
- Une réputation sans tâche est le bien le plus précieux d'un Coréen. Pour éviter d'être confondu avec un voleur, "ne nouez pas vos lacets dans un carré de melons et ne touchez pas votre chapeau sous un poirier."
- Les Coréens ont souvent dû faire appel à leur courage et à leur détermination pour surmonter défaites et désastres : "Quand la maison a brûlé, ramassez les clous."

LES BANG

Chaque ville compte une multitude de *bang* (salles) qui jouent un rôle important dans la vie moderne. Toutes pratiquent des tarifs raisonnables ; n'hésitez pas à vous joindre à ceux qui viennent s'y distraire. Parmi les différents types de bang, citons :

Bideobang – Salles peu séduisantes équipées d'un canapé et d'un écran dans lesquelles vous regardez la vidéo de votre choix.

Board game bang – Grandes salles où l'on peut jouer à des jeux de société. On en trouve surtout à Séoul, mais elles se multiplient dans tout le pays.

Da bang – Maisons de thé à l'ancienne où les "coffee girls" offrent plus que leur nom ne le laisse supposer.

DVD bang – Petites salles élégantes avec canapé et grand écran, qui diffusent le DVD de votre choix, en anglais ou avec des sous-titres anglais. Très appréciées des amoureux.

Jjimjilbang – Transpirer dans ces saunas élégants et embués fait partie du mode de vie coréen.

Noraebang – Petites salles où des groupes joyeux de tout âge viennent chanter leurs airs favoris. Des chansons anglaises sont au programme et des boissons sans alcool disponibles.

PC bang – Vastes salles emplies de jeunes gens passionnés par les jeux vidéo et de quelques passants venus envoyer ou consulter un e-mail.

affirme : "une personne sans éducation est comme un animal portant des vêtements". Aujourd'hui, on ne se contente plus d'un diplôme universitaire ; la plupart des étudiants en accumulent deux ou trois, dont, si possible, un obtenu à l'étranger. Pour entrer dans les meilleures universités, les lycéens traversent "l'enfer des examens", bachotant 14 heures par jour et torturant leur cerveau avec des questions à choix multiple sur l'algèbre, les subtilités de la grammaire anglaise et maints autres sujets. Dès la naissance, les "mamans éducatrices" préparent leurs petits à ces fameux examens qui conditionneront leur avenir et leur statut social. On se presse en outre à tout âge pour apprendre l'anglais dans les *hagwon* (écoles de langue privées).

Le salaire mensuel minimum est fixé à 567 000 W ; il s'élève en moyenne à 1,6 million de won. Dans les bureaux, les jeunes diplômés démarrent aux alentours de 1,7 million de won par mois (2 millions dans les grandes entreprises) ; les médecins, les avocats et les pilotes de ligne se classent dans une fourchette de 4 à 6 millions de won mensuels. À l'inverse, le personnel des bars ne peut guère espérer plus de 600 000 W et les employés des fast-foods touchent 2 350 W l'heure.

La conception du mariage évolue et le système traditionnel des unions arrangées dès l'enfance par les parents, l'épouse étant obligée de rester à la maison et de servir son mari et ses beaux-parents, est en voie de disparition. Le taux de divorce augmente. Plus de 40% des diplômés de l'enseignement supérieur sont des femmes, ce qui bouleverse l'équilibre des pouvoirs entre les sexes.

Tous les jeunes Coréens ne parviendront pas à épouser une compatriote, car la Corée du Sud connaît une pénurie de femmes en âge de se marier. Chaque année, il naît plus de garçons que de filles et l'on estime que le nombre de célibataires de sexe masculin ira croissant ans d'année en année.

L'origine de ce phénomène ? La plupart des nouvelles familles coréennes ne souhaitent avoir que deux enfants, dans l'idéal un de chaque sexe, mais on s'accommode plus facilement de deux fils que de deux filles. Lorsque l'échographie révèle un fœtus de sexe féminin – même si donner ce type d'information est illégal en Corée du Sud, certains médecins passent outre –, on recourt souvent à l'avortement.

Ce refus d'une progéniture entièrement féminine vient essentiellement du fort courant confucéen qui imprègne encore la société. La transmis-

LE SAVIEZ-VOUS ?

Les mariages mixtes sont en progression ; en 2002, 5% des unions coréennes comptaient un époux étranger. Plus de 7 000 Coréens avaient choisi une épouse chinoise, 959 une Japonaise et 859 une Philippine. Quant aux Coréennes, 2 377 d'entre elles avaient trouvé l'amour auprès de Japonais, 1 200 avaient dit oui à des Américains, et 272 avaient convolé avec un Chinois.

sion du nom aux générations futures reste une préoccupation importante et seul un garçon peut accomplir correctement les rituels d'hommage aux ancêtres. À cela s'ajoutent un souci de sécurité financière des parents pour leurs vieux jours et le désir de transmettre l'affaire familiale à un fils. La tradition veut qu'on donne sa fille à la famille de son époux et donc qu'on la perde après ses noces. Faire venir des jeunes femmes d'autres pays d'Asie pourrait compenser la diminution des naissances féminines, mais ces contrées connaissent le même problème.

COSTUMES TRADITIONNELS

Le vêtement traditionnel que les Coréens portaient naguère au quotidien s'appelle le *hanbok*. Il faisait partie de la culture au même titre que le hangeul et le kimchi. Les femmes arboraient une ample chemise courte à manches longues et une volumineuse jupe longue, tandis que les hommes portaient une veste et un pantalon ample. Tous portaient des chaussettes. Pendant la période choson, le coton a détrôné le chanvre comme matériau d'habillement principal. L'hiver, pour combattre le froid, on enfilait un manteau sur des vêtements matelassés et plusieurs couches de sous-vêtements. Les hommes portaient parfois un large gilet. La coupe a varié au fil des siècles, en particulier celle du hanbok féminin, mais les vêtements ont conservé leur ligne simple, sans poche ni bouton.

Le hanbok respecte le principe confucéen de modestie et de sobriété. On utilisait des teintures naturelles pour les couleurs unies, même si certaines parties du vêtement pouvaient être brodées et si les plus fortunés s'offraient des hanbok en soie. Sous la dynastie Choson, l'habillement était strictement réglementé. À cette époque, le hanbok reflétait la position sociale et la profession. Ainsi, seuls les yangban coiffaient les chapeaux de crin de cheval noir, symboles de leur rang. Une épingle à cheveux ouvragée (*pinyo*) plantée dans une grande perruque révélait un dame de haute naissance. Les étudiants (alors tous de sexe masculin) portaient une robe blanche à larges manches, sans fioriture. À la cour, les fonctionnaires gouvernementaux portaient des couvre-chefs noirs particuliers et des *heungbae* – des insignes brodés sur le devant et le dos de leur robe. Les paysans et les esclaves se vêtaient de chanvre ou de coton blanc et chaussaient des sandales de paille.

Les dames de la haute société ne sortaient presque jamais de chez elles dans la journée ; quand elles le faisaient, elles se voilaient le visage et se faisaient souvent porter par leurs esclaves dans un palanquin muni de rideaux. Les femmes de rang inférieur sortaient à visage découvert et, à certains égards, jouissaient d'une plus grande liberté.

En été, le *ramie*, un tissu coûteux ultra-léger, presque transparent, fait d'écorce broyée, fournissait des vêtements frais et confortables. Le ramie, avec sa texture et son aspect uniques, fait actuellement un retour en force dans le monde de la mode.

Aujourd'hui, rares sont ceux qui portent le hanbok, hormis les serveuses de certains restaurants traditionnels et les habitants de villages touristiques. Jusqu'aux années 1960, on en voyait encore souvent, mais l'urbanisation et l'occidentalisation en ont fait une tenue désuète et réactionnaire. La plupart des femmes le jugent inconfortable et peu flatteur. Il engonce et est difficile à nettoyer. Il réapparaît lors des mariages, des fêtes et d'autres grandes occasions. Les hommes préfèrent les costumes ou les vêtements décontractés occidentaux. Les seuls chapeaux en crin de cheval sont conservés dans des musées folkloriques poussiéreux ou couvrent la tête des acteurs de téléfilms historiques.

Les créateurs de mode s'emploient à réinventer le hanbok pour le monde contemporain. Vous pourrez acheter en un, moderne ou traditionnel, sur les marchés ou dans une boutique. Les modèles ordinaires restent relativement abordables, mais les merveilleux costumes de cérémonie en soie, délicatement brodés, coûtent une petite fortune.

Seuls les randonneurs mettent encore des gilets. Les hommes âgés portent parfois des chapeaux mous et les *ajumma* (vendeuses des marchés), d'amples pantalons de couleurs vives qui jurent avec leurs blouses bariolées. Autrefois, les hommes relevaient leurs longs cheveux en chignon (*sangu*) ; le roi Gojong coupa les siens en 1895 et cette coutume disparut peu à peu.

Hanbok: The Art of Korean Clothing, de Sunny Yang (Hollym, 1997), est une histoire exhaustive de l'habillement traditionnel, agrémentée de nombreuses illustrations.

POPULATION

La Corée du Sud compte 47,6 millions d'habitants, dont 10 millions vivent à Séoul, la capitale, et 12,5 millions à Incheon et dans le Gyeonggi-do, tout proches. Avec 480 habitants au km², la densité de population figure parmi les plus élevées au monde – 82% des Coréens s'entassent dans les zones urbaines. Les villages de paysans et de pêcheurs s'étiolent à mesure que les plus âgés disparaissent et que les jeunes partent s'installer en ville. Les villages perdent chaque année 3% de leurs habitants, et seulement 4% de la population rurale est âgée de moins de 40 ans. Les gouvernements locaux et central font de leur mieux pour enrayer ce déclin, mais nul n'a envie de renoncer aux avantages qu'offrent les villes en matière d'éducation, de services de santé, de distractions et de perspectives d'emploi. Les jeunes perçoivent les campagnes comme arriérées et ennuyeuses, plutôt que paisibles et accueillantes et on voit mal comment des slogans gouvernementaux pourraient les faire changer d'avis.

Les tendances démographiques sont identiques à celles des autres nations développées. On vit plus longtemps (l'espérance de vie est de 80 ans pour les femmes et 72 ans pour les hommes) et les femmes ont de moins en moins d'enfants. Le taux de fertilité très bas de 1,17 signifie que la population est appelée à décroître de façon significative. La Corée manque de bébés, pas seulement de petites filles, et les autorités n'y peuvent pas grand-chose. Cela impliquera une pénurie de main d'œuvre, si l'économie reste solide, et la nécessité de faire appel à un nombre croissant de travailleurs immigrés. Convaincre les familles coréennes d'adopter les orphelins et les enfants abandonnés réduirait l'adoption par des familles étrangères.

SPORTS
Base-ball

La Corée du Sud, qui possède une ligue professionnelle de base-ball depuis 1982, a remporté une médaille de bronze aux Jeux olympiques de Sydney en 2000. Les équipes sont sponsorisées par des *chaebol* locaux (conglomérats familiaux). L'entrée aux matchs coûte 5 000 W et la saison s'étend d'avril à octobre. Pour le programme des matchs et d'autres renseignements, consultez le site http://kbo.hyperboards2.com.

Basket-ball

La ligue coréenne de basket-ball compte 10 équipes, qui disputent des matchs de novembre à avril. Chaque équipe peut comprendre deux joueurs étrangers (en général Américains).

Football

Le football a beaucoup gagné en popularité depuis les efforts héroïques de l'équipe sud-coréenne lors de la Coupe du monde 2002, qui s'est déroulée en Corée du Sud et au Japon. Dix nouveaux stades ont été construits pour accueillir les matchs. Les Sud-Coréens sont arrivés jusqu'en demi-finale, après avoir battu la Pologne, le Portugal, l'Espagne et l'Italie. Les villes se couvraient de rouge les jours où l'équipe nationale jouait grâce aux supporters qui, vêtus d'un T-shirt "Be the Reds", regardaient les rencontres sur les écrans géants installés en plein air. Vivats et chants débutaient plusieurs heures avant les matchs et se poursuivaient jusque tard dans la nuit en cas de victoire. L'objectif de la Corée du Sud est de se maintenir en tête de ses voisins et rivaux asiatiques, le Japon et la Chine.

Ssireum

Le *ssireum*, la lutte coréenne, ressemble plus à la lutte mongole qu'au sumo japonais. Après s'être agenouillés, les combattants doivent attraper le *satba*, un tissu noué autour de la taille et des cuisses, de leur adversaire pour essayer de le renverser sur le sol.

Taekwondo

Art martial coréen à la popularité croissante, le *taekwondo* compte des millions d'adeptes dans le monde. En Corée, tous les jeunes gens l'apprennent lors des 2 ans de service militaire obligatoire. À Séoul, le Kukkiwon abrite le siège de la Fédération mondiale de taekwondo (p. 117) et la salle où se déroulent les principales compétitions.

RELIGION

Aujourd'hui, la moitié de la population s'affirme sans religion, 25% sont bouddhistes et 25% chrétiens, en majorité protestants. Quatre grands courants déterminent la vision spirituelle et éthique des Coréens : le chamanisme, originaire d'Asie centrale, le bouddhisme, venu de Chine au IVe siècle, le confucianisme, également d'origine chinoise, et le christianisme, dont les premières incursions en Corée datent du XVIIIe siècle.

Bouddhisme

Le bouddhisme coréen participe de l'école Mahayana. Depuis son introduction, en 370, il s'est divisé en plusieurs courants de pensée, dont le plus célèbre est le Seon, plus connu à l'étranger sous son nom japonais de zen (voir le chapitre *Le bouddhisme coréen*, p. 51).

Chamanisme

Il existe peu de sanctuaires chamanistes et cette religion ne possède aucun texte sacré. Le chamanisme demeure cependant un élément important du paysage religieux coréen. Les *mudang* (femmes chamans) jouent le rôle d'intermédiaires entre le monde des vivants et celui des esprits. Maintes raisons provoquent l'organisation d'une cérémonie chamanique : l'espoir d'une guérison, un départ en voyage, la prévention de soucis financiers ou l'accompagnement d'un défunt dans l'au-delà. Une cérémonie peut se dérouler régulièrement dans un village afin d'assurer la sécurité et la bonne entente de ses habitants, une récolte de riz abondante ou une pêche fructueuse.

Ces *gut* (cérémonies), tenues à l'intérieur ou en plein air, impliquent la communication avec les esprits de défunts, attirés par de généreuses offrandes de nourriture et de boissons. Au son des tambours, la mudang danse jusqu'à la transe qui lui permet d'entrer en contact avec les esprits et d'être possédée par eux. Le ressentiment d'un mort pouvant hanter et empoisonner l'existence des vivants, il importe d'apaiser les esprits. Pour les chamanistes, la mort ne met pas fin aux relations ; elles se poursuivent simplement sous une forme différente.

Sur la colline boisée d'Inwangsan, au nord-ouest de Séoul, des *gut* ont lieu dans le sanctuaire historique de Guksadang ou à proximité. Parmi les offrandes dédiées aux esprits figure souvent une tête de porc (p. 118). Le jour de Dano est le principal festival chamaniste – voir p. 401.

Chondogyo

Cette religion spécifiquement coréenne, créée en 1860 par Cheoe Suun, intègre des éléments bouddhistes, confucéens et chrétiens. Né au sein d'une famille aristocratique en 1824, Cheoe eut une révélation, qui le conduisit à fonder une Église s'inscrivant dans la mouvance réformiste du

LE SAVIEZ-VOUS ?

Les vainqueurs des tournois de *ssireum* portaient le titre de *changsa* – l'homme le plus fort du monde – et recevaient en récompense un taureau vivant.

A Little Monk (2003), de Ju Gyeong-jung, est une fable bouddhiste, aussi originale que troublante. Chacune des scènes, superbement saisies, offre un aperçu de la philosophie bouddhiste et des thèmes universels comme l'enfant privé de mère et la quête de la sagesse et du bonheur.

Tonghak (savoir oriental). Elle prônait l'égalité de tous les êtres humains, un concept révolutionnaire dans le contexte néo-confucéen de l'époque. Cheoe mit en pratique ses idées égalitaires en affranchissant quelques esclaves de sa famille. Le siège de l'Église chondogyo, le temple Suun, fut bâti en 1921 près d'Insadong.

Christianisme

Les premier contacts de la Corée avec la religion chrétienne se firent par l'intermédiaire des jésuites venus à la cour impériale de Chine à la fin du XVIIIᵉ siècle. Un aristocrate coréen reçut le baptême à Beijing en 1784. Dès son introduction en Corée, la foi catholique se propagea si rapidement que le gouvernement confucéen la perçut comme une menace et la persécuta avec vigueur, faisant des milliers de martyrs. L'idéal chrétien d'égalité des hommes ne pouvait que se heurter aux concepts rigides d'une société hiérarchisée. Le christianisme connut un second souffle dans les années 1880 avec l'arrivée de missionnaires protestants américains, qui créèrent des écoles et des hôpitaux et attirèrent bon nombre de fidèles. Nulle part ailleurs en Asie, hormis les Philippines, les missionnaires chrétiens ne remportèrent un tel succès.

La cathédrale catholique de Myeong-dong (p. 112), refuge des opposants aux dirigeants militaires des précédentes décennies, reste un symbole national de la démocratie et des droits de l'homme. Des églises de tout style parsèment le pays et leurs croix de néon rouge brillent dans la nuit.

Confucianisme

Le confucianisme est plus un système éthique qu'une véritable religion. Confucius (555–479 av. J-C) vécut en Chine alors que ce pays traversait une phase de chaos et de rivalités féodales, appelée période des Royaumes combattants. Il prônait la dévotion aux parents et à la famille, la loyauté entre amis, la justice, la paix, l'éducation, les réformes et l'humanisme. Il insistait aussi sur le respect et la déférence dûs à ceux qui détenaient l'autorité ; il croyait fermement à la supériorité des hommes et assignait aux femmes un rôle uniquement domestique.

De ses idées naquit le système d'examens pour accéder à la fonction publique. Ainsi, on devait sa position à ses capacités et à ses mérites, plutôt qu'à sa naissance et à ses relations. Confucius prêchait contre la corruption, la guerre, la torture et les impôts excessifs. Il fut le premier professeur à accueillir dans son école tous les étudiants désireux d'apprendre, sans condition de naissance ni de ressources.

Devenu la principale philosophie de la dynastie Choson, le confucianisme se mua peu à peu en néo-confucianisme, qui combinait les préceptes éthiques et politiques du maître avec la pratique quasi religieuse du culte des ancêtres et l'idée que l'aîné (mâle) d'une famille en était le chef spirituel.

Au départ libérateur et radical, le confucianisme devint, au fil des cinq siècles durant lesquels il demeura religion d'État en Corée, autoritaire et ultra-conservateur. Il demeure le fondement éthique de la plupart des esprits coréens (au moins de manière subconsciente), même si certains représentants des jeunes générations suivent des idées bien différentes. Pour comprendre comment le confucianisme influence les valeurs coréennes modernes, reportez-vous p. 40.

Le principal sanctuaire confucéen se trouve sur le campus de l'université Sungkyunkwan, à Séoul (carte p. 96) ; des rites traditionnels s'y déroulent de temps à autre. D'autres cérémonies confucéennes sont de nouveau célébrées à Séoul, au sanctuaire Jongmyo, à l'autel de Seonnong

LE SAVIEZ-VOUS ?

40 000 femmes sont enregistrées comme *mudang* (chamans), en Corée du Sud.

et à l'autel de Sajik (p. 121). Vous verrez dans tout le pays des écoles confucéennes appelées *hanggyo*, mais elles sont invariablement fermées.

Islam

Les Coréens qui se réfugièrent en Mandchourie au début du XXᵉ siècle pour échapper à la domination japonaise furent les premiers habitants de la péninsule à découvrir la religion musulmane. Ceux qui l'adoptèrent ne possédèrent pas de salle de prière avant les années 1950 et le premier imam fut nommé en 1955. Séoul abrite désormais une grande mosquée, édifiée en 1976. La Fédération musulmane de Corée, qui remplaça la Société islamique coréenne en 1967, compte aujourd'hui quelque 20 000 fidèles.

ARTS
Architecture

Le palais de Séoul et les temples bouddhiques disséminés dans le pays constituent les meilleurs exemples de l'architecture traditionnelle. Ce style est caractérisé par d'énormes poutres posées sur des fondations de pierre, souvent assemblées par des encoches plutôt que par des clous. Les toits sont habituellement faits de lourdes tuiles d'argile. Les motifs travaillés et colorés qui ornent la partie inférieure des auvents s'appellent *dancheong*.

Vous pourrez admirer l'architecture *yangban* classique au village traditionnel Namsangol de Séoul (p. 113) et à Jeonju (p. 309), et découvrir diverses maisons traditionnelles dans les dix principaux villages folkloriques du pays.

Cinéma

L'industrie cinématographique coréenne (www.koreanfilm.org) produit environ 50 films par an. Le système de quotas, qui oblige toutes les salles du pays à projeter des films nationaux au moins 146 jours par an, garantit le succès commercial d'un série de comédies et de films de gangsters.

La Corée possède une solide culture cinématographique. Le Pusan International Film Festival (PIFF), créé en 1996, a connu un essor rapide. Il compte aujourd'hui parmi les festivals les plus réputés d'Asie et attire de nombreux cinéphiles.

Dans un bang de DVD (voir encadré p. 42), vous pourrez visionner des films coréens, sous-titrés en anglais, dans le confort de votre propre mini-salle.

Oasis (2002), du célèbre réalisateur Lee Chang-dong (à présent ministre de la Culture), dépeint, avec des interprètes brillants, l'histoire dramatique des amours d'un simple d'esprit au grand cœur avec une femme gravement handicapée moteur.

Son précédent long métrage, *Peppermint Candy* (2000), dur et parfois brutal, trace le portrait d'un jeune homme romantique, corrompu par son passage dans l'armée et la police.

JSA (2001), un thriller haletant de Park Chan-wook, narre l'amitié qui se noue entre des soldats stationnés de part et d'autre de la zone démilitarisée qui sépare la Corée du Nord et la Corée du Sud.

Dans *My Sassy Girl* (2001), une comédie de Kwak Jae-young inspirée d'une histoire vraie diffusée sur Internet, les rôles traditionnels s'inversent puisque le héros est aussi sensible que sa petite amie est agressive et autoritaire. Les scènes hilarantes qui s'ensuivent et les parodies de films qui truffent l'action ont attiré un large public.

Côté films d'action, on citera *Sympathy for Mr Vengeance* (2002), récit terrifiant d'un kidnapping qui tourne à la catastrophe.

Waikiki Brothers, un film d'Im Soon-rye, porte un regard nostalgique sur les années 1980 à travers le parcours d'un groupe de rock, dont les membres tentent de mener la vie qu'ils ont choisie. Le montage incisif donne au film un style unique et les premières scènes dépeignant leurs rêves et leurs déceptions dans une petite ville de Corée sont excellentes.

Dans l'élégant et inventif *Nowhere to Hide* (1999), un détective pourchasse un tueur silencieux.

Turning Gate (2003), de Hong Sang-Soo, s'intéresse aux amours d'un jeune comédien célibataire et d'une mystérieuse jeune femme.

Printemps, été, automne, hiver... et printemps (2003) décrit la vie d'un vieux moine et d'un enfant dans un temple, au milieu des montagnes. La vie de l'enfant évolue au rythme des saisons. Il découvre les diverses émotions et pulsions avant de parvenir à la sagesse, une fois le cycle révolu.

Littérature

Au XIIe siècle, le moine Illyeon écrivit le *Samgukyusa* (Mythes et légendes des Trois Royaumes), l'œuvre majeure de la littérature coréenne ancienne. Sous la dynastie Choson, les *sijo*, des poèmes de trois lignes sur le modèle chinois, continuaient d'être rédigés en idéogrammes chinois, même après l'invention du *hangeul* au XVe siècle. Les thèmes les plus couramment abordés étaient l'amour de la nature et l'ascèse. En 1945, le pays repoussa brutalement toute influence chinoise ou japonaise pour se tourner vers l'Occident. L'existentialisme devint le modèle de philosophie culturelle.

Hwang Sok-Yong, l'un des écrivains les plus connus dans son pays, s'attache à décrire les conditions de vie de ses contemporains. Militant pour la réunification des deux Corées, il a payé cet engagement de plusieurs années d'exil et de prison. *Monsieur Han* (Zulma, 2002) se déroule pendant la guerre de Corée et dresse le portrait saisissant d'un médecin pris dans cet engrenage effrayant. *La Route de Sampo* (Zulma, 2002), un recueil de nouvelles, témoigne des déchirements du pays après la guerre. *Les Terres étrangères* (Zulma, 2004) dénonce les conditions de travail effroyables des ouvriers d'un grand chantier. Dans *L'Ombre des armes* (Zulma, 2003), un jeune caporal de l'armée coréenne, affecté à la surveillance du marché noir à Da Nang, découvre les trafics, les chantages, les opérations militaires et la barbarie.

L'Anthologie de nouvelles coréennes contemporaines (Picquier, 1995) réunit, en 2 volumes, 10 récits de jeunes écrivains, publiés dans les années 1980. S'y mêlent passé et modernité, doutes et espoirs, mais ce qui frappe le plus est la vitalité intellectuelle de leurs auteurs.

Notre héros défiguré, de Yi Mun-yol (Actes Sud, 1993), décrit, à travers le portrait d'un élève brutal et dominateur, le mécanisme de la tyrannie et

---

LA LITTÉRATURE CORÉENNE CONTEMPORAINE EN FRANCE

Abordant sans détour les différents aspects de la vie dans leur pays et explorant le passé proche, les écrivains coréens contemporains ont séduit plusieurs éditeurs français. Nouvelles et courts récits font partie des genres les plus fréquemment employés, mais on trouve aussi des œuvres de plus longue haleine. Parmi les maisons d'édition qui s'intéressent plus particulièrement à la littérature coréenne, **Zulma** (lauréate du prix culturel France-Corée en 2003) a publié, depuis 1995, plus d'une dizaine d'ouvrages et continue au rythme de deux ou trois titres par an. Figurent notamment à son catalogue Kim Yu-Jong, Hwang Sun-Won, Hwang Sok-Yong, Lee Seung-U et Yi Sang.

Actes Sud propose également romans et nouvelles de 11 auteurs (Cha'e Mansik, Cho'e Inho, Cho'e Inhun, Cho'e Yun, Cho Sehui, Kim Sung'ok, Pak Wanso, Yi Ch'ongjun, Yi Kyunyong, Yi Munyol et Yi Oryong), souvent repris dans sa collection de poche, **Babel**.

Picquier, fidèle à sa curiosité pour les lettres asiatiques, publie aussi des écrivains du Pays du matin calme, comme Kim Won Il, Kim Young-ha et Oh Jung-Hi.

Enfin, l'*Histoire de la littérature coréenne*, de Daniel Bouchez (Fayard, 2002), adaptée de l'œuvre du professeur Cho Dong-Il, vous permettra de découvrir cette littérature encore peu connue en France.

la lâcheté qui la favorise. L'ouvrage est réédité chez Babel, suivi de deux autres récits, *L'oiseau aux ailes d'or* et *L'hiver, cette année-là*.

Le Nain, de Cho Sehui (Actes Sud), une nouvelle pleine de passion et de poésie, évoque une famille chassée de son logis par un projet de développement urbain.

À la façon des années soixante, de Kim Sung'ok (2002), une parabole joyeuse, démontre qu'oublier de mourir reste l'une des plus absurdes raisons de continuer à vivre.

Dans *La Mort à demi-mots*, de Kim Young-ha (Picquier poche), un étrange esthète dévoyé raconte avec cynisme comment il éveille la pulsion de mort chez ses victimes.

Musique

La musique coréenne traditionnelle (*gugak*) se joue avec des instruments à cordes, principalement le *gayageum* (cithare à 12 cordes) et le *haegum* (violon à 2 cordes), accompagnés de carillons, de gongs, de cymbales, de tambours, de cors et de flûtes. Un musée de Séoul (p. 137) expose ces instruments traditionnels. Pour en savoir plus sur 50 instruments de musique coréens, consultez le site www.ncktpa.go.kr. Radio Gugak diffuse de la musique traditionnelle dans la région de Séoul (p. 396).

Cette musique se divise en trois catégories : la musique de cour (*jeong-gak*), lente et sonore, rythme d'élégantes danses de palais. Elle est jouée chaque premier dimanche de mai devant le Jongmyo, dans le cadre de la cérémonie dédiée aux souverains de la dynastie Choson (p. 121).

Autre style musical, le *bulgyo eumak* est joué et chanté dans les temples bouddhiques. Cassettes et CD sont en vente dans les principaux temples et les boutiques proches.

Enfin, le *samulnori*, gai et entraînant, était naguère l'apanage des saltimbanques qui se produisaient de village en village. Disparu sous l'occupation japonaise, il fut réinventé dans les années 1970 par 4 percussionnistes utilisant des instruments traditionnels, le *kkwaenggwari* (petit gong), le *ching* (grand gong), le *changgu* (tambour en forme de sablier) et le *puk* (grosse caisse).

Peinture et sculpture

L'influence chinoise prédomine dans la peinture traditionnelle comme dans les autres arts. Le trait de pinceau, qui varie en épaisseur et en densité, en est l'aspect le plus important et le paysage reproduit vise à remplacer la nature. Pas de point de vue fixe, comme en peinture occidentale classique : le tableau est censé entourer celui qui le regarde. Cérémonies de cour, portraits, fleurs, oiseaux, insectes et scènes de la vie quotidienne ont aussi inspiré les artistes.

L'art bouddhiste de style zen orne l'extérieur et l'intérieur des murs de centaines de temples. Les fresques dépeignent souvent des scènes de la vie du Bouddha ou des anecdotes et des images qui favorisent l'éveil spirituel.

Les artistes coréens modernes suivent les tendances occidentales, mais ajoutent une touche locale. Tous les deux ans, Gwangju accueille pendant deux mois un festival d'art moderne (p. 268).

Les statues et les pagodes de pierre bouddhiques sont les exemples les plus courants de sculpture ancienne. Les bouddhas de bronze faisaient aussi partie de la tradition et vous en verrez de superbes au Musée national (p. 109). Les piliers gardiens chamaniques, en pierre et en bois, abondent et Jejudo abrite des *harubang*, ou "grands-pères de pierre" uniques (p. 287).

Le CD *Gayageum Masterpieces*, de Chimhyang-moo, s'accompagne d'un fascicule en anglais. Ses sons paisibles et relaxants évoquent des gouttes de pluie tombant sur un lac.

Beautiful Things in Life, un CD de Jeong Soo-nyun, mêle les sons uniques du *haegum* (un violon à 2 cordes) à d'autres instruments coréens et occidentaux pour produire des mélodies envoûtantes.

Bon nombre de villes possèdent des jardins de sculptures – vous en verrez au parc olympique de Séoul (p. 115), à Chuncheon (p. 170), à Buyeo (p. 331) et dans tout le Jeju-do. La plupart des hauts immeubles comportent une sculpture en façade afin d'embellir les rues et d'intriguer les passants. Ne manquez pas l'*Homme au marteau*, à Séoul (p. 111).

Poterie

Des archéologues ont mis au jour des poteries vieilles de quelque 10 000 ans, mais ce n'est qu'au début du XIIᵉ siècle que cet artisanat atteignit son apogée avec de superbes céladons aux délicates nuances vertes. Aujourd'hui, les prix des céladons d'époque, très recherchés, atteignent plusieurs millions de dollars dans les ventes aux enchères. Si la poterie vous intéresse, visitez le village de céramistes d'Icheon (p. 155), près de Séoul, et les deux villages de potiers du Jeollanam-do (p. 276 et p. 280).

Théâtre et danse

DANSE

Parmi les danses folkloriques, citons le *samulnori* (danse du tambour), le *talchum* (danse masquée) et le *salpuri* (danse chamanique), un solo improvisé.

Les danseurs de samulnori portent des vêtements traditionnels de couleurs vives et font virevolter le long pompon de leur chapeau. Danser tout en tournoyant et jouant du tambour exige une coordination hors pair. Ces danseurs participent à toutes les fêtes.

Le Pansori, de Lee Mee-jeong (Maisonneuve & Larose), abondamment illustré, présente les origines de cet art, ses thèmes, ses formes, ses instruments et ses grands interprètes.

Le théâtre dansé talchum était un art pratiqué les jours de marché par des saltimbanques de basse caste. En général, le talchum se moquait des yangban en adoptant le point de vue des paysans et des esclaves. Les masques indiquaient le statut social des personnages – yangban, moine, chaman, grand-mère, concubine, boucher ou serviteur – et servaient aussi à dissimuler l'identité de l'acteur. Ces représentations masquées combinent de grands sauts, des scènes comiques et des gestes exagérés, accompagnés de cris, de chants et de monologues. Les acteurs se mêlent d'ordinaire au public à la fin du spectacle. Les masques sont habituellement en bois et tous les magasins de souvenirs en vendent. Masques et danses changent suivant les localités et certains spectacles se jouent depuis la période des Trois Royaumes.

Connectez-vous à www.korea.net et suivez le lien de la section culture pour un aperçu de la danse moderne à Séoul, qui organise un festival de danse annuel à Daehangno.

OPÉRA CORÉEN

Le *changgeuk* ressemble à l'opéra occidental et peut comporter de nombreux personnages. Autre style d'opéra, le *pansori* comprend un récitant (en général une femme), qui chante en solo d'une voix tendue au rythme du tambour joué par un homme ; un coup d'éventail accentue les moments les plus dramatiques. Pour des informations sur les théâtres de Séoul qui produisent ces spectacles, reportez-vous p. 136.

Le bouddhisme coréen
par Didier Férat

Le bouddhisme est l'une de composantes essentielles du patrimoine culturel coréen. L'unité du pays s'est construite en grande partie sur son adoption. Si seulement un tiers de la population est considéré aujourd'hui comme bouddhiste, ce ne fut pas le cas dans le passé.

Les temples bouddhiques, dont plusieurs sont inscrits au patrimoine mondial par l'Unesco, jalonnent le parcours de tout voyageur en Corée. Dragons, sculptures polychromes, statues, pagodes et pavillons dessinent un ensemble chatoyant, dont la symbolique échappe souvent au visiteur non averti. Certaines clefs sont indispensables pour comprendre l'importance du bouddhisme dans l'histoire du pays et la signification de l'ornementation des lieux de culte.

Didier Férat est coauteur de plusieurs guides Lonely Planet. Pour cet ouvrage, il est parti à la rencontre de moines bouddhistes en séjournant dans un temple coréen.

ENTRE SAGESSE ET RELIGION

LA VIE DE BOUDDHA
Qu'elle soit mythique ou qu'elle repose sur une vérité historique, la vie de Bouddha est indissociable des principes du bouddhisme. Son nom de naissance est Siddharta Gautama, mais plusieurs noms lui sont attribués dans la littérature bouddhiste : *Sakyamuni*, *Bhagavat*, *Jinna*, *Tathagata* et finalement Bouddha, qui signifie "l'Éveillé".

Le découpage des épisodes de son existence adopté ici correspond aux scènes que vous verrez le plus souvent reproduites dans les temples coréens.

La prémonition
Avant son arrivée sur terre, Bouddha séjournait dans le paradis de Tusita. Sa mère, la reine Maya, eut une prémonition de sa naissance et rêva qu'il entrait en elle, assis sur un petit éléphant blanc venant du ciel.

Dans Qu'est-ce que le bouddhisme ?, de Jorge Luis Borges et Alicia Jurado (Gallimard, coll. Folio), le grand écrivain argentin met en avant les spécificités du bouddhisme et ne cesse d'établir de précieux parallèles avec les autres religions, tant asiatiques et qu'européennes.

La naissance
Siddharta Gautama naquit vers 560 av. J.-C dans le parc de Lumbini (alors en Inde), sur les versants de l'Himalaya, au sud de l'actuel Népal. Appuyée sur une branche de figuier, la reine vit sortir l'enfant de sa manche droite, sans qu'elle éprouve aucune souffrance. Il effectua ses premiers pas en marchant sur 7 lotus. Dans le ciel, 9 dragons le réchauffèrent de leur souffle.

Les années de jeunesse
La mère de Siddharta mourut une semaine après sa naissance. Il fut élevé par sa tante, Mahaprajapati. Issu du clan des Sakya, son père, le roi Shuddhodana, règnait sur la ville de Kapilavastu. Il tint à préserver son fils de toute vision de la souffrance humaine. Confiné dans son palais, Siddharta fit rapidement preuve d'une grande intelligence et développa des qualités extraordinaires. Il épousa sa cousine, Yashodara.

La révélation
À 29 ans, Siddhartha se rendit compte que la réalité du monde lui était cachée. En sortant du palais, il fit 4 rencontres décisives : celles

d'un malade, d'un mort et d'un mendiant, figures de la souffrance humaine, puis celle d'un moine mendiant, qui lui fit entrevoir la voie à suivre. Apprenant que son épouse venait de mettre au monde un fils digne d'assurer la lignée royale, le prince décida de s'enfuir du palais pour choisir l'ascèse. Accompagné de son fidèle écuyer, Chandaka, il enfourcha son cheval blanc, Kanthaka, et gagna la forêt. Là, il échangea ses habits contre un vêtement d'écorce et renvoya son valet et son cheval, qui mourut de chagrin.

La période brahmanique

Durant 7 ans, Siddhartha vécut auprès des brahmanes, prêtres pratiquant le jeûne et la mortification – en Inde, les brahmanes étaient les représentants de l'hindouisme, détenteurs du "savoir" (*veda* en sanscrit). Ils dormaient sur un lit de ronces et se nourrissaient peu. À bout de force, Siddharta comprit que cette voie étaient sans issue, tout comme celle de la luxure et du désir, qu'il avait suivie dans sa jeunesse. Il prit conscience de l'importance de la Voie Moyenne.

L'illumination

Le Bouddhisme (Presses universitaires de France, coll. Que sais-je ?), de Henri Arvon, est la meilleure introduction qui soit sur la doctrine bouddhiste, son histoire et ses différentes ramifications.

Siddhartha prit place sous l'arbre de la connaissance, un figuier, et commença à méditer afin d'atteindre la vérité absolue, "l'Illumination". Furieux de le voir s'échapper ainsi de son monde, Mara, le dieu du Péché et de la Mort, lança son armée contre lui. Après sa défaite, il envoya ses filles pour tenter de le séduire. En vain : Siddharta les transforma en vieilles femmes.

Au terme de cette période méditative, Siddartha parvint à la connaissance des Quatre vérités universelles : la souffrance de l'homme, l'origine de cette souffrance, la suppression de cette souffrance et le moyen de parvenir à cette suppression. Il était devenu Bouddha, "l'Illuminé", "l'Éveillé".

Bouddha resta 7 jours sous l'arbre. Les dieux l'adorèrent et prirent soin de lui. Le dieu Brahma descendit sur terre pour le saluer et l'implora d'apporter la bonne parole aux hommes.

Le discours de Bénarès

Pour répondre à ce souhait, Bouddha prit le chemin de Bénarès où, dans le parc des Gazelles, il délivra pour la première fois sa parole : il faut supprimer le désir pour supprimer la souffrance, et la Voie Moyenne permet d'échapper à la vie charnelle, cause de cette souffrance, mais aussi à son extrême, la vie ascétique. Il fit tourner la roue de la Loi devant 5 moines, anciens témoins de son ascèse qui s'étaient détourné de lui quand il avait renoncé aux privations. Ils adhérèrent à ses paroles et constituèrent le premier ordre bouddhiste.

Ainsi furent fondés les 3 éléments sacrés du bouddhisme : le Bouddha, sa doctrine (*dharma*) et la communauté (*sangha*).

Bouddha consacra le reste de sa vie à convertir les êtres humains qui croisèrent son chemin, parmi lesquels son fils, Rahula.

La mort et le nirvana

Bouddha mourut à l'âge de 80 ans, entouré de ses disciples. Il leur demanda de ne pas pleurer et de penser à sa doctrine, selon laquelle tout ce qui naît meurt, et les exhorta à suivre ses conseils pour atteindre l'éveil. Il s'éleva petit à petit et atteignit alors le nirvana, un état qui marque la fin du cycle des réincarnations. Son corps fut alors brûlé et ses restes, conservés dans des stupas.

LA DOCTRINE
Le bouddhisme, une pratique libératrice

Pour mieux comprendre la spécificité du bouddhisme, il faut le replacer dans le contexte de l'Inde du VIe siècle av. J.-C . Il est né du rejet de l'autorité abusive des brahmanes et du sytème des castes.

La religion hindouiste repose sur Brahman, principe absolu et phénomène informe, qui commande tous les dieux, dont émanent toutes les divinités. Cette puissance cosmique et métaphysique échappe à tout déterminisme. Autre élément essentiel de la religion brahmanique : le processus du *samsara*, la réincarnation permanente à laquelle sont soumis les êtres. Leur *karma* (littéralement la conduite, l'action) dans la vie présente détermine la qualité de la suivante. Un mauvais karma peut conduire à se réincarner en animal. Seuls les brahmanes, les prêtres des castes supérieures, ne sont plus soumis à ce cycle, car leur âme individuelle ne fait plus qu'une avec l'âme universelle, le Brahman.

L'enseignement de Bouddha est un moyen de briser la fatalité du cycle des réincarnations en cherchant la vérité à travers sa propre expérience. Selon lui, la vie repose sur les Quatre Nobles Vérités : la vie s'enracine dans la souffrance ; l'origine de la souffrance est le désir, la soif de plaisir, ou simplement la volonté de vivre ; le moyen d'éliminer cette souffrance est le détachement de tout désir ; pour supprimer ces désirs, il faut suivre le chemin sacré, l'Octuple Sentier, qui comprend 8 ramifications : la foi juste, la volonté juste, la parole juste, l'action juste, les moyens d'existence justes, les efforts justes, la mémoire juste, la méditation juste.

La connaissance des Quatre Vérités mène au salut. Le monde tel qu'on le perçoit n'est que vacuité. En ayant conscience de cette vacuité, en pouvant s'abstraire de tout désir, l'homme se libère. Mais cette libération passe par un long cheminement intérieur. La méditation pure est son aboutissement. Dans l'hindouisme, le nirvana, qui signifie extinction, est l'état qui unifie l'âme universelle et l'âme individuelle. Dans le bouddhisme, le nirvana est synonyme de la fin des réincarnations. C'est l'état suprême, qui suit l'extinction de tous les désirs, donc de toute souffrance. Toute la volonté, toutes les passions ont disparu.

Le bouddhisme est donc avant tout une pratique permettant à l'homme d'accéder au salut. Dès ses origines, il est associé au yoga, technique qui facilite l'accession au nirvana. Cette méthode active suit les 4 stades qu'a suivi Bouddha dans son cheminement vers l'illumination : le contrôle des sens, la maîtrise de l'imagination, la suppression de la sensibilité, puis l'accès à l'objectif de cette concentration spirituelle.

Dès l'origine, le bouddhisme se situe donc entre sagesse et religion. Bouddha ne révère aucun dieu et exhorte les hommes à rechercher leur salut par eux-mêmes, en prenant conscience de leur destinée tragique pour mieux s'en détacher.

Petit et Grand Véhicules

Le bouddhisme est divisé en plusieurs courants. Il est fondamental d'en connaître au moins deux : le Petit Véhicule (*hinayana*) et le Grand Véhicule (*mahayana*), qui ont chacun une répartition géographique différente. Comme la Chine et le Japon, la Corée a adopté le bouddhisme du Grand Véhicule.

Implanté au Sri-Lanka, en Birmanie et dans l'Asie du Sud de façon générale, le Petit Véhicule s'en tient aux textes sacrés reprenant la doctrine primitive de Bouddha. Le Grand Véhicule donne au bouddhisme une interprétation plus large en lui adjoignant la tradition orale et des paroles que Bouddha auraient transmises à ses disciples. Apparu au Ier siècle de notre ère, il offre une version moins individualiste, voire moins égoïste, du bouddhisme que le Petit Véhicule. L'homme cherche son propre salut, tout en montrant le chemin aux autres. L'humanité a ainsi un nouveau modèle : le *bodhisattva*, proche de l'Éveil, refuse d'y accéder pour aider les autres à y parvenir. Il suit en cela l'attitude de Bouddha qui parvint à l'Éveil mais prêcha sa doctrine aux hommes avant d'accéder au nirvana. On peut comparer les bodhisattvas aux saints du christianisme : ils souffrent pour le salut des autres hommes. Dans le Grand Véhicule, ils sont autant implorés que le Bouddha, car considérés comme plus proches, plus humains.

L'existence des bodhisattvas bouleverse la conception presque athée du bouddhisme primitif. Puisque des intermédiaires existent entre les hommes et Bouddha, il faut les vénérer. Cette sacralisation fait du bouddhisme une religion, et non plus seulement une sagesse. D'où la multiplication des bodhisatvas, mais aussi des bouddhas. La figure historique du Bouddha s'efface devant ses différentes déclinaisons.

HISTOIRE DU BOUDDHISME EN CORÉE

Né en Inde au VIe siècle av. J.-C, le bouddhisme pénétra la Chine avant d'atteindre la Corée, puis le Japon.

SON INTRODUCTION DANS LES TROIS ROYAUMES

Apparu en Corée au IVe siècle, le bouddhisme ne fut popularisé qu'au VIe siècle. Un moine venu de Chine l'introduisit dans le royaume de Koguryo, qui en fit sa religion officielle en 372. La famille royale de Paekche se convertit en 384.

Le royaume de Silla résista davantage à l'attrait du bouddhisme, qui conquit d'abord le peuple avant d'être adopté par la cour, contrairement à ce qui s'était passé dans les deux autres royaumes. Son intronisation date de 527, durant le règne de Pophung. Elle alimenta de nombreuses légendes, qui mettent en avant la difficulté des moines venus de Koguryo à faire entendre la parole de Bouddha. L'une d'entre elles, la plus célèbre, met en scène le martyr du moine Yi Chadon (voir l'encadré *Le corps sans tête du moine Yi Chadon*), dont on retrouve souvent l'histoire peinte sur les murs des temples. Le roi Chinhung (540-576), qui devint moine à la fin de sa vie, donna un élan considérable au bouddhisme à travers la construction de temples. Toujours

LE CORPS SANS TÊTE DU MOINE YI CHADON

Dans les temples ou sur des stèles sculptées, vous verrez parfois l'étrange silhouette d'un corps sans tête, d'où sort un grand jet vertical. Cette image illustre la légende du moine Yi Chadon, qui introduisit le bouddhisme dans le royaume de Silla. Alors que le roi était plutôt favorable à la nouvelle doctrine, ses ministres et la noblesse s'y opposaient farouchement, faisant décapiter toute personne s'en réclamant. Neveu du souverain, Yi Chadon défendit le bouddhisme : si la parole de Bouddha disait vrai, affirmait-il, son sang serait blanc lorsqu'on lui couperait la tête. Effectivement, lors de son exécution, une source blanche jaillit de son cou et des fleurs tombèrent du ciel. Devant la réalisation de cette prédiction, toute la cour se convertit.

accompagné de moines, le souverain créa le Pungwoltto, organisation de jeunesse à vocation militaire et morale. Appelés hwarang ("jeunes hommes fleurs"), les adolescents enrôlés, âgés de 14 à 18 ans, appartenaient à l'aristocratie et comprenaient également des moines, les nangdo. Leur chef, détenteur d'une autorité incontestée au sein du royaume, était considéré comme le représentant de *Maitreya*, le bouddha du futur.

Avant l'unification des Trois Royaumes, le bouddhisme et l'art religieux constituaient le principal élément culturel commun à la future Corée. La statuaire, l'architecture, la construction des pagodes et l'ornementation des cloches connurent un essor sans précédent. Certains artistes acquirent une grande notoriété, comme le maître Yangji, sculpteur, ou le maître Tamjing, peintre, qui exporta ses techniques au Japon. Au même moment vécurent certains moines aujourd'hui célèbres pour avoir apporté leur pierre au grand édifice de la pensée bouddhiste. C'est le cas de Wonhyo (617-686), auteur de nombreux traités où il expose sa philosophie de l'interdépendance universelle (voir l'encadré *Wonhyo, le moine et la tête de mort*). Le moine Uisang, son compagnon, est l'auteur d'un long poème contenant les principes de l'*Avatamsaka-sutra*, l'un des textes les plus importants du Grand Véhicule.

L'APOGÉE SOUS LES DYNASTIES SILLA ET KORYO

Quand la dynastie de Silla unifia la péninsule en 668, les souverains firent du bouddhisme l'un des ciments culturels et religieux du nouveau pays. Cet élan patriotique alla de pair avec un nouvel essor artistique et l'édification de nombreux sanctuaires. Le *seon* (plus connu sous son nom japonais, zen) fut introduit à la même époque. Rejetant l'érudition, le seon insiste sur l'expérience directe et la méditation.

Le règne de la dynastie Koryo (935-1392) incarne l'apogée du bouddhisme coréen. Des constructions monumentales sortirent de terre et les rituels prirent de plus en plus d'importance. Certains bouddhistes luttèrent contre cette tendance et le trop grand rôle politique que jouaient les moines. Parmi ces artisans du renouveau spirituel figure le maître Uichon (1055-1101), qui collecta les 4 000 volumes des textes à l'origine du *Tripitaka Koreana*, compilé à cette période et conservé à Haeinsa, à l'abri des invasions étrangères. Il créa par ailleurs l'école de Cheontae. Autre moine influent, Chinul (1158-1210) fit du temple de Songgwang le centre spirituel du zen coréen, d'où sortirent les maîtres les plus éminents. Le maître Taego (1301-1382) unifia les différentes écoles zen et créa Jogye, la principale secte bouddhiste coréenne d'aujourd'hui.

LA DYNASTIE CHOSON ET LE DÉCLIN

L'arrivée au pouvoir de la dynastie Choson, en 1392, marqua la fin de l'âge d'or. La nouvelle cour adopta le confucianisme, morale sociale à l'opposé du bouddhisme, par nature opposé aux castes. Les bouddhistes furent accusés d'alimenter les superstitions et contraints d'édifier leurs temples dans les montagnes. L'accès des grandes villes comme Séoul fut interdit aux moines, considérés comme des citoyens de basse extraction, à l'égale des mendiants.

Au fil des siècles, le bouddhisme fut concurrencé par le confucianisme triomphant, mais aussi par le christianisme, introduit dès la fin du XVIIIe siècle. En 1910, la chute de la dynastie Choson signa la fin des persécutions. Les occupants japonais favorisèrent le renouveau du bouddhisme, tout en plaçant leurs représentants à la tête des différents ordres. Le bouddhisme connut un nouveau déclin après la Seconde Guerre mondiale, lorsque les Coréens adoptèrent le modèle de la société de consommation.

LE BOUDDHISME AUJOURD'HUI
Le renouveau contemporain

Les bouddhistes ne représenteraient actuellement que 25% de la population de la Corée du Sud. Différentes religions coexistent fréquemment au sein d'une même famille, et l'on peut se dire de sensibilité bouddhiste sans être pratiquant. Ce pays moderne et développé se tourne de nouveau vers les valeurs du bouddhisme. L'écologie, le succès de la sagesse bouddhiste dans les pays occidentaux et l'intérêt récent suscité par le patrimoine artistique religieux ont contribué à cet élan. Les temples sont davantage fréquentés et des sommes considérables sont consacrées à leur entretien et à la construction de nouveaux édifices.

Une piété populaire

Dans la pratique contemporaine, le bouddhisme populaire ressemble moins à un mode de vie qu'à une croyance, où Bouddha est considéré comme un dieu. Il n'est pas rare qu'une mère de famille aille l'implorer juste avant les examens scolaires. La forme de piété la plus répandue consiste à écrire des vœux sur des bandelettes de papier que l'on accroche au plafond des temples. Il est aussi courant d'acheter des tuiles, sur lesquelles sont mentionnées le nom des donateurs, et qui servent ensuite à la réfection des toits des temples. Des bureaux de dons sont parfois installés dans les salles réservées à la dévotion. On y donne de l'argent pour que les moines y prient 100 ou 1 000 jours, pour soi-même ou pour sa famille. Les croyants doivent normalement respecter les 5 préceptes fondamentaux (les moines en suivent 10) : ne pas tuer, ne pas voler, ne pas mentir, ne pas prendre de drogue et ne pas céder à la concupiscence.

La fête des lampions

La célébration de la naissance de Bouddha, le 8ᵉ jour du 4ᵉ mois lunaire (en mai), est la seule grande fête bouddhiste réellement populaire à laquelle vous pourrez assister. Tous les temples sont alors ornés de lampions en papier fabriqués par les fidèles, souvent en forme de lotus, chacun d'eux correspondant à un ex-voto. C'est à Séoul que la fête est la plus spectaculaire. Clou du spectacle : un immense défilé, le dimanche précédant la date anniversaire de Bouddha, rassemble des chars illuminés par quelque 100 000 lanternes sur un parcours allant du stade Dongdaemun au temple de la secte Jogye.

UN BOUDDHISME SPÉCIFIQUE

UN BOUDDHISME PATRIOTIQUE

Historiquement, le bouddhisme est lié à la construction de la nation coréenne. Durant l'ère des Trois Royaumes, des moines du royaume de Silla sont enrôlés aux côtés des hwarang, ces soldats d'élite au service du roi. Au moment de l'unification, le bouddhisme sert de dénominateur commun, de lien patriotique. Les pagodes et les temples étaient souvent construits pour protéger le pays des invasions japonaises ou chinoises. Même durant l'ère choson, où les moines s'exilèrent dans la montagne, les liens entre nationalisme et bouddhisme ne furent jamais rompus. Endurcis par une vie spartiate et experts en arts martiaux, les moines ont joué un rôle de premier plan dans la résistance aux invasions japonaises des années 1590. Les quelque 5 000 moines des troupes menées par les maîtres Sosan (1520-1604) et Samyong (1544-1610) sortirent victorieux de la bataille contre l'envahisseur. Cette militarisation appartient au passé, et le bouddhisme contemporain insiste au contraire sur la paix et le respect de la vie.

BOUDDHISME ET CHAMANISME

Lorsque le bouddhisme fut adopté en Corée, il a rapidement intégré des éléments de la religion déjà pratiquée, le chamanisme. Cette absorption fut facilitée par la nature même de la doctrine bouddhiste, qui originellement se présentait plus comme une sagesse ou un mode de vie.

Encore aujourd'hui, dans les sanctuaires, une salle est toujours consacrée aux divinités du chamanisme. À l'entrée des monastères, des totems veillent parfois à ce que les mauvais esprits ne pénètrent pas. Autre signe des vieilles superstitions : des petits cailloux méticuleusement empilés au pied des stupas ou des pagodes. Il est d'usage de faire un vœu et de rajouter sa pierre à cet amoncellement. Faire tomber le monticule attire le mauvais sort.

LE SEON (ZEN)

L'importance du seon (zen en japonais) est l'une des caractéristiques du bouddhisme coréen.

La légende veut qu'il ait été introduit par Bodhidharma, ou Darouma, un moine indien venu de Chine. Ce personnage très populaire est souvent représenté dans les temples, mais aussi dans la rue, sur des enseignes ou des posters : il est dessiné avec de grosses joues, des yeux globuleux et un collier de barbe, assis sur un roseau. Bodhidharma arriva d'Inde en Chine en traversant un fleuve sur cette plante aquatique. Il resta 9 ans à Lo-Yang à méditer face à un mur. Alors que ses paupières menaçaient de se fermer, il les coupa pour rester éveillé. Lorsqu'elles tombèrent sur le sol, des théiers se mirent à pousser. De là proviendrait la tradition de boire du thé pour rester éveillé lors des méditations. Darouma aurait également importé en Corée les arts martiaux et inventé le taekwando, imprégnant la vie monastique d'une atmosphère spartiate et militaire.

Pour atteindre l'Éveil, le seon prône la méditation, en réaction à l'étude exclusive des textes. Cette expérimentation de ses propres

WONHYO, LE MOINE ET LA TÊTE DE MORT

Un moine devant une tête de mort ? Souvent reproduite sur des peintures à l'extérieur des temples, cette scène raconte l'histoire de Wonhyo, l'un des plus célèbres maîtres du bouddhisme coréen. Comme de nombreux moines, Wonhyo décida un jour de gagner la Chine pour trouver un maître qui lui enseignerait le bouddhisme. En chemin, avec son ami Uisang, il se réfugia dans un cimetière, sans savoir exactement où il se trouvait. Assoiffé, il s'empara dans l'obscurité d'un récipient rempli d'eau et le but d'un trait. Le lendemain matin, il vit que c'était un crâne et en conçut du dégoût. Touché par l'Illumination, il comprit alors que l'apparence des choses importe peu et que tout dépend de l'esprit. Trouvant soudain son voyage inutile, il renonça à se rendre en Chine et retourna chez lui. Uisang, quant à lui, continua le voyage, puis ramena de Chine un long poème contenant l'essence de l'*Avatamsaka-sutra*.

limites n'est, selon ses adeptes, que le retour à la pureté du bouddhisme, dont l'érudition n'était pas la principale composante. Plusieurs techniques sont entrées en concurrence pour s'abstraire du monde et échapper à toute sensibilité, porteuse de souffrance. Le seon coréen a pour particularité d'avoir développé le *whadou*, méditation fondée sur le questionnement intérieur permanent. Longtemps, le seon s'opposa au bouddhisme *gyo*, qui privilégie l'étude des textes et la doctrine. Les 9 écoles du seon, appelées les 9 montagnes, furent unifiées au XIVᵉ siècle par Taego, qui fonda la secte Jogye.

Environ 90% des bouddhistes coréens appartiennent aujourd'hui à cette secte, qui compterait 8 000 moines et 5 000 nonnes. Elle a assimilé les deux courants coréens du bouddhisme : le seon, axé sur la méditation et la contemplation de paradoxes pour parvenir à l'Éveil soudain, et l'étude poussée des Écritures. Les 10% restant se partagent entre différentes sectes, dont certaines autorisent le mariage des moines, contrairement à Jogye.

Le seon n'a jamais été étendu, comme le zen au Japon, à la vie quotidienne des laïcs ou à la sphère artistique. En Corée, pas de jardin de pierre ou d'art floral zen. Même la cérémonie de thé n'est qu'une attraction pour touristes ; les moines ont l'habitude de boire du thé, mais ce moment de détente n'est aucunement lié au rituel. Cette relative austérité vaut au seon la réputation d'être plus pur, authentique et proche de sa forme originelle.

L'ART BOUDDHIQUE CORÉEN

Deux arts bouddhiques coexistent : un art monumental et raffiné, qui s'est développé durant l'ère des Trois Royaumes, la période du royaume de Silla unifié, puis la dynastie Koryo ; et un art populaire, plus naïf et spontané, qui correspond à la période de repli pendant la dynastie Choson.

Les débuts du bouddhisme dans le pays donnèrent naissance à un art aux caractéristiques spécifiquement coréennes. Les bouddhas et les bodhisattvas sont représentés avec des traits jeunes et fins et un air pensif. Les bouddhas du Musée national de Séoul sont considérés comme les premiers signes de la naissance de cet art plastique. On peut y voir notamment le *Bodhisattva contemplatif,* une jambe posée sur l'autre, une posture très populaire dans l'art coréen du VIIᵉ siècle. Cette finesse remarquable témoigne de l'influence de l'art dit grecobouddhique, né au Gandhara (Afghanistan), au temps d'Alexandre le Grand. Religion officielle, le bouddhisme du royaume de Silla unifié encouragea un art monumental, illustré à merveille par le bouddha du temple de Seokguram, sculpté dans la roche en 732.

Lorsque le bouddhisme fut supplanté par le confucianisme durant la dynastie Choseon (1392-1910), les moines s'exilèrent dans les montagnes et renouèrent avec un art simple et populaire, coloré et expressif, représenté massivement aujourd'hui dans les temples.

Durant les Trois Royaumes, les monastères étaient plutôt édifiés dans des plaines, autour de pagodes. Plus tard, ils se structurèrent autour de la salle principale consacrée à la dévotion. Buseoksa présente un bel exemple de temple du royaume de Silla unifié. Souvent de petite taille, les pagodes furent édifiées en pierre, la brique étant davantage utilisée en Chine et le bois, au Japon. Celles qui datent du royaume de Silla comportent en général 3 étages.

Les cloches abritées sous un pavillon, dans l'enceinte des monastères, présentent des caractéristiques proprement coréennes. Surmontées

L'art bouddhique (Éditions Thames and Hudson), de Robert E. Fisher, offre une synthèse accessible sur la représentation du panthéon bouddhiste dans les différents pays d'Asie. Un chapitre est consacré à la Corée.

d'un petit dragon et d'un cylindre creux, qui fait caisse de résonance, elles sont ornées de carrés encadrant 9 petites protubérances censées équilibrer les vibrations. Des *apsara*, anges bouddhiques, équilibrent la décoration. Deux lotus indiquent l'emplacement où le madrier portera son coup. Le sol est creusé sous la cloche, pour permettre au son de descendre avant d'entamer son ascension. La plus célèbre des cloches, appelée Emille, est exposée au Musée national de Gyeongju.

La technique de polychromie (*danchong*), qui recouvre les temples, reprend les couleurs symboliques issues du taoïsme chinois : le noir pour le nord, la peur et l'eau ; le rouge pour le sud, le feu et la joie ; le blanc pour l'ouest, le chagrin et le métal ; le vert et le jaune pour l'est, la colère et le bois ; le jaune pour le centre, la compassion et la terre.

LES TEMPLES

La plupart des temples bouddhiques (*sa* en coréen) bénéficient d'un cadre exceptionnel, au sein d'une nature inviolée. Leur implantation initiale obéissait aux règles de la géomancie, "l'étude du vent et de l'eau" en coréen, c'est-à-dire l'art de décrypter les éléments naturels afin de trouver l'emplacement le plus favorable à la bienfaisance divine. Les monastères sont souvent perchés dans la montagne pour des raisons historiques. Expulsés des villes par la dynastie Choson, les moines ont dû s'exiler dans les régions les plus reculées.

UNE ARCHITECTURE CHARGÉE DE SENS

Rien n'est laissé au hasard dans la construction d'un temple, toujours composé de plusieurs bâtiments répartis autour de la salle principale. L'agencement des pavillons et des portes doit refléter le cheminement intérieur, du monde laïc au monde sacré de Bouddha. Tous différents, les temples ne suivent pas exactement le même schéma, mais certains éléments architecturaux sont plus courants que d'autres. Nous ne mentionnons ici que les salles les plus fréquemment rencontrées.

Les pagodes et les pudo

Avant même de pénétrer dans l'enceinte du temple, deux totems issus du chamanisme montent parfois la garde dans le sentier qui mène au sanctuaire pour le protéger des mauvais esprits. L'un symbolise l'esprit masculin, l'autre le féminin.

Avant l'entrée, deux colonnes de pierre faisaient parfois office de porte-drapeau, fonction aujourd'hui abandonnée. On les trouve aussi dans la cour centrale.

Plus loin se dressent les pagodes en pierre et les stupas (*pudo* en coréen). Ces derniers ont la forme d'un bulbe surmonté d'un petit

LES SARIRA, LES PERLES SAINTES

Les *sarira* sont de petites pierres rondes trouvée dans les cendres des moines saints. Selon la croyance bouddhiste, elles émaneraient de l'énergie intérieure des hommes les plus sages, acquises lors de la méditation. Elles font l'objet d'une vénération particulière et sont recueillies au cours d'une cérémonie. On les place dans des petites fioles en cristal, qu'on range dans des coffres en bronze ou en argent avant de les déposer dans les stupas ou les pagodes. Tout un art s'est développé autour de ces réceptacles.

dôme, symbole du paradis, et reposent sur une base carrée, symbole de la terre. Pagodes et pudo ont la même fonction : ils renferment les cendres des saints et les *sarira* (voir l'encadré p. 59). Autour, des stèles racontent l'histoire du temple ou rendent hommage à un moine célèbre.

Les trois portes

Avant de franchir la première, il n'est pas rare de traverser un cours d'eau, symbole du passage du monde profane au monde sacré.

On passe d'abord sous la porte du pilier unique, supportée par plusieurs colonnes alignées sur une seule rangée. Elle marque le point de départ du cheminement de l'esprit vers l'unité. Puis vient la porte des gardiens, ornée de statues de couleurs vives qui représentent les Quatre rois célestes, chargés de veiller sur les 4 points cardinaux (voir aussi p. 62). Enfin la dernière porte, dite de la "non-dualité", se dresse à flanc de colline et ouvre sur la cour centrale. Elle symbolise l'unité du monde terrestre et du monde céleste, de la naissance et de la mort.

Dans la cour centrale s'élèvent en général deux pagodes en pierre, autour desquelles les pélerins récitent des prières. Une lanterne, un peu à l'écart et percée de 4 fenêtres, éclairent les points cardinaux. Tout autour de la cour sont disposées d'autres salles, dont le réfectoire, les dortoirs, les salles consacrées à l'étude et celles réservées au culte.

La salle principale

Aisément repérable, la salle principale, également appelée Taeungbo-jon ("salle du grand héros"), domine la cour. On y vénère Sakyamuni, le Bouddha historique (voir p. 62), ou *Amitabha*, le Bouddha du paradis de l'ouest ; dans ce cas, on appelle la salle Kuknak-jon ("salle du paradis"). Ces deux bouddhas sont les plus populaires.

La salle du Jugement

Présente dans tous les temples, elle est dédiée au bodhisattva gardien de l'au-delà (*Ksitigarbha*, voir p. 62). Ce dernier est entouré de 2 assistants et de 10 juges à l'allure sévère, qui déterminent le sort des trépassés en fonction de la sagesse dont ils ont fait preuve durant leur existence terrestre. D'autres personnages, dont 2 gardes féroces près de la porte, font partie de ce tribunal. Ces statues effrayantes sont accompagnées de peintures décrivant les sévices réservés aux moins disciplinés. Accroché par le roi de la Mort, un miroir permet aux âmes de juger elles-mêmes leurs méfaits. C'est dans cette salle qu'ont lieu les cérémonies funéraires.

Le pavillon des instruments rituels

Souvent réunis sous un même toit, chacun des instruments musicaux a pour mission de répandre la parole de Bouddha dans l'univers. Le tambour s'adresse à tous les êtres vivant à la surface de la terre, la carpe en bois au monde sous-marin, le nuage de bronze à tout ce qui vit dans les airs et la cloche aux âmes pêcheresses de l'enfer.

La salle des esprits du chamanisme

À l'écart, en général à gauche de la salle principale, un pavillon est dédié aux divinités du chamanisme. Les 3 peintures qu'il recèle se reconnaissent facilement. La première représente l'esprit de la Montagne (*Sanshin*), incarné par un vieil homme accompagné d'un

LE MOK-TAK, UN INSTRUMENT DE LÉGENDE

Dans tous les temples, devant les statues de Bouddha, vous verrez posé ce petit instrument de musique en bois, qui rythme les cérémonies. Sa forme évoque celle d'un poisson stylisé : la coque ronde pour le corps, la poignée pour la queue, deux trous latéraux pour les yeux et une fente pour la bouche.

Sa conception s'inspire d'une légende. Un moine peu attentif et menteur aurait été réincarné en poisson avec, comme signe particulier, de porter un tronc d'arbre sur le dos. Un jour, il se plaignit de porter ce fardeau auprès de son ancien maître, qui navigait sur la rivière. Il fit vœu de piété et promit de suivre tous les principes de Bouddha. Le sage reconnut alors son ancien disciple et eut pitié de lui. Il coupa le tronc, à partir duquel fut taillé l'instrument de musique. Cette histoire, qui comprend de nombreuses variantes, est abondamment illustrée sur les peintures qui ornent l'extérieur des temples.

tigre – une divinité que les femmes enceintes vénèrent lorsqu'elles veulent un garçon. Autre image populaire, le vieil homme dans une forêt, entouré de serviteurs et de cerfs, représente l'esprit de l'Âme solitaire. Plus difficile à identifier : l'esprit des Sept étoiles de la grande ourse, figurées par 7 bouddhas reconnaissables à leur auréole – cette divinité est héritée du chamanisme, mais aussi du taoïsme, venu de Chine.

La salle des disciples

Dans la salle des disciples, Sakyamuni est entouré de dizaines de statues en plâtre ou en bois représentant ceux qui ont atteint l'Illumination. Leur nombre peut aller jusqu'à 500 !

Les ermitages

Autour des temples serpentent de multiples sentiers qui mènent aux ermitages, cachés dans la montagne. Les moines s'y retiraient pour méditer, parfois pendant des mois. Ils offrent aux visiteurs d'aujourd'hui de beaux buts de promenades.

L'ICONOGRAPHIE BOUDDHIQUE

Les scènes peintes le plus fréquemment sur les murs extérieurs retracent la vie de Bouddha, l'allégorie du bouvier, les légendes du moine Yi Chadon, du moine Wonhyo et du Mok-tak. Pour les identifier, consultez les encadrés de ce chapitre.

Cependant, à l'intérieur des salles de culte, comment reconnaître un bouddha parmi la foule du panthéon bouddhiste ? Première distinction fondamentale : les bodhisattvas portent une tiare, contrairement aux bouddhas. Si quelques attributs aident à les repérer, il arrive que leurs signes distinctifs apparaissent seulement sur les peintures qui se trouvent derrière la statue. Essayer de les reconnaître fait partie du jeu !

Les bouddhas

Le Bouddha historique (*Sakyamuni* en sanskrit, *Seokgamoni-bul* en coréen) : littéralement le sage, *"muni"*, du clan des "Sakya", d'où il est issu. C'est le premier Bouddha, connu aussi sous le nom de Siddartha Gautama. Il est fréquemment entouré de 2 bodhisattvas, en général celui de la Sagesse (*Musu*) et celui du Pouvoir et de la Compassion (*Bohyum*). La position de ses mains est souvent la même : l'une a la paume tournée vers l'extérieur pour repousser les craintes et les attaques de Mara, l'autre est dirigée vers le sol pour bénir le monde et prendre la terre à témoin de son Illumination.

Le bouddha Gardien du paradis de l'ouest (*Amitabha* en sanskrit, *Amitabul* en coréen) : il soulage la souffrance de quiconque reçoit sa lumière et travaille au salut de tous les hommes. Sur les peintures, il apparaît parfois alors que les hommes sont menés en barque vers le paradis. Il est aussi appelé Bouddha de la lumière infinie et Bouddha de la vie éternelle.

Le bouddha de la Médecine (*Bhaisajyaguru* en sanskrit, *Yaksayorae-bul* en coréen) : il porte habituellement un bol à la main, rempli de potion médicinale. Il guérit du mal physique et de l'ignorance.

Le bouddha de la Vérité (*Vairocana* en sanskrit, *Birojana-bul* en coréen) : les statues à son effigie son facilement reconnaissables car il arbore toujours le même *mudra*, celui de l'unité entre le monde matériel et spirituel (une main enroulée autour de l'index de l'autre main). Sur les peintures, il est souvent représenté répandant la lumière sur le monde. C'est le Bouddha de la doctrine, de la loi.

Le bouddha de l'Avenir (*Maitreya* en sanskrit, *Miruk-bul* en coréen) : il attend la fin du règne de Sakyamuni pour venir sauver les hommes et séjourne dans le paradis de Tusita. Il n'est représenté que sous forme de statue. Il est toujours assis, pensif, une jambe posée sur l'autre. Il était très populaire durant la période des Trois Royaumes. Des pèlerins portaient alors des statuettes à son effigie.

Les bodhisattvas

Le bodhisattva Gardien de l'au-delà (*Ksitigarbha* en sanskrit, *Jijang* en coréen) : il a le crâne rasé (sa tête est couramment recouverte d'une couleur verte) et ne porte pas de tiare, contrairement aux autres bodhisattvas. Il tient à la main une longue perche à laquelle sont accrochés 2 anneaux, avec lesquels il peut frapper aux portes des Enfers. Il a fait vœu de ne pas quitter la terre pour le nirvana avant que le dernier homme ait quitté les Enfers. Il est entouré par 2 assistants et 10 juges au regard peu avenant !

Le bodhisattva de la Compassion (*Avalokitesvara* en sanskrit, *Gwanseeum* en coréen) : il porte une fiole d'eau pure à la main pour alléger la douleur des hommes, et un petit bouddha (Amitabha) orne sa tiare. Il arrive qu'il soit représenté avec 11 visages et une infinité de mains et d'yeux. À force de se pencher sur la misère humaine, sa tête aurait heurté le sol et explosé, faisant naître 1 000 yeux pour mieux voir la souffrance, et 1 000 mains pour la soulager.

Le bodhisattva de la Sagesse (*Manjusri* en sanskrit, Musu en coréen) : il est souvent aux côtés du Bouddha historique. Sur les peintures, quand il est seul, il chevauche un lion bleu, une épée à la main, avec laquelle il brise tous les liens affectifs avec le monde terrestre.

Le bodhisattva du Pouvoir et de la Compassion (*Samantabhadra* en sanskrit, Bohyum en coréen) : avec Musu, il accompagne souvent le Bouddha historique. Représenté seul, il est assis sur un éléphant blanc.

D'autres figures du panthéon bouddhique

Les Quatre rois célestes : leurs statues bigarrées gardent les temples sous l'un des premiers portiques et on les voit aussi fréquemment sur les peintures. Ils auraient aidé Siddhartha à quitter le palais paternel en soulevant les sabots de son cheval pour qu'il s'envole. Chacun d'entre eux surveille l'un des points cardinaux. Le roi de l'Est joue du luth,

LE BŒUF EN PEINTURE OU L'ALLÉGORIE DU BOUVIER

Très fréquemment peinte sur les murs des temples, l'allégorie du bouvier illustre la recherche spirituelle bouddhiste à travers la pratique du zen. Apparue aux XIIe et XIIIe siècles en Chine, cette histoire fut reprise par les moines coréens pour ses vertus éducatives. Dans cette métaphore, composée de 10 séquences, le gardien représente l'homme et le bœuf, son esprit.

Le premier tableau montre le bouvier cherchant le bœuf. Il vit dans un monde de désir et dans la crainte qu'on lui retire sa vie et ses plaisirs. Puis il voit les traces du bœuf, ce qui signifie qu'il perçoit une autre voie, une possibilité de transcender sa souffrance. Quand il découvre l'animal, il comprend qu'après un travail sur lui-même et de longs efforts, il réussira à ne faire qu'un avec son esprit. C'est après une lutte acharnée qu'il parvient à la concentration, au rassemblement de soi. Chevauchant le bœuf pacifié, le bouvier symbolise le retour du disciple à l'âme pure et unifiée. Le monde extérieur ne détourne plus le sage de son droit chemin. Le bouvier est ensuite représenté méditant seul face au bœuf libéré, signe que le bœuf n'a jamais réellement existé et que l'esprit n'est qu'un, à l'image du cercle final tracé sur le dernier tableau, symbole de l'Illumination. Au fur et à mesure de l'histoire, le bœuf blanchit pour montrer la conscience progressive du néant. Rajoutées ultérieurement, les deux dernières images montrent un paysage pur, tel qu'il apparaît à l'esprit éclairé, puis le bouvier retournant vers son village pour enseigner la sagesse aux autres hommes.

sur lequel 2 yeux incrustés regardent l'horizon. Celui de l'Ouest tient entre ses doigts la boule céleste de la vérité bouddhiste ; dans son autre main, un dragon tente d'attraper cette boule pour monter au ciel. Le roi du Sud brandit une épée, qui se démultiplie à l'approche de l'ennemi. Le roi du Nord porte une pagode dans une main, symbole de mort, et une lance dans l'autre.

Les Deux gardiens : protecteurs de la parole de Bouddha, ils sont toujours en position de combat. L'un de leurs bras est levé au-dessus de leur tête et s'apprête à jeter une lance sur un ennemi potentiel, comme dans les combats de taekwondo. Leur silhouette ressemble à la lettre "S".

Les Apsara : ces anges bouddhiques, au visage féminin et au corps aérien, jouent parfois de la musique.

Les mudra

Le mudra désigne la position des mains, en elle-même porteuse de sens. Il n'indique pas systématiquement de quel bouddha il s'agit, mais donne parfois des pistes.

Le mudra de la méditation : les 2 mains se touchent au niveau de l'abdomen, les paumes tournées vers le ciel pour faciliter la concentration.

Le mudra de l'unité : une main enroule l'index de l'autre main. C'est le symbole de l'unité de la matière et de l'esprit, de l'âme et du corps.

Le mudra de la prise de la terre à témoin : la main droite du bouddha est tendue vers le sol, ouverte, la paume vers le corps. Ce mudra est l'apanage du Bouddha historique car il correspond au moment de l'Illumination. Mara, le diable bouddhique, lui demanda de prouver qu'il avait bien atteint l'Éveil. Bouddha adopta alors cette pose pour prendre la terre à témoin.

Le mudra qui chasse la peur : la main droite est levée, la paume vers l'extérieur. Bouddha repousse Mara, et chasse toutes les craintes.

Le mudra de la roue de la loi : dans chaque main, l'index et le pouce se rejoignent pour former un anneau, et les deux cercles ainsi formés se touchent. C'était l'un des mudra adoptés par Bouddha quand il prêchait.

Les symboles

Sur les frontons des temples, il est fréquent de voir peints **trois points entourés d'un cercle**. Ils représentent les trésors bouddhiques : Bouddha, son enseignement (*dharma*) et la communauté (*sangha*). En Corée, chacun d'eux possède son temple : Togdosa pour Bouddha, Haeinsa pour sa doctrine, et Songgwangsa pour la communauté monastique.

Autre signe, déroutant pour le regard occidental : la **svastika**, un ancien symbole hindou. Sa signification n'a rien à voir avec la croix gammée des nazis. Elle symbolise la rotation de la terre, le cycle des réincarnations et la roue de la loi boudhhiste.

Enfin, le **lotus** symbolise le perfectionnement spirituel. Dans les textes sacrés, il est rappelé qu'il fleurit dans la boue sans être souillé pour autant. À l'image de la sagesse bouddhiste, qui n'est pas corrompue par les tourments du monde.

SÉJOURNER DANS UN MONASTÈRE

La vie monastique est l'expression la plus pure du bouddhisme coréen. Il est aujourd'hui possible d'en goûter la quiétude en séjournant un ou plusieurs jours dans un temple. La beauté de leur architecture et des paysages qui les entourent, ainsi que leur atmosphère intemporelle rendent cette expérience inoubliable.

LE SANGHA, PILIER DU BOUDDHISME CORÉEN

Avant d'être une religion populaire, les principes du bouddhisme s'adressaient uniquement à ceux qui étaient prêts à mener une vie monastique. La communauté des moines (sangha) est l'un des trois piliers du bouddhisme, au même titre que Bouddha et la doctrine.

L'ordination des moines est progressive. Le novice commence par étudier les sutras, les textes sacrés, durant 6 mois à 1 an. Il se rase la tête et porte l'habit gris traditionnel. Une seconde ordination le consacre *sami* (*samini* pour les femmes). Il s'engage à respecter les 10 préceptes de la communauté, qui interdisent notamment de détruire la vie, de voler, de mentir ou de boire de l'alcool. Il s'instruit auprès d'un maître, puis dans un collège. Cinq ans après intervient la "haute ordination" qui le consacre *bhikkhou* (*bhikkhouni* pour les femmes). Il fait alors pleinement partie de la communauté.

L'année monastique est rythmée par les saisons. Elle est ponctuée par deux périodes consacrées à la méditation : l'hiver, entre le 15e jour du 10e mois lunaire et le 15e jour du 1er mois lunaire (de novembre à février) ; l'été, entre le 15e jour du 4e mois lunaire et le 15e jour du 7e mois lunaire (de mai à août). Il est alors interdit de quitter le monastère et 4 sessions de méditation jalonnent l'emploi du temps quotidien. Une semaine intensive, voire 2 dans les temples les plus importants, a lieu chaque année. On médite alors 20 heures par jour !

L'ACCUEIL DES VOYAGEURS

Depuis la Coupe du monde de football 2002, la secte Jogye tente de développer des structures d'hébergement dans les temples. Plus d'une trentaine propose de dormir sur place. Certains temples associent ce séjour à différents programmes – initiation à la méditation zen, fabrication des lanternes, randonnées dans les montagnes environnantes,

L'ÉTIQUETTE DES TEMPLES

Quelques règles à observer lors de la visite des temples :

- Se déchausser avant d'entrer dans les salles de prière
- Toujours entrer par les portes latérales, et non par la porte centrale par respect pour le Bouddha
- Éviter d'ouvrir ou de fermer les portes bruyamment
- Saluer Bouddha en s'inclinant légèrement et en joignant les mains, en entrant et en sortant
- Ne jamais passer devant une personne en prière ; la contourner en passant derrière son dos
- Rester à l'arrière de la salle ; seuls les moines sont autorisés à prier devant l'autel central

etc. Consultez le site www.templestaykorea.com ou contactez le KNTO (carte p. 96 ; ☎ 02-757 0086 ; www.knto.or.kr ; 9h-20h), à Séoul.

Ce forfait culturel est réservé aux groupes d'au moins 6 personnes et aux touristes étrangers. Il est conseillé de réserver à l'avance. Le prix varie en fonction de la formule, mais tourne autour de 30 000 W par jour (en pension complète).

Pour plus d'authenticité, mieux vaut opter pour un séjour simple (une nuit suffit pour s'imprégner de l'ambiance), sans activités organisées, accessssible à tous les voyageurs indépendants. Vous vivrez alors la journée d'un moine, assisterez aux cérémonies rituelles et prendrez vos repas au réfectoire sans aucune mise en scène. Avec un peu de chance, un moine vous invitera à prendre le thé, en toute simplicité. La seule barrière est linguistique. Théoriquement, une personne au moins est censée parler anglais pour accueillir les étrangers. Encore faut-il la trouver !

Évidemment, les conditions de vie sont spartiates. Les visiteurs dorment dans des dortoirs non-mixtes, sur des courtepointes matelassées à même le sol, et partagent souvent une salle de douche.

La cérémonie musicale

Le rituel musical fait partie des moments inoubliables que vous réserve la visite des temples. Une de ces cérémonies a lieu en général vers 18h, au crépuscule. Alors que le soleil balaie les vallées de ses derniers rayons, des moines drapés d'un tissu orange qui réhausse leurs habits gris, surgissent de nulle part. À 4 ou 5, ils prennent place sous le pavillon qui abrite les instruments. L'un d'entre eux commencent à frapper avec des baguettes l'immense tambour, d'où sortent des rythmes d'une étonnante modernité. Puis, c'est au tour de la carpe en bois, du nuage de bronze et de la cloche de répandre la parole de Bouddha dans l'univers. Leur répondent les gongs et le mok-tak (voir l'encadré p. 61). Débute alors la cérémonie des psaumes. Réunis dans la salle principale du monastère, les moines chantent et prient dans une ferveur communicative.

Une journée avec les moines

Ceux qui dorment dans un temple devront se coucher tôt : la journée commence à 3h du matin ! Un moine parcourt le monastère et réveille peu à peu la communauté, tandis que les lumières s'allument. Le rituel musical commence, suivi de la cérémonie de prière et de chants, dans la salle principale. Chacun vaque ensuite à ses occupations : méditation, étude des textes ou autres tâches quotidiennes. Le petit déjeuner, composé de riz et de plats traditionnels, se prend vers 6h. Une seconde cérémonie se déroule avant le déjeuner, vers 10h30. Le repas du soir a lieu vers 5h.

Les bouddhistes ayant pour principe de ne pas supprimer la vie, la nourriture monastique est végétarienne. Très simple, elle n'est pas épicée, mais concoctée avec des herbes de la montagne et des produits exclusivement naturels. Pour en déguster une version particulièrement raffinée, rendez-vous à Séoul, dans le délicieux restaurant Sanchon (voir *Où se restaurer* dans le chapitre *Séoul*), dans le quartier d'Insadong.

Environnement

La croissance économique désordonnée de la Corée du Sud depuis 1960 s'est accompagnée d'une urbanisation sans précédent de ce pays rural. Villes tentaculaires, barrages et gigantesques ensembles industriels ont surgi de terre, tandis que les bulldozers traçaient des autoroutes à travers les campagnes. Les gouvernements autoritaires muselaient toute opposition aux projets de développement et dédaignaient leur impact sur l'environnement.

La situation est bien différente, aujourd'hui. La démocratisation aidant, beaucoup de grands projets se heurtent à de violentes protestations locales et les groupements de défense de l'environnement ont désormais l'oreille des médias. Les montagnes, qui représentent les deux tiers du territoire, ont été généralement préservées, de même que bon nombre des îles, où ne vivent que les pêcheurs et leurs familles.

GÉOLOGIE

La Corée du Sud couvre une superficie de 99 538 km², équivalente à celle du Portugal et à peine inférieure à celle de la Corée du Nord. Elle s'étend sur 500 km du nord au sud et n'excède pas 216 km de large dans sa partie la plus étroite. Des montagnes boisées de faible altitude occupent 70% des terres. Le Hallasan (1 950 m), sur l'île de Jejudo, est le point culminant du pays. Les reliefs, souvent en granit, comportent des falaises et des aiguilles spectaculaires, mais on voit aussi d'impressionnantes grottes calcaires et, sur l'île volcanique de Jejudo, des cratères et des grottes de lave. Les froides régions montagneuses de la moitié nord du pays, régulièrement enneigées, favorisent l'implantation croissante de stations de ski.

Les plaines et les vallées peu profondes restent le domaine des rizières, des vergers, des serres de cultures maraîchères et de l'élevage. Le sud accueille quelques plantations de thé et on cultive des agrumes à Jejudo. Des barrages ont été érigés sur la plupart des grands cours d'eau, créant ainsi autant de lacs superbes.

Des milliers d'îles peu peuplées s'égayent le long des côtes occidentales et méridionales. Les marais de la côte ouest constituent un gigantesque vivier de mollusques et de crabes qui nourrissent les nombreux oiseaux aquatiques migrateurs et alimentent les marchés et les restaurants. Le projet d'assèchement de cette zone suscite émotions et controverses – voir *Écologie* (p. 70).

FAUNE ET FLORE

Les montagnes boisées regorgeaient naguère de tigres de Sibérie, de léopards, d'ours, de cerfs, de gorals, de loups et de renards. La plupart de ces espèces ont aujourd'hui disparu ou sont devenues rares et les promeneurs doivent le plus souvent se contenter de croiser des écureuils et des oiseaux. En ville, on ne voit guère que des pies, des pigeons et des moineaux, mais les campagnes abritent encore moult aigrettes et hérons. Avec un peu de chance, vous apercevrez aussi des rapaces, des pics et des faisans. On dénombre en fait plus de 500 espèces d'oiseaux, pour la plupart migrateurs, et la Corée jouit d'une réputation grandissante parmi les ornithologues désireux d'admirer des pygargues empereurs, des aigles noirs, des urubus noirs, des grues du Japon et des petites spatules. Le *Field Guide to the Birds of Korea*, de Lee, Koo et Park, ouvrage de référence standard, ne répertorie pas toutes les espèces.

LE SAVIEZ-VOUS ?

En une seule journée, on peut apercevoir une centaine d'espèces d'oiseaux différentes sur Eocheongdo, une petite île au large de Gunsan, dans le Jeollabuk-do.

Animaux

Han Sang-hoon, le directeur du projet ours du parc de Jirisan (voir l'encadré *Les ours à collier* ci-contre), est un puits de science sur la faune coréenne :

Le dernier tigre de Sibérie du Jirisan fut capturé en 1944. Depuis, certains affirment avoir aperçu un tigre ou vu ses traces, mais aucune preuve n'étaye ces allégations. Les tigres de Sibérie comptent parmi les espèces les plus menacées au monde puisqu'il n'en reste que 500 à l'état sauvage, pour la plupart dans l'est de la Russie et le nord-est de la Chine. On en signale de temps à autre en Corée du Nord. Les léopards de l'Amour, autrefois répandus en Corée, ont totalement disparu du pays et moins de 50 individus vivent à l'état sauvage dans le monde entier.

Le loup gris n'existe dans doute plus à l'état sauvage en Corée du Sud, où nul n'en a vu depuis plus de 10 ans. Il en reste quelques-uns en Corée du Nord, près de Paekdusan. J'en suis sûr car j'ai eu la chance d'en apercevoir un alors que je travaillais sur un projet intercoréen.

J'estime que 20 à 30 renards roux vivent encore en liberté dans mon pays. J'en ai moi-même aperçu à trois reprises, en 1993, 1995 et 1997, deux fois au Jirisan et une fois sur l'île de Namhae. Le parc de Jirisan doit en abriter moins d'une dizaine, mais ils n'ont jamais été photographiés ni filmés. Si vous en voyez un, immortalisez-le et envoyez-moi un tirage !

Les cerfs sika ont disparu dans les années 1940. Malheureusement, les porte-musc frisent à leur tour l'extinction dans le pays, malgré les mesures de protection gouvernementales. Les chevrotains aquatiques, en revanche, se multiplient, ce qui est une excellente nouvelle puisqu'il s'agit d'une sous-espèce spécifique à la Chine et à la Corée. On trouve également des chevreuils sur les hauteurs de Jirisan. Ceux du Hallasan, dans l'île de Jejudo, viennent quémander de la nourriture auprès des visiteurs. Un très mauvais service à leur rendre !

Les populations de loutres décroissent à cause des barrages et des routes qui détruisent leur habitat. On compte de plus en plus de blaireaux dans le Jirisan, mais le braconnage réduit leur nombre dans les autres régions : la tradition perdure de faire manger leur viande aux jeunes accouchées. Les chiens viverrins, florissants jusque récemment, sont décimés par une sorte de virus. Le parc abrite aussi des léopards, des martres et des sangliers.

Le crépuscule et l'aube sont les meilleurs moments pour apercevoir ces animaux. Restez immobile sur un sentier peu fréquenté et ils se montreront s'ils sont dans les parages.

Han Sang-hoon

Plantes

Les régions septentrionales de la Corée du Sud, les plus froides, offrent une végétation de type alpin : hêtres, bouleaux, sapins, mélèzes et épicéas. À mesure que l'on progresse vers le sud, les feuillus les remplacent. Une flore luxuriante couvre la côte sud et Jejudo, les zones les plus chaudes et les plus humides. Au printemps, les cerisiers sont en fleurs, les azalées et les camélias s'épanouissent. Sur les versants montagneux poussent une multitude de plantes médicinales et comestibles – feuilles, fougères, glands, racines, noix et champignons. Nombre de ces légumes sauvages sont servis dans une petite assiette ou cuisinés en *sanchaebibimbap* (riz, œuf, nouilles et légumes de montagne dans une sauce relevée). Le ginseng sauvage est la plante la plus recherchée.

LES OURS À COLLIER

On croyait les ours noirs de Mandchourie (appelés ours à collier à cause du croissant de fourrure blanche qui orne leur poitrail) disparus de Corée du Sud jusqu'à ce qu'en 2001 un enregistrement vidéo en montre quelques spécimens, peut-être au nombre de six, vivant dans le parc national de Jirisan. Au cours de cette même année, quatre oursons nés dans des élevages furent relâchés dans le parc pour augmenter la population. Une jeune femelle mourut pendant l'hiver et une seconde, qui ne cessait d'importuner les randonneurs pour obtenir de la nourriture, fut capturée à nouveau. Les deux mâles survécurent. Pandol est timide, mais Jangun, plus audacieux, s'attire des ennuis. En 2003, il fit la "une" des journaux lorsqu'il commença à s'attaquer aux ruches des fermiers. Depuis, on l'a transféré dans une autre région.

Les ours vivent en moyenne de 20 à 30 ans. Ils hibernent en hiver, se nourrissent de feuilles, de pousses de bambou, de fraises sauvages, de châtaignes, de glands, de fourmis et de miel, et s'aménagent de confortables nids en tressant des branches et des bambous. Les ours coréens sont plus grands, dotés d'un faciès plus large et d'une fourrure plus hirsute que les ours noirs de Mandchourie que l'on voit au Japon. Leur mode de vie nocturne et leur timidité font que les randonneurs les voient rarement. Si vous avez la chance d'en apercevoir un, restez immobile pour ne pas l'effrayer et cédez-lui le passage.

Quelque 20 000 ours noirs de Mandchourie sont recensés en Russie et en Chine et on compte en introduire d'autres dans le parc de Jirisan, afin de constituer une colonie de 50 individus. Toutefois, l'importation d'ours vivants relève d'un processus bureaucratique complexe. Une autre solution consisterait à relâcher quelques-uns des 2 000 ours d'élevage ou les 20 à 50 ours qui vivent dans les zoos de Corée du Sud ; il faudrait leur apprendre auparavant à se débrouiller dans la nature.

Malheureusement, la médecine traditionnelle commercialise encore de nombreux produits issus des ours, leur bile notamment (un ours en produit environ 2 kg par an), qui se revend 10 000 $US le kg !

PARCS NATIONAUX ET PROVINCIAUX

La Corée compte 20 parcs nationaux (www.npa.ou.kr), qui couvrent 38 240 km², soit 6,5% du pays. Le Jirisan, créé en 1967, fut le tout premier et se place au troisième rang en terme de fréquentation, avec 2,6 millions de visiteurs par an, derrière le Seoraksan (2,8 millions) et le Bukhansan (4 millions). Il existe également 22 parcs provinciaux (747 km²) et 29 parcs cantonaux (307 km²), moins vastes mais tout aussi intéressants. Les droits d'entrée varient – comptez en général 2 600/1 500 W par adulte/enfant. Tous les parcs disposent de sentiers de randonnée bien balisés, mais leur popularité oblige à les fermer à tour de rôle afin de prévenir une érosion trop importante.

Les parcs sont agréables à parcourir toute l'année. Au printemps, les cerisiers en fleur, les azalées et les autres plantes fleuries ravissent l'œil ; en été, les collines et les vallées fluviales permettent de fuir la touffeur des villes et les pluies de mousson viennent grossir les cascades ; en automne, les feuillages rouges contrastent avec le ciel d'un bleu pur ; en hiver, la neige et la glace transforment les parcs en paradis immaculés – prévoyez alors crampons et vêtements chauds pour une longue randonnée. Des temples et des ermitages en bois, peints de couleurs éclatantes, ornent presque chaque sommet ; vallées, cascades et promontoires rocheux abondent. Il n'est pas surprenant que la plupart des visiteurs placent les parcs naturels en tête des attraits du pays.

Les Coréens, marcheurs enthousiastes, affluent dans les parcs le week-end, surtout en été et en automne. Revêtus d'une élégante tenue sportive (le gilet rouge bardé de poches est une valeur sûre), ils emportent un pique-nique et une bouteille de *soju* (alcool de patates douces).

Tous les parcs disposent de villages touristiques à proximité de l'entrée principale ; ils comprennent des restaurants, des étals de marché, des magasins de souvenirs et d'alimentation et des hébergements pour petits budgets. Les terrains de camping (3 000 W la tente à 3 places) et les refuges de montagne (de 3 000 à 5 000 W le lit) sont bon marché, mais rudimentaires.

Les parcs nationaux suivants comptent parmi les plus beaux :

Parc	Superficie	Particularités et activités
Bukhansan	78 km^2	Superbes promenades et accès en métro depuis Séoul (p. 146)
Dadohae Haesang	2 344 km^2	Parc maritime riche en petites îles préservées (p. 279) (2 004 km^2 en surface)
Deogyusan	219 km^2	Station de ski, forteresse et promenade magique dans la vallée (p. 314)
Gyeongju	138 km^2	Vestiges bouddhiques et de l'ancien royaume de Silla (p. 206)
Hallasan	149 km^2	Volcan éteint, point culminant de la Corée, sur l'île de Jeju (p. 305)
Jirisan	440 km^2	Gigantesque parc hérissé de sommets, apprécié des marcheurs chevronnés (p. 260)
Seoraksan	373 km^2	Plus beau parc du pays et l'un des plus fréquentés (p. 179)
Sobaeksan	320 km^2	Trois grottes calcaires et l'impressionnant ensemble monastique de Guinsa (p. 353)

Parmi les parcs provinciaux les plus intéressants figurent :

Parc	Superficie	Particularités et activités
Daedunsan	38 km^2	Falaises de granit, vues sublimes et source thermale (p. 313)
Gajisan	104 km^2	Vues panoramiques et deux temples célèbres : le Tongdosa et le Seongnamsa (p. 253)
Mudeungsan	30 km^2	Proche de Gwangju. Galerie d'art et temple au cœur d'une plantation de thé (p. 266)
Namhansanseong	36 km^2	Accessible en métro depuis Séoul. Rempart de la forteresse à découvrir à pied ; déjeuner dans le restaurant du village (p. 150)
Taebaeksan	17 km^2	Musée du Charbon et autel de Dangun (p. 192)

ÉCOLOGIE

Green Korea (www.greenkorea.org) est un groupe de pression fertile en idées efficaces comme l'organisation du Jour sans achats, de la Journée sans voiture ou du Jour d'économie de papier.

Deux sujets soulèvent des controverses écologiques depuis plusieurs années : le choix d'un site pour entreposer les déchets nucléaires et l'assèchement des marais à Saemangeum, dans le Jeollabuk-do.

L'énergie nucléaire fournit un tiers de l'électricité de la Corée du Sud, mais le gouvernement ne parvient pas à trouver un emplacement où stocker définitivement les déchets radioactifs qui s'accumulent. De nombreux sites ont été envisagés depuis 1986, mais tous ont soulevé un tollé parmi les populations locales, malgré les millards de won offerts en contrepartie. En 2003, le choix s'est arrêté sur Wido (une petite île au large du Jeollabuk-do), mais les opposants locaux risquent de faire capoter cette proposition comme toutes celles qui l'ont précédée.

L'énorme projet de Saemangeum envisage l'édification d'une digue de 33 km de long afin de récupérer 40 000 ha de marécages pour les transformer essentiellement en terres agricoles. Les opposants affirment que ces marais constituent une escale importante pour les oiseaux migrateurs et un vivier pour les poissons et les crustacés. Néanmoins, certains groupements et dirigeants du Jeollabuk-do soutiennent le projet et la digue est presque achevée.

Au printemps 2003 s'est déroulée une manifestation typiquement coréenne, la campagne "Trois pas, une courbette" : des centaines de participants ont parcouru en 65 jours les 300 km séparant le site du projet de Saemangeum de Séoul, faisant trois pas avant de se prosterner sur le sol, puis trois autres pas et une nouvelle prosternation, et ainsi de suite. Organisée par des leaders écologistes, bouddhistes et chrétiens, cette manifestation a mobilisé l'opposition et un tribunal de Séoul a ordonné la suspension des travaux, ce qui a entraîné la démission du ministre de l'Agriculture.

Pour plus de renseignements sur les problèmes écologiques du pays, consultez le site http://kfem.or.kr.

La cuisine coréenne

La gastronomie du Pays du matin calme compte parmi les plus diversifiées au monde. Un peu déroutés au premier abord, les touristes la trouvent bientôt excellente et l'apprécient à sa juste valeur.

Un repas typique impressionne par sa variété et son abondance. Il se compose principalement de riz, de soupe et du plat national, le *kimchi* (légumes macérés dans du vinaigre ou fermentés), auxquels s'ajoutent une dizaine de petits plats, appelés *banchan*, disposés sur la table.

Ail, gingembre, oignon vert, poivre noir, huile de sésame, sauce au soja et vinaigre sont couramment employés, mais l'épice souverain reste le piment rouge, habituellement utilisé sous forme d'une pâte rouge nommée *gochujang*. Souvenez-vous de cette règle simple, rouge = épicé.

INGRÉDIENTS DE BASE ET SPÉCIALITÉS
Barbecues et grillades

Traditionnellement, les restaurants de barbecue installent un grill sur la table, sur lequel vous faites cuire des côtes de bœuf *(galbi)*, du porc *(dwaejigalbi* ou *samgyeopsal)* ou, parfois, du poulet *(dak)*, des produits de la mer ou des légumes. Souvent, le serveur mettra votre viande à griller mais ce sera généralement à vous de la retirer lorsqu'elle sera cuite. Toutes les viandes sont succulentes mais le *samgyeopsal*, une viande entrelardée, peut être grasse.

Galbi et samgyeopsal sont accompagnés de feuilles de laitue ou de légumes verts comme des feuilles de sésame en forme d'éventail. Prenez une feuille dans une main (ou associez deux feuilles pour obtenir des saveurs différentes) et avec l'autre main, utilisez votre cuillère pour charger la feuille de riz, de banchan et de sauces d'accompagnement. Roulez le tout ensemble, puis dégustez. Le rouleau doit être assez petit pour pouvoir entrer entièrement dans votre bouche.

Les spécialités au barbecue sont également servies avec de l'ail, que vous pouvez manger cru ou grillé.

De nombreux restaurants proposent du *bulgogi*, de fines tranches de bœuf mariné, cuisinées avec des légumes. C'est un plat populaire qui accompagne souvent les boissons alcoolisées.

Les plats au barbecue sont généralement servis pour 2 personnes au minimum.

> "S'il est une spécialité qui fait la réputation de la Corée dans le monde entier, c'est bien le barbecue."

Bibimbap

Le *bibimbap* consiste en une délicieuse préparation de légumes, de viande et d'œuf au plat posé sur du riz. Mélangez tous les ingrédients avec votre

---

LE MEILLEUR DE LA CUISINE CORÉENNE

Dans le cadre d'une récente étude de l'Organisation nationale du tourisme coréen (KNTO), des touristes ont élu les plats suivants comme étant leurs spécialités préférées :

- *bibimbap* (riz, œuf, viande et légumes accompagnés d'une sauce épicée)
- *bulgogi* (bœuf au barbecue accompagné de légumes)
- *dolsot bibimbap* (*bibimbap* dans un caquelon de pierre)
- *galbi* (côtes de bœuf)
- *mandu* (boulettes)

RELÈVEREZ-VOUS CES DÉFIS ?

Voici quelques plats vraiment singuliers pour les plus téméraires :

Beondegi (번데기) larves de ver à soie ; vous en trouverez le plus souvent à proximité des écoles, car les enfants en raffolent.

Bosintang (보신탕) soupe de viande de chien (voir l'encadré *Âmes sensibles s'abstenir !* p. 75).

Godung (고둥) rouleaux farcis aux coquillages, habituellement cuits en ragoût par des vendeurs ambulants.

Mettugi (메뚜기) sauterelles grillées. Leur goût ressemblerait à celui des œufs au plat.

Nakjiboggeum (낙지볶음) jeune poulpe sauté.

Sannakji (산낙지) jeune poulpe vivant, coupé en petits morceaux. Attention : les ventouses sont encore actives et certains convives se sont étouffés, notamment en buvant.

---

cuillère avant de le manger. Traditionnellement, le bibimbap est servi avec une généreuse portion de *gochujang* (pâte à base de piment rouge). Si vous ne souhaitez pas manger trop épicé, enlevez un peu de pâte avant de mixer les ingrédients. Il est aussi accompagné d'une soupe qu'on ne mélange pas au reste du plat. Il existe de nombreuses variétés de cette spécialité ; les deux plus courantes sont le *sanchae bibimbap* (avec des légumes sauvages de montagne) et les *dolsot bibimbap* (servis dans un caquelon en terre brûlant). Tous deux peuvent être commandés sans viande ou sans œuf.

Desserts

Bien que des boulangeries à l'occidentale soient assez répandues dans les quartiers résidentiels et les centres commerciaux, les desserts ne font pas partie des traditions culinaires de la Corée, à l'image des autres pays asiatiques.

À la fin d'un repas pris dans un restaurant-grill, on vous servira probablement un *sujeonggwa*. Cette boisson froide très rafraîchissante est relevée avec du gingembre et de la cannelle ; elle est accompagnée d'un chewinggum. Dans certains restaurants occidentaux, le "dessert" peut prendre la forme d'un café, d'une boisson non alcoolisée ou d'une crème glacée.

En règle générale, les sucreries sont réservées aux fêtes, comme les mariages et les anniversaires marquants. Le plus souvent confectionnées à base de riz gluant pilé, elles ne parviennent pas à égaler le raffinement des desserts occidentaux.

Gimbap

Cette spécialité peu coûteuse est principalement composée de riz assaisonné avec de l'huile de sésame et roulé dans une algue séchée. Ce "sushi coréen" ne comporte pas de poisson cru. Quand il contient du poisson, celui-ci est cuit et présenté sous forme de pâte. Le gimbap s'agrémente plus généralement de lamelles de légumes, d'œuf ou de viande.

Hanjeongsik

Ce repas copieux consiste en poisson, viande, soupe, *dubujjigae* (ragoût de tofu), riz, nouilles, œufs cuits à la vapeur, fruits de mer et plusieurs banchan froids à base de légumes. C'est une bonne façon de goûter une grande variété de spécialités en un seul repas. Commes les spécialités au barbecue, le hanjeongsik doit presque toujours être commandé par au moins 2 personnes.

Hoetjip (poisson et fruits de mer)

Les fruits de mer (*haemul*) et le poisson (*seongseon*) sont généralement cuisinés en ragoût, bouillis ou grillés. Le *chobap* est du poisson servi à la façon sushi (poisson cru présenté sur des boulettes de riz). Le style

"Le petit déjeuner coréen se compose de soupe, de riz et de *kimchi.*"

sashimi (sans riz) est appelé *saengseonhoe*. Le *hoedeupbap* est une autre préparation populaire, assez semblable au bibimbap, excepté qu'elle contient du poisson cru et/ou des fruits de mer et des légumes. Contrairement aux sushis japonais, le poisson cru à la mode coréenne est souvent consommé avec de généreuses portions de sauce au piment (on les ajoute soi-même selon ses goûts).

Jjigae

Ces ragoûts, généralement très épicés, sont plus épais que des soupes et présentés dans un caquelon brûlant. Des versions très appréciées sont préparées à base de tofu (*dubujjigae*) et de *kimchi*. Ils sont servis vraiment brûlants et mieux vaut les laisser refroidir avant de les déguster !

Kimchi

On pourrait consacrer un chapitre entier à ce plat national servi à tous les repas.

Si vous en avez déjà mangé, c'est probablement le *tongbaechu kimchi*, à base de chou chinois. Toutefois, le *kimchi* se décline en plus d'une centaine de variétés. Il peut être élaboré à partir de concombres, de radis ou de tout autre légume. Certaines variétés sont consommées quelques heures après avoir été préparées, d'autres après plusieurs années. Certaines sont découpées en lamelles individuelles, en petits morceaux ou enveloppées dans du riz ; d'autres, comme le *bossam kimchi*, sont de superbes bouchées à base de légumes et de fruits de mer. La plupart des régions – et presque chaque famille – ont mis au point leur propre recette de kimchi. Une liste p. 82 vous présente les variétés les plus courantes.

Traditionnellement, le kimchi était préparé dans le but de conserver les légumes et d'assurer une alimentation variée durant les rigoureux mois d'hiver. Encore aujourd'hui, de fin novembre à début décembre, les ménagères en préparent une grande quantité ; cet événement annuel s'appelle le *gimjang*. Le kimchi n'est plus uniquement réservé à la saison hivernale. On le consomme toute l'année pour apporter un petit plus aux repas.

Autre avantage, le kimchi serait bénéfique pour la santé : il aurait des propriétés antibiotiques, neutraliserait l'acidité gastrique et préviendrait l'hypertension artérielle, l'obésité et le cancer du système digestif.

Mandu

Autre mets prisé des Coréens, le *mandu* est constitué de petits raviolis farcis à la viande, aux légumes et aux fines herbes. Frits, bouillis ou cuits à la vapeur, ils sont idéaux pour composer un snack savoureux ou un repas

"Traditionnellement, le *kimchi* était préparé dans le but de conserver les légumes et d'assurer une alimentation variée durant les rigoureux mois d'hiver."

POUR LES COUPLES TOUT CE QU'IL Y A DE PLUS MODERNES...

Toute cuisine coréenne qui se respecte a toujours du kimchi en réserve. Cependant, sa conservation peut poser quelques problèmes. La température doit être idéale, ni trop chaude car le kimchi fermenterait trop, ni trop froide car il se figerait. Sans parler de l'odeur qui peut se transmettre à d'autres aliments plus délicats conservés, eux aussi, au réfrigérateur.

À notre époque, qui a le temps, l'espace et les moyens nécessaires pour enterrer la jarre de kimchi dans le jardin, comme le faisaient la plupart des Coréens il y a seulement une génération ? Cela dit, cette méthode reste excellente pour les marinades et la fermentation, l'isolation géothermique empêchant le kimchi de geler.

Le progrès technologique des appareils ménagers a apporté la solution à ce problème de stockage : le réfrigérateur à kimchi ! Il se compose de compartiments séparés à température contrôlée, installés dans de grands réfrigérateurs ou conçus comme des unités autonomes.

ÂMES SENSIBLES S'ABSTENIR !

La Corée est renommée – ou critiquée – pour sa tradition de consommation de viande de chien. Si le seul fait d'y penser vous donne la nausée, sachez que c'est également un sujet brûlant pour de nombreux Coréens.

Avant chaque grand événement international qui se déroule dans le pays, une vague de protestation contre cette pratique s'élève à l'étranger, relayée par les défenseurs coréens des animaux. Il s'ensuit des rapports émis par les autorités locales, qui ferment quelques établissements de viande de chien et calment ainsi la polémique. Pendant des décennies, le mot *bosintang*, désignant la soupe de viande de chien, était quelque peu tabou. Toutefois, une large partie des habitants soutient sans réserve cette tradition culinaire.

Il importe de connaître certains détails : premièrement, les chiens utilisés proviennent d'une race spécifique, ce qui veut dire que vous n'avez pas à vous inquiéter pour vos fidèles compagnons. Deuxièmement, cette viande est uniquement servie dans des restaurants spécialisés. Elle n'arrivera donc pas dans votre assiette si vous ne l'avez pas commandée. Les Coréens l'apprécient parce qu'elle est réputée très maigre, d'une excellente valeur nutritive et bénéfique pour la virilité. En été, la "chaleur" de la viande est supposée rafraîchir l'organisme.

Et quel goût a-t-elle ? Un peu comme la poitrine de bœuf que cuisinait votre grand-mère, en plus filandreuse peut-être. On la sert souvent en *suyuk* (petis morceaux de viande et de peau bouillis, que l'on peut envelopper de feuilles comme le *galbi*) et en *bosintang* (soupe épicée comme celles à base de bœuf).

---

léger pour moins de 4 000 W. Parfois, ils sont même farcis au kimchi. Le *manduguk* est une soupe de raviolis.

Nouilles

Le *naengmyeon*, également appelé *mul naengmyeon*, est de loin la spécialité de nouilles la plus populaire : ces nouilles de farine de sarrasin sont servies dans un bouillon de bœuf froid et accompagnées d'un demi-œuf et de légumes coupés en tranches. Pour les déguster, ajoutez de la pâte de piment rouge ou du *gyeoja* (moutarde). Ce plat est particulièrement apprécié par temps chaud et souvent consommé après une viande en guise de dessert.

Autre préparation prisée, le *bibim naengmyeon*, froid et servi sans bouillon, accompagne les nouilles et se compose de légumes et d'autres ingrédients présents dans le bibimbap.

Les *japchae* sont des nouilles translucides à base de patates douces ; elles sont sautées dans de l'huile de sésame avec des rondelles d'œuf, de viande, de champignons, de carottes et d'autres légumes.

Les *ramyeon* sont des nouilles servies dans une soupe brûlante, comme les *ramen* chinoises.

Petit déjeuner

Même si le petit déjeuner à l'occidentale est proposé dans les villes, le petit déjeuner national se compose de soupe, de riz et de kimchi. Mis à part des banchan moins nombreux, il ne diffère guère du déjeuner et du dîner. Les bols de soupe sont plus grands que ceux servis aux autres repas.

Samgyetang (poulet)

Le *samgyetang* est un petit poulet entier, farci de riz glutineux, de dattes rouges, d'ail et de ginseng, puis cuit en ragoût. Ce plat est couramment consommé en été et souvent accompagné de vin au ginseng. Le *dakgalbi*, moyennement épicé, consiste en des morceaux de poulet désossé, de chou et autres légumes, et de gâteaux de riz pressé de la taille d'un doigt

"On dit que le *haejangguk* (soupe aux germes de haricots) est un remède souverain contre la gueule de bois."

L'ITINÉRAIRE DES BUVEURS

Une soirée avec des Coréens implique trois arrêts, qu'ils appellent "premier arrêt", "deuxième arrêt" et "troisième arrêt" (*il cha, ee cha, sam cha*). On commence par le dîner, avant de prendre un ou plusieurs verres pour finir la soirée dans une salle de karaoké.

Pourquoi ? Pour changer d'atmosphère lorsque le premier endroit sent un peu trop le renfermé. Cela permet aussi de donner à chacun la chance de payer l'addition (une personne différente règle la note à chaque arrêt) et offre une occasion convenable de s'éclipser. Il vaut mieux quitter le groupe entre deux arrêts. Sachez que l'on commande systématiquement de la nourriture à chaque endroit – aux excès d'alcool pourra facilement s'ajouter une indigestion !

---

que l'on fait rôtir sur le gril de table. Beaucoup plus relevé et très prisé des Coréens, le *jjimdak* est un mélange épicé de morceaux de poulet, de nouilles transparentes, de pommes de terre et d'autres légumes. La Corée regorge d'établissements modestes qui servent du poulet, rôti ou cuit au barbecue, et de la bière.

Soupes

Les soupes (*tang* ou *guk*) comptent parmi les spécialités. Elles varient des potages épicés à base de fruits de mer et de crabe aux bouillons plus fades comme le *galbitang* (soupe de côtes de bœuf et de légumes accompagnée de riz) ou le *seolleontang* (soupe au bœuf émincé avec des oignons de printemps et du riz). On dit que le *haejangguk* (soupe aux germes de haricots) est un remède souverain contre la gueule de bois. Le potage est le plat de base des petits déjeuners. Une liste p. 84 répertorie les plus répandus. Ajoutez un peu de riz s'il est trop épicé.

BOISSONS

Commençons par parler de la boisson la plus simple, l'eau (*mul*), et sachez que les Coréens deviennent pointilleux lorsqu'il s'agit d'eau potable.

Presque tous les restaurants sont équipés d'une puissante machine à filtrer l'eau ou disposent d'eau en bonbonne, dispensée dans un refroidisseur. Habituellement, on place un verre d'eau devant chaque convive ou le serveur apporte une carafe d'eau. Souvent, les refroidisseurs sont installés dans la salle de restaurant et les clients peuvent y remplir leurs propres bouteilles avant de partir.

Thé et tisanes sont aussi des boissons répandues. Le *nokcha* (thé vert) est cultivé sur de grandes superficies (visitez les plantations de Jeju-do et du Jeollanam-do). Parmi les tisanes figurent le *boricha* (tisane d'orge grillé), l'*oksusucha* (tisane de maïs grillé, souvent servi froid à la place de l'eau) ou l'*insamcha* (tisane de ginseng). Le *yujacha* (tisane de citron), doux et délicieux, est également apprécié.

Pour un pays où la tradition du thé est forte, la Corée a largement adopté le café et des machines sont installées dans presque tous les lieux publics (environ 300 W la tasse). Dans certains restaurants, on peut se servir une tasse de café à la machine en self-service.

Outre les sodas connus dans le monde entier, vous trouverez des boissons typiques, comme le *sikhye*, du punch de riz contenant des grains de riz.

Des boissons énergisantes sont également disponibles en pharmacie et dans les magasins. Habituellement vendues dans de petites bouteilles en verres de 100 ml, elles sont en général élaborées à partir de mélanges de fibres, de ginseng et autres plantes médicinales. Les marques courantes portent généralement des noms aux consonances anglo-saxonnes (par exemple Fibe-Mini).

La plupart des Coréens considérant que boire l'estomac vide est mauvais pour la santé, les bars servent généralement des collations. Les *hof* (pubs) et autres night-clubs proposent des plats appelés *anju*, qui peuvent être copieux et se partagent entre convives. Certains endroits font payer ce service comme une sorte de couvert.

Si vous appréciez les boissons plus fortes, goûtez les bières locales. Parmi les marques les plus populaires, citons Cass, Hite et O.B. (de "Oriental Brewery" ou "brasserie orientale"). La dernière née d'O.B. est un brassin nommé Cafri.

On ne peut disserter sur les boissons coréennes sans parler du *soju*. Datant du XIIIᵉ siècle, cette liqueur distillée est souvent comparée à la vodka du fait de sa couleur transparente, de son goût quasiment insipide et de son faible coût de fabrication. Comme la vodka, elle peut être élaborée à partir de différents ingrédients, mais aujourd'hui elle est le plus souvent produite industriellement à partir de patates douces. Le soju présente généralement une teneur en alcool variant entre 20 et 25%.

Son cousin, le *dongdongju*, est une boisson à base de riz ou de blé fermenté, de couleur brune et laiteuse lorsqu'elle n'est pas raffinée. Il est servi froid en été et présente une teneur en alcool plus faible que le soju.

ÉTABLISSEMENTS
Restaurants

Le terme générique signifiant "restaurant" en coréen est *sikdang* ; vous constaterez que de nombreux établissements indiquent leurs spécialités dans leur nom, par exemple *samgyetang, galbi, ssambap, hanjeongsik, hoetjip*. Un restaurant peu onéreux est parfois désigné par le mot *bunsik*. Si le terme *yaksu* apparaît dans l'appellation, cela veut dire que l'établissement propose des repas bénéfiques pour la santé (bœuf assaisonné avec des plantes médicinales, etc.). Les restaurants de poisson cru incluent le caractère *hoe* (회, cru) dans leur nom et le placent en évidence à l'extérieur : on peut ainsi facilement les repérer sur presque toutes les côtes de Corée.

Beaucoup de villes sont réputées pour leurs spécialités locales ou régionales ; bien souvent, dans certaines rues ou quartiers, vous ne trouverez que des restaurants affichant une carte bien spécifique. Nous vous en proposons quelques exemples :

Busan (Gyeongsangnam-do) – Poisson cru.

Chuncheon (Gangwon-do) – *Dakgalbi* (poulet grillé et galettes de légumes et de riz).

Danyang (Chungcheongbuk-do) – Ail.

Gwangju (Jeollanam-do) – *Oritang* (soupe de canard), *tteokgalbi* (galettes grillées de bœuf haché).

Jeju-do – Divers produits de la mer, champignons, oranges.

Jeongdongjin (Gangwon-do) – *Sundubu* (ragoût de tofu).

Sokcho (Gangwon-do) – Calmar, notamment préparé en *sundae* (saucisse).

Suwon (Gyeonggi-do) – *Galbi.*

Tongyeong (Gyeongsangnam-do) – *Chungmu gimbap* (riz, algues séchées, radis marinés et kimchi).

Yeosu (Jeollanam-do) – *Gakkimchi* (kimchi à base de légumes-feuilles).

Dans la plupart des cas, un plat de bibimbap ou de *dwaejigalbi* (côtes de porc) ne coûtera pas plus de 7 000 W, tandis qu'un galbi peut valoir 13 000 W. En règle générale, les soupes et les ragoûts s'élèvent à 5 000 W. Le banchan, inclus dans le prix, est resservi sans supplément. Si le riz n'est pas compris, il coûte habituellement 1 000 W.

Si un plat vaut 20 000 W ou plus, comme un poisson entier ou un ragoût de fruits de mer, cela signifie probablement qu'il est prévu pour plusieurs personnes.

CHAÎNES DE RESTAURATION NATIONALES

Nous vous recommandons fortement de goûter les saveurs et les spécialités locales, mais si vous devez prendre un repas rapide, facile à choisir, rendez-vous dans les chaînes de restauration très réputées :

En Corée, les poissons et les fruits de mer crus font partie des aliments les plus chers, même dans les ports de pêche. Traditionnellement, on choisit un poisson vivant dans un aquarium, puis le chef le prépare. Le poisson est vendu au prix du marché ; renseignez-vous sur son coût avant de commander.

Spécialités	Nom du restaurant	
Poulet (grillé)	BBQ	비비큐
	Pelicana	페리카나
Jjigae	Nolboo	놀부
Mandu	Teolbo	털보
	Myeongdong Gyoja	명동 교자
Naengmyeon	Hamheung	함흥
	Pyeongyang	평양
Spaghetti	Sorrento	쏘렌토
Udong et Gimbap	Jang Udong	장 우동
	Yong Udong	용 우동

Marchés

Habituellement pittoresques et animés de personnages hauts en couleur, les marchés sont des lieux fantastiques où flâner, même si vous n'achetez rien. Vous y verrez des bouchers, des marchands des quatre-saisons, des vendeurs de kimchi, de nouilles, de boissons et de produits de base, aux côtés d'échoppes et de petits restaurants. Les marchés sont peut-être la façon la plus coréenne de faire ses emplettes.

Échoppes

Dans les sites touristiques, les centres commerciaux et les quartiers résidentiels, les occasions de se régaler ne manquent pas.

Parmi les plats les plus vendus dans la rue figurent les *sundae* (saucisse faite dans des intestins de porc et farcie notamment de légumes et de nouilles), les *tteokbokgi* (gâteaux de riz épicés), les *dakkochi* (brochettes de poulet grillé, mariné dans une sauce pimentée, au gingembre et au soja) et les *godung* (rouleaux farcis aux coquillages). En revanche, les *beondegi* (larves de vers à soie) sont plus "exotiques" pour les palais occidentaux. Les *odeng* (croquettes de poisson et de fruits de mer écrasés, cuites dans un bouillon de poisson) se trouvent facilement dans les rues commerçantes.

Si vous préférez quelque chose de plus sucré, goûtez le *hodeok* (beignet sucré frit) ou la plus familière *aiseukeurim*, dont les sonorités évoquent l'*ice cream* anglaise !

Commerces

En Corée, les commerces de proximité sont propres, fréquentés et pratiques. Appelés Mini-Stop, Family Mart, LG25 et 7-Eleven, ils sont présents à chaque coin de rue dans certaines villes. Là, vous trouverez boissons, snacks, repas légers et produits de base. Ils possèdent parfois des comptoirs pour manger sur le pouce ou des sièges où s'installer.

Nouilles, gimbap, sandwichs, boissons sans alcool, crèmes glacées et chocolat font partie des produits proposés, tous à prix raisonnables. Seuls les fruits peuvent être chers. Certains vendent de la bière et du soju.

Rendez-vous des étudiants

Ici, on vous servira des repas typiques pour 2 000 à 4 000 W, en vous proposant mandu, gimbap, naengmyeon (voir p. 72). Le quartier commerçant situé en face de la principale entrée d'une université est le lieu privilégié où trouver bars et gargotes bon marché.

Fast-foods

Les grandes villes abondent en fast-foods internationaux qui proposent les menus habituels, plus quelques spécialités adaptées aux palais coréens. N'hésitez pas à entrer dans un établissement de la chaîne Lotteria, où il est possible de commander un burger *kimchi*, un burger *bulgogi*, un burger aux crevettes ou même au riz (servis sur un pain à base de riz pressé). Les autres enseignes proposent leurs propres versions de ces burgers, mais Lotteria les fait maison.

VÉGÉTARIENS

Comme dans de nombreux autres pays asiatiques, les Coréens suivent tous les mêmes traditions culinaires. Bien qu'ils respectent l'idée de s'abstenir de consommer certains aliments pour des raisons morales ou religieuses, ils ne proposent pas forcément des plats spécifiques en plus.

Malgré la réputation d'omniprésence de la viande dans la gastronomie coréenne, celle-ci est suffisamment variée pour que les végétariens puissent trouver leur bonheur. Le riz est servi à tous les repas ou presque, et de nombreux banchan sont uniquement à base de légumes. Il en va de même pour le kimchi. Si vous ne consommez aucun produit de la mer, vous pourrez malgré tout vous restaurer sans problème.

Si rien d'autre ne vous convient, commandez un bibimbap sans les ingrédients que vous ne mangez pas.

Sinon, commandez des repas de temples bouddhiques : il s'agit d'une option particulièrement intéressante puisque les plats sont préparés selon les préceptes bouddhistes, c'est-à-dire végétariens. Certaines sectes évitent les épices supposées altérer la méditation, mais en règle générale, les repas servis dans les temples sont aussi goûteux que le reste de la gastronomie coréenne. Cerise sur le gâteau, ils sont souvent gratuits ! En échange, on attendra que vous respectiez la coutume bouddhiste de ne pas gaspiller la nourriture et on pourra éventuellement vous demander de laver vos plats après avoir mangé.

Prenez garde aux ragoûts et aux potages. Ils font partie des plats de base de la cuisine coréenne et sont souvent élaborés avec du bœuf et des fruits de mer. Les soupes à base d'algues ou de tofu sont généralement végétariennes. Mais si vous avez des requêtes particulières, il vaut toujours mieux demander au serveur.

À TABLE

En Corée, la conception des repas est fort différente de celle des pays occidentaux. Là où la soupe, le riz, le potage ou les marinades servent d'accompagnement, ils sont, pour les Coréens, les piliers du repas et tous les autres aliments les accompagnent. Lorsque vous commandez un plat principal, en temps normal, il sera servi avec du riz, de la soupe, du kimchi et tout un assortiment de banchan choisis pour équilibrer les plats en termes de salinité, de température et d'association de couleurs.

Le nombre de banchan présents sur la table – en nombres impairs à partir de trois (sauces et condiments ne sont pas pris en compte) – est fonction du caractère formel du repas. Par exemple, une table avec cinq plats (*5-cheop bansang*) peut comporter un poisson en ragoût, une viande grillée et quelques plats à base de légumes ou de tofu, chacun d'eux étant servis dans son plat ou son bol peu profond. Historiquement, le repas le plus sophistiqué comprenant douze plats (*surasang*) était réservé aux rois.

Même dans un restaurant ordinaire, le repas sera toujours servi avec une multitude de banchan. Pour de nombreux Coréens, le plat unique composé de plusieurs aliments, mangé traditionnellement en Occident, paraît bien seul sur la table.

Par tradition, les convives s'asseoient sur des coussins, sur une partie surélevée du sol sous laquelle est disposé le système de chauffage *ondol*. Avant de vous installer, prenez toujours soin d'enlever vos chaussures.

Le KNTO publie une excellente brochure en anglais intitulée *The Wonderful World of Korean Food*. Elle comporte des descriptions, des photographies, des recettes et des listes de restaurants spécialisés dans les villes les plus visitées. Par ailleurs, le site web http://french.tour2korea.com comprend un chapitre complet sur la gastronomie, avec des recettes de spécialités régionales.

Utilisez les étagères ou les boîtes à chaussures prévues à cet effet, sinon, posez-les simplement par terre. Si, dans certains restaurants plus chics, le personnel peut les ranger pour vous, vous n'avez pas à vous inquiéter d'un vol éventuel de vos souliers.

Une fois que vous êtes installé, le serveur vous tendra peut-être un gant de toilette humide, particulièrement rafraîchissant pendant les mois d'été caniculaires.

Si la table n'est pas mise, une boîte oblongue contenant les baguettes et des cuillères à long manche sera disposée sur celle-ci. C'est à la personne la plus proche de la boîte qu'il revient de faire circuler les ustensiles entre les convives. Si de nombreux restaurants de luxe ont adopté la tradition

L'ÉTIQUETTE À TABLE

À faire

▪ Efforcez-vous de vous asseoir sur le sol, les jambes en tailleur ou ramenées sur le côté. Si vous avez besoin de vous adosser, essayez de trouver une table près d'un mur.

▪ Versez à boire aux autres si vous remarquez que leurs verres sont vides. Il est plus poli de verser la boisson des deux mains.

▪ Prenez l'ustensile le plus approprié au plat. Vous pouvez manger dans les plats communs avec vos baguettes ou avec votre cuillère. Alors que dans d'autres pays, manger du riz avec une cuillère est jugé insolent, c'est une pratique courante en Corée.

▪ Entre chaque bouchée, posez vos baguettes ou votre cuillère sur le support prévu à cet effet. Sinon, placez-les sur la table ou sur la serviette, et non pas en travers ou dans un bol.

▪ Si vous avez besoin de mettre un peu de nourriture à part avant de la manger, déposez-la sur votre bol de riz. Si le repas ne comporte pas de riz, demandez un bol vide. Bien que la plupart des Coréens ne mangent pas de cette façon, vos hôtes et le personnel des restaurants seront généralement heureux de faire plaisir à des visiteurs étrangers.

▪ Les couteaux ne sont d'aucune utilité car les aliments sont prédécoupés. Si vous ne parvenez pas à couper quelque chose avec votre cuillère, demandez des ciseaux. Le serveur effectuera parfois la découpe.

▪ Si vous buvez en présence de personnes âgées, il est d'usage de détourner légèrement le buste.

À ne pas faire

▪ Si vous dînez en présence de personnes âgées, vous ne devez pas commencer ou finir de manger avant eux. Il est également incorrect de prendre ses baguettes avant que la personne la plus âgée à table ne l'ait fait.

▪ Ne touchez pas la nourriture avec les doigts, à l'exception des feuilles servant à envelopper d'autres aliments ou lorsque vous découpez un poisson en filets.

▪ Ne tenez pas les bols et les plats à la main pendant le repas. Ce geste est impoli.

▪ Ne laissez pas vos baguettes ou votre cuillère dans le bol de riz. Il s'agit d'un cérémonial mortuaire de "présentation" de nourriture aux ancêtres décédés.

▪ Ne vous mouchez pas à table, même si la nourriture est épicée. Si vous en ressentez le besoin, excusez-vous et dirigez-vous vers un endroit discret, comme les toilettes.

▪ Ne posez pas les serviettes usagées dans les plats mais plutôt sur la table avec vos ustensiles dessus.

▪ Ne donnez pas de pourboire dans un restaurant. Si vous souhaitez faire parvenir des remerciements particuliers, le directeur et le personnel seront probablement aux anges s'ils reçoivent un petit mot.

POURQUOI LES CORÉENS UTILISENT-ILS DES BOLS EN INOX ?

La Corée fabrique traditionnellement des céramiques parmi les plus extraordinaires au monde. Elle est également entourée de pays qui utilisent des bols en porcelaine et en céramique, ainsi que des baguettes en bois ou en plastique. Par conséquent, de nombreux visiteurs sont surpris de voir les Coréens employer des bols, des plats et des ustensiles en inox.

À l'instar d'un grand nombre de coutumes coréennes, plusieurs explications, dont la plus courante remonte à la dynastie Choson, peuvent être avancées. La légende raconte que les rois, toujours vigilants en matière de sécurité, insistaient pour utiliser des baguettes en argent car ce métal se ternissait en présence de poison. La tradition devint populaire et se transmit au peuple.

Cet usage tient aussi probablement au fait que le métal est relativement facile à nettoyer et à désinfecter, qu'il se range aisément et qu'il est difficile à casser. Ceux qui ont du mal à manipuler les baguettes auront encore plus de difficultés avec celles en métal, très fines et moins pratiques que celles en bois ou en plastique.

---

occidentale de la serviette, ne soyez pas surpris de recevoir un rouleau de papier toilette dans d'autres établissements.

Les repas étant pris en commun, tous les plats sont disposés au centre de la table, à l'exception du riz et de la soupe. Les Coréens pensent que le partage de la nourriture contribue à instaurer des relations amicales. En observant les convives d'une table coréenne chargée de plats, on peut penser à une partie de jeu de dames passée à l'accéléré : chaque personne prend une part d'un plat, une bouchée d'un autre, puis un peu de riz, une gorgée de soupe, en picorant dans l'ensemble des mets. Si vous mangez ainsi, vos compagnons de table vous feront peut-être remarquer que vous mangez comme un authentique Coréen !

LES MOTS À LA BOUCHE
Mots et expressions utiles
AU RESTAURANT

Nous aimerions avoir une table en zone non-fumeur/fumeur, s'il vous plaît.
geumyeonseogeuro/heupyeonseogeuro juseyo 금연석으로/ 흡연석으로 주세요

Avez-vous une carte en anglais ?
yeong-eoro doen menyu isseoyo? 영어로 된 메뉴 있어요?

Avez-vous des tables et des chaises ?
taeibeul issoyo? 테이블 있어요?

Je souhaiterais manger des plats épicés.
maepge hae juseyo 맵게 해 주세요

Je ne peux pas manger de nourriture trop épicée.
maeun eumsigeun meokji mothamnida 매운 음식은 먹지 못합니다

Ce plat est-il épicé ?
i eumsing maeweoyo? 이 음식 매워요?

Pouvez-vous le cuisiner avec moins d'épices ?
teol maepge haejusilsu isseoyo? 덜 맵게 해 주실 수 있어요?

Quel plat nous recommandez-vous ?
mweo chucheon haejusillaeyo? 뭐 추천해 주실래요?

Je prendrai la même chose qu'eux.
jeobundeurirang gateun menyuro juseyo 저분들이랑 같은 메뉴로 주세요

Excusez-moi ! (Venez ici s'il vous plaît)
yeogiyo! 여기요!

Pourrais-je avoir...
...juseyo ...주세요

Donnez-moi de l'eau, s'il vous plaît.
mul juseyo 물 주세요

Montrez-moi le menu, s'il vous plaît.
menyureul boyeo juseyo   메뉴를 보여 주세요

L'addition, s'il vous plaît.
gyesanseo juseyo   계산서 주세요

Bon appétit.
masikke deuseyo   맛있게 드세요

Merci.
gamsahamnida   감사합니다

Merci. (litt. "c'était délicieux")
masipseoyo   맛있어요

Nos compliments au chef.
daedanhan yori somssieyo   대단한 요리 솜씨예요

Je suis végétarien.
chaesikjuuija imnida jeon chaesikjuuijaeyo   채식주의자입니다 전 채식주의자예요

Je ne mange pas de viande.
jeon gogireul anmeogeoyo   전 고기를 안 먹어요

Je ne peux pas manger de produits laitiers.
jeon yujepumeul anmeogeoyo   전 유제품을 안 먹어요

Proposez-vous des spécialités végétariennes ?
gogi andeureogan eumshik isseoyo?   고기 안 들어간 음식 있어요?

Est-ce que ce plat contient de la viande ?
i eumshige gogiga deureogayo?   이 음식에 고기가 들어가요?

Puis-je commander ce plat sans viande ?
gogi bbaego haejushilsu isseoyo?   고기 빼고 해 주실 수 있어요?

Est-ce qu'il contient des œufs ?
gyerani deureogayo?   계란이 들어가요?

Je suis allergique aux (cacahouètes).
jeon (ddangkong) eallereugiga isseoyo   전 (땅콩)에 알레르기가 있어요

Y a-t-il un restaurant casher ici ?
juwie yutaeinsik sikdang isseoyo?   주위에 유태인식 식당 있어요?

Pour décrypter la carte

GIMBAP 김밥

chamchi gimbap	참치김밥	gimbap au thon
chijeu gimbap	치즈김밥	gimbap au fromage
kimchi gimbap	김치김밥	gimbap contenant du kimchi
modeum gimbap	모듬김밥	assortiment de gimbap
sogogi gimbap	쇠고기김밥	gimbap au bœuf

KIMCHI 김치

baechukimchi	배추김치	kimchi de chou chinois ; recette épicée classique
baekkimchi	백김치	kimchi de chou blanc ; moins épicé que le kimchi "classique" et avec un goût acidulé
chonggak kimchi	총각김치	kimchi de radis marinés
ggakdugi	깍두기	kimchi de radis découpés en cubes
mulkimchi	물김치	soupe froide de kimchi
oisobagi	오이소박이	kimchi de concombres farcis

NOUILLES

bamnaengmyeon	밤냉면	nouilles froides aux châtaignes
bibim naengmyeon	비빔냉면	nouilles froides épicées sans soupe
bibimguksu	비빔국수	nouilles froides accompagnées de légumes et d'une sauce épicée
japchae	잡채	mélange de bœuf et de légumes avec des nouilles au soja

kalguksu	칼국수	grosses nouilles faites à la main
kongguksu	콩국수	bouillon de nouilles et de lait de soja
makguksu	막국수	bouillon de légumes, de viande, de nouilles et de poulet
mul naengmyeon	물냉면	soupe de nouilles froide
Pyeongyang naengmyeon	평양냉면	nouilles froides nord-coréennes
ramyeon	라면	soupe de nouilles de type *ramen*
ramyeon bokki	라면볶이	nouilles de type ramen frites
yeolmu naengmyeon	열무냉면	soupe de nouilles et de kimchi froide

PLATS À BASE DE RIZ

bap	밥	riz (terme générique)
beoseotssambap	버섯쌈밥	rouleaux de champignons, de riz et de légumes
bibimbap	비빔밥	riz, œuf, viande et légumes dans une sauce épicée
boribap	보리밥	riz et orge cuits à la vapeur
doenjang bibimbap	된장비빔밥	bibimbap avec une sauce au soja
dolsot bibimbap	돌솥비빔밥	bibimbap dans un caquelon en terre
dolsotbap	돌솥밥	riz en caquelon
dolssambap	돌쌈밥	rouleaux de riz et de laitue
gonggibap	공기밥	riz à la vapeur
gulbap	굴밥	riz avec des huîtres
hoedeopbap	회덮밥	riz avec des fruits de mer
honghapbap	홍합밥	riz avec des moules
kimchi bokkeumbap	김치볶음밥	riz au kimchi frit
ojingeodeopbap	오징어덮밥	riz avec des calmars
pyogodeopbap	표고덮밥	riz avec des champignons
sanchae bibimbap	산채비빔밥	bibimbap élaboré avec des légumes sauvages de montagne
sinseonlo	신선로	bouillon de viande, poisson et légumes cuisiné à table

PLATS CHINOIS À LA MODE CORÉENNE

boggeumbap	볶음밥	riz frit
jjajangmyeon	자짱면	nouilles aux œufs dans une sauce de soja noir
jjambbong	짬봉	nouilles et légumes en bouillon
tangsuyuk	탕수육	porc sucré et acidulé
udong	우동	udong chinois (nouilles de blé épaisses, cuites dans un bouillon consistant)

POISSON ET FRUITS DE MER

chobap	초밥	poisson cru de style sushi
garibi	가리비	pétoncles
gwangeo	광어	poisson cru très apprécié
hoedeupbap	회덮밥	riz, œufs et légumes, accompagnés de fruits de mer crus et d'une sauce épicée
kijogae	키조개	couteau
nakji	낙지	poulpe
odeng	오뎅	croquettes de poisson et de fruits de mer écrasés, cuites dans un bouillon de poisson
saengseonhoe	생선훠	sashimi sans riz
ureok	우럭	poisson cru très apprécié

RAGOÛTS

budae jjigae	부대찌개	ragoût de jambon et autres ingrédients variés
dakjjim	닭찜	ragoût de poulet

doenjang jjigae	된장찌개	ragoût de pâte de soja
dubu jjigae	두부찌개	ragoût de tofu
galbi jjim	갈비찜	ragoût de côtes de bœuf cuites au barbecue
gopchang jeongol	곱창전골	caquelon de tripes
jjigae	찌개	ragoût
kimchi jjigae	김치찌개	ragoût de kimchi
nakji jeongol	낙지전골	caquelon de poulpe
sundubu jjigae	순두부찌개	ragoût de tofu et de palourdes

SNACKS

beondegi	번데기	larves de ver à soie bouillies
bungeoppang	붕어빵	gâteau en forme de poisson, farci de fèves rouges
hotteok	호떡	galette farcie sucrée
mettugi	메뚜기	sauterelles grillées
nurungji	누룽지	boule de riz brûlé et croustillant
odeng	오뎅	fruits de mer cuisinés
susubukkumi	수수부꾸미	galette farcie aux fèves rouges
tteok	떡	gâteau de riz
tteokbokgi	떡볶이	gâteaux de riz épicés

SOUPES

bosintang	보신탕	soupe de viande de chien
bugeoguk	북어국	soupe de lieu jaune
chueotang	추어탕	soupe de poisson-castor
dak baeksuk	닭백숙	soupe douce de poulet farci et bouilli
doganitang	도가니탕	soupe d'os de genou de bœuf
galbitang	갈비탕	soupe de côtes de bœuf
gamjatang	감자탕	soupe d'os à mœlle et de pommes de terre
gomtang	곰탕	soupe de bœuf
haejangguk	해장국	soupe aux germes de haricots
haemultang	해물탕	soupe épicée de fruits de mer variés
heukyeomsotang	흑염소탕	soupe de chèvre
kkorigomtang	꼬리곰탕	soupe de queue de bœuf
maeuntang	매운탕	soupe de poisson épicée
manduguk	만두국	soupe de boulettes de viande
miyeokguk	미역국	soupe d'algues brunes
oritang	오리탕	soupe de canard
samgyetang	삼계탕	soupe de poulet au ginseng
seolleongtang	설렁탕	soupe de bœuf et de riz
seonjigukbap	선지국밥	soupe de riz avec du sang de bœuf
tokkitang	토끼탕	soupe de lapin
ttokidoritang	토끼도리탕	soupe épaisse de lapin
ureongtang	우렁탕	soupe d'escargots
yukgaejang	육개장	soupe de bœuf épicée

VIANDES ET SPÉCIALITÉS AU BARBECUE

bulgalbi	불갈비	côtes de bœuf
bulgogi	불고기	bœuf au barbecue et bœuf ou porc mariné accompagné de légumes
dakgalbi	닭갈비	poulet grillé coupé en dés
dakgangjeong	닭강정	poulet désossé cuit à la broche
dakkochi	닭고치	brochettes de poulet mariné et grillé
dwaejigalbi	돼지갈비	côtes de porc grillées au barbecue
galbi	갈비	côtes de bœuf
galbi gui	갈비구이	côtes de bœuf grillées au barbecue

hanbang oribaeksuk	한방 오리백숙	canard dans une soupe aux plantes médicinales
hunjejeongsik	훈제정식	plat de canard rôti
jjimdak	찜닭	morceaux de poulet épicé accompagné de nouilles
metdwaejigogi	멧돼지고기	porc sauvage
moksalsogeumgui	목살 소금구이	porc au barbecue
neobiani	너비아니	grosses boulettes de viande hachée
ogolgye	오골계	poulet noir
samgyeopsal	삼겹살	sorte de bacon au barbecue
sogeum gui	소금구이	côtes de bœuf salées
tongdakgui	통닭구이	poulet rôti

AUTRES SPÉCIALITÉS

agutchim	아구찜	lotte de mer épicée, cuite à la vapeur
bindaetteok	빈대떡	galette de haricot mungo
bossam	보쌈	porc à la vapeur accompagné de chou
bulgogijeongsik	불고기정식	bulgogi et plats d'accompagnement
dongchimi	동치미	radis blancs marinés
donkkaseu	돈까스	côtelette de porc, accompagnée de riz et de légumes (modèle coréen du tonkatsu japonais)
dotorimuk	도토리묵	gelée de glands
galbijeongsik	갈비정식	côtes de bœuf et plats d'accompagnement
gamjabuchim	감자부침	galette de pommes de terre
gujeolpan	구절판	rouleaux de huit ingrédients
hanjeongsik	한정식	banquet à la coréenne
honghapbapdosirak	홍합밥 도시락	riz avec des moules et plats d'accompagnement
jang-eo gui	장어구이	anguille grillée
jeonbokjuk	전복죽	gruau d'ormeau
jjinppang	찐 빵	brioche géante cuite à la vapeur avec une pâte sucrée aux haricots
jokbal	족발	jarret de porc à la vapeur
kimchimandu	김치만두	boulettes de kimchi
kkotgejjim	꽃게찜	crabe bleu à la vapeur
kongnamulgukbap	콩나물국밥	gruau de riz épicé aux germes de haricots
kwongdoritang	꿩도리탕	ragoût de faisan
mandu	만두	boulettes
mandugukjeongsik	만두국정식	soupe de boulettes avec ses accompagnements
mandukalguksu	만두칼국수	soupe de boulettes et de nouilles
modeumhoe	모둠회	assortiment de poissons crus
muk muchim	묵무침	purée de glands en gelée
ojingeosundae	오징어순대	calmar farci
oksusu	옥수수	épis de maïs
omeuraiseu	오므라이스	omelette accompagnée de riz
pajeon	파전	galette aux oignons verts
ppyeohaejangguk	뼈 해장국	caquelon d'os à mœlle
saengseongui	생선구이	poisson frit
saengseonjeongsik	생선정식	banquet de viande et de poisson
saeugui	새우구이	crevettes grillées
samchigui	삼치구이	poisson cuit au barbecue
sanchaebaekban	산채백반	riz et petits plats de légumes sauvages de montagne

sanchaejeongsik	산채정식	modeste festin de légumes sauvages de montagne
sangcharim	상차림	banquet de viande, de fruits de mer et de légumes
shabu shabu	샤브샤브	fondue de bœuf et de nouilles
sigol babsang	시골밥상	banquet végétarien
siksa	식사	banquet pour petits budgets
ssambap	쌈밥	assortiment d'ingrédients avec riz et verdure
ssambapjeongsik	쌈밥정식	riz et plats d'accompagnement enveloppés de feuilles
sujebi	수제비	potage de crustacés avec flocons de blé
sundae	순대	saucisse de porc
sundubu	순두부	pâte de soja avec une sauce épicée
tteokbokgi	떡볶이	rondelles de gâteau de riz épicées
twigim	튀김	fruits de mer et légumes frits
ureongmuchim	우렁무침	escargots d'eau douce assaisonnés et assortiment de légumes
wangmandu	왕만두	grandes boulettes rondes à la vapeur
yukhoe	육회	bœuf cru assaisonné

Glossaire français-coréen
AUTOUR DE LA TABLE

bol	*geureut*	그릇
chaise	*uija*	의자
baguettes	*jeokkarak*	젓가락
tasse	*keop*	컵
plat	*jeopsi*	접시
sol (siège à même le sol)	*bang*	방
fourchette	*pokku*	포크
couteau	*naipeu*	나이프
louche	*gukja*	국자
table basse	*sang*	상
serviette (souvent en papier)	*naepkin*	냅킨
ciseaux	*gawi*	가위
cuillère	*sutgarak*	숟가락
table	*taeibeul*	테이블

CONDIMENTS

beurre	*beoteo*	버터
confiture	*jaem*	잼
ketchup	*kechap*	케첩
mayonnaise	*mayonejeu*	마요네즈
moutarde	*gyeoja*	겨자
poivre (noir)	*huchu*	후추
piment rouge (moulu)	*gochuggaru*	고춧가루
pâte de piment rouge	*gochujang*	고추장
sel	*sogeum*	소금
sauce au soja	*ganjang*	간장
pâte de soja	*doenjang*	된장
sucre	*seoltang*	설탕
vinaigre	*sikcho*	식초

DESSERTS

gâteau	*keikeu*	케이크
beignet frit	*hodeok*	호딕
crème glacée	*aiseukeurim*	아이스크림

pâtisserie	*gwaja*	과자
tarte	*pai*	파이
parfait aux fèves rouges	*patbingsu*	팥빙수
gaufres	*wapeul/pulppang*	와플/풀빵

INGRÉDIENTS OCCIDENTAUX

pain	*bbang*	빵
beurre	*beoteo*	버터
céréales	*sirieol*	시리얼
fromage	*chijeu*	치즈
chocolat	*chokollit*	초콜릿
œufs	*gyeran*	계란
fruit	*gwail*	과일
jambon	*haem*	햄
miel	*kkul*	꿀
margarine	*magarin*	마가린
marmelade	*mameolleideu*	마멀레이드
yaourt	*yogureuteu/yogeoteu*	요구르트/요거트

BOISSONS
Non alcoolisées

tasse de...	*hanjan...*	한 잔...
punch à la cannelle/au gingembre		
	sujeonggwa	수정과
café	*keopi*	커피
café décaféiné	*mukapein keopi*	무카페인 커피
cola	*kolla*	콜라
jus	*juseu*	주스
de pomme	*sagwa*	사과
de raisin	*podo*	포도
d'orange	*orenji*	오렌지
limonade	*remoneideu*	레모네이드
lait	*uyu*	우유
eau minérale	*saengsu*	생수
punch de riz	*shikye*	식혜
boisson aux algues	*haeryonggak*	해룡각
thé	*cha*	차
avec/sans lait	*...uyu neo-eoseo/baego*	우유 넣어서/빼고
avec/sans sucre	*...seoltang neo-eoseo/baego*	설탕 넣어서/빼고
thé noir	*hongcha*	홍차
thé au citron	*yujacha*	유자차
thé de jujube	*daechucha*	대추차
thé au gingembre	*saenggangcha*	생강차
thé vert	*nokcha*	녹차
eau	*mul*	물
eau bouillie	*ggeurin mul*	끓인 물

Alcoolisées

bière	*maekchu*	맥주
eau-de-vie	*beuraendi*	브랜디
champagne	*shampein*	샴페인
cocktail	*kagteil*	칵테일
liqueur		
aromatisée aux fleurs de sarrazin		
	memilkkotsul makgeolli	메밀꽃술

	d'aiguilles de pin, de châtaignes et de gingembre		
		albaminsamsul	알밤인삼술
de dattes rouges		*daechusul*	대추술
vin de riz		*sansachun*	산사춘
fermenté		*dongdongju*	동동주
non filtré		*maggeolli*	막걸리
rhum		*reom*	럼
soju		*soju*	소주
de maïs		*dongdongju*	동동주
whisky		*wiseuki*	위스키
verre de whisky		*wiseuki hanjan*	위스키 한 잔
vin		*wain*	와인
verre de vin		*wain hanjan*	와인 한 잔
vin de prunes vertes		*maeshilchu*	매실주

Séoul 서울

Aucune ville de Corée n'est comparable à Séoul, en terme de taille ou d'influence. Cette ville animée et moderne, dont les habitants jouissent d'un niveau de vie élevé, est le cœur politique, financier, scolaire et culturel du pays. Boutiques élégantes, marchés, bars, cafés, restaurants et cinémas bordent les rues débordantes d'activité. Les gratte-ciel abritent des centres commerciaux sélects regorgeant de vêtements et d'articles électroniques dernier cri. Les quartiers de loisirs foisonnent de cybercafés, de salles de billards, de bowlings, de clubs de jazz, de night clubs et de karaokés.

Malgré cet ancrage dans le XXIe siècle, des vestiges de la société aristocratique traditionnelle subsistent encore à Séoul. Vous pourrez ainsi visiter cinq anciens palais (où ont lieu des reconstitutions de cérémonies royales), murs et portes de forteresses, sanctuaires, tombeaux royaux et *hanok* (maisons d'un étage en bois, au toit de tuiles). Par ailleurs, manifestations culturelles, villages folkloriques et musées populaires vous feront découvrir les modes de vie ruraux du passé. Enfin, dans un restaurant traditionnel, asseyez-vous sur des coussins de sol pour découvrir la diversité de la cuisine, des thés et des liqueurs.

Remarquablement bien desservie par les transports publics en dépit d'une population dépassant 10 millions d'âmes, la ville, sûre et accueillante, est peu touchée par la criminalité. Malgré de longues heures de travail, les habitants préservent leur vie sociale et se montrent prêts à aider les étrangers.

Capitale d'une puissance économique d'envergure internationale, Séoul, vieille de 600 ans, offre un fascinant kaléidoscope de l'Asie.

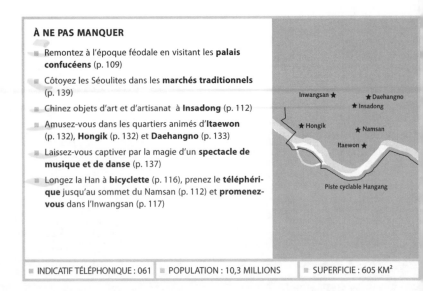

À NE PAS MANQUER

- Remontez à l'époque féodale en visitant les **palais confucéens** (p. 109)
- Côtoyez les Séoulites dans les **marchés traditionnels** (p. 139)
- Chinez objets d'art et d'artisanat à **Insadong** (p. 112)
- Amusez-vous dans les quartiers animés d'**Itaewon** (p. 132), **Hongik** (p. 132) et **Daehangno** (p. 133)
- Laissez-vous captiver par la magie d'un **spectacle de musique et de danse** (p. 137)
- Longez la Han à **bicyclette** (p. 116), prenez le **téléphérique** jusqu'au sommet du Namsan (p. 112) et **promenez-vous** dans l'Inwangsan (p. 117)

Inwangsan ★   ★ Daehangno
★ Insadong
★ Hongik   ★ Namsan
Itaewon ★
Piste cyclable Hangang

INDICATIF TÉLÉPHONIQUE : 061   POPULATION : 10,3 MILLIONS   SUPERFICIE : 605 KM²

HISTOIRE

Séoul devint la capitale de la Corée lorsque le général Yi Seonggye fonda la dynastie Choson en 1392. Certains palais, sanctuaires et vestiges de forteresses datent de cette époque. En 10 ans, la population de la cité atteignit 100 000 habitants.

Le néo-confucianisme étant la philosophie dominante de la dynastie, le bouddhisme fut relégué dans les montagnes. Pareillement, au XIXᵉ siècle, les catholiques coréens furent persécutés et tués. Le système féodal rigide – rois, aristocrates, paysans, esclaves et parias – ne changea guère jusqu'en 1910, lorsque les Japonais colonisèrent le pays. Séoul comptait alors 190 000 habitants. Au cours des 35 années qui suivirent, ses palais furent détruits et la culture coréenne sérieusement éprouvée.

Depuis 1948, Séoul est la capitale de la Corée du Sud. Conquise à plus de quatre reprises pendant la guerre de Corée (1950-1953), elle fut ensuite à la tête de la transformation rapide du Sud en une société urbaine et moderne, à la pointe de la technologie : les gratte-ciel sortirent de terre comme des champignons et les rues s'emplirent de voitures et de camions fabriqués en Corée. De 1960 à 1990, le pourcentage de la population vivant à Séoul est passé de 9% à 24%. L'organisation des Jeux olympiques en 1988 a constitué une étape marquante pour ce pays, désormais reconnu comme développé. Aujourd'hui, Séoul est l'une des

SÉOUL EN...

4 jours

Commencez par le **Gyeongbokgung** (p. 109), immense palais abritant deux splendides musées. Déjeunez à **Insadong** (p. 111) et explorez les galeries d'art, les boutiques d'artisanat et les cafés. Visitez rapidement le temple bouddhique **Jogyesa** (p. 112) avant de flâner dans le **parc Tapgol** (p. 112) et devant les échoppes de *tteok* (gâteaux de riz ; p. 112). Passez la soirée dans le quartier de **Daehangno**, dînez à **Nolbu** (p. 128), puis allez au théâtre. Rendez-vous ensuite au **Ssitpad Noraebang**, à l'**opéra Noraebang** ou flânez dans les bars (p. 132).

Le lendemain, choisissez des vêtements au **marché Dongdaemun** qui bourdonne d'activité (p. 112). Achetez des aliments bénéfiques pour la santé et des remèdes traditionnels au **marché Gyeongdong** (p. 112) avant de visiter l'imposant **Mémorial des guerres** (p. 114), les restaurants de spécialités étrangères, les bars et les boîtes de nuit d'**Itaewon** (p. 135), fréquentés par les expatriés.

Le troisième jour, effectuez la **promenade des palais** (p. 118) suivie par la visite de **Deoksugung** (p. 110) – galeries d'art et musées se situent à l'intérieur et autour de ce palais. Dans la soirée, assistez à un spectacle au **théâtre Nanta** (p. 136) ou au **théâtre Cheongdong** (p. 136).

Le dernier jour, explorez les étals traditionnels du **marché Namdaemun** (p. 139), les boutiques de mode du quartier de **Myeong-dong**, puis la **cathédrale catholique**. Visitez le **village folklorique de Namsangol** (p. 113) et escaladez le **Namsan** (p. 112). Promenez-vous ensuite dans le quartier branché de **Hongik** (p. 135), où vous pourrez écouter des musiciens et danser jusqu'à l'aube.

1 semaine

Suivez le programme précédent. Le 5ᵉ jour, flânez sur un **marché** – d'antiquités (p. 139), d'objets d'occasion (p. 139), d'articles électroniques (p. 139) ou de poisson (p. 139). Visitez ensuite la terrifiante **prison de Seodaemun** (p. 113) et grimpez sur l'**Inwangsan** (p. 117) jusqu'au sanctuaire chamanique. Au crépuscule, dirigez-vous vers le **casino** (p. 134), une DVD *bang* (salle de DVD) ou un théâtre culturel traditionnel.

Le lendemain, parcourez **Changdeokgung** (p. 111) et son jardin secret inscrit au patrimoine mondial. Partez ensuite faire une **promenade à bicyclette** (p. 116) le long de la Han et traversez-la pour rejoindre le World Cup Stadium et les parcs environnants. En fin de journée, laissez-vous tenter par une **croisière sur le fleuve** (p. 116) et dînez au buffet du **63 Building** (p. 116) sur Yeouido.

Passez le 7ᵉ jour au sud de la Han dans le **Parc olympique** (p. 115) et le **COEX Mall** (p. 114) ; visitez **Bongeunsa** (p. 114) et les **tombeaux royaux** (p. 114). Passez la dernière soirée à **Lotte World** (p. 115) ou écoutez du jazz ou du rock dans l'élégant quartier d'**Apgujeong** (p. 135).

Voir également p. 20 les excursions d'une journée aux alentours de Séoul.

SÉOUL

plus grandes villes d'Asie et accueille une multitude de manifestations culturelles, aussi bien traditionnelles que modernes.

ORIENTATION

Les sites historiques et touristiques et les hôtels se regroupent essentiellement dans le centre -ville, qui englobe Gwanghwamun, Insadong et le parc Tapgol, Myeong-dong, Namsan et la tour de Séoul formant la lisière sud. Itaewon, le quartier touristique de shopping et de sorties, se trouve au sud de Namsan. Plus au sud, la Han serpente à travers la ville et l'île de Yeouido, un important centre administratif, se situe à mi-parcours. Au sud de la rivière, le quartier moderne de Gangnam abrite des grands magasins, des boutiques de marques et des hôtels de catégorie moyenne. Jamsil accueille l'immense COEX Mall, Lotte World et le Parc olympique.

Cartes

Le Korean National Tourism Organisation (KNTO ; organisation nationale du tourisme coréen) et le Conseil municipal de Séoul publient un grand nombre de cartes gratuites de la ville. Il existe même une carte qui recense les toilettes publiques.

RENSEIGNEMENTS
Librairies

Bandi & Luni's (carte p. 106 ; ☎ 6002 6002 ; ◷ 10h30-21h). Dans le COEX Mall, excellente sélection de livres et de revues en anglais.

Kyobo Bookshop (carte p. 96 ; ☎ 3973 5100). Bel éventail de livres et de CD en anglais dans son immense magasin du centre-ville.

Royal Asiatic Society (RAS ; carte p. 96 ; ☎ 765 9483 ; www.raskorea.org ; bureau 611 Korean Christian Bldg ; ◷ 10h-12h, 14-17h lun-ven). Peut vous aider à dénicher des ouvrages sur la Corée en anglais introuvables ailleurs.

Seoul Selection Bookshop (carte p. 96 ; ☎ 734 9565). Livres en anglais sur tous les aspects de la culture coréenne, ainsi que CD, DVD et livres d'occasion.

Urgences

Ambulance (☎ 119)
Pompiers (☎ 119)
Assistance aux étrangers (☎ 790 6783)
Police (☎ 112)

Sachez qu'il est peu probable que les opérateurs des services d'urgence comprennent ou parlent le moindre mot d'anglais. En revanche, la police devrait disposer d'un interprète (en semaine de 8h à 23h, le week-end de 8h à 18h). Téléphonez au ☎ 1330 (24h/24) pour contacter un anglophone dans un centre d'information touristique. De nombreux postes de police de quartier disposent d'un guide de conversation anglais et peuvent appeler un interprète.

Accès Internet

Installés dans presque toutes les rues, les cybercafés facturent 1 000 ou 1 500 W l'heure. Repérez l'enseigne "PC 방". Très fréquentés par les mordus des jeux en ligne, certains ouvrent 24 h/24 et ne demandent que 500 W l'heure de 22h à 8h. Maniaques des espaces non-fumeurs, préparez-vous à souffrir.

Outre les organismes listés ci-dessous, beaucoup de pensions, d'hôtels de luxe, de cafés et même quelques boutiques de mode proposent des accès Internet gratuits.

Hôtel de ville (carte p. 100)
Aéroport national de Gimpo (carte p.10-11)
Aéroport international d'Incheon (carte p. 146)
Centre d'information touristique de la station de métro Itaewon (carte p. 99)
KNTO (carte p. 96)
Megaweb (carte p. 106 ; COEX Mall)

Sites Internet

www.adventurekorea.com Pour ceux qui souhaitent faire de la randonnée et des sports d'aventure – le club possède aussi son propre pub.

www. clickkorea.org Informations sur les événements artistiques et culturels à Séoul.

www.knto.or.kr Excellent site sur le tourisme à Séoul et en Corée.

www.lifeinkorea.com Aborde tous les sujets.

www.seoulnow.net Informations sur le mode de vie dans la capitale.

www.seoulselection.co.kr Excellent bulletin hebdomadaire sur l'actualité séoulite.

www.theseoultimes.com Offres de colocations et de séjours chez l'habitant, ainsi que des informations détaillées sur les cours de coréen.

www.visitseoul.net. Site de la municipalité séoulite pour les touristes étrangers.

Laveries

Si les pressings se trouvent facilement, les laveries sont bien plus rares. Les pensions mettent généralement une machine à laver à disposition et les hôtels de catégorie supérieure diposent d'un service de blanchisserie. Si vous séjournez dans un *yeogwan* (motel doté de petites chambres bien équipées avec sdb), vous devrez peut-être laver vos vêtements dans la sdb et les faire sécher sur le sol *ondol* (chauffé par en-dessous). Midokeompyuteosetak (carte p. 99) facture la lessive 10 000 W.

Consignes

Presque toutes les stations de métro et les gares routières possèdent des consignes automatiques (1 000 ou 1 500 W la journée, selon la taille du casier).

Pour déposer vos bagages, appuyez sur le bouton rouge, composez le numéro du casier que vous souhaitez utiliser, puis insérez la somme nécessaire. Pour retirer vos affaires, appuyez sur le bouton vert puis tapez le numéro de votre casier. Si vous avez dépassé le temps imparti, vous devrez payer le surplus avant de pouvoir déverrouiller le casier.

Services médicaux

À Séoul, les critères d'hygiène et de soins médicaux égalent ceux des pays occidentaux. Les hôpitaux à la pointe du progrès disposent de services internationaux où le personnel parle anglais. Les hôpitaux de médecine orientale font appel à des méthodes plus holistiques comme l'acupuncture.

Hôpital Asan (carte p. 106 ; ☎ 222 5001, urgences ☎ 2224 5001 ; ☻ lun-ven 9h-16h, sam 9h-11h). Hopital international ultramoderne – la station de métro la plus proche est Seongnae (ligne 2, sortie 1).

Cabinet dentaire du Dr Park (carte p. 99 ; ☎ 794 0551 ; fax 794 0551 ; au-dessus du Seoul Pub ; ☻ lun-ven 10h-17h30, sam 10h-14h). Le Dr Park parle anglais. Un bilan dentaire coûte 20 000 W.

Clinique internationale (carte p. 99 ; ☎ 790 0857 ; www.internationalclinic.co.kr ; Hannam Bldg, Itaewonno; ☻ lun-ven 9h-12h et 14h-18h, sam 9h-12h et 14h-15h). Une consultation coûte de 30 000 à 50 000 W, une radiographie 25 000 W et une analyse de sang 150 000 W.

Hôpital oriental Kyunghee (carte p. 147 ; ☎ 958 8111 ; www.khmc.or.kr). Hôpital de médecine orientale réputé.

Hôpital Severance (carte p. 102 ; ☎ 361 6540 ; www.severance.or.kr ; ☻ lun-ven 9h30-12h et 14h30-17h, sam 9h30-12h). Fait partie de l'université de Yonsei, qui abrite également une école dentaire.

Argent

Ouvertes du lundi au vendredi de 9h30 à 16h, la plupart des banques changent les devises. À Itaewon, des bureaux de change

officiels, ouvrent plus longtemps et offrent un service plus rapide. Toutefois, de même que dans les boutiques et les hôtels qui pratiquent le change, comparez les taux et les commissions avec ceux des banques.

Poste

Poste principale (carte p. 100 ; ☻ lun-ven 9h-18h mars-oct, 9h-17h nov-fév). Elle ouvre également le samedi de 9h à 13h tous les 15 jours. Quelques guichets ouvrent jusqu'à 22h du lundi au vendredi et jusqu'à 18h le samedi. Accès Internet gratuit et service de poste restante au 2ᵉ étage.

Toilettes

Séoul est l'une des rares villes au monde dotée de nombreuses toilettes publiques, propres, modernes et clairement indiquées. Près bien entretenues, presque toutes sont gratuites et souvent décorées de fleurs et de photos. Tous les sites touristiques, les parcs, les stations de métro, les gares ferroviaires et routières en possèdent. Ayez toujours sur vous du papier hygiénique, qui fait parfois défaut.

Informations touristiques

Centre d'information touristique de Gwanghwa-mun (carte p. 96 ; ☎ 731 6337 ; ☻ 9h-22h). Pratique et serviable.

Centre d'information touristique d'Itaewon (carte p. 99 ; ☎ 3785 2514 ; www.enjoy.itaewon.com ; ☻ 7h-22h). Situé dans la station de métro Itaewon, il propose un accès Internet gratuit. Un autre centre est installé dans l'artère principale d'Itaewon, en face du McDonald's.

KNTO (carte p. 96 ; ☎ 757 0086 ; www.knto.or.kr ; ☻ 9h-20h). Cet excellent centre d'information touristique couvre toute la ville de Séoul, ainsi que l'ensemble du pays. Son personnel bien informé et serviable vous fournira d'innombrables brochures. Outre un accès Internet gratuit, il dispose aussi d'un café, d'une agence de voyages et d'une boutique de souvenirs. L'auditorium diffuse gratuitement des films coréens sous-titrés en anglais le mardi à 16h.

Centre d'information touristique de Séoul (carte p. 100 ; ☎ 731 6671 ; Hôtel de ville ; ☻ lun-ven 9h-18h, sam 9h-17h). Accès Internet gratuit.

Vous trouverez également deux centres d'information touristique à l'aéroport international d'Incheon, à Itaewon, à Insadong et un à l'aéroport national de Gimpo, au Korea City Air Terminal (KCAT), à Deoksugung et sur les marchés Namdaemun et Dongdaemun.

[Suite page 109]

A B C D

1

Inwangsan
(338 m)

Voir carte Gwanghwamun, parc Tapgol et Insadong (p. 96)

Rempart de la forteresse de Séoul

Inwangsan-gil

3

Jongno-gu

Gyeongbokgung

Changdeokgung

Changgyeonggi

5

2

2

Parc
Sajik

Ligne 3

M

Unhyeongung

Yulg

Samilro

Jongmyo

Parc
Dongnimmun   Dongnimmun

Ligne 3

Sejongno

Ligne 5

Ujeonggungro

Ligne 5

M

Tunnel
de Gumhwa

Gyeonghuigung

Saemunangil

Jongno

Ligne 1

M

Cheonggyejeonno

3

Ligne 5

Voir carte Namdaemun et Myeong-dong (p. 100)

Deoksugung

Ligne 2

Euljiro

M

Seodaemun   M

Seosomunno

Daepyeongno

Banpono

Ligne 4

M

Chungjeongno

1

Namdaemun

Ligne 1

Vers Sinchon

4

Ahyeon

Dongyero

M

Séoul

M

Parc Namsan

Aeogae

Jung-gu

Mapono

Mallijaegil

Banpono

Namsan
(262 m)

5

Parc
Hyochang

Parc Namsa

Baekbeomno

Sookmyung
Women's
University

Namyeong

Voir carte Itaewon (p. 99)

Ligne 6

Ligne 4

6

Hyochang
Park

10

11

37

Base militaire
américaine de Yongsan

Samgakji

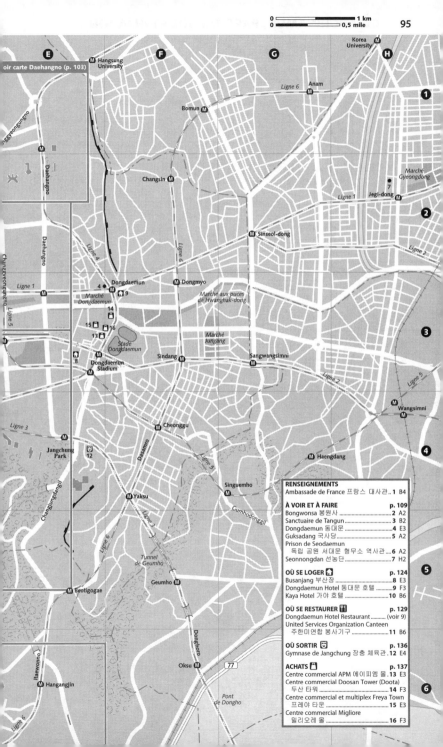

Voir carte Daehangno (p. 103)

RENSEIGNEMENTS
Ambassade de France 프랑스 대사관 .. **1** B4

À VOIR ET À FAIRE **p. 109**
Bongwonsa 봉원사 **2** A2
Sanctuaire de Tangun **3** B2
Dongdaemun 동대문 **4** E3
Guksadang 국사당 **5** A2
Prison de Seodaemun
독립 공원 서대문 형무소 역사관 .. **6** A2
Seonnongdan 선농단 **7** H2

OÙ SE LOGER **p. 124**
Busanjang 부산장 **8** E3
Dongdaemun Hotel 동대문 호텔 **9** F3
Kaya Hotel 가야 호텔 **10** B6

OÙ SE RESTAURER **p. 129**
Dongdaemun Hotel Restaurant .... (voir 9)
United Services Organization Canteen
주한미연합 봉사기구 **11** B6

OÙ SORTIR **p. 136**
Gymnase de Jangchung 장충 체육관 . **12** E4

ACHATS **p. 137**
Centre commercial APM 에이피엠 몰 . **13** E3
Centre commercial Doosan Tower (Doota)
두산 타워 **14** F3
Centre commercial et multiplex Freya Town
프레야 타운 **15** E3
Centre commercial Migliore
밀리오레 몰 **16** F3

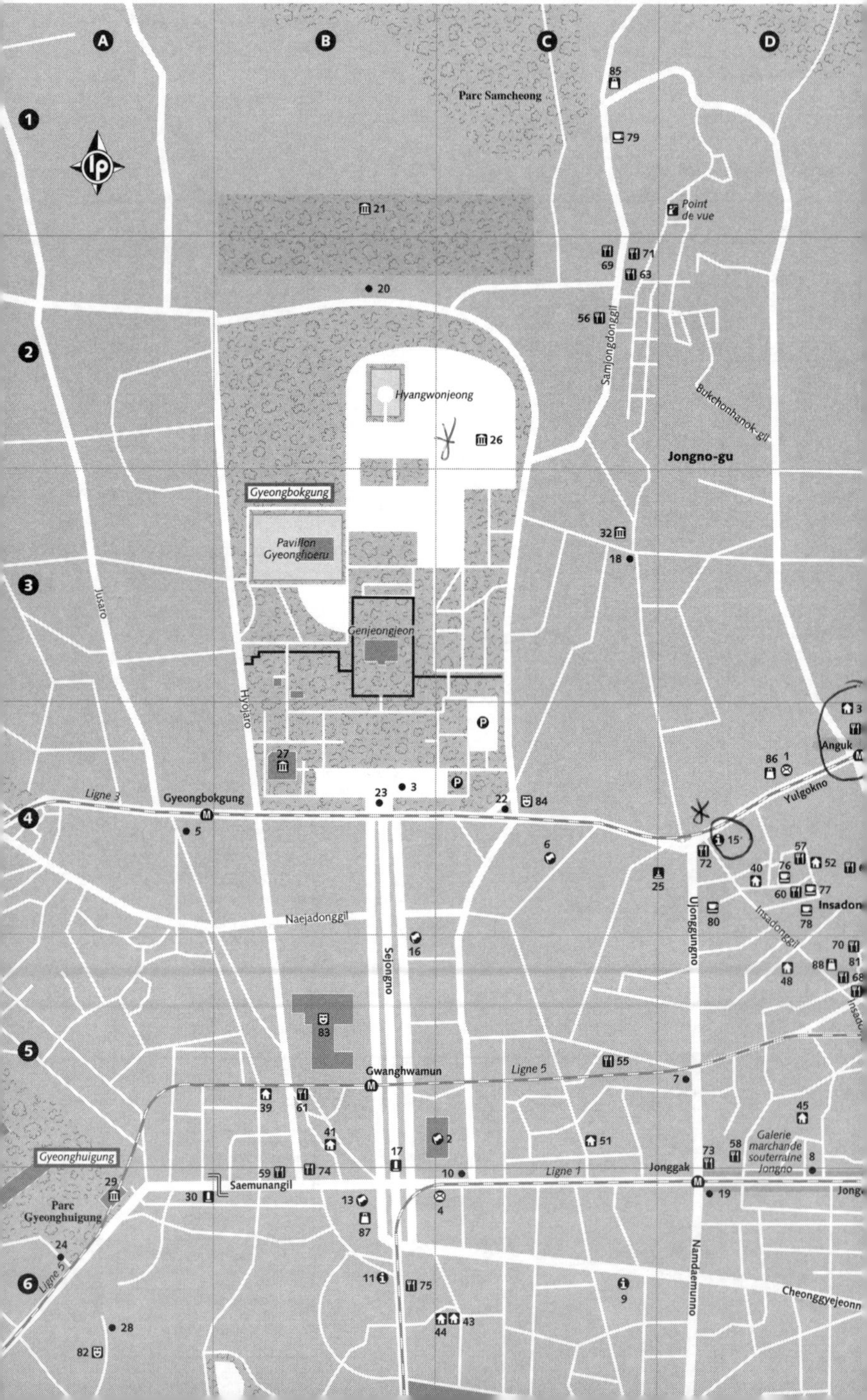

A   **B**   **C**   **D**

1

Parc Samcheong

85

79

21

Point de vue

20

71
69

56   63

2

Hyangwonjeong

26

Gyeongbokgung

Jongno-gu

Pavillon Gyeonghoeru

32

18

3

Genjeongjeon

3

Anguk

86 1

Ligne 3   Gyeongbokgung

27

23   3

22   84

Yulgokno

72

4

5

6

15

57
76   52
40

25

60   77

Naejadonggil

80

Insadong

78

16

70

48

88   81
68

83

5

Gwanghwamun

Ligne 5

55

7

45

Gyeonghuigung

39   61

51

Parc Gyeonghuigung

41

73   58   Galerie marchande souterraine Jonggo
8

17

2

Jonggak

59   74

29

Saemunangil

30

10

Ligne 1

19

24

13

87

6

Namdaemuno

11   75

9

Cheonggyejeonn

28

82

43
44

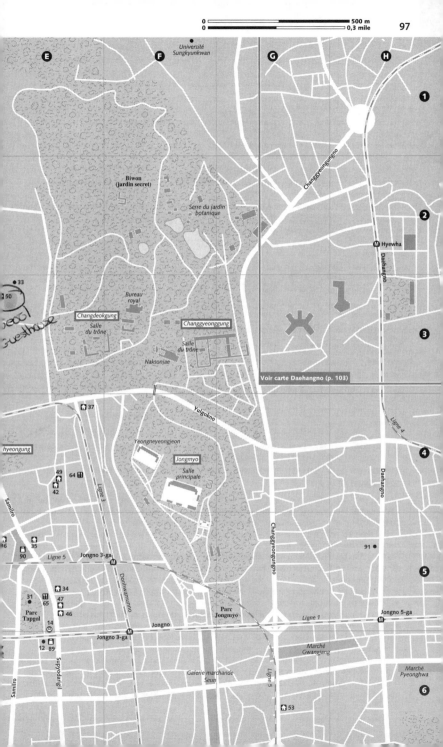

0 500 m
0 0,3 mile

E · F · G · H

Université
Sungkyunkwan

Changgyeongno

Biwon
(jardin secret)

Serre du jardin
botanique

Hyewha

Daehangno

33

50

Seoul
Guesthouse

Bureau
royal

Changdeokgung

Salle du trône

Changgyeonggung

Salle
du trône

Naksonjae

Voir carte Daehangno (p. 103)

Ligne 4

37

Yulgokno

hyeongung

Yeongnyeongjeon

Jongmyo

Salle
principale

49 64

42

Samilro

Ligne 3

Daehangno

36

35

90

Ligne 5

Jongno 3-ga

Donhwamunno

91

Changgyeongungno

34

31

47

65

46

Parc
Tapgol

14

Parc
Jongmyo

Jongno 5-ga

12 89

Jongno 3-ga

Jongno

Ligne 1

Marché
Gwangjang

Supyodanggil

Samilro

Galerie marchande
Seun

Ligne 5

Marché
Pyeonghwa

53

FAXEZ-MOI LE PLAN !

Ce n'est pas un hasard si la plupart des cartes de visite des hôtels de Corée comportent un plan au dos ; en effet, leur adresse est presque impossible à trouver. Le succès des télécopies à Séoul est dû au fait qu'un plan se révèle souvent indispensable pour localiser une adresse.

En Corée, des "adresses" existent mais rares sont les panneaux indiquant des noms de rue. Les maisons ne portent pas non plus de numéro, bien qu'elles en possèdent un officiel. Malheureusement, même ces "numéros secrets" ne sont pas d'une grande aide car ils ont été attribués lors de la construction. Ainsi, la maison n°27 peut jouxter la maison n°324, etc. En revanche, beaucoup de grands immeubles portent un nom et le connaître s'avère souvent plus utile que de savoir son adresse.

Un *dong* est un district urbain de grandes villes comme Séoul. Un *dong* est un quartier plus petit qu'un *gu*. Par conséquent, une adresse libellée "104 Itaewon-dong, Yongsan-gu" signifie que le bâtiment n°104 se trouve dans le quartier d'Itaewon, dans le district de Yongsan. Mais vous pourriez fort bien arpenter Itaewon pendant des heures sans trouver le bâtiment, même avec l'aide d'un ami coréen. Dans ce cas, mieux vaut téléphoner là où vous souhaitez vous rendre et demander votre chemin. Sinon, adressez-vous à un poste de police, une office du tourisme ou trouvez un fax.

"Grande rue" ou "boulevard" se traduit par *no* ou *ro*. Ainsi, Jongno signifie la rue Jong et Euljiro la rue Eulji. Les grands boulevards sont divisés en différentes sections appelées *ga*. Sur le plan de métro de Séoul, vous trouverez par exemple une station à Euljiro 3-ga et une autre à Euljiro 4-ga, qui correspondent à des sections différentes de la rue Eulji. Un *gil* fait référence à une rue plus petite qu'une *no* ou une *ro*, par exemple Insadonggil.

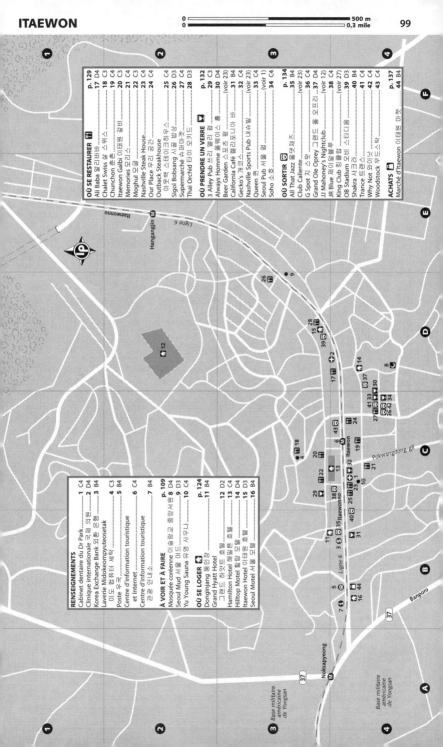

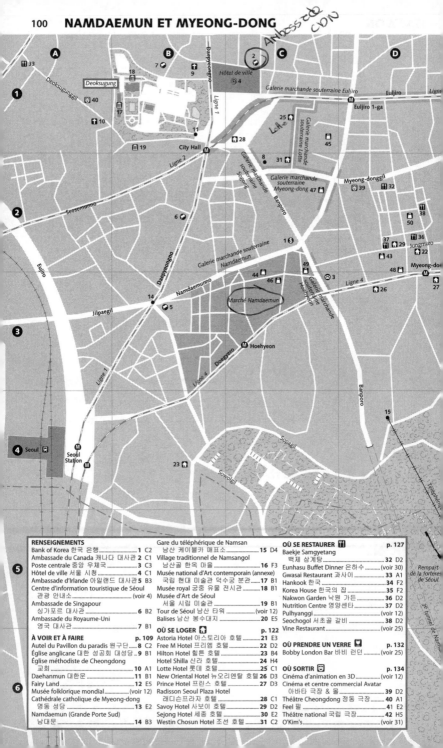

0 — 500 m
0 — 0,3 mile

E
F
G
H

Galerie marchande Taerim
Euljiro
Galerie marchande souterraine Euljiro

Euljiro 3-ga **M**
M Euljiro 4-ga

1

Marché Jungbu

Galerie marchande Sampung

Dorihwamuro
Mareunnaegil
Ligne 5

Ligne 3

Galerie marchande Shinseong

Ligne 4

2

13
+

30
+

41

Chungmuro **M**

34
35

21

16

Dongguk University
Ligne 3 **M** **3**

Université Dongguk

Sopagil

(IP)

Parc Jangchung

Time Capsule Square

Namsan Bon Nongil

Parc Namsan

4
24

Jung-gu

42

Changjungdangil

20

ACHATS 🛍 p. 137
Centre commercial Cats 캣츠 **43** D2
Centre commercial Good & Good
굿 앤 굿 **44** C3
Grand magasin Lotte 롯데 백화점 **45** C1
Centre commercial Mesa 메사 **46** C3
Grand magasin Metro Midopa
미도파 백화점 **47** C2
Centre commercial Migliore 밀리오레 **48** D2
Grand magasin Shinsegae
신세계 백화점 **49** C2
Centre commercial Utoozone 유투존..**50** D2

12

5

▲ Namsan
(262 m)

2e tunnel de Namsan
1er tunnel de Namsan

6

Beotigogae
M

RENSEIGNEMENTS
Poste 우체국 1 D4
Hôpital Severance 세브란스 병원 2 D4
Shoestring Travel 신발끈 여행사 3 B5

À VOIR ET À FAIRE   p. 113
Sanctuaire et musée des martyrs de Jeoldusan
절두산 순교성지 4 A5
Cimetière des étrangers de Séoul
서울 외국인 묘지 5 A5
Centre international de taekwondo Yonsei
연세 태권도 협회 6 C4

OÙ SE LOGER   p. 125
Guesthouse Korea
게스트하우스 코리아 7 B3
Kims' Guesthouse
킴스 게스트하우스 8 A5
Mirabeau Hotel 미라보 호텔 9 D4
Prince Hotel 프린스 호텔 10 D4
Seogyo Hotel 서교 호텔 11 B4
WOW Guesthouse
와우 게스트하우스 12 C3

OÙ SE RESTAURER   p. 130
Gio 지오 13 B5
Haejeodon 해저돈 14 B5
Huedeura Ramyeon 훼드라 라면 15 C4
idame 이뎀 16 D4
Nolbu 놀부 17 B4
Pizza Hut 피자헛 18 B4
Zen Zen 젠젠 19 C4

OÙ PRENDRE UN VERRE   p. 132
Bagdad Magic Café
바그다드 매직 카페 20 C4
Beatles 비틀즈 21 C4
Free Crocodiles 악어를 풀어놔봐 22 C4
Gold 골드바 23 B5
Labris 라브리스 24 B5
Woodstock 우드스탁 25 C4

OÙ SORTIR   p. 135
Bahia 바히아 26 B4
Be Bop Jazz Club 비밥 재즈 클럽 27 B4
DVD Bang 21 DVD 방 21 .... 28 B4
Free Bird 프리버드 29 B5
Haeyeolje 해열제 30 C4
Hodge Podge 호지부지 31 B5
Macondo 마콘도 32 C4
Rolling Stones 롤링스톤스 33 C4
Sk@ 스카 34 B5
SLUG.er 슬러거 35 B5
Water Cock 워터콕 36 B5

ACHATS   p. 137
Ahyeon-dong, la rue du mariage
아현동 웨딩거리 37 D4
E'Claire (Grand Mart et Cinema)
이끌레(옛 그랜드마트) 38 C4
Grand magasin Hyundai
현대 백화점 39 C4
Marché couvert 신촌 시장 40 C4

TRANSPORT
Gare routière de Sinchon
신촌 시외 버스 터미널 41 C5

Baengnyeonsan
(216 m)

Hongje

Ansan
(296 m)

Vers le centre-

Université Yonsei

Université
féminine Ewha

Vers le centre

Ewha Women's
University

Hongik University

Sinchon

Université
Sogang

Mangwon

Université
Hongik

Picasso St

Hapjeong

Sangsu

Gwangheungchang

Daeheung

Pont
de Yanghwa

Voie rapide Gangbyeon

Hangang

Réserve ornithologique
de l'île Bamseom

Pont
de Seogang

Mapo

Vers Yeouido

Vers le World
Cup Stadium

Piste cyclable Hangang

0 — 200 m
0 — 0,1 mile

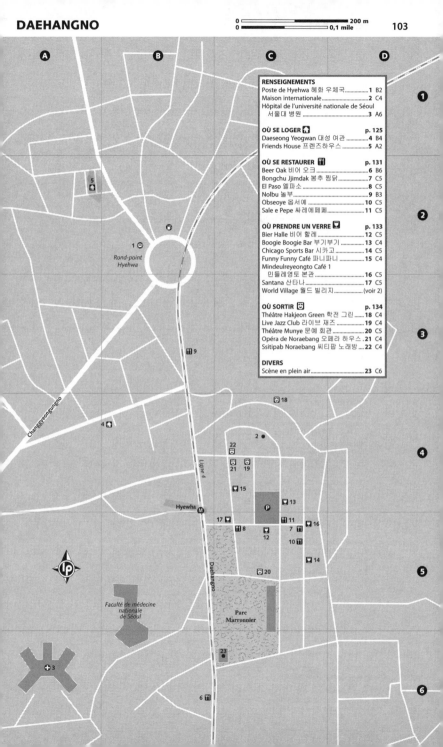

RENSEIGNEMENTS
Poste de Hyehwa 혜화 우체국 **1** B2
Maison internationale **2** C4
Hôpital de l'université nationale de Séoul
서울대 병원 **3** A6

OÙ SE LOGER ⌂ p. 125
Daeseong Yeogwan 대성 여관 **4** B4
Friends House 프렌즈하우스 **5** A2

OÙ SE RESTAURER ⍟ p. 131
Beer Oak 비어 오크 **6** B6
Bongchu Jjimdak 봉추 찜닭 **7** C5
El Paso 엘파소 **8** C5
Nolbu 놀부 **9** B3
Obseoye 옵서예 **10** C5
Sale e Pepe 싸레에페페 **11** C5

OÙ PRENDRE UN VERRE ⍟ p. 133
Bier Halle 비어 할레 **12** C5
Boogie Boogie Bar 부기부기 **13** C4
Chicago Sports Bar 시카고 **14** C5
Funny Funny Café 파니파니 **15** C4
Mindeulreyeongto Café 1
민들레영토 본관 **16** C5
Santana 산타나 **17** C5
World Village 월드 빌리지 .... (voir **2**)

OÙ SORTIR ⍟ p. 134
Théâtre Hakjeon Green 학전 그린 **18** C4
Live Jazz Club 라이브 재즈 **19** C4
Théâtre Munye 문예 회관 **20** C5
Opéra de Noraebang 오페라 하우스 **21** C4
Ssitipab Noraebang 씨티팝 노래방 **22** C4

DIVERS
Scène en plein air **23** C6

Rond-point
Hyehwa

Changgyeongungno

Ligne 4

Hyewha Ⓜ

Daehangno

Faculté de médecine
nationale
de Séoul

Parc
Marronnier

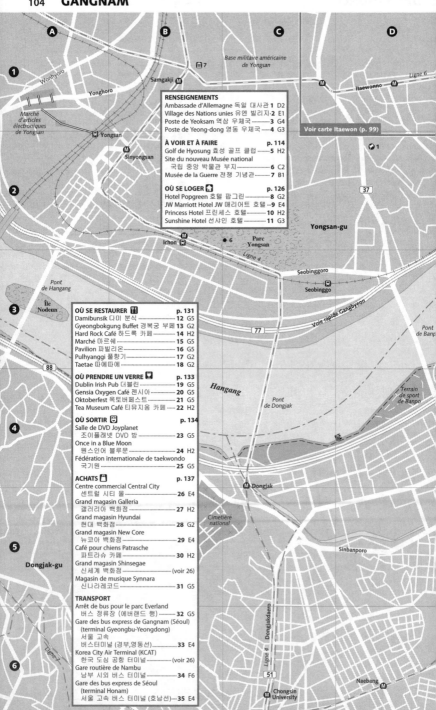

Base militaire américaine de Yongsan

Voir carte Itaewon (p. 99)

Yongsan-gu

Dongjak-gu

RENSEIGNEMENTS
Ambassade d'Allemagne 독일 대사관 **1** D2
Village des Nations unies 유엔 빌리지 **2** E1
Poste de Yeoksam 역삼 우체국 **3** G4
Poste de Yeong-dong 영동 우체국 **4** G3

À VOIR ET À FAIRE p. 114
Golf de Hyosung 효성 골프 클럽 **5** H2
Site du nouveau Musée national
국립 중앙 박물관 부지 **6** C2
Musée de la Guerre 전쟁 기념관 **7** B1

OÙ SE LOGER p. 126
Hotel Popgreen 호텔 팝그린 **8** G2
JW Marriott Hotel JW 매리어트 호텔 **9** E4
Princess Hotel 프린세스 호텔 **10** H2
Sunshine Hotel 선샤인 호텔 **11** G3

OÙ SE RESTAURER p. 131
Damibunsik 다미 분식 **12** G5
Gyeongbokgung Buffet 경복궁 부페 **13** G2
Hard Rock Café 하드록 카페 **14** H2
Marché 마르쉐 **15** G5
Pavilion 파빌리온 **16** G5
Pulhyanggi 풀향기 **17** G2
Taetae 따에따에 **18** G2

OÙ PRENDRE UN VERRE p. 133
Dublin Irish Pub 더블린 **19** G5
Gensia Oxygen Café 젠시아 **20** G5
Oktoberfest 옥토버페스트 **21** G5
Tea Museum Café 티뮤지움 카페 **22** H2

OÙ SORTIR p. 134
Salle de DVD Joyplanet
조이플래넷 DVD 방 **23** G5
Once in a Blue Moon
원스인어 블루문 **24** H2
Fédération internationale de taekwondo
국기원 **25** G5

ACHATS p. 137
Centre commercial Central City
센트럴 시티 올 **26** E4
Grand magasin Galleria
갤러리아 백화점 **27** H2
Grand magasin Hyundai
현대 백화점 **28** G2
Grand magasin New Core
뉴코아 백화점 **29** E4
Café pour chiens Patrasche
파트라슈 카페 **30** H2
Grand magasin Shinsegae
신세계 백화점 (voir 26)
Magasin de musique Synnara
신나라레코드 **31** G5

TRANSPORT
Arrêt de bus pour le parc Everland
버스 정류장 (에버랜드 행) **32** G5
Gare des bus express de Gangnam (Séoul)
(terminal Gyeongbu-Yeongdong)
서울 고속
버스터미널 (경부,영동선) **33** E4
Korea City Air Terminal (KCAT)
한국 도심 공항 터미널 (voir 26)
Gare routière de Nambu
남부 시외 버스 터미널 **34** F6
Gare des bus express de Séoul
(terminal Honam)
서울 고속 버스 터미널 (호남선) **35** E4

0   1 km
0   0,5 mile

E · **F** · **G** · **H**

Pont de Seongsu

Pont de Dongho

Voie rapide Olympic

88

Hannam

Pont de Hannam

18 · 22

27

rue des boutiques de marques

28 · Apgujeong
8 · 13

10

30

Apgujeongno

17

Parc Dosan

24

14

5

Piste cyclable Hangang

11

Dosandaero

Hangang

Parc Jamwon

88

Voie rapide Olympic

Jamwonno

Sinsa

Parc Hokdong

Hak-dong

Hakdongno

Gangnam-gu Office

Line 7

4

Jamwon

Ligne 3

Nonhyeon

Gangnamdaero

Bongeunsaro

Banpo

29

Sinbanporo

Voie rapide Gyeongbu

32

Sabyeongno

Nonhyeonno

33

Yeoksam

9 · 35
26

Express Bus Terminal

3

19

50

Ligne 7

37

36 · 23

25

22 · 31

16

12

Gangnam

21 · 20
15

50

Banporo

Seochoro

1

50

Seoul National University of Education

Ligne 2

Seocho

Ligne 3

Saimdang-gil

Voie rapide Gyeongbu

Dogokdong-gil

Maebong

Nambu Bus Terminal

34

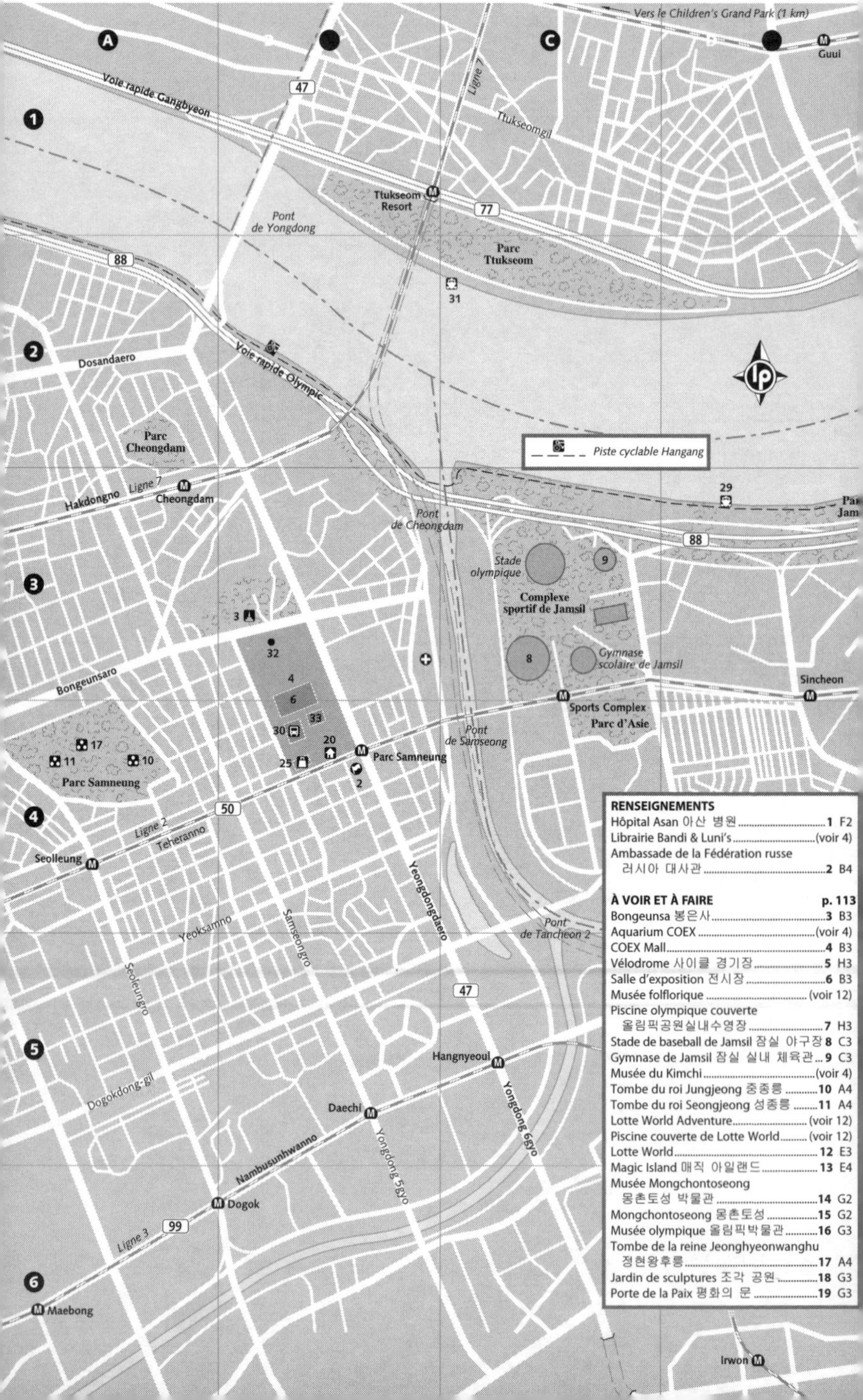

Vers le Children's Grand Park (1 km)
A
B
C
D
Guui
1
2
3
4
5
6
47
Ligne 7
Voie rapide Gangbyeon
Ttukseomgil
Ttukseom Resort
77
Pont de Yongdong
Parc Ttukseom
88
31
Voie rapide Olympic
Dosandaero
Parc Cheongdam
Piste cyclable Hangang
Hakdongno
Cheongdam
29
Pont de Cheongdam
Stade olympique
9
Complexe sportif de Jamsil
3
32
8
Gymnase scolaire de Jamsil
Bongeunsaro
4
6
33
Sinchon
Sports Complex
Parc d'Asie
30
20
Pont de Samseong
17
11
10
Parc Samneung
25
Parc Samneung
2
50
Ligne 2
Teheranno
Seolleung
Yeongdongdaero
Samseongro
Yeoksamno
Seoleungro
Pont de Tancheon 2
47
Hangnyeoul
Dogokdong-gil
Daechi
Yongdong 6gyo
Yongdong 5gyo
Nambusunhwanno
Dogok
Ligne 3
99
Maebong
Irwon

RENSEIGNEMENTS
Hôpital Asan 아산 병원 1 F2
Librairie Bandi & Luni's .... (voir 4)
Ambassade de la Fédération russe
러시아 대사관 2 B4

À VOIR ET À FAIRE p. 113
Bongeunsa 봉은사 3 B3
Aquarium COEX .... (voir 4)
COEX Mall 4 B3
Vélodrome 사이클 경기장 5 H3
Salle d'exposition 전시장 6 B3
Musée folflorique .... (voir 12)
Piscine olympique couverte
올림픽공원실내수영장 7 H3
Stade de baseball de Jamsil 잠실 야구장 8 C3
Gymnase de Jamsil 잠실 실내 체육관... 9 C3
Musée du Kimchi .... (voir 4)
Tombe du roi Jungjeong 중종릉 10 A4
Tombe du roi Seongjeong 성종릉 11 A4
Lotte World Adventure .... (voir 12)
Piscine couverte de Lotte World .... (voir 12)
Lotte World 12 E3
Magic Island 매직 아일랜드 13 E4
Musée Mongchontoseong
몽촌토성 박물관 14 G2
Mongchontoseong 몽촌토성 15 G2
Musée olympique 올림픽박물관 16 G3
Tombe de la reine Jeonghyeonwanghu
정현왕후릉 17 A4
Jardin de sculptures 조각 공원 18 G3
Porte de la Paix 평화의 문 19 G3

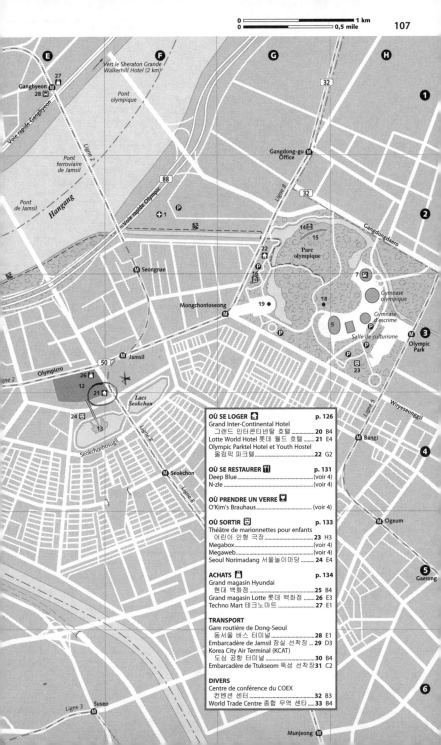

OÙ SE LOGER 🏠 **p. 126**
Grand Inter-Continental Hotel
그랜드 인터콘티넨탈 호텔 **20** B4
Lotte World Hotel 롯데 월드 호텔 **21** E4
Olympic Parktel Hotel et Youth Hostel
올림픽 파크텔 **22** G2

OÙ SE RESTAURER 🍽️ **p. 131**
Deep Blue .... (voir 4)
N-zle .... (voir 4)

OÙ PRENDRE UN VERRE 🍺
O'Kim's Brauhaus .... (voir 4)

OÙ SORTIR 🎭 **p. 133**
Théâtre de marionnettes pour enfants
어린이 인형 극장 **23** H3
Megabox .... (voir 4)
Megaweb .... (voir 4)
Seoul Norimadang 서울놀이마당 **24** E4

ACHATS 🛍️ **p. 134**
Grand magasin Hyundai
현대 백화점 **25** B4
Grand magasin Lotte 롯데 백화점 **26** E3
Techno Mart 테크노마트 **27** E1

TRANSPORT
Gare routière de Dong-Seoul
동서울 버스 터미널 **28** E1
Embarcadère de Jamsil 잠실 선착장 **29** D3
Korea City Air Terminal (KCAT)
도심 공항 터미널 **30** B4
Embarcadère de Ttukseom 뚝섬 선착장 **31** C2

DIVERS
Centre de conférence du COEX
컨벤션 센터 **32** B3
World Trade Centre 종합 무역 센타 **33** B4

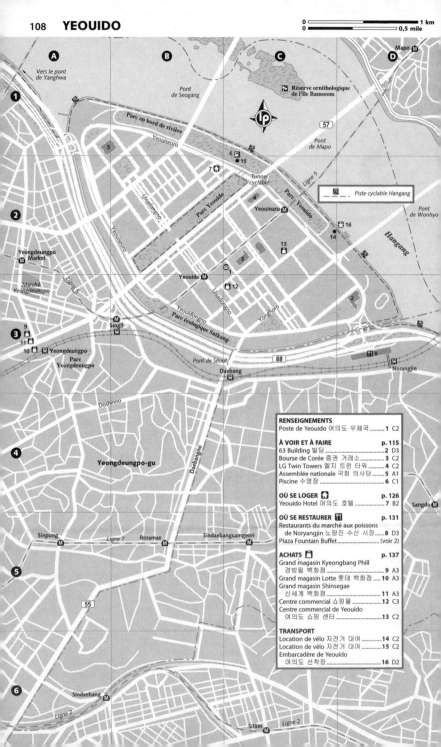

0 ⊏⊐ 1 km
0 ⊏⊐ 0,5 mile

Vers le pont
de Yanghwa

Pont
de Seogang

Réserve ornithologique
de l'île Bamseom

Parc en bord de rivière

Yeouiseoro

57

Pont
de Mapo

Tunnel
cyclable

Ligne 5

Parc Yeouido

Parc Yeouido

Piste cyclable Hangang

Yeouinaru Ⓜ

Pont
de Wonhyo

Hangang

Usadangno

Yeouiseoro

Parc Yeouido

Yeongdeungpo
Ⓜ Market

Marché
Yeongdeungpo

Ligne 5

Yeouido Ⓜ

Usadangno

Yeouidongno

Yonghoro

Parc écologique Satkang

Singil Ⓜ

Yeongdeungpo

Parc
Yeongdeungpo

Pont de Séoul

88

Daebang

Norangjin

Doshinno

Daebangno

Yeongdeungpo-gu

Sango Ⓜ

Sinpung Ⓜ

Ligne 7

Boramae Ⓜ

Sindaebangsamgeori Ⓜ

55

Sindaebang Ⓜ

Ligne 2

Sillim Ⓜ   Ligne 2

RENSEIGNEMENTS
Poste de Yeouido 여의도 우체국 **1** C2

À VOIR ET À FAIRE   p. 115
63 Building 빌딩 **2** D3
Bourse de Corée 증권 거래소 **3** C2
LG Twin Towers 엘지 트윈 타워 **4** C2
Assemblée nationale 국회 의사당 **5** A1
Piscine 수영장 **6** C1

OÙ SE LOGER ⌂   p. 126
Yeouido Hotel 여의도 호텔 **7** B2

OÙ SE RESTAURER ⍢   p. 131
Restaurants du marché aux poissons
de Noryangjin 노량진 수산 시장 **8** D3
Plaza Fountain Buffet .... (voir 2)

ACHATS ⌂
Grand magasin Kyeongbang Phill
경방필 백화점 **9** A3
Grand magasin Lotte 롯데 백화점 **10** A3
Grand magasin Shinsegae
신세계 백화점 **11** A3
Centre commercial 쇼핑몰 **12** C3
Centre commercial de Yeouido
여의도 쇼핑 센터 **13** C2

TRANSPORT
Location de vélo 자전거 대여 **14** C2
Location de vélo 자전거 대여 **15** C2
Embarcadère de Yeouido
여의도 선착장 **16** D2

[Suite de la page 93]

Agences de voyages
Apple Tours & Travel (carte p. 94 ; ☎ 793 3478 ; fax 798 0698 ; USO Bldg). Vols et circuits organisés bon marché ; personnel anglophone.
KISES (carte p. 96 ; ☎ 733 9494 ; fax 732 9568 ; YMCA Bldg). Succursale de l'agence STA Travel à Séoul.
Shoestring Travel (carte p. 102 ; ☎ 333 4151 ; fax 336 0258 ; ☺ lun-ven 9h-18h, sam 9h-15h). Agence de voyages située à Hongik ciblant une clientèle jeune. Quelques employés parlent anglais. Vend également des guides Lonely Planet.
Top Travel (carte p. 96 ; ☎ 720 8056 ; fax 722 0329 ; 3ᵉ étage, YMCA Bldg). Recommandée par des voyageurs. Cherchez le guichet où l'on parle anglais.

D'autres agences de voyages publient leurs tarifs dans des journaux de langue anglaise. Consultez-les avant d'entrer dans une agence.

À VOIR
Gwanghwamun 광화문
GYEONGBOKGUNG 경복궁
Bâti à l'origine par le roi Taejo, ce **palais** (carte p. 96 ; ☎ 762 8262 ; adulte/jeune 1 000/500 W ; ☺ mer-lun 9h-18h mars-oct, 9h-17h nov-fév) sert de résidence principale à la famille royale jusqu'en 1592, date à laquelle il fut détruit par un incendie pendant les invasions japonaises. L'édifice le plus grandiose de Séoul resta à l'état de ruine pendant près de 300 ans jusqu'à ce que Heungseon Daewongun, régent et père du roi Gojong, le recontruise en 1865. Gojong s'y installa en 1868. Le 8 octobre 1895, son épouse, la reine Myeongseong (la reine Min) fut assassinée dans sa chambre par des Japonais. Avaec l'aide d'un eunuque et d'une servante, Gojong quitta le palais caché dans un palanquin fermé par des rideaux et se refugia auprès de la légation russe.

Sous la domination japonaise, la plupart des 330 bâtiments qui composaient la résidence royale furent démolis ou déplacés. Dans le musée national, deux grandes maquettes montrent cet ensemble avant et après l'occupation. Toutefois, le palais, restauré, a retrouvé un peu de son ancienne gloire. Le magnifique pavillon **Gyeonghoeru** aux 48 colonnes et l'imposant **Genjeongjeon**, avec son immense cour dallée entourée de corridors, illustrent la splendeur de la dynastie Choson. Le

LES CINQ PLUS BEAUX SITES

Les voyageurs ont récemment élu leurs sites préférés de Séoul :

- le marché Dongdaemun (p. 112)
- Gyeongbokgung (p. 109)
- Insadong (p. 111)
- le marché Namdaemun (p. 139)
- le Namsan (p. 112)

charmant étang de nénuphars, le pavillon insulaire de **Hyangwonjeong**, le jardin de rocaille et les ornementations en brique des quartiers résidentiels montrent une facette plus nonchalante de la vie en cette période féodale, dominée par le confuciannisme.

Le **Musée national folklorique** (www.nfm.go.kr ; entrée libre avec le billet d'entrée au Gyeongbokgung) se situe dans le parc. À l'extérieur, admirez les statues chamanistes en pierrre et les poteaux en bois utilisés pour garder l'entrée des villages. À l'intérieur, ne manquez pas les collections de vêtements, de jeux, de rituels, d'objets d'artisanat, ainsi que celles ayant trait à la gastronomie, l'habitat ou les métiers. Elles témoignent de la vie quotidienne durant la période choson, lorsque les femmes de l'aristocratie portaient des chaussures en soie délicatement brodées tandis que les paysannes et les esclaves se contentaient de sabots de bois ou de sandales en paille, lorsqu'elles n'allaient pas pieds nus. Les hommes de la caste *yangban* (aristocratie) arboraient des chapeaux noirs en crin de cheval que les manants n'étaient pas autorisés à porter. Un audioguide en anglais fournit des commentaires concis mais utiles (3 000 W). Le musée propose des cours destinés aux étrangers pour apprendre à faire des éventails, de la poterie, des boîtes en papier *hanji* et du *kimchi*.

Le **Musée national** (www.museum.go.kr ; adulte/jeune 700/300 W ; ☺ mar-dim 9h-18h mars-oct, 9h-17h nov-fév) s'intéresse essentiellement aux objets antérieurs à la période choson. Sa superbe collection d'anciens céladons koryo met en valeur les motifs classiques et pourtant variés de cette céramique, plus raffinée que la poterie Buncheong. Fabriquée à une époque plus tardive, celle-ci présente des motifs plus grossiers évoquant davantage l'art populaire. Les bouddhas géants en métal sont également impressionnants. Le musée projette toutes les heures des vidéos sous-titrées en anglais. Des guides anglophones conduisent la visite à 10h, 13h et 15h du mardi au vendredi. On projette de déplacer le Musée national en 2005 dans un immense bâtiment qui sera édifié dans le **parc Yongsan** (carte p. 104). Prenez la ligne 4 ou 1 du métro et descendez à Ichon. Le bâtiment abritant aujourd'hui le Musée national deviendra alors le musée du Palais choson.

De mars à novembre, la **relève de la garde** a lieu tous les jours, sauf le mardi, à 10h, 12 h, 14h et 16h.

DEOKSUGUNG 덕수궁
En 1593, le roi Seojo s'installa dans ce **palais** (carte p. 100 ; ☎ 771 9952 ; adulte/jeune/enfant 1 000/500 W/gratuit ; ◷ mar-dim 9h-18h mars-oct, 9h-17h30 nov-fév), car toutes les autres résidences royales avaient été détruites au cours de l'invasion japonaise. Même si deux rois y furent couronnés, Deoksugung reste de moindre importance. Le roi Gojong y vécut à partir de 1897, après avoir quitté la légation russe toute proche. Les Japonais le forcèrent à abdiquer en 1907, mais il demeura dans ce palais, entouré d'un certain faste et conservant son harem, jusqu'à sa mort en 1919. Son fils Sunjong gouverna en souverain fantoche au côté de son épouse japonaise jusqu'à ce qu'il fut, à son tour, contraint d'abdiquer en 1910. La dynastie Choson s'éteignit alors après plus de 500 ans de règne.

Le palais comprend des jardins, des étangs et des bâtiments aux styles architecturaux différents, dont une salle d'audience de style coréen traditionnel, un pavillon de thé et deux constructions néoclassiques du XXe siècle. Les pavillons sont gardés par des *haetae*, créatures mythiques sculptées dans la pierre et censées manger le feu, et protéger ainsi les bâtiments.

Le **Musée royal** (entrée libre avec billet d'entrée au palais Deoksugung) occupe l'un des bâtiments néoclassiques. Le rez-de-chaussée était autrefois habité par le personnel et les domestiques du palais, le 1er étage était réservé aux assemblées officielles et le 3e étage abritait les appartements privés du roi et de la reine. De nombreux objets royaux sont exposés : costumes, vaisselle, mobilier et œuvres d'art. Parmi les objets les plus précieux figurent des cadrans solaires

minuscules, un paravent à huit panneaux montrant le roi Jeongjo se rendant en procession sur la tombe de son père et un *choheon*. Cette chaise à porteurs à une roue était utilisée par les dignitaires du royaume et requérait les efforts de 9 serviteurs.

Le **musée national d'Art contemporain (annexe** ; carte p. 100 ; ☎ 779 5310 ; adulte/jeune/enfant 1 000/500 W/gratuit) occupe l'autre bâtiment néoclassique. Dans quatre immenses galeries réparties sur deux niveaux, il présente des collections variées, mais concentrées sur l'art moderne antérieur à 1960.

De mars à décembre, la **relève de la garde**, une cérémonie haute en couleurs et effectuée en musique, se déroule devant Daehanmun, l'imposante porte d'entrée du Deoksugung. Elle fait revivre l'apparat de la dynastie Choson. La première cérémonie commence à 14h, puis les gardes sont relevés à 14h15, 14h45 et 15h15, tous les jours sauf le lundi.

CHEONGWADAE 청와대
Surnommée la **Maison bleue** (carte p. 96 ; ☎ 737 5800 ; www.president.go.kr), la résidence du président coréen est une maison blanche au toit couvert de tuiles bleues. Joignez-vous à la visite guidée gratuite, en coréen, qui fait le tour du jardin en 80 min, mais ne permet pas d'entrer dans les bâtiments importants (à 10h et 13h20 le vendredi et le samedi en avril, mai, septembre et octobre). Au cours du circuit, vous découvrirez **Chilgung**, des petits sanctuaires fermés à clé qui renferment les tablettes mortuaires de sept concubines royales dont les fils devinrent des rois choson. En 1968, un commando nord-coréen de 31 hommes, dont l'objectif était d'assassiner le président Park Junghee, fut intercepté à 500 m seulement de la Maison bleue.

La **billetterie** (◷ 9h-15h les jours de visite) se trouve près de Gwanghwamun, la principale entrée du Gyeongbokgung. Pour obtenir votre billet gratuit, vous devrez montrer votre passeport. Une navette vous emmènera du parking à Cheongwadae.

MUSÉE D'ART DE SÉOUL 서울 시립 미술관
Cette **galerie d'art** (carte p. 100 ; ☎ 2124 8800 adulte/étudiant 2000/1000 W ; ◷ mar-dim 10h-19h mars-oct, 10h-18h nov-fév) a ouvert ses portes en 2002 et accueille des expositions audacieuses qui reflètent toutes les tendances de l'art moderne

Ses salles futuristes et lumineuses se cachent derrière la façade de brique et de pierre du bâtiment de la Cour suprême de 1927.

MUSÉE D'HISTOIRE DE SÉOUL
서울 역사박물관

Ce **musée** (carte p. 96 ; ☎ 724 0114 ; www. museum.seoul.kr ; adulte/jeune/enfant 700/250 W/gratuit ; ☺ mar-dim 9h-21h mars-oct, 9h-20h nov-fév), ouvert en 2002, s'intéresse à Séoul pendant la période choson et la présentation incite à une exploration individuelle, malgré la brièveté des commentaires. Une visite guidée en anglais a lieu à 14h30. Le musée accueille également des expositions temporaires.

À deux pas se trouve la fameuse sculpture mobile de 22 m de haut, appelée l'*Homme au marteau*.

GYEONGHUIGUNG 경희궁
Édifié entre 1617 et 1623, ce **palais** (carte p. 96 ; ☎ 724 0274 ; entrée libre ; ☺ mar-dim 9h-18h mars-oct, 9h-17h nov-fév) comprenait autrefois 100 bâtiments entourés de cours, de murs et de jardins. Il fut totalement démantelé pendant l'occupation japonaise. Aujourd'hui transformé en parc, le site abrite quelques bâtiments reconstruits : Sungjeongjeon, la salle d'audience, et derrière, Jujeongjeon, les appartements privés. L'imposante porte d'entrée, **Heunghwamun**, a été déplacée dans toute la ville et a même séjourné un temps devant l'Hotel Shilla avant de retrouver son emplacement initial en 1988.

ÉGLISE ANGLICANE 대한 성공회 대성당
Cette grande **église** de style Renaissance (carte p. 100), bâtie en forme de croix et couverte de tuiles coréennes, est un bel exemple de mélange architectural. Sa construction débuta en 1922 et ne fut achevée qu'en 1996.

BOSINGAK 보신각
Situé dans Jongno ("rue de la Cloche"), la principale artère de Séoul pendant la période choson, ce **pavillon** (carte p. 96) abrite une copie de la cloche forgée en 1468. Elle sonne uniquement le Jour de l'An lorsque les Coréens se rassemblent pour fêter la nouvelle année. Toutefois, pendant la période choson, elle sonnait 33 fois à l'aube (en référence aux 33 paradis du bouddhisme) et 28 fois au coucher du soleil (en référence aux 28 étoiles qui déterminent la destinée des hommes). Elle

signalait en même temps l'ouverture et la fermeture des portes de la cité.

Insadong 인사동
CHANGDEOKGUNG 창덕궁
Inscrit au patrimoine mondial de l'humanité, ce **palais** (carte p. 96 ; ☎ 762 9531 ; adulte/jeune 2 500/1 300 W), ne se visite qu'en circuit guidé accessible que sur visite guidée (90 min, en anglais à 11h30, 13h30 et 15h30 du mardi au dimanche). Édifié entre 1405 et 1412, il fut le siège du pouvoir de 1618 à 1896. Outre le plus ancien pont en pierre de Séoul (construit en 1411) il abrite la salle du trône, un bureau royal couvert de tuiles bleues et le **Naksonjae** (bâti par le roi Honjong pour l'une de ses concubines), où logèrent les descendants de la famille jusqu'en 1989. Vous verrez des Cadillac et des Daimler, utilisées par Sunjong, le dernier roi choson. L'endroit le plus extraordinaire est le splendide **Biwon** (Jardin Secret), où la bibliothèque, les pavillons de poésie, les étangs carrés de nénuphars et le cadre paysager recréent une paisible atmosphère rurale.

De mars à décembre, la **relève de la garde** se déroule devant le palais de 14h à 15h, tous les jours sauf le lundi.

CHANGGYEONGGUNG ET JONGMYO
창경궁, 종묘
Construits au début du XVe siècle, les bâtiments de **Changgyeonggung** (carte p. 96 ; ☎ 762 4868 ; adulte/jeune 1 000/500 W ; ☺ mer-lun 9h-17h mars-oct, 9h-16h30 nov-fév) sont de dimensions modestes. La salle du trône, la plus ancienne structure, date de 1616, tandis que la superbe serre du jardin botanique n'a guère que 100 ans. Jadis, les rois choson plantaient et récoltaient du riz là où se trouve aujourd'hui un bel étang. Ils restaient ainsi proches des racines agricoles de la nation. Pendant l'occupation japonaise, Changgyeonggung subit l'humiliation suprême d'être transformé en zoo. En octobre, le *gwageo*, un examen du gouvernement choson, est reproduit ici.

Traversez la passerelle jusqu'à **Jongmyo**, le sanctuaire où sont conservées les tablettes mortuaires de tous les rois et les reines choson. Elles sont gardées dans de petites pièces fermées à clé, dans deux longs bâtiments entourés de forêts. La **salle principale** fut construite en 1395, alors que le **Yeongneyeongjeon** date de 1421.

Si vous visitez les deux sites en même temps et empruntez la passerelle, vous ne paierez qu'un billet d'entrée.

INSADONG-GIL 인사동길

Malgré des reconstructions récentes, **Insadong** (carte p. 96) a gardé l'atmosphère d'antan. Galeries d'art, maisons de thé et petits restaurants bordent les ruelles étroites. Des boutiques d'artisanat vendent des éventails, des boîtes en papier fabriquées à la main, des masques, des objets en laque, des poteries et des antiquités. Grignotez les en-cas traditionnels des stands de rue, achetez un *tojang* (sceau à votre nom), des poteries ou un livre d'occasion : le choix est infini. Cette fascinante rue commerçante est réservée aux piétons le samedi de 14h à 22h et le dimanche de 10h à 22h.

JOGYESA 조계사

Le plus grand **temple bouddhique** (carte p. 96) de Séoul fut construit en 1938 dans le style de la dynastie Choson. Les fresques retraçant la vie de Bouddha et les portes treillissées de motifs floraux constituent ses principaux attraits. Jogyesa est le siège de la secte Jogye, la plus importante du pays, qui met l'accent sur la méditation zen et l'étude des textes bouddhistes sacrés pour parvenir à l'Éveil. Le temple propose parfois aux visiteurs de rejoindre les moines pour partager un repas végétarien, une séance de méditation, une cérémonie du thé ou d'autres activités.

UNHYEONGUNG 운현궁

Ce modeste **palais** (carte p. 96 ; ☎ 766 9098 ; adulte/jeune/enfant 700/300 W/gratuit ; ☯ mar-dim 9h-19h mars-oct , 9h-17h nov-fév) fut la résidence de Heungseon Daewongun, père sévère et conservateur du roi Gojong. Il ferma les écoles confucéennes, massacra les catholiques coréens et chassa les étrangers. Gojong naquit et vécut ici jusqu'à son accession au trône à l'âge de 12 ans, en 1863. Plus petits que les autres palais, les bâtiments de l'Unhyeongung sont mieux préservés et les jolies pièces, meublées dans le style yangban.

En octobre, on reconstitue, l'espace d'une heure, le mariage du roi Gojong et de la reine Myeongseong (la reine Min), avec des costumes authentiques et des musiques traditionnelles. L'événement s'était déroulé ici en 1867 alors que le roi et la reine étaient respectivement âgés de 15 et 16 ans.

PARC TAPGOL 탑골 공원

Tap signifie "pagode" et ce **parc** (carte p. 96) doit son nom à une **pagode en marbre** de 12 m de haut. Construite en 1470, elle est décorée de superbes sculptures bouddhiques et comporte 10 niveaux. Une structure de verre et de métal la protège.

Le 1er mars 1919, Son Pyong-hui (1861-1922) et 32 autres nationalistes coréens rédigèrent une déclaration d'indépendance, lue à haute voix dans ce parc 2 jours plus tard. Éclatèrent alors des protestations nationales, appelées mouvement *sam-il* (1er mars), contre l'autorité japonaise, qui furent impitoyablement réprimées.

Au nord du parc, quelques échoppes de tteok vendent des gâteaux de riz traditionnels faits maison, aux formes et aux couleurs variées.

Est de Séoul

Dongdaemun (Heunginjimun ; carte p. 94), l'une des portes préservées de la forteresse de Séoul, date du XIVe siècle. Cependant, la structure actuelle fut bâtie en 1869, puis restaurée après avoir été sérieusement endommagée au cours de la guerre de Corée. Elle marque l'entrée de l'immense marché du quartier.

Myeong-dong et Namsan 남산

TOUR DE SÉOUL ET NAMSAN
서울 타워, 남산

Du sommet du Namsan, on découvre un panorama superbe sur Séoul, encore plus séduisant de nuit. Les touristes l'apprécient unanimement. Des restaurants, des boutiques et des attractions touristiques sont installés en haut de la **tour de Séoul** (carte p. 100). Prenez l'ascenseur jusqu'à la **terrasse d'observation** (adulte/jeune/enfant 5 000/ 3 500/2 500 W ; ☯ 9h-13h) pour admirer la vue.

Le **Musée folklorique mondial** (☎ 773 9590 ; adulte/jeune/enfant 3 000/2 500/2 000 W ; ☯ 9h-22h) regorge de curiosités comme des masques africains, des ceintures de chasteté et la plus importante collection au monde de pièces de monnaie en argent. À deux pas, deux attractions séduiront les enfants : le **Fairy Land** (Monde féérique) et un **cinéma d'animation en 3D**, qui ouvrent aux mêmes horaires que le musée et demandent un droit d'entrée identique. Parmi les restaurants, le **Pulhyanggi** (menu déj/dîner à partir de 20 000/32 000 W) propose une carte semi-végétarienne.

Les **balises** sont des répliques de celles installées sur le Namsan pendant la période choson. Elles servaient à envoyer des messages de la capitale dans l'ensemble du pays, relayés par d'autres balises placées au sommet de collines.

Le **téléphérique** (adulte/enfant aller 4 500/2 800 W, aller-retour 5 800/3 500 W ; ☻ mar-dim 10h-23h) est un moyen rapide et pratique pour monter au sommet et en redescendre.

VILLAGE TRADITIONNEL DE NAMSANGOL
남산골 한옥 마을
Ce petit **village** (carte p. 100 ; www.fpcp.or.kr ; entrée libre ; ☻ mer-lun 9h-19h mai-sept, 9h-18h oct-avr), niché au pied du Namsan, comporte 5 maisons yangban de la période choson, différentes et meublées dans le style de l'époque. L'architecture et le mobilier austères reflètent la philosophie confucéenne de l'aristocracie.

NAMDAEMUN 남대문
La **Grande Porte Sud** (Sungnyemun ; carte p. 100) de la forteresse de Séoul fut bâtie en 1398, reconstruite en 1447 et restaurée depuis à de nombreuses reprises. Considérée comme le trésor national n°1, cette porte imposante, en particulier lorsqu'elle est illuminée la nuit, marque le début du vaste marché.

CATHÉDRALE CATHOLIQUE
DE MYEONG-DONG 명동 성당
Élégant bâtiment en briques de style Renaissance, cette **cathédrale** (carte p. 100) fut achevée en 1898. Pendant la longue période de dictature militaire qui suivit la guerre de Corée, elle servit de refuge aux manifestants étudiants et syndicalistes. L'église constitue un important symbole national de la démocratie et des droits de l'homme. Une messe en anglais est célébrée à 9h le dimanche.

Ouest de Séoul
PRISON DE SEODAEMUN
독립 공원 서대문형무소 역사관
Cette **prison** (carte p. 94 ; ☎ 363 9750 ; adulte/jeune/enfant 1 100/550/220 W ; ☻ mar-dim 9h30-18h mars-oct, 9h30-17h nov-fév) historique rappelle les souffrances des indépendantistes coréens qui défièrent l'autorité japonaise entre 1910 et 1945. La porte d'entrée, la tour de guet, la salle des exécutions, les cellules d'isolement et 7 des 15 bâtiments d'origine sont ouverts au public. Vous longerez d'interminables alignements de cellules et verrez des photos et des vidéos montrant les dures conditions de vie derrière les hauts murs de brique. Surpopulation, nourriture insuffisante, coups, tortures et interrogatoires provoquèrent de nombreuses morts. Les salles d'interrogatoire sont cauchemardesques.

Près de la prison se trouvent le **parc Dongnimmun** et l'**arc d'Indépendance**. Cette arche en granite de style occidental, construite par le Club de l'Indépendance en 1898, se dresse à l'endroit où l'on accueillait les émissaires de l'empereur chinois. Ce rituel symbolisait la suzeraineté chinoise sur la Corée, à laquelle le roi Gojong mit un terme en se proclamant empereur en 1897.

WORLD CUP STADIUM ET PARCS
월드컵주경기장
Le **World Cup Stadium** (carte p. 10-11), qui peut accueillir 64 000 spectateurs, a été construit sur un site d'enfouissement des déchets. Ce stade impressionnant en forme de cerf-volant coréen, couvert d'un toit en téflon, a accueilli la cérémonie d'ouverture de la Coupe du monde de football 2002. Des cinémas, des boutiques, un marché couvert, de jolis parcs, des étangs, des éoliennes et une fontaine de 202 m de haut parsèment les alentours.

Si la bicyclette (p. 116) constitue le meilleur moyen de découvrir le stade et ses environs, il est facilement accessible par le métro. Prenez la ligne 6 jusqu'à la station World Cup Stadium.

SANCTUAIRE ET MUSÉE DES
MARTYRS DE JEOLDUSAN
절두산 순교 성지
Jeoldusan (carte p. 102) signifie "colline des décapitations". C'est à cet endroit que 2 000 Coréens catholiques, dont certains n'avaient que 13 ans, furent exécutés en 1866, en vertu d'un décret du régent Heungseon Daewongun, père du roi Gojong, qui voulait supprimer tous les catholiques. Les corps des victimes furent jetés à l'eau. On ne connaît le nom que de 40 d'entre elles. Le petit **musée** (☎ 3142 4434 ; 1 000 W ; ☻ mar-dim 9h-17h) renferme les reliques des premiers convertis et des martyrs qui subirent plusieurs vagues de persécution de la part des autorités. La chapelle, où une messe est célébrée à 10h et 15h, ouvre tous les jours. Un guide bénévole vous fera peut-être visiter le site.

Prenez la ligne 2 ou 6 du métro jusqu'à la station Hapjeong, sortie 7. Tournez dans la deuxième rue à gauche, puis longez la voie ferrée couverte, en suivant les petits panneaux marrons. Le sanctuaire se trouve à 10 min de marche.

PARC SAJIK 사직 공원
Un petit **parc** (carte p. 94) entoure Sajikdan où les rois choson offraient des sacrifices afin d'obtenir de bonnes moissons. Un simple sanctuaire dédié à Tangun, fondateur mythique de la Corée, se dresse en haut des marches de granit.

Itaewon 이태원
MUSÉE DE LA GUERRE 전쟁 기념관
Ce vaste et passionnant **musée** (carte p. 104 ; ☎ 709 3139 ; adulte/enfant 3 000/2 000 W ; ☺ mar-dim 9h30-18h mars-oct, 9h30-17h nov-fév) retrace les nombreuses attaques de la Corée par les Mongols, les Chinois et les Japonais, entre autres. Ce pays a connu une histoire mouvementée et tragique et c'est un miracle qu'il y ait survécu. À l'étage, des expositions fournissent une description précise de la guerre de Corée, à l'aide d'actualités, de photos, de cartes et d'objets d'époque. L'implication du pays dans la guerre du Vietnam, où 4 000 Coréens périrent, est également abordée. La salle des combats montre la réalité d'un conflit moderne. À l'extérieur du musée sont exposées 150 gros engins militaires.

Le vendredi à 14h, de mars à novembre, une fanfare accompagne un défilé militaire, qui se termine par une impressionnante démonstration de maniement des armes.

PARC YONGSAN 용산 가족 공원
Au sud d'Itaewon, ce **parc** (carte p. 104) paisible, ponctué d'arbres et d'étangs, se révèle idéal pour un pique-nique en famille. Le nouveau Musée national, actuellement en cours de construction, doit ouvrir en 2005.

Sud de la Han
COEX MALL 코엑스 몰
Cet immense **centre commercial** (carte p. 106 ; www.coexmall.com) souterrain comprend de nombreuses boutiques, 4 halls de restauration, le grand magasin Hyundai, le centre de conférences et la salle d'exposition COEX, deux hôtels de luxe et un cinéma multiplex.

L'**aquarium COEX** (☎ 6002 6200 ; www.coexaqua.co.kr ; adulte/enfant/étudiant 14 500/9 500/12 000 W ; ☺ dim-ven 10h-20h, sam 10h-21h), l'un des plus beaux du pays, abrite des coraux vivants et des piranhas, ainsi que des requins, des tortues et des raies dans un immense bassin. Ne manquez pas les jolies petites créatures marines comme les hippocampes, les poissons de verre et les méduses palpitantes.

Le **Megaweb** (☺10h-23h) comporte une zone de divertissements gratuite créée par Korea Telecom (KT). Vous pourrez ainsi utiliser les jeux vidéos, regarder des DVD, vous connecter à Internet pendant 1 heure, vous entraîner à la batterie dans une salle insonorisée et même enregistrer votre propre CD. La console Xbox offre 60 jeux différents, dont les derniers sortis.

Le **musée du Kimchi** (B2 ; adulte/enfant 3 000/1 000 W ; ☺ mar-sam 10h-17h, dim 13h-17h) s'adresse aux inconditionnels du chou confit pimenté.

BONGEUNSA 봉은사
Au nord du COEX Mall, ce **temple** (carte p. 106), fondé en 794, fut reconstruit en 1498 lorsque cessèrent les restrictions imposées aux bouddhistes. La bibliothèque, le bâtiment le plus ancien qui subsiste, date de 1856. Elle contient des tablettes de bois vieilles de 150 ans, gravées de textes et d'images bouddhistes. Demandez à l'entrée si un guide bénévole anglophone peut vous faire visiter le temple. Bongeunsa propose aussi un programme qui permet aux visiteurs d'expérimenter la vie monastique (p. 116).

TOMBEAUX ROYAUX 왕릉
Si les tablettes mortuaires des rois et des reines choson sont conservées à Jongmyo, leurs imposants tombeaux sont éparpillés dans la capitale. Les tombes du roi Seonjeong (vers 1469-1494), de sa seconde épouse, la reine Jeonghyeonwanghu, et de son second fils, le roi Jungjeong (vers 1506-1544), se dressent dans le **parc Samneung** (carte p. 106 ; 400 W ; ☺ mar-dim 9h-17h30 mars-oct, 9h-16h30 nov-fév), à 15 min de marche du COEX Mall. Le roi Seonjeong est célèbre pour sa nombreuse descendance – il eut 28 enfants de 10 concubines –, tandis que le roi Jungjeong laissa le souvenir d'un souverain faible au long règne. Les tombeaux,

SÉOUL

bâtis sur le modèle chinois, sont gardés par des statues en pierre représentant des guerriers, des chevaux, des tigres et des animaux imaginaires ressemblant à des moutons.

Prenez la ligne 2 du métro jusqu'à la station Seolleung, sortie 8. Tournez dans la première à gauche et de nouveau à gauche à la clôture du parc. Comptez 10 min de marche.

PARC D'ATTRACTIONS LOTTE WORLD 롯데월드

Lotte World (carte p. 106 ; www.lotteworld.com), un immense complexe, comprend l'hôtel Lotte World, le grand magasin Lotte, un centre commercial, un cinéma multiplex, une salle de billard, une galerie d'art, de nombreux restaurants et fast-foods.

La **patinoire couverte** (☎ 411 2000 ; adulte/enfant moins de 14 ans 9 500/8 500 W avant 19h, 8 000/7 000 W après 19h ; 10h30-22h30) loue des patins à glace pour 3 500 W. Le **bowling** (adulte/enfant moins de 14 ans 2 900/2 700 W ; 9h-24 h) comporte 26 pistes et loue les chaussures spéciales 1 200 W. Dans la vaste **piscine couverte** (adulte/enfant moins de 14 ans 7 000/6 000 W sept-juin, 9 000/7 000 W juil-août ; lun-ven 13h-19h, sam-dim 6h-20h), la descente du grand toboggan revient à 500 W (1 000 W en juillet et août).

Le **Musée folklorique** (adulte/jeune/enfant 4 500/ 3 000/2 000 W ; 9h30-23h) se situe au 2ᵉ étage. Il reconstitue la vie des gens du peuple à l'aide de techniques imaginatives comme des statues de cire mobiles, des dioramas et des maquettes.

Lotte World Adventure & Magic Island (adulte/jeune 13-18 ans/enfant 4-12 ans 18 000/15 000/ 12 000 W, billet Big-5 28 000/24 000/20 000 W ; après 17h 12 000/10 000/8 000 W, billet Big-5 24 000/20 000/ 17 000 W ; 9h30-23h) constitue la principale attraction. Cette version coréenne de Disneyland offre un train monorail, des concerts, des films en 3D et un spectacle laser à 21h. Vous pourrez naviguer sur le drakkar viking, piloter sur un simulateur, filer sur l'eau à toute vitesse, ou être secoué en tout sens sur les manèges les plus terrifiants. Le Gyro Drop offre une chute de 70 m en 2 secondes ! Plus l'attraction fait peur, plus s'allonge la file d'attente ! La principale section de Lotte World Adventure se trouve dans le complexe, tandis que Magic Island est à l'extérieur, au milieu d'un lac.

PARC OLYMPIQUE 올림픽 공원

Ce vaste **parc** (carte p. 106) verdoyant comprend un lac où s'ébattent faisans, hérons, canards et oies. Une fortification en terre **Mongchontoseong** du début de la dynastie oaekche, a été reconstruite et le **musée Mongchontoseong** (entrée libre ; mar-dim 10h-17h mars-oct, 10h-16h nov-fév) expose des couronnes en or , des joyaux et un sabre de cérémonie à 7 pointes paekche.

Le **Musée olympique** (☎ 410 1052 ; www. seoulolympicmuseum.com ; adulte/jeune/enfant 3 000/ 2 000/1 000 W ; mar-dim 10h-17h30 mars-oct, 10h-16h30 nov-fév) présente des panneaux retraçant les Jeux olympiques de 1988. Participez à des simulations d'épreuves et testez vos performances sur le matériel sportif en libre service au rez-de-chaussée (500 W).

Le parc abrite des stades dans lesquels se sont déroulés les Jeux olympiques. Au **vélodrome** (www.cyclerace.or.kr ; 400 W ; ven-dim 11h-18h mars-oct), lors des courses de 2 km en 6 tours, les parieurs tentent de deviner lequel des 7 concurrents l'emportera. La **piscine olympique couverte** (☎ 410 1696 ; adulte/enfant 4 500/3 500 W ; lun-ven 12h15-21h) se situe à proximité.

Vous resterez probablement perplexe devant une bonne partie des 200 **sculptures modernes** exposées dans le parc, même après avoir lu les explications des artistes. Par les chaudes soirées d'été et le week-end, des centaines de jeunes gens font du roller autour de la place, jouer au hockey en roller et se livrent à des acrobaties en skateboard. Les aînés jouent au badminton, font du jogging, mangent des glaces, pique-niquent sous les arbres ou promènent leur petit chien.

YEOUIDO 여의도

À Hangang, cette **île** (carte p. 108), de 3 km de long et 2 km de large, comporte des parcs plaisants, des gratte-ciel abritant les sièges sociaux de nombreux médias, compagnies financières ou d'assurance, ainsi que la Bourse et l'Assemblée nationale.

Lorsque la température grimpe le week-end, cyclistes et adeptes de roller se pressent dans les **parcs de Hangang**. Les familles s'installent pour pique-niquer et profitent de la **piscine découverte** (adulte/enfant 2 500/1 500 W ; piscine 9h-18h juil-août, patinoire déc-fév) et des autres équipements sportifs (pour la location de vélo, voir plus loin la rubrique *Cyclotourisme*).

À l'extrémité est de l'île, le **63 Building** (www.63city.co.kr), tout doré, comprend un **aquarium** (☎ 789-5663 ; adulte/jeune 13-18 ans/enfant 9 500/9 000/8 500 W) à l'étage B1, où vous pourrez assister au repas des poissons et à des spectacles de phoques et d'otaries. Un **cinéma Imax à grand écran** (☎ 789 5663 ; adulte/étudiant/enfant 7 000/6 500/6 000 W) dispose d'écouteurs qui diffusent un commentaire en anglais. La **terrasse d'observation** (adulte/ étudiant/enfant 6 000/5 500/5 000 W) se trouve au 59e étage. Le billet combiné pour les trois attractions coûte 18 000/16 500/15 000 W (adulte/étudiant/enfant).

Entre le 55e et le 58e étage, des restaurants occidentaux, chinois et japonais offrent une vue panoramique sur la ville. Un restaurant coréen est installé au 3e étage et des fast-foods dans les étages inférieurs. Le Plaza Fountain Buffet, renommé pour son somptueux buffet et sa fontaine "dansante" (p. 132), se situe au sous-sol.

Les **Hangang Pleasure Boats** (☎ 785 4411) proposent d'agréables croisières sur la rivière (1 heure, aller simple ou aller-retour 7 000/3 500 W adulte/enfant). Ils partent de 4 embarcadères : Yeouido (carte p. 108), Yanghwa (carte p. 10-11), Ttukseom (carte p. 106) et Jamsil (carte p. 106). Vous pouvez ainsi effectuer la croisière de 15 km de l'embarcadère de Yeouido à celui de Jamsil, puis marcher 15 min jusqu'à la station de métro Sincheon (ligne 2). Sinon, revenez en bateau pour le même prix. Les bateaux naviguent toute l'année et partent toutes les heures en juillet et août, de 11h à 20h. Le reste de l'année, ils lèvent l'ancre toutes les 1 ou 2 heures.

À FAIRE
Programme d'un temple bouddhique
Bongeunsa (carte p. 106) propose un programme de 4 heures (20 000 W). Il commence par un déjeuner composé de 4 bols – riz, soupe, légumes et eau. Les repas se prennent en silence et l'on ne gaspille pas la moindre miette de nourriture ; les bouddhistes sont très stricts sur ce point. La visite guidée des superbes bâtiments du temple est suivie d'une séance de méditation seon. Les participants s'asseoient en tailleur et un moine leur demande de se concentrer sur leur respiration. Ensuite, un religieux prépare du thé vert biologique, qui sera servi à la bonne température et bu

en trois gorgées. Le thé apaise l'esprit et le corps ; quand les moines sont en désaccord, ils résolvent le problème devant une tasse de thé vert.

Cyclotourisme
Des pistes cyclables bordent les deux rives de la Han et la plupart des parcs qui la longent proposent des vélos de location. En été, piscines, bateaux à aubes, planches à voile, jet-skis et ski nautique font partie des distractions appréciées. Louez un vélo à Yeouido dans une **cabane de location** (carte p. 108 ; bicyclette/tandem 2 000/5 000 W l'heure ; ☺ 9h-19h mai-août, 9h-18h mars-avr et sept-oct, 9h-17h nov-fév) proche de la piscine du parc Hangang ou près du terminal des ferries dans le parc Yeouido. Cadenas et casques ne sont pas fournis. On vous demandera une pièce d'identité.

DE YEOUIDO AU WORLD CUP STADIUM
Ce parcours (carte p. 10-11) de 7 km aller-retour s'effectue en 90 min, mais comptez plus de temps si vous explorez le stade et les parcs alentours.

De Yeouido, passez devant l'Assemblée nationale et, après 1 km, vous arriverez au jardin Yanghwa, puis au pont Yanghwa, que vous franchirez pour traverser la rivière. Montez les marches du pont en poussant votre vélo sur le petit sentier. Remarquez Seonyudo, au milieu de la rivière : cette ancienne usine de traitement de l'eau est devenue un joli parc. Redescendez de l'autre côté du pont par le sentier situé à droite des marches, puis continuez le long de la piste cyclable qui suit la rive nord de la rivière. Au bout de 10 min, tournez à droite au niveau du pont orange, traversez un petit pont, puis tournez à nouveau à droite en suivant le balisage vert. Après 10 min, vous atteindrez le beau parc qui entoure le World Cup Stadium.

DE YEOUIDO AU PARC OLYMPIQUE
Comptez 4 heures pour ce long itinéraire (carte p. 10-11) de 38 km aller-retour. Plat tout du long, il suit presque entièrement une piste cyclable.

Au fil de la promenade, vous croiserez des parcs, des terrains de sport et un grand nombre de ponts et de pêcheurs. Vous apercevrez des hérons, des oies et d'autres oiseaux. À 18 km de Yeouido, tournez à droite (la bifurquation n'est pas signalée), passez sous deux ponts et suivez la berge gauche d'une rivière asséchée. Au niveau de la route, tournez à gauche, traversez la route secondaire, puis la route principale par le passage pour piétons. Bifurquez à droite et franchissez le pont. Le Parc olympique se trouve sur votre gauche, avec ses musées, ses stades, ses étangs et ses sculptures en plein air (p. 115).

Golf

Habituellement, les terrains de golf proches de Séoul sont chers et réservés aux membres des clubs. Mieux vaut se contenter des practices que vous trouverez partout dans la ville et dans quelques hôtels de catégorie supérieure. Le **Hyosung Golf** (carte p. 104 ; 14 000 W l'heure ; 5h-22h30), à Apgujeong, en est un exemple typique.

Saunas et bains publics

Une séance dans un sauna comme le **Yu Young Sauna** (carte p. 99 ; Itaewon ; 24h/24) ne coûte pas plus de 3 500 W. Beaucoup ouvrent 24h/24 ; ils ne sont jamais mixtes et certains n'acceptent que les hommes. Au centre-ville, des saunas plus luxueux, réservés aux hommes, sont installés au New Seoul Hotel (10 000 W) et au Koreana Hotel (13 000 W).

Les touristes japonais apprécient les circuits beauté et remise en forme dans des établissements élégants de Séoul, mais ils sont généralement coûteux. **Seoul Mud** (carte p. 99 ; 749 8012 ; 9h-24 h), à Itaewon, facture 82 000 W la séance de 2 heures qui comprend un bain de boue, un bain de lait, un bain au ginseng et un bain à l'orange, puis un sauna. Un prix très raisonnable pour des soins esthétiques complets.

Bien moins chère, la **Dreamtel Youth Hostel** (p. 126 ; carte p. 10-11), à 45 min de métro du centre-ville, propose sauna, salle de gymnastique et piscine couverte pour 7 000 W par jour.

Pour des informations sur les bains dans des sources chaudes, voir p. 397.

Baignade

Les plages de sable qui bordent les îles préservées au large d'Incheon, dans la mer Jaune (p. 160), sont les endroits les plus agréables pour se baigner. Pendant les mois chauds et humides de juillet-août, les piscines en plein air ouvrent dans les parcs de Hangang. La **piscine de Yeouido** (carte p. 108 ; 2 500 W) avoisine la station de métro Yeouinaru, sur la ligne 5.

Lotte World (p. 115) et le **Parc olympique** (p. 115) ouvrent leurs vastes piscines couvertes l'après-midi. La plupart des hôtels de luxe possèdent des piscines couvertes de 25 m et certains acceptent les non-résidents. Les tarifs commencent à 8 000 W, mais restent raisonnables en fonction des équipements proposés.

Au cœur du parc Everland (p. 154), Caribbean Bay constitue le plus beau centre aquatique. Le Miranda Spa d'Icheon comprend une piscine et d'autres installations séduisantes (p. 154).

Taekwondo

Le Kukkiwon, siège de la **fédération internationale de Taekwondo** (carte p. 104 ; 566 2505), se situe au nord-est de la station de métro Gangnam et comprend une salle de compétition. Pour les dates des compétitions, consultez les sites www.koreataekwondo.org ou www.wtf.org.

Hoki Taekwondo (336 6014 ; www.taekwontour.com) propose des cours d'initiation de 1 heure 30 (30 000 W) ou 3 heures (65 000 W) dans le gymnase du musée de la Guerre. Les participants peuvent tenter de casser une planche de bois de 2 cm d'épaisseur. Contactez Hoki Taekwondo avant de vous présenter au gymnase.

Le **Centre international de taekwondo Yonsei** (carte p. 102 ; 738 8397) offre 4 sessions d'entraînement en 1 semaine pour 20 000 W.

PROMENADES À PIED
Promenade vers les sanctuaires chamanistes de l'Inwangsan

Cette courte promenade à flanc de montagne vous permettra de découvrir le plus célèbre sanctuaire chamaniste de Séoul, de petites temples bouddhiques et une partie des remparts de la capitale. Elle peut se faire en 1 heure, mais vous préférerez peut-être vous attarder pour savourer cette atmosphère singulière.

Prenez la ligne 3 du métro jusqu'à la station Dongnimmun, sortie 2, et tournez à gauche dans la première ruelle tortueuse. Montez pendant 10 min, en passant devant le practice du golf et des épiceries, jusqu'à

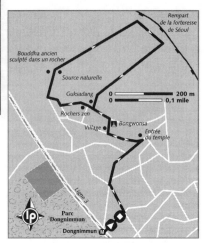

l'entrée d'un temple sur la gauche. Franchissez-la et dirigez-vous vers le panneau d'affichage. Tournez à gauche et faites le tour du village où des maisons traditionnelles et des **temples bouddhiques** s'accrochent sur le versant rocheux. Sur les murs extérieurs des temples, des fresques colorées dépeignent la philosophie bouddhiste.

Revenez vers le chemin principal, où une cloche de bronze signale l'entrée du **Bongwonsa**, le plus grand des temples. Les peintures des portes d'entrée représentent les rois gardiens du ciel qui protègent les bouddhistes du mal. Le salle du temple renferme 5 statues de Bouddha en or, ainsi qu'un sanctuaire annexe consacré aux divinités chamanistes : Sanshin (dieu de la Montagne), Doksung (dieu de la Rivière) et Chilsung (les sept étoiles de la Grande Ourse). De tout temps, bouddhisme et chamanisme ont cohabité pacifiquement en Corée.

Montez les marches menant au sanctuaire chamaniste, **Guksadang**. Construit à l'origine sur Namsan, il fut démoli par les Japonais en 1925, puis secrètement reconstruit par des chamanistes coréens sur l'Inwangsan. De petite dimension, le temple abrite un autel souvent surchargé d'offrandes : gâteaux de riz, fruits, viande ou tête de porc – les chamanistes croient que les esprits ont besoin de nourriture et de boisson. Marchez vers la gauche et montez quelques marches jusqu'aux étonnants **rochers zen**, qui ressemblent à un tableau de

Salvador Dali : deux grands rochers érodés évoquent une silhouette presque humaine. Des femmes viennent prier ici pour la naissance d'un garçon.

Au-dessus du site, de nombreux rochers aux formes étranges créent une atmosphère insolite. Des bougies, des bâtons d'encens et des douceurs sont déposés devant de petites fissures. Grimpez 10 min pour parvenir à l'autel où un **bouddha ancien** est sculpté dans un rocher. Les chamanistes procèdent à leurs cérémonies à l'ombre des arbres ; une dame âgée s'incline en agitant 5 drapeaux de couleurs différentes pour attirer les esprits, tandis qu'une jeune fille bat du tambour tout en méditant. Aux alentours, des **sources naturelles** fournissent de l'eau fraîche. Vous pourrez ensuite facilement rejoindre le **rempart de la forteresse de Séoul**, érigé en 1396 et en cours de restauration.

Faites preuve de respect envers le site et ses habitants. N'oubliez pas que prendre une photo peut perturber une cérémonie importante.

Promenade des palais

Ce parcours (carte p. 119) ne prend pas plus de 1 heure, mais accordez-vous 1 ou 2 heures de plus pour explorer le parc et les jolies boutiques, galeries d'art et maisons de thé. Des arbres ombragent la plus grande partie de l'itinéraire, qui évite la traversée de grandes artères.

Prenez la ligne 3 du métro jusqu'à la station Anguk, sortie 1. Tournez à droite le long de la grande rue jusqu'à **Dongsipjagak**, une ancienne tour de guet. Bifurquez à droite après la **Seoul Selection Bookshop**, qui mérite la visite, comme les **galeries d'art** un peu plus loin.

Prenez à droite et passez devant une **boutique de hanbok**. Poursuivez jusqu'à deux **restaurants traditionnels** installés en face de la résidence du Premier ministre, où des gardes sont en faction devant les grandes portes blanches. Après la **Seomulseoduljae Teashop**, spécialisée dans les tisanes d'herbes médicinales et le *danpatjuk* (gruau de haricots rouges), tournez à droite et traversez la route qui mène au **parc Samcheong**. Un rapide détour vous fera découvrir des sources naturelles et une forêt épaisse.

Traversez de nouveau la route pour apercevoir dans le lointain la tour de Séoul apparaître au loin. Descendez la

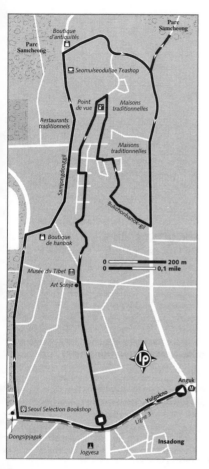

Au carrefour, **Art Sonje** (droits d'entrée variables ; ☺mar-dim 11h-19h) comprend une galerie d'art, un café, un cinéma et un restaurant indien huppé. À hauteur de la rue principale, tournez à gauche pour rejoindre la station de métro Anguk ou traversez pour visiter Insadong ou le temple Jogyesa.

COURS
Cuisine
La **famille Yoo** (carte p. 96 ; ☎ 3673 0323 ; www.korea-family.com ; 45 000 W l'heure) vous enseignera les secrets du kimchi. L'**Institute of Traditional Korean Food** (carte p. 96 ; ☎ 741 5414 ; fax 741 5415 ; 70 000 W le cours de 3 heures) est installé dans le Jilsiru Tteok Cafe. À l'étage, il enseigne la confection des gâteaux de riz.

Langue
World Village (carte p. 103 ; ☎ 018-239 9981 ; www.ih.or.kr) donne des cours de coréen dans une atmosphère détendue, à 10 000 W le trimestre (voir aussi p. 133). Les cours, répartis en 6 niveaux, ont lieu les mardis et jeudis soir, ainsi que les samedis après-midi. Il enseigne également d'autres langues (japonais, chinois, russe et espagnol), la danse latino et l'informatique.

Le **Sisa Institute** (carte p. 96 ; ☎ 2278 0509 ; www.ybmedu.com), en face du parc Tapgol, propose des cours de langue de 1 mois (6 niveaux) à 190 000 W, avec un maximum de 15 élèves.

L'**université de Yonsei** (carte p. 102) organise des cours de coréen à plein temps ou à temps partiel pour les étudiants assidus.

Le site www.metro.seoul.kr fournit une longue liste d'universités et d'instituts qui dispensent des cours de coréen.

SPÉCIAL ENFANTS
Le site www.travelwithyourkids.com prodigue des conseils pour visiter Séoul avec des enfants.

Le **Children's Grand Park** (carte p. 10-11 ; adulte/jeune/enfant 1 500/1 000 W/gratuit juil-août et nov-mars, 900/500 W/gratuit avr-juin et sept-oct ; ☺9h-19h, 9h-20h juin-août) comprend, entre autres, un immense zoo et un jardin botanique couvert. Le cadre naturel se révèle idéal pour un pique-nique, bien que les restaurants et les stands d'alimentation ne manquent pas. Vous devrez payer un supplément pour le spectacle de phoques, le cirque (mai seu-

colline jusqu'à Bukchonhanok-gil, sur la droite. Suivez cette ruelle qui traverse un quartier paisible de **maisons traditionnelles**. Au bout de la rue (en face de l'immeuble n°2), tournez à gauche et grimpez la colline. En haut, La vue superbe sur les toits de tuiles n'a guère changé depuis 100 ans. Les aristocrates de la dynastie Choson vivaient ici, près des palais.

Au croisement suivant, tournez à droite puis à gauche au niveau de la cheminée en briques rouges d'un bain public. Au bout de la ruele, tournez encore à gauche. Sur la droite, le **musée du Tibet** (adulte/étudiant 5 000/2 000 W ; ☺10h-19h) expose une collection restreinte, mais intéressante, d'objets tibétains. On vous offrira une tasse de thé.

lement), la piscine découverte (juillet-août seulement) et les manèges.

Dans le Parc olympique, le **Théâtre de marionnettes pour enfants** (carte p. 106 ; ☎ 420 0360 ; adulte/enfant 7 000/4 500 W) présente des spectacles amusants, en coréen !

Les **aquariums** (☎ 6002 6200 ; www.coexaqua.co.kr ; adulte/enfant/étudiant 14 500/9 500/12 000 W ; ⏰ dim-ven 10h-20h, sam 10h-21h) du COEX Mall (voir p. 114) et du 63 Building (voir p. 116), sur Yeouido, méritent la visite.

Seoul Grand Park (☎ 500 7114 ; www.grandpark.seoul.go.kr ; adulte/jeune/enfant 1 500/1 200/700 W ; ⏰ 9h-7pm, 9h-18h oct-mars), facilement accessible en métro, comprend un vaste zoo (voir p. 149) et le Seoul Land Amusement Park (carte p. 10-11).

Everland (☎ 759 1408 ; www.everland.com), à 1 heure de bus de Séoul, possède un centre aquatique de classe internationale, un parc d'attractions style Disneyland ainsi qu'un parc safari (voir p. 154).

Lotte World (www.lotteworld.com), autre parc d'attractions de style Disney (la plupart des attractions sont à l'intérieur), comprend une patinoire, une piscine, des cinémas et un bowling à 10 quilles (voir p. 115). L'hôtel Lotte World, à deux pas, accueille volontiers les enfants (p. 127).

Un festival international de théâtre pour enfants se déroule à Daehangno fin juillet ; contactez le **KNTO** (carte p. 96 ; ☎ 757 0086 ; www.knto.or.kr) pour de plus amples informations.

En hiver, les stations de ski proches de Séoul proposent également snowboard et luge. En été, profitez des piscines des parcs qui bordent la Han, où vous pourrez aussi louer des vélos. Toute l'année, des cinémas projettent des films en version orginale. Pour de plus amples informations sur les voyages avec des enfants, reportez-vous p. 401.

CIRCUITS ORGANISÉS

La **Royal Asiatic Society – Korea Branch** (☎ 763 9483) propose chaque week-end des circuits dans tout le pays (de 6 000 à 60 000 W ; non-membres acceptés), guidés par des anglophones experts dans leur domaine.

La **United Services Organization** (USO ; carte p. 94 ; ☎ 724 7003 ; www.uso.org/korea) organise

---

LES 10 PLUS BELLES EXCURSIONS D'UNE JOURNÉE AUX ALENTOURS DE SÉOUL

- Partez en circuit organisé à la DMZ et **Panmunjeom** (p. 165)
- Visitez **Ganghwado**, faites le tour de l'île à bicyclette et escaladez le **Manisan** (p. 163)
- Prenez le métro jusqu'à **Incheon** pour flâner dans la vieille ville et longer la **promenade Wolmido** (p. 156)
- Faites une randonnée dans le **parc national de Bukhansan** (p. 146) ou le **parc provincial de Namhansanseong** (p. 150)
- Passez une demi-journée au **village folklorique coréen** pour savourer l'atmosphère d'antan (p. 153)
- Explorez la **forteresse de Suwon**, inscrite au **patrimoine mondial** (p. 151) et dégustez un *galbi*

- Découvrez le village de céramistes d'**Icheon** (p. 155) et baignez-vous dans le luxueux spa des sources chaudes
- Détendez-vous sur l'une des plages des îles de la **mer Jaune** (p. 160)
- Faites du vélo le long d'un lac à **Chuncheon** (p. 171), puis empruntez un bateau pour accéder au temple (p. 174)
- Prenez le train jusqu'à **Gangchon**, rendez-vous à vélo jusqu'à la cascade et faites un saut à l'élastique (p. 174) si le cœur vous en dit !

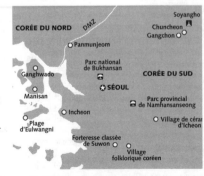

des excursions pour les militaires américains, auxquelles peuvent participer les civils. Un excellent circuit à Panmunjeom, la Zone démilitarisée (DMZ) et le tunnel d'infiltration a lieu 2 fois par semaine (40 $US, déjeuner non compris) ; il commence à 7h30 et se termine à 15h (p. 165). L'USO propose également des excursions d'une journée au village de céramistes d'Icheon (43 $US), à Ganghwado (24 $US), des sorties de rafting (43 $US) et, en hiver, des séjours dans les stations de ski.

DMZ Tour with a Defector (carte p. 100 ; ☎ 771 5593 ; www.koreadmztour.com ; 1er étage, Lotte Hotel) offre la possibilité exceptionnelle de rencontrer un transfuge de Corée du Nord et de discuter avec lui par le truchement d'un interprète. Le circuit coûte 70 000 W sans la visite de Panmunjeom.

TrekKorea (☎ 540 0840 ; www.trekkorea.com) organise des sorties de rafting, des randonnées en VTT, à cheval ou pédestres de 1 ou 2 journées (environ 60 000 W).

Exciting Korea (☎ 725 1237 ; www.excitingkorea. com) propose des circuits en minibus dans tout le pays pour des petits groupes (de 30 000 à 50 000 W). Voir p. 126 pour des informations sur son auberge.

Le KNTO (carte p. 96) et le site www.startravel.co.kr vous renseigneront sur les nombreux circuits. Le site www.adventurekorea.com présente des activités sportives plus audacieuses.

Visite de Séoul en bus

Spécialement conçus pour les touristes, ces bus confortables permettent de voir les principaux sites de la capitale au nord de la Han. Ils partent toutes les 30 min entre 9h et 19h. Un arrêt se situe devant Deoksugung (carte p. 100). Consultez le site www.seoulcitytourbus.com pour en savoir plus. Le billet d'une journée (vendu dans le bus) vaut 10 000 W et celui de 2 jours 15 000 W. Il donne droit à des réductions pour d'autres attractions touristiques.

FÊTES ET FESTIVALS

Depuis quelques années, les festivals se multiplient et les thèmes sont des plus variés : fleurs, films d'animation, théâtre d'avant-garde, film vidéo, danse, percussions... Visitez les sites www.knto.or.kr ou www.visitseoul.net pour en connaître le lieu et les dates, qui varient souvent d'une année sur l'autre.

Avril

Seonnong-je. Pendant des siècles, les rois choson se sont rendus à l'autel de Seonnongdan (carte p. 94) et ont prié pour que le pays obtienne une bonne moisson. La reconstitution historique débute par une procession royale, puis des musiciens en costumes rouges jouent sur des instruments traditionnels. Un chanteur psalmodie les textes du rituel confucéen originel. Après la cérémonie, les participants dégustent du *seolleongtang* (soupe de bœuf) et du *makgeolli* (vin de riz fermenté de couleur laiteuse), servis gratuitement. Prenez la ligne 1 du métro jusqu'à la station Jegi-dong, sortie 1. Dirigez-vous vers le panneau d'information après avoir tourné à droite. Bifurquez de nouveau à droite dans une rue bordée d'arbres. L'autel se trouve à quelques minutes de marche, sur la droite, à flanc de colline.

Mai

Jongmyodaeje. Au sanctuaire de Jongmyo (carte p. 96), le 1er dimanche de mai, un rituel confucéen de 7 heures suit une procession royale. Ce rituel est pratiqué par les nombreux descendants de la famille royale choson qui rendent hommage à leurs augustes ancêtres en chantant leurs louanges, en leur faisant des offrandes de viande cuisinée et de vin de riz, en les divertissant par de la musique et des danses solennelles et, enfin, en les saluant respectueusement.

Anniversaire de Bouddha. Le dimanche précédant l'anniversaire de Bouddha, à partir de 19h, une immense procession a lieu du parc Tapgol à Jogyesa (carte p. 96).

Septembre

Seokjeondaeje. Cérémonie dans la cour d'un sanctuaire confucéen, à l'université de Sungkyunkwan (carte p. 96).

Octobre

Sajikdaeje. Reconstitution d'une cérémonie royale d'actions de grâce à l'autel du parc Sajik (carte p. 94).

Jour du Citoyen de Séoul. La municipalité de Séoul organise des manifestations culturelles et sportives, dont certaines destinées aux étrangers.

OÙ SE LOGER
Gwanghwamun
PETIT BUDGET

Gwanghwajang (carte p. 96 ; ☎ 738 0751 ; ch 38 000 W; ⊠). Ce yeogwan possède des chambres meublées et décorées de manière fantaisiste, avec table, chaises, TV câblée et vidéo. Un mini Lotte Hotel, mais bien moins cher !

Inn Daewon (carte p. 96 ; ☎ 738 4308 ; dort/s/d 15 000/20 000/25 000 W ; 💻). Cette ancienne pension, gérée par un couple âgé très serviable qui parle un peu anglais, se situe dans un immeuble délabré du centre-ville. On manque de place, la cuisine est exiguë et certaines chambres n'ont pas de fenêtre. Les clients partagent deux toilettes et une douche. En revanche, ils profitent d'une salle de TV, de petits déjeuners gratuits, d'une machine à laver (1 000 W) et de l'accès à Internet (1 000 W l'heure).

Consultez l'encadré ci-dessous pour d'autres possibilités d'hébergement.

CATÉGORIE MOYENNE
New Kukje Hotel (carte p. 96 ; ☎ 732 0161, 732 1774 ; ch 150 000 W ; 💥 💻). Similaire au New Seoul, il comprend des restaurants, une salle de karaoké avec hôtesses et un sauna réservé aux hommes, ouvert 24h/24 (11 000 W pour les non-résidents). Petit déjeuner-buffet à 11 000 W.

New Seoul Hotel (carte p. 96 ; ☎ 735 9071 ; www.bestwesternnewseoul.com ; s et d/lits jum/ste 140 000/160 000/290 000 W ; 💥 💻). Très bien situé au centre-ville, cet hôtel de qualité, apprécié des touristes japonais, comporte un restaurant, un café et un sauna réservé aux hommes, ouvert 24h/24 (11 000 W pour les non-résidents).

CATÉGORIE SUPÉRIEURE
Radisson Seoul Plaza Hotel (carte p. 100 ; ☎ 771 2200 ; www.seoulplaza.co.kr ; s/d/ste 320 000/360 000/ 660 000 W ; 💥 💻 🏊). En face de l'hôtel de ville, il offre des prestations luxueuses, dont 6 restaurants, un pub où se produisent des musiciens, un sauna (mixte), un club de remise en forme, un jacuzzi et des lits d'enfant gratuits.

Westin Chosun Hotel (carte p. 100X ; ☎ 771 0500 ; www.westinchosun.com ; s/d 372 000/392 000 W ; 💥 💻 🏊). Premier hôtel de style occidental ouvert à Séoul en 1914, le Westin Chosun reste moderne et abrite le célèbre bar O'Kim's. Selon un client, ce n'est pas

---

LES PRÉFÉRENCES DE L'AUTEUR

Free M Hotel (carte p. 100 ; ☎ 771 9111 ; s/lits jum 121 000/154 000 W taxes et service compris ; 💥 💻). Ouvert récemment à Myeong-dong, cet hôtel original, réservé aux femmes, offre des petites chambres, avec yo ou lit, meubles traditionnels, douche et toilettes séparées. Il dispose d'un bar au 7e et dernier étage, d'un centre d'affaires, d'un café, d'un karaoké, d'un salon de coiffure et de manucure, d'un institut de massage du visage et des pieds, et même d'un cabinet de chirurgie esthétique. Sauna et petit déjeuner gratuits.

Lotte Hotel (carte p. 100 ; ☎ 771 1000 ; www.hotel.lotte.co.kr ; s/d 340 000/370 000 W ; 💥 💻 🏊). Avec plus de 1 300 chambres, cet excellent hôtel de luxe classique propose toute la palette des prestations attendues. Il abrite le **Bobby London Bar**, de style anglais, et le **Restaurant Vine** (repas 27 000-38 000 W ; 🍽 10h30-14h), qui prépare un brunch-buffet le dimanche. Le Lotte se trouve à deux pas d'un grand magasin, d'une boutique hors-taxe, de galeries marchandes souterraines et de boutiques branchées de Myeong-dong. Tout comme le Shilla, il vous fera découvrir le luxe à la coréenne.

Ritz Hotel (carte p. 96 ; ☎ 764 0353 ; ch 40 000 W, 50 000 W sam-dim ; 💥 💻). Ce "love motel", proche du parc Tapgol, se distingue par une façade métallique futuriste. Desservies par un ascenseur, les chambres possèdent une grande TV, un lit circulaire et un plafond constellé d'étoiles.

Seoul Guesthouse (carte p. 96 ; ☎ 745 0057, 011-9134 7741 ; www.seoul110.com ; s/d/d 30 000/40 000/ 100 000 W ; 💻). Cette ravissante hanok, au bout d'une rue paisible, est construite autour d'une jolie cour. Vous dormirez sur un yo posé sur un sol ondol. Seule la chambre familiale dispose d'une sdb. Les hôtes peuvent utiliser la salle de TV, la cuisine, la machine à laver et bénéficient de l'accès gratuit à Internet. Cette maison centenaire dispose d'installations ultramodernes. La propriétaire, Mme Lee, est très serviable et parle anglais.

Seoul Backpackers (carte p. 96 ; ☎ 36721972 ; www.seoulbackpackers.com ; dort/s/d 17 000/27 000/37 000 W ; 💥 💻). Bien située près d'Insadong, dotée d'un équipement high tech et gérée par un personnel anglophone, cette pension pratique des tarifs très raisonnables. Les dortoirs comprennent 2 ou 3 lits superposés et chaque chambre possède des sanitaires. Chauffage par le sol ondol, salon de TV (11 chaînes), cuisine et jardin ajoutent au confort du lieu, unanimement apprécié. Petit déjeuner, accès à Internet et machine à laver gratuits.

l'hôtel le plus luxueux, mais l'atmosphère et le personnel le rendent très plaisant. Dans le jardin, l'**autel du Pavillon du paradis**, restauré, fut érigé quand le roi Gojong se proclama empereur et en remercia le ciel à cet endroit.

Quartier du parc Tapgol
PETIT BUDGET

Cala Motel (carte p. 96 ; ☎ 741 4455 ; ch 32 000-35 000 W dim-ven, 40 000 W sam ; 🅿). Un motel moderne, presque luxueux, dont le réceptionniste parle quelques mots d'anglais.

Emerald Hotel (carte p. 96 ; ☎ 743 2001 ; ch 28 000 W lun-ven , 30 000 W sam-dim ; 🅿). Dans une petite rue paisible ruelle au nord de la galerie marchande Nakwon, ce grand motel rose propose des chambres propres, avec TV câblée, vidéo, table et chaises, baignoire et douche.

Korea Guesthouse (carte p. 96 ; ☎ 3675 2205 ; www.guesthouseinkorea.com ; dort/s/d 15 000/25 000/ 35 000 W ; 🅿 💻). Ne la confondez pas avec son homonyme de Hongik. Située derrière la station-service Hyundai Oilbank, celle-ci est ancienne et délabrée et certaines chambres n'ont pas de fenêtres. Parmi les équipements et les services gratuits figurent 4 douches et toilettes, une cuisine, une salle de TV (câblée et magnétoscope), l'accès à Internet, une machine à laver et le petit déjeuner. Le personnel est serviable et aimable.

Motel Jongnowon (carte p. 96 ; ☎ 763 4249 ; www.jongnowon.com ; s/d 25 000/30 000 W ; 🅿 💻). Apprécié et récemment redécoré, il se trouve derrière le Seoul Backpackers et offre des chambres de style yeogwan, avec TV câblée. Blanchisserie, petit déjeuner et accès Internet font partie des services gratuits.

Paradise Motel (Jongno ; carte p. 96 ; ☎ 730 6244 ; ch 35 000 W dim-ven, 40 000 W sam ; 🅿). Bien que petites, les chambres de ce yeogwan sont les meilleures que vous trouverez au centre-ville. Caché au bout d'une ruelle écartée, l'établissement est difficile à dénicher.

CATÉGORIE MOYENNE

Paradise Motel (parc Tapgol ; carte p. 96 ; ☎ 763 3000 ; ch 40 000 W lun-ven, 45 000 W sam-dim ; 🅿). Immense et moderne, il n'est pas aussi clinquant que le Ritz.

Seoul Hotel (carte p. 96 ; ☎ 735 9001 ; fax 733 0101 ; s/d/lits jum/ondol 80 000/85 000/90 000/100 000 W

taxes et service compris ; 🅿). Cet hôtel aux prix raisonnables comprend deux restaurants, coréen et occidental, un café et un sauna.

YMCA (carte p. 96 ; ☎ 734 6884 ; www.ymca.or.kr/ hotel ; s/d/lits jum 40 000/55 000/60 000 W ; 🅿). Ouverte à tous, la YMCA bénéficie d'un excellent emplacement dans Jongno, mais ce bâtiment ancien est destiné à la démolition. Les chambres désuètes disposent de la TV, d'un réfrigérateur, d'une table et de chaises. Comptez de 4 000 à 10 000 W pour un petit déjeuner à l'occidentale et de 6 000 à 25 000 W pour le déjeuner ou le dîner. Prenez l'ascenseur pour parvenir à la réception, au 5e étage.

Insadong
PETIT BUDGET

Gwanhunjang (carte p. 96 ; ☎ 732 1682 ; s, d et ondol 35 000 W ; 🅿). Ce yeogwan typique, récemment rénové, borde une ruelle proche de Insadong 4-gil.

Singungjang (carte p. 96 ; ☎ 733 1355 ; s, d et ondol 30 000 W dim-ven, 35 000 W sam ; 🅿 💻). Le propriétaire, qui parle un peu anglais, loue des petites chambres bien tenues.

CATÉGORIES MOYENNE ET SUPÉRIEURE

Guesthouse Woorichip (carte p. 96 ; ☎ 744 0536 ; woorichip@hanmail.net ; s et d/f 50 000/100 000 W ; 🅿). Dormez sur un matelas yo et partagez une hanok traditionnelle avec la famille Park, leur lapin et leurs deux adorables chiens.

Saerim Hotel (carte p. 96 ; ☎ 739 3377 ; fax 735 3355 ; s, d et ondol 45 000 W ; 🅿). Cet hôtel élégant, doté d'un ascenseur, propose des chambres modernes, dont certaines équipées d'un matelas à eau. Les bidets électroniques sont quelque peu déroutants. .

Fraser Apartments (carte p. 96 ; ☎ 6262 8888 ; www.fraserhospitality.com ; app 1/2/3/4 ch 8,8/10/12/14 millions de W par mois ; 🅿 💻 🅿). Ces 200 appartements luxueux offrent espace et intimité. Baby-sitting, restaurant, bar, café, sauna, salle de gymnastique et piscine couverte font partie des prestations communes.

Myeong-dong

Astoria Hotel (carte p. 100 ; ☎ 2268 7111 ; fax 2274 3187 ; d/lits jum 82 500/91 700 W taxes et service compris ; 🅿). Hôtel d'affaires avec bar karaoké, restaurant et des belles vues sur Namsan et la tour de Séoul depuis certaines chambres.

New Oriental Hotel (carte p. 100 ; ☎ 753 0701 ; fax 755 9346 ; s/d/lits jum 55 000/68 000/83 000 W ; ✛). Prix modérés. Bar et café sur place.

Prince Hotel (carte p. 100 ; ☎ 752 7111 ; fax 752 7119 ; s/d/lits jum/ste 75 000/85 000/95 000/122 000 W taxes et service compris ; ✛). Bien situé dans Myeong-dong, cet hôtel d'affaires possède un bar karaoké et un café qui sert des petits déjeuners à l'américaine.

Savoy Hotel (carte p. 100 ; ☎ 776 2641 ; www. savoy.co.kr ; s/d/lits jum/ste 110 000/130 000/160 000/ 240 000 W ; ✛ 🖳). Plus luxueux, il comprend un restaurant mexicain et un bar qui accueille des musiciens de jazz le dimanche, de 20h à 24 h.

Voir l'encadré *Les Préférences de l'auteur* (p. 122) pour d'autres adresses.

Dongdaemun
PETIT BUDGET ET CATÉGORIE MOYENNE
Busanjang (carte p. 94 ; ☎ 2269 1051 ; ch 30 000 W dim-ven, 40 000 W sam ; ✛). Meilleur des yeogwan qui bordent les ruelles aux alentours du marché Dongdaemun.

Dongdaemun Hotel (carte p. 94 ; ☎ 741 7811 ; fax 744 1274 ; d/lits jum et ondol 110 000/130 000 W taxes et service compris ; ✛). Établissement de la chaîne Best Western, il surplombe la porte de Dongdaemun, magnifique lorsqu'elle est éclairée la nuit. Il comporte un karaoké et un **sauna** (6 000 W) et son restaurant propose un excellent menu avec steak à 25 000 W.

Travelers A Motel (carte p. 96 ; ☎ 2285 5511 ; www.travelersa.com ; dort/d 12 000/30 000 W ; ✛ 🖳). Près de Dongdaemun, au bout d'une ruelle bordée de boutiques de machines à coudre, ce motel bon marché aurait besoin d'une rénovation et sa cuisine est mal équipée. Les dortoirs comprennent 2 ou 3 lits superposés. Les toilettes et les douches donnent sur la salle de TV. Les doubles offrent le même confort que les chambres des yeogwan. Accès à Internet gratuit. Prenez la ligne 2 ou 5 du métro jusqu'à la station Euljiro 4-ga, sortie 4. Tournez dans la deuxième rue à droite, puis dans la première à gauche.

CATÉGORIE SUPÉRIEURE
Hilton Hotel (carte p. 100 ; ☎ 3173114 ; www.hilton.com ; s/d/ste 360 000/380 000/490 000 W ; ✛ 🖳 🖳). Les chambres, pourvues d'un accès Internet haut débit et d'un coffre-fort, jouissent de belles vues sur le Namsan. Une sculpture en bronze d'Henry Moore, de 1982, orne le salon. Les restaurants sont si nombreux que vous pourrez en changer tous les soirs de la semaine. **Arenos**, la boîte de nuit rénovée, emploie un DJ étranger et ne demande pas de droit d'entrée.

Sejong Hotel (carte p. 100 ; ☎ 773 6000 ; www.sejong.co.kr ; s/d/lits jum/ste 160 000/220 000/ 230 000/400 000 W ; ✛ 🖳 🖳). Récemment rénové, cet hôtel de style coréen comprend un luxueux club de remise en forme et un **sauna** (☽ 24h/24) réservé aux hommes. Le buffet Eunhasu (p. 129) rencontre un vif succès.

Namsan
Hotel Shilla (carte p. 100 ; ☎ 2233 3131 ; www.shilla.net ; s/d, lits jum et ondol à partir de 360 000/ 390 000 W, ste 500 000-7 millions de W ; ✛ 🖳 🖳). Cet immense établissement aux chambres spacieuses, au pied du Namsan, appartient à Samsung, l'un des puissants *chaebol* coréens, qui ne lésine pas sur les dépenses pour son hôtel vedette : boutique hors-taxe, 6 restaurants, piscines – couverte et découverte –, centre de remise en forme, courts de tennis, practice de golf, jardin orné de sculptures, sauna et service de massages 24h/24.

Itaewon
PETIT BUDGET
Donginjang (carte p. 99 ; ☎ 795 6707 ; ch 25 000 W lun-jeu, 30 000 W ven-dim ; ✛). Petites chambres bien tenues.

Hilltop Motel (carte p. 99 ; ☎ 793 4972 ; ch 25 000 W dim-jeu, 30 000 W ven-sam ; ✛). Au cœur du quartier des bars à hôtesses, Il offre des petites chambres, un peu défraîchies.

CATÉGORIES MOYENNE ET SUPÉRIEURE
Hamilton Hotel (carte p 99 ; ☎ 794 0171 ; www.hamilton.co.kr ; s/d, lits jum et ondol 100 000/ 135 000 W ; ✛ 🖳 🖳). Point de repère dans le quartier d'Itaewon, il comprend un grand centre commercial de 100 boutiques réparties sur 4 étages. Chaque chambre dispose d'un accès Internet et de la TV sat. Une piscine en plein air ouvre en juillet-août. Petit déjeuner-buffet à 11 000 W.

Itaewon Hotel (carte p. 99 ; ☎ 792 3111 ; fax 795 3126 ; ch 140 000 W ; ✛). Dans l'artère principale, il offre le confort à prix raisonnables, ainsi qu'un restaurant et une discothèque.

Kaya Hotel (carte p. 94 ; ☎ 798 5101 ; fax 798 5900 ; ondol/d et lits jum 53 000/63 000 W taxes et service compris ; ✛). Proche de la base de Yongsan, cet hôtel de catégorie moyenne, sans prétention et à prix doux, séduit les GI américains. Il possède un agréable restaurant (cuisines coréenne et américaine) et un café. Prenez la ligne 1 du métro jusqu'à la station Namyeong. Tournez à droite après la sortie, puis de nouveau à droite à hauteur de la rue principale.

Seoul Motel (carte p. 99 ; ☎ 795 2266 ; fax 797 0300 ; ch 40 000 W dim-jeu , 45 000 W ven-sam ; 🈂). Au 3e étage, au-dessus d'un McDonald's, ce motel, récent et bien tenu, est le meilleur du quartier. Il loue de petites chambres dotées de grandes sdb. Vous pourrez profiter de l'animation nocturne d'Itaewon sans vous soucier de trouver un taxi pour rentrer.

Grand Hyatt Hotel (carte p. 99 ; ☎ 797 1234 ; www.seoul.grand.hyatt.com ; ch à partir de 220 000 W ; 🈂 🖥 🈂). Les prix dépendent du taux d'occupation. Toutes les chambres disposent d'un accès Internet haut débit et d'un coffre-fort électronique. Juché sur une colline dominant Itaewon, l'hôtel, fonctionnel et élégant, comporte 6 restaurants, un night club prisé, animé par un orchestre étranger, des piscines – couverte et découverte –, des courts de tennis et de squash.

Hongik, Sinchon et Ewha
PETIT BUDGET
Guesthouse Korea (carte p. 102 ; ☎ 3142 0683 ; www.guesthousekorea.com ; dort/s/lits jum 15 000/ 25 000/35 000 W ; 🖥). Ne la confondez pas avec celle d'Insadong. Confortable et dotée d'équipements modernes, elle est installée dans un quartier calme, à courte distance des night clubs de Hongik. Un dortoir peut accueillir 4 personnes et l'autre compte 6 lits. Salle de TV, cuisine et machine à laver sont à disposition. La pension offre gracieusement l'accès à Internet, le petit déjeuner et le transfert. Elle se trouve à 15 min de marche de la station de métro Hongik University (ligne 2). L'arrêt le plus proche du bus de l'aéroport d'Incheon se situe au Seogyo Hotel (bus n°601 ou 602). Téléphonez pour que l'on vienne vous chercher.

Kim's Guesthouse (carte p. 102 ; ☎ 337 9894 ; www.kimsguesthouse.com ; dort/s/d et lits jum 17 000/27 000/ 37 000 W ; 🖥). Une ambiance familiale règne dans cette pension, à 12 min de marche de la station de métro Hapjeong (ligne 2 ou 6), dans un quartier calme. Le dortoir comprend 4 lits superposés (sanitaires communs).

Un salon avec TV câblée, une cuisine, une machine à laver, un vaste balcon et un petit jardin sont à disposition (petit déjeuner et accès Internet gratuit). Amicaux et serviables, les propriétaires parlent anglais.

WOW Guesthouse (carte p. 102 ; ☎ 322 8644 ; www.wowgh.co.kr ; dort/ch 15 000/20 000, ch avec sdb 25 000 W ; 🈂 🖥). Cette pension fatiguée offre des dortoirs de 8, 6 et 4 lits, une cuisine, un salon de TV et un joli balcon (machine à laver et accès Internet gratuits). 🖊

CATÉGORIES MOYENNE ET SUPÉRIEURE
Mirabeau Hotel (carte p. 102 ; ☎ 392 9511 ; www.hotelmirabeau.co.kr ; d/ste 89 000/137 000 W taxes et service compris ; 🈂). Cet hôtel de style français, près de l'université féminine d'Ewha, possède un restaurant grill et un café. Les prix augmentent de 30% le samedi.

Prince Hotel (carte p. 102 ; ☎ 363 4700 ; ch 40 000 W, 50 000 W sam ; 🈂 🖥). Au sud-ouest de la station de métro Sinchon, parmi un groupe de motels, le Prince, doté d'un ascenseur, pratique des prix raisonnables.

Seogyo Hotel (carte p. 102 ; ☎ 333 7771 ; www.hotelseokyo.co.kr ; d et lits jum/ste 242 000/ 302 500 W taxes et service compris ; 🈂 🖥 🈂). Seul établissement de luxe de Hongik, il compte 4 restaurants (buffet déjeuner/dîner 18 000/ 30 000 W), un centre d'affaires, un club de remise en forme et un sauna réservé aux hommes. Récemment rénové, il pourrait changer de nom.

Daehangno
Daeseong Yeogwan (carte p. 103 ; ☎ 3673 2028 ; 30 000 W ; 🈂). Un yeogwan correct dans ce quartier renommé pour ses théâtres, ses bars et ses restaurants.

Friends House (carte p. 103 ; ☎ 3673 1515 ; www.friends-house.com ; s/d 30 000/40 000 W ; 🖥). Moderne à l'intérieur, cette hanok traditionnelle dispose de petites chambres avec yo, d'un salon de TV et d'une cuisine. (petit déjeuner, machine à laver et accès Internet gratuits). Prenez la ligne 4 du métro jusqu'à la station Hyehwa, sortie 4. Suivez la rue principale vers le nord jusqu'au rond-point puis tournez à gauche au niveau du bureau de poste. Tournez de nouveau à gauche à la pharmacie Yun Hyun, puis prenez la deuxème rue à droite. Comptez 10 min de marche depuis la station de métro. Réservation indispensable.

Autres quartiers au nord de la Han

Exciting Korea Guesthouse (carte p. 10-11; ☎ 3217 8231; www.excitingkorea.com; dort 14 000 W; 🍴 💻). Cette pension offre uniquement des dortoirs (à 4 ou 6 lits), ainsi que 2 toilettes et douches communes. Appréciée des voyageurs en long séjour (11 000 W la nuit pour un séjour d'un mois), elle met gracieusement à disposition cuisine, salle de TV, petit jardin et machine à laver (accès Internet et petit déjeuner gratuits). Prenez la ligne 3 du métro jusqu'à la station Gyeongbokgung, sortie 3, et marchez jusqu'à l'arrêt de bus. Prenez un bus jusqu'à l'arrêt Boam Art Hall (5 min). Remontez Baeksasil-gil, tournez à gauche et vous verrez la pension sur votre droite. Si vous arrivez de l'aéroport d'Incheon, téléphonez pour que l'on vienne vous chercher à l'arrêt de bus le plus proche. Les propriétaires organisent aussi des circuits à prix doux(p. 121).

Sheraton Grande Walkerhill Hotel (carte p. 106; ☎ 453 0121; www.walkerhill.co.kr; ch 340 000 W; 🍴 💻 🏊). Très excentré vers l'est, il offre des navettes gratuites pour Itaewon et le marché Dongdaemun. Outre des chambres qui surplombent la Han, le Sheraton possède des courts de tennis, un practice de golf, un centre de remise en forme, une piscine spa et un sauna. en été, Trois grandes piscines en plein air ouvrent en été (adulte/enfant 45 000/31 000 W). Son casino, ouvert 24h/24 (p. 134), son cabaret (p. 134) et sa boutique hors-taxe sont appréciés.

Aéroport national de Gimpo

Airport Hotel (carte p. 10-11; ☎ 2662 1113; www.hotel airport.com; ch/ste 101 000/220 000 W; 🍴 💻). À 100 m de la station de métro Songjeong (ligne 5) ou à 5 min de bus de l'aéroport de Gimpo, il propose des chambres diverses, parfois un peu ternes. 2 restaurants, un café-karaoké.

Dreamtel Youth Hostel (carte p. 10-11; ☎ 2667 0535; www.hostelbooking.com; dort/f 20 000/70 000 W; 🏊). Loin du centre-ville, cet établissement moderne ressemble plus à un hôtel-club qu'à une auberge de jeunesse. La plupart des dortoirs comportent 6 lits superposés; les chambres familiales comprennent 2 lits superposés et 2 lits d'une place. Tous sont équipés de toilettes, d'une douche, d'une TV et d'un réfrigérateur. L'auberge s'agrémente d'une boutique, d'un café, d'un restaurant, d'un sauna, d'une salle de gymnastique (4 000 W), d'une piscine couverte (4 000 W) et d'un parc ombragé. Prenez la ligne 5 du métro jusqu'à la station Banghwa (terminus, à 45 min du centre-ville), sortie 4. Marchez tout droit, tournez à gauche au bout de la rue, puis de nouveau à gauche au bout de la rue suivante. Comptez 5 min de marche depuis la station de métro.

Gimpojang (carte p. 10-11; ☎ 2663 1311; s, d et ondol 33 000 W; 🍴). Dans ce yeogwan, au sud de la station de métro Songjeong (ligne 5), le personnel parle anglais .

Sud de la Han

PETIT BUDGET ET CATÉGORIE MOYENNE

Popgreen Hotel (carte p. 104; ☎ 544 6623; fax 514 1810; d/lits jum 157 000/169 000 W taxes et service compris; 🍴 💻). Cet hôtel d'Apgujeong comprend d'élégantes chambres modernes, un restaurant, un café et un sauna réservé aux hommes (5 000 W).

Olympic Parktel (carte p. 106; ☎ 421 2111; www.parktel.co.kr; ch 180 000 W taxes et service compris; 🍴 💻). Dominant le Parc olympique, cet établissement possède un sauna, une salle de gymnastique et une piscine. Un restaurant et un centre d'affaires sont installés au dernier étage.

Olympic Parktel Youth Hostel (carte p. 106; ☎ 421 2111; www.hostelbooking.com; dort 22 000 W; 🍴 💻 🏊). Cette auberge de jeunesse insolite fait partie d'un hôtel de luxe qui surplombe le Parc olympique. Les dortoirs comportent 4 lits superposés, 2 yo (roulés lorsqu'ils ne sont pas utilisés), des toilettes, une douche, la clim, un chauffage, un réfrigérateur, la TV câblée (55 chaînes) et un téléphone. Installés aux 6e, 7e et 8e étages, ils jouissent d'une vue superbe. Une cuisine et une machine à laver sont à disposition. Vous pourrez utiliser la piscine, la salle de gymnastique et le sauna de l'hôtel pour 6 500 W par jour et vous paierez le petit déjeuner de l'hôtel moitié prix (9 900 W). Vous trouverez un **bureau YHA** (☎ 2202 2585; fax 2202 7772; 🕐 lun-ven 9h30-17h30, sam 9h30-13h30) au 1er étage.

Princess Hotel (carte p. 104; ☎ 544 0366; fax 544 0322; ch/ste 80 000/120 000 W taxes et service compris; 🍴). Dans l'élégant quartier commerçant d'Apgujeong, ce "love hotel" ultramoderne, à la façade métallisée, propose 10 styles différents de chambres (35 000 W les 3 heures).

Sunshine Hotel (carte p. 104 ; ☎ 541 1818 ; fax 547 0777 ; s/d/lits jum 96 000/139 000/153 000 W taxes et service compris ; 🍽 💻). Centre d'affaires, sauna, karaoké et night club branché, baptisé Boss, figurent parmi ses atouts.

Yeouido Hotel (carte p. 108 ; ☎ 782 0121 ; fax 785 2510 ; env 97 000 W ; 🍽 💻). L'un des rares hébergements de Yeouido, il comprend, entre autres, un centre d'affaires, 2 restaurants, un karaoké et un night club.

CATÉGORIE SUPÉRIEURE

Grand Inter-Continental Hotel (carte p. 106 ; ☎ 555 5656 ; www.seoul.intercontinental.com ; s/d et lits jum 300 000/320 000 W ; 🍽 💻 🏊). Cet hôtel luxueux compte 7 restaurants (dont un où les serveurs chantent), une discothèque, un salon de beauté, un club de remise en forme et un centre d'affaires.

JW Marriott Hotel (carte p. 104 ; ☎ 6282 6262 ; www.marriott.com ; ch à partir de 360 000 W ; 🍽 💻 🏊). Ouvert en 2000 et dans le Central City Mall, il dispose de chambres spacieuses, de 4 restaurants et d'un superbe centre de remise en forme.

Lotte World Hotel (carte p. 106 ; ☎ 419 7000 ; www.lottehotel.co.kr ; s et d/lits jum 340 000/360 000 W ; 🍽 💻 🏊). Excellente adresse si vous voyagez avec des enfants, il offre un service de baby-sitting à 9 $US l'heure. Lotte World se trouve à deux pas et le COEX Mall à trois stations de métro. Parmi les équipements figurent un centre d'affaires, 5 restaurants, un sauna, une salle de gymnastique et une boutique hors-taxe.

OÙ SE RESTAURER
Gwanghwamun
PETIT BUDGET

Hall de restauration du supermarché Goryeo (carte p. 96 ; repas moins de 5 000 W). Goûtez le *gamjatang* (감자탕) à l'un des 3 stands bon marché. Le supermarché vous permettra de faire vos courses ou de préparer un pique-nique.

Gwasai Restaurant (carte p. 100 ; repas moins de 5 000 W). Proche de Deoksugung, cet établissement sans prétention propose une belle variété de spécialités coréennes à prix doux. Goûtez le *dolsotbibimbap* ou l'excellent "*gimbap* nu" accompagné d'une douzaine de garnitures – les algues séchées sont à l'intérieur du riz et non à l'extérieur.

Witch's Table (carte p. 96 ; boissons et en-cas 1 400-5 500 W ; 🕐 8h-22h). Ce petit sandwich-bar propose des bagels, des sandwichs et des salades. Comptez 3 000 W pour un thé ou un café et 5 000 W pour un jus de fruit ou une bière.

CATÉGORIES MOYENNE ET SUPÉRIEURE

Hoejeonchobap (carte p. 96 ; repas 10 000-12 500 W). Des sushi à la japonaise sont servis sur un tapis roulant.

Yongsusan (carte p. 96 ; déj 22 000-48 000 W, dîner 36 000-100 000 W). Dans ce restaurant sélect à l'atmosphère zen, les serveuses en hanbok apportent des mets royaux. Goûtez la marmite du dragon (soupe de viande, poisson et légumes), le riz cuit avec 5 céréales dans du bambou, le gruau de ginseng et de riz et le thé rose *omija*.

Consultez également l'encadré p. 128.

Quartier du parc Tapgol
PETIT BUDGET

Gamjatangjip (carte p. 96 ; repas 5 000 W). Cette gargote bon marché, derrière un Pizza Hut, sert des plats paysans typiques. Le *gamjatang* (감자탕) se compose de gros os à mœlle et de pommes de terre dans une soupe épicée. Le *samchigui* (삼치구이) est un délicieux poisson entier grillé. Accompagnez-le de *sansachun* (산사춘), un vin de riz plus cher que le plat, à 7 000 W la bouteille.

Le **Jilsiru Tteok Café** (carte p. 96 ; menu déj 5 000 W) propose des gâteaux de riz *tteok* originaux et colorés – aux fruits tropicaux, au café, au kimchi ou au potiron – et des thés traditionnels. À l'étage, le musée du tteok offre des cours de confection de cette spécialité (70 000 W). Prenez la ligne 1, 3 ou 5 du métro jusqu'à la station Jongno 3-ga, sortie 6.

Mangogangsan (carte p. 96 ; repas 5 000 W). Sa spécialité est le *naengmyeon* à la mode de Pyongyang – de fines nouilles mœlleuses garnies d'un demi-œuf dur, de lamelles de poire nashi, de tranches de concombre et de viande, servies dans un bouillon froid un peu sucré, avec des graines de sésame grillées. Ne manquez pas ce plat national nord-coréen.

CATÉGORIES MOYENNE ET SUPÉRIEURE

Nutrition Centre (carte p. 96 ; repas 5 900-8 900 W). Un restaurant sans prétention, qui prépare du *samgyetang*, du poulet rôti et d'autres plats de poulet.

Top Cloud Restaurant (carte p. 96 ; ☎ 2230 3000 ; menu déj 40 000-47 000 W, dîner 70 000-130 000 W ; 🕐 12h-14h30, 18h-22h). Perché au 32e étage de la tour Jongno, le plus saisissant gratte-ciel de

Séoul, ce restaurant est idéal pour célébrer un événement, à condition de ne pas être sujet au vertige. Les dîners de 7 plats comprennent, entre autres, du foie gras, des raviolis au crabe, du homard, du carré d'agneau ou des langoustines roses. Influences françaises, italiennes et asiatiques se mêlent. Vous pouvez également commander des plats à la carte. Le restaurant, dont certains serveurs parlent anglais, offre un panorama spectaculaire sur la ville et accueille tous les soirs des musiciens classiques ou de jazz.

Insadong
PETIT BUDGET ET CATÉGORIE MOYENNE
Anjip (carte p. 96 ; repas 6 000-20 000 W). Caché au bout d'une petite rue, ce restaurant traditionnel comporte des salons privés. Commandez un *siksa* (식사) pour savourer un banquet de 20 plats, dont du *bulgogi*, des coques épicées et un œuf cuit à la vapeur.

Un fruit et un thé à la cannelle constituent un dessert inhabituel. Le *hanjeongsik* comprend deux plats supplémentaires.

Chilgabsan (carte p. 96 ; repas 5 000-12 000 W). Restaurant traditionnel apprécié, il sert du *neobiani* (너비아니), un pâté de bœuf géant à partager à plusieurs. Accompagnez-le d'un *pajeon* ou d'un *doenjang bibimbap*.

Dimibang (carte p. 96 ; repas 6 000-30 000 W). Réputé pour son utilisation de racines de *hamcho* (함초) et d'autres plantes et racines médicinales, ce restaurant végétarien sert aussi des alcools de plantes et des tisanes. Optez pour un *doenjang jjigae*, un *bibimbap* ou un menu. Assis sur des nattes de bambou, vous mangerez avec des cuillères et des baguettes en bois.

Hayangim Pureunnae (carte p. 96 ; repas 7 000-10 000 W). Établissement typique d'Insadong, vous apprécierez son ambiance détendue. Assis sur des coussins de sol, dégustez un

---

LES PRÉFÉRENCES DE L'AUTEUR

Paekche Samgyetang (carte p. 100 ; repas 9 000-10,000 W). Ce restaurant réputé de Myeong-dong, au 1er étage, est signalé par une enseigne en caractères chinois. Sa spécialité est le *samgyetang*, un petit poulet entier farci de riz et de ginseng, cuit dans un bouillon. Il est servi avec des plats d'accompagnement et un verre d'*insamju*, une liqueur au ginseng. Trempez le poulet dans un mélange de sel et de poivre. Vous pouvez aussi choisir un poulet roti.

Nolbu (carte p. 103 ; banquet 12 000 W). Ne manquez pas cet excellent restaurant en sous-sol, qui propose deux fois par jour un concert de musique traditionnelle, de 12 h à 14h et de 18h30 à 21h. La musique et la cuisinesont excellentes et les prix imbattables. Installez-vous sur des coussins de sol et l'on vous apporte le banquet *sangcharim* (상차림) sur une table basse : il comprend 20 plats, dont des œufs à la vapeur, du *pajeon*, du poulpe, du poisson, du poulet, du *galbi*, de la soupe, des nouilles *japchae*, une salade de pommes de terre, des œufs de caille et une tisane de riz grillé. Les autres restaurants Nolbu n'égalent pas celui-là. Le *bulgogi* vaut 8 000 W, le canard fumé ou le galbi, 15 000 W.

Seoul Moemaeul (carte p. 96 ; repas 7 000-22 000 W). Au nord d'Insadong, il prépare une cuisine succulente dans un cadre rustique (carte en anglais). Assis sur des coussins de sol, commandez un *moejeongsik* si vous souhaitez faire un somptueux banquet . Le porc est excellent, les bouillons et les sauces délicieux et la salade craquante à souhait. Le *gujeolpan* consiste en huit variétés de légumes découpés en lanières que vous enveloppez dans du radis blanc finement éminé. La tisane au jujube conclut admirablement ce repas sur fond de musique classique.

Sigol Bobsang (carte p. 99 ; repas 7 000-12 000 W ; ☽ 24h/24). À Itaewon, ce restaurant mitonne une cuisinepaysannedansundécorcampagnardetvousfaitécouterdelamusiquetraditionnellerelaxante. Essayez le *sigol bobsang* (시골밥상), composé de 20 plats principalement végétariens. Certains sont plutôt inhabituels, avec du tofu épicé et du riz. Si vous préférez la viande, commandez un bulgogi.

Hall de restauration Techno Mart (carte p. 106 ; repas 3 000-8 000 W). Quarante stands offrent une variété infinie, du poisson cru à la pizza en passant par le *samgyetang* et le *tteokbokki*. Plusieurs proposent un grand plateau de multiples spécialités à partager – un plateau à 10 000 W rassasie facilement 3 convives affamés. Les stands rivalisent pour remplir votre assiette. Remarquez les plus grands bols de bibimbap au monde ! Desserts géants de glace et de fruits côtoient les glaces au yaourt. Tous les stands présentent des copies en plastique de leurs spécialités. Le plus difficile reste le choix !

ragoût de champignons, accompagné d'une purée de pommes de terre et d'un œuf, ou une soupe de viande, de légumes et de champignons, préparée à votre table.

Sadongmyeonok (carte p. 96 ; repas 5 000-8 000 W). Ce restaurant confortable sert le meilleur *mandugukjeongsik* (만두국정식) de Séoul : 4 gros raviolis de viande et de légumes servis dans une soupe et accompagnés d'autres plats. Essayez aussi le *bulgogijeongsik* servi en ragoût, très sucré, ou des huîtres grillées.

Sosin (carte p. 96 ; repas 10 000-15 000 W). Ce petit restaurant familial mitonne quelques plats végétariens. Les menus varient selon la saison, mais comprennent toujours du riz biologique et des plats d'accompagnement inhabituels comme des cacahuètes bouillies. Il propose trois poissons grillés différents : saumon, maquereau ou lieu jaune.

CATÉGORIE SUPÉRIEURE

Min's Club (carte p. 96 ; déj 15 000-32 000 W, dîner 30 000-60 000 W). Ce restaurant élégant, décoré d'innombrables antiquités, occupe une hanok des années 1930 superbement restaurée. Il offre une grande variété de vins et prépare une cuisine européenne et asiatique : roulade de crabe, steak, soupe de potiron ou porc au ginseng, aux châtaignes et aux feuilles de sésame séchées.

Sanchon (carte p. 96 ; menu déj/dîner 18 700/32 000 W). Ce restaurant végétarien réputé propose un menu de temple bouddhique à prix d'or. Dans une atmosphère détendue, assis sur des coussins de sol, découvrez les tableaux qui ornent les murs à la lueur vacillante des bougies. Le menu est le même midi et soir : 16 petits plats, dont une soupe au riz et au sésame, une soupe aux germes de soja, un *pajeon,* des légumes de montagne et une tisane. Les marinades, glaçages, sauces et autres assaisonnements sont réussis. Un spectacle de danse traditionnelle a lieu à 20h15.

Nord d'Insadong
PETIT BUDGET

Chongsujong (carte p. 96 ; repas 5 000 W). Commandez un *honghapbapdosirak* (홍합밥도시락), du riz et des moules servis avec des plats d'accompagnement et de la soupe, ou un s*anchaebibimbap* et découvrez ses boissons originales, comme le *soju* de concombre ou le vin de feuille de bambou.

Hyangnamusegeuru (carte p. 96 ; repas 5 000-12 000 W). Vous le reconnaîtrez aux 3 arbres plantés en façade. Choisissez le *moksalsogeumgui* (목살소금구이), du porc cuit au barbecue à votre table, que vous dégusterez enveloppé de laitue, avec des sauces et des légumes relevés. Utilisez les ciseaux prévus pour ôter un peu de gras sur la viande. Nous vous recommandons aussi le *doenjang jjigae* tout simple.

Samcheongdongjip (carte p. 96 ; repas 5 000 W) Dans ce restaurant sans prétention, vous savourerez un excellent *sujebi* (수제비) : flocons de blé dans un bouillon de fruits de mer et de légumes.

PETIT BUDGET ET CATÉGORIE MOYENNE

Nakwon Garden (carte p. 100 ; repas 5 500 W) . Son principal atout est le buffet de salades et de fruits à 1 100 W les 100 g. Le *tteokbokki* est épicé.

Nutrition Centre (carte p. 100 ; repas 5 900-8 900 W). Un restaurant simple, qui propose un menu de *samgyetang*, du poulet rôti ou d'autres plats de poulet.

Seochogol (carte p. 100 ; repas 4 000-12 000 W). Derrière Popeye's, il se spécialise dans le *galbi*, des grillades cuites à la table des clients, ce qui enfume tout le restaurant. La viande est servie avec des plats d'accompagnement pour 2 personnes. Sinon, essayez le *naengmyeon* et le *soju*.

Eunhasu Buffet Dinner (carte p. 100 ; buffet déj/dîner 33 000/36 000 W). Dans l'hôtel Sejong, ce restaurant propose un buffet de plus de 70 spécialités, occidentales et coréennes. Les menus varient en fonction des saisons.

Consultez l'encadré p. 128 pour d'autres adresses.

Dongdaemun
Dongdaemun Hotel Restaurant (carte p. 94 ; repas 15 000-30 000 W). Idéalement situé à l'orée du marché Dongdaemun, ses menus de 6 plats avec steak ou crevettes constituent un bon choix.

Itaewon
PETIT BUDGET

Chunchon (carte p. 99 ; repas 6 000-8 000 W ; ⏰ 10h-19h). Dans une rue bordée de restaurants bon marché, il installe quelques tables en terrasse et sert du *dakgalbi*, du *bulgogi* et des crêpes aux fruits de mer.

United Services Organization (USO) Canteen (carte p. 94 ; petit déj 2 $US, déj 2-5 $US, café/thé 0,50 $US ; ☺ lun-ven 7h-14h15). Typiquement américaine avec ses sièges en plastique rouge et bleu et son juke-box, cette cantine sert de véritables "breakfasts" que vous pourrez payer en dollars US. Elle sert également des muffins, des sandwichs, des burgers, des salades, des plats du jour et des tartes aux pommes.

Voir l'encadré p. 128 pour d'autres adresses.

CATÉGORIE MOYENNE

Ali Baba (carte p. 99 ; repas 12 000-20 000 W). Dans l'artère principale, cet authentique restaurant égyptien au sol carrelé possède des sièges confortables. Sur fond de musique arabe, savourez une soupe, une salade, du houmous, du *babaganesh*, du falafel ou un assortiment de grillades. Les portions sont petites, mais la nourriture est excellente, en particulier le pain pitta frais.

Itaewon Galbi (carte p. 99 ; repas 6 000-25 000 W). Égayé par des guirlandes électriques, il se spécialise dans le galbi. Sinon, goûtez le galbitang, le samgyetang, le délicieux bulgogi aux champignons et à la viande ou un bibimbap végétarien.

Nashville Steak House (carte p. 99 ; repas 5 000-26 000 W ; ☺ 7h-23h). Au sous-sol du Nashville Sports Pub, régalez-vous d'un plat végétarien, d'un burger, d'une salade, de pâtes ou d'un steak en regardant un film d'action projeté sur un grand écran. Des petits déjeuners à l'américaine sont servis de 7h à 11h.

Our Place (carte p. 99 ; déj 6 000-8000 W, dîner 8 000-16 000 W ; ☺ 11h30-14h). Perché aux 5e et 6e étages, ce nouveau bar à vins fusion possède un joli balcon. Géré par le célèbre acteur Hong Seok-cheon, il sert du houmous avec des tortillas, du poulet et des gâteaux au fromage, ainsi que des sandwichs et du café. Comptez 3 500 W pour une bière.

Outback Steakhouse (carte p. 99 ; repas 13 000-25 000 W). Salades, steaks, desserts, bière et diverses formules au déjeuner.

CATÉGORIE SUPÉRIEURE

Chalet Swiss (carte p. 99 ; repas 15 000-30 000 W). Avec son ambiance douillette et sa musique tyrolienne, cet établissement est une véritable institution d'Itaewon depuis 1983. Soupes, hors d'œuvre, salades, *roesti*, fondues et grillades figurent sur la carte. Les desserts valent 5 000 W.

Memories (carte p. 99 ; repas déj/dîner 10 000/25 000 W). Cet îlot allemand offre d'authentiques spécialités d'Outre-Rhin comme des saucisses bratwurst, des schnitzel et des steaks accommodés par un chef teuton. Arrosez ce repas copieux d'une bière allemande (7 000 W).

Moghul (carte p. 99 ; repas 15 000-25 000 W). Ce restaurant indien installe des tables dans son jardin en été et propose un buffet le week-end.

Thai Orchid (carte p 99 ; menus déj 18 000-26 000 W, dîner 36 000-48 000 W). Avec plus de 100 plats sur la carte, tout ne peut pas être excellent, mais ce restaurant est une autre institution d'Itaewon. Un repas végétarien revient à 9 000 W et les desserts, à 4 000 W. Le Thai Orchid se trouve au 2e étage et non pas au 1er, qui abrite un restaurant thaï.

Hongik, Sinchon et Ewha

Gio (carte p. 102 ; repas 2 pers 9 000 W). Ce restaurant ne sert que 2 plats, cuisinés à votre table. Le premier est un bol de champignons et de nouilles maison, très copieux. Retirez un peu pâte de piment rouge et laissez cuire 15 min. Le second se compose de riz, d'algues et de fines herbes cuits dans la même marmite. Vous devrez peut-être attendre pour avoir une table.

Haejeodon (carte p. 102 ; repas 4 000-8 000 W). Agrémenté d'une terrasse, il sert du *samgyeopsal* mariné dans du vin ou du ginseng, du galbi et du *bibimguksu*, des nouilles froides accompagnées de légumes et d'une sauce piquante.

Huedeura Ramyeon (carte p. 102 ; repas 3 000-5 000 W). Ce minuscule donjon mitonne une cuisine inoubliable, dont un *ramyeon* fortement épicé, sur lequel on verse une grande louche de piment vert !

Idame (carte p. 102 ; repas 5 000-12 000 W ; ☺ fermé lun). Dans un cadre paisible, ce restaurant végétarien s'efforce d'utiliser des produits biologiques et propose 18 menus originaux (carte en anglais). Le service est lent, mais la nourriture exceptionnelle. L'Idame se situe au 2e étage au bout d'une ruelle proche de l'entrée de l'université féminine Ewha.

Nolbu (carte p. 102 ; repas 4 000-8 000 W). Jambon, saucisses, légumes, fèves, tofu, nouilles et d'autres ingrédients sont jetés dans un grand wok et cuisiné à votre table pour réaliser ce que certains appellent le Johnson-*tang*. Ce plat aurait été créé après la guerre de Corée, lorsque les seuls aliments disponibles étaient le jambon et les saucisses en conserve provenant de la base militaire américaine de Yongsan et vendus au marché noir.

Zen Zen (carte p. 102 ; repas 6 000-8 000 W ; 12h-6h). Ce grand restaurant de type brasserie sert un samgyeopsal mariné dans du vin dans un récipient de bambou, avec du *doenjang jjigae* et des feuilles de salade pour envelopper les bouchées. Goûtez les feuilles de sésame piquantes, aux bords en dents de scie.

Daehangno

Beer Oak (carte p. 103 ; repas 5 000-10 000 W). Régalez-vous d'un poulet entier cuit à la broche au feu de bois, accompagné d'une bière pression (2 000 W).

Bongchu (carte p. 103 ; repas 10 000 W). Restaurant de *jjimdak* apprécié, il offre l'habituel grand plateau chargé de morceaux de poulet, de pommes de terre, de carottes et d'oignons sur un lit de nouilles, le tout nappé d'une sauce au soja aigre-douce. Comptez au moins deux convives pour venir à bout de ce festin.

El Paso (carte p. 103 ; repas 7 500-13 000 W). Le propriétaire de ce restaurant mexicain possédait jadis un établissement coréen à Mexico ! Il prépare une cuisine authentique, servie dans un cadre purement mexicain. Un **musée africain** (3 000 W, 11h30-19h30) est installé à l'étage.

Obseoye (carte p. 103 ; repas 9 000-18 000 W). Dans cette enclave champêtre au toit de chaume, agrémentée d'un petit jardin, vous savourerez un *shabu shabu*, un sauté de bœuf et de nouilles, ou un bulgogi aux champignons, servis avec d'excellents plats d'accompagnement. Découvrez le *chikcha* noir (tisane d'arrow-root), au goût particulier.

Sale e Pepe (carte p. 103 ; repas 7 000-24 000 W ; 11h-2h). Ce café-bar-restaurant comprend diverses sections, dont une terrasse ombragée, parfaite par beau temps. Dans un décor de style espagnol, il mitonne des spécialités italiennes : salades, pâtes, pizzas, viandes et poissons. Une bière de 700 cc revient à 3 500 W.

Voir l'encadré p. 128 pour d'autres adresses.

Autres quartiers au nord de la Han

Hankook (carte p. 100 ; repas 4 000 W). Devant le Korea House, c'est un bon endroit pour déjeuner d'un *galbitang*, d'un *seolleongtang* (설렁탕) ou d'un bibimbap à prix doux.

Korea House (carte p. 100 ; menus 30 000-80 000 W). Près du village traditionnel de Namsangol, dans une demeure yangban de l'époque choson, un buffet offre plats et boissons de la cour royale coréenne. Des artistes chevronnés donnent un spectacle de musique et de danse folkloriques (1 heure, 29 000 W) tous les soirs à 19h et à 20h50 (le dimanche à 20h seulement).

Sud de la Han
PETIT BUDGET ET CATÉGORIE MOYENNE
Damibunsik (carte p. 104 ; repas 4 000 W max). Tout est très bon marché dans ce restaurant, qui concocte notamment un menu *sundubu* (순두부) et un *dolsotbibimbap*.

Gyeongbokgung Buffet (carte p. 104 ; buffet déj/dîner 12 000/19 000 W lun-ven, 21 000 W sam-dim). Installé dans une maison traditionnelle, il offre un beau buffet à la coréenne.

Hard Rock Café (carte p. 104 ; repas 8 000-24 000 W ; lun-jeu 17h-2h, ven-sam 12h-3h, dim 12h-24h). Dînez, buvez et dansez dans un décor rock. Steaks, poulet, burgers et salades figurent sur la carte. Des groupes de rock se produisent tous les soirs à 22h.

Marché (carte p. 106 ; repas 15 000 W). Dans le COEX Mall, il mitonne de la cuisine d'Europe continentale, servie au comptoir dans une ambiance détendue. Les produits sont frais et vous vous régalerez de salades biologiques, de muffins et autres délices.

Pavilion (carte p. 104 ; repas 5 000-22 000 W ; 11h30-24 h). Bien qu'apprécié, ce grand restaurant propose une cuisine fusion parfois fade. Évitez le gratin de crevettes. Les menus du déjeuner offrent un bon rapport qualité/prix, de même que les plats de riz, les pâtes et les steaks. Les desserts valent 3 500 W.

Pulhyanggi (carte p. 104 ; menus déj 6 000-8 000 W, dîner 18 000-50 000 W). Ce restaurant réputé d'Apgujeong propose principalement des plats végétariens. Les menus du soir comprennent de 12 à 18 plats, dont une soupe au sésame ou aux germes de soja, des champignons aigres-doux, de la gelée de gland, des gâteaux de riz et du thé traditionnel.

Taetae (carte p. 104 ; repas 10 000-15 000 W). Il offre un menu original de *dim sum* chinois et de *shabu shabu* japonais, avec de petites portions que vous faites cuire à votre table, comme le riz frit servi dans un demi-ananas évidé ou du canard rôti.

N-zle (carte p. 106 ; repas 5 500 W). En face de l'aquarium du COEX, c'est l'endroit idéal pour un repas rapide et bon marché, comme des nouilles oranges à la mongole.

Consultez l'encadré p. 128 pour d'autres adresses.

CATÉGORIE SUPÉRIEURE
Restaurants du marché aux poissons de Noryangjin (carte p. 108 ; repas à partir de 25 000 W). Une poignée de restaurants identiques sont installés au rez-de-chaussée du marché aux poissons. Leur spécialité est le poisson cru tout frais. Les portions, servies avec des plats d'accompagnement, se partagent à plusieurs convives. Seul bémol : pas de carte en anglais et le personnel ne parle que coréen.

Plaza Fountain Buffet (carte p. 108 ; repas 35 000 -40 000 W). Restaurant renommé au sous-sol du 63 Building à Yeouido, il offre un élégant buffet cosmopolite sur des tables disposées autour d'une fontaine "dansante".

Deep Blue (carte p. 106 ; ☎ 6002 6199 ; menus déj 20 000-32 000 W, dîner 57 000-107 000 W). Voisin de l'aquarium du COEX Mall, ce restaurant sélect, de style occidental, possède un immense aquarium qui occupe tout un mur. Manger en regardant évoluer les poissons crée une atmosphère particulière, que les prix reflètent. Contentez-vous d'un thé et d'un gâteau.

OÙ PRENDRE UN VERRE
Centre-ville
Baesangmyeon (carte p. 96 ; B1, Seoul Finance Centre). Goûtez une liqueur traditionnelle, bénéfique pour la santé, comme le Hwalin (10 000 W), aromatisé de 18 herbes.

Top Cloud Café (carte p. 96 ; boissons 3 000-14 000 W). Cet élégant café moderne jouit de vues superbes et fixent ses prix en conséquence : bière pression 3 000/8 500 W avant/après 18h, café 7 000 W, jus de fruit, vin ou cocktail 13 000 W et demi-bouteille de champagne 62 000 W.

Itaewon
Gecko's (carte p. 99 ; repas 8 500-22 000 W ; 🕐 10h-2h). Atmosphère festive et débauche de décibels caractérisent ce bar-restaurant apprécié. Comptez 2 500 W pour une bière pression et 7 500 W pour une bouteille de Murphy's. Salades, poulet, grillades et plats du jour, comme le poulet à la téquila et au citron, sont excellents.

Nashville Sports Pub (carte p. 99 ; 🕐12h-2h, fermé à 4h ven-sam). Après une partie de billard, de fléchettes ou de babyfoot, savourez une bière locale (2 500 W). Perché sur le toit, le **Beer Garden** (🕐 11h-24 h avr-oct) est idéal pour profiter de la brise qui rafraîchit les moites soirées d'été. Le **Club Caliente** (entrée libre ; 🕐 18h-2h ven-dim) ravira les inconditionnels de rythmes latinos ; il propose des cours de danse gratuits.

Seoul Pub (carte p. 99 ; 🕐lun-ven 15h-2h, sam-dim 12 h-3h). Dans une ambiance détendue et amicale, vous pourrez jouer au billard ou au fléchettes en écoutant le juke-box, ou encore déguster des saucisses allemandes ou un bulgogi. Une bière pression locale revient à 2 500 W, une pinte de Guinness pression à 9 000 W et un cocktail au nom grivois à 5 000 W. Les pichets sont moins chers pendant l'happy hour (avant 19h).

3 Alley Pub (carte p. 99 ; repas 12 000 W ; 🕐mer-lun 16h-24 h). Ce pub de style anglais, géré par un Allemand, propose fléchettes, billard, 8 bières à la pression (à partir de 2 500 W) et du cidre anglais Strongbow. Ce lieu populaire et sympathique prépare aussi des plats simples, comme des saucisses maison, de la choucroute et du ragoût irlandais.

Des bars à hôtesses jalonnent Itaewon, mais la plupart se concentrent sur Hooker's Hill, une colline en face du Hamilton Hotel. Leur avenir est incertain, car les militaires américains partent de Séoul pour s'installer dans de nouvelles bases, plus au sud. Leurs enseignes sont éloquentes : "Sweetheart Club – Drink Food Woman", "Woman & Cocktails" ou "For Gentlemen"…

Hongik et Sinchon
Bagdad Magic Café (carte p. 102 ; repas 5 000-10 000 W ; 🕐 13h-1h). Ce café amusant présente de jeunes magiciens qui réalisent des tours à votre table avec des pièces, des cartes, des pailles et des élastiques. Des spectacles de magie gratuits ont lieu à 19h et 21h, les vendredis, samedis et dimanches.

Beatles (carte p. 102), un bar en sous-sol, passe les succès des années 1960 et 1970 et possède plus de 1 000 33 tours. Dans un décor de chalet, vous siroterez un demi (3 000 W) ou un pichet (7 000 W).

Free Crocodiles (carte p. 102 ; repas 7 000-10 000 W). Ce bar offre l'accès gratuit à Internet. Propriétaire d'une microbras-

MAISONS DE THÉ ORIGINALES ET THÉS INSOLITES

Le quartier d'Insadong (carte p. 96) abrite de nombreuses petites maisons de thé au décor original, qui servent des thés chauds et froids traditionnels, délicieux pour la plupart et élaborés avec des fruits, des feuilles, des herbes et des racines. Certaines maisons sont tellement remplies de vieux objets hétéroclites et d'antiquités qu'il reste tout juste de la place pour les clients. Une tasse de thé vous coûtera de 4 000 à 6 000 W ; on vous servira une boisson de qualité, accompagnée de gâteaux de riz. Un fond musical composé de chants d'oiseaux ou de bruits d'eau accentue l'atmosphère détendue.

Dalsaeneun Dalman Saeng Gakhanda ("l'oiseau lune ne pense qu'à la lune") est encombrée de plantes et d'objets rustiques. Parmi les 14 thés de la carte figurent le *gamipcha* (thé de feuilles de kaki) et le *yeongjicha* (thé de champignons). Nous vous recommandons le *saenggangcha* (thé de gingembre) au goût poivré et sucré. Il faut 1 an pour confectionner les thés conservés dans les grandes jarres.

Dawon se trouve en face de la galerie Kyongin. Asseyez-vous dans l'agréable jardin, à l'ombre des arbres, ou sur des coussins de sol à l'intérieur de cette maison du XIXᵉ siècle. L'*omijacha* est un thé rose délicieux, élaboré à partir des fruits du schisandra chinois. Servi froid, il est réputé pour ses 5 parfums. Le *nokcha* (thé vert) est servi avec du lait et du sirop.

Hakgyo Jongi Ttaeng Ttaeng Ttaeng ("la cloche de l'école sonne, ding, dang, dong !") est décorée comme une ancienne salle de classe, avec de petites tables et de petites chaises en bois. La carte est écrite à la craie sur un tableau noir. Le *mogwacha* (thé de coing), excellent, contient beaucoup de fruits frais.

Sinyetchatjip ("nouvelle ancienne maison de thé") ressemble à une brocante. Un paon, un lapin et un singe distraient les clients installés sur des coussins de sol. Le *maesilcha* (thé de prune) a un délicieux goût aigre-doux.

Yetchatjip ("ancienne maison de thé") est installée en haut d'une volée de marches, dans un bric-à-brac éclairé aux bougies. Les petits oiseaux voletant partout constituent la principale attraction de cette maison de thé, où vous pourrez déguster 9 thés chauds et 7 thés froids ; le mogwacha chaud possède une saveur subtilement fruitée, tandis que le thé de poire nashi froid était la boisson favorite des rois et des reines choson.

---

serie, il produit différentes bières brunes (2 500 W), à accompagner de saucisses ou de poulet fumé.

Gold (carte p. 102 ; ☺ 17h-6h). Un bar animé, dont le propriétaire parle anglais. Dans un cadre lambrissé, commandez un plat du jour, une bière pression ou un verre de tequila (1 500 W).

Woodstock (carte p. 102). Dans ce repaire sombre, aux murs couverts de graffitis et aux tables et chaises mal équarries, le rock résonne à plein volume (bière 3 000 W et pichet 7 000 W). Il possède une succursale à Itaewon.

Daehangno

Bier Halle (carte p. 103 ; repas 12 000 W). Ses simples arcades en brique et ses peintures méditerranéennes attirent une clientèle jeune, qui apprécie les pichets de bière de 2,7 l à 11 500 W. Saucisses allemandes et poulet fumé figurent sur la carte.

Parmi les autres bars, citons le **Chicago Sports Bar** (canapés confortables et billard), le **Boogie Boogie Bar** (décor et musique américains des années 1950) et le **Santana** (grande variété de bières brunes).

Funny Funny Café (carte p. 103 ; ☺ 13h-2h). Pour 4 000 W, choisissez l'un des 200 jeux de société proposés et sirotez une boisson sans alcool.

Mindeulreyeongto Café 1 (carte p. 103 ; repas 11 000 W). Cet étonnant café (son nom signifie "pays du pissenlit") comprend 12 sections thèmatiques avec une ambiance, un mobilier et un décor différents, où vous pourrez prendre un verre ou commander un repas fusion. Des films sont projetés gratuitement à l'étage inférieur.

World Village (carte p. 103) propose des bières provenant de 10 pays (6 000 W environ). À l'étage, M. Moon, le propriétaire, dirige l'International House, qui offre des cours de coréen très bon marché (voir p. 119).

Sud de la Han

Dublin Irish Pub (carte p. 104 ; ☺ 16h-3h). Dans ce pub irlandais, agrémenté d'une terrasse, une Guinness vaut 5 000 W, une Newcastle Brown 10 000 W et un ragoût irlandais 12 000 W.

Le **Gensia Oxygen Café** (carte p. 104), élégant et bien tenu, offre une bouffée d'oxygène gratuite quand vous commandez une boisson (de 4 500 à 7 000 W). Évitez la zone fumeurs !

Oktoberfest (carte p. 104 ; repas 11 000 W ; 🕙 11h-3h). Bar à bières et microbrasserie sélect, il propose 3 bières à l'authentique saveur allemande (weissbier, pils et dunklesbier), ainsi que des saucisses maison.

Tea Museum Café (carte p. 104 ; 🕙10h30-21h). À la fois boutique, café et salle d'exposition, il séduira les amateurs qui pourront choisir entre 80 thés issus d'une douzaine de pays. Ils portent des noms aussi insolites que Gunpowder, Snow et Rooibos Royal. Une tasse de thé coûte au minimum 6 000 W.

O'Kim's Brauhaus (carte p. 106 ; repas 5 000-8 000 W, plateaux 18 000-32 000 W ; 🕙 11h30-24h). Proche de l'entrée est du centre de conférence COEX, cette élégante microbrasserie produit sa propre bière brune (6 000 W), de la bière de blé (5 200 W) et propose une corne de bière à 13 700 W.

OÙ SORTIR
Casino

Le seul **casino** (carte p. 10-11 ; ☎ 456 2121) de Séoul est installé dans le Sheraton Grande Walkerhill Hotel. Ouvert 24h/24, il propose les jeux habituels et n'impose aucune tenue particulière. En-cas et boissons sont servis gracieusement aux tables de jeu. Les Coréens ne sont pas autorisés à entrer. Prenez la ligne 5 du métro jusqu'à la station Gwangnaru, sortie 2, puis une navette ou un taxi (2 000 W). Sinon, parcourez à pied 1 km en montée (20 min).

Cinémas

De nouveaux cinémas multiplex luxueux, équipés de grands écrans et de sonos dernier cri, ouvrent partout dans Séoul. Les billets valent 7 000 W et les séances ont lieu de 11h à 23h. Toutefois, le **Freya Town Multiplex** (carte p. 94), à Dongdaemun, projette des films 24h/24 et celui du **COEX Mall** (carte p. 106) propose des séances à 24 h. Les films sont diffusés en version originale etsous-titrés en coréen.

Au printemps et en automne, le Korea Film Archives (carte p. 10-11), dans le Centre des arts de Séoul, programme des films coréens classiques sous-titrés en anglais. Ces projections sont gratuites et les films diffusés n'existent pas en DVD.

Le **KNTO** (carte p. 96 ; ☎ 757 0086 ; www.knto.or.kr) projette gratuitement des films coréens sous-titrés en anglais le mardi à 16h.

La **Seoul Selection Bookshop** (carte p. 96 ; ☎ 734 9565 ; www.seoulselection.com) diffuse des films coréens sous-titrés en anglais ; téléphonez ou connectez-vous à son site pour en savoir plus.

Megabox (carte p. 106 ; 🕙 9h-24h). Dans le COEX Mall, ce multiplex populaire de 17 salles offre plus de 4 000 places, des grands écrans et une sono performante.

Salles DVD

Les multiples DVD *bang* (salles) disséminées dans la capitale projettent parfois des films coréens sous-titrés en anglais. Vous pouvez aussi regarder un film dans une salle privée, confortablement installé dans un canapé (7 000 W par personne). Ces salles sont très fréquentées par les couples d'amoureux. Un DVD bang est beaucoup plus chic qu'un *bideobang* (salle vidéo). **Joyplanet** (carte p. 104) en est un exemple représentatif.

Scène gay et lesbienne

Itaewon est le seul quartier de Séoul possédant des bars et des clubs gays et lesbiens, où se retrouvent étrangers et Coréens. La plupart se regroupent dans une petite rue proche de Hooker's Hill. Le personnel parle souvent anglais. L'animation ne commence pas avant 21h30, voire plus tard.

California Café (carte p. 99 ; 🕙 18h-tard). En contrebas de la rue principale, ce bar gay, établi de longue date, jouit d'une atmosphère détendue et calme (bières 4 000 W).

Labris (carte p. 102 ; repas 4 500 W ; 🕙 15h-2h). Ce bar discret, réservé aux lesbiennes, s'agrémente de confortables sofas et d'un grand écran (bières 4 500 W). On y danse le samedi soir.

Shakra (carte p. 99 ; 🕙 21h-4h). L'ambiance bat son plein le samedi soir dans ce bar karaoké gay (bières 3 000 W).

Soho (carte p. 99 ; 🕙 20h-4h, ven-sam 18h-7h). Un personnel sympathique anime ce bar sélect (bières 4 000 W).

Trance (carte p. 99 ; dim-ven entrée libre, sam 10 000 W ; 🕙 21h-6h). Cette discothèque hip-hop et techno, au sous-sol du Queen, présente un spectacle de travestis le samedi à partir de 3h. À 6h du matin, vous pourrez prendre le métro pour rentrer à votre hôtel.

Le **Why Not** (carte p. 99 ; dim-jeu entrée libre, ven-sam 15 000 W avec 1 consommation) est un petit dancing, tandis que le **G Spot** (dim-jeu entrée libre, ven-sam 15 000 W avec 2 consommations), en sous-sol, ressemble plutôt à une discothèque branchée.

Always Homme (carte p. 99) est un grand bar au décor surchargé. Le **Queen** (carte p. 99) est un autre bar gay.

Musique live
CENTRE-VILLE
Buck Mulligan's (carte p. 96 ; B2, Seoul Finance Centre ; repas 27 000 W). Ce bar irlandais sélect offre fléchettes et billard, Guinness, pâté à la Guinness et bières locales à 3 000 W. Des musiciens jouent à partir de 21h.

Feel (carte p. 100 ; 5 000 W avec 1 consommation). Installé sur deux niveaux, il fait penser à une brocante. M. Shin et ses amis jouent du rock et du folk au milieu d'un incroyable désordre. Prenez la ligne 4 du métro jusqu'à la station Myeong-dong, sortie 10. Marchez jusqu'à l'autoroute surélevée, puis tournez à gauche. Le Feel se trouve sur la gauche après l'école.

O'Kim's (carte p. 100 ; Westin Chosun Hotel ; repas 20 000-40 000 W ; 🕙 11h30-2h). Ce bar renommé, décoré de vert, propose fléchettes, billard, babyfoot, accès Internet gratuit. Un groupe irlandais joue tous les soirs à 20h30, sauf le dimanche. Une bière pression locale coûte 8 000 W et la pinte de Guinness 22 000 W !

ITAEWON
All That Jazz (carte p. 99 ; 3 000 W). Des jazzmen se produisent tous les soirs, entre 21h et 24h, dans ce club à l'atmosphère intime. Le groupe de jazz fusion "Wave" est particulièrement talentueux. Comptez 6 000 W pour une bière et 7 000 W pour un cocktail. Vous pouvez aussi dîner sur place.

JR Blue (carte p. 99 ; entrée libre). Cette cave branchée toute simple, éclairée aux bougies, propose des concerts de jazz, de soul ou de rock à 22h les vendredis et samedis. Les autres soirs, elle puise dans sa collection de 6 000 disques vinyles et de CD.

Woodstock (carte p. 99 ; entrée libre). Un groupe de rock attitré joue tous les soirs, à partir de 21h du dimanche au jeudi et de 22h le vendredi et le samedi. Un autre Woodstock est installé à Hongik, mais il n'accueille pas de musiciens.

HONGIK
Des concerts de labels indépendants ont lieu de 19h à 22h. L'entrée, habituellement de 5 000 à 10 000 W, comprend une consommation gratuite. Comptez 15 000 ou 20 000 W pour les groupes connus ou pour des manifestations spéciales.

Be Bop Jazz Club (carte p. 102 ; entrée libre). Dans cet élégant salon, des musiciens de jazz se produisent à 20h et 22h du vendredi au lundi (bière 5 000 W).

Free Bird (carte p. 102 ; entrée libre). Des groupes de rock animent tous les soirs ce club au décor sommaire (bière 5 000 W).

Rolling Stones (carte p. 102 ; 7 000-10 000 W avec 1 boisson sans alcool). Des groupes rock, hardcore et punk chauffent l'ambiance de cette cave minuscule, meublée de quelques bancs. Pas d'alcool en vente.

SLUG.er (carte p. 102 ; lun-jeu entrée libre, ven-dim 10 000 W). Des groupes, essentiellement rock et hip-hop, jouent de 20h à 22h30 (le groupe 815 est excellent). L'établissement reste ouvert jusqu'à 2h (bière 4 000 W).

Water Cock (carte p. 102 ; entrée libre). Dirigé par un véritable du jazz, cet établissement propose des concerts de 21h à 24h, ainsi qu'un bœuf le dimanche soir (consommations 5 000 W).

DAEHANGNO
Live Jazz Club (carte p. 103 ; 5 000 W ; repas 18 000-25 000 W ; 🕙 12h-3h). Ce club reconnu, au décor noir, accueille 3 groupes différents tous les soirs, à partir de 18h50 du lundi au jeudi, 18h le vendredi, 17h le samedi et 15h30 le dimanche (bière 6 000 W, verre de vin 7 500 W et cuisine occidentale).

SUD DE LA HAN
Le **Hard Rock Café** (carte p. 104) propose un concert de rock tous les soirs (p. 131).

Once In a Blue Moon (carte p. 104 ; entrée libre, en-cas 22 000 W ; 🕙 17h-2h). Dans ce club de jazz sélect, différentes formations se produisent tous les soirs, de 19h à 20h et de 20h30 à 0 h30 du lundi au samedi, jusqu'à 23h le dimanche. Essayez d'assister au concert du groupe Taste of Jazz (bière 10 000 W, verre de vin 12 000 W).

Clubs et discothèques
ITAEWON
Grand Ole Oprey (carte p. 99 ; 🕙 18h-2h, ven-sam 18h-5h). Ce dancing country-and-western

est ouvert depuis 1975. Le DJ américain (vendredi et samedi de 21h à 1h) choisit parmi 1 000 disques vinyles et les tubes du moment (bière 2 300 W). Le salut au drapeau américain a lieu à 24h !

JJ Mahoney's (carte p. 99 ; Grand Hyatt Hotel ; 🕑 18h-2h). Ce night club, élégant et confortable, accueille des groupes de rock néo-zélandais ou canadiens à partir de 22h, tous les soirs sauf le dimanche (bière locale 12 000 W).

King Club (carte p. 99 ; 🕑 18h-5h). Ce grand club fréquenté, installé au-dessus d'un supermarché, possède une bonne sono, plusieurs écrans, et produit des danseuses russes (bière 4 000 W, alcools de 5 000 à 7 000 W). Essayez le pichet de *soju*.

OB Stadium (carte p. 99 ; 🕑 lun-jeu 19h-23h, ven-sam 11h30-22h). Pour 17 000 W, vous pourrez manger bulgogi, galbi et poulet à volonté et boire autant de bières qu'il vous plaira, mais vous ne pourrez pas rester plus de 3 heures. Si vous souhaitez seulement boire, comptez 12 000 W. Les clients qui ne terminent pas leur assiette ou leur verre doivent faire un don de 2 000 W à une organisation caritative. L'OB Stadium comprend une piste de danse et un karaoké.

HONGIK

Samba, techno, trance, house, hip-hop, rap et tout autre rythme imaginable animent ce quartier de boîtes de nuit. Les droits d'entrée s'élèvent habituellement à 5 000 W, mais peuvent augmenter le vendredi et le samedi si un club invite un DJ connu. Le Hongik Club Day a lieu une fois par mois : moyennant 15 000 W, vous pouvez entrer dans 11 boîtes de nui (Hodge Podge, Hooper, matamata, mi, nb, dd, SAAB, Sk@, Old Rock, Joker Red et Myeongwongwan). C'est une soirée fabuleuse pour les noctambules, mais attendez-vous à affronter la foule.

Bahia (carte p. 102 ; 8 000 W ; 🕑 mar-jeu 18h-24 h, ven-sam 18h-3h). Plus grande que le Macondo (voir ci-dessous), cette discothèque latino-américaine propose des cours de danse.

Hodge Podge (carte p. 102 ; mar-jeu et dim 7 000 W, ven-sam 10 000 W ; 🕑 19h-4h). Un endroit apprécié, haut en couleurs, avec une belle variété de musique trance.

Macondo (carte p. 102 ; dim-jeu entrée libre, ven-sam 5 000 W ; 🕑 dim-jeu 19h-24 h, ven-sam 19h-2h). Boîte de nuit latino-américaine, au décor accueillant. Le prix d'entrée donne droit à une consommation.

Sk@ (carte p. 102 ; dim-jeu 5 000 W, ven-sam 10 000 W ; 🕑 19h-5h). Cette discothèque minuscule, typique de Séoul, ressemble à une cave. Le DJ passe du rap et de la dance. Le prix d'entrée comprend une bière.

SINCHON

Haeyeolje (carte p. 102 ; 8 000 W ; 🕑 18h-3h). Dans ce club plutôt original, le droit d'entrée inclut un déguisement, une perruque et un maquillage ; vous vous transformerez en sorcière, en soldat, en moine, en lapin, en Dracula, etc. Doté de bancs, de canapés et d'un écran, l'établissement ressemble à une grotte. Un DJ passe de la techno et du hip-hop sous un éclairage disco. Tournez à gauche au niveau de Domino's Pizza et prenez la troisième rue à gauche.

Sports

Le baseball est le sport le plus prisé en Corée du Sud et ses équipes sont parrainées par des *chaebols* locaux. Les matchs se déroulent en été au Jamsil Baseball Stadium (carte p. 106).

Le football est devenu plus populaire depuis le succès de l'équipe nationale lors de la Coupe du monde de la FIFA 2002. Assistez à un match des Diables rouges au World Cup Stadium (carte p. 10-11) pour constater la ferveur des supporters.

De novembre à avril, 10 équipes de basketball participent au championnat, qui se déroule habituellement au gymnase de Jamsil (carte p. 106). Chaque équipe peut employer 2 joueurs étrangers.

La lutte coréenne, appelée *ssireum*, donne lieu à des tournois occasionnels dans le gymnase de Jangchung (carte p. 94).

Les compétitions de taekwondo sont organisées dans la grande salle du Kukkiwon, siège de la fédération internationale de taekwondo (carte p. 104).

Théâtres

Théâtre Cheongdong (carte p. 100 ; ☎ 751 1500 ; www.chongdong.com ; billet 30 000-40 000 W ; 🕑 mar-dim). Il présente des spectacles de musique, de danses et de chants traditionnels de 1 heure 30, à 20h d'avril à septembre et à 16h d'octobre à mars. Sur un écran, des textes en anglais expliquent la signification des chants.

Théâtre Nanta (carte p. 96 ; ☎ 1588 7890 ; billet 20 000-60 000 W). Ce spectacle dynamique, depuis longtemps à l'affiche, se déroule dans une cuisine et mêle magie, numéros de cirque, percussions à l'aide d'ustensiles de cuisine, comédie, danse, et arts martiaux, dans une pantomime musicale, intelligente et joyeuse. Le public est invité à participer. Le spectacle a lieu à 16h et 20h du lundi au samedi, à 15h et 18h le dimanche.

Centre national des arts du spectacle traditionnels de Corée (carte p. 10-11 ; ☎ 580 3300 ; www.ncktpa.go.kr). À deux pas du Centre des arts de Séoul, il comprend deux théâtres et un **musée** (☎ 580 3333 ; entrée libre ; ☽ mar-dim 9h-18h mars-oct, 9h-17h nov-fév) qui expose des instruments de musique traditionnels. De mars à décembre, un spectacle de musique, de danse et de chant traditionnels se déroule le samedi à 17h (de 8 000 à 10 000 W, moitié prix pour les étudiants).

Théâtre national (carte p. 100 ; ☎ 2274 3507 ; www.ntok.go.kr). Ce théâtre splendide met surtout en scène des spectacles traditionnels. Prenez la ligne 3 du métro jusqu'à la station Dongguk University, sortie 6, puis montez la colline pendant 20 min et dépassez l'Hotel Shilla. Sinon, prenez un taxi (2 000 W) ou le bus n°17, qui s'arrête près de la station de métro.

Centre des arts du spectacle de Sejong (carte p. 96 ; ☎ 399 1700 ; www.sejongpac.or.kr). Ce centre artistique très vivant propose de somptueux spectacles dramatiques et des concerts, dont un festival annuel de percussions.

Centre des Arts de Séoul (carte p. 10-11 ; ☎ 580 1300 ; www.sac.or.kr). Cet immense centre culturel comprend un opéra circulaire, deux théâtres et une salle de concerts. Prenez la ligne 3 du métro jusqu'à la station Nambu Bus Terminal, sortie 5. Montez dans l'une des fréquentes navettes (400 W) ou marchez jusqu'à l'arrêt de bus, puis tournez à gauche. Le centre se trouve au bout de la rue, à 15 min de marche.

Seoul Norimadang (carte p. 106 ; ☎ 414 1985 ; entrée libre). Sur cette esplanade circulaire destinée aux représentations folkloriques, d'excellents spectacles de 2 heures ont lieu à 15h le samedi et le dimanche en avril, mai, septembre et octobre, et à 17h de juin à août.

Séoul compte de nombreuses petites salles de théâtres très actives, principalement à Daehangno (carte p. 103). Les billets d'entrée varient de 8 000 à 25 000 W. Le théâtre Hakjeon Green (www.hakchon.co.kr)

affiche parfois des sous-titres en anglais sur un écran. Le théâtre Munye accueille chaque année un festival de danse. Par beau temps, des spectacles gratuits se déroulent dans le parc Marronnier le week-end.

Restaurants-théâtres

Korea House (carte p. 100 ; ☎ 2266 9101 ; www.koreahouse.or.kr ; ☽ lun-sam 12 h-14h, 17h30-19h et 19h30-20h50, dim 18h30-20h ; buffet déj/dîner 30 000/ 33 000 W). Cette demeure hanok, superbement restaurée, propose un somptueux buffet de plats et de boissons traditionnels. Les menus de cuisine royale coûtent de 50 000 à 80 000 W. Des artistes reconnus offrent un spectacle de musique et de danse folkloriques (1 heure, 29 000 W) tous les soirs à 19h et 20h50 (le dimanche à 20h seulement).

Sheraton Grande Walkerhill Hotel (carte p. 10-11 ; ☎ 455 5000 ; www.walkerhill.co.kr). Un spectacle de 1 heure 30 a lieu chaque soir à 17h20 et à 19h30. Il comprend habituellement de la musique et de la danse coréennes traditionnelles et une revue de cabaret à l'occidentale. Les deux spectacles et le dîner reviennent à quelque 80 000 W.

ACHATS
Ahyeon-dong, la rue du mariage

Dans cette rue (carte p. 102), véritable temple de la mode, plus de 200 boutiques proposent de coûteux *hanbok* et des robes de mariée à l'occidentale.

Apgujeong

Ce quartier huppé (carte p. 100) abonde en grands magasins luxueux, boutique de marques étrangères, coiffeurs de standing, instituts de beauté et cliniques de chirurgie esthétique. Même les chiens possèdent leurs salons de beauté, leurs chirurgiens et leurs cafés !

Grands magasins

Séoul regorge de temples sélect de la consommation, avec supermarchés et halls de restauration au sous-sol. Trois grands magasins se regoupent près du marché Yeongdeungpo (carte p. 108). Les grands magasins Galleria et Hyundai sont installés à Apgujeong (carte p. 104). Ce dernier possède des succursales près du COEX Mall (carte p. 106) et à Sinchon (carte p. 108).

DOGMANIA À APGUJEONG

Si les Coréens mangent parfois du chien, les mœurs évoluent car nos amis canins sont en train de devenir un accessoire de mode dans les rues d'Apgujeong. Les plus petits sont les plus recherchés !

Patrasche (carte p. 104 ; ⊗ 12h-24h) est un café pour chiens et le lieu de vie de 15 représentants canins, dont un golden retriever, un dachshund, un épagneul et un husky. Les clients viennent chacun avec leur animal, ce qui accentue les aboiements et l'excitation des bêtes présentes. Hamburgers, poulet et yaourts à la fraise sont destinés aux chiens, tandis que leurs maîtres dégustent café et gâteau pour 6 000 W.

Les boutiques d'accessoires d'Apgujeong illustrent bien cette nouvelle tendance. Elles vendent des brosses à dents à long manche pour chien, du dentifrice à la volaille et des bonbons à la menthe pour estomper leur mauvaise haleine. Les chaussures pour chien valent 15 000 W (mais on les vend par 4 !). Comptez 20 000 W pour un collier-bijou et 13 000 W pour un coupe-griffes. Enfin, shampoings et teintures vous permettront d'entretenir ou transformer le pelage de votre compagnon.

Boutiques hors-taxe

Réparties un peu partout dans Séoul, de grandes boutiques hors-taxe proposent les produits habituels : parfums, appareils photo, montres, vêtements et accessoires, alcools, cigarettes et souvenirs. Particulièrement bien situé, Donghwa (carte p. 96) offre un large éventail d'articles de luxe.

Insadong

Ce fascinant quartier commerçant (carte p. 96) est fermé à la circulation automobile le samedi après-midi et le dimanche. Plus de 50 petites galeries d'art exposent des tableaux, tandis que des boutiques d'artisanat d'art vendent des poteries, des antiquités, des pinceaux de calligraphie et des bibelots. Arrêtez-vous aux stands de rue pour déguster un *hotteok* (500 W) ou un toffee au gingembre (1 000 W). Les boutiques proches du Jogyesa vendent des articles bouddhiques : cassettes de chants monastiques, bâtons d'encens, bougies, tenues de moines et de nonnes.

Restaurants et maisons de thé traditionnels bordent les petites rues tortueuses. Le **Beautiful Store** (⊗ lun-sam 10h30-20h), près de la station de métro Anguk, vend des articles d'occasion au profit d'une organisation caritative.

Itaewon

La plupart des commerçants de ce quartier (carte p. 99) parlent un anglais. Costumes sur mesure (à partir de 180 000 W), chemises et chaussures sont la spécialité d'Itaewon. Vous trouverez aussi les pantalons larges des skateboarders. Une veste en cuir de vache vaut 50 000 W, mais comptez au moins 200 000 W pour de l'agneau souple. Des boutiques broderont vos vêtements du motif de votre choix pour 3 500 W environ . Les lunettes (50 000 W) et les lentilles de contact sont de bonne qualité et à prix raisonnables.

Myeong-dong

Les rues étroites de Myeong-dong (carte p. 100), peu encombrées par les voitures, abondent en boutiques de mode, centres commerciaux et grands magasins, comme Lotte. Tous les soirs, des jeunes gens s'y pressent pour acheter vêtements, chaussures, maroquinerie, accessoires, produits de beauté et CD, puis se détendent dans un café, un restaurant ou un cinéma.

Galerie marchande Nakwon et boutiques de gâteaux de riz

Au 1er étage de cette haute galerie (carte p. 96), des petits magasins vendent des instruments de musique. Les guitares et les flûtes fabriquées localement constituent un bon achat. Aux alentours de la galerie, des boutiques vendent des *tteok* maison, parfumés aux noix, aux haricots rouges, au sésame, au miel et autres ingrédients. Mangez-les le jour même.

SOUVENIRS À RAPPORTER

- broderies
- objets en papier *hanji*
- poteries
- soieries
- thés traditionnels

LES PLUS BEAUX MARCHÉS

Marché Dongdaemun

Cet immense quartier commerçant de gros et de détail (carte p. 94) rassemble des marchés traditionnels, des stands de rue et des centres commerciaux modernes de plusieur étages. Toute la journée et une bonne partie de la nuit, le quartier bourdonne d'activité. Vêtements, vestes en cuir, marques coréennes à la mode et chaussures sont vendus à prix raisonnables. Si vous marchandez, vous vous habillerez de neuf (pantalon, chemise, chaussettes, sous-vêtements et sandales) pour moins de 40 000 W. Doosan Tower (Doota), Migliore, Freya Town et APM, quatre centres commerciaux sur plusieurs niveaux, comprennent deshalls de restauration et des espaces de loisirs. Ils ouvrent tous les jours, sauf le lundi, de 10h30 à 5h. Même les insomniaques peuvent y faire leurs emplettes !

Marché Gyeongdong

Ce beau marché (carte p. 94) est spécialisé dans les plantes médicinales asiatiques, le ginseng et les aliments séchés. Feuilles, écorces, herbes, graines, racines, fleurs, champignons, algues, fruits, crevettes, poissons et grenouilles, tout est séché et vendu. Les écorces servent à confectionner des soupes médicinales, tandis que le *gine* est un mille-pattes que l'on fait bouillir dans une soupe ou que l'on mange séché ; réputé bénéfique pour le mal de dos, il coûte 6000 W la poignée. Les figues de Barbarie soignent la toux et le rhume, les feuilles d'aloe vera sont bienfaisantes pour la peau et l'estomac et les champignons séchés font baisser la tension artérielle. Vous trouverez aussi des centaines d'autres produits qui seraient bien plus efficaces que le Viagra.

Marché aux puces de Hwanghak-dong

Sur ce marché surnommé Dokkaebi (marché Goblin ; carte p. 94), des milliers de disques, de cassettes, de CD, de vidéos et de DVD d'occasion sont en vente sur des étals à même le sol et dans de petites échoppes. Vêtements, matériel sportif, outillage, bouddhas en cuivre, instruments de musique, tableaux, livres, poteries d'occasion transforment le marché en un gigantesque stand de vente sauvage. Le quartier est actuellement en cours de réhabilitation.

Marché d'antiquités de Janghanpyeong

Ce marché (carte p. 10-11) comprend les galeries marchandes de Samhui, Woosung et Songwha. Elles abritent de petites boutiques poussiéreuses où s'entassent, du sol au plafond, gravures sur pierre et sur bois, tableaux, broderies, meubles, livres, instruments de musique, sabres, céramiques en céladon et théières. Certaines se spécialisent dans les objets de collection – horloges, radios, téléphones et appareils photo.

Marché Namdaemun

Autre marché traditionnel de gros et de détail, ouvert 24h/24 (carte p. 100), il est entouré de galeries marchandes souterraines, de centres commerciaux de mode et du Shinsegae, un grand magasin huppé avec supermarché au sous-sol. Vous trouverez, à bon prix, du matériel de randonnée, des hanbok, des vêtements d'enfants, du ginseng, des algues séchées, des aliments frais, des fleurs naturelles, des produits locaux et importés, des lunettes, des montres et des objets d'artisanat. Dans les allées du marché, des stands d'alimentation et des restaurants proposent des repas à prix doux.

Marché au poisson de Noryangjin

À Noryangjin (carte p. 108), toutes sortes de créatures marines nagent dans des bacs, des seaux et des cuvettes – aquarium gratuit qui mérite le détour. Pieuvres géantes, crevettes, moules et crabes ornent les étals. On vous proposera une grande assiette de poisson cru sur lit de salade, à emporter, à partir de 15 000 W ; un bon prix par rapport à ceux pratiqués dans les restaurants.

Marché d'articles électroniques de Yongsan et Techno Mart

Plus vaste marché d'articles électroniques d'Asie (carte p. 104), il compte des milliers de petites boutiques réparties dans une dizaine de bâtiments. Afin d'attirer le chaland, elles exposent téléphones portables à la pointe de la technologie, appareils photo numériques, lecteurs DVD, appareils audio, téléviseurs numériques à écran large, ordinateurs et accessoires. Tout ce qui peut se brancher est en vente ici. Une carte LAN (connexion Internet locale) vaut 30 000 W, au lieu de 50 000 W ailleurs. Techno Mart (carte p. 106) est un autre paradis de l'électronique.

Galeries marchandes souterraines

Profitez d'un jour trop chaud, trop froid ou pluvieux pour explorer les boutiques en sous-sol.

DEPUIS/VERS SÉOUL
Avion

Reportez-vous p. 410 pour des informations sur les compagnies aériennes et les vols depuis/vers Séoul.

AÉROPORT INTERNATIONAL D'INCHEON

Vaste et moderne, l'**aéroport international d'Incheon** (carte p. 146; ☎ 032-741 0114; www.airport.co.kr) se situe à 52 km à l'ouest de Séoul. Inauguré en mars 2001, il a relégué l'aéroport de Gimpo au rang d'aéroport national. Cependant, quelques vols intérieurs à destination de Jejudo, Busan (Pusan) et Daegu décollent d'Incheon. L'aéroport a été construit sur un terrain conquis sur la mer, entre deux îles de la mer Jaune, au large de la ville d'Incheon. Un pont routier le relie au continent. La liaison ferroviaire souterraine raccordant l'aéroport à la capitale ne sera pas achevée avant 2006.

Le rez-de-chaussée est réservé aux arrivées. Il comprend des agences de location de voiture, un **commerce de proximité** (🕒 ouvert 24h/24), deux **centres d'information touristique** efficaces (🕒 7h-22h), plusieurs DAB Global et 20 **bureaux de change** (🕒 6h-22h) qui offrent des taux similaires. Le **bureau KT** (🕒 6h30-21h30) et **LG Telecom** (🕒 6h30-22h) louent des téléphones portables pour 2 000 à 4 000 W par jour. Ne le perdez pas, car cela pourra vous coûter jusqu'à 400 000 W. Des bus fréquents, stationnés devant l'aéroport, desservent différentes destinations dans Séoul et ailleurs.

Le 1er étage comporte un centre d'affaires et, près du bureau de poste, **KT Plaza** (🕒 7h-19h30) propose l'accès à Internet gratuit.

Le 2e étage, réservé aux départs, abrite de nombreuses boutiques. Restaurants, fast-foods, cafés et bars pratiquent des prix modérés. La **consigne** (🕒 7h-21h30) garde les bagages pour 3 000 W par jour. Si vous avez perdu quelque chose, rendez-vous au **bureau des objets trouvés** (Porte L; ☎ 032-741 3114; find119@airport.or.kr; 🕒 7h-22h). Les banques de la zone marchande, au-delà des services de l'immigration, changeront vos derniers won.

Pour obtenir le remboursement des taxes sur un article acheté dans un magasin habilité, montrez l'article et la facture à l'un des douaniers installés derrière les comptoirs d'enregistrement. Après avoir passé le service de l'immigration, montrez le reçu tamponné au comptoir de remboursement pour percevoir votre argent.

Le 3e étage, difficile à trouver, abrite des restaurants coréen et japonais. **Panorama** (repas 6 000-18 000 W; 🕒 7h-21h) offre une belle vue sur les avions et sert des petits déjeuners, des menus de bulgogi et de superbes desserts.

Au sous-sol, vous trouverez un glacier, un supermarché, une laverie automatique, des salons de beauté et de coiffure et des restaurants qui offre une grande variété de plats, dont des pizzas à moins de 10 000 W. Le **centre médical** (☎ 032-743 3115, urgences ☎ 743 3119; 🕒 24h/24) facture la consultation de 30 000 à 40 000 W. Il peut également effectuer des radios et des analyses de sang et d'urine. Un **cabinet dentaire** (honoraires à partir de 20 000-30 000 W; 🕒 lun-ven 9h-17h, sam 9h-12 h) est également à disposition.

Air Garden Transit Hotel (☎ 032-743 3000; www.airgardenhotel.com; ch/de luxe/ste 42 000/53 000/75 000 W les 6 heures; 🗷 💻). À l'intérieur de l'aéroport et réservé aux passagers en transit, il loue ses chambres (non fumeur) pour de courtes périodes. Ajoutez 21% de taxes et de service et 12 000 W pour une deuxième personne. Salons, en-cas, centre d'affaires, salles de DVD et de jeux vidéo figurent parmi les prestations offertes.

AÉROPORT NATIONAL DE GIMPO

L'**aéroport national de Gimpo** (carte p. 10-11; www.gimpo.airport.co.kr), à 18 km à l'ouest du centre-ville, relie directement Séoul à une douzaine de villes coréennes, à des tarifs modérés. Le rez-de-chassée est réservé aux arrivées, le 1er étage aux enregistrements et le 2e aux départs. Le **Sejong Restaurant** (repas 12 000 W) est installé au 3e étage. Le **centre d'information touristique** (🕒 9h-21h) offre un accès Internet gratuit. À proximité, vous trouverez un magasin E-Mart, des boutiques de souvenirs, un commerce de proximité et le centre commercial Sky City. Banques, comptoirs de location de voiture, hall de restauration, des fast-foods, maison de thé traditionnelle et bar sont à votre disposition. Le **Biz Café** (en-cas 5 000 W) offre des services de télécopie, impression, photocopie et Internet. Un médecin est présent au **First Aid Centre** (⏲6h-22h) ou joignable par téléphone. Une **pharmacie** (⏲7h-20h) est installée à proximité. Au rez-de-chaussée, la **consigne** (☎ 666 1054 ; ⏲6h10-22h) demande 3 400 W par jour pour un gros bagage.

KOREA CITY AIR TERMINAL (AÉROGARE)

Vous pouvez enregistrer vos bagages, passer les douanes et les formalités d'immigration au **Korea City Air Terminal** (KCAT ; www.kcat.co.kr ; ⏲ 5h30-18h30 environ). Le service est réservé aux passagers de Korean Air et d'Asiana. L'aérogare possède un bureau de poste, une banque et un centre d'information touristique. Des bus limousines desservent toutes les 10 min l'aéroport d'Incheon (12 000 W, 90 min) ou l'aéroport national de Gimpo (6 000 W, 60 min). Ces tarifs sont parfois réduits. Ils partent du **COEX Mall** (carte p. 106 ; ☎ 551 0077). Les bus qui partent du **Central City Mall** (carte p. 104 ; www.centralcityseoul.co.kr) sont réservés aux passagers de Korean Air qui empruntent des vols internationaux.

Bus

Environ 2 millions de Séoulites quittent la ville en bus ou en train tous les samedis et ne reviennent que le dimanche soir. La foule est encore plus compacte les jours fériés, notamment lors des fêtes du Nouvel An et de Chuseok.

Toutes les gares routières de Séoul sont accessibles en métro.

Gare routière de Dong-Séoul (carte p. 106). Dessert les provinces orientales.

Gare des bus express de Gangnam (Séoul) (carte p. 104). La plus grande, divisée en deux zones.

Gare de Honam. Située dans le tout nouveau Central City Mall, qui abrite également le Korea City Air Terminal (KCAT), le grand magasin Shinsegae et le JW Marriott Hotel. Les bus desservent les provinces du Jeolla, au sud-ouest du pays.

Gare de Gyeongbu-Yeongdong. Dans un ancien bâtiment, où divers fleuristes, des boutiques de vêtements et de linge de maison sont installés dans les étages supérieurs. Les bus desservent les villes des provinces orientales.

Gare routière de Nambu (carte p. 104). Rallie les villes au sud-ouest de Séoul et dans la région centrale sud.

Gare routière de Sinchon (carte p. 102). Dessert Ganghwado, une île historique au nord-ouest de Séoul.

Quelques départs de la gare de Gangnam/ Honam :

Destination	Prix (W)	Durée (h)	Fréquence
Cheongju	5 600	1¾	ttes les 30 min
Gwangju	13 000	4	ttes les 10 min
Jeonju	9 400	3¼	ttes les 10 min
Mokpo	15 100	5	ttes les 40 min

Quelques départs de la gare de Gangnam/ Gyeongbu-Yeongdong :

Destination	Prix (W)	Durée (h)	Fréquence
Busan	18 400	5¼	ttes les 10 min
Daegu	13 100	4	ttes les 10 min
Daejeon	7 000	2	ttes les 10 min
Icheon	3 300	1	ttes les 30 min
Sokcho	12 800	4½	ttes les 30 min

Train

Presque tous les trains partent de la gare de Séoul (carte p. 100). Cependant, les trains en direction de l'est dont le parcours s'achève à Chuncheon, ainsi que les trains à destination de Wonju, Jecheon, Danyang, Andong et Gyeongju partent de la gare de Cheongnyangni (carte p. 10-11). Changez à Jecheon pour rejoindre la côte est. Les deux gares sont desservies par le métro. Le tableau ci-dessous donne quelques exemples de tarifs à partir de Séoul :

Destination	Saemaeul (W)	Mugunghwa (W)	Tongil (W)
Busan	33 600	22 900	12 800
Daecheon	14 500	9 900	5 500
Daegu	24 500	16 700	9 300
Daejeon	12 600	8 600	4 800
Gwangju	27 300	18 600	10 400
Gyeongju	30 600	20 800	11 600
Jeonju	20 900	14 200	8 000
Mokpo	31 400	21 400	12 000

COMMENT CIRCULER
Depuis/vers l'aéroport

Deux types de bus font la navette entre l'**aéroport international d'Incheon** (☎ 032-741 0114 ; www.airport.or.kr) et Séoul : les bus limousines City (7 000 W) empruntent divers itinéraires de 5h à 23h ; les bus limousines KAL, de 25 places (12 000 W), suivent plusieurs parcours et déposent les passagers devant 18 grands hôtels de la capitale. Ils partent en général toutes

SÉOUL

les 15 min et rejoignent le centre-ville en 90 min, selon la circulation.

Un taxi ordinaire facture la course jusqu'à Séoul 40 000 W environ et un taxi de luxe 60 000 W.

Des bus desservent l'aéroport de Gimpo (4 500 W, 30 min, toutes les 10 min) en suivant un itinéraire particulier. Si votre hébergement est plus proche d'une station de métro que d'un arrêt du bus de l'aéroport, prenez un bus jusqu'à l'aéroprot de Gimpo puis changez.

De l'aéroport de Gimpo, la meilleure façon de rejoindre le centre de Séoul consiste à marcher 10 min jusqu'à la ligne 5 du métro (800 W, 50 min jusqu'au centreville). Cependant, de l'aéroport d'Incheon, de nombreux bus passent par l'aéroport de Gimpo avant de se diriger vers Séoul et sont donc très pratiques. Comptez 700 ou 1300 W en bus City et 3000 ou 6000 W en bus limousine.

La course jusqu'à Séoul revient à 15 000/ 28 000 W en taxi ordinaire/de luxe.

ITINÉRAIRES DES BUS LIMOUSINES CITY
600 (Jamsil) – Gonghangno, Heukseok-dong, gare des bus express de Séoul, Bongeunsaro, station Samseong, Lotte World.

601 (Dongdaemun) – pont Yanghwa, Hapjeong-dong, Sinchon, Hôtel de ville, Jongno, Dongdaemun.

602 (Cheongnyangni) – station Hapjeong, Seogyo Hotel, station Sinchon, Gwanghwamun, Dongdaemun, Cheongnyangni.

603 (Guro) – Mokdong Ogeori, école Jinmyeong, école Galsan, station Guro.

604 (Bureau Geumcheon-gu) – gare de fret de Nambu, station Gaerong, Novotel Hotel, bureau Geumcheon-gu.

605 (Hôtel de Ville) – voie express Gangbyeon, Mapo, Gongdeok-dong, station Seoul, Hôtel de ville, Gwanghwamun, Chungjeongno.

606 (Jamsil) – voie express Olympic, gare des bus express de Séoul, Apgujeong-dong, station Samseong, Lotte World, Parc olympique.

607 (Station Songjeong) – station Songjeong.

608 (Station Yeongdeungpo) – station Dangsan, station Yeongdeungpo.

609 (Station Daechi) – gare des bus express de Séoul, station Gangnam, station Yangjae, Dogok-dong, Daechi-dong.

ITINÉRAIRES DES BUS LIMOUSINES KAL
KAL1 (Hôtel de ville) – KAL Building, Chosun Hotel, Lotte, Plaza Hotel, Koreana Hotel.

KAL2 (Namsan) – Station Seoul, Hilton Hotel, Tower Hotel, Shilla Hotel, Hyatt Hotel, station Seoul, Holiday Inn.

KAL3 (Gangnam) – Renaissance Hotel, Grand InterContinental Hotel, COEX Inter-Continental Hotel, Novotel Hotel, Ritz Carlton Hotel, Palace Hotel.

KAL4 (Jamsil) – Sheraton Grande Walkerhill Hotel, gare routière de Dong-Séoul, Lotte World.

Direct (KCAT) – Korea City Air Terminal.

Direct (Gare des bus express de Séoul) – Gare des bus express de Séoul.

Direct (Station Seoul) – station Seoul.

Itaewon – 63 Building, Itaewon Hotel, Crown Hotel.

Dobong et Nowon – voie express Naebu, station Gireum, université féminine de Dongduk, station Taereung, station Hagye, station Junggye, station Nowon, station Chang-dong, Sofia, Banghak Sageori.

Transports publics
BUS
Séoul possède un réseau de bus urbains bien développé et bon marché (http: //bus.seoul.go.kr), qui fonctionne de 5h à 24h, voire plus tard. Les principales destinations sont indiquées en anglais à l'extérieur et les bus passent généralement une bande enregistrée qui annonce les arrêts en anglais. La plupart des chauffeurs ne parlent que coréen. Le *Seoul Bus Guide* indique les principaux itinéraires de bus.

Le tarif des bus ordinaires (*ilban*) s'élève à 700 W, quelle que soit la distance parcourue. Comptez 1 300 W en bus express (*jwaseok*), 1 400 W en bus express de luxe (*jikhaeng jwaseok*) et en bus de nuit (*simya jwaseok*) ; ces derniers circulent sur 12 itinéraires de 24h à 2h. Dans les bus de quartier (*maeul*) et les mini-bus réservés aux courtes distances, les billets coûtent 350 W. Si vous prévoyez d'utiliser fréquemment les bus, achetez une carte combinée bus-métro (*gyotongkadeu*) en vente dans les kiosques proche des principaux arrêts de bus (vous devrez payer une caution de 1 500 W).

MÉTRO
Le **réseau de métro** (www.seoulsubway.co.kr, www.smrt.co.kr) est moderne, rapide, propre, sûr et peu cher. Évitez toutefois les heures d'affluence. Les rames se succèdent toutes les quelques minutes, de 5h30 à 24h. Dans le centre-ville, le temps de trajet moyen entre deux stations est de 2 min : il vous faudra donc 20 min pour parcourir 10 sta-

tions. Presque tous les sites touristiques sont desservis par le métro.

De nombreuses stations sont équipées pour les handicapés. Consultez les plans de quartier pour emprunter la bonne sortie. Les stations disposent de toilettes modernes et propres. Des casiers de consigne sont à la disposition des usagers, mais la plupart sont trop petits pour un grand sac à dos. Toutes les stations sont signalées en anglais et le réseau est facile à utiliser.

Des colporteurs arpentent les wagons pour vendre divers petits articles. De temps à autre, des mendiants handicapés parcourent également l'allée centrale avec une sébile et de la musique enregistrée.

Un billet ordinaire coûte 700 W et permet de traverser presque toute la ville. Un trajet de 1 heure peut valoir jusqu'à 1 000 W. Mieux vaut acheter une carte (*jeongaekgwon*) à 10 000 W, qui représente une économie de 1 000 W. Attention, elle est nominative. Une autre carte forfaitaire (*gyotongkadeu*) peut s'utiliser dans les bus et le métro (voir plus haut).

La **Korea Pass Card** (☎ 1566-7331 ; www.koreapasscard.com), une carte prépayée très pratique, utilisable dans le métro et les bus, peut aussi servir de carte téléphonique et de carte de crédit. De plus, elle permet d'obtenir des réductions pour certains services et sites touristiques. Elle vaut de 50 000 à 500 000 W.

Taxi

Les taxis ordinaires (*ilban*) sont moins chers que le bus ou le métro si on les partage à 3 pour un court trajet. Ils facturent 1 600 W les deux premiers kilomètres, puis 100 W tous les 168 m parcourus ou toutes les 41 secondes. Une majoration de 20 % s'applique entre 24h et 4h. Les taxis de luxe (*mobeom*), noirs avec une bande jaune, facturent 4 000 W les trois premiers kilomètres, puis 200 W tous les 205 m ou toutes les 50 secondes. Ils ne majorent pas leurs prix la nuit.

De rares chauffeurs parlent anglais et certains taxis disposent d'un service d'interprète gratuit par téléphone. Tous les taxis sont équipés d'un compteur. Le pourboire n'est pas obligatoire.

Gyeonggi-do
경기도

GYEONGGI-DO

La province du Gyeonggi (Gyeonggi-do), qui entoure Séoul, s'enfonce en Corée du Nord. Vous n'avez guère plus de chances de franchir la DMZ (zone démilitarisée) que de marcher sur la lune (au moins pour le moment), mais vous pouvez la visiter au cours d'un circuit à Panmunjeom. Les îles de la mer Jaune, le parc national de Bukhansan et le parc provincial de Namhansanseong – paradis pour les marcheurs – permettent des escapades au vert, loin de la vie citadine. Ne manquez pas la forteresse de Suwon, classée au patrimoine mondial de l'Unesco, le village folklorique coréen, ainsi que le village de céramistes d'Icheon et son centre thermal. Pour les enfants, signalons le Seoul Grand Park (un zoo géant doublé d'un parc d'attractions) et les complexes Everland et Caribbean Bay. L'hiver, des stations de ski vous attendent. Avantage supplémentaire du Gyeonggi-do : toutes ses localités sont accessibles dans la journée depuis Séoul. La région métropolitaine d'Incheon dispose de son propre gouvernement local et d'un indicatif téléphonique distinct. C'est de cette ville que partent les ferries menant aux îles avoisinantes et, plus loin, à Jejudo ou en Chine. Ganghwado, une île assez bien préservée, possède des vestiges témoignant d'un riche passé – dolmens (tombes antiques), autel au sommet d'une montagne, fortifications – et mérite sans conteste une visite.

GYEONGGI-DO

À NE PAS MANQUER

■ Découvrez à pied les pics granitiques et une ancienne forteresse dans le **parc national de Bukhansan** (p. 146)

■ Retrouvez l'ambiance de la guerre froide à **Panmunjeom** (p. 165), dans la DMZ

■ Passez une journée dans le délicieux et paisible **village folklorique coréen** (p. 153)

■ Déambulez dans la **forteresse de Suwon,** classée au patrimoine mondial de l'Unesco (p. 151)

■ Rendez-vous à **Icheon** (p. 156) si vous appréciez les poteries et les sources chaudes

■ Emmenez vos enfants au **zoo du Seoul Grand Park** (p. 149) ou au **parc d'attractions Everland** (p. 154)

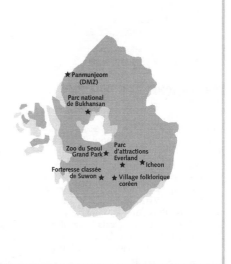

★ Panmunjeom (DMZ)

Parc national de Bukhansan ★

Zoo du Seoul Grand Park ★

Parc d'attractions Everland ★ ★ Icheon

Forteresse classée de Suwon ★ ★ Village folklorique coréen

■ INDICATIF TÉLÉPHONIQUE : 031   ■ 10 MILLIONS D'HABITANTS   ■ SUPERFICIE : 10 189 KM²

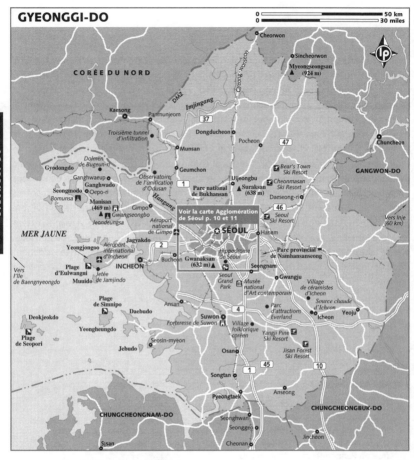

PARC NATIONAL DE BUKHANSAN
북한산 국립공원

Le parc de **Bukhansan** (☎ 909 0497 ; www.npa.or.kr ; adulte/enfant 1 300/300 W ; ☯ lever-coucher du soleil) se trouve juste au nord de Séoul. Les billetteries proposent une carte de randonnée (essentiellement en coréen) à 1 000 W. Ce parc national comprend d'impressionnants pics granitiques, des forêts, des temples, une forteresse du XVIIIᵉ siècle et de magnifiques panoramas. Plusieurs sommets dépassent 500 m. Les amateurs d'escalade privilégient l'Insubong (810 m), un des meilleurs sites d'Asie : ce véritable rêve d'alpiniste offre des voies de tous niveaux.

Bukhansan accueillant chaque année cinq millions de visiteurs, la municipalité ferme les chemins à tour de rôle afin de limiter les dommages environnementaux. Respectez les panneaux d'interdiction. Tâchez d'éviter les week-ends, où l'on progresse souvent au ralenti en file indienne jusqu'aux sommets. Montrez-vous prudent, surtout en hiver, car on dénombre chaque année plus de cent interventions des équipes de secours, principalement pour des blessures aux jambes et aux chevilles.

Il est possible de camper en été ou de loger dans des chalets rustiques, habituellement fermés à la mauvaise saison. Pendant les périodes d'affluence (du 10 juillet au 20 août et du 1ᵉʳ octobre au 14 novembre), les jours fériés et le week-end, certains chalets et terrains de camping proposent un système de réservation sur Internet (voir plus haut l'adresse du site).

Les deux parcours qui suivent (le premier permet de découvrir le sud du parc, le second le nord) sont les plus recommandés. Tous deux prennent une journée et s'adressent donc à des marcheurs en bonne forme. Si vos forces vous abandonnent, vous pourrez toujours essayer une lampée de l'arme secrète des randonneurs coréens, le *soju* aux aiguilles de pin. Une gorgée suffit en général à donner le coup de fouet nécessaire pour gagner le sommet.

Promenade du Baekundae 백운대

Cette randonnée assez physique se fait en 6 heures, en comptant quelques pauses.

Prenez la ligne 5 du métro jusqu'à la station Gwanghwamun et empruntez la sortie n°1 pour gagner l'entrée du Centre culturel Sejong. Montez dans le bus n°156 (800 W) et indiquez au chauffeur "Bukhansan". Quelque 35 min plus tard, dans des conditions de circulation normales, il vous déposera à un arrêt situé à l'extrémité ouest du parc.

Suivez les autres marcheurs jusqu'au bout du petit village, tournez à droite et avancez jusqu'à la billetterie. Le point culminant du parc, le Baekundae (836 m), se trouve à 4 km (2 heures à pied). Cinq minutes de marche vous conduiront au mur de la forteresse datant de la dynastie Paekche et à la porte Daeseomun. À l'origine en terre, le mur (long de 9,5 km) fut rebâti en pierre avec 13 portes en 1711, sous le règne du roi Sukchong ; il entourait 12 temples et de nombreux puits.

Quinze minutes après avoir dépassé la porte, le chemin franchit un pont. Obliquez vers la gauche en suivant le panneau "Baekundae". Ouvrez l'œil pour apercevoir les petits écureuils rayés. Vous trouverez de l'eau de source à Yaksu-am, un ermitage que vous atteindrez 45 min après avoir quitté la route. À la sortie de Yaksu-am, un escalier conduit à une autre porte du rempart. De là, vous vous hisserez jusqu'à la cime du Baekundae à l'aide de câbles métalliques. Les falaises de granit environnantes et la vue à 360 degrés vous donneront l'impression de dominer la planète.

Pour redescendre, le plus simple est d'emprunter d'abord le même chemin, mais de retour aux escaliers, tournez à gauche sur le charmant sentier caillouteux

qui mène à Yongammun, une nouvelle porte fortifiée à 35 min de marche. Longez ensuite les vestiges du rempart jusqu'au poste de commandement de Dongjangdae, puis continuez vers Daedongmun, à 40 min de Yongammun.

Arrivé à Daedongmun, descendez jusqu'aux toilettes pour prendre le chemin qui longe le lit de la rivière. Il n'y a pas de panneaux, mais la piste est bien dégagée. Elle vous ramènera en 45 min à la route par une jolie vallée, qui abrite les trois petits temples de Taegosa, Yonghaksa et Beopyongsa. Il vous restera alors 40 min de marche pour regagner l'arrêt de bus.

Promenade du Dobongsan 도봉산

Le Dobongsan est une montagne coiffée de trois pics rocheux. Le parcours ombragé de 10 km qui vous y mènera prend environ 5 heures, mais comptez un peu plus de temps pour le pique-nique. Cette promenade demande une condition physique correcte. Si les grands-mères coréennes peuvent la faire, vous devriez aussi y parvenir.

Prenez la ligne 1 du métro vers le nord jusqu'à la station Dobongsan (800 W). Comptez 45 min de trajet depuis la station City Hall si vous prenez une rame directe (toutes ne le sont pas). À la sortie, suivez les autres marcheurs : traversez la route, le marché et les stands de nourriture. La billetterie se trouve après une gare routière.

Restez sur le chemin principal, et suivez les panneaux indiquant le Jaunbong, un des pics du Dobongsan, distant de 2,7 km. Cinq minutes après avoir dépassé une source, tournez à droite, en direction du Manjangbong (un autre pic du Dobongsan). Admirez au passage les piverts et les écureuils.

Une heure environ après avoir quitté la station de métro, vous atteindrez la Dobong Hut. Prenez à droite, direction Mangwolsa, puis suivez les panneaux "Jaunbong", dépassez le poste de secours de la police et gravissez l'ultime montée caillouteuse jusqu'au sommet niché entre deux pics rocheux. À présent débute l'aventure : vous allez descendre au fond d'un ravin à l'aide de câbles métalliques, remonter sur l'autre versant, puis progresser sur une arête rocheuse et à travers d'étroites crevasses.

Suivez les indications pour redescendre par Mangwolsa ou obliquez vers la droite

GYEONGGI-DO

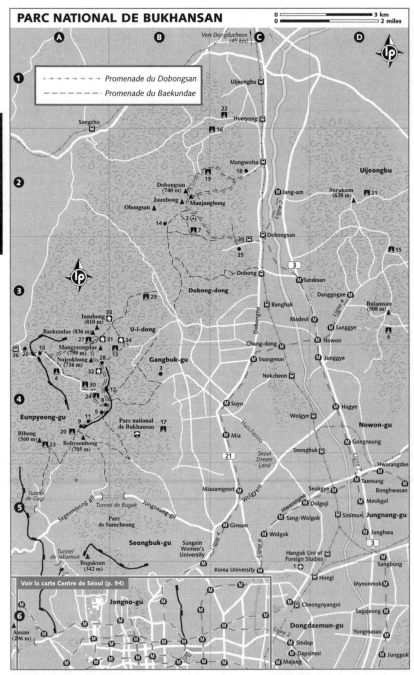

PARC NATIONAL DE BUKHANSAN

0 — 3 km
0 — 2 miles

+ + + + + + + *Promenade du Dobongsan*
− − − − − − − *Promenade du Baekundae*

Vers Dongducheon
(45 km)

Uijeongbu

Songchu

22
16
Hoeryong

Mangwolsa

19
18

Dobongsan
(740 m)

Jaunbong
Manjangbong
Obongsan

14
2
7

Jang-am

Uijeongbu

Suraksan
(638 m)
21

35
25

Dobongsan

3

15

Dobong

Suraksan

Dobong-dong

Danggogae

Bulamsan
(508 m)

29

6

Insubong
(810 m)
33

U-i-dong

Baekundae (836 m)
27
31
34
Mangyeongdae
(799 m)
28
13
Nojeokbong
(716 m)
32
4
30
24
8
12
5
11
9
20

Bibong
(560 m)
23
Bohyeonbong
(705 m)

36
26
10

Gangbuk-gu

3

Parc national
de Bukhansan
17

Eunpyeong-gu

Banghak

Madeul

Sanggye

Nowon

Junggye

Chang-dong

Ssangmun

Nokcheon

Suyu

Mia

Wolgye

Hagye

Nowon-gu

Gongneung

Hwarangno

Seoul
Dream
Land

Seongbuk

Hwarangdae

Taereung
Bonghwasan

Meokgol

21

Miasamgeori

Wolgyeno

Seokgye

Dolgoji

Sang-Wolgok

Sinimun

Jungnang-gu

Tunnel
de Gugi

Segeomjeong-gil
Tunnel de Bugak
Jongneung-gil

Parc
de Samcheong

Gireum

Wolgok

Junghwa

3

Tunnel
de Jahamun
Bugaksan
(342 m)

Seongbuk-gu

Sungsin
Women's
University

Hanguk Uni of
Foreign Studies
1

Sangbong

Myeonmok

Voir la carte Centre de Séoul (p. 94)

Jongno-gu

Korea University

Hoegi

Cheongnyangni

Sagajeong

Yongmasan

Ansan
(296 m)

Dongdaemun-gu

Sindap

Dapsimni

Majang

Yongmasan

Junggok

au panneau "Wondobong Ticket Box", afin d'emprunter un raccourci moins fréquenté qui longe un ruisseau. Une demi-heure plus tard, vous retrouverez le chemin principal qui mène au parking. À l'entrée de la ville, prenez la rue de gauche jusqu'à la station de métro Mangwolsa (ligne 1).

SURAKSAN 수락산

À l'est du parc national de Bukhansan, les abords du Suraksan (638 m) offrent aussi d'agréables promenades et escalades. Même s'il ne s'agit pas d'un parc national ou provincial, attendez-vous à une certaine affluence le week-end. Un des parcours les plus faciles part de la station de métro Danggogae (ligne 4) et conduit au pic de Suraksan *via* Heungguksa, avant de redescendre jusqu'à la station de métro Jang-am. Pour une promenade plus courte, rendez-vous de la station Danggogae au sommet du Bulamsan (508 m), continuez vers Bulamsa et reprenez le métro à la station Sanggye.

SEOUL GRAND PARK 서울대공원

Ce **zoo** (☎ 500 7114 ; www.grandpark.seoul.go.kr ; adulte/jeune/enfant 1 500/1 200/700 W ; 🕑 9h-19h, 9h-18h oct-mars) de qualité est implanté sur les collines boisées au sud de Séoul. Les berges ombragées du cours d'eau qui traverse le parc constituent un lieu de pique-nique prisé. Le parc comprend bon nombre de sentiers balisés, variant de 2 à 6 km.

Le zoo héberge quantité d'espèces exotiques, dont les traditionnels animaux d'Afrique. Dans une immense volière s'ébattent des grues, des cygnes, des pélicans et autres gros oiseaux, tandis que le jardin botanique couvert abrite une forêt de cactées, de nombreuses orchidées et des plantes carnivores. Une salle est consacrée aux "créatures miniatures". L'amusant

spectacle de dauphins et de phoques ne coûte que 500 W (représentations à 11h30, 13h30 et 15h).

L'énorme globe sur la droite est l'**IT World** (www.ilits jumorld.org.kr ; adulte/jeune/enfant 3 000/2 000/1 500 W ; 🕑 10h-18h mar-dim, 9h-17h nov-fév). Conçu pour les fous d'informatique, il dispose d'un écran circulaire de 17 m, de dessins numériques en 3-D, de jeux de réalité virtuelle et propose un voyage, tout aussi irréel, dans l'espace.

À côté, **Seoul Land** (☎ 504 0011 ; adulte/jeune/enfant 9 000/7 000/4 000 W, billet tout compris 25 000/20 000/16 000 W ; 🕑 9h-19h, 9h-18h oct-mar), vaste parc d'attractions pour tous les âges, accueille manèges à sensations fortes, sauts à l'élastique et moultes activités susceptibles de faire monter le taux d'adrénaline.

La silhouette caractéristique du **musée national d'Art contemporain** (☎ 2188 6000 ; www.moca.go.kr ; adulte/jeune/enfant 700/300 W/gratuit ; 🕑 9h-18h mar-dim, 9h-17h nov-fév), haut de 3 étages, jouxte Seoul Land. Des sculptures ornent son jardin. Impossible de rater la gigantesque juxtaposition en forme de pagode de 1 000 écrans vidéo animés, réflexion sur notre univers de plus en plus électronique. Cette œuvre baptisée *The More the Better* est signée Paik Nam-jun, un artiste vidéaste de réputation internationale. Des films sont projetés gratuitement les samedis d'août ; des concerts ont lieu en juillet et des spectacles de musique et de danse en octobre. Pour vous rendre au musée, prenez à gauche à l'entrée du Seoul Grand Park.

Depuis/vers le Seoul Grand Park

Prenez la ligne 4 du métro jusqu'à la station Seoul Grand Park (800 W), à 45 min de la station City Hall. Empruntez la sortie n°2, puis continuez à pied (10 min) ou en **mini-train** (adulte/enfant 600/500 W) jusqu'à

GYEONGGI-DO

l'entrée du parc. Vous pouvez également prendre un **tramway** (adulte/enfant 4 000/2 000 W). En outre, des bus gratuits relient toutes les 20 min la station de métro (sortie n°4) au musée national d'Art contemporain – sinon comptez 20 min à pied.

HIPPODROME DE SÉOUL
서울 경마장

L'**hippodrome** (carte p. 10-11 ; ☎ 509 2337 ; fax 509 2309 ; 800 W ; ☽ 11h-17h30 sam et dim, fermé 5 week-ends par an) réserve un espace aux visiteurs étrangers sur la gauche de ses tribunes flambant neuves. Vous le trouverez au 3e étage, près du Block A (prenez l'ascenseur et tournez à droite). Cet espace dispose d'un bureau de change et des employés anglophones enregistreront vos paris. Un fascicule en anglais renseigne sur la santé des chevaux et donne une foule d'autres informations ; deux écrans géants sur le terrain (et des petits écrans dans les salons) montrent les courses en gros plan. Celles-ci, de 1 ou 2 km, ont lieu toutes les demi-heures entre 11h et 17h30, le week-end. Snack-bars et fast-foods figurent en grand nombre dans l'enceinte. Le petit **Musée équin** (entrée libre) rassemble des accessoires équestres traditionnels. Le seul autre hippodrome de Corée se trouvant à bonne distance, dans l'île de Jejudo, les courses rassemblent environ 30 000 spectateurs, en majorité de sexe masculin. Tout est bien organisé et pratique – la seule difficulté consiste à parier sur le bon cheval !

Depuis/vers l'hippodrome de Séoul
Prenez la ligne 4 du métro et descendez à la station Seoul Racecourse (800 W). Tournez à droite à la sortie n°2. Vous pouvez opter pour une arrivée chic en calèche attelée (gratuite) ou parcourir à pied le passage couvert qui mène à l'entrée.

PARC PROVINCIAL
DE NAMHANSANSEONG
남한산성 도립공원

Achevée en 1626, la forteresse de Namhansanseong, à 20 km au sud-est du centre de Séoul, gardait l'entrée sud de la ville, tandis que celle de Bukhansanseong surveillait ses abords nord. Sa garnison se composait de moines bouddhistes, à cette époque plus guerriers que pacifistes.

En 1636, le roi Injo s'y réfugia quand les souverains mandchous de Chine envahirent et occupèrent Séoul. À l'issue d'un siège de 45 jours, il dut se rendre et accepter la suzeraineté mandchoue. Pour s'assurer sa docilité, l'empereur de Chine garda son fils en otage pendant 8 ans.

La promenade facile que nous vous proposons dans le parc provincial prend moins de 2 heures. Elle suit en partie l'ancien mur d'enceinte de la forteresse, haut de 3 à 7,5 m sur une circonférence de 9,6 km (mais son périmètre intérieur n'excède pas 6,5 km).

Pour gagner le parc, empruntez la ligne 8 du métro jusqu'à la station Namhansanseong et prenez la sortie n°1, puis l'un des bus qui conduisent à l'entrée du parc. De là, 30 min de marche le long de sources, de bâtiments sportifs et de temples vous mèneront à Nammun, la porte sud de la forteresse. Réglez le droit d'entrée de 1 000 W à la billetterie et demandez le plan gratuit. Le restaurant Nammungadeun, installé près de la porte, sert des *gamjajeon* (감자전), des crêpes de pommes de terre de la taille d'une pizza (6 000 W). Un stand voisin vend du pain *makgeolli*, autre aliment bon marché et reconstituant, apprécié des randonneurs.

Obliquez vers la gauche et longez le mur ; admirez la vue sur Séoul et sur la rivière Han, les grands papillons et les libellules dorées. Après le pavillon Yeongchunjeong et une porte secrète, vous arriverez au poste de commandement de Sueojangdae et à Cheongnyangdang, le tombeau de Yi Hoe. Accusé à tort d'avoir détourné des fonds destinés à la construction de la forteresse, Yi Hoe fut exécuté. Sa femme et sa concubine se suicidèrent de concert lorsqu'elles apprirent sa mort.

Marchez encore 10 min, franchissez la Seomun (la porte de l'Ouest) et longez le mur par l'extérieur pendant une demi-heure jusqu'à la Bukmun (porte du Nord) ; celle-ci est le plus souvent verrouillée, mais on parvient souvent à se faufiler entre ses battants.

Vous pouvez encore continuer votre tour de la forteresse pendant 4 km ou vous rendre au village de maisons traditionnelles, pour la plupart des restaurants, à 5 min de là. L'arrêt des bus se trouve près du rond-point et le bus n°9 dessert très régulièrement la station de métro Namhansanseong (1 000 W, 20 min).

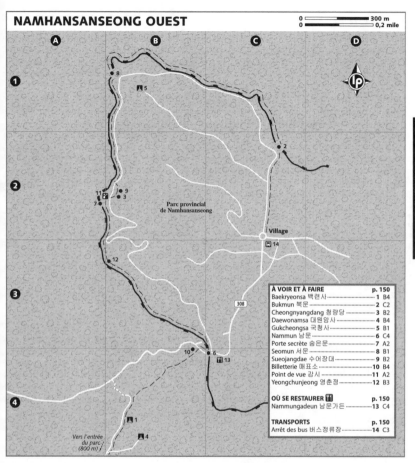

NAMHANSANSEONG OUEST

| 0 | 300 m |
| 0 | 0,2 mile |

Parc provincial
de Namhansanseong

Village

Vers l'entrée
du parc
(800 m)

GYEONGGI-DO

SUWON 수원
1 million d'habitants / 120 km²

Suwon, à 48 km au sud de Séoul, est la capitale provinciale du Gyeonggi-do. Son attrait majeur est la forteresse de Hwaseong, édifiée entre 1794 et 1796 sous le règne du souverain Jeongjo, un roi très aimé à cause de sa piété filiale et de son intérêt pour le peuple. Soigneusement restaurée, elle est inscrite au patrimoine mondial de l'Unesco.

Renseignements
Le **principal centre d'information touristique** (☎ 228 2785 ; www.suwon.ne.kr ; ☺ 6h-20h) se trouve devant la gare ferroviaire ; un autre **centre d'information** (☺ 9h-18h) se situe près

de Paldalmun, au départ de la promenade de la forteresse.

Hwaseong 화성
En terre et renforcé d'énormes blocs de pierre, l'impressionnant **mur d'enceinte** (entrée libre ; ☺ 24h/24) de Suwon s'étire sur 5,7 km et a été restauré à 95%. Longer ce mur, ses postes de commandement, ses tours d'observation, ses portes et ses plates-formes de signalisation constitue une fascinante promenade historique de 2 heures. Partez de la **Paldalmun**, aussi appelée Nammun (porte Sud), et suivez les panneaux indicateurs. Marchez le long du mur jusqu'au sommet de **Paldalsan** (143 m), un beau point de vue où l'on entend souvent chanter des coucous.

GYEONGGI-DO

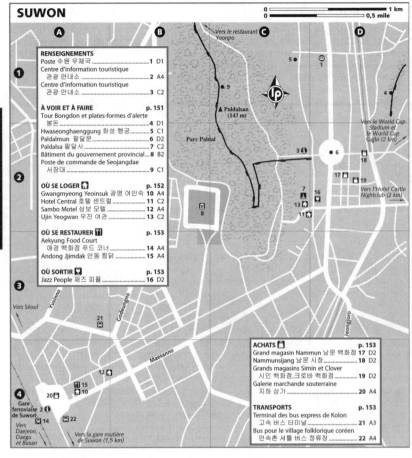

SUWON

0 ——— 1 km
0 ——— 0,5 mile

Vers le restaurant Yeonpo

▲ Paldalsan (143 m)

Parc Paldal

Vers le World Cup Stadium et le World Cup Gajbi (2 km)

Vers l'Hotel Castle Nightclub (2 km)

Vers Séoul

Maesanno

Yusinno

Godeungto

Jeongloro

Gare ferroviaire de Suwon

Vers Daejeon, Daegu et Busan

Vers la gare routière de Suwon (1,5 km)

Hwaseonghaenggung 화성행궁

Avant de faire le tour du mur d'enceinte, vous pouvez visiter le **palais** (entrée libre ; 9h-17h) récemment restauré, également bâti par le roi Jeongjo. Déambulez de cour en cour dans ce complexe entre les murs duquel la mère du roi fêta solennellement son 61ᵉ anniversaire. Le palais fut détruit sous l'occupation japonaise et remplacé par un hôpital et une école. On envisage d'instaurer un droit d'entrée de l'ordre de 1 000 W.

Fêtes et festivals

Au cours du festival de Suwon, qui se tient chaque année au mois d'octobre, on assiste à la reconstitution d'une grande procession royale.

Où se loger

Plus de 30 *yeogwan* (motels dotés de petites chambres bien équipées avec sdb) et *yeoinsuk* (hôtels familiaux avec des petites chambres et des sdb communes) se regroupent près de la gare ferroviaire, mais la ville compte très peu d'établissements de catégorie moyenne ou supérieure, en raison de la proximité de Séoul. La plupart des visiteurs viennent à Suwon pour la journée.

Gwangmyeong Yeoinsuk (254 3701 ; s et d sans/avec sdb 15 000/20 000 W ;). Classique yeoinsuk pour petits budgets. Pas de lits, uniquement des *yo* (sorte de matelas futon posés sur le sol).

Sambo Motel (242 5776 ; s/d 30 000 W ;). Plus élégant, il dispose d'un aquarium dans le hall et de chambres équipées de TV câblée, vidéo et de lits plutôt que de yo.

Ujin Yeogwan (☎ 254 4673 ; s et d 30 000 W ; ⊠). Dans le centre-ville, près du mur de la forteresse, il loue de jolies chambres avec yo. Demandez à en voir plusieurs, car leur qualité varie.

Hotel Central (☎ 246 0011 ; fax 246 0018 ; d/lits jum/ste 88 000/99 000/180 000 W, taxes et service compris ; ⊠ ▣). Petit hôtel (32 chambres), dont certaines chambres donnent sur la forteresse. Un sauna et une boîte de nuit sont installés à proximité.

Hotel Castle (호텔 캐슬 ; ☎ 211 6666 ; d/lits jum/ste 225 000/275 000/350 000 W, taxes et service compris ; ⊠ ▣). La meilleure adresse de la ville : personnel attentionné, chambres avec accès Internet, centre d'affaires, sauna pour les hommes et boîte de nuit appréciée.

Où se restaurer

Aekyung Food Court (repas jusqu'à 5 000 W). Un ensemble de 17 établissements propres et agréables au 1er étage de la gare ferroviaire, qui propose plus de 60 plats différents.

Andong Jjimdak (demi-poulet/poulet 12 000/18 000 W ; ◷ 11h-24h). Ce restaurant à la mode attire nombre de jeunes.

Yeonpo (연포 ; repas 6 000-25 000 W). À mi-chemin de la promenade de Hwahongmun, descendez les quelques marches qui conduisent à ce restaurant populaire et commandez un *galbi* (côte de bœuf) ou la fameuse version locale du *galbitang* – grosse portion de côte de bœuf en bouillon servie avec des plats épicés.

World Cup Galbi (월드컵 갈비 ; repas 5 000-25 000 W) domine le splendide World Cup Stadium. Le *galbijeongsik*, un savoureux assortiment de plats, ou le galbi (avec plus de viande) offrent le meilleur rapport qualité/prix. Goûtez aussi au galbitang et au *naengmyeon* (nouilles de sarrasin dans un bouillon de bœuf glacé, garni de légumes hachés et d'un demi-œuf) .

Où sortir

Jazz People (◷ 11h30-2h, 11h30-4h sam). Ce confortable établissement, installé au 7e étage, offre une vue imprenable sur Suwon et un concert d'une demi-heure tous les soirs à 21h. On y sert des bières et des cafés à 4 000 W, ainsi que des en-cas.

Hotel Castle Nightclub (호텔 캐슬나이트클럽 ; ◷ 18h-5h). Cette boîte populaire

en sous-sol accueille des concerts *live*. Il applique le tarif coréen classique : 40 000 W jusqu'à 4 personnes, y compris trois bières pour chacune et des en-cas *anju*.

Achats

Un vaste marché et quelques grands magasins, installés à l'extrémité de la promenade de la forteresse, méritent le détour.

Depuis/vers Suwon
BUS

Prenez les bus n°5, 5-1 ou 7-1 devant la gare ferroviaire pour gagner la gare routière de Suwon. De là partent les lignes suivantes :

Destination	Tarif (W)	Durée (h)	Fréquence
Busan	25 200	5	10/jour
Daegu	12 200	3½	7/jour
Gwangju	11 800	4	ttes les 30 min
Gyeongju	18 000	5	9/jour
Incheon	3 600	1½	ttes les 15 min

TRAIN

Depuis Séoul, prenez la ligne 1 du métro jusqu'à Suwon, en veillant bien à emprunter une rame portant l'inscription "Suwon" (수원) à l'avant (1 200 W ; 1 heure).

De Suwon, des trains desservent fréquemment toutes les villes du pays :

Destination	Tarif classe S (W)	Tarif classe M (W)
Busan	30 500	20 800
Daegu	21 400	14 500
Daejeon	9 500	6 400
Jeonju	17 700	12 100
Mokpo	28 200	34 700

Comment circuler

À gauche sur le parvis de la gare ferroviaire, les bus n°11, 13, 36, 38 et 39 vous déposeront à Paldalmun (700 W) pour un tour de la forteresse. En taxi, vous débourserez 3 000 W (tarif identique pour aller de Paldalmun au World Cup Stadium).

VILLAGE FOLKLORIQUE CORÉEN
한국 민속촌

Ce splendide **village folklorique** (☎ 286 2111 ; www.koreanfolk.co.kr ; adulte/jeune/enfant 11 000/8 000/7 000 W ; ◷ 9h-18h, 9h-17h nov-fév) se compose de maisons traditionnelles carrelées et coiffées de chaume. Comptez au moins une demi-journée pour le visiter. Vous découvrirez un temple, une école et un sanctuaire confucéens, un marché, la demeure d'un magistrat (où sont exposés des exemples de châtiments), des hangars, un taurillon tirant un chariot et toutes sortes d'équipements et d'ustensiles domestiques. Dans cette atmosphère d'antan, des artisans vêtus de *hanbok* créent des poteries, fabriquent du papier et tissent le bambou, tandis que d'autres s'occupent des potagers et des poules.

Vous pourrez acheter des repas, des en-cas et des souvenirs artisanaux coréens. Des restaurants sont installés autour de l'entrée et du marché. Méfiez-vous des jeux de bascule traditionnels, sur lesquelles on saute debout : il est très difficile de garder son équilibre. Les balançoires sont moins dangereuses.

Deux fois par jour, en général vers 11h et 15h, musiciens, acrobates, danseurs, dont les danseurs de corde traditionnels, se produisent et l'on peut aussi assister à une cérémonie de mariage.

Un **parc d'attractions** (2 500 W/attraction) pour enfants, une **galerie d'art** (3 000 W) et un **musée folklorique international** (adulte/jeune/enfant 3 000/2 500/2 000 W) jouxtent le village.

Depuis/vers le village folklorique

Prenez la ligne 1 du métro jusqu'à la station Suwon (1 200 W, 1 heure). En sortant de la station, tournez à droite et marchez jusqu'à la grand-route, à 150 m de là, et traversez-la au passage piéton. Vous trouverez sur votre gauche la billetterie, ainsi que les navettes gratuites (30 min, 1 par heure). Le dernier bus gratuit part à 16h. Passé cette heure, vous devrez traverser le parking et prendre le bus municipal n°37 (900 W, 30 min, toutes les 20 min) pour regagner la station Suwon.

EVERLAND 에버랜드

L'excellent parc d'attractions **Everland** (☎ 759 1408 ; www.everland.com), à 1 heure au sud-est de Séoul, se divise en quatre sections séparées.

Caribbean Bay (adulte/enfant 45 000/35 000 W juin et sept, 55 000/45 000 W juil-août ; ☺ 9h30-18h, ferme plus tard en juil-août) est un parc aquatique de classe internationale. La **section à ciel ouvert** (☺ 1er juin-15 sept) comporte une piscine à vagues, une plage de sable, des tubes, des toboggans, des piscines thermales, un

bassin de surf, un autre pour paresser, une piscine "aventure" et une pour le snorkeling. La **section couverte** (adulte/enfant 25 000/18 000 ; ☺ toute l'année) offre des équipements similaires, mais de taille inférieure. En revanche, l'entrée est moins chère.

Festival World (forfait journée adulte/enfant 28 000/20 000 W ; ☺ 9h30-18h, ferme plus tard en juil-août) reprend la formule Disneyland – édifices féériques, attractions à couper le souffle, parades et jardins impressionnants, concerts, restaurants et fast-foods. Le safari africain, une nouveauté, réunit lions et tigres.

Speedway est un circuit de course automobile à proximité des deux attractions précédentes. On assiste à des courses gratuitement depuis la pelouse. Parfois, les visiteurs peuvent piloter une voiture (le tarif dépend de la puissance du bolide).

Le **musée d'Art Hoam** (☎ 031-320 1801 ; www.hoammuseum.org ; adulte/enfant 3 000/2 000 W ; ☺ 10h-18h mar-dim) abrite l'une des plus importantes collections d'art coréennes avec 91 trésors nationaux, des œuvres étrangères du XXe siècle et un jardin de sculptures. Une navette gratuite part toutes les heures, à l'heure pile, devant l'entrée B de Festival World, près de l'arrêt des bus pour Séoul.

Depuis/vers Everland

Prenez la ligne 2 du métro jusqu'à la station Gangnam, empruntez la sortie n°6, marchez jusqu'à l'arrêt de bus d'Everland (carte p. 104-5) et montez dans le bus n°5002 (1 400 W, 1 heure, toutes les 15 min). Les bus n°66 et 6000 desservent aussi Everland depuis la gare ferroviaire de Suwon (1 400 W, 1 heure, toutes les 30 min). Pour des informations plus récentes sur les transports, consultez le site web d'Everland.

ICHEON 이천

190 000 habitants

La petite ville d'Icheon (à ne pas confondre avec Incheon, sur la côte ouest) se trouve à 60 km au sud-est de Séoul. Elle est surtout réputée pour ses sources chaudes et pour son village de céramistes.

Miranda Hot Spring Spa 미란다 온천

Le somptueux **Spa Plus** (스파 플러스 ; ☎ 633 2001 ; www.mirandahotel.com ; adulte/enfant 10 000/8 000 W, sam-dim 14 000/11 000 W ; ☺ 6h-22h) est un vaste complexe thermal doté d'installations ultramodernes : saunas, bassins chauds en plein air (merveilleux en hiver, quand il neige), piscine couverte, toboggan et piscine à vagues, salle de gym, salon DVD et restaurants. Profitez des bains chauds et froids, du bassin avec cascade et des bains au vin de riz, aux plantes, au pin et aux fruits. On vous demandera un supplément pour l'accès à la piscine, au toboggan et à la piscine à vagues. Le centre thermal jouxte le Miranda Hotel, lequel se trouve à 5 min à pied de la gare routière d'Icheon.

Village de céramistes d'Icheon
이천 도예촌

Le nom du lieu (en coréen Icheon Doye-chon) évoque des artisans travaillant dans un décor de carte postale. Ce "village" est en fait une ville animée avec une grand-rue pleine de voitures. Les nombreux ateliers sont répartis sur une zone assez vaste. Vous verrez des potiers au travail et pourrez même, si vous êtes en groupe (voir p. 120), vous essayer à cet art.

Prenez un taxi (5 000 W) ou le bus local n°114 (1 300 W) à la gare routière et descendez 15 min plus tard près du grand édifice traditionnel carrelé de bleu et vert de la poterie Songpa (송파 도예 명품관). À l'intérieur, d'originaux objets cristallins avec des motifs de fougère côtoient des incrustations de céladon et des poteries de style *buncheong* traditionnelles. Ne cassez rien : cela pourrait vous coûter jusqu'à 1 million de won ! Si certains ustensiles se vendent 10 000 W, un service à thé revient à 60 000 W.

Longez la rue principale et franchissez le pont qui mène à la ville ; un panneau en *hangeul* indique, à droite, la direction du musée Haegang (à 20 min à pied du hall d'exposition de la poterie Songpa). Le **musée de céramiques Haegang** (해강 도자 미술관 ; ☎ 634 2266 ; adulte/enfant 2 000/1 500 W ; ☺ 9h30-17h30 mar-dim) expose à l'extérieur d'anciens fours, dont certains sont encore utilisés (voir l'encadré ci-dessous). Au rez-de-chaussée, des panonceaux expliquent en détail (pas de textes anglais mais beaucoup d'images) où les fours se situaient et commentent le développement des styles de poterie en Corée. Les motifs au peigne existent depuis 7 000 ans. À l'étage, vous verrez des céramiques appartenant aux styles les plus marquants – céladons koryo, porcelaine blanche et buncheong de la période choson. Le XIIᵉ siècle représenta l'Âge d'or de la céramique coréenne, avec un grand choix de formes, de couleurs et de modèles, et vit le développement des motifs incrustés. La poterie royale de Gwangju, créée en 1467, employait 380 ouvriers. Elle poursuivit sa production jusqu'à sa privatisation, en 1883.

Regagnez la rue principale, traversez-la et vous verrez peut-être des artisans à l'œuvre dans la petite poterie Hancheong (한청 도예 명품관).

Fêtes et festivals

Les années impaires, Icheon accueille à l'automne la Biennale mondiale de la céramique.

Où se loger

Jeongeonpark Motel (정언 파크 모텔 ; ☎ 635 1661 ; s/d 30 000 W ; ✿). Ce lieu de séjour agréable est en même temps le plus proche de la gare routière (à 1 min à pied).

À LA REDÉCOUVERTE DES CÉRAMIQUES DE LA DYNASTIE KORYO

Yoo Kun-hyung, un potier qui travaillait sous le pseudonyme de Haegang, se laissa subjuguer par les lignes élégantes, les couleurs subtiles et le lustre délicat de la céramique classique de la dynastie koryo – en particulier les motifs de grues en vol et de saules qu'il jugeait dotés d'une "beauté mystérieuse". L'art de la poterie koryo s'était perdu depuis des siècles, mais en 1911, Haegang entama des expériences avec des formes, des superpositions et des argiles diverses afin de recréer des œuvres identiques.

En 1926, il bâtit un four de style koryo et, en 1928, il remporta la médaille d'or d'une exposition de poterie au Japon. Malheureusement, l'œuvre de sa vie fut détruite pendant la guerre de Corée. Il se remit au travail sitôt la paix revenue et fut nommé Trésor national vivant en 1960. Son fils Yoo Gwang-yeol (né en 1942) poursuivit l'œuvre paternelle. Sans les recherches de Haegang, on ne trouverait pas tous ces objets de style koryo dans les magasins de souvenirs d'Icheon et du reste du pays.

Miranda Hotel (미란다 호텔; ☎ 633 2001; www.mirandahotel.com; s/d 127 000 W, taxes et service compris; 🌂 🖳). Meilleur hôtel d'Icheon et voisin du Spa Plus (les résidents bénéficient d'une réduction de 20%), il surplombe un petit lac avec une île garnie d'un pavillon. Il dispose d'un centre d'affaires et d'un **bowling** (2 400 W, chaussures 1 000 W ; ⏰ 20h-1h).

D'autres motels existent près de la gare routière et du village des céramistes.

Où se restaurer

Au **Yetnalssalbapjip** (옛날 쌀밥집; repas 8 000-15 000 W), près du hall d'exposition de la poterie Songpa, vous vous régalerez, assis sur des coussins à l'étage, d'un banquet de plus de 20 plats, tel que le *pajeon* – œufs cuits à la vapeur, produits de la mer crus, potage relevé au tofu, poisson au barbecue enveloppé de laitue et d'algues séchées, accompagnés du fameux riz brillant d'Icheon. Une infusion froide de prunes achèvera ce festin. Les options les plus onéreuses comprennent un supplément de steak, de crabe et de poisson.

Depuis/vers Icheon

De Séoul, des bus partent de la gare routière Gangnam (carte p. 104-5) et de celle de Dong-Séoul (carte p. 106-7) pour Icheon (3 300 W, 1 heure, toutes les 30 min).

INCHEON 인천

☎ 032 / 2,5 millions d'habitants / 958 km²

Incheon est un grand port à 36 km à l'ouest de Séoul. Pour rejoindre l'aéroport international, implanté sur une île au large, ne passez pas par la villle, mais prenez un bus direct de Séoul.

Incheon connut une brève célébrité en 1950 quand le général américain Douglas MacArthur y conduisit les forces de l'ONU pour un audacieux accostage derrière les lignes ennemies. Les experts militaires doutaient à l'époque de la réussite d'une telle tactique, mais en un mois, le général mit les Nord-Coréens en déroute. Le sort des armes s'inversa cependant au mois de novembre suivant, lorsque les troupes chinoises franchirent en masse la frontière.

Aujourd'hui, les Chinois traversent la mer jusqu'en Corée du Sud, avec des visas de tourisme ou d'affaires. À Incheon, on croise aussi des marins venus de Russie et d'ailleurs : les docks regorgent de porte-conteneurs et de grues géantes. Avec son réseau de métro, ses édifices historiques, sa Chinatown revigorée, ses centres commerciaux et ses galeries marchandes souterraines flambant neufs, la ville mérite une visite.

Incheon, qui possède son propre gouvernement métropolitain, ne fait pas partie du Gyeonggi-do et dispose d'un indicatif téléphonique distinct. Ganghwado et les autres îles de la mer Jaune font également partie de la commune d'Incheon.

Renseignements

Le principal **centre d'information touristique** (☎ 430 7257; ⏰ 10h-12h, 13h-18h), devant la station de métro Incheon, possède une équipe efficace. Vous en trouverez de plus petits à la gare routière et sur la **promenade Wolmido** (☎ 765 4169; ⏰ 10h-12h, 13h-18h).

À voir

Le **Songdo Resort** (☎ 832 0011; 3 000 W, billets Big Three/Big Five 10 000/15 000 W) comporte un parc d'attractions avec des manèges audacieux, des bateaux à aubes, un toboggan aquatique et un grand lac salé très fréquenté l'été.

Songdo abrite aussi le **Mémorial du débarquement à Incheon** (☎ 832 0915; entrée libre ; ⏰ 9h-18h30 mar-dim, 9h-17h nov-fév). D'anciennes actualités filmées de la guerre de Corée soulignent l'affreuse réalité des armes modernes. Seize pays envoyèrent des hommes ou des unités médicales pour aider la Corée du Sud ; 70 000 soldats sud-coréens et de l'ONU participèrent au débarquement surprise d'Incheon en 1950, avec le soutien de 260 vaisseaux de guerre.

À coté, le **musée municipal d'Incheon** (☎ 832 2570; adulte/enfant 400 W/gratuit; ⏰ 9h-18h mar-dim, 9h-17h nov-fév) possède une très belle collection de céladons qui s'étend sur 19 siècles.

Wolmido, le quartier le plus agréable d'Incheon, est rafraîchi par les brises marines. La promenade du bord de mer offre une belle vue sur les îles et les bateaux. Des restaurants de produits de la mer (un repas de poisson cru à 50 000 W se partage à plusieurs), des bars, des cafés élégants et une aire de concerts en plein air l'animent. Les soirs d'été, les jeunes s'y rassemblent pour écouter de la musique, boire un verre et tirer des feux d'artifice.

Un parc d'attractions renferme les manèges habituels (environ 3 000 W le tour). Les adultes préfèrent les bateaux d'agrément

Harmony et *Cosmos* (10 000 W; toutes les heures de 11h à 19h) qui partent de la promenade pour une croisière de 1 heure 30, avec danseuses bulgares et musicien. Des ferries relient fréquemment Wolmido à Yeongjongdo, l'île de l'aéroport (voir plus loin *Circuits organisés*) appréciée pour son centre thermal, sa plage et ses restaurants de poisson.

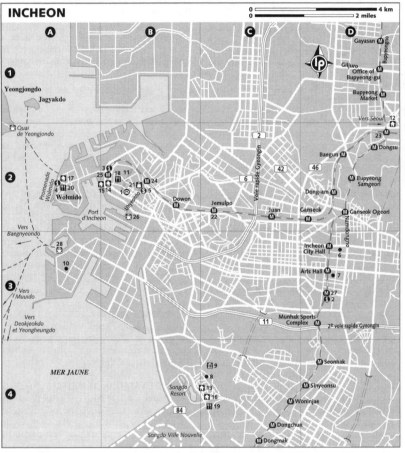

INCHEON

GYEONGGI-DO

RENSEIGNEMENTS	
Poste centrale 인천 우체국	**1** B2
Centre d'information touristique	
관광 안내소	**2** D3
Centre d'information touristique	
관광 안내소	**3** B2
Centre d'information touristique	
관광 안내소	**4** A2
Woori Bank 우리 은행	**5** B2

À VOIR ET À FAIRE	**p. 156**
Hôtel de ville 시청	**6** D3
Salle de la Culture et des Arts	
종합 문화 회관	**7** D3
Multiplex CVG 멀티플렉스	(voir 7)
Mémorial du débarquement à Incheon	
Hall 인천 상륙 작전 기념관	**8** C4
Musée municipal d'Incheon	
인천 시립 박물관	**9** C4

Marché aux poissons Total d'Incheon	
인천 종합 어시장	**10** A3
Parc Jayu 자유 공원	**11** B2

OÙ SE LOGER	**p. 158**
Bando Yeoinsuk 반도 여인숙	**12** D2
Hilltop Hotel 힐탑 호텔	**13** C4
Hong Kong Motel 홍콩 모텔	**14** B2
Paradise Olympos Hotel et casino	
파라다이스 올림포스 호텔, 카지노	**15** B2
Plaza Motel 프라자 모텔	(voir 12)
Songdo Beach Hotel	
송도 비치 호텔	**16** C4
Sopia Motel 소피아 모텔	**17** A2
Utopia Motel 유토피아 모텔	(voir 17)

OÙ SE RESTAURER	**p. 159**
Chinatown 차이나타운	**18** B2
Multeombeong 물텀벙	**19** C4

Restaurants de poisson cru 생선회 식당 **20** A2	

ACHATS	**p. 158**
Galerie marchande souterraine Sinpo	
신포동 지하 상가	**21** B2
Galerie marchande souterraine	
지하 상가	**22** C2
Galerie marchande souterraine	
지하 상가	(voir 23)

TRANSPORTS	**p. 159**
Bupyeong 부평역	**23** D2
Gare routière 종합 버스 터미널	(voir 2)
Dong-Incheon 동인천역	**24** B2
Incheon 인천역	**25** B2
International Ferry Terminal 2	
국제 여객 터미널	**26** B2
Terminal 터미널역	**27** D3
Embarcadère Yeon-an 연안 부두	**28** A3

GYEONGGI-DO

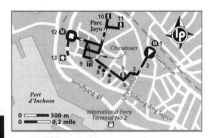

Promenade à pied

Cette promenade (voir la carte ci-dessus) de 2 km demande 1 heure, ou plus si vous explorez les lieux en profondeur.

Prenez le métro jusqu'à la station Dong-Incheon (**1**), sortez et suivez tout droit la rue principale, Uhyeonno. Faites un tour dans la **galerie marchande souterraine Sinpo** (**2**), mais attention à ne pas vous perdre. Tournez à droite sous l'arche pop-art (**4**) et arpentez le marché couvert et ses élégantes boutiques (**5**). Obliquez de nouveau vers la droite et la banque Korea First (**6**) ; vous découvrirez trois **anciennes banques japonaises** (**7**, **8**, **9**) des années 1890, lorsque la Corée s'ouvrit aux entreprises étrangères.

La route s'achève à **Chinatown**, en cours de rénovation, sa grande porte, ses lampadaires et ses fresques. Cette enclave créée en 1883 possède une école et une église chinoises et ses magasins vendent des vêtements et des objets venus tout droit de la République populaire. Les restaurants aux décors criards étant assez chers, optez pour le menu. Pour un en-cas bon marché, essayez la **Wonbo Dumpling Shop** (**10** ; 원보 ; repas 3 000-10 000 W). Trois gros raviolis fourrés de viande, de champignons, de nouilles et de tofu reviennent à 3 000 W et sont servis avec une sauce, des oignons confits et du thé chinois.

Gravissez les marches qui mènent au **parc Jayu** (parc de la Liberté) pour jouir de la vue sur la ville. Une sculpture moderne célèbre les relations américano-coréennes (**11**) et une statue évoque le général MacArthur (**12**). Redescendez ensuite vers Chinatown et la station de métro Incheon (**13**). Si vous avez envie d'un verre, d'un repas ou de jouer, faites un saut au Paradise Olympos Hotel & Casino (**14**), qui donne sur le port animé.

Circuits organisés

Deux circuits démarrent de la station de métro Incheon : le **tour de la ville** (adulte/jeune/enfant 1 000/500/300 W), qui dure 4 heures et a lieu huit fois par jour, et le **tour de l'île de l'aéroport** (adulte/jeune/enfant 4 000/3 000/1 300 W), de 3 heures environ. Renseignez-vous sur les horaires de départ (variables) auprès du centre d'information touristique de la station de métro Incheon (voir *Renseignements* p. 156).

Où se loger

On trouve des *yeogwan* à l'ancienne dans tout Incheon, mais la plupart se regroupent autour de la station de métro Bupyeong (à la sortie n°6, prenez la direction du terrain de golf), à Wolmido et à Songdo.

PRÈS DE LA STATION DE MÉTRO INCHEON
Paradise Olympos Hotel (☎ 762 5181 ; fax 763 581 ; d/lits jum 205 000/216 000 W, taxes et service compris ; ⊠ ⌨). Établi de longue date sur une colline surplombant le port, à deux pas de la station de métro Incheon, il comporte un petit **casino** (entrée libre ; ⌚ 24h/24) réservé aux étrangers. Dans le restaurant de style occidental, un steak coûte 36 000 W.

Hongkong Motel (☎ 777 9001 ; s et d 25 000 W ; ⊠). En face du Paradise Olympos Hotel. L'une des meilleures options pour petits budgets, avec ascenseur et jolies chambres dotées d'une TV câblée.

PRÈS DE LA STATION DE MÉTRO BUPYEONG
Plaza Motel (☎ 522 5855 ; s et d 35 000 W, ven-sam 45 000 W ; ⊠). Ce "love hotel" possède les chambres les plus agréables, mais le personnel ne brille ni par l'efficacité ni par l'amabilité.

Bando Yeoinsuk (☎ 522 1767 ; ondol 20 000 W ; ⊠). Chambres avec sdb et équipements de type yeogwan.

WOLMIDO
Wolmido compte plusieurs motels, dont l'**Utopia Motel** (☎ 434 4351 ; s et d 30 000 W, ven-sam 35 000 W ; ⊠) et le **Sopia Motel** (☎ 773 1783 ; s et d 25 000 W ; ⊠).

SONGDO
Hilltop Hotel (☎ 834 3500 ; s et d 40 000 W ; ⊠). Un bon choix pour les petits budgets.

Songdo Beach Hotel (☎ 830 2200 ; www.songdo.beach.co.kr ; s, d et lits jum 190 000 W ; 😡). L'option haut de gamme, avec trois restaurants, un sauna, une salle de gym, un centre d'affaires et l'accès Internet dans chaque chambre. Les prix grimpent parfois en été.

Où se restaurer
WOLMIDO
Des restaurants de poisson et de crustacés bordent le front de mer et offrent une belle vue sur les flots depuis l'étage. Seul votre portefeuille influera votre choix : les prix sont généralement élevés, mais les plats sont prévus pour plusieurs convives ; vous pouvez commander du *gongibap* (riz à la vapeur) pour réduire le nombre de plats de fruits de mer.

SONGDO
Les restaurants de ce quartier touristique sont souvent plus occidentaux que coréens, mais le **Multeombeong** (repas 20 000 W), à côté du Songdo Beach Hotel, propose des plats de poisson et de crabe.

Depuis/vers Incheon
BATEAU
Des ferries réguliers à destination de diverses villes chinoises (voir p. 414) partent de l'embarcadère Yeon-an et de l'International Ferry Terminal 2. Le premier possède aussi un terminal national avec des départs pour Jeju-do (46 000-90 000 W) et 14 des plus grandes îles habitées de la mer Jaune (5 500-24 700 W, selon la distance et la rapidité du ferry). Les liaisons sont plus fréquentes en été, lorsque les vacanciers cinglent en masse vers les plages et les restaurants de poisson de ces îles agréables et reposantes. Un ferry régulier (1 500 W, 25 min, toutes les 20 min de 6h à 21h30) relie la promenade Wolmido à Yeongjongdo (p. 162).

BUS
De Séoul, le métro constitue le moyen de transport le plus rapide, le meilleur marché et le plus simple pour rejoindre Icheon. Depuis les autres villes, il n'est pas nécessaire de passer par la capitale, car des liaisons directes desservent Incheon. À Incheon, vous pouvez prendre un bus pour les destinations suivantes :

Destination	Tarif (W)	Durée (h)	Fréquence
Cheonan	6 000	1½	ttes les 30 min
Cheongju	8 300	2	ttes les 30 min
Chuncheon	9 900	3	1/heure
Gongju	9 500	2½	ttes les 1 h 30
Aéroport International d'Incheon	5 000	1	ttes les 30 min
Jeonju	10 300	3	1/heure
Suwon	3 400	1	ttes les 20 min

La gare routière comporte un grand magasin Shinsegae, une pharmacie, un bureau de poste, un cinéma et un centre d'information touristique.

MÉTRO
À Séoul, prenez la ligne 1 du métro (1 100 W, environ 1 heure 10). Incheon dispose de son propre réseau de métro, qui ne dessert pas les zones touristiques, mais conduit à la gare routière.

Comment circuler
BUS ET TAXI
Vous trouverez des bus (700 W) et des taxis devant les stations de métro Dong-Incheon et Incheon.

Pour aller à Songdo, sautez dans le bus n°6, 9 ou 16 ou dans un taxi (5 000 W).

Wolmido est à 20 min à pied de la station de métro Incheon (1 500 W en taxi).

Pour l'embarcadère de Yeon-an, prenez le bus n°12, 24 ou 28, ou un taxi (4 500 W).

Le bus n°23 ou un taxi (1 600 W) vous conduirons à l'International Ferry Terminal 2. Si vous vous trompez de terminal des ferries, la course en taxi de l'un à l'autre revient à 5 000 W.

Le bus n°306 dessert Yeongjongdo (3 600 W, toutes les 20 min), l'île de l'aéroport. Le marché de Yeongjongdo et la plage d'Eulwangni méritent le détour – voir p. 160.

MÉTRO
Incheon possède une ligne de métro qui circule du nord au sud. Elle croise le réseau KNR à la station Bupyeong. Celle-ci abrite un magasin Lotte Mart, une galerie marchande souterraine, un hall de restauration bon marché, des cinémas et un assortiment de yeogwan vieillots. La station de métro est accessible à pied depuis la gare routière d'Incheon. Un ticket coûte 700 W et l'on

peut utiliser les cartes du métro de Séoul dans celui d'Incheon.

D'ÎLE EN ÎLE SUR LA MER JAUNE

Plages sablonneuses, vues sur la mer, paysages ruraux, vignobles, air pur et produits de la mer frais –, tout un monde sépare Séoul des îles de la mer Jaune. Des dizaines d'îles font partie de la commune d'Incheon, même si certaines se trouvent à plusieurs heures de bateau. Essentiellement rocheuses, elles recèlent quelques belles plages de sable nichées dans des criques et de rares plages de galets polis. On appelle *mongdol* ces galets, fruits de plusieurs siècles de marées. Il est illégal de les ramasser ; respectez cette interdiction.

Pour les Coréens, un séjour dans les îles est avant tout un safari culinaire de poisson cru *(saengseonhoe)*. Les menus locaux proposent en général du riz vinaigré avec du poisson cru *(saengseonchobap)*, du poisson grillé *(saengseongui)* et une soupe de poisson relevée *(maeuntang)*. Si ces plats vous tentent, renseignez-vous sur les prix avant de commander : ils varient en fonction de l'espèce utilisée, de la saison et du mode de cuisson (ou de non-cuisson), et peuvent aller de raisonnable à prohibitifs.

Avant d'embarquer pour les îles, munissez-vous d'argent liquide car les bureaux de change et les DAB sont pratiquement inexistants.

Les *minbak* (chambres dans une maison privée) et les yeogwan coûtent de 20 000 à 30 000 W ; ces tarifs doublent en juillet-août, lorsque les foules envahissent les plages. Le reste de l'année, même durant les chauds week-ends de juin et de septembre, vous aurez probablement la plage pour vous seul.

Yeongjongdo et Muuido
영종도, 무의도

Bien que Yeongjongdo abrite le premier aéroport international de Corée, le trafic aérien ne trouble pas le calme des plages de la côte ouest. Parmi les attraits de l'île, citons également le marché de poissons sur le port et le centre thermal rutilant. Au nord de Yeongjongdo, Airport Town Square comprend une demi-douzaine d'hôtels récents, de catégorie moyenne, une pension et des appartements destinés au personnel de l'aéroport.

Le **marché du port de Yeongjongdo** vend du poisson, des coquillages, des crabes et d'autres produits de la mer, que vous pourrez faire préparer et déguster dans presque tous les restaurants – voir *Où se restaurer* p. 162.

Si vous voulez visiter Muuido, prenez le bus n°202 (1 200 W, 20 min, toutes les heures) derrière le marché et demandez au chauffeur de vous déposer près de Jamjindo. Empruntez ensuite la jetée qui relie Yeongjongdo à l'îlot de **Jamjindo** (잠진도) et admirez la mer et la vue sur l'île. Quinze minutes de marche vous mèneront à l'embarcadère du petit ferry de Muuido, qui effectue au moins une liaison par heure (1 000 W).

Sur le **port de Muuido**, régalez-vous d'un savoureux barbecue de fruits de mer – le grand bol (suffisant pour 3 ou 4 convives) coûte 25 000 W et le *pajeon de poulpe* (crêpe aux oignons verts), 4 000 W. Marchez jusqu'au village de pêcheurs, à 10 min de là, tournez à droite sur la route qui franchit la colline plantée de cerisiers et de vignes et suivez-la pendant 15 min jusqu'au **Keunmuri Resort** (큰무리 리조스 ; juin et sept/juil-août entrée 1 000/2 000 W, bungalows 30 000/42 000 W), qui dispose d'emplacements de camping, d'une pinède, d'une plage de sable et d'une piscine. À marée basse, on peut gagner à pied l'îlot vierge et inhabité de **Silmido** (실미도).

Rebroussez chemin et, à Yeongjongdo, prenez un bus ou faites du stop jusqu'aux belles plages de la côte ouest, nichées entre rizières et vignobles. La **plage d'Eulwangni** (을 왕리 해수욕장), à 10 min en bus de l'arrêt de Jamjindo, offre des motels, des *minbak* et des *noraebang* (karaokés) récents, ainsi que nombre de restaurants. Cette plage est la plus appréciée car, à l'inverse de presque tous les autres lieux de la côte ouest, la mer ne découvre pas d'étendues vaseuses à marée basse. Les amateurs de calme pousseront un peu plus au nord jusqu'à la **plage de Wangsan** (왕산 해수욕장). Le bus n°306 (1 300 W, 15 min, toutes les 30 min) circule entre Eulwangni et l'aéroport.

Haesupia Spa (해수피아 스파 ; ☎ 886 5800 ; adulte/enfant 6 000/4 000 W ; ⏰ 6h-20h), un luxueux centre de thalassothérapie doté d'une jolie vue et de restaurants, se situe sur la route qui relie le port de Yeongjongdo à Jamjindo. Des bus le desservent à partir du port de Yeongjongdo.

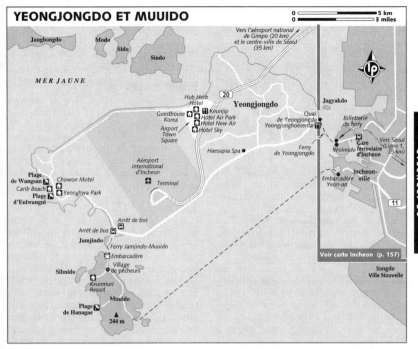

YEONGJONGDO ET MUUIDO

GYEONGGI-DO

OÙ SE LOGER
Plage d'Eulwangni

Celle-ci propose un large choix d'hébergements, des petites chambres au confort rudimentaire aux suites de luxe.

Yeonghwa Park (영화 파크 ; ☎ 746 1118 ; s et d 30 000 W, avec balcon supp 10 000 W ; ✖). Derrière le camping de la plage et la pinède. Son sympathique propriétaire pratique des tarifs raisonnables – qui doublent toutefois en juillet-août.

Chowon Motel (초원 모텔 ; ☎ 746 3369 ; s et d 30 000 W ; ✖). Petites chambres modernes sur la plage ; les prix doublent en été.

Carib Beach (카리브 모텔 ; ☎ 751 5455 ; s et d 40 000-80 000 W, supp 50% ven-sam). Ce tout nouvel hôtel de luxe en forme de bateau comprend des chambres claires, très confortables et dotées d'une vue superbe.

Airport Town Square

Cette ville nouvelle, édifiée sur Yeongjongdo, à quelques kilomètres de l'aéroport, regroupe restaurants, hôtels, magasins et immeubles d'habitation. Tous les hébergements sont flambant neufs. Les bus

n°223 (700 W, 10 min, toutes les 30 min) et 203 (1 200 W, 10 min, toutes les 30 min) circulent entre Airport Town Square et l'aéroport international d'Incheon, de même qu'une navette gratuite (10 par jour). Certains hôtels offrent le transfert gratuit depuis/vers l'aéroport, mais d'autres le facturent jusqu'à 20 000 W. Le bus n°111-1 relie Town Square et la ville d'Incheon.

Guesthouse Korea (게스트하우스코리아 ; ☎ 747 1872 ; www.guesthousekorea.co.kr ; dort/s/d 20 000/35 000/45 000 W ; ✖ 🖳). Cette pension luxueuse et originale possède des chambres de type motel, claires et modernes, au 9ᵉ étage d'un gratte-ciel, en face du Hub Herb Hotel. Toutes sont équipées de sdb, d'une TV câblée et d'une cuisine. Transferts depuis l'aéroport gratuits.

New Airport Hotel (뉴에어포트 호텔 ; ☎ 752 2066 ; www.hotelnewairport.co.kr ; s 115 000 W, d, lits jum et ondol 135 000 W ; ✖ 🖳). Toutes les chambres disposent de TV et de lecteur vidéo et DVD ; certaines ont en plus un bain à remous, un accès Internet rapide et un fax. Un practice de golf est installé sur le toit.

Hotel Sky (호텔 스카이 ; ☎ 752 1101 ; d/lits jum/ste 130 000/140 000/200 000 W ; ✖ ⌨). Centre d'affaires, restaurant et cafétéria.

Hotel Air Park (호텔 에어파크 ; ☎ 752 2266 ; www.hôtel.airpark.com ; d/lits jum 80 000/94 000 W ; ✖ ⌨). Autre établissement flambant neuf doté d'un restaurant, d'un bar et d'une cafétéria.

Hub Herb Hotel (허브허브 모텔 ; ☎ 752 1991 ; fax 752 1990 ; lits jum/ondol 88 000/99 000 W ; ✖ ⌨). Un restaurant le jouxte.

OÙ SE RESTAURER

Vous pouvez acheter du poisson, des coquillages, des crevettes ou des crabes bleus sur le marché du port de Yeongjongdo et l'apporter dans un restaurant comme le **Yeongjonghoesenta** (영종 회센타) qui le préparera et vous le servira avec des œufs de caille et de la soupe de crustacés, moyennant 5 000 W. Les poissons crus appréciés, comme l'*ureok* aux écailles noires ou le *gwangeo* (flet), coûtent environ 10 000 W pièce, tandis que crevettes et crabes bleus se négocient autour de 20 000 W le kilo – un bien meilleur rapport qualité/prix qu'à Wolmido.

Keunjip (큰집 ; repas 5 000-10 000 W). Ce restaurant d'Airport Town Square prépare un savoureux *ppyeohaejangguk* (ragoût de viande servi avec du riz).

DEPUIS/VERS YEONGJONGDO ET MUUIDO

Pour visiter Yeongjongdo et Muuido, prenez la ligne 1 du métro jusqu'à la station Incheon, puis un taxi pour Wolmido (1 500 W). La billetterie du ferry de Yeongjongdo se trouve sur la promenade. Le tarif adulte s'élève à 1 500 W pour une traversée de 20 min. Les ferries circulent tous les jours, chaque demi-heure de 7h à 21h30. Autres possibilités pour gagner Muuido ou en repartir : les ferries rapides (8 900 W, 20 min, 10h30) ou ordinaires (5 650 W, 1 heure, 8h et 17h) qui relient l'embarcadère Yeon-an d'Incheon et le port situé au sud de l'île de Muuido.

Jagyakdo 작약도

L'été, cette île minuscule voit fleurir des pivoines *(jagyak)*, d'où son nom. Couverte d'une épaisse forêt de pins, Jagyakdo se trouve à 3 km au nord de Wolmido, mais les bateaux ne partent pas de là.

Un yeogwan et 15 bungalows de location permettent de séjourner sur l'île.

Les ferries (7 000 W, 30 min, toutes les heures de 10h à 17h) partent de l'embarcadère Yeon-an, à Incheon.

Yeongheungdo 영흥도

La plage de Simnipo – 4 km de galets et 1 km de sable – s'étend à l'angle nord-ouest de l'île, à 30 km d'Incheon.

Un ferry (25 000 W, 4 heures, 4/semaine hors saison, plus en été) part de l'embarcadère Yeon-an d'Incheon. Un pont permet désormais de rejoindre l'île en bus (4/jour).

Deokjeokdo 덕적도

C'est l'une des îles les plus pittoresques des environs d'Incheon (à 77 km). Grâce aux nouveaux ferries rapides, on peut la visiter dans la journée depuis Séoul. Mais pourquoi repartir si vite ? Sur la côte méridionale de Deokjeokdo, une épaisse pinède bicentenaire borde la **plage de Seopori**, spectaculaire, longue de 2 km et sans conteste la plus populaire de l'île. Admirez également les nombreuses formations rocheuses aux formes inhabituelles et escaladez le Bijobong (292 m), point culminant de l'île, qui offre un panorama à couper le souffle. La plage de Seopori compte de nombreux yeogwan et minbak, ainsi qu'un camping.

Tous les ferries pour Deokjeokdo vous déposeront à l'embarcadère de Jinri. De là, un bus rallie la plage de Seopori en 20 min. Le ferry rapide (17 500 W, 50 min, 9h30 et 15h) est la meilleure solution, même si le ferry ordinaire est un peu moins cher (12 000 W, 2 heures 30, 13h30 et 19h30).

Baengnyeongdo 백령도

Cette île superbe, à bonne distance au nord-ouest d'Incheon (et à quelques encablures de la Corée du Nord), attire un nombre croissant de touristes. Baengnyeongdo, point le plus occidental de la Corée du Sud, est réputée pour son isolement et ses spectaculaires **formations rocheuses** côtières – ne manquez pas de faire le tour de l'île en bateau pour les admirer. Baengnyeongdo mesure 12 km de long sur 7 km de large. Ne laissez pas la présence militaire – la Corée du Nord se trouve à 11 km à peine – gâcher votre plaisir. Abstenez-vous simplement de franchir les barbelés.

La **plage de Sagot** compte parmi les sites les plus étonnants de Baengnyeongdo. Elle s'étend sur 3 km et son sable est si dur que l'on peut y rouler en voiture. En revanche, d'autres plages se composent de galets sur lesquels les Coréens aiment marcher pieds nus ou s'allonger, car ils croient aux bienfaits de cette "acupression".

Outre les poissons et les crustacés, l'île produit du sarrasin, dont on fait des nouilles. Au printemps, les champs de sarrasin en fleur sont féeriques.

Vous trouverez des yeogwan, des yeoin-suk et des minbak et l'on vous proposera sans doute des chambres dès votre descente du ferry.

L'île est desservie par un ferry rapide (43 700 W, 4 heures, 2 par jour) et par un ferry ordinaire (29 500 W, 8 heures, 1 par jour), qui partent de l'embarcadère Yeon-an d'Incheon.

GANGHWADO 강화도

☎ 032 / 67 000 habitants / 319 km²

Bien qu'elle fasse partie de la commune d'Incheon et soit reliée au continent par deux ponts, Ganghwado demeure un îlot rural, parsemé de rizières et de collines boisées. Cette île, à la position stratégique à l'embouchure de la Han, a joué un rôle crucial dans l'histoire coréenne. Quand les Mongols envahirent la Corée, en 1232, le roi Koryo et sa cour s'y réfugièrent pendant près de 40 ans, jusqu'en 1270. Dans les années 1860 et 1870, des vaisseaux de guerre français, américains et japonais attaquèrent et occupèrent tour à tour Ganghwado.

Vous admirerez de nombreuses petites fortifications, un des plus grands *dolmens* (chambres funéraires préhistoriques) du pays, classé au patrimoine mondial de l'Unesco, ainsi que le Manisan, dont la cime s'orne d'un ancien autel de pierre, et une piste cyclable côtière de 10 km. L'un des temples coréens les plus importants, le Bomunsa, se trouve sur l'île toute proche de Seongmodo.

À 1 heure 40 en bus depuis Séoul, Ganghwado permet de se ressourcer dans une atmosphère paisible en se régalant de produits de la mer.

Ganghwa-eup 강화읍

La ville principale, Ganghwa-eup, à 2 km du pont Nord, constitue une bonne base pour visiter l'île.

Le **centre d'information touristique** (☎ 930 3515; www.ganghwa.incheon.kr; ⏰ 9h-18h), dans la gare routière, dispose d'un personnel anglophone efficace.

Un palais, entouré d'un **rempart** de 18 km, construit en 1231, fut détruit en 1866 par les troupes françaises qui envahirent la Corée après l'exécution de neuf missionnaires catholiques français. De nombreux livres inestimables s'envolèrent en fumée, tandis que 300 volumes étaient emportés en France, où ils se trouvent toujours. On a rénové 2 km de la muraille et trois des portes principales.

Le **marché**, proche de la gare routière, vend du ginseng cultivé sur l'île et des *hwamunseok* (화문석), de grandes nattes de roseau décorées de motifs floraux superbes, mais coûteuses. Les paniers tressés, meilleur marché et plus faciles à transporter, portent des motifs similaires.

Hébergement le plus proche de la gare routière, le **Hyatt Hotel** (하얏트 호텔; ☎ 932 4422; fax 934 3078: s et d 30 000 W, sam-dim 35 000 W; ⌘) loue des chambres spacieuses et confortables et vous réservera un bon accueil. Tournez à gauche en sortant de la gare routière et marchez 10 min le long de la grand-route.

La **Namsan Youth Hostel** (남산 유스호스텔; ☎ 934 7777; dort/f 12 000/40 000 W) propose des lits bon marché, mais se trouve à 20 min à pied au sud-ouest de la gare routière ; mieux vaut prendre un taxi.

Le centre-ville compte d'autres yeogwan.

Le **Hwangganehotteok** (황가네 호떡; repas 2 000-6 000 W), dans la gare routière, vend du *dakgangjeong* (morceaux de poulet désossés dans une sauce piquante), du *hotteok* (pain sans levain) aux haricots rouges, de l'*odeng* (bâtonnets aux produits de la mer, 500 W) et des *sundae*.

DEPUIS/VERS GANGHWA-EUP

Des bus à destination de Ganghwa-eup (3 900 W, 1 heure 30, toutes les 10 min de 5h25 à 21h45) partent de la gare routière de Sinchon (voir carte p. 102), à Séoul.

Environs de Ganghwa-eup

HALL HISTORIQUE DE GANGHWA
황가네 호떡

Petit et moderne, ce **musée** (☎ 933 2178; adulte/jeune et enfant 1 300/700 W; ⏰ 9h-18h,

9h-17h nov-fév), consacré à l'histoire de l'île, se trouve près des fortifications (Gapgot Dondae), à proximité du pont Nord. Demandez au chauffeur de bus de vous déposer à cet endroit, plutôt qu'à la gare routière de Ganghwa-eup.

Une piste cyclable conduit du musée à Gwangseongbo, en suivant la côte sur 10 km (voir plus bas). Le **magasin de location de bicyclettes** (☎ 933 3692; VTT/tandem 2 000/4 000 W l'heure, 8 000/16 000 W par jour) loue des VTT qu'il faut rapporter avant 18h. Vous trouverez en chemin des restaurants d'anguilles.

Des bus (700 W, 5 min, toutes les 90 min de 6h20 à 19h45) relient le musée à la gare routière de Ganghwa-eup, à 2 km. Il n'est pas difficile de faire du stop sur ce trajet.

Gwangseongbo 광성보

Gwangseongbo (☎ 937 4480; adulte/enfant 1 100/800 W; ☉ 9h-18h) est la plus importante des nombreuses petites fortifications qui parsèment la côte. Située au sud-est, elle date de 1658. Après avoir essuyé des assauts français en 1866, américains en 1871 et japonais en 1875, elle a récemment été rénovée.

Des bus circulent entre Ganghwa-eup et Gwangseongbo et les autres fortifications des environs (3 000 W, 30 min, toutes les 90 min de 6h20 à 19h45). Toutefois, la meilleure façon de les visiter consiste à parcourir la côte en vélo à partir du Hall Historique de Ganghwa (voir ci-dessus).

Manisan 마니산

Ce **parc** (☎ 937 1624; adulte/jeune/enfant 1 500/800/ 500 W; ☉ 6h-18h), au sud-ouest de l'île, est à 14 km de Ganghwa-eup. Sur le sommet, à 468 m, s'élève **Chamseongdan** (참성단), un grand autel de pierre qui aurait été bâti et utilisé par Tangun, le fondateur du pays en 2333 av. J-C. Tous les ans, le 3 octobre, jour de la Fondation de la Nation (férié), une cérémonie chamanique colorée s'y déroule. Le parcours de 3 km, entre l'arrêt de bus et l'autel, comprend 900 marches et prend 1 heure. Par beau temps, la vue est splendide.

Des bus relient Ganghwa-eup et Manisan (1 300 W, 30 min, toutes les 50 min de 6h50 à 19h30).

Jeondeungsa 전등사

Ce **temple** (☎ 937 0125; adulte/jeune/enfant 1 800/1 300/1 000 W; ☉ 6h-coucher du soleil), bâti à l'intérieur d'une forteresse, est célèbre pour les tablettes de bois portant des écritures bouddhiques, le *Tripitaka Koreana*, gravées entre 1235 et 1251, puis transférées au temple Haeinsa (voir p. 204).

Dolmen de Bugeun-ri 부근리 고인돌

Le plus grand **dolmen** (entrée libre; ☉ 24h/24) de Ganghwado est surmonté d'une pierre de plus de 50 tonnes. Aux alentours, vous verrez des répliques d'autres monuments anciens, comme Stonehenge et les statues de l'île de Pâques. Le site est accessible en bus (700 W, 15 min, toutes les heures de 6h20 à 20h).

Oepo-ri 외포리

Ce village de pêcheurs de la côte ouest, à 13 km de Ganghwa-eup, comprend un marché de poissons aux prix raisonnables, ainsi que de nombreux restaurants et yeogwan. C'est aussi le terminal du ferry de Seongmodo (석모도), dont le principal attrait est le temple de Bomunsa.

Oepo Park Motel (외포 파크 모텔; ☎ 932 8086; s et d 30 000 W, sam 40 000 W; ✗). Hébergement le plus proche du port, il dispose de chambres élégantes avec vue sur la mer depuis les étages supérieurs.

Ganghwa Youth Hostel (강화 유스호스텔; ☎ 933 8891; fax 933 9335; dort/f 12 000/55 000 W). Recommandée aux voyageurs individuels à petit budget.

De Ganghwa-eup, les bus empruntent un bel itinéraire au travers de l'île (1 100 W, 30 min, toutes les 30 min de 6h40 à 18h40).

Bomunsa 보문사

Sur les hauteurs des collines boisées de l'île de Seongmodo, ce **temple** (☎ 933 8271; adulte/jeune/enfant 1 500/1 200/800 W; ☉ 7h-19h) comporte de superbes peintures sur les auvents de ses divers bâtiments. La grotte et une gravure rupestre de 10 m de haut méritent le détour. Les Coréennes viennent y prier pour avoir des fils et les grands-mères, des petits-fils. Hôtels-clubs et restaurants jalonnent la côte.

Des **ferries** (☎ 932 6007) relient Oepo-ri à Seongmodo (adulte/enfant 600/300 W, 10 min, toutes les demi-heures de 7h à

20h30) et transportent aussi des voitures (14 000 W aller-retour). À Seongmodo, un bus (1 000 W) vous rapprochera du temple, mais une rude montée vous attend.

CIRCUIT DE PANMUNJEOM ET DE LA DMZ
판문점

Le village de l'armistice de Panmunjeom, à 55 km au nord de Séoul, est le seul endroit de la zone démilitarisée (DMZ) où les visiteurs peuvent se rendre. Il s'agit du village installé sur la ligne de cessez-le-feu à la fin de la guerre de Corée, en 1953. Des pourparlers de paix continuent à se tenir dans les bâtiments bleus de l'ONU à Panmunjeom.

Nulle part ailleurs en Corée du Sud, on ne peut s'approcher si près de la Corée du Nord et des soldats nord-coréens sans se faire arrêter ou tirer dessus ; la tension est palpable. Des coups de feu s'échangent de temps à autre dans ce village frontalier – le dernier remonte à 1984, lorsqu'un dissident russe parvint à passer du Nord au Sud. Des tirs ont eu lieu plus récemment dans d'autres parties de la DMZ, en novembre 2001 et en juillet 2003.

Les militaires américains qui conduisent les touristes dans la DMZ vous relateront d'autres incidents terrifiants survenus dans cette bande de terre qui sépare les deux Corées, une des frontières les plus fortifiées au monde. Hautes barrières surmontées de barbelés, miradors, barrages antichars et champs de mines bordent les deux côtés de la DMZ.

Plus de 5 000 soldats américains et sud-coréens résident au camp Bonifas, installé "en face d'eux", et seraient en première ligne en cas d'attaque surprise venant du Nord. Il est question d'un retrait des troupes américaines vers une base plus au sud.

La DMZ ne compte que deux villages, tous deux proches de Panmunjeom. Du côté sud, Daesong est une localité subventionnée, dotée d'une église. Les salaires y sont élevés et non imposables. Chaque famille dispose d'une maison moderne, avec connexion Internet haut-débit, et cultive un terrain de 7 ha. Les 230 habitants doivent respecter le couvre-feu à 23h et des soldats montent la garde pendant que les villageois travaillent dans les rizières ou cultivent le ginseng.

Le village nord-coréen, Gijong, est bien plus curieux car c'est une ville-fantôme dont l'unique fonction est de diffuser de la propagande entre 6 et 12 heures par jour grâce à d'énormes haut-parleurs.

Gijong possède aussi une sorte de tour Eiffel de 160 m de haut, sur laquelle flotte un drapeau de près de 300 kg, plus grand que celui de son voisin du Sud. Sur les versants des collines du Nord, on peut lire des slogans en caractères *hangeul* géants comme "Suivez la voie du Guide", tandis que du côté sud-coréen, le message "Liberté, abondance et bonheur" s'inscrit la nuit en lettres lumineuses.

Panmunjeom est le site d'importantes discussions diplomatiques. Du côté sud-coréen, un édifice de style pagode permet de voir les trois bâtiments bleus des Nations unies à cheval sur la frontière. Au Nord se dresse un grand immeuble en béton, gardé par des soldats, et quelques miradors.

Le circuit comprend la visite d'un des bâtiments de l'ONU, dont les simples tables et chaises évoquent une école de fortune. Les frères ennemis surveillent les salles en permanence et peuvent écouter tout ce que vous dites. Sur la ligne de cessez-le-feu, les soldats du Nord et du Sud se tiennent à quelques centimètres les uns des autres. Les soldats sud-coréens montent la garde dans une étrange posture de taekwondo. En dépit de la politique de détente menée par le Sud, cette ligne de front demeure dangereuse et inquiétante. La visiter donne à réfléchir.

UN PARC NATIONAL DE LA DMZ ?

La DMZ sépare la Corée du Nord de la Corée du Sud. Large de 4 km et longue de 248 km, entourée de chars et de barrières électrifiées, elle est presque infranchissable. Ce qui a paradoxalement fait de cette zone une réserve écologique ! Aucune autre région tempérée de la planète n'a été si bien préservée. La faune s'y prélasse, et les spécialistes de l'environnement espèrent que le jour où les deux Corées se réconcilieront, la DMZ sera transformée en réserve naturelle.

GYEONGGI-DO

LA GUERRE SOUTERRAINE

À Panmunjeom, une plaque de bronze résume en ces termes les activités de forage des Nord-Coréens ; depuis sa mise en place, un quatrième tunnel pénétrant de 1 km en territoire sud-coréen fut découvert en 1990.

> Le 15 novembre 1974, une patrouille de l'armée de la République de Corée (ROKA) remarqua de la vapeur s'élevant du sol dans le secteur sud de la DMZ. Lorsqu'ils creusèrent pour en savoir plus, ils essuyèrent des tirs de snipers nord-coréens. Des unités de la ROKA sécurisèrent le site et découvrirent un tunnel creusé par les Nord-Coréens, qui s'enfonçait de 1,2 km dans la République de Corée. Le 20 novembre, deux enquêteurs du commandement des Nations unies (UNC) furent tués lorsqu'une charge de dynamite laissée par les Nord-Coréens explosa à l'intérieur du tunnel. La salle de briefing du Camp Kitty Hawk porte le nom d'un de ces officiers, le lieutenant-chef Robert N. Ballinger.
>
> En mars 1975, un deuxième tunnel nord-coréen fut découvert par une équipe de détection de l'UNC. En septembre de la même année, un ingénieur nord-coréen passé au Sud fournit d'utiles informations sur les activités de forage des communistes. Grâce à ses indications, une équipe de détecteurs intercepta un troisième tunnel en octobre 1978, à moins de 2 km de Panmunjeom.
>
> Aujourd'hui encore, les Nord-Coréens continuent à creuser des tunnels sous la DMZ. L'ONU et la ROKA ont mis en place des équipes de détection qui forent jour et nuit dans l'espoir d'intercepter ces invasions souterraines.

Depuis/vers Panmunjeom

L'accès à Panmunjeom n'est autorisé qu'aux groupes. Munissez-vous de votre passeport, sinon on ne vous laissera pas monter dans le bus. Vous devez aussi respecter un code vestimentaire et des règles de comportement. Avant d'entrer dans la DMZ, tous les visiteurs doivent signer un document dégageant la responsabilité des Nations unies et du gouvernement sud-coréen en cas de blessures liées à une "action ennemie" pendant le voyage.

Le **United Services Organization** (USO ; ☎ 724 7003 ; www.uso.org/korea), de la base de Yongsan, qui dépend de l'armée américaine, organise deux fois par semaine des circuits qui comprennent la visite du troisième tunnel (40 $US, déjeuner non compris). Ils débutent à 7h30 et s'achèvent à 15h. Pour rejoindre l'USO, prenez la ligne 1 du métro jusqu'à la station Namyeong.

Les excursions d'une demi-journée des tour-opérateurs coréens coûtent environ 40 000 W et celles d'une journée, 60 000 W. Vérifiez que Panmunjeom figure bien au programme. Votre guide vous accompagnera à Camp Bonifas, du côté sud de la DMZ, où votre groupe déjeunera. On vous projettera des diapositives, commentées par un soldat américain qui vous emmènera en bus militaire dans la Joint Security Area de Panmunjeom.

Tous les circuits ne sont pas identiques. Certains englobent le troisième tunnel, creusé par les Nord-Coréens. Vérifiez que cette visite intéressante est bien prévue avant de vous engager. Un autre circuit ne passe pas par Panmunjeom, mais son guide est un transfuge nord-coréen. Un interprète traduira toutes les questions que vous avez envie de lui poser. Consultez la p. 120 ou allez au KNTO (carte p. 96-7) pour des brochures et des détails sur les diverses possibilités de circuits. La plupart des étrangers choisissent celui de l'USO.

OBSERVATOIRE DE L'UNIFICATION D'ODUSAN 오두산 통일 공원

L'**Observatoire de l'unification** (Tongil Jeonmangdae ; ☎ 945 3171 ; adulte/étudiant et senior 1 500/1 000 W ; 🕑 9h-19h30, 9h-18h nov-fév) est installé à Odusan. La plupart des civils coréens n'approchent jamais plus près de la DMZ. Panmunjeom, au nord de Séoul et dans la DMZ, est accessible aux étrangers, mais pas aux civils coréens.

L'Observatoire de l'unification offre aux Sud-Coréens un aperçu rare de leur voisin interdit et ils viennent par bus entier tout au long de l'été. On n'y ressent pas la tension omniprésente à Panmunjeom, car l'observatoire se trouve à quelques kilomètres de la DMZ. Pour apercevoir le poste des Nations unies, le poste nord-coréen – à peine visible – et les panneaux de propagande du Nord, vous devrez utiliser les télescopes payants. Rien de bien palpitant, mais l'excursion est agréable. Le gouvernement propose une projection de diapositives gratuite et un magasin vend des marchandises provenant de la Corée du Nord (que le Nord-Coréen moyen ne peut s'offrir).

Depuis/vers l'Observatoire de l'unification

De la gare routière Seobu, dans Bulgwang-dong à Séoul, prenez un bus jusqu'à Geum-chon (50 min, toutes les 40 min) – les bus à destination de Munsan s'arrêtent à Geum-chon. Vous pouvez aussi prendre un train à la gare de Séoul (1 heure, 1 par heure). De la gare routière de Geumchon, un bus local, portant l'indication Songdong-ri, vous conduira à l'Observatoire de l'unification (30 min, toutes les 40 min).

STATIONS DE SKI

Le Gyeonggi-do compte quelques stations de ski à proximité de Séoul (1 heure au maximum en bus) et toutes disposent de navettes (environ 12 000 W l'aller-retour) depuis/vers la capitale, de décembre à février. Les agents de voyages proposent des forfaits comprenant le transport, l'héberge-ment, la location du matériel de ski et les remonte-pentes. Tout le monde ne respecte pas les règles de sécurité ; soyez attentif. Voici les coordonnées téléphoniques des stations et de leur bureau à Séoul :

Bears Town Resort (☎ 02-594 8188, 031-532 2534 ; www.bearstown.com). À 50 min au nord-est de Séoul, il possède 11 pistes, 2 pistes de luge et 9 remonte-pentes. On peut y pratiquer le ski et le snowboard de nuit. Parmi les hébergements figurent une auberge de jeunesse et des appartements ; la station comprend un supermarché, une piscine chauffée, un sauna, un bowling, des courts de tennis et un parcours de golf destiné à attirer les visiteurs hors saison. La station emploie des moniteurs anglo-phones. L'USO, le service social des troupes américaines, organise des séjours de ski ouverts à tous.

Cheonmasan Ski Resort (☎ 02-2233 5311, 346-594 1211 ; www.chonmaski.com). À 40 min au nord-est de Séoul, 5 pistes et 7 remonte-pentes. L'hôtel dispose d'une piscine chauffée et de moniteurs parlant anglais.

Jisan Forest Ski Resort (☎ 02-3442 0322, 031-638 8460 ; www.jisan.resort.co.kr). À 1 heure au sud-est de Séoul, 9 pistes de ski et de snowboard et 4 remonte-pentes. Moniteurs anglophones.

Seoul Ski Resort (☎ 02-959 0864, 031-592 1220). À 40 min à l'est de Séoul, 4 pistes, 3 remonte-pentes, un parcours de luge et un hôtel de 66 chambres.

Yangji Pine Ski Resort (☎ 02-542 8700, 033-5338 2001 ; www.pineresort.com). À 50 min au sud-est de Séoul, 7 pistes, une piste de luge et 6 remonte-pentes . Hébergement en hôtel ou en appartement. Piscine chauffée et bowling dans les immeubles d'habitation.

GYEONGGI-DO

Gangwon-do
강원도

La province du Gangwon-do (www.gangwon.to), au nord-est, compte parmi les moins peuplées, les plus montagneuses et les plus pittoresques de Corée du Sud. Historiquement isolée par son relief accidenté, elle fut le cadre d'âpres combats pour la maîtrise de sommets stratégiques pendant la guerre de Corée. La paix revenue, cette région riche en ressources naturelles, notamment en charbon et en bois, s'industrialisa, et vit ses routes et chemins de fer se développer. La fermeture de nombreuses mines de charbon dans les années 1990 a contraint la province à remplacer les emplois supprimés : le tourisme apporta la solution.

Le Gangwon-do est la province idéale pour pratiquer toutes sortes d'activités de plein air : promenades parmi les montagnes et les vallées spectaculaires, baignades sur les splendides plages de sable blanc de la côte, ski alpin et ski de fond, rafting ou pêche au calme. Tous les sites sont, de plus, accessibles en bus. La province possède un réseau efficace de transports publics et ses routes sont sans doute les plus calmes du pays, sauf en juillet-août, lorsque les foules affluent sur les plages de la côte est. C'est aussi la saison durant laquelle les prix des hébergements doublent. En général, les sites les plus magnifiques se nichent au fond de vallées obscures traversées de rivières rugissant dans d'impressionnantes gorges ou au creux d'épaisses forêts. Les criques sablonneuses et les pointes rocheuses au sud de Samcheok offrent toutefois de belles vues sur la mer. Le parc de Seoraksan est le plus formidable des trois parcs nationaux de la province, mais dans certains endroits, il est souvent bondé.

GANGWON-DO

À NE PAS MANQUER

- Explorez les splendeurs du **parc national de Seoraksan** (p. 179)
- Flânez parmi les résidences d'été présidentielles et détendez-vous sur la plage de **Hwajinpo** (p. 178)
- Admirez les formations calcaires du **Hwanseondonggul** (p. 191), un ensemble de grottes proche de Samcheok
- Découvrez les attractions originales de **Jeongdongjin** (p. 186)
- Longez le lac à vélo à **Chuncheon** (p 171) en contemplant le coucher du soleil sur les collines
- Visitez le musée du Charbon et l'autel montagnard de Tangun dans le **parc provincial de Taebaeksan** (p. 192)
- Découvrez les trésors artistiques bouddhiques du **Woljeongsa** (p. 184) et du **Sangwonsa** (p. 184), dans le parc national d'Odaesan

Plage de Hwajinpo

Parc national de Seoraksan

Chuncheon

Woljeongsa

Jeongdongjin

Sangwonsa

Hwanseondonggul

Parc provincial de Taebaeksan

- INDICATIF TÉLÉPHONIQUE: 033 | - 1,6 MILLIONS D'HABITANTS | - SUPERFICIE : 16 874 KM²

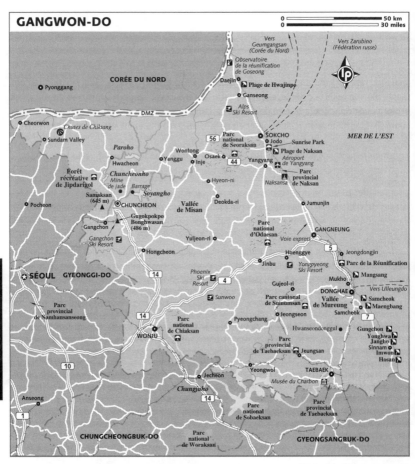

GANGWON-DO

CHUNCHEON 춘천

252 000 habitants

Chuncheon, capitale de la province du Gangwon-do, se situe au cœur du district des lacs du Nord, lequel possède quatre lacs artificiels : le Chuncheonho, l'Uiamho, le Soyangho et le Paroho, sur lesquels on peut effectuer des excursions en bateau, dans un cadre montagneux superbe. Depuis la ville elle-même, qui est un véritable pôle éducatif, vous pouvez emprunter une piste cyclable sur plusieurs kilomètres et longer les lacs. Chuncheon représente une étape intéressante sur la route de Sokcho et du parc national de Seoraksan, surtout pour ceux qui préfèrent le bateau au bus pour effectuer une partie du trajet. Tous les ans au mois de mai, la ville accueille le Festival international de mime ; les représentations transcendent la barrière linguistique.

Orientation

La gare ferroviaire de Nam Chuncheon (Chuncheon sud), la plus importante, est assez éloignée du centre-ville et de la gare routière.

Renseignements

Vous trouverez un **centre d'information touristique** (☎ 244 0088 ; www.iccn.co.kr ; 🕒 9h-18h, 9h-17h nov-fév), aussi vaste qu'efficace, près de la gare routière ; il dispose de brochures sur toute la province et offre un accès gratuit à Internet. Un bureau plus petit se tient près du lac Uiam.

CHUNCHEON

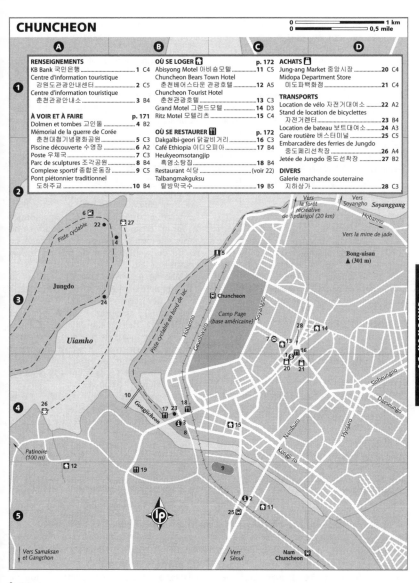

À faire
CIRCUITS EN BICYCLETTE
Jungdo

En laissant une pièce d'identité, vous pourrez louer un vélo au **stand de location de bicyclettes** (3 000/5 000 par h/j ; ☺ 9h-19h) qui jouxte l'centre d'information touristique du bord du lac. Rendez-vous à Talbangmakguksu pour déjeuner (voir *Où se restaurer* p. 172), puis roulez jusqu'à l'embarcadère de Jungdo (중도). Vous pouvez aussi emprunter le bus n°74 (800 W, 10 min, 20 parjour).

Cette charmante petite île lacustre propose des promenades en calèche (5 000 W par personne les 10 min), du ski nautique (30 000 W les 10 min), des canots (5 000 W l'heure), une piscine découverte (en juillet-août), des terrains de sport et des aires de pique-nique. Les roseaux abritent des hérons gris, des canards et autres oiseaux aquatiques, surtout vers l'extrémité ouest de l'île. Celle-ci possède aussi quelques tombes anciennes. À côté du loueur de vélos, un **restaurant** (repas 4 000-8 000 W) sert du *bulgogi* (bœuf et légumes au barbecue) et du *seolleongtang* (soupe au bœuf et au riz), mais la plupart des visiteurs préfèrent pique-niquer.

Le **ferry de Jungdo** (adulte/enfant 3 900/2 200 W l'aller-retour, ttes les 30 min, 9h-18h) traverse en 10 min et transporte les vélos (1 000 W aller-retour).

Au bord du lac

Une piste cyclable longe le lac Uiam jusqu'au-delà du Mémorial de la guerre de Corée. Un parcours magique, surtout lors du coucher du soleil derrière les montagnes. Le monument rappelle la bataille de Chuncheon au cours de laquelle la Corée du Nord perdit 6 600 hommes et 18 chars.

EXCURSIONS EN BATEAU

On peut louer des canots à rames (6 000 W/h) et des pédalos (8 000 W/h) près de l'Ethiopia Cafe.

PATIN À GLACE

La **patinoire** (☎ 263 7302 ; adulte/étudiant 3 000/2 500 W ; ⊙ 13h-18h mar-dim) est accessible par le bus n°75, ou en vélo.

Où se loger

Grand Motel (☎ 243 5021 ; s et d 30 000 W ; ✕). La meilleure adresse pour les petits budgets avec des chambres correctes. Le sympathique jeune couple de propriétaires parle un peu anglais et viendra vous chercher gratuitement à la gare routière ou à la gare ferroviaire.

L'**Abisyong (Avignon) Motel** (☎ 255 8470 ; s et d 35 000 W, sam-dim 50 000 W ; ✕ 🖳), à deux pas de la gare routière, loue des chambres spacieuses et confortables avec TV par câble, vidéo, tables et chaises. Certaines possèdent en outre une all-body douche et un accès Internet (supp de 5 000 W). Ses voisins l'Ace Motel et le Carib offrent des prestations similaires.

Ritz Motel (☎ 241 0797 ; s et d 30 000 W, sam 40 000 W ; ✕ 🖳). Ouvert en 2003. Chambres exiguës, mais ultramodernes. Le nom de l'établissement est brodé au fil d'or sur les draps.

Le **Chuncheon Bears Town Hotel** (☎ 256 2525 ; fax 256 2530 ; d/lits jum et ondol 64 000 W, sam 80 000 W ; ✕ 🖳) dispose d'un restaurant, d'un café et d'un sauna ouvert 24h/24, réservé aux hommes. Superbes couchers de soleil sur le lac.

Chuncheon Tourist Hotel (☎ 255 3300 ; fax 255 3372 ; s et d 50 000 W, sam-dim 77 000 W ; ✕). Classique hôtel de catégorie moyenne, paisible et vieillot, doté d'un grill occidental et d'un café (pas d'accès Internet).

Où se restaurer

Dakgalbi-geori est une rue célèbre pour ses plus de 20 restaurants qui servent de savoureux *dakgalbi* (dés de poulet grillé). Les portions sont prévues pour 2 personnes au moins et nous vous recommandons de choisir le poulet désossé accompagné de riz ou de nouilles pour ne pas perdre un gramme de sauce.

L'**Abisong** (repas 6 000-10 000 W) prépare du dakgalbi depuis plus de 30 ans. L'excellente version désossée coûte 7 500 W (6 000 W avec les os) ; comptez 1 500 W pour un supplément de riz agrémenté d'algues séchées, de pousses de soja et de *gochujang* (pâte de piment rouge). Ce tarif comprend un assaisonnement de *mulkimchi* (*kimchi* froid) et un café. Le dakgalbi aux champignons revient à 10 000 W.

Talbangmakguksu (repas 3 500 W). Cette petite adresse traditionnelle, couverte de verdure et aux murs décorés de masques, est réputée pour son *makguksu*, des nouilles de sarrasin servies froides avec une garniture et un pot de bouillon, avec lequel vous pourrez les arroser. Ne versez pas tout le *gochujang* si vous craignez les mets trop relevés.

Le **Heukyeomsotangjip** (repas 6 000 W) propose un savoureux et consistant ragoût de chèvre (흑염소탕), mais dans un cadre sans charme.

Où prendre un verre

L'**Ethiopia** est un café implanté de longue date, avec vue sur la rivière et un décor d'artisanat éthiopien. Un café ou une bière y coûte 3 000 W.

Depuis/vers Chuncheon
BUS

Parmi les départs de la gare des bus express :

Destination	Tarif (W)	Durée (h)	Fréquence
Daegu	16 500	3½	1/heure
Gwangju	17 500	4½	4/jour

De la gare routière interurbaine :

Destination	Tarif (W)	Durée (h)	Fréquence
Cheongju	12 300	3½	1/heure
Cheorwon	8 000	2½	ttes les 20 min
Dong-Séoul	6 400	1¾	ttes les 30 min
Gangneung	10 100	3½	ttes les 20 min
Sokcho	13 300	3½	1/heure
Wonju	5 500	1½	ttes les 15min

TRAIN

Les trains pour Chuncheon partent de la gare Cheongnyangni de Séoul (5 200 W, 1 heure 45, 1 train/heure), accessible par la ligne 1 du métro. Les deux gares ferroviaires de Chuncheon étant aussi mal placées l'une que l'autre, vous devrez emprunter les bus de la ville, prendre un taxi ou parcourir environ 1,5 km à pied.

ENVIRONS DE CHUNCHEON
Vallée de Sundam 순담 계곡

Cette vallée située à 8 km de Cheorwon, localité proche de la DMZ, est le camp de base des **organisateurs de sports d'aventure** (☎ 452 8006 ; fax 452 6011 pour les contacter), qui proposent du kayak, du canoë et du rafting sur la rivière Hantang. La saison dure de mi-avril à octobre. Il y a quelques rapides peu impressionnants sauf après les pluies de la mousson d'été. Une expédition de rafting de 1 heure 30 (9 km) dans un ravin pittoresque coûte 30 000 W (60 000 W pour un parcours de 18 km et de 8 heures). Le kayak et le canoë reviennent peu ou prou au même prix et on peut louer des VTT (de 5 000 à 15 000 W). Un jeu de survie peut être organisé pour un groupe – 25 000 W les 3 parties et 90 paintballs.

À environ 5 km, à proximité des chutes de Chiktang sur le nouveau site de saut à l'élastique de **Taebang Daekyo** (30 000 W ; 9h-12h, 13h-18h), on plonge de 52 m depuis le pont orange vif qui enjambe la rivière.

Pour vous y rendre, prenez un bus pour Cheorwon ou Sincheorwon (www.cheorwon.gangwon.kr) de la gare routière de Dong-Séoul (6 500 W, 2 heures, toutes les 30 min). De là, appelez une **compagnie de rafting** (☎ 452 7578) pour qu'elle vienne vous chercher. Attention : leur personnel ne parlant que coréen, il est sans doute plus simple de réserver un circuit sur www.adventurekorea.com et de partir de Séoul.

Forêt récréative de Jipdarigol
집다리골 자연 휴양림

Cette paisible **forêt** (☎ 243 1442 ; adulte/jeune/enfant 2 000/1 500/1 000 W ; 1er mai-30 nov), à 23 km au nord-ouest de Chuncheon, représente une agréable escapade. On peut y **camper** (3 000 W/tente) ou loger dans des **chalets en bois** rudimentaires (25 000 W/chalet, ven-sam 40 000 W). Des **sentiers de randonnée** sillonnent les montagnes entre forêts denses, ruisseaux et chutes d'eau. L'endroit compte quelques restaurants et boutiques.

Le mode de transport le plus pratique est la voiture, mais le bus local n°38 (800 W, 1 heure, 4/jour) y conduit depuis Chuncheon.

Mine de jade 옥 채석장

La **mine de jade** (☎ 242 1042 ; gratuit ; 9h-17h) étant difficile d'accès, renseignez-vous auprès du centre d'information touristique avant de partir. Son jade est d'un vert très pâle, presque blanc. On dit que l'eau qui suinte à travers cette pierre est bonne pour la santé ; on la vend en bouteilles. Il semble également que les oignons poussent mieux quand on les en arrose ! Certains croyant même aux bienfaits des "radiations" du jade, la mine comporte des matelas destinés aux siestes de santé. Vous pouvez aussi enlacer les grands blocs de jade devant l'entrée de la mine. Un petit magasin vend des articles en jade : chapelets à 10 000 W, bagues à 45 000 W et colliers à 250 000 W.

L'aller-retour en taxi de Chuncheon à la mine de jade avec une demi-heure d'attente sur place coûte 28 000 W. Le bus n°65 (800 W, 40 min) dessert également celle-ci, quatre fois par jour.

Samaksan 삼악산

Ce **parc** (☎ 262 2215 ; adulte/jeune/enfant 1 600/1 000/600 W ; lever-coucher du soleil) offre des vues panoramiques sur le pic Samaksan (654 m), deux temples, une gorge étroite et la chute d'eau de Deungseonpokpo.

Prenez le bus local n°81 ou 82 (800 W) jusqu'à l'entrée du parc ; un autre bus local (800 W) partant près de la chute d'eau regagne Chuncheon.

GANGWON-DO

GANGCHON 강촌

Gangchon est une villégiature populaire appréciée des étudiants, qui viennent s'amuser dans ce cadre montagnard doté d'une petite fête foraine, de salons DVD, de bars et de restaurants de dakgalbi et où l'on peut louer des quads. L'endroit compte plus de vélos que d'habitants et vous verrez partout des panneaux indiquant des *minbak* (chambres chez l'habitant). Le cadre est beaucoup plus joli que celui de Chuncheon.

Louez une **bicyclette** (2 000/5 000 W heure/jour) et empruntez la piste cyclable en direction de Gugokpokpo. Si vous pesez moins de 90 kg, vous pourrez vous essayer en chemin au **saut à l'élastique** (번지 점프 ; adulte/étudiant 12 000/10 000 W ; ☺ 10h-18h sauf en cas de pluie) d'une hauteur de 21 m. C'est sûrement le site le meilleur marché du monde.

Laissez votre vélo à l'entrée de **Gugokpokpo** (구곡 폭포 ; ☎ 261 0088 ; adulte/jeune/enfant 1 600/1 000/600 W ; ☺ 8h-coucher du soleil), à 6 km de la gare ferroviaire. Sur le marché, on vend du riz noir, des abricots secs, des patates douces, de l'*omijacha* (thé aux cinq parfums), des bonbons à la gelée de potiron et du *dongdongju* (vin de riz) maison. Quinze minutes de marche vous mèneront à une jolie chute d'eau qui dévale une falaise de 50 m. En hiver, se pratique l'escalade sur glace (*bingbyeok* 빙벽). À proximité de la cascade, un chemin gravit le **Bonghwasan** (봉화산 ; 486 m) en 30 min environ. Le bus n°50 (800 W, 30 min, 1 par heure) relie Gangchon à l'accès à la chute d'eau.

Le **Gangchon Ski Resort** (☎ 02-449 6660, 033-260 2000), créé en 2002, dispose de 10 pistes et de 6 remonte-pentes ; une navette le dessert en saison depuis la gare ferroviaire de Gangchon.

Où se loger

Le meilleur hébergement de Gangchon est le nouveau **White Bell Minbak** (화이트벨 민박 ; ☎ 262 0083 ; www.whitebell.co.kr ; s et d 30 000 W, ven-sam 60 000 W ; 🖵), qui loue de charmantes chambres décorées de plantes en pot et dotées d'un balcon.

La **Gangchon Youth Hostel** (강촌 유스호스텔 ; ☎ 262 1201 ; fax 262 1204 ; dort/f 15 000/55 000 W) se trouve en dehors de la ville, en face du site de saut à l'élastique. Elle offre une atmosphère très rurale.

Depuis/vers Gangchon

Gangchon se situe à courte distance en bus de Chuncheon (800 W). Les bus vous déposeront devant la gare ferroviaire de Gangchon. De là, des trains desservent la gare Cheongnyangni de Séoul (5 200 W, 1 heure 30, 1 par heure).

LAC SOYANG 소양호

Si vous voyagez vers l'ouest du Gangwon-do depuis Chuncheon, nous vous recommandons d'entamer votre périple par la brève traversée en ferry du lac Soyang, vaste lac artificiel créé par un des plus grands barrages de Corée. Le bus n°11 (800 W, 30 min, 1 par heure) vous conduira de la gare routière interurbaine de Chuncheon au barrage de Soyhang ; il vous faudra ensuite parcourir 1 km à pied en traversant le marché (certains étals proposent des *mettugi*, des sauterelles frites à 2 000 W le bol) jusqu'à l'embarcadère des ferries. Des **hydroglisseurs** (adulte/enfant 5 000/2 500 W) circulent toutes les heures de 8h30 à 16h30, plus un départ 18h jusqu'à l'embarcadère de Yanggu. Un trajet de 30 min en bordure d'épaisses forêts inviolées qui descendent jusqu'aux rives du lac.

Des **bateaux** (adulte/enfant 4 000/2 000 W l'aller-retour) desservent aussi le superbe temple tout proche de **Cheongpyeongsa** (adulte/enfant 2 000/1 000 W).

De l'embarcadère de Yanggu, un bus (940 W, 15 min) conduit à Yanggu. De là, prenez un bus sillonnant la route en lacets qui mène à Wontong (2 700 W, 30 min), puis un autre bus (750 W, 10 min) jusqu'à la gare routière d'Inje.

INJE 인제

33 000 habitants

Inje (www.inje.gangwon.kr) est une petite ville et une base pour les sports aventureux tels que le rafting, le kayak et le saut à l'élastique, qui ne cessent de gagner en popularité parmi les jeunes Coréens.

Bungee Vic (30 000 W ; ☺ 8h30-coucher du soleil ; fermé nov-mar et en cas de pluie ou de vent), à la lisière de la ville, propose un saut à l'élastique de 60 m depuis une tour orange surplombant la rivière. Le site dispose d'un ascenseur.

Plus de 20 opérateurs organisent des expéditions de **rafting** (☎ 461 5859 ; ☺ mai-oct) et viendront vous chercher à Inje. Le rafting se pratique sur la Naerincheon, qui s'écoule à un rythme plus ou moins vif suivant la pluviosité récente. Un parcours de 6 km et de 2 heures 30 coûte 30 000 W ; comptez plus cher pour le circuit de 19 km (5 heures). Des bus peu fréquents circulent le long de la rivière (toutes les 1 heures 30).

Juste à côté de la gare routière d'Inje, un restaurant de *gamjatang* (soupe à la viande et aux pommes de terre) sert de savoureuses soupes au porc à 5 000 W.

Depuis/vers Inje

Les bus Inje-Sokcho (6 100 W, toutes les 30 min) passent par Osaek, dans le sud du parc national de Seoraksan, et par Yangyang. Des lignes desservent aussi Chuncheon (6 600 W, toutes les 1 heure 30) et Dong-Séoul (11 300 W, 1 par heure).

SOKCHO 속초
90 000 habitants

La vaste cité portuaire de Sokcho ouvre l'accès au parc national de Seoraksan. La pêche y demeure une industrie de premier plan et les vues sur la mer, les bateaux de pêche, les restaurants de produits de la mer et le phare du port de Dongmyeong méritent une promenade. Des ferries proposent des circuits vers Geumgangsan, en Corée du Nord et Paekdusan, à la frontière de la Chine et de la Corée du Nord, ainsi que des départs pour la Russie.

Un petit **centre d'information touristique** (☎ 635 2003 ; 🕙 9h-17h) est installé devant la gare routière des bus express.

Où se loger

Il ne manque pas de motels de qualité autour de la gare des bus express et tous sont à courte distance à pied de la plage. Les tarifs grimpent de 50% en juillet-août. On peut toujours camper sur la plage (6 000 W la nuit) ou louer une tente (12 000 W). Une douche coûte 1 300 W.

Samsung Motel (☎ 636 0069 ; s et d 30 000 W, sam 40 000 W ; 🏠). Bonnes chambres confortables dans un décor de château de conte de fées.

Rocustel (☎ 633 4959 ; s et d 40 000 W, sam 60 000 W ; 🏠). Autre palais féérique mais plus onéreux avec des chambres plus élégantes.

Le **Motel Royal Beach** (☎ 633 5599 ; fax 635 5588 ; s et d 30 000 W, sam 40 000 W ; 🏠) et le **Namgyeong Motel** (☎ 637 6810 ; ch 25 000 W ; 🏠) sont également recommandés.

Vous trouverez d'autres adresses autour de la gare routière interurbaine, au nord de la ville, à proximité du port :

Dongkyeong Motel (☎ 631 644 ; s et d 30 000 W ; 🏠). Option la plus intéressante du quartier.

Singwangjang (☎ 635 5177 ; s et d 20 000 W ; 🏠). Meilleur marché, mais sans sdb privée.

Où se restaurer

Du côté port du marché aux poissons de Dongmyeong, des petits étals servent du *modeumhoe*, un grand plat de divers poissons crus (80 000 W, garniture, sauce et soupe de poisson relevée comprises), qui rassasie 4 convives. Une petite assiette de tranches de poisson cru revient à 20 000 W, et les araignées de mer, de 9 000 à 20 000 W. Vous pouvez vous installer sur le mur brise-lames pour surveiller le ballet des bateaux de pêche tout en mangeant.

Ieodo (repas 5 000-10 000 W). Petit restaurant qui prépare la spécialité locale, le *sundae* (saucisse de porc) au calmar. Le calmar est farci de nouilles, de tofu, d'oignons, de carottes et d'algues hachés et assaisonnés. On le coupe ensuite en tranches que l'on trempe dans de l'œuf battu avant de les faire frire – un mets surprenant, mais savoureux. Les portions conviennent pour deux. Vous pourrez aussi goûter au *saengseongui* (poisson frit), à l'*ojingeodeopbap* (riz au calmar) et au *bibimbap* au calmar (riz, viande, œuf et légumes dans une sauce relevée).

Le **Pungnyeon** (repas 4 000 W) propose une autre spécialité locale, le *sundubu*, du tofu liquide dans un bouillon aux fruits de mer accompagné d'une sauce épicée à ajouter vous-même. Un repas aussi sain que succulent ! Décidément, les Coréens sont imbattables pour les soupes originales et savoureuses.

Abaimaeul (repas 5 000-10 000 W). Un autre petit restaurant qui sert du sundae au calmar (오징어순대).

Hanyanggol (repas 5 000 W). Goûtez les *wangmandu* (grosses brioches cuites à la vapeur fourrées de viande et de légumes) ou les *kalguksu* (nouilles épaisses).

Depuis/vers Sokcho
AVION

Les vols de Séoul (Gimpo) vers le nouvel aéroport international Yangyang coûtent 53 500 W l'aller simple. L'aéroport est

GANGWON-DO

GANGWON-DO

SOKCHO ET PARC NATIONAL DE SEORAKSAN

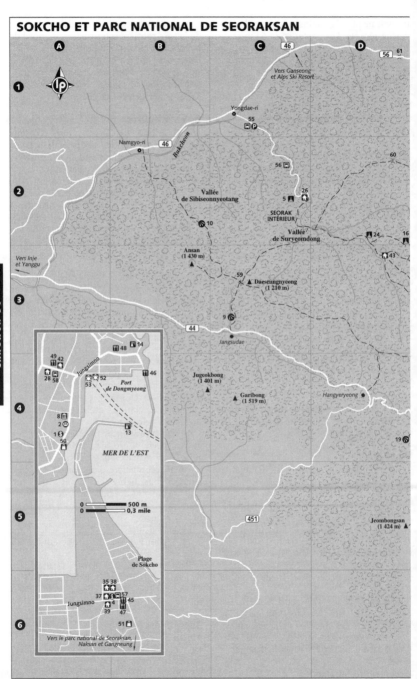

A   **B**   **C**   46   **D**   56   61

1

Vers Ganseong
et Alps Ski Resort

Yongdae-ri

55

Namgyo-ri   46

Buchenn

56

60

2

Vallée
de Sibiseonnyeotang

5   26

SEORAK
INTÉRIEUR

10

Vallée
de Suryeomdong

24   16

Vers Inje
et Yanggu

Ansan
(1 430 m)

43

59   Daeseungnyeong
(1 210 m)

3

9

44

Jangsudae

49   42   48   14   Jugeokbong
(1 401 m)

28   58   Jungsimno

52   46   Garibong
(1 519 m)   Hangyeryeong

53   Port
de Dongmyeong

4

8   19

2

1   13

50

MER DE L'EST

0   500 m
0   0,3 mile

5

451   Jeombongsan
(1 424 m)

Plage
de Sokcho

35   38

37   57

Jungsimno   4   45

39   47

51

6

Vers le parc national de Seoraksan,
Naksan et Gangneung

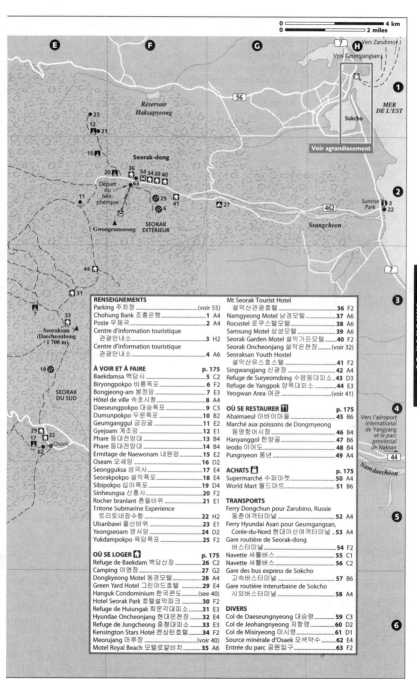

bien desservi par des bus circulant vers le nord, Sokcho et l'Observatoire de la réunification de Goseong, ainsi que vers le sud et Gangneung.

BATEAU

Hyundai Asan organise des circuits en bateau au départ du port de Sokcho vers Geumgangsan, en Corée du Nord (voir p. 399). Dongchun dispose de ferries pour Zarubino, en Russie (voir p. 414), avec possibilité de prolongation vers la Chine et Paekdusan, une montagne à cheval sur la frontière de la Chine et de la Corée du Nord.

BUS

Des bus circulent entre la gare des bus express de Sokcho et Séoul Gangnam (12 800 W, 4 heures 30, toutes les 30 min).

Parmi les départs de la gare routière interurbaine de Sokcho :

Destination	Tarif (W)	Durée (h)	Fréquence
Busan	30 800	7½	1/heure
Chuncheon	13 300	3½	1/heure
Chungju	16 400	3¾	3/jour
Daegu	16 600	3½	7/jour
Dong-Séoul	12 800	4	ttes les 30 min
Gangneung	5 300	1½	ttes les 20 min
Yanggu	8 100	2¼	7/jour

Il existe également dans cette gare routière des lignes à destination de Jinburyeong (4 100 W, 8 par jour de 6h10 à 15h50) qui s'arrêtent à Baekdamsa et à Yondae-ri. De Jinburyeong, des navettes conduisent à l'Alps Ski Resort.

Les bus locaux partent de la gare routière interurbaine, située au nord de Sokcho, mais on peut prendre en chemin le bus n°7 (750 W, 25 min, toutes les 15 min), qui circule vers le sud et Seorak-dong, et le bus n°9 (750 W, 15 min, toutes les 15 min) pour Naksan, notamment à la gare routière des bus express.

NORD DE SOKCHO
Hwajinpo 화진포

Cette grande plage de sable est très fréquentée en juillet-août et presque déserte le reste de l'année. À proximité se trouve un joli lac, ainsi que trois **villas** ouvertes au public (adulte/enfant 1 500/1 000 W les 3), ayant appartenu à des personnalités politiques. Tout peut se visiter à pied. La station dispose d'un **centre d'information touristique** (☎ 682 0500; ☺ 5h-17h20).

Le **Musée océanographique** (해양 박물관; ☎ 682 7300; adulte/enfant 1 000/800 W; ☺ 9h-17h) expose des coquillages, des fossiles, des coraux et des poissons rares. Au 2e étage, un **salon de thé** (thé 2 000 W) propose 10 tisanes médicinales au goût puissant, préparées sur place, et offre un superbe panorama sur la plage et le lac.

Une agréable promenade de 20 min vous mènera du Musée océanographique à la **villa de Kim Il Sung** (김일성 별장; ☺ 9h-18h). Il ne reste rien de la résidence d'été du leader nord-coréen, hormis une volée de marches qui figurent sur une photographie datée de 1948 de son fils Kim Jong-il, alors âgé de 6 ans, de sa sœur cadette et du fils d'un général russe. Une petite salle expose quelques vieilles photographies représentant l'édifice d'origine, une vaste villa en pierre de style européen. Jusqu'à la guerre de Corée, l'endroit appartenait à la Corée du Nord. Lors de l'armistice de 1953, la Corée du Sud gagna en territoire sur la côte est, mais perdit Kaesong, à l'ouest de la péninsule.

La **villa de Lee Ki-boong** (이기붕 별장; ☺ 9h-18h) fut bâtie en 1920 pour des missionnaires anglais, qui installèrent un mini-golf dans le jardin. Entre 1945 et 1953, la maison fut utilisée par des membres du parti communiste nord-coréen. Puis elle devint la résidence d'été du vice-président Lee et de son épouse autrichienne. Quand le président Syngman Rhee s'enfuit à Hawaï, en 1960, le fils du vice-président Lee abattit ses parents avant de se suicider.

À 10 min à pied, la **villa de Syngman Rhee** (이승만 별장; ☺ 9h-18h) abrite encore bon nombre d'objets lui ayant appartenu. Diplômé de Princeton et de Harvard, Rhee fut président de la Corée du Sud de 1948 à 1960. Cet autocrate brutal fut finalement chassé par les manifestations d'étudiants et de syndicalistes, après quoi il s'installa à Hawaï, où il s'éteignit en 1965.

Le **Hwajinpo Condo Restaurant** (화진포 콘도 식당; repas 4 000-10 000 W), l'unique restaurant de ce quartier, propose du bibimbap ou un bon menu de poisson pour deux avec une soupe aux algues et des garnitures.

DEPUIS/VERS HWAJINPO

Prenez le bus local n°1 ou 1-1 (3 300 W, 1 heure, toutes les 15 min) à l'arrêt situé devant la gare routière interurbaine de Sokcho. Descendez au bout de la route de Hwajinpo (à 15 km au sud de l'Observatoire de la réunification de Goseong). Vous êtes à 10 min à pied du Musée océanographique.

Observatoire de la réunification de Goseong
고성 통일 전망대

Le **Hall de la réunification** s'élève sur la gauche quand on pénètre dans le **complexe** (☎ 682 0088 ; adulte/enfant 2 000/1 000 W ; ⏰ 9h-16h30 mar-juin et sept-oct, 9h-17h30 juil-août, 9h-15h30 nov-fév), environné de magasins de souvenirs et de restaurants. Des jumelles permettent de mieux observer le Nord interdit ; on aperçoit en général la chaîne montagneuse de Geumgang.

Les bus n°1 ou 1-1 (3 400 W, 1 heure 30, toutes les 15 min) vous conduiront de Sokcho à Daejin, un trajet de 50 km sur une agréable route côtière. Les barbelés, les fortifications et les barrières antichars vous rappelleront la menace émanant de la Corée du Nord. Une navette circule entre le centre éducatif de Daejin et l'observatoire (2 000 W, 20 min).

SUD DE SOKCHO
Tritone Submarine Experience
트리토네 잠수함

Ce **voyage sous-marin** (☎ 636 3736 ; www. tritonemarine.com ; adulte/enfant 49 500/29 700 W ; ⏰ 9h30-17h30, 6 par jour) démarre au Sunrise Park, à côté du centre d'information touristique. Un bateau vous emmènera en 15 min à Jodo, où vous embarquerez à bord d'un sous-marin de 40 sièges à moteur électrique. Ses larges hublots devraient permettre en principe d'admirer coraux et poissons, mais la visibilité est faible et le spectacle sans grand intérêt.

Pour gagner le Sunrise Park, prenez le bus n°7 ou 9 devant l'une ou l'autre des gares routières de Sokcho.

Parc provincial de Naksan
낙산 도립공원

Ce petit **parc** (☎ 670 2518 ; gratuit ; ⏰ 24h/24), situé à 12 km au sud de Sokcho sur la côte doit sa renommée au temple **Naksansa** (☎ 672 2448 ; adulte/jeune/enfant 2 500/1 500/1 000 W ;

⏰ 5h-19h). Une statue blanche de 15 m de haut de Gwaneum, la déesse de la Miséricorde, achevée en 1977, contemple la mer du Japon du haut d'un piton rocheux boisé. Il est possible de passer la nuit au temple, mais il faut impérativement réserver (voir p. 404). On se rassemble au pavillon Ulsangdae pour admirer le lever du soleil.

La **plage de Naksan**, en contrebas du temple, est très fréquentée l'été et s'entoure, par conséquent, d'une ville touristique de motels, de minbak et de restaurants. On peut **camper** (2 000-4 000 W) sur la plage en juillet-août. La **Naksan Youth Hostel** (☎ 672 3416 ; fax 672 3418 ; dort/f 15 000/50 000 W), qui jouxte le temple, a connu des jours meilleurs. Le **Naksan Beach Hotel** (☎ 672 4000 ; s/d à partir de 80 000 W ; ✷) propose un hébergement haut de gamme avec des restaurants, une boîte de nuit et un sauna d'eau de mer.

DEPUIS/VERS NAKSAN

Le bus n°9 (750 W, 15 min, toutes les 15 min) s'arrête dans les deux gares routières de Sokcho. Il effectue la liaison Sokcho-Yangyang.

Il existe des bus directs entre Naksan et la gare routière de Dong-Séoul (13 700 W, 4 heures 30).

PARC NATIONAL DE SEORAKSAN
설악산 국립공원

Numéro un au hit-parade des parc nationaux coréens, le parc de Seoraksan ("montagne du promontoire neigeux") est spectaculaire avec ses pics, ses falaises de granit, ses forêts luxuriantes, ses impressionnantes cascades, ses sources chaudes, ses rivières parsemées de rochers et ses temples qui remontent souvent à la période silla. Le parc est particulièrement fascinant à la mi-octobre, quand les feuilles changent de couleur et que le relief se teinte d'une éblouissante palette de couleurs, mais il mérite une visite à tout moment de l'année. La côte toute proche offre quelques-unes des plus belles plages de sable de Corée.

Paradoxalement, la beauté du Seoraksan est la source de tous ses soucis. La saison de pointe se situe en juillet-août, mais celle des feuilles d'automne attire aussi des bus entiers de visiteurs. Les prix des hébergements sont multipliés par deux, sinon plus, pendant ces périodes et ceux-ci affichent souvent complet ; n'oubliez donc pas de réserver.

Mieux vaut éviter les week-ends, même si on risque de croiser des bandes d'écoliers bruyants au printemps et à l'automne.

Persévérez malgré tout ! Au bout d'une heure de marche, le terrain se fait plus accidenté et la plupart des excursionnistes font demi-tour.

Orientation

Le **parc** (☎ 636 7700 ; adulte/jeune/enfant 2 800/ 1 300/700 W ; 🕙 5h-coucher du soleil) se divise en trois sections.

Le Seorak extérieur, le plus accessible et le plus fréquenté, est aussi le plus proche de Sokcho et de la mer. Seorak-dong comprend des hôtels, des motels, des restaurants, des bars, des *noraebang* (salle où l'on chante) et un supermarché ouvert 24h/24. La consigne à bagages, voisine de la billetterie, demande 1 000 W pour un petit bagage et 2 000 W pour un grand sac à dos.

Le Seorak intérieur, à l'extrémité occidentale du parc, est le moins développé. Il possède 3 entrées. Depuis la route nationale (Hwy) 46, tournez à Yongdae-ri direction Baekdamsa ; à Namgyo-ri, un sentier traverse la vallée de Sibiseonnyeotang ; et depuis le sud et la route nationale (Hwy) 44, un chemin conduit vers le nord de Jangsudae.

On appelle Seorak du Sud la région de l'Osaek ("cinq couleurs"), réputée pour ses sources thermales froides – à boire –, et chaudes – pour se baigner et détendre ses muscles endoloris après une longue journée de marche.

Renseignements

L'efficace **centre d'information touristique** (☎ 635 2003 ; 🕙 9h-18h, 9h-17h nov-fév) est assez mal situé à Sunrise Park, à l'embranchement de la route d'accès à Seorak-dong sur la route côtière.

Seorak extérieur

GWONGEUMSEONG 권금성

Un **téléphérique** (3 000/5 000 W aller simple/aller-retour) de 1,1 km circule toutes les 20 min. Par beau temps, il offre des vues (et des files d'attente !) stupéfiantes. Il vous déposera à 10 min à pied des vestiges de la forteresse et du sommet.

HEUNDEULBAWI (ROCHER BRANLANT) ET ULSANBAWI 흔들바위, 울산바위

Un petit groupe de personnes suffit pour faire bouger cet énorme rocher de 16 tonnes. La moitié de la population coréenne a joué à Superman ici ! D'autres rochers sont gravés de caractères chinois. À proximité, **Gyejoam** abrite une salle de prières dans une grotte. On y vend de l'alcool de raisins sauvages, du thé de montagne froid, des gaufres et des glaces. Ce site se trouve à 40 min à pied (3 km) de Sinheungsa et de l'impressionnant Bouddha de l'unification qui garde l'entrée Seorak-dong du parc.

De Heundeulbawi, nous vous recommandons de poursuivre votre route pour escalader l'imposante falaise de granit appelée Ulsanbawi. Pour atteindre le sommet, à 873 m, il vous faudra gravir 808 marches. Ce rude exercice prend 45 min, mais vous serez récompensé par un panorama spectaculaire.

PARCOURS DES DEUX CASCADES 쌍폭포

Une promenade de 45 min au départ de Seorak-dong permet de découvrir deux impressionnantes chutes d'eau, Yukdampokpo et Biryongpokpo. Ce parcours assez facile de 2 km part du pont de pierre situé au-delà de la gare du téléphérique.

DAECHEONGBONG 대청봉

Il s'agit du point culminant du parc, à 1 708 m. Son ascension, 10 km épuisants, prend 8 heures depuis Seorak-dong. Il existe heureusement 4 refuges sur le parcours – voir plus loin *Où se loger*.

Seorak du Sud

Le Daecheonbong est plus facile à gravir à partir des **sources chaudes d'Osaek**, au sud. Le chemin reste escarpé et difficile, mais il ne prend que 4 heures pour la montée et 3 heures pour redescendre, après quoi vous pourrez plonger votre corps endolori dans les bassins d'eau thermale chaude (adulte 8 000 W). Vous pouvez aussi poursuivre votre route jusqu'à Seorak-dong (6 heures de marche).

Seorak intérieur

BAEKDAMSA 백담사

Le **Baekdamsa** (☎ 462 2554 ; adulte/jeune/enfant 2 000/1 200/600 W ; 🕙 lever-coucher du soleil), qui date de la période silla, se situe dans la partie nord-ouest relativement peu fréquentée du parc. Son nom, qui signifie "temple des cent bassins", reflète à merveille l'abondance de superbes bassins rocheux dans la rivière. L'ancien président Chun Doo-hwan et son épouse y passèrent deux ans d'exil et de pénitence. Le crane rasé, Chun faisait le ménage et accomplissait d'autres petits travaux dans l'enceinte du temple.

Des navettes relient le parking, 4 km en amont dans la vallée (800 W, toutes les 20 min). Il faut ensuite parcourir 3 km à pied pour gagner le temple (50 min). Nous vous recommandons vivement de poursuivre votre chemin dans la vallée de Suryeomdong (2 heures de plus).

VALLÉE DE SIBISEONNYEOTANG

십이선녀탕 계곡

Cette autre vallée légendaire du Seoraksan est parsemée de cascades, de bassins et de gros rochers. Une promenade très agréable de 2 heures 30 mène à Dumunpokpo ; si vous poursuivez votre ascension pendant 2 heures supplémentaires, il suffit de tourner à droite pour escalader en 30 min l'Ansan (1 430 m) ou gravir le Daeseung-gnyeong (1 210 m), sur votre gauche, ce qui prend peu ou prou le même temps. Vous pouvez ensuite obliquer vers le sud jusqu'à Jangsudae (2 heures au départ de l'Ansan ou 1 heure 30 depuis Daeseungnyeong). De Jangsudae, le parcours ci-dessus s'effectue en sens inverse ou par un chemin plus court vers le Daeseungnyeong et l'Ansan. Autre possibilité : traverser le parc du sud au nord en entrant par Jangsudae et en repartant par Baekdamsa (comptez 6 heures).

Où se loger

En période de pointe (juillet, août et mi-octobre), il faut réserver son hébergement car de nombreux établissements affichent rapidement complet. Hors saison ou en semaine, vous pourrez parfois négocier un rabais. Les *yeogwan* (motels dotés de petites chambres bien équipées avec sdb) coûtent en général 30 000 W, et 50 000 W les week-ends d'affluence, voire plus en pleine saison.

Il existe des terrains de camping à Seo-rak-dong, à Jangsudae et à Osaek (environ 5 000 W l'emplacement).

Les refuges de montagne de Jungcheong, Huiungak, Yangpok, Suryeomdong et Baekdam, rudimentaires, coûtent 5 000 W et prennent les réservations (☎ 672 7700 – en coréen seulement).

SEORAK-DONG 설악동

Le premier groupe de yeogwan, de magasins et de restaurants se trouve sur la gauche. Vous débourserez environ 30 000 W pour une chambre hors saison et 50 000 W en période d'affluence.

La **Seoraksan Youth Hostel** (☎ 636 7115 ; fax 636 7107 ; dort/f 20 000/50 000 W) est l'option la moins chère pour les voyageurs individuels.

Plus à l'est, sur votre droite, vous trouve-rez d'autres hébergements.

Seorak Garden Motel (☎ 636 7474 ; d et ondol 30 000 W ; 😮). Chambres correctes, parfois équipées d'une cuisine.

Meorujang (☎ 636 7077 ; fax 636 7680 ; s et d 30 000 W ; 😮). Comme tous les yeogwan, l'en-droit est parfois envahi de groupes bruyants.

Le **Hanguk Condominium** (☎ 636 7661 ; fax 636 8274 ; app 120 000 W ; 😮) se compose d'apparte-ments avec cuisine et 2 chambres – une de style occidental et une de style ondol. Des rabais de 60% sont consentis en semaine hors saison.

Kensington Stars Hotel (☎ 635 4001 ; www.kensington.co.kr ; d et ondol/lits jum 149 000/179 000 W TTC ; 😮 📖). Le tarif hors saison est de 129 000 W, petit déjeuner compris. Cet hôtel élégant, au décor de style anglais, dispose d'une vue imprenable. Il est tout proche de l'entrée du parc. Certaines chambres rendent hommage à des stars du cinéma coréen.

Hotel Seorak Park (☎ 636 7711 ; www.hotelsorakpark.com ; lits jum/ondol 150 000 W ; 😮 📖). Des remises de 20% sont possibles en semaine hors saison dans cet hôtel équipé de balcons avec vue sur la montagne, accessible à pied depuis l'entrée du parc. Un casino, un karaoké, des restaurants et des **saunas** (résidents/non-résidents 4 000/8 000 W) pour les hommes et les femmes sont à disposition.

Mt Seorak Tourist Hotel (☎ 636 7101 ; www.seorakhôtel.co.kr ; d/lits jum et ondol 90 000 W ; 😮). Cet établissement simplement meublé est le seul implanté dans le parc national. Il propose d'ordinaire des réductions de 20% en semaine, mais augment ses prix de 30% durant les saisons d'été et d'automne.

SEORAK DU SUD

Les hébergements sont regroupés autour des sources chaudes d'Osaek.

Hyundai Oncheonjang (☎ 672 4088 ; s et d 30 000 W, sam-dim 35 000-40 000 W ; 😮). Pas d'*on-cheon* (bain thermal), mais de l'eau chaude thermale dans les sdb.

Seorak Oncheonjang (☎ 672 4111 ; s et d
30 000 W, ven-sam 40 000 W). L'accès à l'oncheon
est gratuit pour les résidents.

Le **Green Yard Hotel** (☎ 672 8500 ; s et lits jum
60 000 W, ven-sam 85 000 W ; juil-août et oct 180 000 W ;
🔀 ▨) est la meilleure adresse. Il comporte
un oncheon (5 000 W), une boîte de nuit,
des billards et des restaurants. Les chambres
sont équipées de balcon.

SEORAK INTÉRIEUR

L'accès à Baekdamsa se fait *via* Yongdae-
ri, où vous trouverez des minbak et des
restaurants.

Où se restaurer

Le parc du Seoraksan n'est pas renommé
pour sa cuisine, mais parmi les mets
populaires figurent le *sanchaebibimbap*
(5 000 W) et le *sanchaejeongsik* (8 000 W),
à base de légumes de montagne. Les
stands au bord des chemins vendent des
en-cas, tels que des pommes de terre
rôties (2 000 W) et des gâteaux de fécule
de pomme de terre fourrés aux haricots
rouges (1 000 W).

Depuis/vers le parc national de Seoraksan

La route d'accès au Seorak extérieur part
de route côtière principale à mi-chemin
entre Sokcho et Naksan. Les bus n°7 et 7-1
circulent toutes les 10 min entre Sokcho et
Seorak-dong (750 W).

Des bus partent de la gare routière
interurbaine de Sokcho toutes les 30 min à
destination d'Osaek Hot Springs (3 000 W)
et de Jangsudae (4 400 W).

Baekdamsa et Namgyo-ri sont accessibles
par les bus qui relient la gare routière interurbaine de Sokcho à Jinburyeong (8 bus par
jour de 6h10 à 15h50).

ALPS SKI RESORT
알프스 스키 리조트

Cette **station** (☎ 681 5030 ; fax 681 2788) inaugurée en 1984 est beaucoup plus petite que sa
voisine de Yongpyeong (voir p. 186), mais
elle affiche le plus fort enneigement de
Corée et offre des paysages spectaculaires
grâce à la proximité du parc national de
Seoraksan. Elle emploie des moniteurs
anglophones et compte 8 pistes, 5 remonte-
pentes, une piscine et une boîte de nuit,
ainsi que des hôtels, des appartements et

des yeogwan. La saison s'étend de la fin
novembre à mars.

On accède à la station par bus depuis
Sokcho (gare routière interurbaine)-
Jinburyeong (8 bus/jour de 6h10 à
15h50) ou depuis l'aéroport international
Yangyang.

GANGNEUNG 강릉
234 000 habitants

Gangneung est la ville la plus importante
de la côte nord-est de la Corée. Elle accueille chaque année, depuis 400 ans, le
festival de Dano. Gangneung est la porte
d'accès pour la plage de Jeongdongjin, le
parc national d'Odaesan et la plus grande
station de ski de Corée, Yongpyeong.

Le **centre d'information touristique principal**
(☎ 640 4414 ; www.gangneung.gangwon.kr ; 🕙 9h-
17h) se trouve à côté de la gare routière ; il
existe un guichet plus petit devant la gare
ferroviaire.

À voir

OJUKHEON 오죽헌

Ce **complexe** (☎ 648 4271 ; adulte/jeune/enfant
1 000/500/300 W ; 🕙9h-18h mer-lun, 9h-17h nov-fév),
à 4 km du centre-ville, est l'endroit idéal
pour découvrir l'univers étrange des
lettrés confucéens yangban. Sin Saimdang
(1504-1551) naquit ici, tout comme son fils
Yi Yul-gok (1536-1584), dont le nom de
plume est Yi-yi. Sim Saimdang est considérée comme une fille, une épouse et une
mère modèles. Poète et artiste accomplie,
elle adorait peindre des études détaillées
de plantes et d'insectes. Son fils compte
parmi les grands lettrés et philosophes
confucéens. Il sut lire à l'âge de 3 ans
et sa mère lui enseigna les classiques
chinois dès sa petite enfance. En 1564,
il remporta le premier prix aux examens
de recrutement des fonctionnaires gouvernementaux. Il occupa plusieurs postes
officiels, parmi lesquels celui de ministre
de la Guerre. Malheureusement, le roi
ignora sa suggestion de lever une armée
de 100 000 hommes pour se préparer à
une éventuelle invasion japonaise – avec
de désastreuses conséquences en 1592,
8 ans après sa mort, lorsque les Japonais
passèrent à l'offensive.

Pour vous y rendre, prenez le bus n°202
ou 300 (800 W, 10 min, toutes les 10 min)
devant la gare des bus express.

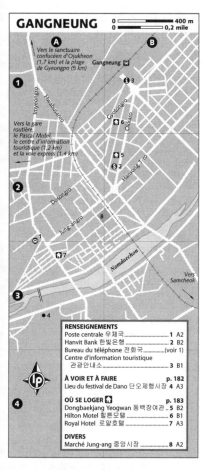

GANGNEUNG

RENSEIGNEMENTS
Poste centrale 우체국..............................**1** A2
Hanvit Bank 한빛은행.............................**2** B2
Bureau du téléphone 전화국..............(voir 1)
Centre d'information touristique
관광안내소...**3** B1

À VOIR ET À FAIRE   p. 182
Lieu du festival de Dano 단오제행사장 **4** A3

OÙ SE LOGER   p. 183
Dongbaekjang Yeogwan 동백장여관 ..**5** B2
Hilton Motel 힐튼모텔.............................**6** B1
Royal Hotel 로얄호텔.............................**7** A3

DIVERS
Marché Jung-ang 중앙시장 **8** A2

PLAGE DE GYEONGPO 경포 해수욕장
Longue de 1,8 km, Gyeongpo est la plus
belle plage de Gangneung. Elle possède
les habituels minbak et restaurants. En
juillet-août, vous pouvez louer des tentes
(8 000 W la nuit) ou un bungalow sur
la plage (15 000 W) ; les douches sont
facturées 2 000 W. Une bouée géante et
un parasol se louent 5 000 W chacun. Le
saut à l'élastique (30 000 W) fait, bien sûr,
partie des nombreuses distractions offertes
en haute saison.

Fêtes et festivals
Le festival chamaniste de Dano s'empare
de la ville pendant une semaine à
compter du 5ᵉ jour du 5ᵉ mois lunaire
(pour les dates exactes, voir p. 401). Les
Coréens affluent alors à Gangneung
et une ville de tentes se crée pour les
accueillir. Les spectacles de cirque et de
carnaval alternent avec des rituels chamaniques, pièce jouées par des acteurs
masqués (l'une d'elles était jouée par des
esclaves du gouvernement), des opéras
folkloriques, des orchestres de fermiers
et des combats de *ssireum* (lutte coréenne
traditionnelle). L'ensemble évoque une
foire médiévale, avec étals et échoppes
en nombre, et fournit une occasion rare
de découvrir la religion originelle chamanique coréenne. Pendant le festival,
un guichet d'information tenue par des
guides multilingues s'installe au centre
du marché.

Le festival de Yulgokje se tient tous les
ans les 25 et 26 octobre à Ojukheon. On y
pratique des rites traditionnels de respect,
sur fond de musique coréenne classique.

Où se loger et se restaurer
En 1996, la gare routière de Gangneung a
déménagé vers un nouveau site à l'écart du
centre-ville, mais un seul motel s'est installé
à proximité : le **Pascal Motel** (파스칼 모
텔 ; ☎ 646 9933 ; s et d 45 000 W, sam 55 000 W ;
🖳), moderne et, de ce fait, supérieur à la
moyenne.

D'autres motels se tiennent non loin de
la gare ferroviaire.
Dongbaek-jang Yeogwan (동백장여관 ;
☎ 647 7758 ; s et d 25 000 W, sam 30 000 W ; 🖳).
Chambres propres et bien tenues.
Hilton Motel (힐튼 모텔 ; ☎ 647 3357 ; s et d
30 000 W, sam 40 000 W ; 🖳). Un peu plus récent et haut
de gamme.
Royal Hotel (로얄 호텔 ; ☎ 646 1295 ; s, d,
et ondol 38 000 W, sam 40 000 W ; 🖳). À deux pas des
attractions du festival de Dano.

Depuis/vers Gangneung
BUS
La gare routière interurbaine et celle des
bus express de Gangneung partagent le
même bâtiment récent à proximité de
l'entrée de la voie rapide.

Parmi les liaison en bus express, citons :

Destination	Tarif (W)	Durée (h)	Fréquence
Dong-Séoul	10 100	3	ttes les 30 min
Séoul Gangnam	10 700	3	ttes les 15 min

Les liaisons interurbaines comprennent :

Destination	Tarif (W)	Durée (h)	Fréquence
Chuncheon	10 100	3½	ttes les 20 min
Daejeon	12 800	3½	1/heure
Donghae	2 500	½	ttes les 10 min
Hoenggye*	2 000	½	ttes les 20 min
Jinbu**	3 100	¾	ttes les 10 min
Samcheok	3 600	1	ttes les 10 min
Sokcho	5 300	1½	ttes les 20 min
Wonju	6 200	1½	ttes les 30 min

* descendez ici pour la navette du Yongpyeong Ski Resort
** descendez ici pour le bus qui dessert toutes les heures le parc national d'Odaesan

TRAIN
Six trains *mugunghwa* (train express marquant de nombreux arrêts) relient quotidiennement Gangneung (15 800 W, 6 h 30) à la gare Cheongnyangni de Séoul, *via* Wonju.

Comment circuler
Les bus n°202 et 303 (toutes les 15 min) circulent entre les gares routières et la gare ferroviaire.

PARC NATIONAL D'ODAESAN
오대산 국립공원
Tout comme le Seoraksan, l'Odaesan ("montagne des cinq pics") est un massif assez élevé. Le **parc** (☎ 332 6417 ; adulte/jeune/enfant 2 800/1 300/700 W ; ☻ 9h-19h) offre un grand choix de promenades, des vues superbes et deux importants temples bouddhiques, le Woljeongsa et le Sangwonsa. Près de l'entrée sud, à 1,7 km, le **Jardin botanique de Corée** (adulte 3 000 W) abrite plus d'un millier de plantes locales et d'orchidées, ainsi qu'un café.

Le Birobong (1 563 m) est le point culminant du parc. On peut le gravir depuis le Sangwonsa (une pente rude réservée aux courageux), puis suivre la crête jusqu'au Sangwangbong (1 493 m) pour redescendre vers la route et le temple (5 heures). Les plus énergiques poursuivront sur la ligne de crête vers le Durobong (1 422 m) et le Dongdaesan (1 433 m) avant de regagner la route (Hwy) 446.

Comme pour le Seoraksan, choisissez si possible, pour votre visite, la fin du printemps ou le début de l'automne, quand les collines se parent de leurs plus beaux atours.

Woljeongsa 월정사
Ce temple fut fondé en 645 par le maître zen Jajang, sous le règne de la reine Seondeok de la dynastie Silla, afin d'y conserver des reliques de Bouddha. Au cours des 1 350 années qui suivirent, il fut incendié et rebâti à plusieurs reprises, puis complètement rasé pendant la guerre de Corée. Mais rien ne subsiste aujourd'hui de ces mésaventures.

La **pagode de pierre** octogonale à 9 niveaux date du début de la période Goryeo et illustre le talent artistique de cette dynastie. Une statue agenouillée d'un **bodhisattva**, autre trésor national unique en son genre, affiche un sourire aussi énigmatique que celui de la Joconde. Les bodhisattva sont des disciples de Bouddha qui ont choisi de ne pas entrer au paradis, afin d'aider les êtres ordinaires à atteindre l'Illumination.

Les **peintures** qui ornent le hall principal sont des chefs d'œuvres de l'art religieux. Même au Tibet, on ne trouve rien d'aussi coloré, d'imaginatif et de délicat. L'un d'eux évoque Jérôme Bosch.

Le temple dispose d'un **salon de thé** (3 000 ou 4 000 W la tasse) et d'un **musée** d'art bouddhique (adulte/enfant 1 000/500 W ; ☻ 9h-17h mer-lun) de la période choson.

Sangwonsa 상원사
À 10 km du Woljeongsa s'élève le Sangwonsa, point de départ des sentiers de randonnée. La cloche de bronze ouvragée compte parmi les plus anciennes et les plus grosses de Corée. Elle fut fondue en 663, un an après le début de la construction du temple. Remarquez les traits gracieux et la coiffure de la célèbre statue du saint bouddhiste Munsu, bodhisattva de la Sagesse. Il s'agit d'un des rares témoignages subsistants du talent artistique des Coréens de cette époque, ce qui lui confère une immense valeur. Il rappelle la culture bouddhiste avancée qui prévalait alors.

Sogeumgang 소금강
Comme son nom ("petit Geumgang") l'indique, le Sogeumgang se présente avec ses pitons granitiques, ses nombreux bassins et ses cascades, comme une version miniature des montagnes de Geumgang, en Corée du Nord, considérées comme les plus belles de la péninsule.

Il vous faudra marcher pendant près de 1 heure depuis l'arrêt de bus pour atteindre

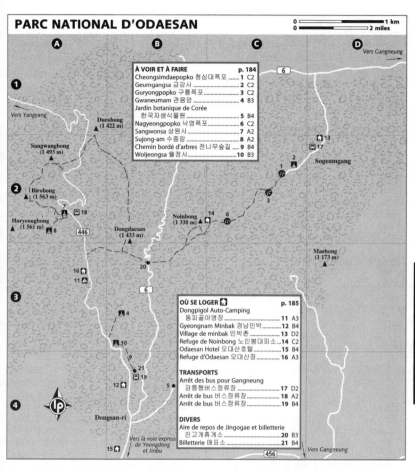

PARC NATIONAL D'ODAESAN

À VOIR ET À FAIRE p. 184

Cheongsimdaepopko 청심대폭포	**1** C2
Geumgangsa 금강사	**2** C2
Guryongpopko 구룡폭포	**3** C2
Gwaneumam 관음암	**4** B3
Jardin botanique de Corée 한국자생식물원	**5** B4
Nagyeongpopko 낙영폭포	**6** C2
Sangwonsa 상원사	**7** A2
Sujong-am 수종암	**8** A2
Chemin bordé d'arbres 전나무숲길	**9** B4
Woljeongsa 월정사	**10** B3

OÙ SE LOGER p. 185

Dongpigol Auto-Camping 동피골야영장	**11** A3
Gyeongnam Minbak 경남민박	**12** B4
Village de minbak 민박촌	**13** D2
Refuge de Noinbong 노인봉대피소	**14** C2
Odaesan Hotel 오대산호텔	**15** B4
Refuge d'Odaesan 오대산장	**16** A3

TRANSPORTS

Arrêt des bus pour Gangneung 강릉행버스정류장	**17** D2
Arrêt de bus 버스정류장	**18** A2
Arrêt de bus 버스정류장	**19** B4

DIVERS

Aire de repos de Jingogae et billetterie 진고개휴게소	**20** B3
Billetterie 매표소	**21** B4

le petit temple de Geumgangsa. Deux autres heures de promenade le long d'une vallée pittoresque vous feront découvrir de fabuleux paysages. Si vous vous en sentez l'énergie, gravissez le **Noinbong** (1 338 m), à 12 km de l'entrée du parc – comptez 2 heures de rude ascension. Un refuge permet de passer la nuit au sommet (l'eau est réservée à la boisson). Le lendemain, offrez-vous une balade tranquille jusqu'au Sangwonsa, puis rendez-vous en bus au Woljeongsa et à Jinbu.

Où se loger et se restaurer

Vous verrez un petit village proposant *minbak* et restaurants à gauche de la route d'accès, à 40 min à pied vers le sud du Woljeongsa.

Le **Gyeongnam Minbak** (☎ 332 6587 ; ondol 20 000 W) dispose des matelas dans de petites chambres, dotées d'un miroir et d'une TV (sanitaires communs). Le **restaurant** (repas 5 000-10 000 W) sert de savoureux *sanchaebibimbap*, *sanchaebaekban* et de copieux *gamjabuchim* (감자부침). Commandez une bouteille du délicieux *memilkkotsul* (메밀꽃술, 3 000 W), du *maggeolli* parfumé aux fleurs de sarrasin. Le café est gratuit.

À ceux qui aspirent à un peu plus de confort, on recommandera deux yeogwan proches du guichet des billets.

Odaesan Hotel (☎ 330 5000 ; fax 330 5123 ; s et d à partir de 160 000 W TTC ; 🖭 🖳). Seul établissement de luxe, il consent des remises en dehors des périodes de pointe : 40% en semaine et 20% le week-end.

À mi-chemin entre les temples, le **Dongpigol Auto-camping** et l'**Odaesan Shelter** facturent l'un et l'autre 5 000 W la nuit.

Un vaste camping et de nombreux minbak sont également installés à l'entrée du Sogeumgang.

Depuis/vers le Sogeumgang

Prenez un bus interurbain de Gangneung à Jinbu (3 100 W, 45 min, toutes les 10 min). Devant la gare routière de Jinbu, des bus locaux (12 par jour) partent pour Woljeongsa (1 200 W) et Sangwonsa (2 000 W), dans le parc national d'Odaesan.

Le bus local n°303 ou 7-7 (800 W, 1 heure, 12 par jour) relie la gare routière de Gangneung à Sogeumgang.

YONGPYEONG SKI RESORT
용평 스키 리조트

Ses équipements de qualité et ses nombreux arbres font de **Yongpyeong** (☎ 033-335 5757 ; www.yongpyong.co.kr) l'une des meilleures stations de ski d'Asie, et c'est à l'arraché (56 votes contre 53) que Vancouver a été élu site des Jeux olympiques d'hiver pour 2010, contre Yongpyeong. La saison dure de décembre à mars et la station compte 18 pistes de ski et snowboard, une piste à bosses et un parcours de randonnée de 15 km.

Le forfait d'une journée pour les remonte-pentes et les télécabines revient à 55 000/40 000 W par adulte/enfant et la location d'équipements de ski à 22 000/16 000 W par adulte/enfant et par jour. Les snowboards se louent 25 000 W la demi-journée, les skis de fond 15 000 W et les luges 10 000 W. Les cours de ski (en anglais) pour débutants coûtent 33 000/24 000 W par adulte/enfant, s'ils réunissent 10 participants. Les formules tout-compris, avec transport et hébergement, sont proposées à prix réduit hors saison.

La station comporte aussi une piscine (9 500 W), un sauna et un club de remise en forme (10 000 W), un bowling (2 500 W), des tables de billard, des jeux de fléchettes, un practice de golf (8 000 W le seau de balles), un salon Internet, une discothèque et un supermarché. Des baby-sitters sont également disponibles.

L'été, on peut parfaire sa technique de golf sur le "pitch-and-putt" (8 000 W), se promener en téléphérique (10 000 W), louer des bicyclettes (8 000 W/3 heures) et faire des randonnées à pied.

Où se loger

Le **Dragon Valley Hotel** (☎ 335 5757 ; lits jum et ondol/d 190 000/210 000 W TTC ; 🏊 🏋) consent des rabais de 50% de mars à octobre, tout comme les **appartements** (☎ 335 5757 ; fax 335 0160 ; 190 000-480 000 W ; 🏊).

Youth Hostel (☎ 335 5757 ; fax 335 0160 ; dort/f 6 500/60 000 W). Fermée de mars à octobre, sauf en cas de réservation par un groupe.

Depuis/vers Yongpyeong

Des bus circulent entre la gare routière interurbaine de Gangneung et Hoenggye (2 000 W, 30 min, toutes les 20 min), où vous trouverez une navette gratuite pour Yongpyeong (10 min, 12 par jour de 5h30 à 23h30). La fréquence des dessertes s'accroît pendant la saison de ski.

Des bus directs desservent la station au départ de Séoul, d'Incheon, de Busan (Pusan), de Daejeon et d'autres villes.

JEONGDONGJIN 정동진

Cette villégiature, à 20 km au sud de Gangneung, offre maintes attractions touristiques originales, parmi lesquelles un sous-marin nord-coréen. La gare ferroviaire est située sur la plage. Au sommet d'une colline trônent un gigantesque bateau de croisière et un voilier – une vision surréaliste. La ville attire de jeunes couples qui se lèvent tôt pour admirer main dans la main le lever du soleil sur la plage de sable.

Parc de la réunification 통일 공원

Ce **parc** (☎ 640 4469 ; adulte/enfant 2 000/1 000 W ; 🕑 9h-17h30, 9h-16h30 nov-fév) permet de s'aventurer à l'intérieur d'un sous-marin espion nord-coréen et à bord d'un navire de guerre américain. Il comporte aussi un centre d'information touristique.

Le **sous-marin nord-coréen** pèse 325 tonnes pour 35 m de long et une vitesse de pointe de 13 km/h. Les 11 membres d'équipage et les 15 soldats et agents de son bord devaient y vivre dans une promiscuité insupportable. Le 17 septembre 1996, ce submersible s'échoua sur les rochers à proximité. Son commandant brûla les documents importants (on voit encore les traces du feu), abattit son équipage, puis débarqua avec les soldats et les agents dans l'espoir de leur faire regagner leur pays, mais aucun d'eux n'y parvint. Il fallut 49 jours pour les capturer ou les tuer ; 17 civils et soldats sud-coréens furent tués et 22 blessés.

Le **navire de guerre** possède un passé plus banal : construit aux États-Unis en 1945, il fut offert au gouvernement sud-coréen en 1972.

Pour gagner ce parc, prenez le bus n°11-1 (800 W, 15 min, toutes les 30 min) à la gare ferroviaire de Jeongdongjin ou à Gangneung. Les taxis prennent 8 000 W pour la course de 5 km au départ de Jeongdongjin.

Deux "navires" sur une colline
참소리 축음기 박물관

Au nord de Jeongdongjin, **deux "bateaux"** (☎ 610 7000 ; adulte/enfant 5 000/3000 W ; ☺ 9h-17h) ornent le sommet d'une colline. Le plus gros des deux immeubles en forme de navire est un hôtel de luxe entouré de palmiers et d'un jardin de sculptures. L'autre, qui imite un voilier, abrite un intéressant **musée du Gramophone** riche en instruments de musique. Il expose aussi une voiture ancienne. Ces constructions ont de quoi surprendre, mais le musée mérite une visite. Ces "bateaux" se trouvent à 20 min à pied de la gare ferroviaire de Jeongdongjin. On peut aussi s'y rendre en bus ou en taxi.

Où se loger et se restaurer

De nombreux motels (aux noms tels que Paradise ou Sun Lovehouse) louent des chambres modernes et confortables à partir de 25 000 W (comptez le double en juillet-août). Tâchez d'obtenir une chambre avec un balcon donnant sur la mer et le soleil levant.

Jijunghae Motel (지중해 모텔 ; ☎ 642 1518 ; s et d 25 000 W ; 🞓). Chambres propres avec balcon, toilettes et douche somptueuses.

Les restaurants de la plage, abrités sous des auvents de toile, préparent du crabe, du poisson cru et du *sundae* au calmar. Certains proposent un bol de crustacés, que l'on fait cuire au barbecue sur votre table moyennant 30 000 W – un délicieux hors d'œuvre pour trois.

Halmeonichodang (할머니 초당 ; repas 4000-15 000 W). Essayez le *sundubu* (순두부) – un bol de tofu non-caillé que l'on assaisonne

à son goût, servi avec du riz et plusieurs garnitures de légumes.

Depuis/vers Jeongdongjin
BUS
Les bus n°109 (1 100 W, 6/jour) et 112 (700 W, toutes les 30 min) partent devant la gare routière de Gangneung à destination de Jeongdongjin. D'autres bus vous attendent près de la gare ferroviaire de Gangneung.

TRAIN
Douze trains circulent chaque jour entre la gare de Gangneung et celle de Jeongdongjin (2 100 W). Même fréquence au départ de Donghae (5 200 W).

Comment circuler
Les attraits de Jeongdongjin étant assez dispersés, leur visite exige des mollets solides, ainsi que quelques efforts de calcul concernant les trajets et les horaires des bus, à moins de se déplacer en taxi.

DONGHAE 동해
104 000 habitants
Cette vaste localité de la côte orientale possède des plages appréciées, un service de ferries pour Ulleungdo (tous les jours de mars à octobre) et une petite grotte dans le centre-ville. Des bus desservent la vallée voisine de Mureung.

Un efficace **centre d'information touristique** (☎ 530 2868 ; ☺ 9h-18h) est installé devant l'entrée de la Cheongokdonggul.

À voir et à faire
CHEONGOKDONGGUL 천곡 동굴
Cette **grotte** (☎ 422 2972 ; adulte/jeune/enfant 2 000/1 100/700 W ; ☺ 9h-18h, 9h-17h nov-fév), découverte en 1991, se trouve en plein centre-ville. Petite (700 m de long), elle est bien éclairée et ses différentes formations calcaires méritent un détour. Attention aux insectes dotés d'antennes incroyablement longues, qui peuplent les lieux. Il y a aussi des chauve-souris, mais vous ne les verrez sans doute pas. Un musée est installé au-dessus de la grotte, ainsi qu'un cinéma qui projette un documentaire sur celle-ci et sur d'autres sites locaux. La course en taxi depuis la gare routière interurbaine coûte 2 000 W ; le trajet prend 20 min à pied.

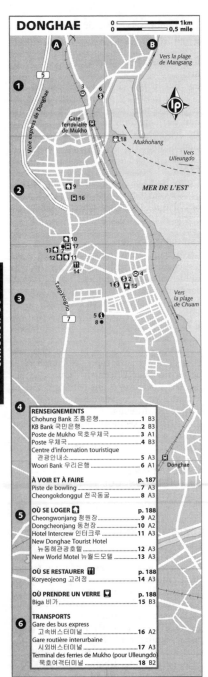

DONGHAE

0 ——— 1km
0 ——— 0,5 mile

Vers la plage
de Mangsang

Voie express de Donghae

Gare
ferroviaire
de Mukho

Mukhohang

Vers
Ulleungdo

MER DE L'EST

Taepyeongno

Vers
la plage
de Chuam

Donghae

RENSEIGNEMENTS
Chohung Bank 조흥은행.....................................1 B3
KB Bank 국민은행..2 B3
Poste de Mukho 묵호우체국...........................3 A1
Poste 우체국...4 B3
Centre d'information touristique
관광안내소...5 A3
Woori Bank 우리은행.......................................6 A1

À VOIR ET À FAIRE p. 187
Piste de bowling..7 A3
Cheongokdonggul 천곡동굴...........................8 A3

OÙ SE LOGER p. 188
Cheongwonjang 청원장...................................9 A2
Dongcheonjang 동천장..................................10 A2
Hotel Intercrew 인터크루.............................11 A3
New Donghae Tourist Hotel
뉴동해관광호텔..12 A3
New World Motel 뉴월드모텔.......................13 A3

OÙ SE RESTAURER p. 188
Koryeojeong 고려정.......................................14 A3

OÙ PRENDRE UN VERRE p. 188
Biga 비가..15 B3

TRANSPORTS
Gare des bus express
고속버스터미널..16 A2
Gare routière interurbaine
시외버스터미널..17 A3
Terminal des ferries de Mukho (pour Ulleungdo)
묵호여객터미널..18 B2

PLAGES

La **plage de Mangsang** (망상 해수욕장), vaste bande de sable au nord de Donghae, attire les foules en juillet-août avec ses eaux peu profondes, ses nombreuses attractions et ses hébergements.

La **plage de Chuam** (추암 해수욕장), au sud, est une jolie crique sablonneuse nichée entre des promontoires rocheux.

BOWLING

Vous trouverez un **bowling couvert** (partie 2 300 W, location de chaussures 1 000 W ; ☉ 10h-24h) à côté de la gare routière interurbaine.

Fêtes et festivals

Le Festival de la seiche, qui se déroule chaque année en juillet pendant 3 jours sur la plage de Mangsang, comprend un concours de découpage de seiche, une compétition de pêche de seiche à la main et un quizz sur le molusque.

Où se loger

De bons hébergements jouxtent la gare routière interurbaine de Donghae :

Dongcheonjang (☎ 535 2486 ; s et d 30 000 W ; 🖳). Ce yeogwan vieillot est l'option la moins chère. Vous devrez insérer une pièce de 200 W pour faire fonctionner le sèche-cheveux.

New World Motel (☎ 532 1212 ; fax 532 8844 ; s et d 35 000 W). Un motel supérieur à la moyenne.

Le **New Donghae Tourist Hotel** (☎ 533 9215 ; s et d/lits jum 51 000/67 000 W ; 🖳 🖳 🖳), doté d'un sauna, offre un bon rapport qualité/prix.

Hotel Intercrew (☎ 533 7722 ; fax 531 7371 ; d et ondol/lits jum 70 000/90 000 W TTC ; 🖳 🖳 🖳). Autre hôtel de qualité aux tarifs raisonnables – sauf en juillet-août, où ils grimpent à 120 000/150 000 W.

Cheongwonjang (☎ 533 4429 ; s et d 30 000 W ; 🖳). Adresse correcte proche de la gare routière des bus express, mais qui ne se distingue en rien des nombreux établissements similaires qui l'entourent.

Où se restaurer et prendre un verre

Au **Koryeojeong** (repas 5 000-25 000 W), vous vous installerez à l'étage dans une salle privée aux portes coulissantes garnies de papier. Commandez le *saengseonjeongsik* (생선정식) : 15 plats de qualité, dont du porc succulent, une salade de méduse, des patates douces au miel et plus de poisson que vous ne pourrez en avaler. Cet établissement est situé derrière Domino's Pizza.

Biga (entrée libre ; en-cas 8 000-10 000 W ; ☺ 15h-24h). On y boit un verre (bière pression 2 500 W les 500 cl) en écoutant des concerts *live* tous les soirs à 21h.

Depuis/vers Donghae
BATEAU
Le **ferry d'Ulleungdo** (☎ 531 5891 ; 42 000 W aller simple) appareille tous les jours à 10h de mars à octobre, mais cet horaire peut varier. Entre novembre et février, il circule parfois le week-end. Demandez à un coréen d'appeler pour se renseigner.

BUS
Les lignes partent de la gare des bus express de Donghae pour Séoul (gare routière Gangnam ; toutes les 30 min) et Dong-Séoul (10/jour). Le tarif standard est de 12 500 W, les bus de luxe coûtent 18 400 W et les bus de nuit 20 200 W. le trajet prend environ 3 heures 20.

Parmi les liaisons interurbaines figurent :

Destination	Tarif(W)	Durée (h)	Fréquence
Busan	22 900	5	18/jour
Daegu	22 600	6½	ttes les 30 min
Gangneung	2 500	40 min	ttes les 10 min
Samcheok	1 100	20 min	ttes les 10 min
Sokcho	7 800	2½	8/jour
Taebaek	5 400	2	ttes les 30 min
Aéroport Yangyang	9 200	2¼	4/jour

Les bus locaux partent devant la gare routière interurbaine, à côté de la station-service SK.

TRAIN
La gare de Mukho est plus proche du centre-ville que celle de Donghae, mais il vous faudra emprunter un bus local (750 W) ou un taxi (2 300 W) pour gagner le centre ou la gare routière. Sept trains desservent chaque jour la gare Cheongnyangni de Séoul (16 200/24 200 W *mugunghwa/saemaeul*). Il existe aussi des trains pour Busan, Danyang, Jecheon, Taebaek et Gangneung.

VALLÉE DE MUREUNG 무릉 계곡
D'après les habitants de la région, cette vallée au sud-ouest de Donghae compte parmi les plus belles du pays.

Le **parc cantonal de Suinumsan** (쉰음산 군립공관 ; ☎ 534 7306 ; 2 000 W ; ☺ 9h-18h) abrite quelques temples (le plus célèbre étant le Gwaneumsa), une dalle de pierre gravée de caractères chinois voici des siècles par des poètes et des calligraphes de la période joseon, des rochers aux courbes curieuses et les chutes d'eau de Lits jumin et de Yongchu, à 2 km de l'entrée. De là, vous pouvez continuer vers le Cheongoksan (1 403 m) ou rebrousser chemin pour emprunter le sentier qui gravit le Dutasan (1 352 m) et longe une forteresse. Rien d'étonnant donc à ce que les marcheurs s'extasient devant ce parc facile d'accès et si riche.

On peut loger au **Mureung Plaza Motel** (무릉 프라자 모텔 ; ☎ 534 8855 ; s et d 30 000 W, juil-août et oct 60 000 W ; ⌘). Par ailleurs, de nombreux restaurants font également minbak ; ils demandent d'ordinaire environ 20 000 W.

Depuis/vers la vallée de Mureung
Les bus n°12-1, 12-2, 12-3, 12-4 et 12-5 (750 W, 25 min, toutes les 10 min) desservent Mureung *via* les arrêts des bus locaux devant les deux gares routières.

SAMCHEOK 삼척
84 000 habitants
Samcheok, plus ramassée que les autres grandes ville côtières, est facile à visiter. Porte d'accès au Hwanseongul, un vaste ensemble de grottes blotti sous des montagnes verdoyantes, elle aime à se présenter comme la "cité des grottes" et multiplie les expositions sur le sujet. Plages de sable, criques, pointes rocheuses et falaises bordent la côte au sud de la ville. Si vous êtes là en juillet, ne manquez pas le Festival de sculptures de pénis.

Le **centre d'information touristique** (☎ 575 1330 ; www.samcheok.go.kr ; ☺ 9h-18h), doté d'un personnel anglophone compétent, est installé devant la gare routière interurbaine.

Exposition Mystère des grottes 동굴 신비관
Cette **exposition** (☎ 574 6828 ; adulte/jeune/enfant 3 000/2 000/1 500 W ; ☺ 9h-18h mar-dim,

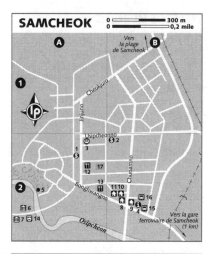

9h-17h nov-fév) occupe un édifice qui ressemble à une pièce montée dégoulinante de caramel. Ses salles modernes et ses films sur les grottes et les créatures qui y vivent vous amuseront pendant 1 heure environ. Un **film IMAX** (adulte/jeune/enfant 3 000/2 000/1 000 W) est projeté à 11h30 et à 14h.

Un immeuble au toit en forme d'ailes de chauve-souris, couvert de panneaux solaires, abrite une autre exposition de reproductions de grotte, qui devait ouvrir ses portes en 2004.

Musée municipal 시립 박물관

Ce **musée** (☎ 575 0768 ; adulte/jeune/enfant 2 000/ 1 500/1 000 W ; 🕙 9h-18h mar-dim, 9h-17h nov-fév) expose la collection habituelles d'objets liés à l'histoire et au folklore locaux.

Jukseoru 죽서루

Ce **pavillon** (adulte/jeune/enfant 550/330/220 W ; 🕙 9h-18h, 9h-17h nov-fév) n'est qu'un vieil édifice perché sur un falaise en surplomb de la rivière, dans un petit parc.

Fêtes et festivals

Chaque année au mois de juillet, Samcheok accueille le Festival de sculptures de pénis qui rassemble une foule de joyeux obsédés du phallus.

Où se loger et se restaurer

Il est plus agréable de loger près de la plage, mais vous trouverez évidemment des motels regroupés autour de la gare routière de Samcheok.

Samil Yeoinsuk (☎ 573 2038 ; s et d 20 000 W). L'adresse la moins chère loue des chambres avec sdb, mais l'endroit a connu des jours meilleurs. Le propriétaire âgé parle un peu anglais.

Le **Hanil Motel** (☎ 574 8277 ; s et d 40 000 W ; 🖥) représente le meilleur choix, même s'il existe quelques établissements légèrement meilleur marché. Recommandés également : le **Hwasinjang** (☎ 574 7571 ; s et d 35 000 W ; 🖥) et le **Crown Motel** (☎ 574 8831 ; s et d 35 000 W ; 🖥).

Le **Yeongbin** (repas 5 000-12 000 W), en face de l'hôpital, prépare du *samgyetang* (soupe au poulet et au ginseng) et du *galbitang* (soupe de côtes de bœuf).

Depuis/vers Samcheok
BUS

Des bus circulent entre la gare routière des bus express de Samcheok et Séoul Gangnam (13 100 W, 4 heures, toutes les 1 h 30) et Taebaek (4 300 W, 1 heure 10, toutes les 15 min).

Les horaires des bus interurbains sont presque identiques à ceux de Donghae. Pour plus de détails, reportez-vous p. 189.

TRAIN

Les horaires sont identiques à ceux de Donghae, mais les trains de Séoul arrivent à Samcheok environ 15 min plus tôt qu'à Donghae.

ENVIRONS DE SAMCHEOK
Hwanseondonggul 환선 동굴
Cet immense ensemble de **grottes** calcaires
(☎ 570 3255 ; adulte/jeune/enfant 4 300/3 000/2 100 W ;
🕙 8h30-17h, 8h30-16h nov-fév) est l'un des plus
vastes d'Asie. Des salles aussi grandes
qu'une cathédrale abritent cascades et
bassins. Près de 2 km d'escaliers métalliques
permettent aux visiteurs de découvrir le site
en détail. Certaines formations portent des
noms fantaisistes : Palais des rêves, Sommet
de l'espoir, Fontaine de vie ou Griffe du
démon. Il existe des panneaux d'information en anglais. Emportez une veste car il
fait frais à l'intérieur (entre 10 et 14°C).

Les grottes se situent dans une vallée
majestueuse. Comptez 35 min de montée
pour atteindre le guichet des billets.
Quelques restaurants proposent les mets
campagnards habituels tels que le *sanchaebibimbap*, le *gamjabuchim*, le *makguksu* et
le *dotorimuk* (gelée de glands) à des prix
très raisonnables (3 000-5 000 W). Des
étals vendent en outre du pain de maïs
jaune vif (1 000 W) et de grands disques
de caramel aux noix (2 000 W), terribles
pour les dents.

À côté du guichet des billets s'élèvent
quelques **maisons en plaques d'écorce** *(gulpijip)*
du type de celles que l'on voyait naguère
couramment en montagne. Hommes et
animaux partageaient le même logis dont
il fallait remplacer le toit tous les 3 ans.

Il est habituellement possible de faire
l'ascension des pics montagneux qui
surplombent les grottes, mais lors de notre
passage, les sentiers étaient fermés.

Le bus n°50 (2 000 W, 50 min, 9 bus/jour
de 6h30 et 17h10) conduit de la gare routière interurbaine de Samcheok aux grottes.
Le dernier quitte les grottes à 18h40.

Sud de Samcheok
La côte devient ici rocheuse avec de hautes
falaises, mais les criques sablonneuses font
d'elle une destination pittoresque. Nulle
difficulté pour s'approvisionner en produits
de la mer, en algues et en poisson cuit au
barbecue dans les petits ports et les villages de
pêcheurs. Des minbak s'agglutinent autour
des étendues de sable. Les chambres rustiques se louent 20 000 W hors saison, entre
30 000 W et 50 000 W en juillet-août. Même
si la nouvelle voie rapide côtière a détérioré le
paysage, l'endroit mérite une visite.

PLAGE DE MAENGBANG 맹방 해수욕장
La plage de Maengbang, une des plus
populaires, se trouve à 12 km au sud
de Samcheok. Ses eaux peu profondes
attirent les familles avec jeunes enfants, qui
pourront aussi se baigner dans une petite
rivière toute proche.

PLAGE DE YONGHWA 용화 해수욕장
Cette plage à 25 km au sud de Samcheok
est une agréable crique de sablenichée entre
deux promontoires rocheux et bordée de
pins. Elle compte une foule de minbak et
de restaurants.

PLAGE DE JANGHO 장호 해수욕장
Sablonneuse elle aussi, elle jouxte la plage
de Yonghwa. Un village de pêcheurs et un
port occupent son extrémité.

SINNAM 신남 해수욕장
Ce petit village de pêcheurs abrite le
nouveau **Musée folklorique de la pêche** (어촌
민속 전시관 ; ☎ 570 3568 ; adulte/jeune/enfant
3 000/2 000/1 500 W ; 🕙 9h-18h mar-dim, 9h-17h
nov-fév). Vous apprendrez tout sur les
rituels chamaniques qui visent à garantir
des filets bien remplis, ainsi que sur les
tabous respectés par les pêcheurs locaux,
comme celui de ne pas manger d'œufs
avant d'embarquer. Cette confrérie reste
apparemment farouchement chamaniste et
attachée aux symboles phalliques. Le **parc
des Pénis** (해신당 공원), devant le musée,
regorge de phallus géants sculptés dans le
bois. Sinnam se situe à 20 km au sud de
Samcheok, à 50 min de bus.

PLAGE D'IMWON 임원 해수욕장
Cette plage, longue de 200 m seulement,
occupe un cadre spectaculaire dans une
crique ceinte de falaises. À proximité se
trouvent une grotte marine et une rivière.

PLAGE DE HOSAN 호산 해수욕장
Cette plage de sable blanc, la plus méridionale du Gangwon-do, s'étend sur 1 km.
La pinède qui la jouxte est prisée par les
campeurs.

Depuis/vers les environs de Samcheok
Les bus n°20, 30, 70, 90 et 90-1 desservent
la plage de Maengbang et la ligne n°20
continue jusqu'à la plage de Jangho. Le bus
n°30 circule jusqu'à la plage de Geundeok,

le bus n°70 jusqu'à Yongeunsa, le bus n°90 (9/jour) fait demi-tour à la plage d'Imwon et le terminus du bus n°90-1 (5/jour) est la plage de Hosan. Les bus standard coûtent 800 W et les bus deluxe 1 200 W, quel que soit le parcours.

TAEBAEK 태백
57 000 habitants

Les gares ferroviaire et routière, le centre d'information touristique et les yeogwan sont tous à proximité les uns des autres, en centre-ville.

Le **centre d'information touristique** (☎ 550 2828 ; www.seecomes.com ; ☻ 9h-17h) emploie un personnel anglophone accueillant.

Le Festival de la neige de Taebaeksan, fin janvier, est le prétexte de gigantesques sculptures de glace, de restaurants-igloos, de descentes en luge et d'autres distractions hivernales.

Depuis/vers Taebaek
Des bus relient Taebaek à diverses destinations :

Destination	Tarif(W)	Durée (h)	Fréquence
Dong-Séoul	15 900	5½	ttes les 30 min
Samcheok	4 300	1¼	ttes les 15 min
Taebaeksan	1 000	25 min	ttes les 45 min

TRAIN
Des trains desservent les gares ferroviaires de Séoul (12 900 W, 11 trains/jour) et de Gangneung (11 trains/jour).

PARC PROVINCIAL DE TAEBAEKSAN
태백산 도립공원

Le **Taebaeksan** (☎ 550 2740 ; adulte/jeune/enfant 2 000/1 500/700 W ☻ lever-coucher du soleil), ou "grande montagne blanche", arrive au sixième rang des sommets sud-coréens. Elle se compose en réalité de deux pics jumeaux, le Janggunbong (1 568 m) et le Munsubong (1 546 m). Cette montagne compte parmi les trois plus sacrées aux yeux des chamanistes et son sommet abrite le **Cheonjedan** (천제단), un autel consacré à Tangun, le fondateur mythique de la Corée. Des cérémonies s'y déroulent encore de temps à autre (du 3 au 5 octobre et le 1er janvier). Chose rare, une **statue de Tangun** (단군산) se dresse en plein air devant le sanctuaire de Tangun situé près de l'entrée du parc. Il s'agit d'un simple hall

en bois nu orné d'un portrait du fondateur, devant lequel quelques offrandes alimentaires sont déposées dans des bols de bronze.

Les statues des deux gardes chamaniques, l'un de sexe masculin (portant l'inscription "Le Ciel est grand" sur son socle), l'autre de sexe féminin (et son inscription "La Terre est femme"), arborent de grandes oreilles, peut-être pour écouter les propos imprudents. La plupart des visiteurs montent à pied au Cheonjedan, à 4,4 km de l'entrée. La promenade prend environ 2 heures.

La région de Taebaek fut à une époque la principale zone d'extraction du charbon de Corée du Sud. Le **musée du Charbon** (태백 석탄 박물관 ; ☎ 550 2743 ; adulte/jeune/enfant 2 000/1 500/700 W ; ☻ 9h-17h30 mar-dim, 9h-16h30 nov-fév), à côté de l'entrée du parc, mérite une visite. Impossible de rater le bâtiment : un tunnelier orne une de ses extrémités. Si l'histoire sociale vous intéresse, prévoyez de lui consacrer une demi-journée – outre les nombreuses photos et films sur les mineurs, une mine est reconstituée grandeur nature. Ne manquez pas la simulation d'effondrement d'une galerie. L'art des mineurs, leurs sports, leur hébergement et la vie de leur communauté sont évoqués. Tout comme les pêcheurs, les mineurs avaient leurs superstitions : leur gamelle devait toujours contenir trois louches de riz et être enveloppée dans un tissu rouge ou bleu. Les accidents et les décès étaient fréquents ; plus de 200 mineurs perdirent la vie entre 1970 et 1996. Dans certaines mines isolées, aux dangers liés à l'exploitation s'ajoutait celui présenté par les tigres. La tombe des mineurs occis par ces félins recevait une stèle spéciale.

En 1988, la région comptait 347 mines de charbon ; en 1999, il n'en restait plus que 11 et le nombre de mineurs avait chuté de 62 000 à 8 000. Les manifestations dans les rues de Séoul n'empêchèrent pas l'industrie de péricliter. Des efforts ont été accomplis pour créer d'autre emplois grâce au développement du tourisme.

Devant l'entrée du parc s'élève un "village touristique" de maisons identiques sur deux niveaux, ainsi qu'une profusion de restaurants.

Depuis/vers Taebaeksan
Le parc est bien desservi en bus depuis la gare routière de Taebaek (1 000 W, 25 min, toutes les 45 min).

LA VIE DES MARCHÉS

La section alimentaire du marché de Jeongseon, ouvert 5 jours par semaine, est réellement captivante. Des dames d'âge mûr font frire des crêpes aux légumes, fourrent des petits beignets de haricots rouges ou touillent d'énormes chaudrons de soupe brune bouillonnante. Cette dernière se sert agrémentée de *maemilmuk*, d'épaisses lanières de nouilles, et d'algues séchées. Aux pieds des marchands s'entassent des piles de légumes de montagne et de crosses de fougère. Pour passer le temps entre les clients, les dames pèlent diverses racines. La petite boîte de thé *omija* séché coûte deux fois moins cher qu'à Séoul. Une femme installée sous un parapluie de golf multicolore confectionne des gâteaux de riz de couleur verte, qui semblent en plastique. Les inévitables vendeurs de kimchi trônent derrière des tables croulant sous des jarres de 20 kg de ce condiment brûlant – dont certaines renferment des petits crabes conservés entiers dans le kimchi. À côté, des lamelles de calmar séché, odoriférantes mais savoureuses, sont réchauffées et passées de main en main. Viennent ensuite des pots de pâte de soja – ingrédient de base de millions de soupes dégustées chaque jour en Corée. Une *ajumma* (femme âgée), coiffée d'une serviette drapée, vend de l'alcool maison, mais impossible de lui faire dire ce qu'il contient. L'étal suivant disparaît sous un poulpe monstrueux, installé sur son lit de glace ; un peu plus loin, des blocs de tofu blanc de la taille d'une table sont en vente, ainsi que des intestins gris qui mijotent dans une grande bassine métallique. Vous verrez enfin le magicien du marché devant son antique machine : il dépose une poignée de riz dans une tasse de métal, un jet de vapeur surgit et hop ! une galette de riz ressort. Les enfants s'agglutinent autour de lui, émerveillés.

Jeongseon 정선

50 600 habitants

Cette ville isolée dans les montagnes peut se visiter grâce à un train à un seul wagon, gaiement décoré. Prenez le train de Taebaek à Jeungsan (증산 ; 4 400 W, 35 min, 11/jour), puis changez pour prendre la ligne de Jeongseon, qui dessert Jeongseon (35 min) et poursuit jusqu'à son terminus de Gujeol-ri (1 heure). Vous traverserez l'un des plus jolis trajets de Corée avec des paysages classiques du Gangwon-do : montagnes boisées, cours d'eau bordés de rizières en terrasse, potagers et vergers. Parfois, vous verrez un bœuf attelé à une charrue – une scène d'un autre âge.

La gare ferroviaire de Jeongseon se situant à 2 km du centre-ville et du yeogwan le plus proche, il vous faudra peut-être prendre un taxi (1 500 W) car les bus sont rares. Quant à la gare des bus express, elle se trouve à l'opposé, elle aussi à 2 km du centre-ville. Le Daewangjang (대왕), yeogwan à l'ancienne, typique, pratique des tarifs raisonnables (30 000 W).

Depuis/vers Jeongseon

BUS

Des bus circulent entre Jeongseon et un certain nombre de destinations :

Destination	Tarif (W)	Durée (h)	Fréquence
Dong-Séoul	14 600	4	7/jour
Gangneung	7 000	1¾	13/jour
Jecheon	5 900	2	6/jour
Taebaek	4 700	1¼	7/jour

WONJU 원주

275 000 habitants

Cette grande ville abrite une importante base militaire, mais on s'y rend surtout pour prendre un bus menant au parc national de Chiaksan.

Depuis/vers Wonju

BUS

Destination	Tarif (W)	Durée (h)	Fréquence
Cheongju	7 900	1½	1/heure
Gangneung	6 200	1½	ttes les 30 min
Séoul Gangnam	5 400	1½	ttes les 15 min

TRAIN

Des trains (4 800 W, 9 mugunghwa par jour) relient Wonju à la gare Cheongnyangni de Séoul.

PARC NATIONAL DE CHIAKSAN
치악산 국립공원

Chiaksan signifie "montagne du promontoire de la pie" et ce **parc** (☎ 732

5231 ; adulte/jeune/enfant 2 600/1 300/700 W ; ☻ lever-coucher du soleil) se situe à 20 km au nord-est de Wonju. Son point culminant est le Birobong (1 288 m), mais il compte bon nombre de sommets dépassant les 1 000 m, comme le Hyangnobong et le Namdaebong, alignés selon un axe nord-sud. Il n'est guère envisageable de les gravir tous ; le parcours le plus populaire part de Guryongsa et escalade le Birobong (3 heures), avant de redescendre vers Guryongsa ou vers Hwanggol. La descente prend environ 2 heures, quel que soit le chemin choisi. Ces randonnées sont assez rudes et le parc ne comporte pas de refuge de montagne.

La partie sud du parc abrite le Sangwonsa, sans doute le temple le plus élevé de Corée puisqu'il se dresse juste en deçà du pic du Namdaebong (1 181 m). Perché au sommet d'une falaise de 50 m, l'édifice offre une vue imprenable sur la vallée. Comptez 3 heures de marche jusqu'au temple depuis Seongnam-ri, puis encore 20 min pour gagner la cime.

Où se loger et se restaurer
La plupart des minbak et des restaurants sont regroupés devant l'entrée du Guryongsa. Il y a même un parc d'attraction – Chiaksan Dreamland. On peut camper à Geumdae-ri (de 3 000 à 5 000 W selon la taille de la tente).

Depuis/vers le parc national de Chiaksan
De Wonju, vous pouvez prendre le bus n°41 ou 41-1 (800 W, 40 min, toutes les 30 min) jusqu'à Guryongsa. Les bus n°82 ou 82-1 desservent Hwanggol et les bus n°21 à 25 Geumdae-ri et Seongnam-ri.

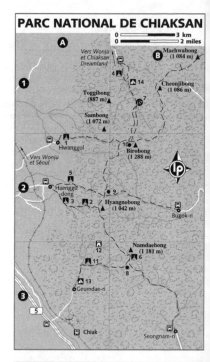

PARC NATIONAL DE CHIAKSAN

Gyeongsangbuk-do
경상북도

SOMMAIRE

Outre ses attraits naturels, le Gyeongsangbuk-do (province de Gyeosangbuk) abrite certains des plus beaux témoignages du passé culturel, historique, scientifique et religieux du pays.

Gyeongju, l'ancienne capitale du royaume de Silla (57 av. J.-C.-935), sans conteste la destination la plus célèbre et la plus courue de la province, regorge de vestiges historiques. Les environs d'Andong, une ville au nord de Gyeongju, recèlent des sites historiques et culturels passionnants. À 135 km au large de la côte, en direction du Japon, l'île accidentée d'Ulleungdo constitue un lieu de villégiature apprécié.

Le Gyeongsangbuk-do fut l'une des premières provinces à bénéficier du rapide essor économique de l'après-guerre. Source d'une grande part des richesses nationales et terre d'accueil de nombreuses industries, il sait faire entendre sa voix à Séoul. L'importance de ses liens historiques et politiques renforce ses aspirations régionalistes.

GYEONGSANGBUK-DO

À NE PAS MANQUER

- Découvrez l'histoire de **Gyeongju** (p. 206), l'ancienne capitale de Silla

- Au temple **Haeinsa** (p. 204), admirez les 81 340 tablettes de bois gravées de sutras bouddhistes

- Imprégnez-vous de l'ambiance des académies confucéennes à **Oksan Seowon** (p. 219) et **Dosan Seowon** (p. 225)

- Faites une escapade sur l'île d'**Ulleungdo** (p. 230), à 135 km au large

- Remontez le temps dans les villages folkloriques de **Hahoe** (p. 224) et d'**Andong** (p. 221)

Ulleungdo ★

Dosan Seowan ★

Hahoe ★   ★ Andong

Haeinsa ★   Gyeongju ★ Oksan Seowon

■ INDICATIF TÉLÉPHONIQUE : 054   ■ POPULATION : 5,6 MILLIONS   ■ SUPERFICIE : 20 023 KM²

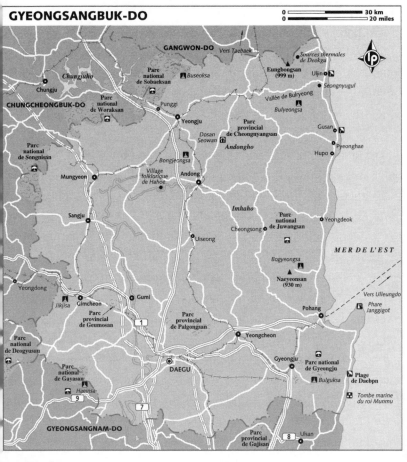

GYEONGSANGBUK-DO

0   30 km
0   20 miles

GANGWON-DO
Vers Taebaek

Sources thermales
de Deokgu

Chungjuho

Buseoksa

Parc
national
de Sobaeksan

Eungbongsan
(999 m)

Uljin

Seongnyugul

Chungju

CHUNGCHEONGBUK-DO

Parc
national
de Woraksan

Punggi

Vallée de Bulryeong

Bulyeongsa

Yeongju

Gusan

Parc
provincial
de Cheongnyangsan

Dosan
Seowan

Andongho

Pyeonghae

Hupo

Parc
national
de Songnisan

Bongjeongsa

Village
folklorique
de Hahoe

Andong

Mungyeon

Imhaho

Sangju

Parc
national
de Juwangsan

Yeongdeok

Cheongsong

Uiseong

MER DE L'EST

Bogyeongsa

Nacyeonsan
(930 m)

Yeongdong

Vers Ulleungdo

Gimcheon

Jikjisa

Gumi

Parc
provincial
de Geumosan

Parc
provincial
de Palgongsan

Pohang

Phare
Janggigot

Parc
national
de Deogyusan

Yeongcheon

DAEGU

Gyeongju

Parc national
de Gyeongju

Parc
national
de Gayasan

Haeinsa

Bulguksa

Plage
de Daebpn

Tombe marine
du roi Munmu

GYEONGSANGNAM-DO

Parc
provincial
de Gajisan

Ulsan

DAEGU 대구

☎ 053 / 2,53 millions d'habitants

Troisième ville du pays, Daegu ne constitue souvent qu'une étape sur la route de Gyeongju. Pourtant, la cité possède de nombreux attraits et, aux alentours, quelques sites touristiques se visitent facilement dans la journée. De nombreux visiteurs y viennent pour un congrès, une compétition sportive ou pour les deux bases militaires américaines, proches du centre-ville.

Longtemps centre industriel et commercial important, la ville est aujourd'hui renommée pour la qualité de ses textiles, vendus sur de nombreux marchés locaux. D'autres marchés proposent toutes sortes de marchandises, des plantes médicinales aux motos. De bons restaurants et une vie nocturne animée ajoutent aux charmes de Daegu. Par ailleurs, la ville est un bon point de départ pour explorer le parc provincial de Palgongsan et Haeinsa, l'un des principaux temples-monastères du pays.

Bien que située à l'intérieur du Gyeongsangbuk-do, Daegu possède sa propre administration provinciale et un indicatif téléphonique distinct.

Orientation

Plus étendue que Séoul, Daegu couvre une superficie de 885 km². L'animation se concentre essentiellement dans le quartier commerçant central et près de la gare Dong-daegu, la gare ferroviaire principale pour le trafic interurbain. L'EXCO, le nouveau

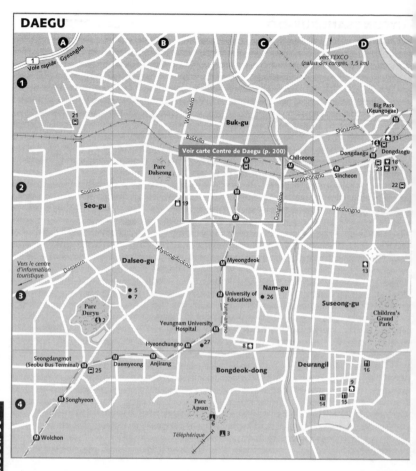

palais des congrès, se trouve au nord de la ville, mais ne présente guère d'intérêt pour les touristes. Le centre-ville, vivant et gai, compte quelques rues piétonnes. Deurangil, un nouveau quartier au sud du centre, abrite des centaines de restaurants.

Le métro constitue le moyen le plus pratique pour circuler dans la ville, en dépit de l'incendie qui fit 198 victimes en février 2003 (un mémorial était en construction lors de notre passage). Les urbanistes ont tiré les leçons de cette catastrophe et les défauts ont été corrigés. Une seconde ligne devrait ouvrir en 2005.

Renseignements

Des offices du tourisme sont installés aux principaux points de passage et destinations, entre autres dans l'aéroport, devant la gare Dongdaegu, dans le marché Seomun, dans le quartier commerçant central et dans le marché de plantes médicinales. Ils disposent de cartes locales exhaustives, en anglais, et d'une multitude de brochures ; quelques-uns offrent l'accès gratuit à Internet.

Kyobo Books (carte p. 200 ; ☎ 425 3501), une librairie proche de la station de métro Jungangno, propose à l'étage une bonne sélection de livres en anglais.

À voir et à faire
MARCHÉS ET RUES COMMERÇANTES

C'est là que transparaît l'opulence de Daegu. Vous pouvez commencer par

le **marché Seomun** (carte p. 198 ; 9h-18h mars-oct, 9h-17h nov-fév, fermé 2ᵉ et 4ᵉ dim du mois), un édifice massif qui abrite, sur plusieurs niveaux, plus de 4 000 magasins répartis en 6 sections. Ce marché demeure, depuis son ouverture en 1669, l'un des trois plus grands du pays. Toutefois, les bâtiments actuels ne témoignent guère de ce long passé. Vous y trouverez toutes sortes d'articles textiles (des vêtements décontractés aux costumes sur mesure), des ustensiles ménagers, des bibelots et de la nourriture : une interminable succession d'étals de *kimchi*, de *panchan*, de lapins, de canards, de poulets, de chiens (à adopter ou à dévorer) et toutes sortes de produits de la mer. Le marchandage est de rigueur.

Le commerce bat aussi son plein dans plusieurs rues du centre-ville, bordées de boutiques regroupées par spécialité. Ainsi, dans la **Motorcycle Street** ("rue des motos" ; carte p. 200), vous verrez les derniers modèles de deux-roues, pour la plupart coréens et japonais, quelques quatre-roues (ATV), des casques, des pièces détachées et des accessoires. Lors d'événements tels que les mariages ou les voyages scolaires, les Coréens aiment offrir des serviettes imprimées, fabriquées et vendues dans la **Towel Street** ("rue des serviettes" ; carte p. 200). Au nord-ouest du grand magasin Dong-A, dans la **Rice Cake Street** ("rue des gâteaux de riz" ; carte p. 200), une demi-douzaine de boutiques exposent les pâtisseries tradition-

GYEONGSANGBUK-DO

nelles colorées, servies lors des mariages et des anniversaires. Certains gâteaux sont de véritables œuvres d'art !

La ville compte même un marché consacré aux plaisirs de la nuit. **Jagalmadang** (carte p. 200) est l'un des "trois grands" quartiers rouges de Corée ; les autres se trouvent à Busan et Séoul. Bien qu'il attire essentiellement la population locale, les étrangers, hommes ou femmes, peuvent s'y promener. Dans chaque maison de tolérance, une grande baie vitrée borde la rue. Derrière, une vingtaine de femmes en tenues diverses, de la robe de soirée au bikini en passant par l'uniforme d'écolière, sont assises sous un éclairage violent et attendent le client. Pour tromper l'ennui, point de

gestes aguicheurs ; elles brodent, aspirent des nouilles à grand bruit ou envoient des SMS sur leur téléphone portable.

YASIGOLMOK 야시 골목

Animé jour et nuit, Yasigolmok (carte p. 200), une ruche de boutiques de mode branchées qui attirent la jeunesse locale, constitue le cœur du quartier commerçant de Daegu. Ses rues principales sont piétonnes.

MARCHÉ DE PLANTES MÉDICINALES
한약 시장

L'histoire de ce grand marché (carte p. 200), situé à l'ouest du quartier commerçant central, remonte à 1658. C'est le plus vieux

marché du pays et l'un des plus vastes. Commencez par la **salle d'exposition Yangnyeong** (☎ 257 4729 ; entrée libre ; ◐ 9h-18h lun-ven, 9h-17h sam, jours fériés et lun-ven nov-fév) pour en savoir plus sur l'*insam* (ginseng), les cornes de rennes et ceux qui les ont vulgarisés. Vous trouverez généralement quelqu'un pour commenter la visite en anglais au kiosque d'information touristique installé à l'extérieur. Les étals des multiples ingrédients, des queues de lézards aux champignons hallucinogènes (ces derniers sur prescription, bien sûr), bordent la rue. Vous apercevrez peut-être un patient en pleine séance d'acupuncture. Les jours finissant par 1 ou 6 (excepté le 31), un marché de gros *(yangnyeong sijang)* se tient au rez-de-chaussé de la salle d'exposition.

MUSÉE NATIONAL DE DAEGU
국립 대구 박물관
Ce **musée** (carte p. 198 ; ☎ 768 6051 ; http://daegu.museum.go.kr/ ; adultes 400 W ; ◐ 9h-18h mars-oct, 9h-17h nov-fév, fermé lun) renferme une belle collection de poteries, d'icônes bouddhiques et des dioramas illustrant l'histoire locale. La galerie des Traditions populaires présente une exposition sur la vie des *seonbi* – des lettrés confucéens qui s'opposèrent aux rois choson –, leurs cérémonies, leurs vêtements, et leurs coutumes. Les légendes en anglais sont bien faites.

Une autre salle accueille souvent des œuvres d'artistes contemporains locaux. Habituellement, les enfants peuvent manipuler les jouets traditionnels disposés à l'entrée du musée. Renseignez-vous au musée sur les cours de poteries donnés dans des occasions particulières.

Le musée est bien desservi par les lignes de bus. Du centre de Daegu, prenez le bus n°242 ou 427. De la station de métro Dongdaegu, empruntez le bus n°814 ou 514.

WOOBANG TOWER LAND 우방 타워랜드
Les voyageurs accompagnés d'enfants apprécieront ce **parc d'attractions** (carte p. 198 ; ☎ 620 0100 ; www.woobangland.co.kr/english/ ; adulte/adolescent/enfant 6 500/4 300/3 000 W, attractions en sus ; ◐ horaires différents chaque mois), situé dans l'immense parc Duryu, à l'ouest du centre-ville. Il offre plus de 30 manèges, des jeux, des spectacles, des jardins et des restaurants. La tour en forme d'aiguille (également appelée tour Daegu) comprend au dernier étage un restaurant tournant et des bars.

PARC DES TUMULI BULLO-DONG
불로동 고분 공원
Au nord de la ville, près de l'aéroport de Daegu, le **parc des tumuli Bullo-Dong** (☎ 940 1224 ; entrée libre ; ◐ 9h-18h) couvre quelque 33 ha. Les tertres herbeux qui bosselent la vallée sont des monticules funéraires, semblables à ceux de Gyeongju. Datant du IIᵉ au VIᵉ siècle, ils abritent nobles et roturiers – plus le statut social du défunt était élevé, plus haut était érigé son tumulus. Les plus vastes renfermeraient les dépouilles de nobles et de leur famille. On ne peut pas entrer dans les tumuli, sommairement signalés, mais c'est un bel endroit pour se promener ou pique-niquer.

Circuits organisés
Le **centre d'information touristique** de la ville (☎ 627 8900 ; ◐ 9h-18h, 9h-19h en été) propose 7 circuits, gratuits pour les étrangers (hormis les entrées, les repas, etc.). Le programme change toutes les semaines et comprend quelques-uns des sites décrits ci-dessus, ainsi que d'autres plus difficiles d'accès ou situés en dehors de la ville. Nombre d'informations utiles figurent sur les brochures décrivant ces circuits.

Où se loger
Comme toujours, renseignez-vous sur les réductions offertes dans les hôtels les plus chers. Les agences de voyages peuvent souvent vous aider.

PETIT BUDGET
Plusieurs *yeogwan* (motels dotés de petites chambres avec sdb bien équipées) se regroupent au nord de la gare Dongdaegu, mais les plus agréables sont difficiles à trouver.

Motel Milano (carte p. 198 ; ☎ 942 7789 ; d dim-jeu 25 000 W, ven-sam 30 000 W ; 🖥). Propre et doté d'un accès Internet, il constitue une exception dans le quartier de la gare.

Silla-jang Yeogwan (carte p. 200 ; ☎ 424 4220 ; d 25 000 W). Au cœur du quartier commerçant central et de l'animation nocturne, il propose des chambres bien tenues, à l'occidentale ou *ondol*, mais souffre un peu du bruit environnant. Repérez la ruelle avec un grand panneau d'affichage Kenzo.

Si vous vous retrouvez coincé à Deurangil tard dans la soirée, sachez que ce quartier de restaurants est réputé pour ses motels qui louent des chambres à l'heure.

CATÉGORIE MOYENNE
Central Tourist Hotel (carte p. 200 ; ☎ 257 7111 ; central-hotel@hanmail.net ; d/t à partir de 53 000/60 000 W ; 🔆). Il jouit d'un emplacement idéal, entre le quartier commerçant central et le marché de plantes médicinales, qui compense l'aspect vieillot de ses sdb et justifie ses prix.

Hotel Ariana (carte p. 198 ; ☎ 765 7776 ; www.ariana.co.kr ; d/lits jum à partir de 88 000/98 000 W ; 🔆). Ses chambres flambant neuves et pimpantes, à deux pas du quartier des restaurants de Deurangil, offrent un excellent rapport qualité/prix.

Garden Hotel (carte p. 198 ; ☎ 471 9911 ; www.gardenhotel.co.kr ; d/lits jum 95 800/103 800 W ; 🔆). Proche des bases militaires américaines, il a l'habitude d'accueillir des clients de langue anglaise. Confortables et modernes, les chambres disposent d'un minibar et d'un sèche-cheveux.

CATÉGORIE SUPÉRIEURE
Taegu Grand Hotel (carte p. 198 ; ☎ 742 0001 ; www.taegugrand.co.kr ; d/lits jum à partir de 137 500/144 100 W ; 🔆 🖥). À 1 ou 2 km de la gare Dongdaegu, cet établissement a été rénové dans le style des années 1950. Il comprend un centre d'affaires, un club de remise en forme et des saunas. Dans les chambres, un ordinateur permet de se connecter à Internet.

Hotel Inter-Burgo (carte p. 198 ; ☎ 952 0088 ; www.hotel.inter-burgo.com ; s/d à partir de 130 000/180 000 W ; 🔆). Ouvert en 2001, cet hôtel aux lignes contemporaines se situe tout en haut de l'échelle. Installé dans un parc, il doit à ses propriétaires ibériques quelques détails espagnols et s'agrémente de la vue sur la rivière, d'une piscine, d'un sauna et d'un golf. La réception peut vous réserver une chambre au Park Hotel, qui partage ses infrastructures.

Park Hotel (carte p. 198 ; d/lits jum à partir de 175 000/186 000 W ; 🔆). Un peu moins prestigieux que le précédent.

Où se restaurer
Des centaines de cafés, de bars et de boîtes de nuit parsèment le quartier de Yasigolmok (carte p. 200).

Gaejeong (plats 5 000-7 500 W). Cet endroit doit sa notoriété à ses savoureuses *naengmyeon* (nouilles froides), ainsi qu'à ses *mandu* (raviolis) et ses divers *bibimbap* (riz, légumes et sauce épicée). Il dispose d'un menu en anglais.

Gimbapjang (plats 2 000-4 000 W). Presqu'en face du précédent, il propose naengmyeon et mandu à petits prix.

Gangsan Myeonok (plats 5 000-9 000 W). L'un des plus anciens établissements de Daegu, renommé pour les naengmyeon, le *bulgogi* et le *galbi*.

Into (plats 4 000-12 000 W). Pour échapper à l'agitation de Yasigolmok et changer de cuisine, entrez dans ce café, autoproclamé européen. Il sert d'excellentes pâtes et salades, mais ne possède que quatre tables. **Le Dijon**, voisin et plus vaste, prépare des plats similaires.

À Deurangil, le quartier des restaurants (carte p. 198), la diversité des établissements compense le manque de charme des rues. La plupart de ses centaines de restaurants (et leurs parkings) bordent une large avenue. Avec un tel choix, le mieux consiste à suivre la foule. Dans les adresses qui suivent, les deux premières comptent parmi les plus appréciées :

Geumsan Samgyetang (Keumsan Samgyetang ; repas 6 000-10 000 W ; ⏱ 24h/24). Commandez un bol de délicieux poulet au ginseng. Vous le repérerez au gros poussin jaune qui orne son enseigne.

Hantibullak (repas 8 000-12 000 W). Réputé pour ses ragoûts de poissons et de fruits de mer, dont des jeunes poulpes.

Seokryujip (repas à partir de 7 000 W). Si vous souhaitez goûter la viande de chien, essayez un *su yuk* (bouilli ; 25 000 W, à partager) ou une *bosintang* (soupe épicée à la viande de chien ; 7 000 W).

Ariana Bräu (plats 9 000-35 000 W). Au rez-de-chaussée de l'Hotel Ariana, cette brasserie de style bavarois sert de la bière brassée maison avec des ingrédients allemands, ainsi que des plats germaniques et coréens. Les prix peuvent sembler élevés, mais les assiettes sont assez copieuses pour être partagées par plusieurs convives.

Où sortir
Pubs, bars à karaoké et cafés pullulent dans le quartier commerçant central. Un immense complexe, le **Xn Milano** (carte p. 200), abrite le cinéma Hanil Gukjang qui projette régulièrement des films en anglais. Le **Gypsy Rock** (carte p. 200 ; ☎ 423 9501), à la fois bar à l'occidental et boîte débridée, se trouve à l'autre bout du quartier.

L'**Ariana Bräu** (voir *Où se restaurer*) se transforme en pub après 20h et accueille souvent des musiciens. Apprécié des étrangers, le **Morrison** (☎ 783 4010), un autre pub au sud-est du centre-ville, près du grand magasin Dong-A, diffuse aussi de la musique.

Troisième grande ville du pays, Daegu possède un quartier gay (carte p. 198), doté de nombreux bars, près de la gare des bus express. Les visiteurs étrangers entameront la soirée au minuscule **Tombo** (☎ 745 5425) ou au bar à karaoké **Mask** (☎ 756 1040).

Depuis/vers Daegu
AVION
Asiana et Korean Air relient Daegu à Séoul et Jeju. Shanghai et Bangkok figurent parmi les destinations internationales.

BUS
Daegu possède 5 gares routières (carte p. 198) : un terminal pour les bus express (près de la gare ferroviaire Dongdaegu) et les terminaux interurbains de Dongbu, Seobu, Nambu et Bukbu (est, ouest, sud et nord). La liste suivante n'est pas exhaustive. Sachez aussi que les bus qui desservent certaines destinations peuvent partir de plusieurs terminaux ; demandez quel est le plus pratique. Le métro dessert quelques gares routières.

Départs du terminal des bus express :

Destination	Prix (W)	Durée (h)	Fréquence
Andong	6 000-6 500	1½	ttes les 20 min
Busan	6 200	1¾	ttes les 30 min
Daejeon	6 800	2	ttes les 30 min
Dong Séoul	13 600	3¾	ttes les 30 min
Gwangju	9 900	3¾	ttes les 30 min
Gyeongju	3 000	50 min	ttes les 20 min
Jinju	6 600	2¼	ttes les heures
Séoul	13 100	3¾	ttes les 10 min

Départs du terminal de Dongbu :

Destination	Prix (W)	Durée (h)	Fréquence
Gyeongju	3 000	1¾	ttes les 25 min
Pohang	5 500	1¾	ttes les 45 min

Départs du terminal de Seobu :

Destination	Prix (W)	Durée (h)	Fréquence
Busan	8 300	1½	9/jour
Haeinsa	3 900	1	ttes les 20 min

Départs du terminal de Bukbu :

Destination	Prix (W)	Durée (h)	Fréquence
Andong			
(direct/express)	6 000	1½/2¼	ttes les 20/30 min
Chuncheon	16 500	3½	10/jour

TRAIN
La gare Dongdaegu (carte p. 198), à l'est de la ville, est la principale gare des grandes lignes. Elle jouxte le terminal des bus express.

Busan et Séoul sont très bien desservies. Les trains *Mugunghwa* (express semi-directs) circulent toutes les 30 min en direction de Séoul (de 14 200 à 16 700 W, 3 heures 30 à 4 heures) et Busan (de 5 300 à 6 200 W, 1 heure 30).

Comment circuler
DEPUIS/VERS L'AÉROPORT
L'aéroport de Daegu se situe au nord-est de la ville, à 2 km du terminal des bus express. Le bus n°401 (700 W) emprunte un itinéraire sinueux et peut mettre 45 min pour rejoindre l'aéroport. Prenez plutôt le bus n°104 (1 300 W). La course en taxi de l'aéroport au centre-ville dure environ 20 min et revient à 2 500 W.

BUS
Le tarif des bus locaux s'élève à 700/1 300 W (debout/assis). Pour vous rendre à Deurangil à partir du centre de Daegu ou de la gare Dongdaegu, prenez le bus n°401.

MÉTRO
La ligne traverse le centre de la ville et s'arrête, entre autres, à la gare Dongdaegu et à Jungangno (centre-ville). Une seconde ligne doit ouvrir en 2005. Le ticket coûte 700 W.

ENVIRONS DE DAEGU
Parc provincial de Palgongsan
팔공산 도립공원
À 20 km au nord de Daegu, ce parc étendu et montagneux attire de nombreux visiteurs. Son point culminant, le **Palgongsan** ("mont des huit officiers méritants" ; 1 192 m) fut appelé ainsi vers la fin de la dynastie Silla, lorsque huit généraux sauvèrent Wang-Geon, le roi fondateur du royaume de Koryo.

Le **Donghwasa** (☎ 982 0101 ; 2 500 W ; ☻ 8h-19h avr-nov, 8h-18h déc-mars), le temple le plus important de la province dont l'histoire remonte à 493, constitue le principal attrait du parc. Il contient de nombreuses œuvres anciennes, mais le **Tong-il Daebul** (Bouddha de la réunification, érigé en 1992 dans le style du Bouddha médecin), une statue de 33 m de haut, est la plus remarquable. Sur la même place, deux pagodes de pierre de 17 m, l'une très sobre et l'autre richement travaillée, symbolisent l'équilibre, une notion importante dans la culture coréenne. Un kiosque d'information sur le parc est installé dans l'enceinte du temple.

Autre lieu de pèlerinage majeur et trésor national, le **Gatbawi** (☎ 983 8586 ; entrée libre), un Bouddha médecin, est érigé à 850 m d'altitude et daterait de 638. Au-dessus de sa tête, une pierre plate de 15 cm d'épaisseur semble suspendue. Ce Bouddha étant supposé entendre la prière de chaque visiteur, une foule se presse habituellement devant lui, même tôt le matin et plus encore le premier jour du mois et lors des examens d'entrée à l'université. Du village touristique, comptez 45 min pour gravir les marches de pierre qui mènent au Gatbawi.

Le **téléphérique Palgongsan Skyline** (☎ 982 8801 ; A/R 5 500 W ; ☺ 9h45-coucher du soleil) est le moyen le plus rapide pour monter au Palgongsan. Un parcours de 1,2 km vous conduit à l'observatoire (820 m), où l'on découvre une vue panoramique sur Daegu. Le village touristique construit au pied du téléphérique comprend de nombreux restaurants. Le **Sanjungsikdang** (repas 5 500-18 000 W) est réputé pour ses plats de champignons, dont de délicieux *pajeon* (crêpes).

Le parc comporte un parcours de golf à 18 trous.

DEPUIS/VERS LE PARC DE PALGONGSAN
Le bus n°104 relie la gare Dongdaegu et le village touristique en contrebas du Gatbawi. Le bus n°105 circule entre le Donghwasa et l'arrêt de bus proche de la gare Dongdaegu. Tous deux démarrent toutes les 12 min et le trajet dure 50 min (1 300 W).

Haeinsa 해인사
Ce **temple** (☎ 055-931 1001 ; 2 800 W ; ☺ 9h-21h), inscrit au patrimoine mondial de l'Unesco, est un véritable joyau. Niché dans le parc na-

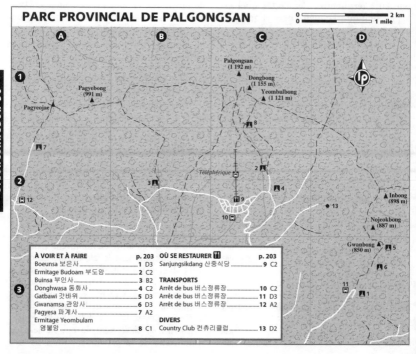

PARC PROVINCIAL DE PALGONGSAN

0 ————— 2 km
0 ————— 1 mile

Palgongsan (1 192 m)

Dongbong (1 155 m)

Yeombulbong (1 121 m)

Pagyebong (991 m)

Pagyeojae

Téléphérique

Inbong (898 m)

Nojeokbong (887 m)

Gwanbong (850 m)

À VOIR ET À FAIRE	p. 203
Boeunsa 보은사	1 D3
Ermitage Budoam 부도암	2 C2
Buinsa 부인사	3 B2
Donghwasa 동화사	4 C2
Gatbawi 갓바위	5 D3
Gwanamsa 관암사	6 D3
Pagyesa 파계사	7 A2
Ermitage Yeombulam 염불암	8 C1

OÙ SE RESTAURER	p. 203
Sanjungsikdang 산중식당	9 C2

TRANSPORTS
Arrêt de bus 버스정류장	10 C2
Arrêt de bus 버스정류장	11 D3
Arrêt de bus 버스정류장	12 A2

DIVERS
Country Club 컨츄리클럽	13 D2

TRIPITAKA KOREANA

Également appelé canon bouddhiste de Koryo, le **Tripitaka Koreana** compte parmi les textes sacrés bouddhistes les plus importants. Tripitaka signifie littéralement "3 corbeilles" et représente les trois branches du bouddhisme : les *sutra* (écritures), les *vinaya* (lois) et les *abhidharma* (traités).

Le *Tripitaka Koreana* a été superbement gravé sur plus de 80 000 tablettes de bois et la qualité du travail a encore accru sa renommée. Il fallut 16 années pour achever cette œuvre extraordinaire, contrôlée à chaque étape afin d'en garantir la préservation. Le bois de bouleau, soigneusement sélectionné, était trempé dans la saumure, puis bouilli dans le sel avant d'être séché. Le même souci de perfection inspira la recherche du lieu et la construction du bâtiment destiné à abriter ce trésor. La sophistication des techniques et de la réalisation demeurent aujourd'hui une source d'inspiration. Les tablettes sont conservées dans une salle du XVe siècle, le **Janggyong Pango**, un chef d'œuvre d'ingéniosité (ainsi, une couche de charbon de bois isole le sol d'argile) qui a échappé aux ravages de l'invasion japonaise et aux incendies.

Dans les années 1970, le président Pak Chung-hee ordonna la construction d'un bâtiment moderne, doté d'un système perfectionné d'aération et de contrôle de la température et de l'humidité. Cependant, les quelques tablettes entreposées pour tester l'installation commencèrent à moisir et le projet fut abandonné. Les quatre salles de stockage et les tablettes sont désormais inscrites au patrimoine mondial de l'Unesco. Afin de faciliter l'accès à ces écritures, des moines de Haeinsa les ont transcrites en totalité sur un CD-ROM et les ont traduites du chinois classique en coréen moderne. Le jeu complet coûte environ 3 millions de won !

Pour plus d'information, consultez le site www.ocp.go.kr/english/treasure/dom_hae.html.

tional de Gayasan (qui fait partie du massif de Sobaek), dans le Gyeongsamnam-do, il est plus facilement accessible de Daegu.

Haeinsa figure parmi les dix grands temples de la secte Hwaom (Avatamsaka). Il doit sa renommée au fait qu'il conserrve le **Tripitaka Koreana** – 81 340 tablettes de bois sculptées qui réunissent toutes les écritures bouddhistes et de nombreuses illustrations, semblables à celles que l'on peut voir au Népal. Les tablettes sont entreposées dans quatre énormes bâtiments, situés dans la partie supérieure du complexe ; un système de ventilation simple, mais efficace, prévient toute détérioration. S'y ajoutent 2 835 tablettes de la période de Koryo, portant d'autres textes bouddhistes, des œuvres littéraires et une illustration d'Avatamsaka Sutra.

Ces bâtiments sont habituellement fermés, mais on aperçoit facilement les tablettes à travers les lattes des fenêtres.

Les tablettes que l'on voit aujourd'hui constituent un second jeu. Le premier, réalisé entre 1011 et 1087, fut détruit par des envahisseurs en 1232. Le second fut entamé rapidement après ce désastre et achevé en 1251. Le *Tripitaka Koreana* est conservé à Haeinsa depuis les premières années de la dynastie Choson.

Haeinsa fut lui-même fondé au début du IXe siècle par deux moines, Suneung et Ijong, après de nombreuses années d'études en Chine. Le temple n'atteignit sa taille actuelle qu'au début de la dynastie Koryo (milieu du Xe siècle).

S'il est l'un des temples les plus importants du pays, Haeinsa est aussi l'un des plus beaux. Environné de conifères et de feuillus, il se charge de romantisme lorsque le temps se fait pluvieux et que des nuages frôlent la cime des arbres. À l'heure des prières (3h30, 10h et 18h30), le lieu semble faire partie d'un autre monde (écoutez en fermant les yeux). Lors de notre passage, nous avons pu faire notre propre impression à l'aide d'une tablette récente dans la **salle d'exposition**.

La salle principale, **Daegwangjeon**, fut dévastée par un incendie durant l'invasion japonaise de 1592 et de nouveau (accidentellement) en 1817. Miraculeusement, le *Tripitaka* échappa aux flammes. La salle a été reconstruite en 1971. D'autres reconstructions ont été depuis entreprises, toujours selon les lignes traditionnelles.

Un nouveau **musée de Haeinsa** (☎ 055-934 0988 ; 2 000 W ; ☽ 10h-18h mars-oct, 10h-17h nov-fév, fermé mar), construit en 2002, expose quelques trésors du temple et réunit, à l'étage, des œuvres contemporaines inspirées par Haeinsa. Il se situe à quelques pas de la route principale et à 15 min de marche du temple.

Les randonneurs peuvent escalader le **Gayasan** (1 430 m), point culminant du parc national et l'un des sommets les plus jolis. Toutefois, les 1 100 m de dénivelé à partir de Haeinsa sont réputés difficiles.

OÙ SE LOGER ET SE RESTAURER

Haeinsa se visite facilement dans la journée à partir de Daegu, mais on peut y passer la nuit. Le plus intéressant consiste sans doute à loger à **Haeinsa**, qui offre gracieusement le gîte et le couvert à condition de ne pas abuser (pas plus de 2 nuits, respect des règles monastiques et des horaires du temple pour le réveil, l'extinction des feux et les repas). Ne vous attendez pas au luxe (hommes et femmes dorment séparément dans des dortoirs ondol), mais cette expérience permet d'assister à la prière de 3h30. Des groupes de 20 ou plus peuvent réserver pour un plus long séjour (30 000 W par personne et par nuit).

Un camping est installé à 500 m de la gare routière.

Le village touristique, à 5 min de marche de l'entrée du temple, offre d'autres possibilités :

Munhwa Jang (☎ 055-932 7237 ; ch à partir de 30 000 W ; 🍽). Ce petit yeogwan élégant possède des doubles ondol rénovées et un balcon pour papoter.

Sanjangbyeol-jang Yeogwan (☎ 055-932 7245 ; ch 30 000-60 000 W). Ambiance traditionnelle malgré des chambres *ondol* modernes. Il se situe sur la colline du village touristique. Les prix varient selon la saison et la taille de la chambre.

Haeinsa Tourist Hotel (☎ 055-933 2000 ; www.haeinsahotel.co.kr ; d/lits jum 78 650/84 700 W, réduction de 20% en sem ; 🍽). Même s'il date un peu, cet hôtel, perché au sommet de la colline, reste le plus plaisant et le plus confortable. Son site web fourmille d'informations locales fort utiles.

Gorau (repas 9 000 W). Seul choix sur la carte : le *sanchae jongsik* (riz accompagné de plusieurs petits plats). Essayez d'obtenir une table dans la salle du fond, où les fenêtres ouvrent sur un cours d'eau et des arbres.

DEPUIS/VERS HAEINSA

La liaison en bus la plus pratique pour rejoindre Haeinsa part du terminal Seobu de Daegu (3 900 W, 1 heure, toutes les 20 min).

GYEONGJU 경주

287 000 habitants

Gyeongju figure à juste titre parmi les plus grands sites touristiques du pays.

En 57 av. J.-C., alors que Jules César soumettait la Gaule, Gyeongju devenait la capitale de la dynastie Silla (voir la chronologie p. 27) et le resta pendant près de 1 000 ans. Au VIIᵉ siècle, sous le règne du roi Munmu, Silla conquit les royaumes voisins de Koguryo et Paekche, et Gyeongju fut alors la capitale de toute la péninsule. Sa population culmina aux alentours de 1 million d'âmes, mais comme tout empire, Silla finit par disparaître à cause des divisions internes et des invasions étrangères.

Après la conquête de Silla par Koryo en 927, la capitale fut déplacée loin au nord et Gyeongju sombra dans un long oubli. La ville fut mise à sac par les Mongols au début du XIIIᵉ siècle, puis par les Japonais à la fin du XVIᵉ siècle. Sa vie culturelle commença à renaître au début du XXᵉ siècle et continue de prospérer aujourd'hui. Dans les années 1970, le dictateur Park Chung-hee fit réaliser de nombreux travaux de conservation et de restauration en respectant l'architecture d'origine. Presque chaque année, des archéologues découvrent de précieux vestiges, témoins de la vie durant la dynastie Silla.

Actuellement, le centre de Gyeongju est en grande partie un musée à ciel ouvert. Quelle que soit la direction empruntée, vous découvrirez des tombes, des temples, des rochers sculptés, des pagodes, des statuaires bouddhiques, des palais en ruine, des jardins d'agrément et des châteaux. Les tumuli (tertres funéraires couverts d'herbe) ne constituent que les plus voyants de ces innombrables sites.

Toutefois, on ne peut prétendre connaître Gyeongju sans visiter les quartiers périphériques. La ville couvre une vaste superficie (1 323 km²) et son exploration nécessite plusieurs jours. Au détour d'une crête du Namsan, le mont qui se dresse au sud de la cité, vous vous retrouverez en face d'une statue antique de Bouddha ou d'un moine bien vivant. À l'est s'élèvent des temples inscrits au patrimoine mondial de l'Unesco, un monastère d'arts martiaux et l'unique tombe marine au monde. Au nord, vous

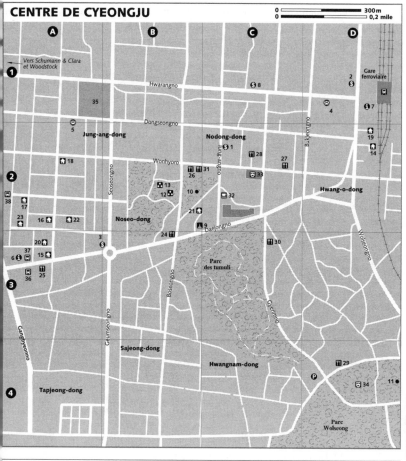

CENTRE DE CYEONGJU

0 — 300m
0 — 0,2 mile

verrez le village bien conservé de Yang-dong et l'ancienne académie confucéenne Oksan. Plus loin encore vous attendent des milliers de vestiges de la période silla et des dynasties plus récentes.

La région entière constitue un paradis pour les randonneurs, avec près de 300 trésors culturels répertoriés.

Orientation et renseignements

Le centre de Gyeongju, très dense, englobe les gares routières et ferroviaire (à moins de 20 min de marche les unes des autres), des sites touristiques, des hôtels et des restaurants.

À 5 km à l'est du centre, Bomunho, une villégiature en bord de lac, comprend un parcours de golf, des hôtels luxueux et des restaurants huppés. À 16 km au sud-est, Bulguksa, l'un des temples les plus célèbres du pays, voit affluer les visiteurs. De là, un court trajet mène à Seokguram, une grotte creusée dans une montagne qui renferme un bouddha ancestral.

La plupart des sites remarquables de la région se trouvent dans le parc national de Gyeongju, qui se compose de plusieurs quartiers entourant le centre-ville.

Des kiosques d'information touristique sont installés hors du terminal des bus express et de la gare ferroviaire, ainsi que dans le parking proche de Bulguksa. Le personnel parle anglais et vous remettra une carte très exhaustive en anglais.

Pour en savoir plus sur les légendes, l'histoire et le débat archéologique qui entoure les vestiges de Silla, lisez *Korea's Golden Age* d'Edward B. Adams. Ce guide des sites silla, superbement illustré, dont l'auteur est né en Corée et y a passé une grande partie de sa vie, se trouve facilement dans les grandes librairies de Séoul.

L'encombrement de certains sites en période de pointe (en particulier lors des voyages scolaires du printemps et de l'automne) est dû à la popularité justifiée de Gyeongju.

À voir

CENTRE DE GYEONGJU
Parc des tumuli

En plein centre-ville, l'immense **parc des tumuli** (carte p. 207 ; ☎ 746 6020 ; 1 500 W ; ◷ 9h-21h, 9h-coucher du soleil en hiver), entouré d'un mur, renferme 23 tombeaux de souverains de Silla et de leurs familles. Nombre d'entre eux ont été fouillés et ont révélé de fabuleux trésors, exposés au Musée national de Gyeongju.

La sépulture **Cheonmachong** ("tombe du Cheval céleste") est ouverte au public. Une coupe transversale explique sa construction. Elle mesure 13 m de haut et 47 m de diamètre et fut érigée vers la fin du Ve siècle. Des répliques des objets funéraires sont présentées dans des vitrines, à l'intérieur du tombeau : couronne en or, bracelets, parures en jade, armes, poteries, et même des œufs.

De l'autre côté de l'étang, un tumulus de deux parties, **Hwangnamdaechong** (25 m de haut, 120 m de long et 80 m de large), est le plus grand du parc. Tombeau d'un roi et d'une reine (fermé au public), il contenait, entre autres trésors, cinq verres importés de Rome.

CONSTRUCTION D'UN TUMULUS

Contrairement aux pyramides égyptiennes, la construction d'un tumulus silla ne commençait pas avant le décès du roi, d'un membre de sa famille ou d'un noble.

À la mort du personnage, on retournait et aplanissait le terrain (de 47 m de diamètre pour Cheonmachong), avant de couvrir le sol de gravier et d'une couche de dalles en pierre. Au centre était édifiée une chambre en bois, dans laquelle on déposait le cercueil contenant le corps du défunt, sa couronne, son épée, ses bijoux, un peu de nourriture pour l'au-delà et d'autres objets. La chambre était ensuite scellée, puis cachée sous des pierres "aussi grosses que la tête du défunt". On recouvrait alors le monticule d'argile et, une fois l'argile séchée, de boue. Enfin, on semait de l'herbe sur le tumulus.

Les pierres empilées rendaient très difficiles le pillage des tombes. En effet, si des voleurs essayaient de creuser en direction du centre du tumulus, toutes les pierres s'effondraient autour d'eux. Ainsi, les fouilles doivent être menées avec précaution, à partir du sommet, afin d'éviter l'éboulement.

Tombes Noseo-dong

De l'autre côté de la rue, plus près du principal quartier commerçant, le **quartier de Noseo-dong** (carte p.200) abrite d'autre tombes silla (entrée libre). **Seobongchong** et **Geumgwanchong**, deux tombeaux adjacents, furent construits entre le IV⁰ et le V⁰ siècle. Fouillés entre 1921 et 1946, on y découvrit, entre autres, deux couronnes en or. En face, **Bonghwadae**, la plus grande sépulture silla existante, mesure 22 m de haut et 250 m de circonférence. **Geumnyeongchong** jouxte Bonghwadae. Des maisons occupaient la majeure partie du quartier jusqu'à leur démolition, en 1984 ; d'autres devraient connaître le même sort. Ne cédez pas à la tentation de grimper sur les tumuli, à moins de vouloir affronter les gardiens qui vous pourchasseront en actionnant leur sifflet !

Parc Wolseong

Au sud-est du parc des tumuli, ce parc abrite le plus vieil observatoire d'Extrême-Orient, **Cheomseongdae** (carte p.200 ; ☎ 772 5134 ; 300 W ; 8h-18h, 9h-18h en hiver), bâti entre 632 et 646. Sa conception, simple en apparence, cache une sophistication stupéfiante : les 12 pierres de sa base symbolisent les mois de l'année. Du pied au sommet, 30 strates représentent les jours du mois. On a utilisé 366 pierres pour le construire, qui correspondent au nombre de jours d'une année (les calculs étaient alors un peu différents). Parmi les autres détails techniques, la tour est orientée en fonction de la position de certaines étoiles.

À quelques minutes de marche au sud du Cheomseongdae, **Banwolseong** ("château du Croissant de lune" ; carte p.200 ; entrée libre) fut autrefois une forteresse légendaire. C'est aujourd'hui un parc agréable, doté de quelques murs et ruines. Au fond du parc, Seokbinggo, ou "maison de glace" (début du XVIII⁰ siècle, restaurée en 1973), le seul bâtiment intact du site, servait autrefois d'entrepôt alimentaire.

Étang Anapji

De l'autre côté de Wolseongno, la route principale, sur la gauche, l'**étang Anapji** (carte p.210 ; ☎ 772 4041 ; 1 000 W ; 8h-coucher du soleil, 7h30-19h en été) fut élaboré comme un jardin d'agrément par le roi Munmu en 674 pour commémorer l'unification de la péninsule coréenne sous la dynastie Silla. Les bâti-

ments brûlèrent en 935 et de nombreux vestiges disparurent dans l'étang jusqu'à ce que son drainage, en 1975, permette de les redécouvrir. Des milliers de pièces en bon état ont alors été remontées à la surface, dont des objets en bois, un dé à jouer, des ciseaux et une barque royale. Vous pouvez les admirer au Musée national.

Les bâtiments n'ont pas été reconstruits, mais l'étang, de nouveau rempli, constitue un cadre favori pour les photos des futurs mariés.

Musée national de Gyeongju

Poursuivez le long de Wolseongno pour arriver au **Musée national** (carte p.210 ; ☎ 740 7518 ; http://gyeongju.museum.go.kr ; 400 W ; 9h-17h, fermé lun), composé de plusieurs bâtiments qui renferment la plus belle collection d'objets anciens du pays. Outre la salle principale, à l'architecture coréenne classique, un édifice entier est consacré aux pièces découvertes dans l'étang Anapji et une nouvelle salle contient des œuvres bouddhiques.

La salle des tombes anciennes présente nombre des magnifiques objets originaux trouvés dans le parc des tumuli, dont certains en or, en verre et en jade. Ainsi, la couronne provenant de Cheonmachong, dont le dessin évoque des bois de cerf et des montagnes, est à 97% en or pur.

À l'extérieur de la salle principale, dans son propre pavillon, trône la **cloche Emille**, l'une des plus grosses et à la sonorité la plus belle d'Asie. On affirme qu'il suffit de la frapper légèrement avec le poing pour que son tintement résonne dans un rayon de 3 km. Malheureusement, vous n'aurez pas le droit de vérifier cette assertion !

Le musée propose des guides audio en anglais pour 3 000 W.

Bunhwangsa 분황사

Pour compléter le circuit, visitez la grande pagode de **Bunhwangsa** (carte p.210 ; ☎ 742 9922 ; 1 000 W ; lever-coucher du soleil). Construite au milieu du VII⁰ siècle sous le règne de la reine Seondeok, c'est la plus ancienne pagode datable du pays et un exemple rare de construction en briques. En se basant sur la taille des fondations, les experts estiment que la pagode s'élevait, à l'origine, sur 9 niveaux, dont seuls 3 subsistent aujourd'hui. Située dans une petite cour, elle se distingue par ses gardiens bouddhiques et ses lions de pierre

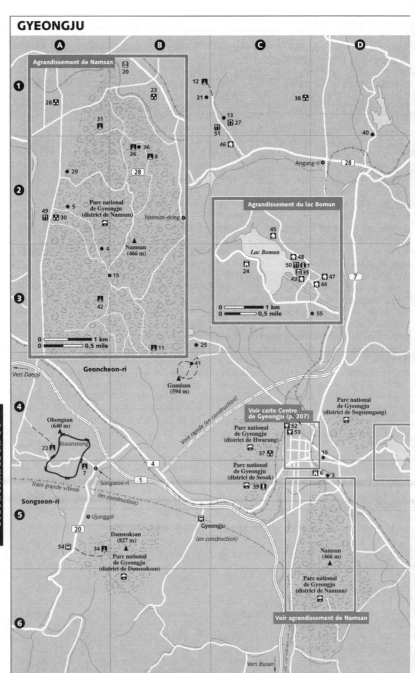

GYEONGJU

Agrandissement de Namsan

Parc national
de Gyeongju
(district de Namsan)

Namsan-dong

Namsan
(466 m)

Vers Daegu

Geoncheon-ri

Gumisan
(594 m)

Agrandissement du lac Bomun

Lac Bomun

0   1 km
0   0,5 mile

Parc national
de Gyeongju
(district de Sogeumgang)

Voir carte Centre
de Gyeongju (p. 207)

Voie rapide (en construction)

Parc national
de Gyeongju
(district de Hwarang)

Parc national
de Gyeongju
(district de Seoak)

Obongsan
(640 m)

Busanseong

Train grande vitesse

(en construction)

Songseon-ri

Songseon-ri

Ujunggol

Danseoksan
(827 m)

Parc national
de Gyeongju
(district de Danseoksan)

Gyeongju

(en construction)

Namsan
(466 m)

Parc national
de Gyeongju
(district de Namsan)

Voir agrandissement de Namsan

Vers Busan

Angang-ri

Vers Daegu

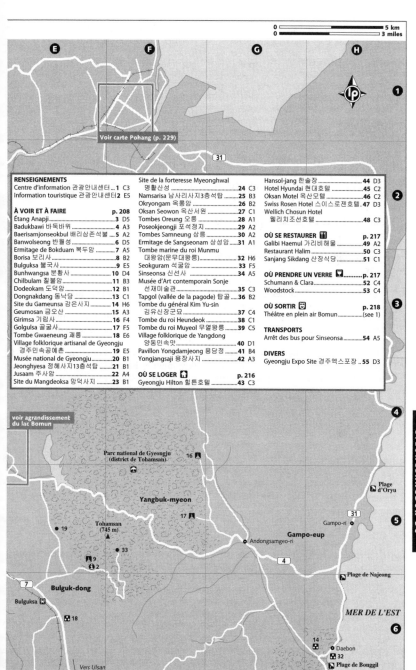

0 — 5 km
0 — 3 miles

Voir carte Pohang (p. 229)

31

RENSEIGNEMENTS
Centre d'information 관광안내센터 ... **1** C3
Information touristique 관광안내센터 **2** E5

À VOIR ET À FAIRE **p. 208**
Étang Anapji **3** D5
Badukbawi 바둑바위 **4** A3
Baerisamjonseokbul 배리삼존석불 ... **5** A2
Banwolseong 반월성 **6** D5
Ermitage de Bokduam 복두암 **7** A5
Borisa 보리사 **8** B2
Bulguksa 불국사 **9** E5
Bunhwangsa 분황사 **10** D4
Chilbulam 칠불암 **11** B3
Dodeokam 도덕암 **12** B1
Dongnakdang 동낙당 **13** C1
Site du Gameunsa 감은사지 **14** H6
Geumosan 금오산 **15** A3
Girimsa 기림사 **16** F4
Golgulsa 골굴사 **17** F5
Tombe Gwaeneung 괘릉 **18** E6
Village folklorique artisanal de Gyeongju
경주민속공예촌 **19** E5
Musée national de Gyeongju **20** B1
Jeonghyesa 정혜사13층석탑 **21** B1
Jusaam 주사암 **22** A4
Site du Mangdeoksa 망덕사지 **23** B1

Site de la forteresse Myeonghwal
명활산성 **24** C3
Namsarisa 남사리사지3층석탑 **25** B3
Okryongam 옥룡암 **26** B2
Oksan Seowon 옥산서원 **27** C1
Poseokjeongji 포석정지 **29** A2
Tombes Oreung 오릉 **28** A1
Tombes Samneung 삼릉 **30** A2
Ermitage de Sangseonam 상선암 **31** A1
Tombe marine du roi Munmu
대왕암(문무대왕릉) **32** H6
Seokguram 석굴암 **33** F5
Sinseonsa 신선사 **34** A5
Musée d'Art contemporain Sonje
선재미술관 **35** C3
Tapgol (vallée de la pagode) 탑골 ...**36** B2
Tombe du général Kim Yu-sin
김유신장군묘 **37** C4
Tombe du roi Heundeok **38** C1
Tombe du roi Muyeol 무열왕릉 **39** C5
Village folklorique de Yangdong
양동민속마 **40** D1
Pavillon Yongdamjeong 용담정 **41** B4
Yongjangsaji 용장사지 **42** A3

OÙ SE LOGER **p. 216**
Gyeongju Hilton 힐튼호텔 **43** C3

Hansol-jang 한솔장 **44** D3
Hotel Hyundai 현대호텔 **45** C2
Oksan Motel 옥산모텔 **46** C2
Swiss Rosen Hotel 스이스로젠호텔 .**47** D3
Wellich Chosun Hotel
웰리치조선호텔 **48** C3

OÙ SE RESTAURER **p. 217**
Galibi Haemul 가리비해물 **49** A2
Restaurant Halim **50** C3
Sanjang Sikdang 산장식당 **51** C1

OÙ PRENDRE UN VERRE **p. 217**
Schumann & Clara **52** C4
Woodstock **53** C4

OÙ SORTIR **p. 218**
Théâtre en plein air Bomun ....(see 1)

TRANSPORTS
Arrêt des bus pour Sinseonsa **54** A5

DIVERS
Gyeongju Expo Site 경주엑스포장 .. **55** D3

voir agrandissement
du lac Bomun

Parc national de Gyeongju
(district de Tohamsan)   16

Plage
d'Oryu

Yangbuk-myeon

17

Tohamsan
(745 m)

● 19

● 33

9
2

31
Gampo-ri

Gampo-eup

Andongsamgeo-ri

4

Bulguk-dong

Plage de Najeong

7

Bulguksa

18

MER DE L'EST

Vers Ulsan

14
32   Daebon

Plage de Bonggil

superbement sculptés. Fait unique, devant chaque entrée se dressent deux gardiens.

En face du Musée national, suivez la route bordée de saules jusqu'à la première intersection, tournez à droite et prenez la première ruelle sur la droite. Comptez de 20 à 25 min de marche.

GYEONGJU EST
Bomunho 보문 단지

Ce nouveau quartier (carte p. 210), qui borde un lac artificiel à quelque 5 km à l'est du centre de Gyeongju, est devenu un lieu de villégiature et de conférences apprécié. Il abrite les meilleurs hôtels de Gyeongju, ainsi que quelques établissements de catégorie moyenne. Le lac et les grands espaces verts se prêtent aux promenades à pied et à vélo.

Bomunho compte également quelques sites culturels. Le **musée d'Art contemporain Sonje** (☎ 745 7075 ; 3 000 W ; ☺ 10h-18h, fermé lun) fait face à l'hôtel Gyeongju Hilton. Trois salles sombres accueillent des expositions, qui changent tous les 2 ou 3 mois. La collection permanente réunit des peintures, des sculptures et d'autres œuvres d'artistes étrangers et coréens.

Le **théâtre en plein air Bomun**, en dessous du centre d'information proche du lac, présente toute l'année des spectacles de danse et de musique traditionnelles Si vous êtes à Gyeongju durant une fête, sachez que les principaux événements se tiennent à Bomunho et aux alentours, ainsi que dans le site d'exposition.

Bulguksa 불국사

Érigé sur des terrasses de pierre à 16 km au sud-est de Gyeongju, ce **temple** (carte p. 210 ; ☎ 746 9913 ; ☺ 6h30-18h, 7h-17h en hiver), sommet de l'architecture religieuse silla, est inscrit au patrimoine mondial de l'Unesco. La qualité de sa charpente, l'incroyable talent de ses peintres (en particulier sur les boiseries intérieures et les avant-toits) et la subtilité de ses paysages contribuent tous à sa magnificence.

Construit en 528 sous le règne du roi Beop-heung et agrandi en 751, il fut détruit par les Japonais en 1593. Il resta longtemps en ruine et, malgré la reconstruction de quelques bâtiments, ne retrouva sa gloire d'antan qu'en 1969-1973, lorsque le président Park Chung-hee le fit reconstruire selon son architecture d'origine.

Aux abords du temple, deux **ponts** (fermés pour conservation), véritables joyaux nationaux, sont en fait des escaliers qui mènent à la salle principale. L'un comprend 33 marches, qui représentent les 33 étapes conduisant à l'Éveil. Autres trésors nationaux, les deux pagodes qui se dressent dans la cour du premier ensemble ont survécu au vandalisme japonais. La sobriété de l'architecture de la première, **Dabotap**, reflète l'art de Silla. La seconde, **Seokgatap**, beaucoup plus ouvragée, illustre les conceptions artistiques du royaume voisin de Paekche. Des copies de ces pagodes vénérées ornent le parc du Musée national de Gyeongju.

Grimpez au niveau supérieur, à l'extérieur de la salle **Gwaneumjeon**, pour contempler les toits de tuiles qui s'étagent sur le versant ouest du Tohamsan.

Bulguksa présente l'inconvénient d'être parfois bondé et, lors de notre passage, un musée était en construction. Si vous avez besoin d'un peu de calme, dirigez-vous vers le jardin situé au fond du complexe, dans l'angle gauche, où les visiteurs déposent des "ex-voto" inscrits sur des pierres.

Les bus n°10 et 11 relient le centre de Gyeongju et Bulguksa (1 150 W). Un kiosque d'information touristique est installé dans le parking, à côté de l'arrêt de bus.

Grotte de Seokguram 석굴암

Dans la montagne, au-dessus de Bulguksa, la célèbre grotte de **Seokguram** (carte p. 210 ; ☎ 746 9933 ; 3 000 W ; ☺ 6h-18h, 7h-17h30 en hiver) est aussi inscrite au patrimoine mondial de l'Unesco. Dans une petite rotonde à l'intérieur de la grotte trône une statue du Bouddha Shakyamuni, entouré de plus de trois douzaines de gardiens et de quelques de divinités. Tous sont considérés comme des chefs-d'œuvre. On a longtemps estimé que la position du Bouddha, regardant par-delà la mer du Japon (visible par temps clair), en faisait le protecteur du pays. Il ressemble de manière frappante à des statues similaires trouvées en Chine et en Inde, en particulier celles de Badami, au nord de Mysore.

La construction de Seokguram relève de l'exploit pour l'époque (milieu du VIIIe siècle). D'énormes blocs de granit, extraits loin au nord, furent hissés sur l'étroit sentier qui constituait alors le seul accès au site, à 740 m d'altitude.

Les siècles suivants furent impitoyables. Lorsque la dynastie de Koryo fut renversée et le bouddhisme persécuté durant la dynastie Choson, Seokguram tomba progressivement en ruine. Les travaux de restauration entrepris sous l'occupation japonaise firent plus de mal que de bien, détruisant l'antique système de ventilation et la maçonnerie (dont quelques vestiges bordent les sentiers du temple). Il fallut attendre les années 1961-1964 pour qu'une restauration consciencieuse soit entreprise sous l'égide de l'Unesco. Une vitre protège désormais la rotonde.

Très fréquentée, à l'instar de Bulguksa, Seokguram peut être un endroit magique lorsque la foule le déserte.

Des bus circulent toutes les heures entre les parkings de Bulguksa et de Seokguram (1 150 W, 15 min). Du parking de Seokguram, parcourez 400 m sur un chemin gravillonné ombragé, puis gravissez les marches jusqu'à la grotte. Autre possibilité, un sentier de randonnée relie la billetterie de Seokguram et Bulguksa (environ 3,2 km).

Girimsa 기림사

Une fois passé le col et descendu dans le quartier est du parc national de Gyeongju, vous atteindrez l'embranchement de **Girimsa** (carte p. 210 ; ☎ 744 2922 ; 2 500 W ; ✆ 8h-18h), l'un des plus grands centres religieux à proximité de la capitale de Silla. En taille (14 bâtiments en tout), il peut rivaliser avec Bulguksa, mais moins bien situé, il reçoit moins de visiteurs. Le calme relatif qui y règne permet de mieux apprécier les éléments classiques de l'ensemble : portes, rois célestes, instruments de musique, bouddhas diversement représentés. Girimsa doit également sa réputation au **Geonchilbosal**, un bouddha assis, réalisé en papier, sciure de bois et tissu, puis laqué. Le cadre naturel, entouré de montagnes et bordé d'un cours d'eau, et le figuier pippal vieux de 500 ans qui se dresse à l'entrée ajoutent au charme du lieu.

Le temple fut fondé au début de la période silla, lorsqu'un moine nommé Gwangyu arriva d'Inde et parvint à réunir quelque 500 adeptes. Connu à l'origine sous le nom d'Imjongsa, le temple fut appelé Girimsa en 643, après son agrandissement. Les bâtiments actuels datent de 1786, l'année de la reconstruction de Girimsa. Le temple a été rénové en 1997.

Dans le petit village touristique installé à l'entrée, on peut trouver des chambres *minbak* (chez l'habitant). Si vous visitez le temple aux alentours de midi, vous pouvez partager un déjeuner végétarien (gratuit) dans le réfectoire. Servez-vous modérément car il est très mal vu de laisser de la nourriture dans son assiette. Vous devrez probablement faire votre vaisselle.

Aucun bus direct ne dessert Girimsa, ce qui complique un peu le trajet. Du terminal des bus interurbains Gyeongju, prenez un bus en direction de Gampo-ri ou Yangbuk-myeon (n°100 ou 150) et demandez au chauffeur de vous déposer à Andongsamgeo-ri. De là, la route goudronnée qui mène au temple part sur la gauche. Vous pouvez parcourir ces 4,5 km à pied, en stop ou en taxi.

Golgulsa 골굴사

Ce **temple** (Golgulam ; carte p. 210 ; ☎ 744 1689 ; www.sunmudo.com ; entrée libre) comporte, à flanc de falaise, un bouddha sculpté dans la roche au VIe siècle et un ermitage installé dans des grottes. Des rambardes empêchent les chutes, mais les visiteurs sujets au vertige préféreront rester en bas.

Des élèves viennent ici pour étudier le *sunmudo*, un art martial coréen semblable au *taekwondo* et qui respecte les principes bouddhistes de l'octuple sentier et des quatre nobles vérités. Des démonstrations (1 heure 30) ont lieu chaque jour à 8h30 et 19h à l'université Sunmudo, dans l'enceinte du temple. Comptez 15 000 W pour un session d'entraînement le matin ou le soir et 50 $US pour 2 jours de cours en pension complète (possibilité de traduction en anglais). Réservation indispensable.

Pour rejoindre Golgulsa, prenez le même bus que pour Girimsa. De l'arrêt de bus, prévoyez 15 min de marche ou appelez au temple pour que l'on vienne éventuellement vous chercher.

Gameunsa 감은사지

À 1 km de la côte, le long de la route principale qui mène à Gyeongju, se dressent les ruines d'un grand **temple de la période silla** (carte p. 210 ; entrée libre ; ✆ 24h/24). À l'entrée, un schéma montre l'agencement d'origine. Il n'en reste que 2 pagodes de 3 niveaux – parmi les plus grandes du pays – et les pierres des fondations. Les pagodes sont les prototypes de celles qui furent construites après l'unification de Silla. Une énorme cloche, environ quatre fois plus grosse que la cloche Emille du Musée national de Gyeongju, était autrefois suspendue à Gameunsa. Volée par les Japonais durant l'invasion de 1592, la cloche disparut dans la mer après le naufrage du bateau qui l'emportait au Japon. Une équipe du Musée national de Gyeongju l'a vainement recherchée il y a plusieurs années. Une nouvelle tentative devrait avoir lieu.

Tombe marine du roi Munmu
대왕암(문무대왕릉)

À 200 m de la côte, un groupe d'îlots rocheux est le cadre de la célèbre tombe du roi de Silla, Munmu (vers 661-681 ; carte p. 210), qui unifia la péninsule en 668. Ce tombeau sous-marin est unique au monde.

Munmu avait fait savoir qu'à sa mort il souhaitait être incinéré et que ses cendres soient déposées dans la mer, près de Gameunsa. Il espérait ainsi que son esprit se transformerait en dragon et protègerait les côtes orientales du royaume de Silla des pirates japonais. Ce vœu fut respecté par son fils Sinmun, qui devint le nouveau roi de Silla.

Dans le bassin qui constitue le centre des îlots, on peut voir un rocher qui recouvrirait les cendres de Munmu. Aucune preuve ne vient étayer cette affirmation, que certains qualifient de légende. Ne rêvez pas de vous y aventurer car les îlots sont interdits au public. De plus, la force des courants rend l'approche dangereuse.

La tombe repose au large de la **plage de Bonggil** qui, comme la **plage de Daebon** (une crique au nord), attire en été de nombreux vacanciers coréens, bien que ni l'une ni l'autre ne soient extraordinaires. Minbak et restaurants de poisson jalonnent le littoral.

À Gyeongju, prenez le bus n°150 en direction de Yangnam (2 700 W, 1 heure, toutes les 15 min) et descendez à Bonggil.

GYEONGJU SUD (NAMSAN)

Cette montagne, au sud du centre-ville, l'un des plus beaux endroits de la région, permet de conjuguer activités physiques et spirituelles.

Ce lieu superbe est ponctué de vestiges, de temples et de monastères en activité et de sites religieux. Parmi les reliques mises

au jour, on compte 122 temples, 64 pagodes de pierre, 57 bouddhas de pierre, de nombreuses tombes royales, des statues taillées dans la roche, des pavillons et les restes de forteresses, de temples et de palais. Vous pourrez choisir parmi des centaines de sentiers, dont beaucoup longent des cours d'eau qui dégringolent de la montagne.

Sentiers et pistes sont praticables, mais vous devrez parfois vous en écarter pour découvrir des vestiges, pour la plupart non-signalés. Vous pouvez aussi tomber par hasard sur un monument vieux de 1 000 ans ou plus ! Reportez-vous à l'encadré ci-contre pour quelques suggestions de circuits. Les offices du tourisme vous proposeront d'autres itinéraires et des cartes.

Les bus n°11, 500, 501, 503, 505, 506, 507 et 591 passent tous par Namsan.

Tombes Oreung 오릉

Au sud de la ville, de l'autre côté du premier pont, ces cinq **tombes** (carte p. 210 ; ☎ 772 6903 ; 300 W ; 🕐 8h-18h) sont les plus anciennes de la région. La sépulture du roi Hyeokgeose, le fondateur du royaume, date de 2 000 ans.

Poseokjeongji 포석정지

Une bonne marche en descendant la route conduit à l'ancien **jardin du banquet** (carte p. 210 ; ☎ 745 8484 ; 500 W ; 🕐 9h-18h mars-nov, 9h-17h déc-fév), dans une clairière ombragée. Il symbolise toute l'élégance de Silla : un étroit canal de granit peu profond, en forme d'ormeau, de plusieurs mètres de long, dans lequel coulait autrefois un cours d'eau (voir l'encadré *Cul sec*). Désormais asséché, le lieu semble moins intéressant que la légende.

JOUTES POÉTIQUES

Selon la légende, le souverain de Silla, accompagné de ses concubines et de ses courtisans, s'asseyait le long du canal Poseokjeongji, au centre duquel des danseurs exerçaient leur art. Le roi récitait une partie d'un poème et demandait à l'un de ses invités de lui donner la réplique tout en déposant une coupe de vin sur l'eau. Si la coupe parvenait devant l'invité avant que celui-ci n'ait réussi à improviser, il devait boire le vin d'un coup.

Baerisamjonseokbul 배리삼존석불

De Poseokjeongji, continuez de descendre la route sur moins de 1 km pour arriver au paisible **Baerisamjonseokbul** (carte p. 210 ; entrée libre ; ⏲ 24h/h), moins visité. Il contient **trois statues de bouddha** qui représenteraient le style du début de la dynastie Silla.

Samneung 삼릉

Cette **pinède** (carte p. 210 ; entrée libre ; ⏲ 24h/24) renferme les tumuli de trois rois de Silla, dont l'un serait parmi les premiers (Adalla, vers 154-184) et les deux autres, parmi les derniers (vers 912-927). Une autre tombe, à l'écart, contiendrait la dépouille du roi Gyeongae tué par des brigands à Poseokjeongji lors d'un banquet. Sa mort annonça le déclin de la dynastie.

Samneung est également un bon point de départ pour une excursion dans le Namsan. Voir l'encadré ci-dessous.

GYEONGJU OUEST
Tombe du roi Muyeol

La principale tombe du groupe Muyeol est celle du **roi Muyeol** (carte p. 210 ; ☎ 772 4531 ; 500 W ; ⏲ 9h-18h, 9h-17h en hiver). Au milieu du VIIe siècle, il prépara l'unification de la Corée en soumettant le royaume rival de Paekche. L'unification de la péninsule fut

---

RANDONNÉES D'UNE JOURNÉE DANS LE NAMSAN

Centre du Namsan

De nombreux chemins sillonnent le Namsan, mais les itinéraires les plus pratiques partent de Samneung, où l'on peut arriver en suivant le versant est de la montagne ou par bus. Quel que soit l'itinéraire choisi, tenez compte des inévitables détours pour admirer des vestiges situés à l'écart des sentiers. Vous trouverez peu d'indications en anglais, mais quelques notions d'*hangeul* vous permettront de vous repérer. Un temps dégagé assure de belles vues et des sentiers praticables.

Randonnée de 3 heures : de Samneung, montez vers l'ermitage de **Sangseonam** (상선암), en admirant en chemin les bas-reliefs et les statues. L'ermitage offre de jolies vues sur la vallée et vous entendrez peut-être un moine psalmodier. Grimpez vers la formation rocheuse de **Badukbawi** (바둑바위) et suivez la crête jusqu'à **Sangsabawi** (상사바위). Revenez par le même chemin.

Randonnée de 5 heures : au lieu de rebrousser chemin à Sangsabawi, continuez en direction du sommet du **Geumosan** (금오산, 468 m). À **Yongjangsaji** (용장사지, temple de Yongjang), remarquez le bouddha assis sculpté dans la pierre et une pagode en granit à 3 niveaux. Descendez ensuite vers Yongjang-ri (용장리, village de Yongjang), où vous pourrez prendre un bus pour le centre de Gyeongju.

Randonnée de 8 heures : suivez le même itinéraire jusqu'à Yongjangsaji, mais, au lieu de descendre vers Yongjang-ri, franchissez la crête en direction de **Chilbulam** (칠불암, ermitage des 7 bouddhas), le plus grand vestige du Namsan avec ses sculptures taillées dans la roche et ses pilliers de pierre. De là, descendez vers la route et parcourez 1 km pour atteindre **Namsan-ri** (남산리, village de Namsan), du côté est du parc, où vous prendrez un bus pour revenir en ville.

Nord-est du Namsan

À Gyeongju, prenez le bus local n°11 et descendez dès qu'il a traversé la rivière, à environ 2,5 km du Musée national. À l'embranchement proche de la route principale, empruntez le sentier sur la gauche qui conduit à **Borisa** (보리사), un couvent remarquablement restauré parmi des arbres centenaires et des statues anciennes. Derrière Borisa, vous pouvez grimper jusqu'à **Tapgol** (탑골, vallée de la pagode), mais la pente est raide. Il est plus facile de revenir à l'embranchement et de prendre le chemin de droite. Suivez la rivière sur plusieurs centaines de mètres jusqu'à un petit village. Tournez à gauche et montez le long du chemin qui traverse Tapgol pour arriver à l'ermitage isolé d'**Okryongam** (옥룡암), que longe un cours d'eau ; au-dessus de l'ermitage, de lourds rochers sont sculptés de nombreux **bas-reliefs**.

De retour vers le pont, vous apercevrez, en direction de la route principale, deux **piliers** en pierre émergeant d'un bosquet au milieu des rizières. Il s'agit des derniers vestiges du **Mangdeoksa**, un immense temple de l'ère silla. De là, comptez 20 min de marche facile jusu'au Musée national.

Selon l'itinéraire choisi, cette randonnée peut durer une demi-journée.

achevée par son fils, le roi Munmu. Trésor national, un beau monument commémore ses exploits près de l'entrée de la tombe : une tortue, portant une stèle finement sculptée de dragons entrelacés, symbolise sa puissance.

Tombe du général Kim Yu-sin

De retour vers la ville, le long d'une route secondaire qui, au début, suit le fleuve, la **tombe du général Kim Yu-sin** (carte p. 210 ; ☎ 749 6713 ; 500 W ; ☺ 9h-18h, 9h-17h en hiver) rend hommage à l'un des grands héros militaires coréens. Chef des armées des rois Muyeol et Munmu au VIIe siècle, il dirigea les campagnes qui aboutirent à l'unification du pays. Plus petite que la tombe du roi Muyeol, celle du général Kim est beaucoup plus travaillée et entourée des signes du zodiaque oriental finement sculptés.

Circuits organisés

Des **bus touristiques publics** (☎ 743 6001 ; 10 000 W) desservent tous les sites. Ils partent du terminal des bus interurbains à 8h30 et 10h. Le circuit dure 7 heures. Le déjeuner et les droits d'entrée ne sont pas compris.

Où se loger

Les hébergements du centre-ville se regroupent près de la gare routière, mais vous en trouverez de meilleur marché aux alentours de la gare ferroviaire, à 20 min à pied. La plupart des restaurants sont installés entre les deux gares. Hôtels et restaurants de catégorie supérieure se trouvent à Bomunho, mais il en existe de moins chers à courte distance, à l'est du lac.

PETIT BUDGET

Je-il Yeoinsuk (carte p. 207 ; ☎ 772 2792 ; ch à partir de 13 000 W). À une rue de la gare ferroviaire, cet établissement spartiate (béton apparent, aucun équipement privé) comporte des chambres dotées de portes traditionnelles, en bois et papier.

Arirang-jang Yeoinsuk (carte p. 207 ; ☎ 772 2460 ; ch avec/sans sdb 15 000/10 000 W). Proche de la gare et un peu plus récent, il propose des chambres ondol minuscules et bizarrement agencées.

Sarangchae (carte p. 207 ; ☎ 773 4868 ; www. kjstay.com/eng.htm ; s/d et lits jum à partir de 20 000/ 25 000 W ; ▣). Pour quelques won supplémentaires, vous logerez dans une maison traditionnelle, pleine de charme, dans une chambre ondol ou avec lits (sdb communes),

joliment décorée. Les sympathiques propriétaires mettent à disposition une cour, une cuisine, l'accès à Internet et des machines à laver. Réservation indispensable. La maison se trouve derrière un petit temple, Peopchangsa, mais les propriétaires risquent de déménager : vérifiez sur le site web.

Hanjin Hostel (Hanjin-jang Yeogwan ; ☎ 771 4097 ; http://hanjinkorea.wo.to ; s/d/t 20 000/24 000/29 000 W, avec sdb 25 000/26 000/30 000 W ; ▣). On ne séjourne pas ici pour les chambres, plutôt mal tenues, mais pour la cuisine, la cour, le salon et le toit-terrasse où l'on rencontre d'autres voyageurs. Le propriétaire parle anglais et japonais, distribue des cartes gratuites et vous renseignera sur les curiosités locales.

Plusieurs établissements très convenables sont installés au nord-est des gares routières (carte p. 207) et proposent tous des chambres avec sdb :

Motel Seorim-jang (☎ 772 7676 ; ch à partir de 25 000 W ; ▨). Ouvert en 2003. Propre et d'un bon rapport qualité/prix.

Taeyang-jang Yeogwan (☎ 773 6889 ; ch à partir de 25 000 W ; ▨). À 20 m de l'Hanjin Hostel, il offre des chambres agréables et le sourire permanent du propriétaire.

Yeongbin-jang Yeogwan (☎ 772-6303 ; ch à partir de 30 000 W ; ▨). Chambres ondol et avec lit décorées avec goût et prêt gratuit de vidéocassettes.

CATÉGORIE MOYENNE

Bomunho (carte p. 210) abrite deux excellentes adresses :

Hansol-jang (☎ 748 3800 ; fax 748 3799 ; ch à partir de 40 000 W ; ▨). Toutes les chambres, ondol ou avec lit, disposent d'un minuscule balcon. Mise à disposition gratuite de vidéocassettes.

Swiss Rosen Hotel (☎ 748 4848 ; fax 748 0094 ; www.swissrosen.co.kr ; ch à partir de 48 000 W ; ▨). En face du Hansol-jang, le Swiss Rosen constitue un bon choix en dépit de la taille réduite des chambres. Les tarifs grimpent le week-end et en haute saison.

Autres options près des gares routières :

Hilltop Motel (carte p. 207 ; ☎ 743 1900 ; à partir de 40 000 W ; ▨). Ouvert en 2002, il propose des chambres un peu surchargées, mais bien tenues et dotées de jolies sdb. Éloignez vos enfants des distributeurs automatiques "pour adultes" !

Inns Tourist Hotel (carte p. 207 ; ☎ 741 3335 ; fax 741 3340 ; d/lits jum 49 000/69 000 W ; ▨ ▣). Décor moderne dans les chambres ondol et occidentales (celui des ondol est plus joli), toutes équipées de baignoires. Accès Internet à la réception.

Gyeongju Park Tourist Hotel (carte p. 207 ; ☎ 742 8804 ; fax 742 8808 ; d/lits jum 65 000/76 000 ; 🔀 💻). Cet établissement sympathique a fait peau neuve en 2003. Certaines chambres du 1ᵉʳ étage se situent au-dessus d'une boîte de nuit mais, en compensation, elles disposent d'un terminal relié à Internet. Renseignez-vous sur les réductions saisonnières.

CATÉGORIE SUPÉRIEURE

Les meilleurs hôtels de Gyeongju bordent le lac, à Bomunho (carte p. 210). Les agences de voyages vous informeront sur les éventuels forfaits.

Wellich Chosun Hotel (☎ 745 7701; www.chosunhotel.com; d et lits jum à partir de 170 000 W ; 🔀). Rénové en 2002, il a déjà accueilli des célébrités coréennes. Les chambres sont décorées de jolies boiseries et le rez-de-chaussée, de motifs de Gyeongju verts et ocres. L'hôtel abrite l'un des spas les plus réputés de la ville.

Hotel Hyundai (☎ 748-2233 ; www.hyundaihotel.com ; ch à partir de 200 000 W ; 🔀 💻 🏊). Marbre à profusion, jardin au bord du lac, balcons et accès Internet dans chaque chambre et club de remise en forme.

Gyeongju Hilton (☎ 745 7788, numéro vert ☎ 00798-651 1818 ; www.hilton.com ; ch à partir 210 000 W ; 🔀 🏊). Cet hôtel de la chaîne prestigieuse dispose d'un sauna, de courts de squash, d'une salle de gym et d'un étage "Coupe du monde" où ont résidé les équipes allemandes et danoises. Nous avons apprécié le Miró qui orne la réception.

Où se restaurer

Le centre-ville (carte p. 207) offre le plus grand nombre et la plus belle diversité de restaurants.

Jang Udong (plats 2 500-4 000 W). Proche de la gare routière, il propose des nouilles classiques, des gimbap et des en-cas coréens.

Pyeongyang (repas 5 000-13 000 W). L'enseigne "restaurant touristique" accrochée en façade n'empêche pas la population locale d'affluer pour se régaler de bulgogi et autres spécialités coréennes.

Nolboo (repas 5 000-10 000 W). Dans ce restaurant de *cheolpan* (plats servis sur une plaque chauffante), vous dégusterez du bœuf, du porc ou du poulet, accompagnés d'une sauce épicée et de légumes.

Sukyong Sikdang (repas 5 000-10 000 W). Apprécié localement pour son bori-bap (riz et orge, servis avec des légumes) et sa cour plaisante. On y parle un peu anglais.

Donghaegwan (menus à partir de 10 000 W). Ce bel endroit propose un *hanjeongsik* (menu coréen) ou un bibimbap à 7 000 W.

Terrace (repas 8 300-27 000 W). Cette chaîne récente prépare des plats coréens et occidentaux. Sa terrasse, proche d'un tumulus, est plus agréable qu'il ne semble.

Kisoya (repas 3 500-23 000 W). Voisin du Terrace, le Kisoya offre un cadre similaire et une carte correcte de plats japonais classiques, avec une touche coréenne.

Des restaurants de *ssambap* se regroupent dans une rue au sud-est du parc des tumuli. Les *ssambap* sont les nombreux petits plats d'accompagnement que l'on enveloppe d'une feuille de verdure, comme la laitue.

Au dessert, goûtez un *bang* de Gyeongju, une boulette de blé fourrée de pâte de haricot rouge et cuite au four. En vente dans des boutiques du centre-ville, les bang sont délicieux à la sortie du four.

À Bomunho, le **Halim** (carte p. 210 ; repas 7 000-15 000 W) se spécialise dans les champignons. Commandez un *beoseot jeongol*, un assortiment de champignons que l'on prépare en ragoût à votre table, avec des légumes et du bœuf.

Les hôtels de luxe de Bomunho abritent tous un restaurant haut de gamme (italien, chinois, buffet international, etc.) à prix élevés. Si vous devez faire vos courses, vous trouverez nombre de commerces d'alimentation et de boulangeries à Bomunho et au centre-ville.

Près de Namsan, de l'autre côté du parking à Samneung, le **Galibi Haemul** (carte p. 210 ; repas 3 000-10 000 W) sert des pajeon et des *haemul galgaksu* (succulentes nouilles maison vertes préparées avec des algues) aux fruits de mer.

Où prendre un verre

Mahayeon (carte p. 207) n'a rien d'exceptionnel au premier regard, mais vous ne trouverez pas mieux pour siroter un thé dans un cadre traditionnel. Montez au 1ᵉʳ étage.

Schumann & Clara (café 3 500-10 000 W). Les amateurs de café adoreront cet établissement, au décor contemporain discret, qui propose des cafés du monde entier sur fond de musique classique. Il se situe au nord-ouest du centre, dans une rue estudiantine, à l'est du pont qui mène à l'université Dongguk.

Woodstock (☎ 773-2431). Enseignants expatriés et étudiants se retrouvent dans ce bar, en face du Mahayeon et à quelques pas à l'est du Schumann & Clara.

Où sortir

Dans le parc Wolseong (carte p. 210), des spectacles de danse et de musique traditionnelles en plein air ont lieu chaque samedi, de 15h à 17h, en avril, mai, septembre et octobre. Des représentations plus régulières se tiennent à Bomunho entre avril et novembre (à 14h30 en avril et novembre, à 20h30 en été). Contactez le **KNTO** (☎ 1330) pour plus d'information (p. 405).

Plusieurs cinémas sont installés au centre de Gyeongju.

Depuis/vers Gyeongju
AVION
Gyeongju ne possède pas d'aéroport, mais ceux de Busan (Gimhae) et d'Ulsan sont facilement accessibles. L'aéroport d'Ulsan est le plus proche, mais Gimhae offre davantage de vols. Voir plus loin la rubrique *Comment circuler*.

BUS
La gare des bus express (carte p. 207) et celle des bus interurbains se jouxtent. La gare des bus express dessert :

Destination	Prix (W)	Durée (h)
Busan	4 900	1
Daegu	2 800	1
Daejeon	13 200	3
Séoul	21 700	4½

La gare des bus interurbains relie :

Destination	Prix (W)	Durée (h)
Busan	3 300	1
Gangneung	19 300	6
Uljin	10 800	4
Ulsan	3 100	1

TRAIN
Les trains *mugunghwa* Gyeongju–Séoul circulent deux fois par jour (de 17 000 à 20 000 W). Quatre trains *saemaeul* (express de luxe) partent chaque jour de Séoul (de

26 000 à 30 600 W). Les liaisons sont plus nombreuses le week-end et les jours fériés. Des trains relient ausssi Busan et Gyeongju, mais les bus sont plus fréquents.

Comment circuler
DEPUIS/VERS L'AÉROPORT
Plusieurs bus directs desservent chaque jour l'aéroport d'Ulsan (4 500 W, 4 par jour) et celui de Gimhae, pour Busan (9 000 W, 12 par jour).

BICYCLETTE
Le vélo est idéal pour visiter les alentours de Gyeongju. Quelques pistes cyclables sillonnent le parc vallonné de Namsan et le quartier de Bomunho. La plupart des routes sont assez sûres.

Les boutiques de location de bicyclettes, omniprésentes, pratiquent les mêmes tarifs. Comptez 3 000 W l'heure ou 10 000 W par jour pour un VTT.

BUS
Beaucoup de bus locaux (800/1 150 W régulier/de luxe) terminent leur parcours devant la gare des bus interurbains, près du fleuve. Pour raccourcir le trajet (comme pour Bulguksa), prenez le bus dans Sosongno ou Daejeongno.

Les bus n°10 (qui circule dans le sens des aiguilles d'une montre) et n°11 (en sens inverse) font le tour de la plupart des sites, dont Bulguksa, Namsan et Bomunho. Ils passent également par les gares routières et la gare ferroviaire de Gyeongju (toutes les 15 min). Le bus n°150 part de la gare ferroviaire et dessert les sites de Gyeongju est, *via* le centre Bomunho Expo (toutes les 30 min).

TAXI
Si vous souhaitez découvrir un maximum de sites en un minimum de temps, louez un taxi à la journée aux abords des gares routières et ferroviaire. Les prix tournent autour de 70 000 W pour 5 heures ou 100 000 W pour 7 heures.

NORD DE GYEONGJU
Ce secteur renferme de superbes exemples d'architecture coréenne traditionnelle, dans un cadre exceptionnel. Le nombre de sites justifie une excursion de 2 jours au départ de Gyeongju.

Village folklorique de Yangdong

Après vous être imprégné de l'histoire de Silla, passez à la période choson. Ce magnifique et paisible village (carte p. 210) de la dynastie Choson, construit à flanc de coteau, regorge de demeures majestueuses et de maisons traditionnelles en bois. Il s'agit d'un site protégé.

Bâti entre le XVᵉ et le XVIᵉ siècle, Yangdong regroupe quelque 150 maisons typiques de la classe *yangban* (classe aristocratique essentiellement héréditaire, basée sur l'érudition et la position sociale). Il vit naître Son-so (1433–1484), un lettré qui joua un rôle clé dans l'écrasement de la révolte contre le roi Sejo en 1467. Son petit-fils, le grand érudit confucéen Yi Eon-jeok (pseudonyme : Hoejae ; 1491–1553) naquit dans la même maison. Beaucoup de lieux autour d'Oksan Seowon lui sont consacrés.

Parmi les demeures les plus imposantes, ne manquez pas Yi Hui-tae (1733) et ses nombreuses dépendances, Simsujeong (1560), la plus grande structure du village, et Hyangdam (1543), connue pour ses espaces étroitement ajustés.

La plupart de ces maisons étant toujours habitées, faites preuve de courtoisie lors de votre visite. Quelques-unes des plus grandes sont désertées et ouvertes au public. Devant les principaux bâtiments, des panneaux descriptifs comportent des commentaires en anglais. Si les demeures sont fermées, demandez la clé aux villageois alentour, généralement très accueillants. Entrée libre dans tous les bâtiments. Comptez plusieurs heures pour la visite.

L'**Uhyangdasil** (plats 4 000-13 000 W), un café agréable, installé derrière l'église dans un bâtiment traditionnel, sert du thé, du vin, des en-cas et des repas légers. Le village compte quelques restaurants sans prétention et des boutiques où vous pourrez acheter en-cas et boissons.

DEPUIS/VERS YANGDONG

Au départ de Gyeongju, les bus n°200, 201, 202, 203 et 206 (tous en direction d'Angang-ri) vous déposeront à 1,5 km de Yangdong. De l'arrêt de bus, suivez la voie ferrée et passez en dessous. Une seule route mène au bourg.

En sens inverse, vous trouverez facilement un bus pour Gyeongju. Vous pouvez aussi continuer jusqu'à Angang-ri, puis Oksan Seowon.

OKSAN SEOWON ET SES ENVIRONS
옥산 서원

Une *seowon* est une académie confucéenne. Oksan Seowon (carte p. 210) fut l'une des plus importantes du pays. Créée en 1572 en hommage à Yi Eon-jeok (1491–1553) par un autre célèbre lettré confucéen, Toegye (voir p. 225), et agrandie en 1772, Oksan Seowon figure parmi les rares seowon rescapées des destructions des années 1860. Toutefois, un incendie détruisit plusieurs bâtiments au début du XXᵉ siècle et il n'en reste que 14 aujourd'hui.

Niché dans un cadre sublime, ce bel ensemble, aujourd'hui délabré, environné d'arbres et surplombant un cours d'eau qui se déverse en cascade dans des bassins rocheux, dut se prêter merveilleusement à la contemplation et à l'étude. La porte principale est généralement ouverte et vous pouvez flâner à loisir dans l'enceinte fortifiée. Au-dessus de la porte qui fait face à la rivière, une plaque mentionne en caractères chinois un texte ancien décrivant le plaisir que procure la visite d'amis.

Durant les vacances d'été, des campeurs s'installent sur les berges du torrent où l'on peut nager dans les bassins, sous la chute d'eau. Le lieu est idéal pour un pique-nique.

À voir

DONGNAKDANG 독락당

Une marche de 10 min sur la route qui monte dans la vallée après Oksan Seowon conduit à **Dongnakdang** (carte p. 210 ; ☎ 752 7712 ; entrée libre ; ☺ sur rendez-vous), un bel ensemble de bâtiments bien conservés, construit en 1515 et agrandi en 1532 lorsqu'il devint la résidence de Yi Eon-jeok après son départ du gouvernement. Il règne ici aussi une atmosphère intemporelle et apaisante. Un superbe pavillon surplombe le torrent. L'enceinte fortifiée est partiellement occupée par les descendants de Maître Yi lui-même. Lors de notre passage, on construisait une bibliothèque pour entreposer ses manuscrits.

En raison des actes de vandalisme passés, la famille demande aux visiteurs de prendre rendez-vous (renseignez-vous auprès des offices du tourisme). Ils vous ouvriront les salles et répondront à toutes vos questions (en coréen). Même si vous ne parlez pas coréen, la visite ne manque pas d'intérêt.

JEONGHYESA 정혜사지13층석탑

À 400 m de Dongnakdang, sur la gauche et cerné de rizières, **Jeonghyesa** (carte p. 210 ; entrée libre), une pagode de pierre de 12 niveaux et de 5,9 m de haut, se détache sur les montagnes. Ses origines restent quelque peu obscures, mais on pense qu'elle date de la période du royaume unifié de Silla. Malheureusement, de l'ensemble du sanctuaire seule subsiste la pagode ; les autres bâtiments ont été détruits lors de l'invasion japonaise de 1592.

DODEOKAM 도덕암

À 1,75 km de Dongnakdang, au sommet des montagnes boisées proches de l'extrémité de la vallée, un minuscule **ermitage** (carte p. 210 ; ☎ 762 9314 ; entrée libre) se perche sur un affleurement rocheux d'où jaillissent deux sources. Les vues sont magnifiques.

De la route, un chemin escarpé mène à Dodeokam et peu de visiteurs s'y aventurent. Rares sont d'ailleurs les Coréens qui connaissent cet ermitage. Suivez la route principale qui traverse la vallée après Dongnakdang et Jeonghyesa, puis longez le torrent sur 600 m ; vous verrez un panneau rouillé sur la gauche. Tournez à gauche et empruntez le sentier en lacets qui grimpe dans la montagne. L'ermitage se situe à 900 m.

Où se loger et se restaurer

Pour trouver une chambre chez l'habitant et obtenir des informations générales, appelez le ☎ 017-533 2196. Près des sites, l'**Oksan Motel** (carte p. 210 ; ☎ 762 9500 ; fax 762 9510 ; d 30 000 W ; ⚡), un bâtiment récent environné d'un beau cadre, propose des chambres *ondol* ou avec lits, dotées d'une douche. Au **Sanjang Sikdang** (carte p. 210 ; ☎ 762 3716 ; ragoût de poulet/canard 2-4 pers 25 000/30 000 W), spécialisé dans le poulet et le canard fermiers, goûtez un *tojongdak baeksuk* (ragoût de poulet) ou un *orihanbang baeksuk* (ragoût de canard), accompagné d'un porridge de riz. La préparation du ragoût demande de 40 à 50 min : installez-vous en terrasse par beau temps ou demandez à un Coréen de passer la commande par téléphone à l'avance. Le restaurant se trouve non loin de Dongnakdang.

Depuis/vers Oksan Seowon

À la gare ferroviaire de Gyeongju, prenez le bus n°203 en direction d'Angang-ri (toutes les 30 à 40 min).

TOMBE DU ROI HEUNDEOK

Sépulture royale la plus éloignée du centre de Gyeongju (carte p. 210), cette tombe est l'une des dernières construites sous la dynastie Silla. Située dans un cadre enchanteur, parmi les arbres, c'est l'une des mieux préservée.

Elle se trouve à 4 km au nord d'Angangri, à peu près à mi-chemin entre Oksan Seowon et Yangdong.

SONGSEON-RI 송선리

Près du sommet de l'Obongsan (640 m), un mont boisé, l'ermitage de **Bokduam** (carte p. 210) comprend une immense paroi rocheuse dans laquelle on a creusé 19 niches. Les trois niches centrales contiennent une statue du Bouddha historique, flanqué de deux *bodhisattva* (Munsu et Bohyeon). Les autres abritent les 16 moines *arhat* qui ont atteint le Nirvana. La sculpture est récente, l'ermitage ayant été dévasté par un incendie en 1988. Il n'en reste qu'une maison inoccupée. Une statue de Gwanseeum, la déesse de la Miséricorde, a été récemment érigée derrière la paroi rocheuse. En contrebas de l'ermitage s'étend un panorama époustouflant. L'endroit est idéal pour pique-niquer.

Le sentier, bien entretenu, est facile à suivre, mais n'oubliez pas d'apporter de l'eau. (vous ne trouverez pas de sources en chemin). L'ascension dure environ 1 heure. De l'arrêt de bus de Songseon-ri, empruntez la route étroite qui longe le cours d'eau sur environ 500 m jusqu'à un petit temple (Seongamsa). Le sentier, balisé en hangeul, commence à la gauche du temple.

Non loin, **Jusaam**, un temple fondé il y a 1300 ans par le moine Uisang, a abrité nombre de moines célèbres. Suivez le même itinéraire que celui de Bokduam, mais, au niveau de la chaussée en béton, continuez-la jusqu'à l'autre versant de la vallée.

Parcourez encore 3,8 km sur la route, après l'arrêt de bus pour Bokduam et Jusaam, pour rejoindre **Sinseonsa**, un temple isolé, proche du sommet de Danseoksan (827 m). Il servit de base au général Kim Yu-shin au VIIe siècle et a depuis subi quelques travaux de rénovation. À environ 50 m sur la droite, lorsque vous faites face au temple, quelques antiques sculptures rupestres se cachent dans une petite grotte ; ce serait l'un des plus anciens temples troglodytiques du pays. Comptez de 1 heure 30 à

2 heures de marche depuis l'arrêt de bus. Un petit village jalonne le parcours, à environ 2,5 km de l'arrêt de bus.

Sur la route de Sinseonsa, Danseok Sanjang vend des boisons et des en-cas.

Depuis/vers Songseon-Ri
De Gyeongju, le bus n°350 (1 050 W, toutes les 40 min) dessert Songseon-ri, point de départ pour Bokduam et Jusaam. Si vous continuez vers Sinseonsa, indiquez au chauffeur l'endroit où vous déposer.

JIKJISA 직지사
Jikjisa (☎ 436 6174 ; 2 500 W ; ☼ 7h-19h mars-oct, 7h-17h30 nov-fév) est l'un des plus grands et des plus célèbres temples du pays. Situé sur les contreforts du Hwang-aksan, il fut construit durant le règne du 19e roi Silla, Nul-ji (417-458), ce qui en fait l'un des tout premiers temples bouddhiques érigés en Corée. Il fut rebâti en 645 par le prêtre Jajang qui ramena de Chine, où il avait étudié de nombreuses années, le premier jeu complet du *Tripitaka*, les écritures bouddhistes. Le temple à nouveau restauré au Xe siècle, fut totalement détruit lors de l'invasion japonaise de 1592 et reconstruit une fois de plus en 1602.

Aujourd'hui, Jikjisa est un immense ensemble raffiné. Des 40 bâtiments d'origine, 20 subsistent et le plus vieux date de 1602. Ne manquez pas le **Daeungjong**, et ses magnifiques triptyques bouddhiques sur soie (1774), classés trésors nationaux, ainsi que la collection tournante du **musée d'Art bouddhique** (1 000 W ; ☼ 9h30-17h30, 10h-17h nov-fév, fermé lun).

Le plus célèbre moine de Jikjisa, un moine-soldat appelé Samyeong (alias Songun ou Yujeong), passa de nombreuses années dans les Geumgangsan (les montagnes de Diamant, en Corée du Nord). Il leva une armée pour combattre les Japonais en 1592, puis conduisit la délégation coréenne à la cour du Japon pour signer le traité de paix en 1604. Samyeong ramena en Corée plus de 3 000 prisonniers de guerre.

Où se loger et se restaurer
Beaucoup de visiteurs viennent à Jikjisa pour la journée. Le temple participe au programme **Temple Stay Korea** (Séjour dans un temple ; Jikjisa ☎ 436 2773 ; www.templestaykorea.net ; 30 000 W la nuit). Les programmes sont définis au cas par cas. Sinon, vous pouvez loger dans le village touristique proche de l'arrêt de bus, qui compte plusieurs minbak, yeogwan et restaurants.

Depuis/vers Jikjisa
Jikjisa est à 20 min de bus de Gimcheon (152 000 habitants). Les bus locaux n°11 (800 W) et 111 (1 150 W) partent de la gare routière interurbaine toutes les 10 min et passent par la gare ferroviaire. De l'arrêt de bus, une agréable promenade de 15 min conduit au temple.

Gimcheon se trouve sur la ligne ferroviaire qui relie Daegu (50 min) et Séoul. En bus, vous pouvez rejoindre :

Destination	Prix (W)	Durée (h)	Fréquence
Andong	9 100	3	125 km
Daegu	4 200	1¼	88 km
Daejeon	5 200	1¼	88 km
Gochang*	5 100	1¼	65 km

*pour Haeinsa et le parc national de Gayasan

ANDONG 안동
180 000 habitants
Paisibles et ruraux, les alentours d'Andong, une ville du centre du Gyeongsangbuk-do, ont su préserver une grande part de leurs traditions. Si Andong constitue une bonne base de départ, certains sites sont très éloignés et les visiter implique de nombreux trajets en bus. Louer une voiture ou un vélo simplifiera considérablement vos déplacements.

Renseignements
Lorsque vous lirez ces lignes, l'office du tourisme devrait avoir ouvert son nouveau bureau, à gauche en sortant de la gare ferroviaire.

À voir et à faire
VILLAGE ET MUSÉE FOLKLORIQUES D'ANDONG 안동 민속 마을, 박물관
À flanc de colline, à 40 min de marche du centre-ville, le **village folklorique d'Andong** se compose des maisons déplacées lors de la construction du barrage d'Andong, en 1976. Réimplantés et partiellement reconstruits, les bâtiments de style traditionnel vont de simples fermes à toit de chaume aux demeures plus élaborées des hauts fonctionnaires, dotées de multiples cours.

Le village semble si authentique qu'il a servi de décor pour une série historique télévisée.

Il se distingue également par la qualité des restaurants perchés au sommet de la colline. Nombre d'entre eux sont installés autour de maisons traditionnelles reconstituées (avec terrasses, abritées d'un auvent, bien moins formelles) et servent des spécialités locales à prix très raisonnables. Les propriétaires sont sympathiques, tout comme les habitants qui s'y retrouvent en semaine (les touristes affluent le week-end). Le **Yetgoeul** (☎ 821 0972) sert du *gangodeung-eo* (maquereau grillé ; 7 000 W) et du *hoetje sabap* (un précurseur du bibimbap ; 5 000 W).

À côté du village, le **musée folklorique d'Andong** (Andong Minsok Bangmulgwan ; ☎ 821 0649 ; 550 W ; ❧ 9h-18h mars-oct, 9h-17h nov-fév) présente d'excellentes expositions sur les traditions folkloriques coréennes, de la naissance à la mort. Une grande maquette évoque un rassemblement en plein air, avec des distractions et des jeux anciens comme le *dongchaessaum* (des joueurs s'installent sur des planches posées sur la tête des autres

membres de l'équipe, l'autre équipe essaie de les faire tomber), le *notdari palgi* (jeu consistant à franchir un pont), le *Hahoe byeolsingut talnori* (danse des masques de Hahoe), le *uiseonggamassaum* (jeu de la chaise à porteurs) et le *hwajeonnori* (un pique-nique pour les femmes).

Le village se situe à 3 km à l'est d'Andong, près du mur du barrage, sur la rive opposée à la route qui longe la voie ferrée. Prenez le bus n°3 (toutes les 35 min) et descendez à l'arrêt *minsokchon* (village folklorique). La course en taxi coûte environ 2 500 W.

Si vous préférez marcher (environ 40 min) ou si vous disposez de votre propre moyen de transport, faites halte à la **pagode de brique** de la période silla. Avec ses 6 étages, c'est la plus grande et la plus ancienne pagode de brique du pays.

MUSÉE SOJU 소주 박물관
Le capiteux *soju* d'Andong ne vous plaira peut-être pas, mais il fait partie du patrimoine culturel de la province. Quelques coupes de ce breuvage traître (à base de riz, de patate douce ou de tapioca) vous en fe-

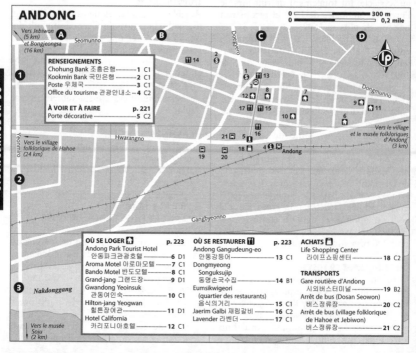

ANDONG

0 — 300 m
0 — 0,2 mile

RENSEIGNEMENTS
Chohung Bank 조흥은행 1 C1
Kookmin Bank 국민은행 2 C1
Poste 우체국 3 C1
Office du tourisme 관광안내소 4 C2

À VOIR ET À FAIRE p. 221
Porte décorative 5 C2

OÙ SE LOGER p. 223
Andong Park Tourist Hotel
안동파크관광호텔 6 D1
Aroma Motel 아로마모텔 7 C1
Bando Motel 반도모텔 8 C1
Grand-jang 그랜드장 9 D1
Gwandong Yeoinsuk
관동여인숙 10 C1
Hilton-jang Yeogwan
힐튼장여관 11 D1
Hotel California
카리포니아호텔 12 C1

OÙ SE RESTAURER p. 223
Andong Gangudeung-eo
안동강등어 13 C1
Dongmyeong
Songuksujip
동명손국수집 14 B1
Eumsikwigeori
(quartier des restaurants)
음식의거리 15 C1
Jaerim Galbi 재림갈비 16 C2
Lavender 라벤더 17 C1

ACHATS
Life Shopping Center
라이프쇼핑센터 18 C2

TRANSPORTS
Gare routière d'Andong
시외버스터미널 19 B2
Arrêt de bus (Dosan Seowon)
버스정류장 20 C2
Arrêt de bus (village folklorique
de Hahoe et Jebiwon)
버스정류장 21 C2

ront comprendre la raison. Avec une teneur en alcool de 45%, il est difficile de lutter contre son évaporation. Dans l'enceinte de l'Andong Soju Brewery, ce **musée** (☎ 858 4541 ; entrée libre ; ☻ 9h-17h, fermé dim) présente deux expositions qui expliquent le processus de distillerie, le cérémonial de dégustation et l'histoire des différentes marques de soju.

Le musée se trouve au sud d'Andong, de l'autre côté du Nakdonggang. Mieux vaut prendre un taxi (2 000 W).

JEBIWON 제비원

L'immense Bouddha Amitaba, sculpté dans le roc et appelé **Jebiwon** (Icheon-dong Seokbulsang ; entrée libre ; ☻ 24h/24), se dresse à 5 km au nord d'Andong. Le corps et les drapés sont taillés dans un rocher de plus de 12 m de haut, au sommet duquel se trouvent la tête et les cheveux, sculptés sur deux autres rocs. La tête fut rajoutée plus tard.

Prenez le bus n°54 (toutes les 30 min). Demandez au chauffeur de vous déposer à Jebiwon. Les bus locaux en direction de Yeongju peuvent également vous y conduire.

BONGJEONGSA 봉정사

Ce **temple** de la période silla (☎ 853 4181 ; 1 300 W ; ☻ 7h-19h en été, 8h-coucher du soleil le reste de l'année), à 16 km au nord-ouest d'Andong, renferme le **Geungnakjeon** ("salle du paradis"), richement décoré et l'une des plus anciennes structures en bois du pays. Une réparation du Daeungjeon (principal sanctuaire) a révélé une fresque de l'époque koryo.

Le temple se trouve à 500 m de l'arrêt du bus n°51 (800 W, 7 par jour).

Fêtes et festivals

Le festival des danses masquées d'Andong (de fin septembre à début octobre) est la meilleure période pour visiter Andong. Il rassemble des troupes de danseurs masqués coréens et internationaux et se tient habituellement en même temps que le festival folklorique d'Andong, qui programme de nombreux spectacles de danse et de musique traditionnelles. Renseignez-vous auprès du **KNTO** (☎ 1330).

Où se loger

De nombreux *yeoinsuk* (hôtels familiaux avec de petites chambres et des sdb communes), et bon marché pour la plupart mal tenus, se regroupent autour de la gare routière.

Gwandong Yeoinsuk (☎ 859 2487 ; d 10 000 W). Meilleure affaire pour les budgets serrés, il donne sur une cour, dans une rue tranquille à l'est de la gare ferroviaire.

Hilton-jang Yeogwan (☎ 857 6878 ; d dim-jeu 25 000 W, ven-sam 30 000 W ; ☒). Ce yeogwan sans prétention n'a rien à voir avec la chaîne prestigieuse, mais il loue des doubles et des chambres ondol propres.

Grand-jang (☎ 859 0014 ; d dim-jeu 25 000 W, ven et sam 30 000 W ; ☒). En face du Hilton-Jang, il offre des prestations et des prix similaires.

Bando Motel (☎ 841 3563 ; d 30 000 W). Bien situé au centre-ville, il n'en est pas moins spartiate. Entrez par le parking découvert : la réception se trouve au 2e étage.

Aroma Motel (☎ 856 6644 ; d à partir de 40 000 W ; ☒). Rénové en 2003, il offre des chambres ondol (plus belles) ou avec lits.

Hotel California (☎ 854 0622 ; d à partir de 40 000 W ; ☒). Soigné, plaisant et central. Les chambres, de style contemporain, comprennent un distributeur d'eau fraîche, un sèche-cheveux et des douches qui ferment (une des obsession de l'auteur !).

Andong Park Tourist Hotel (☎ 859 1500 ; www.andonghotel.com ; d et lits jum à partir de 60 000 W). Apprécié localement, il offre des chambres propres, modernes et confortables, mais sans grand caractère, et comporte plusieurs restaurants.

Où se restaurer

Vous n'aurez que l'embarras du choix à Eumsikwigeori, le quartier des restaurants du centre-ville, reconnaissable à sa porte décorée, près de l'artère principale. Parmi les nombreux établissements, citons :

Jaerim Galbi (☎ 857 6352 ; repas 4 000-12 000 W). Les habitants affirment que c'est le meilleur d'Andong.

Andong Gangudeung-eo (☎ 852 7308 ; repas 5 000-15 000 W). L'énorme poisson factice pendu à l'extérieur annonce le maquereau fumé grillé et ses plats d'accompagnements servis à l'intérieur.

Lavender (☎ 855 8550 ; repas 5 000-8 000 W). Une excellente adresse pour les pâtes et les salades. Le plat de pâtes est servi avec du pain à l'ail, de la salade et une boisson.

Boulangeries, fast-foods, commerces d'alimentation et *hof* (pubs) bordent les rues autour d'Eumsikwigeori.

Dongmyeong Songuksujip (☎ 853 3068 ; plats 2 500-4 800 W). Apprécié des étudiants et des voyageurs à petit budget, ce restaurant, à l'ouest du centre (repérez l'enseigne jaune et verte), mitonne des plats savoureux comme le *bibim naengmyeon* (assortiment de légumes et de nouilles froides ; 4 000 W), le *dolsot bibimbap* (légumes variés servis dans un pot en grès ; 4 000 W) et le *mandu* (2 500 W). Vous devez payer à la commande.

Pour faire vos courses, le Life Shopping Center, très pratique, se situe entre les gares routière et ferroviaire.

Depuis/vers Andong
BUS

La gare routière accueille bus express et réguliers.

Destination	Prix (W)	Durée (h)	Fréquence
Busan	17 800	3¾	6/jour
Cheongsong*	4 200	1	6/jour
Daegu	6 700	2¼	fréquent
Daejeon	14 800	4	fréquent
Pohang	10 900	2½	10/jour
Séoul	14 900	5¼	fréquent

* pour le parc national de Juwangsan

TRAIN

Destination	Prix (W)	Type	Durée (h)	Fréquence
Busan	10 800-12 700	mugunghwa	4	2/jour
Gyeongju	5 800-6 800	mugunghwa	2	2/jour
Daegu	5 400-6 300	mugunghwa	2	4/jour
Séoul	11 200-13 200	mugunghwa	4½	5/jour
Séoul	16 500-19 400	saemaeul	4	2/jour

Comment circuler

L'office du tourisme distribue un horaire des bus locaux très pratique, avec des explications en anglais. La ville est suffisamment petite pour s'explorer à pied et les bus locaux desservent tous les sites.

VILLAGE FOLKLORIQUE DE HAHOE
하회 민속 마을

Le **village folklorique de Hahoe** (Hahoe Minsok Maeul ; ☎ 854 3669 ; 1 600 W ; ☻ 9h-18h mars-oct, 9h-17h nov-fév), à 24 km à l'ouest d'Andong, date de quelque 600 ans. Contrairement à d'autres villages folkloriques destinés au tourisme, celui-ci est habité par des villageois qui perpétuent le mode de vie d'antan, avec l'aide du gouvernement pour la préservation et les restaurations des édifices. Quelques habitants tiennent des boutiques touristiques, mais vous ne trouverez nulle part ailleurs autant d'authenticité. Le village compte environ 130 maisons traditionnelles et, malgré les bonnes routes, les ordinateurs et quelques paraboles TV, l'atmosphère campagnarde prédomine.

Un kiosque d'information touristique est installé à l'entrée de Hahoe. Certaines demeures sont ouvertes au public, d'autres restent privées. Respectez l'intimité des occupants si vous en franchissez l'entrée. Les maisons les plus importantes comportent habituellement un panneau extérieur, expliquant leur histoire. Ne manquez pas **Chunghyodang**, où un musée expose des objets ayant appartenu au talentueux lettré et stratège militaire Ryu Seong-ryong, qui fut Premier ministre de la fin du XVIᵉ siècle au début du XVIIᵉ.

À 2 km en direction d'Andong, le **musée du Masque de Hahoe** (☎ 853 2288 ; www.maskmuseum.com ; 700 W ; ☻ 9h30-18h) renferme une remarquable collection de masques traditionnels coréens, ainsi que des masques de toute l'Asie et de pays aussi différents que le Nigeria, l'Italie ou le Mexique. Excellentes légendes en anglais.

Avec un peu de chance, vous pourrez attraper l'un des deux bus quotidiens qui desservent Hahoe et s'arrêtent à la **Byeongsan Seowon** (☎ 853 2172 ; entrée libre ; ☻ 9h-18h, 9h-17h en hiver), une ancienne académie confucéenne, fondée en 1572 et rebaptisée en hommage à Ryu Seong-ryong. Située au bord de l'eau, elle comprend quelques bâtiments d'origine, avec d'impressionnantes structures de soutien courbées. Les touristes n'y affluent qu'en été et s'installent sur la berge pour pique-niquer et jouir de l'ambiance détendue. Près de la rivière, deux ou trois stands proposent des en-cas.

Hahoe compte plusieurs minbak (de 20 000 à 25 000 W), dont certains confondent traditionnel et spartiate. Toutefois, une nuit sur place vous permettra de profiter du lieu après le départ des touristes et d'apprécier l'architecture intérieure. Les repas sont habituellement servis sur demande.

Depuis/vers Hahoe

Le bus n°46 (régulier/de luxe 900/1 280 W, 50 min, 8 par jour) dessert Hahoe au départ d'Andong. Chaque jour, deux bus font halte à la Byeongsan Seowon et stationnent environ 20 min, le temps d'une courte visite.

DOSAN SEOWON 도산 서원

Le terrain pentu et les jolis bâtiments de la **Dosan Seowon** (☎ 856 1073 ; 1 100 W ; ☺ 9h-18h mars-oct, 9h-17h nov-fév) vous donneront sans doute une impression de déjà vu puisque cette académie confucéenne révérée orne le verso des billets de 1 000 W. À 28 km au nord d'Andong, la Dosan Seowon fut fondée en 1574 en hommage à Yi Hwang (alias Toegye 1501-1570 ; voir également p. 219), un éminent confucianiste de Corée – il figure au recto des billets de 1 000 W. Durant des siècles, au milieu de la période choson, ce fut l'école la plus prestigieuse pour ceux qui aspiraient à de hautes fonctions. Les examens d'État avaient lieu ici, entre montagnes et champs.

Toegye fut également un écrivain prolifique. Il publia des dizaines de volumes résumant et expliquant les classiques chinois. Parmi ses préceptes célèbres, citons : "lorsque vous êtes seul, conduisez-vous décemment" et "quiconque pratique la vertu devrait le faire avec persévérance, en refoulant ses désirs". Les bâtiments (souvent utilisés par des réalisateurs coréens) ont été magnifiquement préservés et une salle d'exposition permet d'en savoir plus sur la vie et le travail de Toegye.

Plus loin sur la route 35, les **maisons traditionnelles Ocheon-ri** (Ocheon-ri Yujeokji ; entrée libre ; ☺ 9h-18h) ont été sauvées lors de l'édification du barrage d'Andong. Ces bâtiments du XIIe au XVIIIe siècle abritaient le clan Kim, qui comprenait des lettrés et des fonctionnaires. À flanc de colline et peu visité, le site se révèle idéal pour un pique-nique.

Depuis/vers Dosan Seowon

Le bus n°67 (900 W, 40 min) suit la route principale et vous dépose à 2 km de la seowon. De là, quatre bus desservent chaque jour l'académie.

PARC PROVINCIAL DE CHEONGNYANGSAN 청량산 도립공원

Au-delà de la Dosan Seowon, ce **parc** (☎ 679 6321 ; 800 W ; ☺ 8h30-18h) offre des vues spectaculaires et des chemins qui serpentent le long de falaises vertigineuses. Outre le mont Cheongnyangsan, dont le sommet, **Changinbong**, culmine à 870 m, le parc compte 11 pics, 8 grottes, une cascade, **Gwanchanpokpo** et de nombreux petits ermitages. Un réseau de sentiers, pour la plupart bien balisés, s'étend à partir de **Cheongnyangsa**, le plus grand temple du parc. Construit en 663, il se situe dans une vallée encaissée, au pied des falaises. **Ansimdang**, une agréable maison de thé, est installée en bas du temple. Lorsque vous lirez ces lignes, un musée folklorique aura sans doute ouvert ses portes près de l'arrêt de bus.

Comptez 5 heures pour faire le tour des pics et revenir à l'arrêt de bus ou 90 min pour l'aller-retour jusqu'au temple.

Le **Sanseong Sikdang** (☎ 672 1133 ; ch 20 000 W) est un restaurant et un minbak. Arrosez votre repas de *dongdongju* local (alcool de riz ; 5 000 W). Une petite boutique jouxte le restaurant.

Le restaurant et le premier sentier se trouvent à 1,5 km de l'arrêt de bus. Après Dosan Seowon, le bus n°67 (1 300 W ; 1 heure, 6 par jour) continue jusqu'au parc, mais tous les bus n'y font pas halte.

LA DANSE TRADITIONNELLE DE HAHOE

Hahoe est célèbre dans tout le pays pour le **Byeolsingut Talnori**, une danse traditionnelle créée par le peuple pour le peuple et qui parodie les notables. Chaque personnage porte un masque qui représente une classe sociale : moines corrompus, riches, figures aux yeux exorbités ou à la bouche grimaçante. Les conflits qui les opposent donnent lieu à un amusant mélange de fête populaire et de chamanisme. Les sons du *nong-ak*, un quatuor traditionnel de percussions formé par des fermiers, accompagnent les danses.

Chaque week-end à 15h de mai à octobre (ainsi que le dimanche à 15h en mars, avril et novembre), des spectacles de Byeolsingut Talnori se tiennent dans un petit stade, près du parking de Hahoe. Ne manquez pas ces représentations. Elles sont gratuites, mais de robustes *halmeoni* (grand-mères) vous encourageront à faire un don. Si vous ne pouvez pas assister au spectacle, admirez les nombreux masques exposés au musée du Masque de Hahoe.

BUSEOKSA 부석사

À 60 km d'Andong, ce petit **"temple de la pierre flottante"** (☎ 633-3258 ; 1 200 W ; ⏱ 6h-21h avr-sept, 7h-18h oct-mars) mérite le détour. Il fut fondé en 676 par le moine Uisang, de retour de Chine, qui en rapportait les enseignements du bouddhisme Hwaeom. Réduit en cendres par des envahisseurs au début du XIV siècle, le temple fut reconstruit en 1358 et échappa à la destruction lors des invasions japonaises de la fin du XVI siècle.

Ainsi, la superbe salle **Muryangsujeon**, l'une des plus anciennes structures en bois du pays, a été préservée. La salle contient également des fresques bouddhiques très anciennes et un bouddha assis en argile et recouvert d'or. Une petite salle d'exposition présente des peintures antiques d'Indra, de Brahmadeva et de quatre rois Deva.

En contrebas de l'entrée, le petit village touristique regroupe restaurants et minbak.

Pour rejoindre Buseoksa, prenez un bus à Yeongju ou Punggi (urbain/express/de luxe 880/2 470/3 200 W, 1 heure, toutes les heures).

PARC NATIONAL DE JUWANGSAN 주왕산 국립공원

Loin à l'est d'Andong et s'étendant presque jusqu'à la côte, ce **parc** (centre d'information ☎ 873 0014 ; 2 600 W ; ⏱ lever du soleil-1 heure avant le coucher du soleil) couvre 106 km². Dominé par d'imposants pitons calcaires, qui semblent sortis de nulle part, il contient des gorges superbes, des cascades et des chemins taillés dans les falaises. Parmi les 900 espèces animales qu'il abrite, vous apercevrez peut-être une loutre ou un écureuil volant eurasien (une espèce protégée).

La plupart des visiteurs se contentent des chutes et des grottes, mais vous pouvez aussi grimper de Daejeonsa à Juwangsan (autrefois appelé Seokbyeongsan ou "mont du paravent de pierre", 1 heure 15), suivre la crête jusqu'à **Kaldeunggogae** (15 min), puis descendre vers Hurimaegi (50 min) et revenir à Daejeonsa par la vallée (1 heure 45). Au retour, lors de la descente, faites un détour par **Juwanggul** : le chemin passe d'abord par l'ermitage de Juwangam, d'où une passerelle métallique traverse une gorge étroite et mène à la petite grotte.

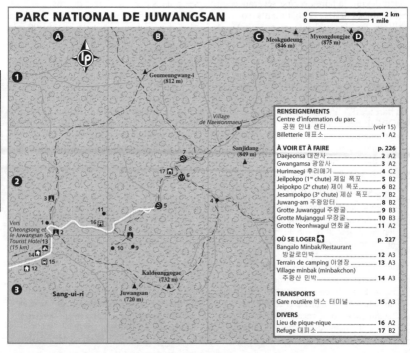

PARC NATIONAL DE JUWANGSAN

RENSEIGNEMENTS	
Centre d'information du parc 공원 안내 센터	(voir 15)
Billetterie 매표소	1 A2

À VOIR ET À FAIRE	p. 226
Daejeonsa 대전사	2 A2
Gwangamsa 광암사	3 A2
Hurimaegi 후리매기	4 C2
Jeilpokpo (1ʳᵉ chute) 제일 폭포	5 B2
Jeipokpo (2ᵉ chute) 제이 폭포	6 B2
Jesampokpo (3ᵉ chute) 제삼 폭포	7 B2
Juwang-am 주왕암터	8 B2
Grotte Juwanggul 주왕굴	9 B3
Grotte Mujanggul 무장굴	10 B3
Grotte Yeonhwagul 연화굴	11 A2

OÙ SE LOGER	p. 227
Bangalo Minbak/Restaurant 방갈로민박	12 A3
Terrain de camping 야영장	13 A3
Village minbak (minbakchon) 주왕산 민박	14 A3

TRANSPORTS	
Gare routière 버스 터미널	15 A3

DIVERS	
Lieu de pique-nique	16 A2
Refuge 대피소	17 B2

Au minuscule village de **Naewonmaeul**, dans le parc, des artisans travaillent le bois.

Un **centre d'information du parc national** (1er étage, gare routière) vend des cartes du parc en anglais (1 000 W). Les amateurs de *dubu* (tofu) apprécieront le tofu maison des restaurants du village touristique, situé entre la gare routière et l'entrée du parc.

La ville de Cheongsong, à 15 km de là, constitue le principal point d'entrée dans le parc.

Où se loger et se restaurer

Un **terrain de camping** (☎ 873 0014 ; emplacement 3 000 W) est aménagé de l'autre côté du cours d'eau et un village minbak *(minbakchon)* fait face à la gare routière de Juwangsan. Un peu plus agréable, le **Bangalo Minbak/Restaurant** (☎ 874 5200 ; ch basse/haute saison 30 000/40 000 W) possède un bungalow en rondins avec une cour centrale et des chambres ondol ou avec lits ; quelques-unes offrent un emplacement pour installer un réchaud de camping. Le Bangalo se trouve à côté du parking, sur le chemin qui mène au village. Meilleur hôtel de la région, le **Juwangsan Spa Tourist Hotel** (☎ 872 6801 ; d basse/hausse saison 55 000/ 80 000 W ; ✖) se trouve à Cheongsong et doit son nom aux bains dans une source thermale.

Depuis/vers Juwangsan

La plupart des bus qui desservent Juwangsan font halte à Cheongsong (1 300 W, 20 min, toutes les 30 min).

Destination	Prix (W)	Durée (h)
Andong	5 500	1
Busan	13 000	3¾
Dongdaegu	10 700	3
Dong Séoul	21 200	5

ULJIN 울진

67 000 habitants

Cette ville côtière, qui abrite quatre des centrales nucléaires du pays, ne présente guère d'intérêt. Toutefois, dans les alentours, plusieurs sites méritent la visite.

La gare routière se trouve dans le sud de la ville et le principal quartier commerçant à 1 km environ, de l'autre côté du pont. La Nonghyeup Bank, dans le quartier commerçant, possède un service de change.

Où se loger

Pratique pour une halte éphémère, le quartier de la gare routière manque totalement de charme. Plus plaisant, le quartier commerçant, à courte distance en taxi (1 600 W), offre des prix similaires. Dans toute la ville, les tarifs peuvent grimper de manière vertigineuse en été. Au nord de la gare routière, le **Daerim-jang** (☎ 783 2131 ; d 25 000 W ; ✖) est un yeogwan rudimentaire, mais correct. À l'extrémité nord de la ville, le **Yongkkum-jang** (☎ 783 8844 ; d 30 000 W ; ✖), un peu mieux tenu, propose des chambres avec sdb et baignoires ; il se trouve à proximité des restaurants, des boutiques et des boulangeries.

Depuis/vers Uljin

Au départ d'Uljin, les bus interurbains desservent :

Destination	Prix (W)	Durée (h)
Busan	16 4000	4
Daegu	15 700	4
Séoul	23 600	5
Gangneung	9 100	2½
Gyeongju	11 700	2½
Pohang	9 500	2

ENVIRONS D'ULJIN

Seongnyugul 석류굴

Bouddha, la Vierge Marie, un palais romain et un sanglier se côtoient dans cette **grotte** (☎ 782 4006 ; 2 200 W ; ☯ 8h-18h avr-oct, 8h-17h nov-mars) de 470 m de long. D'impressionnantes stalactites, stalagmites et formations rocheuses leur ressembleraient et des dizaines d'autres jalonnent les nombreuses cavernes et bassins. Première grotte du pays à accueillir des touristes, elle contient des passerelles et des ponts, mais les visiteurs de grande taille auront du mal à se faufiler dans certains passages. Des casques sont fournis.

Selon la légende, les ossements humains découverts au fil des ans dateraient de l'invasion japonaise de 1592, lorsque la population locale s'y cacha et y fut enfermée.

Chaque jour, 5 bus partent d'Uljin, mais le plus simple consiste à prendre un taxi (5 500 W).

Bulyeongsa 불영사

Une jolie route bordée d'une forêt et d'une rivière traverse la vallée de Bulyeong. Faut-il faire ce trajet de 15 km ? La réponse est oui, sans hésitation !

Au bout du canyon, à 15 min de marche du parking, **Bulyeongsa** (2 000 W ; ⊗ 6h30-18h30) est un endroit idyllique. Entouré de montagnes et construit autour d'un étang, ce temple accueille 50 religieuses bouddhistes qui mènent une vie ascétique. L'un des rochers qui coiffe un versant montagneux serait une représentation naturelle de Bouddha ; lorsque la lumière l'éclaire d'un certain angle, il se reflète dans l'étang, d'où "Bulyeongsa" qui signifie "temple de l'ombre de Bouddha". Une sensation d'harmonie se dégage des bâtiments bien entretenus, des jardins soignés, des pagodes et des peintures bouddhiques.

Des bus relient Uljin au temple (2 100 W, 35 min, toutes les heures), mais mieux vaut posséder son propre moyen de transport, vélo (malgré la longue côte dans la vallée) ou voiture.

Sources thermales de Deokgu
덕구 온천

Les eaux du **Deokgu Hot Springs Hotel** (☎ 782 0677 ; fax 785 5169 ; ch à partir de 121 000 W, spa 6 000 W ; ⊗ ⊗), censées guérir les affections digestives et dermatologiques, constituent la principale attraction du lieu. Les grands et beaux bains sont non-mixtes, à la différence du Spa World de l'hôtel, récent et en plein air (prévoir un maillot de bains). Bien tenu, l'hôtel s'approche de la catégorie luxe. Ses restaurants sont excellents et il consent souvent des réductions pour les chambres (renseignez-vous auprès d'une agence de voyages).

Deokgu offre de belles randonnées dans la vallée. L'une mène à Yongsopokpo, la source thermale à 4 km (sans bain). Une autre, plus fatigante, conduit au mont Eungbongsan (999 m) et passe au retour par Minssimyo (5 heures).

Deux ou trois yeogwan sont installés en contrebas du Hot Springs Hotel et facturent 30 000 W la nuit (pas d'eau minérale au robinet).

Des bus circulent relient Uljin et les sources thermales (2 350 W, 1 heure, toutes les heures).

Plages

Plusieurs jolies plages de sable s'étendent au nord et au sud d'Uljin. Certaines d'entre elles possèdent restaurants et minbak, d'autres s'entourent de simples villages de pêcheurs. Mangyang, Gusan et Bongpyeong figurent parmi les plus fréquentées. Des bus locaux, peu fréquents, longent le littoral.

POHANG 포항
514 000 habitants

Pohang est la plus grande ville de la côte est et un centre industriel important, mais la plupart des voyageurs ne font que la traverser sur la route d'Ulleungdo ou de Bogyeongsa. Posco (Pohang Iron and Steel Company), le deuxième producteur d'acier au monde, domine la ville et la côte. Toutefois, le centre-ville est animé et la plage de Bukbu, au nord de la ville, attire autant les touristes que la population locale. Les deux carrefours centraux, Ogeori et Yukgeori ("5e rue" et "6e rue") regorgent de cafés, de magasins de vêtements, de hof, de restaurants et de salles de jeux. Restaurants et hôtels et divertissements bordent également la plage de Bukbu.

Orientation et renseignements

Des kiosques d'information sont installés près de la gare routière et du terminal des ferries, situés à 3 km l'un de l'autre. Le personnel parle peu anglais et les cartes locales sont peu détaillées. La plage de Bukbu, qui jouxte le terminal des ferries, s'étend sur 1,7 km. C'est l'une des plus longues plages de sable de la côte est. Les bus n°105 et 200 relient la gare routière interurbaine et la plage de Bukbu.

À voir

BOGYEONGSA 보경사

Ce **temple** (☎ 262 1117 ; 2 000 W ; ⊗ 6h-19h, 6h-18h en hiver), à 30 km au nord de Pohang, à l'entrée d'une vallée magnifique, est jalonné de 12 superbes cascades, de gorges enjambées par des ponts, d'ermitages et de stupas. Parmi les diverses randonnées, on peut grimper au Hyangnobong, au sommet du **Naeyeonsan** (930 m). Comptez environ 6 heures pour l'aller-retour de Bogyeongsa à Hyangnobong (20 km).

Le temple se trouve à 15 min de marche du terminus du bus en provenance de Pohang. Un village touristique regroupe

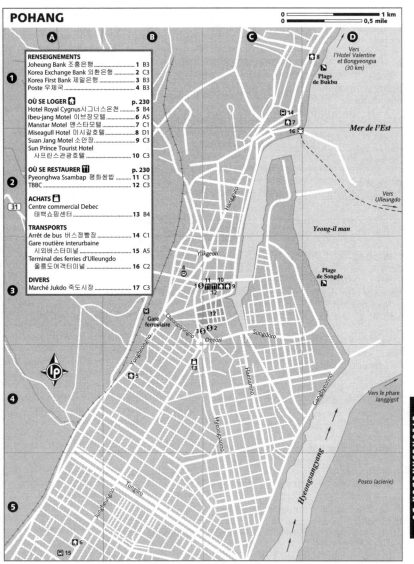

POHANG

0 — 1 km
0 — 0,5 mile

RENSEIGNEMENTS
Joheung Bank 조흥은행 **1** B3
Korea Exchange Bank 외환은행 **2** C3
Korea First Bank 제일은행 **3** B3
Poste 우체국 **4** B3

OÙ SE LOGER 🏠 p. 230
Hotel Royal Cygnus시그너스온천 **5** B4
Ibeu-jang Motel 이브장모텔 **6** A5
Manstar Motel 맨스타모텔 **7** C1
Miseagull Hotel 미시갈호텔 **8** D1
Suan Jang Motel 소안장 **9** C3
Sun Prince Tourist Hotel
선프린스관광호텔 **10** C3

OÙ SE RESTAURER 🍴 p. 230
Pyeonghwa Ssambap 평화쌈밥 **11** C3
TBBC **12** C3

ACHATS 🛍
Centre commercial Debec
태백쇼핑센터 **13** B4

TRANSPORTS
Arrêt de bus 버스정류장 **14** C1
Gare routière interurbaine
시외버스터미널 **15** A5
Terminal des ferries d'Ulleungdo
울릉도여객터미널 **16** C2

DIVERS
Marché Jukdo 죽도시장 **17** C3

Vers l'Hotel Valentine et Bongyeongsa (30 km)

Plage de Bukbu

Mer de l'Est

Vers Ulleungdo

Yeong-il man

Plage de Songdo

Hanguro

Yukgeori

Gare ferroviaire

Cheongnyongno

Ogeori

Songdoro

Haenanno

Yongheungno

Jungheungno

Tongiro

Hyeongsanno

Gangbyeonno

Hyeongsangyang

Vers le phare Janggigot

Posco (acierie)

des boutiques de souvenirs, des restaurants, des minbak et des yeogwan.

Un sentier bien entretenu part du village touristique en direction de la gorge et des cascades. La première cascade, **Ssangsaengpokpo**, de 5 m de haut, se trouve à 1,5 km. La sixième, **Gwaneumpokpo**, avec sa chute double qui dissimule une grotte, mesure

72 m de haut. La septième, **Yeonsanpokpo**, dévale sur 30 m.

Au-delà, le trajet devient difficile ; ne tentez pas l'ascension du Hyangnobong si la journée est trop avancée.

Des bus circulent entre la gare routière interurbaine de Pohang et le temple (2 350 W, 25 min, toutes les heures).

GYEONGSANGBUK-DO

HOMIGOT 호미곶

Ce quartier, sur le cap naturel qui protège le port de Pohang, est particulièrement fréquenté au lever du soleil, notamment le 1er janvier. Le **musée du Phare Jonggigot** (☎ 284 4857 ; 700 W ; ◉ 10h-18h, 10h-17h en hiver) présente une grande collection d'objets liés aux phares de Corée et d'ailleurs.

À la gare routière, prenez le bus n°200 ou 200-1, descendez à Guryongpo (1 400 W, toutes les 12 min), puis prenez une correspondance pour Daebo (1 150 W, toutes les 40 min).

Où se loger

Une vingtaine de yeogwan se regroupent autour de la gare routière interurbaine et proposent des chambres à partir de 25 000 W. Tous les hôtels augmentent leurs prix en haute saison.

Ibeu-jang Motel (☎ 283 2253 ; d à partir de 25 000 W). Pas très élégant, mais bien tenu.

Au centre-ville, le quartier de l'animation nocturne offre des hébergements similaires.

Suan-jang Motel (☎ 241 3111 ; d à partir de 25 000 W). Chambres agréables dans une rue tranquille.

Sun Prince Tourist Hotel (☎ 242 2800 ; fax 242 6006 ; d à partir de 35 000 W). Vieillot, mais d'un bon rapport qualité/prix.

La plage de Bukbu, offre un plus grand choix et un cadre plus plaisant.

Manstar Motel (☎ /fax 244 0225 ; ch 30 000 W). Au bout d'une rue proche de l'artère principale, il dispose de jolies chambres et le propriétaire parle un peu anglais.

Miseagull Hotel (☎ 242 8400 ; fax 248 1818 ; d/lits jum à partir de 50 000/70 000 W). Bien géré, il domine la plage.

Hotel Valentine (☎ 251 1600 ; fax 251 9089 ; d à partir de 80 000 W). Ouvert en haut de la route de la plage en 2002, toutes ses chambres, modernes, disposent de la clim, de sols en marbre et d'un décor design. Petit déjeuner continental compris.

La plupart des chambres du Miseagull et du Valentine ont vue sur la mer.

Hotel Royal Cygnus (☎ 275 2000 ; fax 283 4075 ; d et lits jum à partir de 145 200 W). Meilleur établissement de la ville et proche du centre-ville, il comprend un centre d'affaires et des bains d'eaux thermales.

Où se restaurer

Pyeonghwa Ssambap (repas 6 000 W). Goûtez ses succulents *ssambap* (6 000 W). Commandez un *dolsot ssambap* pour obtenir un pot de riz en prime.

TBBC (repas de poulet/canard 10 000/12 000 W). Réputé servir le meilleur poulet grillé traditionnel (comme son nom le suggère : Traditional Best Barbecue Chicken), il propose également de la dinde et du canard, ainsi que de nombreuses bières. Il dispose d'une carte illustrée.

Pour déguster des produits de la mer, rendez-vous à la plage de Bukbu, bordée de restaurants où vous choisirez votre repas dans un aquarium. Le signe *hoe* (회), habituellement dans un cercle sur la façade, signifie "poisson cru".

Depuis/vers Pohang

AVION

Asiana et Korean Air proposent toutes deux des vols Séoul-Pohang. Asiana offre également un vol entre Pohang et Jejudo.

BATEAU

Pour toute information sur les bateaux à destination d'Ulleungdo, voir p. 235.

BUS

Bus au départ de Pohang :

Destination	Prix (W)	Durée (h)	Fréquence
Andong	9 900	2	5/jour
Busan	6 000	1½	ttes les 10 min
Daegu	6 000	2	30/jour
Séoul	16 600	5	ttes les 20 min

TRAIN

Quelques trains partent de Pohang, y compris en direction de Séoul (*saemaeul* ; de 27 700 à 32 600 W, 5 heures, 4 par jour).

Comment circuler

Les bus locaux coûtent 700 W (réguliers) ou 1 150 (de luxe). Le bus n°200 relie l'aéroport et la gare routière interurbaine.

ULLEUNGDO 울릉도

10 000 habitants

À environ 135 km à l'est de la péninsule coréenne, cette île d'une beauté spectaculaire, baignée par la houle de la Donghae (mer de l'Est), est tout ce qu'il reste d'un volcan éteint.

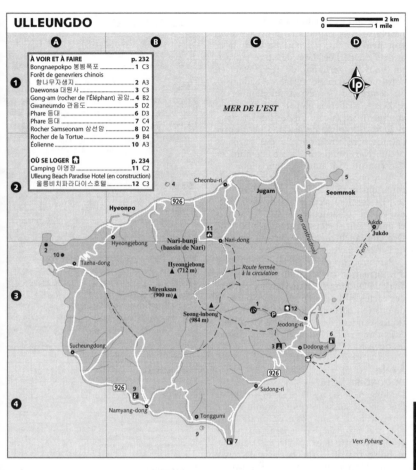

ULLEUNGDO

À VOIR ET À FAIRE	p. 232
Bongnaepokpo 봉뇌폭포	1 C3
Forêt de genevriers chinois	
향나무자생지	2 A3
Daewonsa 대원사	3 C3
Gong-am (rocher de l'Éléphant) 공암	4 B2
Gwaneumdo 관음도	5 D2
Phare 등대	6 D3
Phare 등대	7 C4
Rocher Samseonam 삼선암	8 D2
Rocher de la Tortue	9 B4
Éolienne	10 A3

OÙ SE LOGER	p. 234
Camping 야영장	11 C2
Ulleung Beach Paradise Hotel (en construction)	
울릉비치파라다이스호텔	12 C3

MER DE L'EST

0 — 2 km
0 — 1 mile

Cheonbu-ri
Jugam
Seommok
Jukdo
Hyeonpo
926
Hyeongjebong
Nari-bunji
(bassin de Nari)
Nari-dong
11
Taeha-dong
2
10
Hyeongjebong
▲ (712 m)
*Route fermée
à la circulation*
Mireuksan
(900 m)▲
Seong-inbong
(984 m)▲
12
1
P
Jeodong-ri
6
Sucheungdong
3
Dodong-ri
926
Sadong-ri
926
9
Namyang-dong
Tonggumi
9
7
Vers Pohang

Ulleugdo fut prise à des pirates sur ordre du roi Yeji, le 22ᵉ monarque de la dynastie Silla, afin de sécuriser la côte est de la péninsule. Jusqu'en 1884, cette petite île volcanique fut essentiellement un avant-poste militaire, puis le gouvernement en autorisa le peuplement.

Montagnes boisées escarpées et falaises vertigineuses semblent émerger des flots. En automne, des chrysanthèmes couvrent certains versants. Si les plages de sable font défaut, plonger depuis les rochers est une expérience fantastique grâce à une mer transparente et à une vie sous-marine foisonnante. Toutefois, seuls les plongeurs confirmés se risqueront à affronter les courants violents et la fraîcheur permanente de l'eau.

En raison de sa topographie accidentée et de son isolement, l'île est peu peuplée et les fermes sont minuscules. La plupart des habitants se regroupent dans les villages côtiers et vivent de la pêche et du tourisme estival. Parmi les autres productions, citons les caramels à la citrouille et les sculptures en bois de genévrier de Chine, en vente dans les boutiques touristiques. Vous verrez partout calmars, algues et poulpes rangés sur des séchoirs.

Comme le proclame la chambre de commerce locale, il manque trois choses à Ulleungdo : "les vols, la pollution et les serpents".

GYEONGSANGBUK-DO

Orientation et renseignements

La plupart des visiteurs en provenance du continent arrivent au port de Dodong-ri, au sud-est de l'île. Lors de notre passage, un nouveau terminal de ferry était en construction dans le village de Sadong-ri, au centre-sud. Il devrait fonctionner en 2005 et accueillera la plupart du trafic vers le continent. Sur la côte, au nord de Dodong-ri, le village animé de Jeodong-ri conserve l'atmosphère traditionnelle des ports de pêche. Nari-bunji, un bassin au nord de l'île, constitue un autre site touristique.

Bien que l'île soit à peu près ronde, la route qui en fait le tour est en forme de "C". La dernière section, le long de la côte-est, est en construction depuis des années et nul ne sait si elle sera terminée un jour. Des embranchements desservent les sites de l'arrière-pays.

Personne ne parle anglais au kiosque d'information proche du terminal de ferry de Dodong-ri, mais vous y trouverez des cartes bilingues de l'île et les horaires de bus (en coréen). Les boutiques touristiques vendent des cartes plus détaillées. À Dodong-ri, la Nonghyeop Bank change les devises.

À voir

DODONG-RI 도동리

Dodong-ri, le bourg le plus important de l'île, en est aussi le centre administratif. Comme tout avant-poste de pirates, son port très étroit se blottit dans une vallée encaissée, entre deux montagnes escarpées et boisées, si bien qu'on ne le découvre qu'au dernier moment de l'approche. Principal carrefour touristique, il abrite la meilleure sélection d'hébergements et de restaurants, mais le nombre de visiteurs peut devenir pesant.

Au terminal des ferries, un escalier mène du pied des falaises à un phare (1 heure de marche).

Parc de la source minérale 약수 공원

Principal attrait de ce parc situé à 350 m au-dessus de Dodong-ri, un **téléphérique** (☎ 791 7160 ; 6 500 W l'aller-retour ; ☽ environ 30 min avant lever du soleil-départ dernier visiteur) traverse une vallée profonde jusqu'à **Manghyangbong** (316 m), un pic apprécié pour admirer le soleil levant. La grimpée offre des vues superbes sur la mer et Dodong-ri.

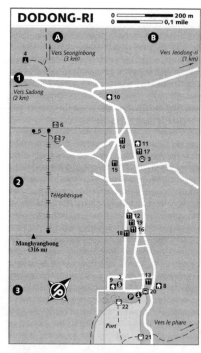

Un restaurant et un bar à karaoké sont installés au sommet. Pour éviter la foule, faites l'excursion tôt le matin ou en fin de journée. Du poste d'observation, par temps clair, vous apercevrez Dokdo, à quelque 92 km.

La **source minérale** (*yaksu gwangjang*), qui donne son nom au parc, se trouve près du sommet. L'eau possède une saveur particulière (citronnée et gazeuse) et, selon certains, des vertus médicinales. Quelques voyageurs l'ont jugée légèrement laxative. À côté, vous trouverez un **mur d'escalade**.

Le parc abrite deux **musées** (☎ 790 6421 ; entrée libre ; ☺ 9h-18h), le **Musée historique** d'Ulleungdo et le **musée de Dokdo**, bien conçu. Les deux îles ont un passé fascinant (voir plus bas), mais ceux qui ne comprennent pas le coréen auront du mal à saisir la signification des expositions.

Jeodong-ri 저동리

Alors que Dodong-ri semble vivre essentiellement du tourisme, Jeodong-ri demeure un village de pêcheurs et son port s'anime lors du retour des bateaux. Doté de plusieurs hôtels et restaurants, il constitue une bonne alternative à Dodong-ri.

Un chemin escarpé de 1,5 km mène du parking de Jeodong-ri à la cascade **Bongnaepokpo** (☎ 790 6422 ; 1 200 W ; ☺ 6h-19h avr-oct, 8h-17h nov-mars), qui s'étage sur 3 iveaux. Source d'eau potable de l'île, cette chute de 25 m de haut est particulièrement spectaculaire en été. Un sentier de pierre et de béton (environ 720 m, 20 min) conduit du parking au point de vue. Pour vous rafraîchir en cours de route, glissez-vous dans la petite cabine de verre au bord du chemin, rafraîchie par un courant d'air naturel. De Dodong-ri, des bus partent toutes les heures pour le parking *via* Jeodong-ri (1 500 W, de mi-printemps à mi-automne).

Namyang-dong 남양

Le trajet jusqu'à ce petit village de pêcheurs sur la côte sud est déjà un plaisir en lui-même. De Dodong-ri, la route serpente le long de falaises côtières spectaculaires, de formations rocheuses et de versants abrupts couverts de genévriers chinois. Vous pouvez emprunter un bus public ou un taxi. Le **pavillon du Lever du soleil** (Ilmoljeon Mangdae) se trouve à 15 min de marche du village, au bout d'un chemin escarpé, et offre des vues superbes sur l'océan et, bien sûr, le lever du soleil. Suivez la crique ouest à la sortie du village, traversez le pont après l'école et prenez le sentier.

Nari-bunji 나리 분지

Le **bassin de Nari** occupe le versant nord du **Seonginbong** (984 m), point culminant de l'île et sommet d'un volcan assoupi. Seul endroit à peu près plat d'Ulleungdo, Nari abrite plusieurs fermes et deux maisons traditionnelles en bois, paille et terre, coiffées de chaume. Des pentes densément boisées entourent le bassin, étape idéale lors d'une randonnée (p. 234).

Le site compte des minbak, un camping et des restaurants. Dans les restaurants proches du camping, essayez un *hanjeongsik* (banquet coréen ; 5 000 W), un *gamja buchim* (crêpe aux pommes de terre ; 5 000 W) ou un *sanchae deodeokjeon* (crêpe aux légumes de montagne ; 5 000 W), accompagné de *dongdongju* local (5 000 W).

À faire

EXCURSIONS EN BATEAU

Le **tour de l'île** (13 000 W, environ 2 heures) constitue un excellent moyen d'admirer les fabuleux paysages d'Ulleungdo. Les circuits partent du terminal de Dodong-ri jusqu'à 4 fois par jour, en fonction de la demande, et parfois plus en été.

D'autres bateaux touristiques desservent l'île de Jukdo, une réserve naturelle à 4 km d'Ulleungdo. Ces excursions (10 000 W ; jusqu'à 4 par jour, selon la demande) offrent des vues excellentes d'Ulleungdo et des falaises de Jukdo. Les visiteurs peuvent pique-niquer sur l'île. Comptez 1 heure 30, marche ou déjeuner compris.

Les samedis d'été, des bateaux font le tour de Dokdo s'ils réunissent un nombre suffisant de passagers (sur réservation ; 3 heures aller-retour).

À Dodong-ri et Jeodong-ri, une multitude de bateaux restent à quai durant la journée et sortent le soir pour pêcher les calmars au lamparo. Durant la fête annuelle du calmar (3 jours à la mi-août), vous pourrez sans doute sortir en mer avec des pêcheurs. Le reste de l'année, assistez au départ des bateaux, brillamment éclairés par leurs lanternes.

EN ATTENDANT DOKDO

Imaginez un arbre près de votre maison. Il n'a jamais donné de fruit et vous n'avez jamais souhaité en faire quoi que ce soit. En fait, vous ne pensez jamais à cet arbre... jusqu'à ce que votre voisin prétende qu'il lui appartient ; il prend alors une valeur inestimable à vos yeux.

Voici en substance ce qu'a vécu la Corée avec Dokdo, deux îlots rocheux minuscules et plusieurs affleurements rocheux à quelque 92 km au sud-est d'Ulleungdo.

En 1905, lors de l'occupation japonaise, le Japon annexa Dokdo et le rebaptisa Takeshima. La Corée protesta, mais en tant que colonie, sa réclamation resta lettre morte. Après la Seconde Guerre mondiale, le général américain Douglas MacArthur décréta que Dokdo appartenait à la Corée et les forces américaines érigèrent un monument à la mémoire des pêcheurs coréens tués accidentellement à proximité des îles. Le Japon détruisit le monument en 1952, poussant la Corée à envoyer une unité de défense. La propriété de ces îlots restent une source de conflit entre ces deux nations, en dépit des liens étroits qui les unissent.

La plupart des Japonais n'ont sans doute jamais entendu parler de Takeshima, mais Dokdo constitue un sujet douloureux pour de nombreux Coréens, en particulier à Ulleungdo. Le musée de Dokdo présente des cartes qui expliquent la revendication de la Corée sur les îlots. Jusque dans les années 1980, les élèves des écoles primaires apprenaient une chanson, dont les paroles disent à peu près ceci :

Voici Dokdo, au sud-est d'Ulleungdo,
Territoire de nombreux oiseaux,
Celui qui prétend que cette terre est sienne
Sait bien qu'elle nous appartient.

EXCURSIONS EN VOITURE

Vous pouvez également découvrir l'île en taxi. Les prix sont négociables, mais prévoyez environ 80 000 W par jour. Certains chauffeurs connaissent tous les recoins de l'île, mais n'espérez pas en trouver un qui parle anglais. Comptez 1 heure de Nari-bunji à Dodong-ri.

RANDONNÉES

Divers sentiers conduisent au sommet du **Seong-inbong**, mais les deux principaux itinéraires partent de Dodong-ri (environ 5 heures aller-retour) et de Nari-bunji (de 4 à 5 heures aller-retour).

De Dodong-ri, empruntez la route principale vers le temple Daewonsa. À l'embranchement juste avant le temple, un panneau (en coréen) indique la direction du Seong-inbong (une grimpée de 4,1 km).

De Nari-dong, entrez dans la forêt, suivez le chemin sur la droite jusqu'aux champs de chrysanthèmes et de thym signalés. Plus loin, vous passez devant quelques maisons traditionnelles, puis la rude ascension du Seong-inbong (1 heure) commence à l'entrée de la forêt et du site de pique-nique ; elle traverse une forêt de hêtres, de ciguës et de tilleuls.

En dessous du sommet, lorsque vous descendez vers Dodong-ri, un chemin part sur la droite vers Namyang-dong (1 heure 30).

Où se loger

Ulleungdo offre un large choix d'hébergements (à partir de 20 000 W), mais ne compte pas d'hôtel de luxe. Le prix des chambres augmente considérablement en haute saison (juillet, août et jours fériés) et il est alors plus prudent de réserver.

On peut camper sur les plages de Namyang-dong, Naessujeon et Sadong-ri. Les deux dernières disposent de douches et de toilettes en été. On peut également camper gratuitement à Nari-dong.

DODONG-RI

Paldo-jang Yeogwan (☎ 791 3207 ; d 30 000 W). Plutôt spartiate et un peu bruyant, il se situe juste au-dessus du port. Chambres ondol uniquement.

Hanil-jang Yeogwan (☎ 791 5515 ; d 30 000 W). Plus plaisant que le Paldo-jang, il propose des chambres ondol assez spacieuses.

Sanchang-jang Yeogwan (☎ 791 0552 ; d 30 000 W). Sans rien d'extraordinaire, il se situe cependant au centre du bourg et loue des chambres ondol agréables et bien tenues.

Ulleung Hotel (☎ 791 6611 ; fax 791 5577 ; d 45 000 W). Un peu vieillot, mais confortable et calme puisqu'en retrait de la rue. Prévoyez un supplément pour une chambre vaste. Ne le confondez pas avec l'horrible Ulleung Beach Hotel, proche du port.

Pension Skyhill (☎ 791 1040 ; fax 791 0203 ; d *ondol*/lit 50 000/60 000 W ; 🐶). Ouvert en 2003 et situé sur les hauteurs, il met à disposition une cuisine, un toit-terrasse avec barbecue et des cassettes vidéo.

JEODONG-RI

De nombreux hôtels offrent, sur demande, le transgert gratuit du terminal des ferries de Dodong-ri.

Jamsil-jang Yeogwan (☎ 791 3261 ; ch 20 000 W). Meilleur choix pour les voyageurs à petit budget (pas de transfert depuis Dodong-ri).

Cheong-il Minbak (☎ 791 0336 ; ch à partir de 25 000 W ; 🐶). Chambres ondol uniquement et sdb correctes.

Nakwon-jang Yeogwan (☎ 791 0580 ; ch à partir de 25 000 W ; 🐶 supp 5 000 W). Chambres standard convenables. Très central et proche de l'arrêt de bus.

Sejin Minbak (☎ 791 2576 ; ch à partir de 25 000 W). Les chambres, petites et simples, disposent chacune d'une sdb. Presque toutes ont vue sur le port et le lever du soleil.

Sur la route de Bongnaepokpo, l'Ulleung Beach Paradise Hotel est en construction depuis des années. Lorsqu'il ouvrira, ce sera un immense hôtel club de luxe.

Où se restaurer et boire un verre

Les stands de fruits de mer sont omniprésents. Octobre correspond à la haute saison.

DODONG-RI

99 Sikdang (plats 5 000-20 000 W). Cet établissement sympathique a été cité dans toute les gazettes coréennes pour son *ojing-eo bulgogi* (calmar grillé à votre table avec des légumes et une sauce relevée ; 8 000 W). Le *taggaebibap* (coquillages et riz ; 13 000 W) figure parmi les plats préférés, mais vous pouvez aussi découvrir le *buk-eo* (poisson-lune ; à partir de 20 000 W).

Sanrok Sikdang (repas 5 000-12 000 W). Spécialisé dans les mélanges de produits de la mer, il propose notamment un *honghapbap* (gâteau de riz aux moules ; 10 000 W) et un *taggaebibap* (10 000 W).

Ulleung Hoet-town (repas 6 000-10 000 W). Il sert principalement des ragoûts de fruits de mer ou du poisson cru à partager (le prix du poisson cru varie).

Sutbul Garden (repas 5 000-13 000 W). Réputé pour sa viande bio, provenant de vaches nourries d'herbes médicinales.

Sanchang-hoe Sikdang. Au rez-de-chaussée du Sanchang-jang Yeogwan, il mitonne des honghapbap (10 000 W) et des *mulhoe* (10 000 W).

Quelques échoppes de *mandu/ naengmyeon/gimbap* permettent de se restaurer pour 2 000 W. Installez dans l'un des restaurants en plein air du port pour observer le déchargement des bateaux de pêche.

Jeil Jegwa, une boulangerie confortable, dispose de tables où déguster ses douceurs. Vous pourrez faire vos courses dans les nombreuses petites **épiceries** ou dans le grand **Hannam Chain Supermarket**, au-dessus du terminal des ferries.

Janbieosu (☎ 791 3122). Cet agréable café, idéal pour se détendre devant un verre, se trouve au 1ᵉʳ étage, au-dessus du magasin de vêtements Soul. Son nom signifie "mon verre est vide" (sous-entendu, remplissez-le). Nombre de karaokés ouvrent en été.

JEODONG-RI

Gyeongju Sigyuk Sikdang (plats 5 000-13 000 W). Il sert un délicieux *yaksu bulgogi* (bœuf mariné aux herbes médicinales ; 13 000 W), mais vous devez commander au moins 3 plats. Les mélanges de légumes et le *sanchae bibimbap* sont tout aussi savoureux. En face, le **Byeoljang Garden** (plats 5 000-13 000 W) propose un menu identique et une terrasse couverte.

Depuis/vers Ullengdo

Vous aurez besoin de votre passeport pour embarquer sur le ferry (on vous demandera le numéro) et pour vous faire enregistrer à l'arrivée à Ulleungdo.

FERRY

Le ferry dessert Ulleungdo au départ de Pohang (ordinaire/1ʳᵉ classe 51 100/56 200 W, 3 heures, 1 à 3 par jour), mais les traversées sont annulées par mauvais temps. Les horaires de départ varient de mois en mois. D'autre bateaux en provenance de Hupo et de Sokcho ne naviguent qu'en juillet-août.

Mieux vaut réserver l'aller et le retour, surtout en été. Vous pouvez aussi acheter votre billet à la première heure au terminal des ferries, mais vous risquez d'être en liste d'attente. Pour réserver ou vous renseigner sur le trafic, appelez le ☎ 02-514 6766 à Séoul, le ☎ 791 0801 à Ulleungdo et le ☎ 242 5111 à Pohang. Contactez le **KNTO** (☎ 1330) pour plus d'information.

Quelques agences de voyages effectuent les réservations et vendent des billets.

Comment circuler
BUS
Des bus circulent entre Dodong-ri et Jeodong-ri toutes les 30 min (900 W, 10 min). De Dodong-ri, 11 bus desservent chaque jour Cheonbu (50 min) *via* Namyang (25 min). À Cheonbu, vous pouvez prendre une correspondance pour Nari-bunji (10 min, 8 par jour). Demandez un horaire récent au kiosque d'information touristique.

TAXI 4X4
Des taxis font la navette entre Dodong-ri et Jeodong-ri. Faîtes-leur simplement signe (2 400 W par personne).

Gyeongsangnam-do
경상남도

Le Gyeongsangnam-do (province de Gyeongsangnam) est une terre de contrastes. Busan (Pusan), la locomotive économique qui aspire à devenir un centre logistique international, se situe au sud-est de la province. L'exubérance de cette grande ville contraste singulièrement avec la quiétude qui règne dans les villes et les villages de pêcheurs de la région. Explorer le Gyeongsangnam-do rural permet de découvrir des temples superbes, des côtes accidentées et de belles montagnes, et d'apprécier également l'agréable tranquillité des habitants.

La facilité des déplacements constitue un autre charme du Gyeongsangnam-do. De nombreux sites touristiques, comme la forteresse de Jinju ou le magnifique temple de Seongnam, se visitent dans la journée au départ de Busan. Et les coins les plus reculés de la province ne sont jamais à plus de 3 heures de trajet. Pour les voyageurs limités par le temps, des destinations comme Buril Pokpo (chutes de Buril) dans le parc de Jirisan ou l'île de Geoje représentent de formidables escapades de 2 jours.

À NE PAS MANQUER

- Flânez sur les **marchés traditionnels de Busan** (p. 251)
- Visitez le musée d'un camp de prisonniers de guerre sur **l'île de Geoje** (p. 257)
- Offrez-vous une cure de jouvence à **Heosimcheong** (p. 242), l'un des plus grand spa au monde
- Montez à bord de la réplique du **bateau-tortue** de l'amiral Yi (p. 259)
- Arpentez les magnifiques sentiers du **parc national de Jirisan** (p. 260)

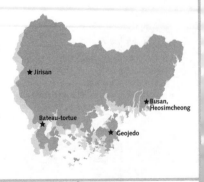

INDICATIF TÉLÉPHONIQUE : 055 ▪ POPULATION : 7,9 MILLIONS ▪ SUPERFICIE : 12 3333 KM²

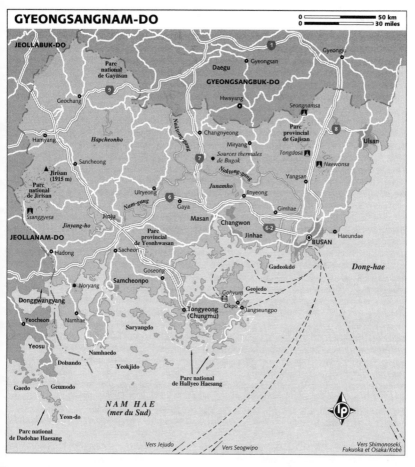

GYEONGSANGNAM-DO

(Carte de la province de Gyeongsangnam-do, échelle 0–50 km / 0–30 miles)

JEOLLABUK-DO

Parc national de Gayäsan

Geochang

Hamyang

Hapcheonho

Sancheong

▲ *Jirisan (1915 m)*

Parc national de Jirisan

Ssanggyesa

Jinyang-ho

Jinju

JEOLLANAM-DO

Hadong

Sacheon

Noryang

Samcheonpo

Donggwangyang

Yeocheon

Namhae

Saryangdo

Yeosu

Namhaedo

Dolsando

Yeokjido

Gaedo

Geumodo

Yeon-do

Parc national de Dadohae Haesang

NAM HAE (mer du Sud)

Daegu

Gyeongsan

GYEONGSANGBUK-DO

Hwayang

Changnyeong

Miryang

Sources thermales de Bugok

Naktong-gang

Junamho

Uiryeong

Gaya

Masan

Changwon

Jinhae

Parc provincial de Yeonhwasan

Goseong

Gohyum

Okpo

Jangseungpo

Tongyeong (Chungmu)

Geojedo

Gadeokdo

Jinyeong

Yangsan

Gimhae

BUSAN

Haeundae

Dong-hae

Vers Jejudo

Vers Seogwipo

Vers Shimonoseki, Fukuoka et Osaka/Kobé

Seongnamsa

Parc provincial de Gajisan

Tongdosa

Naewonsa

Ulsan

Gyeongju

Comment circuler

La plupart des touristes qui arrivent en train s'arrêtent à la gare ferroviaire de Busan, récemment rénovée et proche du centre-ville. On peut sillonner la province, mais les destinations et la fréquence des départs ne sont pas toujours très pratiques. Un réseau de bus bien développé couvre l'ensemble de la région. Important carrefour de transports routiers, Jinju est une excellente base pour visiter les montagnes, les îles et les temples (souvent à 2 heures de bus, voire moins). Miryang, Eonyang et Hadong offrent également de nombreuses correspondances, mais ne sont guère animées. La plupart des voyageurs qui utilisent l'avion atterrissent à l'aéroport international Gimhae, à quelque 30 min à l'ouest de Busan.

BUSAN (PUSAN) 부산

☎ 051 / 3,8 millions d'habitants / 761 km²

Bien que Busan soit la deuxième ville du pays et le quatrième port mondial pour le trafic de conteneurs, la cité n'a pas encore intégé son cosmopolitisme, comme en témoignent la rudesse de ses habitants et leur étrange habitude de bousculer les étrangers dans les lieux publics. Busan présente, par ailleurs, des aspects charmants, que vous découvrirez en prenant un verre ou en partageant un repas avec la population locale. À côté d'un paysage urbain enlaidi par le béton utilisé sans imagination, la ville compte suffisamment de sites

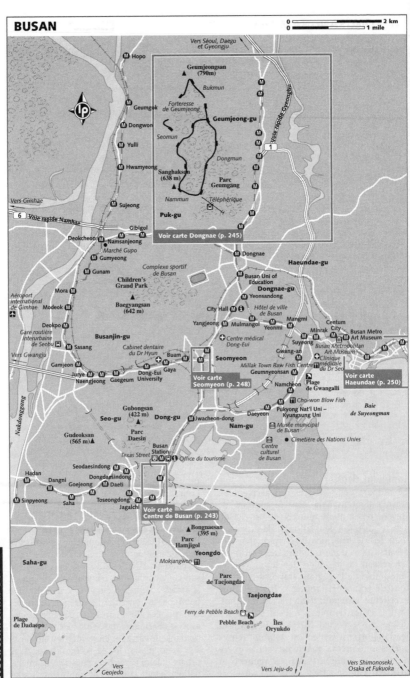

BUSAN

0 ————— 2 km
0 ————— 1 mile

Vers Séoul, Daegu
et Gyeongju

Hopo

Geumjeongsan
(790m)

Bukmun

Geumgok

Forteresse
de Geumjeong

Geumjeong-gu

Voie rapide Gyeongbu

Dongwon

Seomun

Yulli

Dongmun

Hwamyeong

Vers Gimhae

Sanghaksan
(638 m)

Parc
Geumgang

Sujeong

Nammun

Téléphérique

Puk-gu

Voir carte Dongnae (p. 245)

6 Voie rapide Namhae

Gibigol

Namsanjeong

Deokcheon

Marché Gupo

Gumyeong

Dongnae

Haeundae-gu

Gunam

Complexe sportif
de Busan

Busan Uni of
Education

Children's
Grand Park

Dongnae-gu

Aéroport
international
de Gimhae

Mora

Modeok

Baegyangsan
(642 m)

Yeonsandong

City Hall

Hôtel de ville
de Busan

Mangmi

Centum
City

Busan Metro
Art Museum

Deokpo

Yangjeong

Mulmangol

Yeonmi

Suyeong

Minrak

Gare routière
interurbaine
de Seobu

Vers Gwangju

Sasang

Busanjin-gu

Centre médical
Dong-Eui

Gwang-an

Busan Metropolitan
Art Museum

Clinique
médicale
du Dr Seo

Gamjeon

Cabinet dentaire
du Dr Hyun

Buam

Seomyeon

Millak Town Raw Fish Centre

Geumnyeonsan

Jurye

Gaya

**Voir carte
Seomyeon (p. 248)**

Namcheon

**Voir carte
Haeundae (p. 250)**

Naengjeong

Gaegeum

Dong-Eui
University

Plage
de Gwangalli

Baie
de Suyeongman

Gubongsan
(422 m)

Seo-gu

Dong-gu

Jwacheon-dong

Daeyeon

Pukyong Nat'l Uni –
Kyungsung Uni

Cho-won Blow Fish

Gudeoksan
(565 m)

Parc
Daesin

Musée municipal
de Busan

Cimetière des Nations Unies

Texas Street

Busan
Station

Office du tourisme

Centre
culturel
de Busan

Hadan

Seodaesindong

Nam-gu

Dangni

Dongdaesindong

Goejeong

Daeti

Sinpyeong

Saha

Toseongdong

Jagalchi

**Voir carte
Centre de Busan (p. 243)**

Saha-gu

Bongnaesan
(395 m)

Parc
Hamjigol

Yeongdo

Mokjangwon

Parc
de Taejongdae

Taejongdae

Plage
de Dadaepo

Ferry de Pebble Beach

Pebble Beach

Îles
Oryukdo

Vers
Geojedo

Vers Jeju-do

Vers Shimonoseki,
Osaka et Fukuoka

pour retenir les voyageurs plusieurs jours, le temps d'explorer les montagnes, les temples et les plages agréables, tout en profitant des restaurants et des distractions. Busan est relativement sûre, mais, comme dans tous les ports, ne traînez pas seul dans le centre-ville à la nuit tombée.

Orientation

Nampodong, le bouillonnant quartier central des cinémas et des commerces, est un véritable labyrinthe de ruelles où la foule se bouscule le week-end. À une station de métro au nord, à Jungangdong, se trouvent les deux terminaux des ferries, le bureau de l'immigration et le quartier financier, ainsi que quelques *yeogwan* (motels dotés de petites chambres avec sdb bien équipées) bon marché, nichés parmi des immeubles noircis, musée vivant du Busan des années 1960. Seomyeon, le centre-ville, regorge de restaurants et de magasins. Vendeurs ambulants et bars occupent l'une de ses rues, Youth St. À l'extrémité nord de la ville, on trouve le plus grand spa d'Asie, l'incontournable temple Beomeo et l'animation nocturne bat son plein près de l'université nationale de Pusan. À l'est, Haeundae est renommé pour ses hôtels en bord de mer et ses bars haut de gamme. L'aéroport international de Gimhae se situe à l'extrémité ouest.

Renseignements

URGENCES

Incendie et secours ☎ 119
Police ☎ 112

SITES INTERNET

www.museum.busan.kr. Ce site en anglais fournit quelques informations sur les musées de la ville.
www.provin.gyeongnam.kr/eng. Réalisé par le gouvernement provincial, il contient des renseignements sur les sites et la géographie de la région (en anglais).

CONSIGNES

Des consignes sont installées dans de nombreuses stations de métro, dont celle de Seomyeon, et à la gare ferroviaire de Busan.

SERVICES MÉDICAUX

Le **Dr Seo** (carte p. 240 ; ☎ 755 0920), médecin généraliste, parle bien anglais. Sa clinique se situe à Milakdong, à 10 min à pied de la gare ferroviaire Gwangalli, sur un grand carrefour, près d'une pharmacie. Prenez la sortie 1,

tournez dans la deuxième rue à droite et parcourez environ 600 m. Repérez l'enseigne jaune "Jun Clinic".
Centre médical Dong-Eui (carte p. 240 ; ☎ 850 8523). Marie Kim, une infirmière américaine, pourra vous aider.
Dr Hyun (carte p. 240 ; ☎ 897 2283). Dentiste. Son cabinet (1er étage) se trouve à la gare ferroviaire Gaya. Prenez la sortie 2 et suivez la rue sur 40 m. Cherchez l'enseigne jaune sur la gauche.

ARGENT

L'aéroport international Gimhae abrite des guichets de change dans le **terminal national** (☺ 9h30-16h30) et dans le **terminal international** (☺ 8h30-21h). La plupart des banques pratiquent le change, mais la qualité des prestations varie. La Korea Exchange Bank (KEB) offre un service efficace. Les dollars américains s'échangent au marché noir à Jungangdong et Nampodong ; repérez les femmes assises sur des chaises, qui serrent un sac noir et murmurent "changee".

POSTE

Poste centrale (carte p. 243 ; ☺ 8h-18h lun-ven, 8h-13h sam). Empruntez la sortie 9 à la gare ferroviaire Jungangdong. La poste se trouve au coin de la rue. Le service d'emballage confectionne des paquets sur mesure. Un accès gratuit à Internet est disponible au rez-de-chaussée.

INFORMATIONS TOURISTIQUES

Gare ferroviaire de Busan (carte p. 240 ; ☎ 441 6565 ; ☺ 9h-21h mar-sam, 9h-18h dim-lun). Office du tourisme le plus efficace de la ville. Dans le jardin public, devant la gare.
Hôtel de ville de Busan (carte p. 240 ; ☎ 888 3527 ; ☺ 9h-18h lun-ven, 9h-13h sam). À l'étage principal, près d'un bureau de poste. Facilement accessible de la station City Hall.
Haeundae (carte p. 250 ; ☎ 749 4335 ; ☺ 9h-18h, 9h-20h juil-août). À côté de l'aquarium de Busan, sur la plage de Haeundae.
Aéroport international de Gimhae. Terminal national (☎ 970 2800 ; ☺ 9h-21h) ; terminal international (☎ 973 4537 ; ☺ 7h-21h). Idéal pour prendre un bus à destination de la ville.
Marché Gukje (carte p. 243 ; ☎ 241 4942 ; ☺ 9h-19h lun-ven, 9h-14h sam). Cartes et accès Internet gratuit. À 100 m au nord de la statue du Millénaire de Nampodong.

À voir

BEOMEOSA 범어사

Magnifique **temple bouddhique** (carte p. 245 ; adulte/étudiant/enfant 1 000/700/500 W ; ☺ 7h-19h, 8h-18h nov-fév), Beomeosa est sans doute le plus beau site touristique de Busan. Fondé en 678, tous ses bâtiments d'origine ont été détruits et reconstruits au fil des invasions et des conquêtes qui ont jalonné l'histoire du pays. Bien que situé en ville, Beomeosa semble à mille lieux de la jungle urbaine, avec sa superbe architecture qui s'intègre à l'extraordinaire cadre montagneux. L'endroit est animé, car le sentier qui mène au temple sert de point de départ pour les randonnées vers le Geumjeongsan (mont Geumjeong). Avant de retourner en ville, faites halte au restaurant proche de l'arrêt de bus pour déguster un savoureux *pajeon* (crêpe aux oignons verts ; 6 000 W). Prenez le métro jusqu'à la station Beomeosa (sortie 5). Une fois dans la rue, revenez en arrière et prenez la première à gauche. Marchez 200 m jusqu'au petit terminus et montez dans le bus n°90 (700 W, 15 min, toutes les 15 min).

FORTERESSE DE GEUMJEONG 금정산성
Le sommet du Geumjeongsan offre un panorama sur la ville et une vue plongeante sur ce qui fut autrefois une imposante forteresse (carte p. 245). Aujourd'hui, il n'en reste que des murs de pierre, couverts d'arbustes par endroits, quelques portes et tours de guet. Si les vestiges sont un peu décevants, la randonnée jusqu'au sommet vous procurera la satisfaction de parcourir des chemins parfois difficiles, de respirer un air pur et de iodler "Yaho" en haut de la montagne, comme le veut la coutume coréenne. Si vous aimez jouir de la nature dans la solitude, évitez les jours fériés et les dimanches en fin de matinée.

L'excursion à Geumjeongsan, à la mode zen, vaut mieux que la destination. Pour vous épargner toute fatigue et profiter d'un paysage superbe, prenez le **téléphérique** (carte p. 245 ; aller/aller-retour adulte 3 000/5 000 W, enfant 2 000/2 500 W ; ☼ 9h-18h, 9h-17h nov-fév) dans le parc Geumgang (carte p. 245), à la base sud de la montagne. Il grimpe à 540 m et offre une vue splendide sur la ville et sa vallée. Du téléphérique, la randonnée jusqu'à Beomeosa demande de 3 à 4 heures. Près des sentiers, des femmes vendent des boissons et de la nourriture, dont du canard et de la chèvre noire (une portion à 30 000 W suffit pour deux).

À la station Oncheonchang, prenez la sortie 1 et marchez à gauche en direction de la passerelle piétonne. Traversez-la, descendez par l'escalier de gauche et tournez dans la première rue à droite. À l'intersection suivante, tournez à gauche et vous verrez un panneau indiquant le **parc Geumgang** (carte p. 245 ; adulte/enfant 600/300 W ; ☼ 9h-18h, 9h-17h nov-fév). Une fois dans le parc, empruntez la route goudronnée du milieu pour rejoindre le téléphérique.

À l'extrémité nord du chemin, la randonnée commence sur la gauche du temple et se continue jusqu'à Bukmun, ou porte Nord (북문). Si vous descendez, dépassez le temple en direction des restaurants et du parking pour attraper le bus n°90 à destination de la station Beomeo.

SPA HEOSIMCHEONG 허심청
Considéré comme le plus grand spa d'Asie, avec de multiples baignoires et saunas au 3e étage, **Heosimcheong** (carte p. 245 ; adulte/enfant 8 000/5 000 W, avant 9h 7 000/4 000 W ; ☼ 5h30-21h, dernière entrée 20h) accueille jusqu'à 2 000 personnes. Massages et gommages sont dispensés moyennant un supplément. Les clients peuvent rester aussi longtemps qu'ils le souhaitent et faire une pause au snack-bar du 2e étage, enveloppés dans un peignoir du spa. Heosimcheong se trouve à 15 min de la station Oncheonjang et du téléphérique.

PLAGES
Haeundae (carte p. 250), la plage la plus prisée du pays, est le lieu de résidence favori des expatriés. En haute saison, les parasols poussent comme des champignons le long de ses 2 km et la mer est parsemée de chambres à air de camion, louées dans des kiosques derrière la plage. C'est un endroit agréable, notamment pour les familles, mais ne vous laissez pas abuser par les commentaires dithyrambiques des brochures commerciales. En août, difficile de trouver un espace pour poser sa serviette. Prenez la sortie 3 à la station Haeundae, tournez dans la première rue à gauche et parcourez environ 250 m.

Gwangalli, l'une des sept autres plages de la ville, constitue le meilleur choix pour la facilité d'accès et la qualité (les six autres sont Dadaepo, Songdo, Songjeong, Ilgwang, Imnang et Pebble Beach). Bien que l'horrible mur du centre commercial derrière la plage accentue l'impression de surpeuplement pendant la journée, Gwangalli s'illumine en soirée et le spectacle des lumières multicolores qui éclairent le pont mérite le détour. Prenez

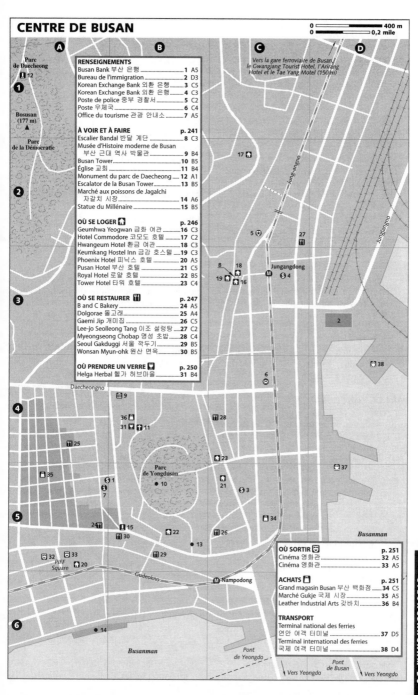

CENTRE DE BUSAN

0 — 400 m
0 — 0,2 mile

RENSEIGNEMENTS
Busan Bank 부산 은행 1 A5
Bureau de l'immigration 2 D3
Korean Exchange Bank 외환 은행 3 C5
Korean Exchange Bank 외환 은행 4 C3
Poste de police 중부 경찰서 5 C2
Poste 우체국 6 C4
Office du tourisme 관광 안내소 7 A5

À VOIR ET À FAIRE p. 241
Escalier Bandal 반달 계단 8 C3
Musée d'Histoire moderne de Busan
 부산 근대 역사 박물관 9 B4
Busan Tower 10 B5
Église 교회 11 B4
Monument du parc de Daecheong 12 A1
Escalator de la Busan Tower 13 B5
Marché aux poissons de Jagalchi
 자갈치 시장 14 A6
Statue du Millénaire 15 B5

OÙ SE LOGER p. 246
Geumhwa Yeogwan 금화 여관 16 C3
Hotel Commodore 코모도 호텔 17 C2
Hwangeum Hotel 환금 여관 18 C3
Keumkang Hostel Inn 금강 호스텔 19 C3
Phoenix Hotel 피닉스 호텔 20 A5
Pusan Hotel 부산 호텔 21 C5
Royal Hotel 로얄 호텔 22 B5
Tower Hotel 타워 호텔 23 C4

OÙ SE RESTAURER p. 247
B and C Bakery 24 A5
Dolgorae 돌고래 25 A4
Gaemi Jip 개미집 26 C5
Lee-jo Seolleong Tang 이조 설렁탕 27 C2
Myeongseong Chobap 명성 초밥 28 C4
Seoul Gakduggi 서울 깍두기 29 B5
Wonsan Myun-ohk 원산 면옥 30 B5

OÙ PRENDRE UN VERRE p. 250
Helga Herbal 헬가 허브마을 31 B4

OÙ SORTIR p. 251
Cinéma 영화관 32 A5
Cinéma 영화관 33 A5

ACHATS p. 251
Grand magasin Busan 부산 백화점 34 C5
Marché Gukje 국제 시장 35 A5
Leather Industrial Arts 갖바치 36 B4

TRANSPORT
Terminal national des ferries
 연안 여객 터미널 37 D5
Terminal international des ferries
 국제 여객 터미널 38 D4

Parc de Daecheong
Bosusan (177 m)
Parc de la Démocratie
Vers la gare ferroviaire de Busan, le Gwangjang Tourist Hotel, l'Arirang Hotel et le Tae Yang Motel (150 m)
Jungangno
Jungangdong
Daecheongno
Parc de Yongdusan
Busanman
PIFF Square
Gudeokno
Nampodong
Busanman
Pont de Yeongdo
Pont de Busan
Vers Yeongdo
Vers Yeongdo

GYEONGSANGNAM-DO

BUSAN AU CINÉMA

Le film *Chingu* (2001) commence dans les années 1970 : quatre garçons courent derrière un camion qui répand un épais nuage d'insecticide. Cette scène résume le thème de ce film policier : la poursuite aveugle de quelque chose, sans tenir compte des raisons ou des conséquences. Dans les années 1990, ces garçons sont devenus des hommes et leurs vies ont pris des trajectoires radicalement différentes. Deux d'entre eux se retrouvent chefs de gang, ce qui donne lieu à une scène prenante dans une salle d'audience de tribunal. Habilement dirigée et remarquablement interprétée, cette histoire, en partie autobiographique car inspirée de la vie du réalisateur Kwak Kyung-taek, se déroule à Busan. On y voit le marché aux poissons de Jagalchi, ou encore un cinéma (aujourd'hui reconverti en cinéma porno), lieu d'une bataille de gangs. *Chingu*, qui signifie "ami", est le plus gros succès cinématographique du pays, avec 8 millions de spectateurs.

le métro jusqu'à la station Geumnyeonsan (pas Gwangalli). De la sortie 1, tournez dans la première rue à gauche.

PARC DE YONGDUSAN 용두산 공원

Au centre de ce modeste parc montagneux se dresse la **tour de Busan** (carte p. 243 ; adulte/jeune/enfant 3 000/2 500/2 000 W ; ☯ 9h30-22h oct-mars, 8h30-22h avr-sept), haute de 118 m. Si la brume n'est pas trop épaisse, la vue du trafic des porte-conteneurs donne une idée de l'importance du mouvement portuaire. Un petit aquarium et une galerie de jeux attendent les enfants au pied de la tour. Toutefois, vérifiez l'état de ces manèges branlants avant de laisser vos enfants grimper dedans. Sur la place, un petit kiosque vend du maïs et l'on peut nourrir les hordes de pigeons. Le parc et la tour se situent à 10 min de marche de la station Nampodong.

PARC DE DAECHEONG 대청 공원

À Nampodong, regardez vers le nord-est pour apercevoir un mémorial au sommet de la montagne, édifié en hommage aux Coréens tombés pour leur pays. De près, le **monument du parc de Daecheong** (carte p. 243 ; entrée libre ; ☯ 9h-18h) constitue une réussite artistique qui mérite le détour. En face du monument, le **parc de la Démocratie** offre une extraordinaire vue panoramique. Gravissez les marches menant en haut du bâtiment, orné d'une œuvre d'art qui ressemble à un échafaudage déchiqueté, pour découvrir le port et l'étendue de la ville. Dans la rue en face de la gare ferroviaire de Busan, prenez le bus n°38 ou 43. À Nampodong, du côté de la rue où se regroupent les cinémas, prenez le bus n°70 ou 86 jusqu'au terminus, puis suivez la route goudronnée qui grimpe la colline sur la gauche.

MARCHÉ AUX POISSONS DE JAGALCHI 자갈치 시장

Quiconque aime les produits de la mer pourra passer quelques heures à explorer le plus grand **marché aux poissons** (carte p. 243) du pays. Des entrepôts en front de mer, de minuscules échoppes et des femmes âgées installées aux coins des rues préparent et vendent une incroyable diversité de produits de la mer, dont, malheureusement, des baleines. Promenez-vous sur le quai et vous serez peut-être apostrophé par des marins au long cours qui vous proposeront de faire le tour du port en bateau (10 000 W par personne, 20 min). Si cela vous intéresse, essayez de faire baisser le prix. Jagalchi se situe en face des cinémas de Nampodong.

PARC DE TAEJONGDAE 태종대

Ce **parc** (carte p. 240 ; adulte/enfant 600/300 W, voiture 4 000 W, camionnette 4 000-7 000 W, entrée libre avant 9h et après 18h ; ☯ 4h-24h), au cœur de la ville sur Yeongdo (영도, île de Yeong), est relié à Nampodong par deux ponts. Le principal attrait de cette oasis est la **Pebble Beach**, une crique accidentée à l'extrémité sud du parc. En plein été, des restaurants protégés par une tente surplombent la plage. Selon quelques voyageurs, ce parc n'offre pas grand intérêt pour ceux dont le temps est compté. Depuis les cinémas de Nampodong, traversez la rue par le passage souterrain et prenez le bus n°30 jusqu'au terminus.

MUSÉES ET EXPOSITIONS

Le **musée d'Art métropolitain de Busan** (시립 미술관 ; adulte/jeune/enfant 700/300 W/gratuit ; ☯ 10h-18h mar-dim, 10h-17h nov-fév, fermé 1er janvier et fêtes nationales) renferme des œuvres traditionnelles et une petite collection de

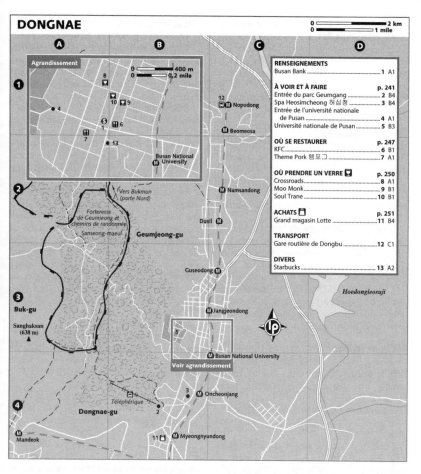

DONGNAE

sculptures d'extérieur. Prenez la sortie 5 à la station Metro Art Museum et marchez tout droit sur 100 m.

À Haeundae, le grand **aquarium de Busan** (carte p. 250 ; adulte/étudiant/enfant 14 000/11 500/9 000 W ; 10h-19h lun-ven, 9h-21h sam, dim et jours fériés, 9h-23h juil-août), souterrain, rassemble 50 000 animaux marins. Il se situe sur la plage, à 10 min à pied de la station Haeundae (sortie 3).

À Jungangdong, le **musée d'Histoire moderne de Busan** (carte p. 243 ; entrée libre ; 9h-18h mar-dim, 9h-17h nov-fév, fermé 1er janvier) présente des photos, des vidéos et des cartes, avec légendes en anglais, qui racontent l'histoire de la ville et l'occupation japonaise. Situé au nord du parc de Yongdusan, le musée occupe les anciens locaux du Centre culturel américain, à 300 m du bureau de poste de Jungangdong.

À Uamdong, le **Musée municipal de Busan** (carte p. 240 ; adulte/jeune/enfant 500/300 W/gratuit ; 9h-18h mar-dim, 9h-17h nov-fév, dernière entrée 1 heure avant fermeture, fermé 1er janvier) possède une petite collection d'objets, de photos et de films de la guerre de Corée. En face, le **cimetière des Nations unies** (carte p. 240 ; entrée libre ; 9h-17h, dernière entrée 16h30), seul cimetière au monde géré par l'ONU, intéressera les férus d'histoire. Selon certains, son exposition photographique constitue un hommage aussi modeste qu'embarrassant. Des guides parlant anglais proposent leurs services dans le kiosque installé près de l'entrée principale. À côté du musée, le **Centre culturel de Busan** (www.bsculture.busan.kr) programme régulièrement des concerts et des spectacles culturels gratuits dans la **petite salle** (carte p. 240 ; ☺ 16h sam). Prenez la sortie 5 à la station Daeyon. Dans la rue, retournez-vous pour voir le panneau indiquant le cimetière.

Circuits organisés

Mi Wharf (carte p. 250 ; adulte/enfant 9 900/6 000 W), à l'extrémité est de la promenade de Haeundae, est le point de départ des circuits en bateau autour des îlots d'Oryukdo (1 heure). Ils partent toutes les heures, de 8h30 à 22h, en juillet et août, et 5 à 7 fois par jour, de 8h30 à 17h, de septembre à juin.

Taejeongdae Pebble Beach Ferry (carte p. 240 ; adulte/enfant 5 000/3 500 W) offre une belle vue sur les falaises et l'université maritime de Corée, voisine. Le circuit, agréable mais parfois houleux (40 min, toutes les heures), fonctionne de 8h à 20h. La musique diffusée par les haut-parleurs peut agacer. Prenez le bateau du côté droit de Pebble Beach, dans le parc de Taejeongdae.

Fêtes et festivals

Le Festival international du film de Pusan (PIFF ; www.piff.org), qui se tient chaque année entre septembre et octobre, a été lancé en 1996. Sans conteste le plus grand festival de la ville, il a présenté 226 films de 57 pays en 2002. Consultez le site web pour plus de détails.

En août, chacune des sept plages de la ville accueille divers événements dans le cadre du Festival de la mer de Busan, dont le Festival international de rock de Busan. Vous trouverez quelques informations sur le site www.festival.busan.kr. Plusieurs fêtes locales célèbrent les liens de Busan avec l'océan, comme la fête de Jalgalchi (www.chagalchi.co.kr) en octobre et la fête de l'anchois de Gijang (www.anchovyfestival.or.kr) en mai.

Où se loger

PETIT BUDGET

Keumkang Hostel Inn (carte p. 243 ; ☎ 469 3600 ; ondol 11 000 W). Hébergement le moins cher de la ville, il se situe au sommet de l'escalier Bandal, à Jungangdong. Les chambres, minuscules, partagent toilettes et douche communes (eau chaude de 20h à 24h). Pre-

nez la sortie 17 à la station Jungangdong et la première à gauche en haut de l'escalier.

Geumhwa Yeogwan (carte p. 243 ; ☎ 469 1769 ; d/ondol 25 000/20 000 W). Ces petites chambres propres offrent un excellent rapport qualité/prix si vous souhaitez loger près du métro, en bas de l'escalier Bandal.

Hwangeum Hotel (carte p. 243 ; ☎ 463 3851 ; d/ondol 25 000/20 000 W). Presque identique au précédent et tenu par une grand-mère qui ne parle pas anglais, il constitue une bonne affaire pour les voyageurs à petit budget qui apprécient le confort d'une sdb privée. En face du Gumhwa Yeogwan.

Tae Yang Motel (carte p. 243 ; ☎ 464 3608 ; d et ondol 30 000 W ; ✪). De l'extérieur, il ressemble à un *yeogwan* un peu louche, ce qu'il est probablement, mais les chambres de ce "love motel" sont propres, jolies et dotées de grands lits. Prenez à gauche en sortant de la gare ferroviaire de Busan : il se trouve derrière l'Arirang Hotel. S'il est complet, de nombreux yeogwan à prix similaires vous attendent en bas de la rue.

CATÉGORIE MOYENNE

Gwangjang Tourist Hotel (광장 관광 호텔 ; ☎ 464 3141 ; d, lits jum et ondol 48 000 W ; ✪). Un bel hôtel aux chambres rénovées, apprécié des voyageuses. Sur la droite en sortant de la gare ferroviaire de Busan.

Tower Hotel (carte p. 243 ; ☎ 241 5151 ; d/lits jum/ste 50 000/65 000/100 000 W ; ✪). Ne vous laissez pas rebuter par sa façade verdâtre et les tapis rouges élimés des corridors. Cet établissement propose des chambres propres et lumineuses et des suites équipées de 2 canapés et de 2 lits. Impeccables et fonctionnelles, les sdb manquent de caractère.

Pusan Hotel (carte p. 243 ; ☎ 241 4301 ; d, lits jum et ondol 85 000 W ; ✪). Contrairement à ces hôtels de Nampodong qui se contentent d'une rénovation superficielle, le Pusan Hotel a pourvu ses chambres d'une nouvelle literie et d'une penderie spacieuse et il a carrelé de neuf les sdb.

Phoenix Hotel (carte p. 243 ; ☎ 245 8061 ; www.hotelphoenix.net ; d/lits jum 68 000/73 000 W ; ✪). Principal atout de cet établissement propre et sans prétention : sa situation au centre de Nampodong, près des cinémas, des commerces et du métro.

Riviera Hotel (carte p. 250 ; ☎ 740 2111 ; d/ste 60 000/230 000 W ; ✪). À Haeundae, au dernier étage du grand magasin du même nom, cet hôtel offre de jolies chambres dont les n'augmentent en haute saison en raison de l'éloignement de la plage et de l'absence de vue. La luxueuse suite royale, avec 2 grandes chambres et une sdb séparée, présente un bon rapport qualité/prix pour le quartier.

Angel Hotel (carte p. 248 ; ☎ 802 8223 ; d/lits jum 44 000/50 000 W ; ✂). Récemment rénové, il propose des chambres bien tenues (la plupart avec douche et quelques-unes avec baignoire) au cœur de Seomyeon, près des restaurants et de l'animation nocturne.

Royal Hotel (carte p. 243 ; ☎ 241 1051 ; d/ste 48 000/77 000 ; ✂). Les chambres standard de cet hôtel, au centre de Nampodong, sont petites. Insistez pour en avoir une plus grande. Les suites comprennent deux lits, un salon meublé dans le style des années 1960 et deux toilettes dans la sdb.

Arirang Hotel (☎ 463 5001 ; d, lits jum et ondol 57 000 W ; ✂ 🖳). Appréciées des hommes d'affaires et des touristes russes, les grandes chambres disposent de sdb rénovées. Le décor est parfois sinistre ; visitez la chambre avant de vous décider. À la sortie de la gare ferroviaire de Busan, cherchez un grand bâtiment marron sur la droite.

Hotel Commodore (carte p. 243 ; ☎ 466 9101 ; d 98 000-145 000 W ; ✂). S'il ressemble à un temple coloré de l'extérieur, la fréquentation d'hommes d'affaires accompagnés en soirée dément cette première impression.

CATÉGORIE SUPÉRIEURE

Lotte Hotel (carte p. 248 ; ☎ 810 1100 ; www.lottehotel.co.kr ; d et lits jum 240 000 W ; ✂ 🖳 🖂). À côté du grand magasin Lotte dans Seomyeon, un hôtel imposant, aux jolies chambres standard et aux multiples prestations : club de remise en forme, piscine, salles de banquet et, en soirée, revue dansée et chantée de style Las Vegas. .

Westin Chosun Beach Hotel (carte p. 250 ; www.chosunbeach.co.kr ; ☎ 749 7201 ; d et lits jum 193 000 W ; ✂ 🖳 🖂). Premier hôtel international de Busan, créé en 1978, le Chosun pratique les tarifs les moins élevés de tous les hôtels de la plage hors saison. Nombre d'expatriés l'apprécient pour la qualité du service, les vues panoramiques et la sensation d'intimité que procurent la plage, l'océan et une petite forêt qui le bordent. Lorsque vous réservez pour cet hôtel ou tout autre établissement de Haeundae, renseignez-vous sur les éventuels forfaits.

Paradise Hotel and Casino (carte p. 250 ; ☎ 749 2111 ; www.paradisehotel.co.kr ; d 240 000 W ; ✂ 🖂). Avec ses 521 chambres, le Paradise est l'ancêtre des hôtels de la plage de Haeundae. Piscine extérieure chauffée, practice de golf couvert et piste de jogging en plein air figurent au nombre de ses prestations. Il abrite également le seul casino de Busan. Comme tous les hôtels en front de mer, ses chambres avec vue sur l'océan sont plus chères. Si vous en avez les moyens, offrez-vous la Diamond Suite à 1,2 million de won.

Marriott Hotel (carte p. 250 ; ☎ 743 1234 ; www.busanmarriott.co.kr ; d et lits jum 155 000 W ; ✂ 🖳 🖂). Sur la plage, à proximité de l'aquarium de Busan, ce grand hôtel satisfera les clients les plus exigeants. Cependant, cette efficacité peut manquer de charme. Outre les installations standard attendues par une clientèle internationale, comme la piscine, le club de gym et les services professionnels 24h/24, le Marriot peut organiser des gardes d'enfants. Le personnel est polyglotte.

Où se restaurer

La cuisine de Busan est salée, épicée et crue, à l'image de ses habitants. Le poisson cru, spécialité locale, est un mets délicat et cher qui attire ici des Coréens de tout le pays.

Myeongseong Chobap (☎ 246 1225 ; menu de sushi à partir de 12 000 W ; menu de poisson cru 30 000-60 000 W/pers). Ce restaurant japonais très fréquenté sert des *saengseon chobap* (생선초밥, sushi japonais) et des *saengseonhoe koseo* (생선회 코스, poisson cru coréen). Signalé par une enseigne "sushi", il est installé à Jungang-dong, à 100 m au nord du Tower Hotel.

Pour une atmosphère plus typiquement coréenne, essayez le **Millak Town Raw Fish Centre** (밀락타운 외 센터), à l'extrémité nord-est de la plage de Gwangalli. Achetez un poisson (de 15 000 à 25 000 W) à l'un des vendeurs du rez-de-chaussée et montez en ascenseur à un autre étage pour qu'on vous le prépare et le serve moyennant un supplément de 10 000 W par personne. Si vous n'avez pas besoin d'acheter un poisson, allez directement au **Haryu** (☎ 753 1126 ; repas de poisson cru à partir de 20 000 W/pers), un confortable restaurant au 1er étage dont le propriétaire, M. Jeon, parle anglais. Prenez la sortie 5 à la station Gwangan. En haut des escaliers, tournez à 180°, puis dans la

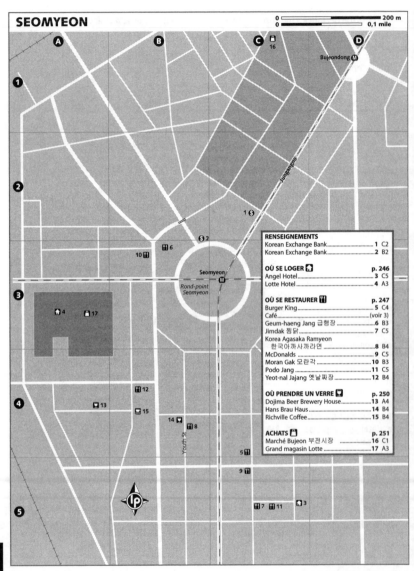

SEOMYEON

| | 0 ————— 200 m |
| | 0 ————— 0,1 mile |

RENSEIGNEMENTS
Korean Exchange Bank.................................1 C2
Korean Exchange Bank.................................2 B2

OÙ SE LOGER 🏠 **p. 246**
Angel Hotel..3 C5
Lotte Hotel..4 A3

OÙ SE RESTAURER 🍴 **p. 247**
Burger King..5 C4
Café...(voir 3)
Geum-haeng Jang 급행장.........................6 B3
Jimdak 찜닭..7 C5
Korea Agasaka Ramyeon
한국아까사까라면...8 B4
McDonalds..9 C5
Moran Gak 모란각.......................................10 B3
Podo Jang...11 C5
Yeot-nal Jajang 옛날짜장.........................12 B4

OÙ PRENDRE UN VERRE 🍸 **p. 250**
Dojima Beer Brewery House......................13 A4
Hans Brau Haus...14 B4
Richville Coffee..15 B4

ACHATS 🛍 **p. 251**
Marché Bujeon 부전시장.........................16 C1
Grand magasin Lotte...................................17 A3

Bujeondong Ⓜ

Seomyeon Ⓜ

Rond-point
Seomyeon

Jungangno

Youth St

---

première rue à droite. Parcourez 600 m et tournez à gauche à hauteur de la plage. Le Raw Fish Centre, un grand bâtiment marron, se trouve à 300 m.

SEOMYEON

Yeot-nal Jajang (carte p. 248 ; menus 3 500 W). Dans la restauration, une superstition proscrit le changement de décor si l'établissement rencontre le succès. Ceci explique que des restaurant d'aspect peu reluisant, comme celui-ci, servent une excellente cuisine. La *jiambbong* (짬뽕, soupe de fruits de mer épicée), les *jjajangmyeon* (자장면, nouilles à la sauce de haricots noirs), le *gun mandu* (군만두, *mandu* frit) et le *tangsuyuk* (탕수

육, porc frit aigre-doux) sont succulents. Vu la fréquentation du restaurant, les clients doivent décamper sitôt le repas terminé.

Moran Gak (carte p. 248 ; menus 5 000 W). Ouvert par un réfugié nord-coréen, cet établissement rutilant propose une carte délicieuse, mais restreinte. Le *nokdujijim* (녹두지짐), une crêpe croustillante à l'armoise, et le *bibim naengmyeon* (비빔냉면), un plat de nouilles épicées, font partie des spécialités maison.

Podo Cheong (carte p. 248 ; plats 5 000 W). Ce restaurant de *sutbulgalbi* (숯불갈비, grillades au charbon de bois), proche de l'Angel Hotel, offre le plaisir rare d'une terrasse en plein air. Rassasier deux solides appétits ne dépassent pas 30 000 W, une bouteille de *baekseju* comprise. Environ deux fois plus cher que le *soju* (vodka coréenne) et contenant moitié moins d'alcool, le *baekseju* est une liqueur coréenne traditionnelle à base de riz et d'herbes. Sa jolie couleur ambrée et son léger parfum boisé en font une savoureuse alternative au soju, qui tend à rappeler l'alcool à 90°.

Korea Agasaka Ramyeon (carte p. 248 ; repas 4 000 W). Il prépare des nouilles délicieuses et raisonnablement épicées. La saveur puissante du soja domine la *ramyeon* Agasaka (라면, soupe japonaise aux nouilles).

Jimdak (carte p. 248 ; repas 18 000 W). Le *jjimdak* (찜닭, poulet vapeur avec des légumes et des piments), servi sur un grand plat, est la spécialité de la maison, qui s'agrémente d'une jolie terrasse en bois. Chaudement recommandé par ceux qui aiment la cuisine très relevée.

Geum-haeng Jang (carte p. 248 ; plats 5 000 W). Depuis 1953, ce restaurant de *sutbulgalbi* conserve la réputation de servir une viande de qualité. Son cadre est banal, mais le 1er étage est agréable pour les groupes.

Angel Hotel Coffee Shop (carte p. 248 ; repas 8 000 W). Les murs en bois sombre et les chaises Windsor de ce café confortable incitent à la détente. Excellent petit déjeuner continental, avec jus de fruit, café, toasts, œufs, jambon et bacon.

NAMPODONG ET SES ENVIRONS

Lee-jo Seolleong Tang (carte p. 243 ; repas 5 000 W ; ☺ lun-sam). Très fréquenté au déjeuner par les employés de bureau du quartier, qui se régalent d'un copieux *gomtang* (곰탕, bouillon de bœuf), à assaisonner d'une cuillerée de sel. Si la faim vous tenaille, commandez un grand plat accompagné de nouilles (특설렁탕, *teuk seolleong tang*) à 6 000 W.

B and C Bakery (carte p. 243 ; ☺ tlj juil-août, fermé 1er mar du mois le reste de l'année). Idéale pour préparer un pique-nique, cette boulangerie offre un large choix de pâtisseries, de biscuits et de pains. Le restaurant du 2e étage sert des repas légers et le café du rez-de-chaussée prépare d'honnêtes cappucinos. Elle se situe dans une rue animée, au centre de Nampodong.

Dolgo Rae (carte p. 243 ; repas 2 500 W). Les cuisinières de ce restaurant minuscule mitonnent un excellent *doenjang jjigae* (된장찌개, ragoût de soja épicé). Délicieux, les bols de soupe ne sont pas très copieux, mais la modicité des prix permet de renouveler la commande. Au bout d'une ruelle étroite, à un pâté de maisons à l'ouest de la Kookmin Bank, près de la B and C Bakery, au 1er étage.

Gaemi Jip (carte p. 243 ; repas 7 000 W). Dans une ruelle de Nampodong, en face d'une petite boutique de chapeaux, ce restaurant prisé sert essentiellement un *nakjiboggeum* (ragoût de poulpe) épicé. Faites l'effort de le dénicher si vous recherchez une cuisine originale.

Mokjangwon (carte p. 240 ; repas 10 000 W). Sur Yeongdo, le Mokjangwon se compose de trois restaurants, spécialisés dans les steaks, les pizzas et la cuisine coréenne, et d'un bar à bières en plein air. Prenez plutôt un taxi qu'un bus (trop compliqué). Comptez 3 000 W à partir du parc de Taejongdae et 5 000 W (15 min) depuis la rue en face des cinémas, dans Nampodong.

Seoul Gakduggi (carte p. 243 ; repas 5 800 W). Ce restaurant familial, proche des cinémas de Nampodong, excelle dans la préparation du gomtang. Sur chaque table trône un pot de radis *kimchi*, plus sucrés qu'épicés.

Wonsan Myun-ohk (carte p. 243 ; repas 6 000 W). Dans une ruelle de Nampodong derrière la statue du Millénaire, ce restaurant animé, ouvert par un réfugié nord-coréen en 1953, propose des *naengmyeon* (냉면, nouilles épicées). À l'entrée, remarquez la maquette du bateau-tortue de l'amiral Yi.

AUTRES QUARTIERS

Cho-won Blow Fish (carte p. 240 ; repas 8 000-50 000 W). Les amateurs de poisson-lune s'efforceront de trouver ce restaurant hors des sentiers battus. La *bokmaeuntang* (복매운탕, soupe au poisson-lune épicée) est exquise, tout

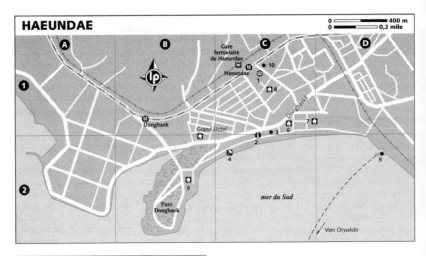

HAEUNDAE

comme le *boktwaygim* (복튀김, poisson-lune frit) et le *bokshabushabu* (복샤브샤브, poisson-lune légèrement bouilli). Prenez la sortie 3 à la station Namcheon et tournez dans la deuxième rue à gauche. Continuez sur 300 m jusqu'à la passerelle piétonne. Traversez-la et tournez dans la première rue à gauche. Le Blow Fish se trouve 60 m plus loin dans la rue, sur la droite.

Theme Pork (carte p. 245 ; plats 1 500 W). Un restaurant de viande plébiscité par les étudiants pour la qualité de sa cuisine et ses prix bas. Dans un décor très quelconque, deux affamés seront rassasiés pour 30 000 W, deux bouteilles de soju comprises. Il est installé dans une petite ruelle bordée de *samgyeopsal* (삼 겹살, restaurants de porc), près de l'entrée principale de l'université de Pusan.

Où prendre un verre

Busan compte des milliers, voire des centaines de milliers d'endroits où prendre un verre, des bars d'hôtel sophistiqués aux tables en plastique disposées sur le trottoir devant une supérette.

Très fréquentée, la **Dojima Beer Brewery House** (carte p. 248), première microbrasserie de Busan, sert des repas, mais on y vient surtout pour boire. À raison de 5 500 W la pinte, l'addition grimpera vite. À une rue derrière le grand magasin Lotte.

Hans Brau Haus (carte p. 248 ; 12h30-4h). Qualité et prix sont identiques à ceux de la Dojima, mais les horaires d'ouverture sont plus étendus et l'intérieur, plus recherché. Au 1er étage d'un immeuble d'angle dans Youth St, à Seomyeon.

Mi Wharf (carte p. 250), à la pointe est de la plage de Haeundae, possède une **terrasse** rustique aux meubles de plastique, où vous siroterez un verre en contemplant le coucher du soleil.

Au **Lotte Hotel Lobby Lounge** (carte p. 248), un salon haut de gamme doté de fauteuils confortables, orné de palmiers et bercé d'une musique d'ambiance, vous pourrez commander un Irish coffee acceptable, mais coûteux. Idéal pour impressionner une conquête ! Au rez-de-chaussée du Lotte Hotel.

Richville Coffee (carte p. 248). Échoppe installée dans une supérette ouverte 24h/24, près de l'entrée arrière du grand magasin Lotte : un excellent café et de succulentes douceurs à emporter.

Helga Herbal (carte p. 243). Maison de thé honorable, au 1er étage, en face d'une église, près du musée d'Histoire moderne de Busan. Le décor et l'intérêt du propriétaire pour l'aromathérapie contribuent à créer une ambiance détendue.

Le **Soul Trane** (carte p. 245) est l'un des nombreux endroits où vous rencontrerez des professeurs expatriés et des Coréennes désireuses d'améliorer leur anglais. Il se trouve à proximité de l'université nationale de Pusan. Dans le quartier, vous rencontrerez le même genre de clients au **Moo Monk** (carte p. 245) et au **Crossroads** (carte p. 245). Tous s'animent à partir de 22h.

Dans le quartier russe de Busan, de l'autre côté de la rue qui part de la gare ferroviaire, Texas Street abrite quelques bars de nuit où des hôtesses poussent à consommer des boissons hors de prix. Quelques voyageurs éméchés auraient été victimes de fraude et de vol de cartes de crédit dans ce quartier.

Où sortir

Nampodong compte quatre grands cinémas multiplexes aux alentours de PIFF Square. Au 9e étage du grand magasin Lotte, dans Seomyeon, 12 salles projettent des films récents en anglais ; achetez vos places à l'avance le week-end. À Haeundae, 10 salles se regroupent dans l'immeuble Megabox (carte p. 250), à 100 m de la station Haeundae (sortie 1). La billetterie se trouve au rez-de-chaussée et les salles, au 6e étage. Le Grand Hotel possède également un cinéma.

Quiconque doué pour la science du jeu testera ses compétences au **Paradise Casino** (☎ 742-2110 ; ☯ 24h/24), dans Haeundae. Ouvert uniquement aux étrangers, le Paradise propose black-jack, roulette, baccara, machines à sous et *tai-sai*, un jeu de dés chinois qui ressemble au yatzee. Il vise essentiellement la clientèle japonaise (très joueuse), mais la majorité du personnel parle anglais. Tenue correcte exigée.

Achats

Visiter les marchés traditionnels de Busan constitue une expérience unique, parfois surprenante. À l'ouest de Nampodong, le marché Gukje (carte p. 243) abrite des centaines de détaillants qui offrent un choix époustouflant, des jouets aux vêtements de cuir en passant par les tambours et les gongs

coréens. Dans une galerie commerciale souterraine, entre les stations Jungangdong et Jagalchi, des rangées d'échoppes vendent des céramiques, des vêtements et des jouets.

Si vous cherchez des articles artisanaux en cuir, la petite boutique Leather Industrial Arts (carte p. 243), près du musée d'Histoire moderne de Busan, propose une vaste sélection de sacs, de ceintures et de portefeuilles.

Le grand magasin Busan (carte p. 243), au bout de la rue en venant de la sortie 5 de la station Nampodong, vend d'innombrables céramiques, antiquités et autres objets d'art.

Le marché Bujeon (carte p. 248), joyeusement désordonné, est idéal pour acheter fruits et légumes de saison à prix doux. Il est souvent difficile de se frayer un passage dans les allées encombrées de chalands et de vendeurs poussant leur chargement. Prenez la sortie 5 à la station Bujeondong.

Au marché Gupo (carte p. 240), vous trouverez des vêtements, des denrées alimentaires coréennes et des boucheries spécialisées dans la volaille et le chien. Quoi que l'on pense de la pratique ancestrale consistant à consommer le meilleur ami de l'homme, l'image d'une carcasse de chien éviscérée risque de rester longtemps dans votre mémoire. Prenez la sortie 1 à la station Deokcheon, tournez dans la première rue à droite, puis empruntez la première rue à gauche sur 100 m. D'autres étals sont installés derrière les premières boutiques.

Les grands magasins modernes valent également le coup d'œil, ne serait-ce que pour voir la foule des employés de bureau qui s'y presse. Tous comprennent une épicerie, qui vend des plats préparés et quelques produits occidentaux. Le plus grand, le Lotte (carte p. 248), jouxte l'hôtel du même nom dans Seomyeon. Il possède une succursale à la sortie 1 de la station Myeongnyundong (carte p. 245). Le grand magasin Hyundai, un peu moins huppé, pratique des prix plus attractifs. Il vend des yaourts nature, si difficiles à trouver. Prenez la sortie 7 à la station Beomildong.

Comment s'y rendre et circuler
Avion

La plupart des vols internationaux desservent le Japon (Tokyo, Nagoya, Osaka et Fukuoka). Des vols moins fréquents rallient

Beijing, Shanghai, Bangkok, Manille et Vladivostock. Les compagnies suivantes offrent des vols internationaux vers Busan :

Asiana (☎ 972 4004)
China Air (☎ 463 6888)
China Eastern (☎ 973 8254)
JAL (☎ 469 1215)
Korean Air (☎ 970 3238)

Concernant le trafic intérieur, réservez tôt si vous voulez emprunter la ligne Busan–Séoul (65 000 W, 1 heure, toutes les 30 min) le week-end ou un jour férié. Des vols desservent l'île de Jeju (60 000 W, 1 heure).

Korean Air Lines (KAL) propose deux services de limousine au départ de l'aéroport international Gimhae (carte p. 240), qui desservent les grands hôtels de Haeundae et Nampodong (4 500 W, 1 heure, toutes les 30 min). La course en taxi de l'aéroport à Seomyeon coûte 15 000 W (30 min, variable selon le trafic). Les bus n°307 et 310 constituent la solution la plus économique pour rejoindre la ville ; ils arrivent respectivement à la station Deokcheon et à la station Sasang (carte p. 240). Le billet vaut 1 000 W et le trajet dure 15 min (7 000 W en taxi). De l'aéroport, des bus rallient également d'autres villes de la région, dont Gyeongju (9 000 W, voir p. 218), Changwon (4 500 W), Masan (4 700 W), Eonyang (5 000 W), Ulsan (6 700 W), Yangsan (3 600 W) et Jinhae (5 200 W).

Bateau
Les deux terminaux des ferries se situent près du bureau de l'immigration (carte p. 243). À la station Jungangdong, prenez la sortie 12 et marchez tout droit avant de traverser la rue au feu ; tournez à gauche, dépassez le bureau de l'immigration et prenez le chemin bordé de palissades qui mène au terminal international des ferries. Pour rejoindre le terminal national des ferries, au lieu de tourner à gauche, continuez tout droit sur 300 m. Pour plus de détails sur les ferries vers le Japon et Jeju, voir respectivement p. 414 et p. 288. Consultez la rubrique *Île de Geoje* (p. 257) pour les liaisons vers Gohyun, Jangseungpo et Okpo.

Bus
La gare routière de Dongbu (carte p. 245) se situe à la station Nopodong. Les bus interurbains en direction de Dongbu autorisent les passagers à descendre à la station Duhil, ce qui représente un gain de temps appréciable si vous n'avez rien à faire au terminal. Voici quelques destinations au départ de Dongbu :

Destination	Prix (W)	Durée (h)	Fréquence
Daegu	9 000	2	ttes les 30-60 min
Gwangju	18 700	41/2	ttes les 20-60 min
Gyeongju	5 300	11/4	ttes les 8 min
Séoul	27 500	51/4	ttes les 10-20 min
Ulsan	3 000	1	ttes les 10 min

La gare routière interurbaine de Seobu (carte p. 240) jouxte la station Sasang. Il suffit de traverser le grand magasin à la sortie du métro. Elle dessert notamment :

Destination	Prix (W)	Durée (h)	Fréquence
Daewonsa	9 500	1	7/jour
Hadong	9 500	21/2	ttes les 30-60 min
Namhae	9 800	21/2	ttes les 20 min
Ssanggyaesa	11 400	31/2	ttes les 2 heures

Métro
Le métro est partagé en deux zones tarifaires : l'une à 700 W, l'autre à 800 W. Si vous projetez de rester en ville quelque temps, achetez une carte Hanaro (2 000 W, disponible aux guichets), qui offre des réductions dans le métro et les bus et peut s'utiliser dans les taxis arborant une mouette sur le toit. Le métro comprend deux lignes – une troisième est prévue en 2007. Voir le plan de métro p. 253.

Train
Les trains partent et arrivent à la gare ferroviaire de Busan, récemment rénovée. Deux trains circulent entre Busan et Séoul : le *saemaeul* (adulte/enfant 28 600/14 300 W, 4 heures 30, toutes les 30 à 60 min) et le *mugunghwa* (adulte/enfant 19 500/9 800 W, 5 heures 30, toutes les 30 à 60 min). Consultez le site web de Korea Rail (www.korail.go.kr) pour les horaires détaillés. Si vous allez au Japon, le billet Korea-Japan Through permet de bénéficier de tarifs réduits entre les deux pays. Il comprend le trajet en train jusqu'à Busan, le bateau de Busan à Shimonoseki et le train jusqu'à votre destination finale au Japon. Contactez Korea Rail à la gare ferroviaire de Busan pour en savoir plus.

MÉTRO DE BUSAN

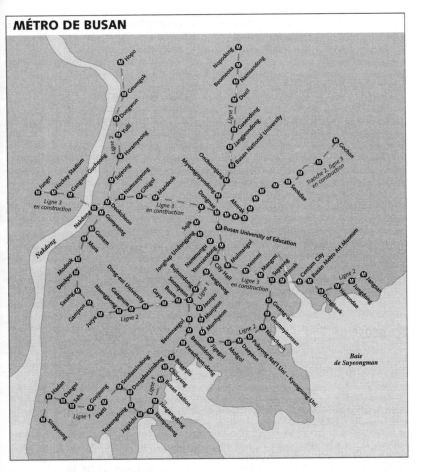

PARC PROVINCIAL DE GAJISAN
가지산 도립공원

Ce parc comprend trois parties distinctes. La section la plus au nord, non loin de Gyeongju, est renommée pour son terrain accidenté et abrite le point culminant du parc, le **Gajisan** (1 240m). La plupart des randonneurs entament l'ascension du Gajisan à Seongnamsa.

Seongnamsa 석남사

Ce **temple** (adulte/jeune/enfant 1 500/1 300/1 000 W ; ⏱ 3h-20h) est un véritable chef-d'œuvre. De l'entrée du parc, un curieux sentier dallé de 800 m conduit au Seongnamsa à travers une épaisse forêt, que transpercent difficilement les rayons du soleil. À l'entrée

principale, arrêtez-vous à mi-chemin de l'escalier et admirez la vue sur la pagode aux multiples étages.

Juste avant le temple, le sentier bifurque à droite, franchit un pont et mène à un monument de pierre, que jouxte une carte (en coréen). Le chemin sur la droite est le point de départ de la randonnée du Gajisan, à 6,4 km.

Quelques hébergements sont installés à 15 min de marche de l'entrée principale. Descendez le chemin pavé et prenez la première à gauche pour trouver les motels. Le meilleur du lot, le **Motel Alps** (알프스 모텔 ; ☎ 254 5666 ; ondol et d 30 000 W ; ❄) propose des chambres superbes, parées de riches couleurs ocre, et possède un jacuzzi et un sauna. Vu la rareté des restaurants alentour, apportez des provisions ou achetez des en-cas à la supérette proche de l'entrée du parc.

Depuis/vers Seongnamsa

L'itinéraire le plus pittoresque part de la gare routière de Miryang (4 100 W, 40 min, toutes les 30 à 60 min). Durant la seconde partie du trajet, le bus grimpe une route escarpée et sinueuse, taillée à flanc de montagne, offrant des vues époustouflantes sur les sommets et les vallées verdoyants. Asseyez-vous à droite dans le bus pour profiter du panorama. Des bus, qui viennent de localités situées à l'est du temple, partent d'Ulsan *via* Eonyang (언양 ; 1 300 W, 1 heure, toutes les 30 min). De la gare routière de Dongbu, à Busan, prenez un bus express jusqu'à Eonyang (2 800 W, 40 min, toutes les 20 min) et achetez un billet pour Seongnamsa (1 300 W, 30 min, toutes les 30 min). Les bus pour Seongnamsa s'arrêtent près de l'entrée du parc, en face d'une supérette qui vend les billets.

TONGDOSA 통도사

Considéré comme l'un des trois plus beaux temples coréens, **Tongdosa** (adulte/jeune/enfant/ bébé 2 000/1 500/1 000 W/gratuit ; 🕐 3h30-20h) renferme un *sari*, une substance qui ressemble au cristal et se développerait dans le corps des moines menant une vie pure. Ce sari aurait été découvert après la crémation d'un religieux et apporté au temple. Il est conservé dans un endroit clôturé, à l'extérieur de la salle principale, et soustrait à la vue du public. Il est l'unique objet de dévotion, ce qui explique l'absence de statue de Bouddha dans la grande salle du Tongdosa, une rareté en Corée.

À l'extérieur du temple, le **musée de Tongdosa** (adulte/enfant 2 000/1 000 W ; 🕐 9h-17h ven-lun, 9h-18h mar-oct) abrite une collection de peintures bouddhiques, réputée la plus importante au monde, ainsi que 30 000 objets – gongs, tuiles et tablettes de bois utilisées pour l'impression des Écritures. Déchaussez-vous avant d'entrer dans le musée.

La forêt, la rivière et les montagnes environnantes sont certes très agréables, mais le bavardage incessant des groupes en circuit organisé dénature l'ambiance. Vous pouvez apporter un pique-nique et vous installer au bord de l'eau. Si votre temps est compté, faites un tour à Tongdosa (excursion d'une demi-journée depuis Busan) et visitez Seongnamsa en passant par Miryang (excursion d'une journée depuis Busan).

Depuis/vers Tongdosa

Au départ de la gare routière de Dongbu, des bus partent pour le village de Shinpyeong (신평 ; 2 200 W, 50 min, toutes les 20 min). De l'arrêt du bus, rejoignez la rue et tournez à droite, puis dans la deuxième rue à gauche et marchez 5 min jusqu'à la porte principale. Des bus relient Shinpyeong et Ulsan (2 200 W, 35 min, 4 par jour) et d'autres desservent fréquemment Eonyang (780 W, 30 min, environ toutes les 20 min).

SOURCES THERMALES DE BUGOK 부곡 온천

Bugok Hawaii (☎ 536 6331 ; ondol, d et lits jum sem 96 000 W, sam et jours fériés 108 000 W, tlj juil-août 120 000 W ; 🕐 parking 8h30-19h30 ; 🅿 🛇), un hôtel club doté de piscines couvertes et en plein air, d'un zoo, d'un jardin botanique et de manèges, constitue le seul intérêt du lieu. Excellente alternative au Lotte World (p. 115) et à l'Everland (p. 154) pour les sorties familiales, il ravit les enfants.

De nombreuses possibilités d'hébergement s'offrent à vous, mais le coût total pour une famille n'est guère avantageux par rapport aux forfaits de l'hôtel club, qui comprennent un accès illimité au parc d'attractions. Réservation recommandée.

De la gare routière de Seobu, à Busan, des bus rallient Bugok (5 700 W, 1 heure 30, toutes les 30 min) ; d'autres rejoignent Miryang (1 700 W, 40 min, toutes les heures), Daegu (4 200 W, 1 heure, toutes les heures) et Masan (3 000 W, 50 min, toutes les 40 min).

TONGYEONG 통영

136 000 habitants / 235 km²

À la pointe sud de la péninsule de Goseong, Tongyeong est une ville côtière située entre les îles Namhae et Geoje. Surnommé le "Naples coréen", **Gangguan** (강구안), un port de pêche original à quelques kilomètres de la gare routière, compte suffisamment de sites pour occuper une demi-journée.

Au nord-est du port, le mont **Nammang** (남망산) offre des vues sur la ville au terme d'une marche facile ; il donne accès au **parc international de la Sculpture** (Nammangsan Gukje Jogak Gongwon ; 남망산 국제 조각 공원), un enclos verdoyant agrémenté d'œuvres d'art.

Près du sommet, au-delà de l'imposant centre culturel, une sympathique grand-mère tient une maison de thé toute simple, **Jangseong Baek Ee** (장승백이 ; repas légers 3 500 W ; 🕐 6h-12h). Du côté ouest du port, une rangée de restaurants ouverts 24h/24 servent du *chungmu gimbap* (충무김밥), une spécialité de Tongyeong, à base de riz, d'algues, de calmars et de radis (3 000 W). Derrière les restaurants, le quartier commerçant de Jungangdong abrite de jolies ruelles et des petites boutiques.

Pour vous rendre au port depuis la gare routière, traversez la rue et prenez n'importe quel bus municipal (800 W, 15 min) des séries n°10 à 29 ou n°40 à 79. Des bus express desservent Séoul (16 100 W, 5 heures 30, toutes les heures), Jinju (4 300 W, 1 heure 30, toutes les heures), Busan (7 100 W, 2 heures, toutes les 30 min) et Gohyun (1 900 W, 30 min, toutes les 20 min). En été, un kiosque d'information ouvre en face de la gare routière et fournit une carte en anglais.

JINJU 진주

342 000 habitants / 713 km²

Idéal pour une visite d'une demi-journée, le centre-ville de Jinju, paisible et propre, fleure bon le passé. Ne manquez pas sa forteresse, à 10 ou 15 min de marche de la gare routière interurbaine, sur la rive nord de la Nam. Jinju constitue une base pratique pour explorer l'ouest de la province et l'est du parc national de Jirisan. Pour toute information sur cette partie du parc, reportez-vous à *Hwa-Eomsa* (p. 270).

À voir et à faire

Jinjuseong (forteresse de Jinju ; 진주성, adulte/enfant 1 000/500 W ; 🕐 9h-22h) constitue le principal centre d'intérêt de la ville. Désignée comme château sur les panneaux municipaux, cette forteresse bien conservée, édifiée sous la dynastie Koryo, a été partiellement détruite lors de l'invasion japonaise de 1592. Elle fut le site d'une des plus fortes batailles, qui vit périr 70 000 Coréens. À l'intérieur de l'enceinte, portes, sanctuaires et temples traditionnels parsèment les monticules

herbus d'un parc ovale très boisé. Entrez dans la forteresse par la porte Nord, non loin du grand magasin E-Mart, ou par la porte Est, proche d'un office du tourisme qui fait fonction de billetterie.

Dans la forteresse, le **musée national de Jinju** (진주 국립 박물관 ; ☎ 742 5951 ; adulte/enfant 400 W/gratuit ; 🕐 9h-17h mar-dim, 9h-16h nov-fév ; fermé 1er jan), une structure moderne de style traditionnel, présente un délicat travail de la pierre. Spécialisé dans les objets de l'invasion japonaise de 1592, il expose une petite, mais impressionnante collection de calligraphies, de peintures et d'artisanat de la dynastie Koryo, donation de Kim Yong-doo, un Coréen qui vécut au Japon. Le grand paravent rouge, blanc et bleu qui représente une bataille navale fait partie des pièces maîtresses de la **collection Doo-am.**

Où se loger
PETIT BUDGET

Hite Motel (☎ 748 6606 ; d 35 000 W ; 🈁). Tenu par un couple sympathique, attentif au bien-être des touristes étrangers, il loue des chambres rudimentaires, avec une sdb petite, mais fonctionnelle. Le meilleur rapport qualité/prix de cette catégorie.

Byeoksan Hwang Tobang Motel (☎ 741 7738 ; d 30 000 W ; 🈁). Propre et convenable, ce yeogwan n'a pas changé de style depuis 30 ans.

Geumwha Yeoinsuk (☎ 746 4787 ; ondol 10 000 W). Chambres minuscules, matelas minces, ventil, portes fragiles et douches communes : il satisfera ceux qui ont un budget particulièrement serré. S'il affiche complet, le quartier situé à l'est de l'office du tourisme regorge de *yeoinsuk* (hôtels familiaux avec petites chambres et sdb communes), qui facturent de 10 000 à 15 000 W.

CATÉGORIES MOYENNE ET SUPÉRIEURE

Lotte Motel (☎ 741 4888 ; d 40 000 W ; 🈁 🖳). Ce motel sort du lot pour trois raisons : il est neuf, propre et possède un ascenseur. Si vous pouvez vous passer de la vue sur la rivière, négociez une réduction. Pour 5 000 W de plus, vous obtiendrez une chambre avec ordinateur (d'un certain âge) et connexion Internet.

Hyundai Motel (☎ 743 9791 ; d 40 000 W ; 🈁). Voisin et clone du précédent, en contrebas de la façade en brique rouge.

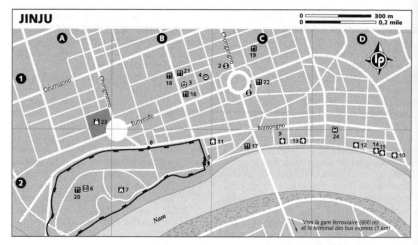

Greece Motel (☎ 741 6723 ; d 40 000 W ; ✗). Malgré la mauvaise impression provoquée par les couloirs défraîchis, ce motel, équipé d'un ascenseur, dispose de chambres propres et confortables, avec distributeur d'eau fraîche.

Dong Bang Tourist Hotel (☎ 743 0131 ; www.hoteldongbang.com ; d et lits jum 140 000 W ; ✗). À l'extrémité est de la rue qui longe la rivière, cette oasis de qualité offre de jolies chambres qui donnent sur la Nam. La plupart des réceptionnistes parlent anglais. Réservation recommandée.

Où se restaurer et prendre un verre

Jinju est renommée pour le *bibimbap* et nombre de restaurants servent cette spécialité de riz aux légumes, notamment autour de la gare routière et de la forteresse. Pour un repas plus copieux, explorez les alentours du poste de police du centre-ville. Si vous souhaitez changer de saveur, essayez les restaurants d'anguille qui bordent le front de mer, près de la forteresse. Qualité et prix sont similaires (13 000 W par personne) ; vous les repèrerez au panache de fumée qui sent le caoutchouc brûlé. Les amateurs de soirées bien arrosées seront déçus par la vie nocturne de Jinju, étonnamment calme, à l'exception des *da bang* (다방) omniprésents. Le da bang est un établissement traditionnel où les clients lient connaissance devant une tasse de thé ou de café, qu'ils s'offrent tour à tour. Reliques d'un passé enfui, ils tendent à disparaître des grandes villes, mais continuent à prospérer dans les bourgades. Les serveuses proposent parfois des services plus particuliers, d'où la mauvaise réputation des da bang.

Kwan Nam-gaek Sik Dang (menus 5 000 W). Derrière le musée national de Jinju, ce café-restaurant climatisé constitue une pause agréable lors de la visite de la forteresse. Il prépare des repas légers, comme le bibimbap. Si vous le demandez gentiment, on installera votre table sous les arbres, près des totems sculptés proclamant "l'homme est le ciel" et "la femme est la terre".

Jeil Sik Dang (menus 5 000 W). Fréquentée par les vendeurs du marché, cette minuscule gargote prépare une cuisine simple et copieuse. De 4h30 à 11h30, elle sert uniquement de la *haejangguk*, une soupe aux légumes verts, avec jambon et riz, et des bibimbap. Demandez votre chemin car il n'est pas facile à trouver.

Dae Samgyetang (repas 7 500 W). Dans un joli décor de bois, ce restaurant propose essentiellement du *samgyetang*, du poulet farci au ginseng, au riz et aux châtaignes. En face du poste de police.

Won-kung Galbi (plats 6 000 W). Endroit idéal pour se régaler d'un *sutbulgalbi* (porc ou bœuf grillé), il dispose de tables équipées d'un conduit à abattant pour évacuer la fumée. À une rue au nord du poste de police, du côté est de la rue.

Zio Ricco (plats 8 000 W). Petit restaurant à l'éclairage intime, avec des chaises basses et de la musique populaire appréciée des étudiants. Pâtes et poulet figurent sur la carte. On peut se contenter d'y prendre un verre.

Hanguksidae (plats 20 000 W). Toutes les petites villes semblent posséder un restaurant haut de gamme conjuguant prix élevés et vaste salle impersonnelle. Ce restaurant de viande en fait partie. Comptez facilement plus de 100 000 W à deux, mais n'espérez pas une cuisine exceptionnelle.

Depuis/vers Jinju
AVION
L'aéroport de Jinju se situe à Sacheon, à 28 km du centre-ville. Korean Air et Asiana proposent chaque jour sept vols pour Séoul (70 000 W, 1 heure). Korean Air dessert également l'île de Jeju deux fois par jour (61 000 W).

Les bus locaux relient la gare routière du nord de Jinju à l'aéroport de Sacheon (700 W, 30 min). Comptez 12 000 W et 20 min en taxi.

BUS
Un terminal des bus express est installé au sud de la rivière, à 1,5 km du centre-ville (20 000 W en taxi). La plupart des voyageurs utilisent la gare routière située au nord de la rivière. Parmi les départs de la gare routière Nord, citons :

Destination	Prix (W)	Durée (h)	Fréquence
Busan	6 000	11/2	ttes les 10-20 min
Daewonsa	3 400	1	ttes les 1-2 heures
Gohyun	7 000	2	ttes les 30 min-1 heure
Hadong	3 800	11/4	ttes les 20-30 min
Haeinsa	7 900	21/2	ttes les 30 min-2 heures
Namhae	4 100	11/2	ttes les 10-20 min
Ssangyesa	5 800	11/2	ttes les 1-1 heure 30

TRAIN
La gare ferroviaire se trouve au sud de la Nam. Les trains *mugunghwa* relient Busan à Jinju (adulte/enfant 6 500/3 300 W, 2 heures 30, 2 par jour) et Séoul (adulte/enfant 21 800/10 900 W, 7 heures, 4 par jour). Un train *saemaul* rallie également la capitale (adulte/enfant 37 000/16 000 W, 6 heures).

ÎLE DE GEOJE 거제도
170 000 habitants / 399 km²
Île montagneuse et rocailleuse, Geojedo offre un sublime paysage côtier. Seconde île du pays par la taille et terre natale de Kim Young-sam, le premier président démocratiquement élu, elle abrite deux chantiers navals, Daewoo à Okpo et Samsung à Gohyun, qui construisent 30% des porte-conteneurs mondiaux. Une voiture se révèle indispensable pour explorer la plupart des trésors de l'île. Le bus locaux et express la desservent en partie, mais les itinéraires et les horaires ne sont pas toujours pratiques. Un parcours accessible, qui vous donnera un aperçu de l'histoire de Geojedo, part de Gohyun, l'une des trois villes reliées par bateau à Busan.

Le site web de l'île (www.geoje.go.kr) fournit une carte et des informations sommaires.

À voir et à faire
POW CAMP 거제 포로 수용소
Durant la guerre de Corée, 175 000 soldats nord-coréens et chinois faits prisonniers se retrouvèrent sur l'île de Geoje, Gohyun abritant le plus grand camp. Le **POW Camp Museum** (musée du Camp des prisonniers de guerre ; adulte/jeune/enfant 3 000/2 000/1 000 W ; ☺ 9h-18h, 9h-17h nov-fév), récemment rénové et agrandi, témoigne d'un progrès significatif par rapport aux travaux bâclés du passé. Bien que la plupart des légendes accompagnant les photos, les souvenirs et les expositions, parfois kitsch, soient en coréen, c'est une

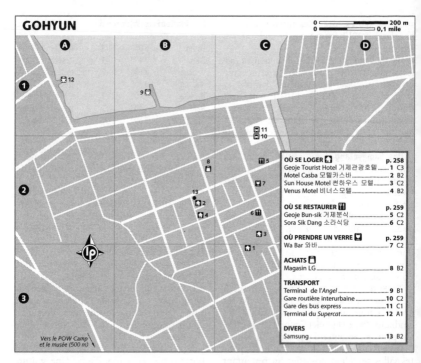

GOHYUN

OÙ SE LOGER	p. 258
Geoje Tourist Hotel 거제관광호텔	1 C3
Motel Casba 모텔카스바	2 B2
Sun House Motel 썬하우스 모텔	3 C2
Venus Motel 비너스모텔	4 B2

OÙ SE RESTAURER	p. 259
Geoje Bun-sik 거제분식	5 C2
Sora Sik Dang 소라식당	6 C2

OÙ PRENDRE UN VERRE	p. 259
Wa Bar 와바	7 C2

ACHATS	
Magasin LG	8 B2

TRANSPORT	
Terminal de l'*Angel*	9 B1
Gare routière interurbaine	10 C2
Gare des bus express	11 C1
Terminal du *Supercat*	12 A1

DIVERS	
Samsung	13 B2

Vers le POW Camp
et le musée (500 m)

occasion rare de s'instruire sur cette guerre. À la sortie des gares routières, un panneau indique la direction du camp. Parcourez 2 km à pied ou prenez un taxi (2 000 W).

ÎLE D'OE 외도 해상 공원

L'île d'Oe (Oedo ; prononcez "ouè-do") est un jardin botanique privé de 145 km², au large de Haegeumgang, au sud-est de Geojedo. Depuis plus de quatre décennies, un couple de Séoul et 40 jardiniers ont transformé cette île en un jardin d'Éden, véritable poule aux œufs d'or qui attire 2 millions de visiteurs chaque année. Muni de suffisamment d'argent, armez-vous de patience et d'humour pour vous faufiler dans la foule qui déambule à la queue-leu-leu sur le chemin soigné.

Avant de débarquer, les passagers se voient remettre un médaillon indiquant le bateau qu'ils doivent prendre au retour. Comme ils sont généralement complets, présentez-vous impérativement à l'heure au terminal. Les circuits partent de Jang-seungpo (adulte/enfant 13 000/6 500 W, 3 heures, toutes les 3 heures), ainsi que de Haegeumgang, Wahyeon et Hakdong. De Gohyun, prenez le bus express jusqu'à Jangseungpo (1 900 W, 30 min, toutes les 20 min), puis un taxi jusqu'au terminal des ferries d'Oedo (2 000 W).

Où se loger

Toutes les localités de l'île comportent des yeogwan, mais Gohyun est plus pratique si l'on veut partir tôt le matin.

Motel Casba (☎ 638 1075 ; ondol et d dim-ven 40 000 W, sam 50 000 W ; 🐧). Ce motel récent, tenu par un couple agréable, propose des chambres bien tenues. Sortez de la gare routière, prenez la première à droite, parcourez une centaine de mètres et tournez à gauche dans la ruelle après l'immeuble Samsung.

Venus Motel (☎ 637 9586 ; ondol/d dim-ven 35 000/ 40 000 W, sam 40 000/50 000 W, grand ondol et d 50 000 W, équipements particuliers 50 000 W ; 🐧). Fait rare pour un yeogwan, le Venus, près du Motel Casba, offre des chambres de dimensions diverses et la possibilité de partager une chambre ou de profiter d'équipements particuliers, tels un très grand lit et un jacuzzi ou un sauna dans la sdb. Réservation recommandée le samedi.

Sun House Motel (☎ 633 6262 ; ondol et d 35 000 W ; ✗). À ne retenir que si les deux précédents affichent complet. En effet, les fêtards titubants, de retour d'une soirée arrosée, risquent de perturber votre sommeil.

Geoje Tourist Hotel (☎ 632 7002 ; ondol et d 93 000 W, lits jum 113 000 W ; ✗). Des chambres propres et claires, avec linoléum au sol. Les tarifs peuvent sembler élevés, mais le coût de la vie est lié aux hauts salaires des employés des chantiers navals.

Où se restaurer et prendre un verre

Geoje Bun-sik (☎ 636-3987 ; repas 3 500 W). Ce restaurant familial séduit plus par sa cuisine que par son décor. Le délicieux *doenjang jjigae* (된장찌개, ragoût de soja) intègre l'exacte proportion de crabe, de crevettes et d'autres fruits de mer. Prenez à droite à la sortie de la gare routière de Gohyun et tournez dans la première rue à droite. Le restaurant est à quelques pas, près de plusieurs autres restaurants.

Sora Shik Dang (☎ 632 9229 ; repas 4 000 W). Tenu par une mère et sa fille, il fait partie des quelques établissements proches de la gare routière de Gohyun. Il sert une cuisine relativement bon marché et peu épicée, idéale pour le petit déjeuner. Le *galbitang* (갈비탕, bouillon de côte de bœuf) mérite un peu plus de sel et de poivre.

Wa Bar (☎ 637 7676 ; ☽ 15h-4h). Cette élégante taverne aux murs de bois affiche des photos des grands du jazz, mais n'en passe aucun disque. À 4 000 W la petite bouteille, la bière est chère !

Si-in Ui Ma-eum (시인의 마음 ; ☎ 633 0260 ; plats 5 000 W). Les voyageurs motorisés dénicheront ce restaurant charmant et confortable, situé dans la partie ouest de l'île, près d'Oh-song (오송). Admirez le coucher du soleil en dégustant un *pajeon* (crêpe aux oignons verts) et un bol de *dongdongju* (동동주), un alcool de riz traditionnel qui donne un coup de fouet. Les Coréens affirment qu'un bel endroit procure l'harmonie entre l'homme et la nature. C'est le cas ici.

Depuis/vers Goejedo

BATEAU

Gohyun compte deux terminaux de ferries, un pour le *Supercat*, l'autre pour l'*Angel* (adulte/enfant 16 000/8 000 W, 50 à 75 min),

qui totalisent neuf départs quotidiens entre 7h30 et 18h. Jangseungpo comporte deux terminaux de ferries voisins : l'un dessert les excursions à Oedo, l'autre, les départs pour Busan (adulte/enfant 16 000/8 000 W, 50 min ; à 7h, puis toutes les 2 heures de 8h à 18h). Comptez 2 000 W pour vous rendre en taxi de la gare routière de Jangseungpo au terminal des ferries d'Oedo. De là, longez le front de mer sur 200 m pour rejoindre le terminal qui dessert Busan. Les départs sont moins fréquents et les tarifs, plus élevés les jours fériés.

BUS

Malgré des parcours plus lents et moins intéressants, les bus constituent souvent le seul moyen de transport durant la saison des typhons, lorsque les bateaux restent au port. La gare routière se trouve à 10 min de marche du terminal de l'*Angel* (2 000 W en taxi).

De la gare routière de Seobu, à Busan, des bus desservent Gohyun (11 800 W, 2 heures 30, toutes les 2 ou 3 heures). Des bus plus fréquents circulent de Busan à Tongyeong (8 500 W, 2 heures 30, toutes les 15 min), où vous pouvez prendre un bus urbain jusqu'à Gohyun. Face à la billetterie du terminal de Gohyun, les bus urbains se trouvent sur la gauche et les bus express, sur la droite.

ÎLE DE NAMHAE 남해도

67 000 habitants / 357 km²

Namhaedo, la troisième île du pays, est un endroit merveilleux pour se dégourdir les jambes et découvrir un rythme de vie plus paisible. Dans la campagne, quelques paysans labourent toujours leurs rizières avec une charrue attelée à des bœufs.

Une réplique du **bateau-tortue** de l'amiral Yi (adulte/jeune/enfant 1 000/800/500 W ; ☽ 9h-19h) constitue le seul site de l'île. On peut monter à bord et imaginer le quotidien d'un équipage de 40 à 50 hommes dans des quartiers aussi exigus. Le vaisseau d'origine, construit en 1591, est une grande source de fierté pour les Coréens. Il symbolise le génie militaire qui eut raison des Japonais dans plusieurs grandes batailles. La version actuelle date de 1980.

Le bateau est amarré à Noryang (노량), un village situé au pied du pont de l'île de Namhae. Six bus quotidiens relient No-

---

QUELQUES SUPERSTITIONS

- Une tête de cochon placée devant une nouvelle entreprise porte chance.
- Lors d'un mariage coréen, la mère du marié jette des dattes et des châtaignes à la mariée. Le nombre de fruits attrapés indique celui de leurs futurs enfants.
- Vous mourrez si vous laissez tourner un ventilateur dans une pièce, fenêtres et portes fermées.
- Les enfants qui perdent une dent la jettent sur le toit pour se porter chance.
- Si vous écrivez le nom d'une personne à l'encre rouge, elle mourra.
- Les propriétaires d'une voiture neuve louent les services d'un chaman qui accomplira des rituels censés leur porter bonheur.

---

ryang (sur la route de Namhae) et Hadong (3 000 W, 30 min). Des bus plus fréquents circulent entre Jinju et Noryang (4 100 W, 1 heure 30, toutes les 20 min). Dans les deux cas, précisez au chauffeur que vous allez à Noryang, au risque de vous retrouver sur la route de Namhae.

PARC NATIONAL DE JIRISAN
지리산 국립공원

Le **parc national de Jirisan** (adulte/jeune/enfant 2 800/1 300/700 W) offre quelques-unes des plus belles randonnées du pays, avec des pics à plus de 1 500 m, dont le **Cheonwangbong** (1 915 m), deuxième plus haut sommet du pays. Pratique pour les randonneurs, la carte du parc national de Jirisan (1 000 W, disponible à l'entrée) comporte des informations topographiques et indique le début des itinéraires, les sentiers, les campings, les sources, les refuges, les temples et les centres d'intérêt. Le parc compte trois entrées principales, chacune dotée d'un temple. Deux d'entre eux, Ssanggyesa et Daewonsa, se trouvent dans la province de Gyeongsangnam. Le troisième, Hwa-eomsa, est accessible depuis Gurye (voir p. 270).

Ssanggyesa 쌍계사

Ce **temple** magnifique (adulte/jeune/enfant 2 800/1 300/700 W; 🕐) figure parmi les principaux sanctuaires de l'ordre bouddhiste coréen Jogye. Il fut édifié en 722 afin de conserver le portrait du moine Yukjo, rapporté de Chine. L'ensemble est un régal pour les yeux. Prenez le temps de le découvrir. Les murs de pierre supportant de multiples niveaux de bâtiments, soigneusement taillés dans le flanc de la montagne, les arbres centenaires et le son cristallin d'un ruisseau procurent des sensations uniques. Comme dans tous les grands temples, trois portes jalonnent le chemin qui mène à la salle principale. Des indications en anglais permettent d'apprécier le symbolisme de la visite.

Randonnées

Il est impossible de décrire la myriade de sentiers qui sillonnent ce parc superbe. L'itinéraire le plus difficile le traverse d'est en ouest (de Daewonsa à Hwa-eomsa) et nécessite, aux dires de randonneurs coréens expérimentés, 3 jours de marche. Des randonnées d'une demi-journée permettent d'explorer les étonnantes vallées qui creusent le massif montagneux, comme Daeseong-gol, Jungsanni, Daewonsa, Baekmudong, Baemsagol et Hwa-eomsa.

Les voyageurs moins ambitieux, mais désireux d'admirer la beauté du massif de Jiri, emprunteront le chemin qui mène à **Buril Pokpo** (불일폭포, chutes de Buril). Il débute derrière Ssanggyesa et serpente à travers la forêt le long d'un ruisseau (4,6 km aller-retour, 3 heures avec les pauses). Le chemin est jalonné de piscines naturelles, idéales pour faire halte et barboter (veillez à emporter de l'eau potable). Aux deux tiers du trajet, vous n'entendez plus le ruisseau et le chemin débouche dans un champ. En contrebas, un ermite de montagne vend des boissons et des barres chocolatées. Les derniers 300 m exigent un peu d'adresse car le sentier devient escarpé et glissant, mais un câble en acier aide les randonneurs. Au pied des chutes, une grande piscine rocheuse permet de se ressourcer.

PARC NATIONAL DE JIRISAN

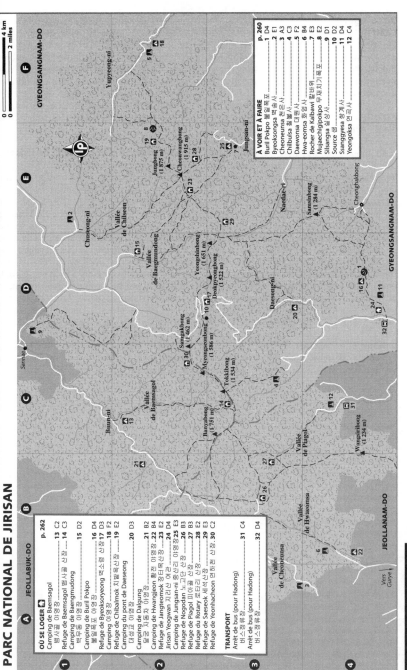

OÙ SE LOGER   **p. 262**
Camping de Baemsagol
뱀사골 야영장 **13** C2
Refuge de Baemsagol 뱀사골 산장 ... **14** C3
Camping de Baengmudong
백무동 야영장 **15** D2
Camping de Buril Pokpo
불일폭포 야영장 **16** D4
Refuge de Byeoksonyeong 벽소령 산장 **17** D3
Camping 야영장 **18** F2
Refuge de Chibalmok 치발목산장 **19** E2
Camping du pont de Daeseong
대성교 야영장 **20** D3
Camping de Dalgung
달궁 지동차 야영장 **21** B2
Camping de Hwangjeon 황전 야영장 **22** B4
Refuge de Jangteomok 장터목산장 ... **23** E2
Jirisan Yeogwan 지리산 여관 **24** D4
Camping de Jungsan-ni 중산리 야영장 **25** E3
Refuge de Nogodan 노고단 산장 **26** B3
Refuge de Piagol 피아골 산장 **27** B3
Refuge du Rotary 로터리 산장 **28** E2
Refuge de Saeseok 세석산장 **29** E3
Refuge de Yeonhacheon 연하천 산장 **30** C2

TRANSPORT
Arrêt de bus (pour Hadong)
버스정류장 **31** C4
Arrêt de bus (pour Hadong)
버스정류장 **32** D4

À VOIR ET À FAIRE   **p. 260**
Buril Pokpo 불일폭포 **1** D4
Byeoksongsa 벽송사 **2** E1
Cheoneunsa 천은사 **3** A3
Chilbulsa 칠불사 **4** C3
Daewonsa 대원사 **5** F2
Hwa-eomsa 화엄사 **6** B4
Rocher de Kalbawi 갈바위 **7** E3
Mujaechigipokpo 무재치기폭포 **8** E2
Silsangsa 실상사 **9** D1
Source 셈 **10** D2
Ssanggyesa 쌍계사 **11** D4
Yeongoksa 연곡사 **12** C4

Où se loger

CAMPING

On peut camper (de 3 000 à 6 000 W) à Daewonsa, Dalgung, Hwangjeon, Baemsagol, Buril Pokpo, Jungsan-ni, Baengmudong et au pont de Daeseong. Les installations sont sommaires.

REFUGES

Neuf **refuges** (2 000-5 000 W) jalonnent la crête du massif de Jiri et accueillent les randonneurs pour la nuit. D'ouest en est, il s'agit de : Nogodan, Piagol, Baemsagol, Yeonhacheon, Byeoksoryeong, Saeseok, Jangteomok, Chibalmok et du refuge du Rotary. Jangteomok peut recevoir 250 personnes et vend des pellicules, des lampes de poche, des nouilles et des boissons. Seseok, le plus vaste, peut loger jusqu'à 300 randonneurs. N'oubliez pas votre sac de couchage, de la nourriture et du thé/café car la plupart des refuges n'offrent que le strict minimum. Une réservation est indispensable le week-end et les jours fériés. Connectez-vous au site web du parc (www.npa.or.kr) pour plus de détails.

MINBAK ET YEOGWAN

Le sentier qui mène à Ssanggyesa est bordé de restaurants, de stands de boissons énergétiques et de quelques hébergements. À environ 25 m de la deuxième enseigne, le **Jirisan Yeogwan** (지리산 여관 ; ☎ 883 1668 ; ondol 20 000 W ; ✂) propose des chambres spartiates qui surplombent un torrent. Trois *minbak* (maisons privées avec chambres à louer) plus isolés proposent un logement et des prix identiques ; continuez le sentier et tournez à droite après la première roue hydraulique.

Depuis/vers le parc national de Jirisan

Tous les bus qui se dirigent vers Ssanggyesa passent par Hadong (1 900 W, 30-60 min, 17 par jour), un haut centre de correspondances desservent d'autres lieux de la région. Sur le trajet qui mène de Hadong à Ssanggyesa, le bus emprunte un grand pont orange et bleu, puis marque une halte à Hwagae. Ne descendez pas ici, mais plus loin (il s'agit en général de l'arrêt suivant), près d'un pont en béton. Traversez le pont, tournez à gauche au deuxième panneau et suivez la route tortueuse jusqu'au temple. Les billets de bus s'achètent au restaurant qui jouxte le pont en béton. Le panneau situé à l'extérieur détaille les horaires pour les autres destinations. Néanmoins, Hadong constitue un meilleur point de départ pour la plupart des voyageurs.

Jeollanam-do
전라남도

Synonyme d'exotisme pour les Coréens, la province de Jeollanam (Jeollanam-do) se situe à la pointe sud-ouest de la péninsule. Elle est renommée pour ses côtes rocheuses spectaculaires, ses centaines d'îles, ses sites bouddhiques uniques, son artisanat traditionnel et sa gastronomie.

Nid de la dissidence politique, le Jeollanam-do s'assagit peu à peu et ressemble chaque jour davantage au reste du pays. L'ancien président Kim Dae-Jung, l'enfant chéri de la province, a favorisé le développement de la région. De nouveaux réseaux routiers, dont la Seohaean Gosokdoro (autoroute de la côte ouest, ouverte en 2001), ont considérablement raccourci les temps de trajet et des ponts relient les principales îles au continent. Malgré cet essor, l'ambiance demeure plus détendue au Jeollanam-do que dans les autres provinces.

Beaucoup de destinations abordées dans ce chapitre peuvent se visiter dans la journée depuis Gwangju ou Mokpo.

À NE PAS MANQUER

- Découvrez l'ambiance artistique et l'effervescence politique de **Gwangju** (p. 265)
- Apprenez tout sur l'art du céladon dans les centres de céramique de **Gangjin** (p. 276) et de **Yeong-am** (p. 280)
- Prenez le temps de vivre dans les îles du **parc national de Dadohae Haesang** (p. 279), notamment **Heuksando** (p. 279) et **Hongdo** (p. 279)
- Savourez le parfum et le paysage de la **plantation de thé de Boseong** (p. 275)
- Admirez les côtes découpées de **Yeosu** (p. 272), **Wando** (p. 281) et **Jindo** (p. 283)

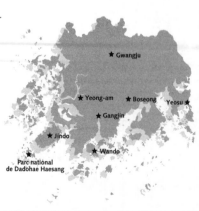

- INDICATIF TÉLÉPHONIQUE: 061
- POPULATION: 3,5 MILLIONS
- SUPERFICIE : 12 400 KM²

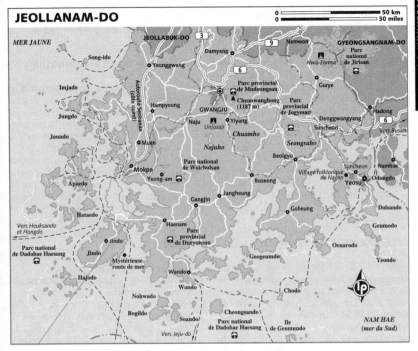

JEOLLANAM-DO

MER JAUNE

GWANGJU 광주
☎ 062 / 1,4 million d'habitants

Gwangju, cinquième ville du pays, ne diffère guère des autres cités avec son quartier commerçant central, ses bords de rivière joliment aménagés, ses restaurants et ses bars animés et les faubourgs résidentiels qui l'encerclent. Toutefois, sous ces apparences banales se cachent la flamme artistique et l'engagement contestataire. La ville porte en effet un grand intérêt aux arts et joue un rôle important dans la défense des droits de l'homme et l'opposition politique. Quelques hôtels plaisants ajoutent à son charme.

Située au centre du Jeollanam-do et siège du gouvernement provincial, Gwangju est une entité administrative séparée et possède son propre indicatif téléphonique.

Renseignements
Office du tourisme (🕐 9h-18h ; ☎ 942 6160, aéroport de Gwangju ; ☎ 360 8733, gare routière ; ☎ 522-5147, gare ferroviaire)

À voir
MUSÉE NATIONAL DE GWANGJU
광주 국립 박물관

Ce **musée** (☎ 570 7014 ; 400 W, gratuit 1er dim du mois ; 🕐 9h-18h mar-dim mars-oct, 9h-17h mar-dim nov-fév), dans le même grand parc culturel que le Musée folklorique, présente les céramiques qui font la gloire du Jeollanam-do (légendes en anglais). Il a été construit en 1975, après la découverte d'une jonque chinoise de la dynastie Yuan, qui aurait fait naufrage au large de la Corée en 1323 ; elle transportait un chargement de céladons (les "vestiges de Sinan"), tous merveilleusement préservés, des vases gracieux aux mortiers et aux pilons. Le musée expose également des objets de la période koryo (début du XIIe siècle), provenant d'une autre épave, et des céramiques réalisées dans des fours différents de ceux la dynastie Choson, lesquels se trouvaient à Gwangju. Les céramiques immergées ont mieux résisté que celles émergées. D'autres galeries contiennent des vestiges bouddhiques du XIe au XIVe siècle, des peintures et de la porcelaine blanche.

MUSÉE FOLKLORIQUE MUNICIPAL DE GWANGJU
민속 박물관

Le **Musée folklorique municipal** (☎ 521 9041 ; 550 W ; ⏰ 9h-18h mars-oct, 9h-17h nov-fév, fermé lendemain des jours fériés) est relié au Musée national par un tunnel qui passe sous la voie rapide. À l'aide de dioramas, il présente les rites de la naissance à la mort, les fêtes, les vêtements et les peintures populaires. Une section est consacrée aux spécialités culinaires du Jeollanam-do, illustrées par des maquettes en plastique.

Les deux musées se trouvent au nord du centre-ville. De la gare ferroviaire, prenez le bus n°1, 16, 19, 26 ou 101 et, de la gare routière, le bus n°23 ou 25 jusqu'au Musée folklorique.

CIMETIÈRE NATIONAL DU 18-MAI
국립 **5.18** 묘지

Pour un Coréen, le nom de Gwangju évoque immanquablement le massacre du 18 mai 1980 et la répression brutale qui s'ensuivit (voir l'encadré ci-dessous). Ce **parc du mémorial** (☎ 266 5187 ; entrée libre ; ⏰ 8h-19h mars-oct, 8h-17h nov-fév), ouvert en 2002, comprend un cimetière et un musée émouvants. La salle du mémorial contient les photos des victimes de tout âge et une exposition retrace les événements dans les moindres détails. Ceux qui ont péri lors du soulèvement du 18 mai reposent désormais dans ce cimetière.

De la gare routière, le bus n°25 part pour le mémorial toutes les 40 min environ (700 W, 40 min).

PARC PROVINCIAL DE MUDEUNGSAN
무등산 도립공원

Surplombant Gwangju, le **parc provincial de Mudeungsan** (☎ 265 0761 ; entrée libre) s'étend sur une chaîne montagneuse, sillonnée de sentiers qui mènent au pic de Cheonwangbong (1 187 m). Une **plantation de thé**, fondée par Heo Baek-ryeon (ou Uijae ; 1891-1977), un peintre-érudit de la dynastie Choson, se situe à 1 km au-dessus de l'entrée du parc. Uijae pensait que l'expression de la poésie par la calligraphie permettait de conjuguer trois arts majeurs : la peinture, la poésie et la calligraphie. Il fit de cet endroit un lieu de retraite. Le musée contemporain **Uijae Misulgwan** (☎ 222 3040 ; 1 000 W ; ⏰ 10h-17h30 mar-dim mars-oct, 10h-17h nov-fév) expose ses œuvres et celles d'autres artistes.

La plantation s'étire jusqu'à **Jeungsimsa**, un temple bouddhique qui possède une rare statue en fer du Bouddha et deux belles pagodes aux bords incurvés. À 1 km de là, **Yaksasa**, un petit temple bouddhique de la fin de la période silla, comprend une célèbre pagode à 3 niveaux. Au nord, dans la partie moins développée du parc, **Wonhyosa**, un temple entouré de montagnes, s'agrémente d'un charmant pavillon où vous pouvez vous asseoir pour contempler la vallée.

---

18 MAI 1980 : LE MASSACRE DE GWANGJU

Le massacre de Gwangju est à la Corée ce que celui de Tienanmen, en 1989, est à la Chine : une manifestation populaire férocement réprimée, devenue un symbole de l'époque.

En 1980, une série d'événements provoqua d'importantes manifestations estudiantines contre le gouvernement. Le 18 mai, l'armée pénétra dans Gwangju. Les soldats n'avaient pas de balles, mais ils utilisèrent leurs baïonnettes pour massacrer des dizaines de manifestants. Les habitants indignés dévalisèrent les armureries et les postes de police pour chasser l'armée. La réponse militaire vint 9 jours plus tard : le 27 mai, des soldats armés de fusils M16 chargés reprirent la ville et exécutèrent sommairement la plupart des chefs de la contestation. Durant le soulèvement, 154 personnes furent tuées, 70 sont toujours portées disparues et 4 089 furent blessées ou arrêtées.

Deux généraux, Chun Doo-hwan et Roh Tae-woo, portent la responsabilité de cette tragédie et chacun d'eux devint par la suite président du pays ! Un mouvement citoyen œuvra longtemps pour les traduire en justice, mais, en 1998, le président Kim Dae-jung (activiste démocrate, prix Nobel de la Paix et natif du Jeollanam-do) accorda le pardon à Chun Doo-hwan et Roh Tae-woo dans le cadre d'une large amnistie des prisonniers politiques.

De son côté, Gwangju a transformé le traumatisme de 1980 en un activisme utile. C'est ici que la Charte asiatique des droits de l'homme a été proclamée en 1998 et, chaque mois de mai, des Coréens de tout âge viennent de tout le pays pour rendre hommage aux combattants disparus et prendre position sur des sujets d'actualité.

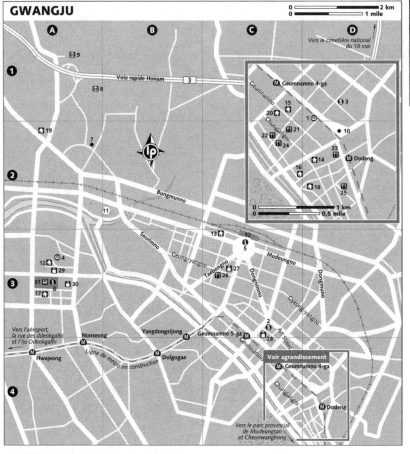

GWANGJU

Appréciées des randonneurs, les épaisses forêts de Mudeungsan sont arrosées de nombreux cours d'eau et se parent de couleurs chatoyantes en automne.

Pour rejoindre l'entrée au parc, prenez le bus local n°15, 23, 27, 52, 106, 555 ou 771. Demandez au chauffeur de vous déposer à Jeungsimsa. Pour Wonhyosa, empruntez le bus n°18 ou 777. Un billet de bus coûte 700 W l'aller.

Fêtes et festivals

La Biennale de Gwangju (http://gwangju-biennale.org) dure plus de 2 mois (en 2004, elle est prévue du 10 septembre au 13 novembre). Au milieu des années 1990, le discours inaugural de ce festival d'art contemporain international proclamait : "la mondialisation plutôt que l'occidentalisation, la diversité plutôt que le conformisme" et "l'art doit rejeter le conflit, la confrontation, la violence et la discrimination". Le thème et les lieux changent à chaque Biennale. Spectacles, expositions, conférences et concerts de toutes sortes, du traditionnel à l'expérimental, animent alors la ville.

En octobre, la fête du Kimchi se tient pendant - jours. Vous pourrez alors préparer, goûter, acheter ou simplement regarder les multiples variantes de ce plat national. Le lieu change d'une année à l'autre, mais des bus font toujours la navette entre la manifestation et les principaux carrefours de la ville. Contactez le **KNTO** (Korean National Tourism Organisation ; www.knto.or.kr) pour en savoir plus.

Où se loger

Depuis la Coupe du monde de 2002, Gwangju compte quelques beaux hôtels et restaurants, mais la plupart des nouveaux établissements sont devenus des "love hotels", reconnaissables à leurs façades clinquantes.

Les hébergements se regroupent autour des gares ferroviaire et routière et dans Chungjangro.

Garden Jang (☎ 524 7282 ; ch 20 000 W ; ✶). Simple mais impeccable, cet ancien *yeogwan* (motel doté de petites chambres avec sdb) offre un excellent rapport qualité/prix près de la gare ferroviaire.

Eunhasu (☎ 367 0510 ; ch 25 000 W ; ✶). Parmi les innombrables yeogwan qui

bordent les ruelles au nord de la gare routière, celui-ci est le plus récent et le plus plaisant. Ne vous laissez pas perturber par les lits ronds.

Lawrence Motel (☎ 366 1900 ; 30 000 W ; ✶ ▣). Dans la galaxie des "love hotels" installés au sud de la gare routière, ce motel flambant neuf constitue un bon choix avec ses chambres équipées d'une TV, d'un distributeur d'eau fraîche et, pour certaines, d'un accès Internet (5 000 W par jour).

Riverside Tourist Hotel (☎ 223 9111 ; fax 223 9112 ; ch 35 000 W ; ✶). Pour quelques won de plus, vous logerez près des restaurants et de l'animation nocturne. Les prix reflètent l'emplacement et ne correspondent pas à la qualité de l'hébergement.

Phoenix Motel (☎ 226 5007 ; d 40 000 W ; ✶). Dans un quartier tranquille au bord de la rivière, ce tout nouvel hôtel offre de grandes chambres, avec accès Internet gratuit, et loue des cassettes video.

Gwangju Grand Hotel (☎ 224 6111 ; fax 224 8933 ; d à partir de 90 000 W ; ✶). Construit au milieu des années 1980, il dispose de chambres spacieuses et d'un personnel attentif. Une pâtisserie est installée dans le hall. Hors saison, renseignez-vous sur les réductions.

Gwangju Palace Tourist Hotel (☎ 222 2525 ; www.hotelpalace.co.kr ; d à partir de 99 000 W ; ✶ ▣). Linge raffiné et sdb en marbre agrémentent les chambres de cet hôtel très central. Renseignez-vous sur les réductions.

Hotel Hiddink Continental (☎ 227 8500 ; www.hotel-continental.co.kr ; d et lits jum à partir de 121 000 W ; ✶). Devenu héros national, l'entraîneur hollandais de l'équipe de football coréenne a donné son nom à cet hôtel confortable, doté de saunas. Distributeur d'eau fraîche et magnétoscope équipent les chambres, dont quelques-unes portent le nom de joueurs qui y ont séjourné ! Réductions possibles.

Prince Hotel (☎ 524 0025 ; www.prince-hotel.co.kr ; d/lits jum 127 000/169 400 W ; ✶ ▣). Proche du Musée national, il offre quelques chambres *ondol*, l'accès gratuit à Internet et de belles vues sur la ville.

Où se restaurer

Dans deux rues, des restaurants se font concurrence pour des spécialités identiques.

Yeongyang Duck Center (☎ 524 6687 ; ragoût de canard demi/entier 20 000/25 000 W). Dans ce que les habitants surnomment la "rue du Canard", cet établissement sert le *yeongyang oritang*, la spécialité locale : un délicieux ragoût de canard aux légumes, que l'on déguste après avoir revêtu un tablier.

Ne manquez pas de faire un tour à Ddeokgeori pour déguster les *tteokgalbi*, des pâtés rectangulaires au bœuf grillé.

Ijo Ddeokgalbi (repas de tteokgalbi 7 000 W). L'un des établissements les plus renommés de Gwangju pour cette spécialité.

Minsokchon (repas 5 800-11 000 W). Il possède deux restaurants au décor traditionnel dans le quartier commerçant de Chungjangro. Sur les tables, habituellement dotées d'un gril, grésille un *dwaeji galbi* (grillade de porc) ou un *so galbi* (grillade de bœuf).

Moojinjoo (repas 6 000-12 500 W). Cet endroit à l'architecture contemporaine audacieuse se spécialise dans une préparation particulière de *bossam* (porc cuit à la vapeur avec du chou et des herbes médicinales). La plupart des plats se partagent à plusieurs, comme le *kimchi bossam* (porc enveloppé de *kimchi*) et le *geumbaechu bossam* (porc enveloppé de chou). Quelques tables donnent sur le jardin.

Songjukheon (repas à partir de 35 000 W). L'une des tables les plus chères et les plus renommées de la ville, le Songjukheon est installé dans un maison traditionnelle. Commandez sa spécialité, le banquet coréen, une ribambelle de plats joliment présentés. Mieux vaut réserver.

Choon Chun Jip (repas 6 000 W). Dans ce restaurant sans prétention, le serveur cuisine votre repas à votre table. Choisissez un *dak galbi* (blanc de poulet sauté accompagné de légumes et d'une sauce relevée, 5 000 W) ou un *maek ban seok cchimdak* (14 500 W), préparé avec un poulet entier.

Chungjangro abrite nombre d'établissements bon marché. Les grands magasins Lotte, Hyundai et Shinsegae comprennent divers restaurants en étage et des rayons d'alimentation au sous-sol.

Achats

Yesului-geori (Art Street) regroupe galeries d'art, antiquaires, boutiques d'encadrement, de souvenirs et d'artisanat.

Fermée à la circulation le week-end, la rue accueille alors un marché d'art en plein air.

Dans Chungjangro, le quartier commerçant à la mode, se côtoient les boutiques de vêtements et d'accessoires, les bars, les restaurants, les boîtes de nuit, quelques librairies et les inévitables fast-foods. Le soir, la jeunesse branchée s'y retrouve.

Depuis/vers Gwangju
AVION
Asiana et Korean Air proposent des vols à destination de Séoul et de Jeju.

BUS
L'imposante gare routière, à l'extrémité ouest de la ville, rassemble les bus express et interurbains. Elle abrite un office du tourisme et une dizaine de restaurants.

Les bus urbains n°7, 9, 13, 17, 36 et 101 la relient à la gare ferroviaire.

Parmi les destinations des bus express, citons :

Destination	Prix (W)	Durée (h)
Busan	12 700	4
Daegu	9 900	3¾
Daejeon	8 200	3
Dong Séoul	14 500	4
Jeonju	4 800	1¼
Séoul	13 000	3½

Quelques destinations des bus interurbains :

Destination	Prix (W)	Durée (h)
Baegyangsa*	3 300	1
Haenam**	7 300	1½
Mokpo	5 700	1¾
Suncheon***	5 200	1½
Wando	10 600	2½
Yeosu	8 200	2½

* pour le parc national de Naejangsan
** pour le parc provincial de Duryunsan
*** pour Nagan et Seonamsa (parc national de Jogyesan)

TRAIN
Plusieurs trains rallient Séoul, dont des *saemaeul* (27 300 W, 4 heures, 5 par jour) et des *mugunghwa* (18 600 W, 4 heures 30, 8 par jour).

Comment circuler
DEPUIS/VERS L'AÉROPORT
Les bus n°50 et 999 partent régulièrement des gares ferroviaire et routière pour l'aéroport (40 min). La course en taxi entre l'aéroport et le centre-ville coûte environ 7 500 W (20 min).

MÉTRO
Une ligne de métro était en construction lors de notre passage. Le premier tronçon, qui devait ouvrir prochainement, passera au nord de l'aéroport, au sud de la gare routière et traversera le centre-ville.

ENVIRONS DE GWANGJU
Unjusa 운주사
Ce **temple** extraordinaire (☎ 374 0660 ; 1 300 W ; ☺ 8h-18h mars-oct, 9h-17h nov-fév) occupe une vallée fluviale et ses versants à Hwasun-gun, à 40 km au sud de Gwangju. Selon la légende, il abritait jadis 1 000 bouddhas et 1 000 pagodes, érigés en une nuit par des maçons descendus du paradis ; une autre théorie suggère qu'Unjunsa était une école de maçonnerie. Aujourd'hui, il reste 23 pagodes et une centaine de bouddhas et, quelle que soit leur origine, nombre de ces œuvres sont uniques.

Des bouddhas jumeaux *(Seokbulgam Ssangbaebul Jwasang)*, disposés dos à dos, font face à leur pagode respective. Deux autres bouddhas, reposant sur le dos, seraient les dernières statues sculptées. Un maçon, épuisé par cette nuit de dur labeur, aurait imité le chant du coq avant le lever du jour et tous seraient remontés au ciel, interrompant leur travail sans prendre le temps de redresser les statues.

De la gare routière de Gwangju, prenez le bus n°218 ou 318 (2 300 W, 1 heure 30, 2 par heure). Le temple se trouve à 10 min de marche de l'arrêt de bus. Renseignez-vous auprès du chauffeur car certains bus ne vont pas jusqu'à Unjunsa. Le dernier bus en direction de Gwangju passe vers 19h50.

Musée de l'Artisanat en bambou de Damyang
담양 죽공예 박물관
Au nord de Gwangju, la ville de Damyang est renommée pour ses forêts de bambou et son artisanat.

Le **musée de l'Artisanat en bambou** (☎ 381 4111 ; 500 W ; ☺ 9h-18h mars-oct, 9h-17h nov-fév) expose paniers, meubles, ventilateurs, ustensiles et sculptures. Mieux vaut le visiter les jours de marché d'objets en bambou, les 2, 7, 12, 17, 22 et 27 de chaque mois. Un Festival d'artisanat en bambou a lieu chaque année en mai. Toute l'année, des rangées de boutiques bordent la place en face du musée.

Au-dessus des boutiques, à droite en sortant du musée, le **Daenamu Tongbap** (repas 10 000 W) sert un repas constitué de plus d'une dizaine de plats. Ses spécialités sont le kimchi de bambou et le riz cuit à la vapeur dans une tige de bambou.

Le bus local n°311 relie la gare routière de Gwangju à Damyang (1 700 W, 50 min, toutes les 20 min).

HWA-EOMSA 화엄사
Hwa-eomsa (☎ 783 9105 ; 3 000 W ; ☺ 6h-19h mars-oct, 7h-18h nov-fév), l'un des trois temples célèbres du parc national de Jirisan, fut construit par le prêtre Yon-gi en 544, à son retour de Chine. Il est dédié au bouddha Birojana. Dévasté à cinq reprises, et notamment lors de l'invasion japonaise de 1592, il a été reconstruit pour la dernière fois en 1636 et a conservé de nombreux bâtiments.

Sur l'esplanade principale, le **Gakgwan-gjeon**, une salle immense à deux niveaux, comprend quelques piliers massifs et des peintures saisissantes, de 12 m de long sur 7,75 m de large. Ces trésors nationaux sont exposés à l'extérieur lors d'événements particuliers et représentent Bouddha, ses disciples et diverses divinités. La plus grande et la plus ancienne lanterne de pierre du pays se dresse devant le Gakgwan-gjeon, autrefois entouré de tablettes de pierre gravées du *Tripitaka Sutra* (réalisées durant l'ère silla). Endommagées pendant l'invasion japonaise, nombre d'entre elles sont désormais conservées dans le **musée** du temple.

En haut de plusieurs volées de marches se dresse le plus célèbre bâtiment de Hwa-eomsa, une pagode à trois niveaux, supportée par quatre lions de pierre. Le personnage féminin qui se tient en bas de la pagode serait la mère de Yon-gi. Sur la lanterne opposée, son fils respectueux lui offre du thé.

La billetterie se trouve à 15 min de marche du temple. Ensuite, on peut continuer le long de la vallée. Après une randonnée de 2 heures 30 à 3 heures, le chemin commence à grimper en direction du refuge de Nogo-dan Sanjang (4 heures). De là, la montée continue jusqu'à la crête du Jirisan. Pour plus de détail sur la randonnée, voir p. 260.

Où se loger et se restaurer

Jirisan Prince (☎ 782 0740 ; fax 782 0741 ; ch dim-jeu à partir de 30 000 W, ven-sam à partir de 35 000 W ; ⊠). Les parties communes sont en meilleur état que les chambres (avec lit ou ondol). Toutefois, celles du dernier étage disposent d'un grenier ondol au-dessus de la chambre principale. Repérez le bâtiment en rondins, derrière le parking.

Jirisan Swiss Tourist Hotel (☎ 783 0700 ; fax 782 1571 ; d 85 000 W ; ⊠). Bien tenu, il offre des vues sur la vallée et comporte un restaurant. De la billetterie du temple, descendez la rue principale pendant une vingtaine de minutes. Réductions hors saison.

Ttukbaegi Sikdang (☎ 782 7390 ; 6 000-12 000 W/pers). Plus plaisant que les habituels restaurants des villages touristiques, il sert de copieux et savoureux plats d'accompagnement. Essayez le *sanchae-jeongsik* (menu de légumes, 9 000 W), le *dolsotbibimbap* (riz et légumes dans un pot en pierre, 6 000 W) ou le *doenjang jjigae* (ragoût de soja, 6 000 W). Le restaurant se situe en haut des escaliers, en face du poste de police.

Depuis/vers Hwa-eomsa

Parmi les bus directs depuis/vers Hwa-eomsa, citons :

Destination	Prix (W)	Durée (h)
Busan	12 600	3¼
Gwangju	5 900	1½
Jeonju	6 700	2
Yeosu	5 900	2

À Gurye (700 W, 20 min), vous pourrez prendre des correspondances longue distance, notamment pour Séoul Nambu (20 000 W, 4 heures 30).

PARC PROVINCIAL DE JOGYESAN
조계산 도립공원

Ce parc abrite deux temples remarquables, dont la beauté est rehaussée par la forêt environnante.

À l'ouest, **Songgwangsa** (☎ 755 0107 ; fax 755 0408 ; 2 300 W ; ☽ 7h-19h mars-oct, 8h-18h nov-fév) est considéré comme l'un des trois joyaux du bouddhisme coréen (avec Tongdosa et Haeinsa, dans le Gyeong-sangnam-do). Principal sanctuaire de la secte Jogye, la première secte bouddhiste de Corée, c'est aussi l'un des plus anciens temples zen du pays. Édifié en 867, il a été presque entièrement reconstruit au XVIIᵉ siècle. Songgwangsa a formé de nombreux maîtres zen au fil des siècles et accueille aujourd'hui une communauté de moines.

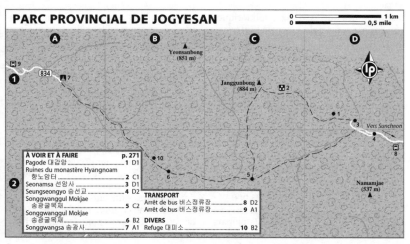

PARC PROVINCIAL DE JOGYESAN

0 ▭▭▭▭ 1 km
0 ▭▭▭▭ 0,5 mile

Yeonsanbong (851 m)

Janggunbong (884 m)

Vers Suncheon

Namamjae (537 m)

À VOIR ET À FAIRE	p. 271
Pagode 대각암	1 D1
Ruines du monastère Hyangnoam 향노암터	2 C1
Seonamsa 선암사	3 D1
Seungseongyo 승선교	4 D2
Songgwanggul Mokjae 송광굴목재	5 C2
Songgwanggul Mokjae 송광굴목재	6 B2
Songgwangsa 송광사	7 A1

TRANSPORT	
Arrêt de bus 버스정류장	8 D2
Arrêt de bus 버스정류장	9 A1

DIVERS	
Refuge 대피소	10 B2

Seonamsa (☎ 754 6160 ; 2 300 W ; ☽ 8h-19h mars-oct, 8h30-18h nov-fév), un ermitage paisible sur le flanc est de la montagne, date de 529. Quelque 50 moines y étudient et tentent de préserver les anciennes coutumes. En contrebas, le **Seungseongyo**, un superbe pont en granit, comporte une tête de dragon suspendue au faîte de l'arche.

Un chemin de randonnée relie les deux temples en passant par le sommet du **Janggunbong** (884 m). Comptez 6 heures de marche, ou 4 heures si vous contournez le pic. Les deux itinéraires sont superbes.

Des hébergements (de 20 000 à 25 000 W la nuit) et des restaurants se regroupent près du parking, à Songgwangsa. Dans le village touristique proche de Seonamsa, le **Seonam Garden** (☎ 754 5233 ; d 15 000-20 000 W), un joli *minbak*-restaurant installé dans une maison de style traditionnel, propose des chambres spacieuses et sert du *bibimbap* (5 000 W).

Depuis/vers le parc provincial de Jogyesan

De Gwangju, des bus directs desservent Songgwangsa (5 200 W, 1 heure 30, 1 par heure). Des bus moins fréquents rallient Seonamsa *via* Suncheon (6 000 W).

Des bus partent de Yeosu pour Songgwangsa toutes les 40 min. Pour Seonamsa, changez à Suncheon (790 W, 50 min, 2 par heure).

VILLAGE FOLKLORIQUE DE NAGAN
낙안 민속 마을

Nagan (☎ 749 3893 ; 1 100 W ; ☽ 9h-18h) se distingue des autres villages folkloriques coréens par son emplacement, à l'intérieur des remparts d'une forteresse de la période choson, la seule de Corée construite en plaine.

Rien ne subsite de la forteresse, mais quelque 90 familles vivent encore dans des maisons traditionnelles et cultivent leurs parcelles à l'abri de la vieille enceinte de 1 410 m de long. Un **musée folklorique** présente divers outils et des expositions sur les coutumes et les rites traditionnels.

Malgré une aide de l'État, les revenus des villageois restent limités et nombre d'entre eux les complètent en tenant une boutique, un restaurant ou un minbak (25 000 W ; renseignez-vous directement ou réservez à l'office du tourisme). Toutefois, la plupart des maisons sont privées : demandez la permission avant d'entrer. Promenez-vous sur les remparts pour admirer la vue sur les toits.

Des fêtes ont lieu le 15ᵉ jour de la nouvelle année lunaire et vers le 5 mai. Début octobre, le grand Festival de la cuisine de Namdo (plus de 200 000 visiteurs) présente près de 300 plats coréens et s'accompagne de concours et d'événements culturels traditionnels. Renseignez-vous sur les dates auprès du KNTO (www.knto.or.kr).

Le **Nagan Spa** (☎ 753 0035 ; 5 000 W ; ☽ 6h-22h), établissement récent à quelques kilomètres, surplombe la vallée. Guère attrayant, il dispose de bains de vapeur, de saunas et de baignoires ; ses eaux adouciraient la peau et dissoudraient les graisses. Un bus fait la navette depuis/vers Nagan.

Pour rejoindre le village folklorique, prenez le bus n°63 ou 68 à Suncheon (790 W, 40 min, 1 par heure).

YEOSU 여수
327 000 habitants

La commune de Yeosu couvre une vaste superficie vers le milieu de la côte sud, escarpée, mouchetée d'îles et profondément découpée. Sur la route de Yeosu, vous traverserez nombre de villes identiques, mais son littoral, parsemé de falaises, d'îles et de péninsules, est d'une beauté à couper le souffle.

Orientation et renseignements

Sur une carte, Yeosu ressemble à une molaire. Les deux racines (montagneuses, accidentées et bordés d'îles) encerclent une baie couronnée par le centre-ville. L'île d'Odongdo se trouve à l'est de la ville et celle de Dolsando, plus grande, au sud-est. La gare routière, à 3,5 km au nord du centre-ville, est desservie par des bus locaux et des taxis.

Un **kiosque d'information touristique** (☎ 664 8978 ; ☽ 9h-18h) est installé à l'entrée du pont d'Odongdo.

À voir et à faire
CROISIÈRES DANS LE PORT

Prenez un bateau pour découvrir le paysage côtier de Yeosu. Plusieurs compagnies partent de divers embarcadères et proposent des itinéraires différents. **Hallyosudo** (☎ 662 9068) offre une croisière rapide dans le port, de Dolsan Daegyo (pont Dolsan) à l'embarcadère d'Odongdo (3 500 W, 30 min),

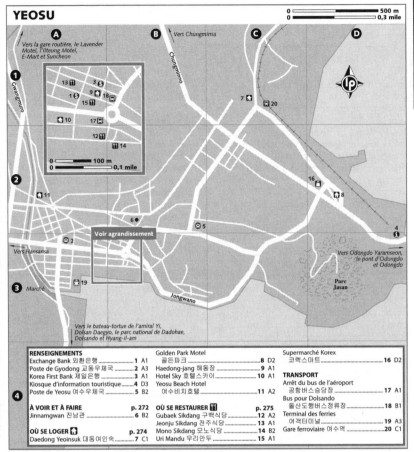

ou un circuit autour de Dolsando avec un arrêt possible à Hyang-il-am (voir p. 274 ; 13 600 W, horaires variables). **Odongdo Yuramseon** (☎ 663 4424), installée sur l'embarcadère du côté continental du pont d'Odongdo, organise de courtes croisières vers ou autour d'Odongdo (de 2 000 à 4 000 W), ainsi qu'à Hyang-il-am (13 000 W, sans arrêt). Les bateaux ne partent qu'avec un nombre minimum de passagers.

ODONGDO 오동도

Reliée au continent par une chaussée de 730 m de long, cette **île** escarpée (☎ 690 7301 ; 1 300 W ; ☻ 6h-22h mars-nov, 6h-21h déc-fév), couverte d'arbres et de bambous, est l'une des destinations favorites de la population

locale qui apprécie son phare, ses jardins, ses espaces de pique-nique et ses sentiers de promenade. Parmi les nombreux itinéraires, tentez, pieds nus, le "parcours de santé par pression des pieds" qui mène de l'embarcadère au phare : sur plusieurs centaines de mètres, la chaussée est couverte de pierres, de blocs de bois, de disques et de triangles ! Quel que soit le chemin choisi, faites le tour du phare et descendez les marches pour admirer la vue sur le port.

HANSANSA 한산사

Ce **temple** (entrée libre ; ☻ 24h/24), juché sur un versant montagneux et boisé à l'ouest du centre de Yeosu, fut construit en 1194, durant le règne de Myeongjong, roi de

Koryo, par un prêtre éminent nommé Bojo. La vue justifie à elle seule cette longue randonnée.

Prenez un taxi jusqu'au temple ou le bus n°1, 2 ou 10 jusqu'à Beoksugol. De là, comptez 20 min de grimpée pour rejoindre le sanctuaire, puis 10 min pour atteindre le sommet. Face au temple, sur l'esplanade ornée d'une grande cloche, dirigez-vous vers la droite et prenez le sentier qui descend vers une petite plate-forme. Continuez sur la gauche, montez les marches derrière le chemin bordé d'agrès et rejoignez le sommet, une falaise herbeuse, pour découvrir un panorama à 180°.

BATEAU-TORTUE DE L'AMIRAL YI 거북선

Yeosu est entrée dans l'Histoire grâce à l'amiral Yi, qui défit plusieurs fois la marine japonaise au XVIᵉ siècle (p. 34). La ville présente une reconstitution grandeur nature d'un *geobukseon* ou **bateau-tortue** (☎ 644 1411; 1200 W; ☽ 8h-18h30 mars-août, 9h-17h30 sept-fév), l'un des célèbres cuirassés de l'amiral.

Le navire mouille dans l'embarcadère des bateaux de passagers, de l'autre côté du pont Dolsan, à Dolsando. Des mannequins costumés reproduisent les divers aspects de la vie à bord. Certains trouveront l'exposition un peu naïve, mais il s'agit d'une découverte unique.

HYANG-IL-AM 향일암

Cet **ermitage** (☎ 644 3650; 1200 W; ☽ 7h-19h mars-sept, 8h-18h nov-fév), perché au-dessus des falaises, à l'extrémité sud de Dolsando, fait partie du parc national de Dadohae. À 40 min en bus du centre-ville, il se niche dans une forêt de camélias qui fleurissent en mars et avril. Les amateurs de levers de soleil l'apprécient pour les vues superbes sur les flots bleus et transparents.

Si vous souhaitez prolonger la promenade, continuez jusqu'au **Geumsan** (323 m) pour une belle randonnée au-dessus de Hyang-il-am. Un chemin circulaire commence certaine près d'un **temple** et rejoint la route du temple, 200 m plus bas.

Voir p. 275 pour des informations sur les bus.

JINNAMGWAN 진남관

Trésor national en plein centre-ville, ce magnifique pavillon de bois à un étage (75 m de long et 14 m de haut) comprend 68 piliers qui supportent un toit massif. Conçu à l'origine pour accueillir des dignitaires et des cérémonies, il servit pas la suite de résidence militaire.

Incontestablement, il mérite le détour, mais doit fermer pour restauration jusqu'en 2006. Dans l'intervallle, les autorités prévoient d'ouvrir un musée sur le site.

Où se loger

La plupart des adresses bon marché se regroupent autour de la gare ferroviaire et ne manquent pas de piquant.

Daedong Yeoinsuk (☎ 664 0089; ch à partir de 20 000 W; ☒). Hébergement typique des environs des gares. Ses prix bas constituent son principal attrait (sanitaires communs).

Haedong-jang (☎ 662 5577; d ondol/lit 20 000/25 000 W; ☒). Ne vous laissez pas décourager par l'aspect extérieur: les chambres sont correctes pour le prix et il se situe en plein centre-ville.

Lavender Motel (☎ 654 5293; fax 652 6234; d à partir de 25 000 W; ☒). Récent et plaisant, il borde une rue tranquille, près de la gare routière et du supermarché E-Mart. Les fenêtres à triple vitrage et son emplacement garantissent le calme.

Ilteung Motel (☎ 651 6700; d à partir de 25 000 W; ☒). Un établissement simple et bien tenu, en face du Lavender.

Golden Park Motel (☎ 665 1400; d à partir de 30 000 W; ☒). Au-dessus d'une poissonnerie du côté continental du pont d'Odongdo, il offre des chambres banales, agrémentées pour beaucoup d'une jolie vue.

Hwangtobang (☎ 644 4353; d à partir de 30 000 W; ☒). Cette superbe auberge-restaurant, installée dans le village touristique proche de Hyang-il-am, ressemble à un chalet et propose des chambres délibérément rustiques. Elle possède un agréable ponton sur lequel vous pourrez déjeuner ou dîner, prendre un verre ou vous détendre. Savourez un *haemul doenjang tchigae* (ragoût de fruits de mer et de soja, 6 000 W) ou un *haemultang* (fondue épicée de fruits de mer, 30 000 W), ses plats les plus appréciés.

Hotel Sky (☎ 662 7780; d à partir de 35 000 W; ☒). Les carrelages égayent l'intérieur de cette auberge récente, au centre-ville.

Yeosu Beach Hotel (☎ 663 2011; fax 664 2114; d, lits jum et ondol à partir de 110 000 W, réduction 20% en sem; ☒). Bien que n'étant pas sur la plage, il demeure le meilleur hôtel de luxe de la ville.

Rénové en 2002, il dispose de chambres qui, pour la plupart, donnent sur la ville ou la montagne. Accès Internet gratuit à l'accueil.

Où se restaurer

Dans le quartier du port, de multiples restaurants servent du poisson et des fruits de mer. Vous dégusterez probablement une spécialité de Yeosu, le *gakkimchi*, un *kimchi* de feuilles apprécié dans tout le pays.

Gubaek Sikdang (plats 6 000-20 000 W). L'un des restaurants les plus prisés pour le *saengseongui* (poisson grillé, 10 000 W) et l'*agutchim* (poisson épicé aux germes de haricots, 10 000 W). Une partie de la carte est traduite en anglais.

Mono Sikdang (plats 10 000-20 000 W). À deux pas du Gubaek Sikdang, cet établissement plus simple, mais tout aussi fréquenté, s'ouvre sur le port. Goûtez un *saengseongui*, des *sodae-jwe* (sushi) ou un *saengsong chorim* (poisson cuit à la vapeur avec une sauce épicée).

Jeonju Sikdang (plats 4 500-6 000 W). Des plats coréens plus classiques (bibimbap, kimchi jjigae, etc.) dans un décor sans prétention.

Uri Mandu (plats 2 500-4 000 W). Il propose une variété de *mandu* (raviolis) à prix doux.

Plusieurs fast-foods et des commerces de proximité sont installés dans le quartier.

Depuis/vers Yeosu
AVION

L'aéroport de Yeosu dessert Séoul et Jeju.

BATEAU

Le principal terminal des ferries longue distance se situe à l'extrémité ouest de l'ancien port de pêche. Voir p. 288 pour plus de détails sur la traversée jusqu'à Jeju-do.

BUS

La gare routière interurbaine et celle des bus express sont proches l'une de l'autre, au nord-ouest de la ville, sur la route de l'aéroport.

Des bus express rallient Séoul (17 600 W, 5 heures, toutes les 30 à 40 min) et Busan (11 000 W, 4 heures, toutes les 2 heures).

Les bus interurbains desservent les destinations suivantes :

Destination	Prix (W)	Durée (h)
Gwangju	8 200	2
Hwa-eomsa	5 900	2
Mokpo	13 400	3½

TRAIN

Parmi les trains en provenance de Séoul, citons les saemaeul (de 28 600 à 33 600 W, 5 heures 30, 3 par jour) et les *mugunghwa* (de 19 500 à 22 900 W, 6 heures, 12 par jour).

Comment circuler
DEPUIS/VERS L'AÉROPORT

De l'aéroport, situé à 17 km au nord de la ville, des bus desservent fréquemment le centre-ville (2 500 W, 40 min).

BUS

Les bus urbains n°3, 5, 6, 7, 8, 9, 10, 11, 13 et 17 passent par les deux gares routières. Le bus n°11, le plus pratique, relie les gares routières à la gare ferroviaire *via* le centre-ville.

Les bus n°101, 111, 111-1 et 113 (950 W) partent de Yeosu toutes les 30 min pour Hyang-il-am. Pour assister au lever du soleil, prenez le premier bus, vers 5h.

BOSEONG 보성

Boseong, à flanc de montagne entre Gwangju, Yeosu et Mokpo, est entourée de rangées de théiers verdoyants à perte de vue.

À Daehan, la **Boseong Nokcha Dawon** (☎ 853 2595 ; entrée libre ; ☺ plantation 24h/24, bureau 9h-19h mai-oct, 9h-18h nov-avr), l'une des plus importantes plantations de thé du pays, accueille les visiteurs. Vous pouvez emprunter les sentiers qui longent les théiers (des pancartes demandent de ne pas marcher entre les rangées) et profiter des belles vues sur les versants voisins. Des concerts et d'autres événements ont souvent lieu dans la propriété.

Boseong compte nombre de maisons de thé et de restaurants, comme le **Chamokwon** (repas 5 000-11 000 W), qui propose du porc élevé au thé vert, préparé en *bulbaek* (une sorte de *bulgogi)* ou en *saengsamgyeop* (poitrine de porc grillée). Une **maison de thé** (thé 1 000 W) sert les 3 tasses réglementaires et un **bar** (boissons 2 500 W), des milk-shakes et des thés (verts bien sûr) au lait.

Les bus locaux qui desservent la plantation continuent vers la côte de Yulpo, où le **Yulpo Haesu Nokchatang** (☎ 853 4566 ; 5 000 W ; ☺ 6h-20h, dernière entrée 19h) offre bains de mer et bains de thé. Ces derniers auraient des effets bénéfiques pour les maladies de la peau, les cheveux, les pellicules, l'acné et les douleurs articulaires. Comme dans tous les spas coréens, le fonctionnel l'emporte sur le luxe, mais l'expérience vaut le détour. L'établissement était en pleine expansion lors de notre visite et des piscines devraient bientôt surplomber la mer.

Depuis/vers Boseong
Des bus fréquents rallient la gare routière de Boseong à partir de Gwangju (4 800 W, 1 heure 45), Mokpo (6 500 W, 2 heures) et Yeosu (6 800 W, 1 heure 45). De la gare de Boseong, prenez un bus local (toutes les 30 min) jusqu'à Daehan Daeop, la plantation de thé (750 W, 10 min) ou Yulpo (1 200 W, 20 min). La plantation se situe à moins de 10 min de marche de l'arrêt de bus. De Gwangju, un bus direct dessert Yulpo (5 300 W, 1 heure 45, toutes les heures).

GANGJIN 강진
Gangjin, l'un des deux grands centres de céladon du Jeollanam-do, est associé au céladon depuis plus d'un millénaire, grâce notamment à la conjugaison d'une excellente terre glaise, d'un accès aisé au bois de chauffage et d'une longue baie étroite pour l'expédition des pièces. Quelque 80% des céladons exposés au Musée national de Séoul proviendraient de Gangjin. De l'autre côté du quartier de Daegu-myeon, on peut voir les ruines de 190 fours anciens.

Gangjin est notamment réputée pour ses céladons gravés à l'eau-forte : des motifs sont gravés superficiellement sur l'objet encore humide, puis inscrustés de vernis spéciaux, qui donnent des reflets blanc bleuté. L'absence de craquelures (dues au conflit entre la terre et les vernis) est un autre signe distinctif des céladons de Gangjin. L'élaboration d'un céladon requiert 24 étapes et environ 70 jours de travail et son prix varie en fonction de la régularité de l'objet fini.

Le grand **musée de la Céramique de Gangjin** (☎ 430 3524 ; 1 000 W ; ☽ 9h-18h mars-oct, 9h-17h nov-fév), pièce maîtresse du Village de la Céramique coréenne, présente des expositions à l'intérieur et en plein air. Il comprend un centre de recherche et d'expérimentation où des artisans démontrent le procédé de fabrication. Dans un atelier, les visiteurs peuvent participer à la réalisation de divers objets. Ces derniers seront éventuellement vernis, cuits et expédiés par bateau.

Le Festival de céramique de Gangjin se tient chaque année au milieu de l'été. En face du musée, une dizaine d'ateliers d'artisans locaux vendent leur production toute l'année.

De nombreux motels et yeogwan se regroupent près de la gare routière.

Depuis/vers Gangjin
Des villes suivantes, des bus desservent fréquemment la gare routière de Gangjin :

Destination	Prix (W)	Durée (h)
Busan	18 000	5
Gwangju	6 400	1½
Mokpo	3 600	1
Séoul	15 900	5¼
Yeosu	9 800	2½

Pour rejoindre le Village de la Céramique, prenez un bus local en direction de Maryang et descendez à Misan (1 400 w, 30 min, toutes les 20 min).

MOKPO 목포
246 000 habitants
Le port de pêche de Mokpo, au bout de la voie ferrée et de l'autoroute, constitue un point de départ pour naviguer vers Jejudo ou les îles occidentales du parc national de Dadohae Haesang. La ville abrite le Musée maritime national de Corée. Le joli parc Yudal s'étend sur le mont Yudalsan, au centre-ville. L'ambiance détendue, les belles vues sur les flots et les excellents produits de la mer contribuent au charme de Mokpo.

Renseignements
Le **kiosque d'information touristique** (☎ 273 0536) fait face au Musée maritime. Un guide sympathique, qui parle anglais, accueille habituellement les visiteurs. D'autres comptoirs d'information sont installés à la gare ferroviaire et au terminal international des ferries.

À voir
En 1983, un bateau coréen de la période koryo (XIe siècle) et sa cargaison de 30 000 pièces de céramique furent découverts au large de l'île de Wando. Les poteries et l'épave du **navire de Wando**, le plus ancien bateau coréen traditionnel

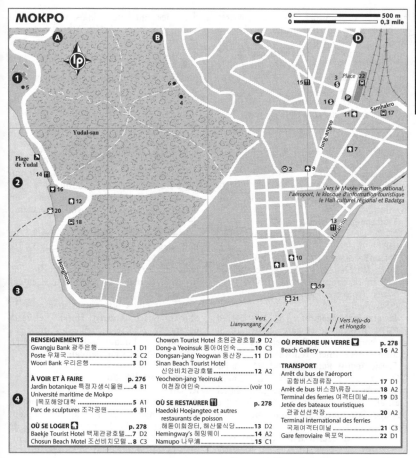

MOKPO

| 0 | 500 m |
| 0 | 0,3 mile |

RENSEIGNEMENTS	
Gwangju Bank 광주은행	1 D1
Poste 우체국	2 C2
Woori Bank 우리은행	3 D1

À VOIR ET À FAIRE	p. 276
Jardin botanique 특정자생식물원	4 B1
Université maritime de Mokpo 목포해양대학	5 A1
Parc de sculptures 조각공원	6 B1

OÙ SE LOGER	p. 278
Baekje Tourist Hotel 백제관광호텔	7 D2
Chosun Beach Motel 조선비치모텔	8 C3

Chowon Tourist Hotel 초원관광호텔	9 D2
Dong-a Yeoinsuk 동아여인숙	10 C3
Dongsan-jang Yeogwan 동산장	11 D1
Sinan Beach Tourist Hotel 신안비치관광호텔	12 A2
Yeocheon-jang Yeoinsuk 여천장여인숙	(voir 10)

OÙ SE RESTAURER	p. 278
Haedoki Hoejangteo et autres restaurants de poisson 해돋이회장터, 해산물식당	13 D2
Hemingway's 헤밍웨이	14 A2
Namupo 나무浦	15 C1

OÙ PRENDRE UN VERRE	p. 278
Beach Gallery	16 A2

TRANSPORT	
Arrêt du bus de l'aéroport 공항버스정류장	17 D1
Arrêt de bus 버스정류장	18 A2
Terminal des ferries 여객터미널	19 D3
Jetée des bateaux touristiques 관광선선착장	20 A2
Terminal international des ferries 국제여객터미널	21 C3
Gare ferroviaire 목포역	22 D1

connu, ainsi qu'une maquette à plus petite échelle, sont conservées au **Musée maritime** (☎ 278 4271 ; 600 W ; 9h-18h mar-ven, 9h-19h sam et dim mars-oct, 9h-17h nov-fév).

Le musée, situé sur le port, à l'est du centre-ville, expose également une jonque chinoise de la dynastie Yuan, appelée **navire de Sinan** et découverte en 1975 le long de la côte de Sinan. Neuf années de recherche ont permis de remonter 20 000 pièces de céramique. Les visiteurs peuvent admirer le vaisseau de 34 m partiellement restauré, ainsi que de la nourriture, des épices et des pièces de monnaie. Le Musée national de Gwangju s'intéresse à cette même épave (p. 265), mais plus spécialement aux céramiques qu'elle transportait.

En face du Musée maritime, le **Hall culturel régional** (☎ 270 8367 ; 1 000 W ; 9h-20h mars-oct, 9h-19h nov-fév) expose une collection hétéroclite – pierres aux formes inhabituelles, monnaies, œuvres d'artistes locaux renommés appartenant à la famille Yeo –, et possède un joli jardin de sculptures. À côté, un nouveau **musée d'Histoire naturelle** devrait avoir ouvert au moment où vous lirez ces lignes.

Prenez le bus local n°1 jusqu'à l'arrêt MBC Mokpo, puis le bus n°7 (30 min au total). De la gare ferroviaire, la course en taxi revient à 3 000 W.

YUDALSAN 유달산
À l'ouest de Mokpo, surplombant le port, ce mont (229 m) est un lieu de promenade

apprécié. Au sommet, vous découvrirez de belles vues, notamment au coucher du soleil. Sur le Yudalsan, le parc Yudal abrite des petits temples, un **jardin botanique** (☎ 270 8362 ; 700 W ; ☺ 8h-19h mars-oct, 8h30-18h nov-fév) et un **parc de sculptures** (☎ 270 8359 ; 1 000 W ; ☺ 8h-19h mars-oct, 8h30-18h nov-fév). La plage, à l'ouest, n'a rien d'extraordinaire, mais il est agréable de flâner sur le front de mer.

Où se loger

Des hébergements bon marché, quelconques et pratiques se regroupent autour des terminaux des ferries

Dong-a Yeoinsuk (☎ 244 1951 ; ch 10 000 W). Sept chambres minuscules avec TV (sdb commune).

Yeocheon-jang Yeoinsuk (☎ 244 7287 ; ch 13 000 W). Des chambres exiguës avec TV, ventil et sdb.

Chosun Beach Motel (☎ 242 0485 ; ondol/d 30 000/ 35 000 W ; 🌐). Nettement plus agréable, il loue des chambres propres et confortables.

Vous trouverez ailleurs en ville les établissements suivants :

Dongsan-jang Yeogwan (☎ 244 4044 ; d 25 000 W). Proche de la gare ferroviaire, il cache, sous une façade quelconque, des chambres récemment rénovées.

Baekje Tourist Hotel (☎ 242 4411 ; fax 242 9550 ; d à partir de 40 000 W ; 🌐). Également près de la gare ferroviaire, ce grand hôtel était en cours de rénovation lors de notre passage. Sur place, un restaurant sert le petit déjeuner.

Shinan Beach Tourist Hotel (☎ 243 3399 ; www.shinanbeachhotel.com ; ch à partir de 99 500/ 119 500 W vue montagne/océan ; 🌐). Meilleur hôtel de Mokpo, il domine la plage de Yudal et comprend des restaurants, une piscine (ouverte à partir de mi-juillet) et un salon panoramique. Par beau temps, les discothèques en contrebas risquent de gêner ceux qui ont le sommeil léger.

Chowon Tourist Hotel (☎ 243 0055 ; d 120 000 W ; 🌐). En plein centre-ville, cet hôtel bien tenu séduira ceux qui préfèrent un confort à l'occidentale. Il abrite une pâtisserie.

Où se restaurer et prendre un verre

Haedoki Hwejangteo (plats aux prix du marché). Les produits de la mer, et notamment les sashimi, sont la spécialité de Mokpo et ce restaurant compte parmi les bonnes adresses du port. Les prises du jour nagent dans des aquariums, mais attendez-vous à des prix assez élevés. Afin d'éviter les surprises, annoncez tout d'abord la somme que vous voulez dépenser.

Namupo (repas 5 000-19 000 W). Si vous préférez les grillades, rendez-vous dans ce rutilant établissement du centre-ville, localement apprécié. La viande du *galbi* Namupo est merveilleusement assaisonnée. Plusieurs commerces et gargotes sont installés à proximité.

Badatga (plats 6 000-30 000 W). Dans le bâtiment du Musée maritime, cet endroit détendu se révèle parfait pour prendre un verre ou se restaurer en admirant la baie. Sur la carte, choisissez un bibimbap, un *donkasu* ou un filet "minyon" ; beaucoup de plats se partagent.

Hemingway's (repas 6 000-15 000 W). Perché sur une falaise au-dessus de la plage de Yudal, ce lieu est idéal pour siroter une bière en regardant les bateaux et le coucher de soleil. Il sert également des plats et des en-cas coréens et occidentaux.

Bars et clubs bordent la mer près du Shinan Beach Tourist Hotel. Le **Beach Gallery** (☎ 245 5736) accueille des musiciens en soirée et, lorsque le temps le permet, installe des tables en plein air.

Depuis/vers Mokpo

AVION

Asiana propose des vols entre Séoul et Mokpo. Asiana et Korean Air relient Mokpo et Jejudo. Le nouvel aéroport de Muan, à 28 km au nord de Mokpo, remplacera sans doute celui de Mokpo, mais la date n'est pas encore fixée.

BATEAU

Depuis les terminaux des ferries, des bateaux rallient Jejudo et les petites îles à l'est et au sud-ouest de Mokpo (voir les destinations correspondantes pour plus d'information). La réservation est indispensable pendant les vacances d'été (de juillet à mi-août).

Un ferry international dessert Lianyungang, dans le Jiangsu (Chine). Le service est irrégulier : renseignez-vous auprès du KNTO (www.knto.or.kr).

BUS

La gare routière de Mokpo est très excentrée ; prenez le bus n°1. Parmi les destinations, citons :

Destination	Prix (W)	Durée (h)
Busan	19 900	6
Daedunsa*	4 900	1½
Gwangju	5 700	1½
Haenam*	3 600	1
Jindo	4 500	2
Séoul	15 100	5
Wando	7 200	2
Yeong-am	2 100	50 min

* pour le parc provincial de Duryunsan

TRAIN

De nombreux *saemaul* (de 26 700 à 31 400 W, 4 heures 30, 3 par jour) et *mugunghwa* (de 18 200 à 21 400 W, 5 heures 30, 10 par jour) circulent entre Séoul et Mokpo. On peut prendre un train de Gwangju à Mokpo (2 000 W, 1 heure 30, 1 par jour), mais le bus est plus pratique.

Comment circuler

Les bus qui desservent l'aéroport (2 300 W, 30 min) partent des abords de la gare ferroviaire et font halte à la gare routière. Les horaires concordent avec ceux des vols.

Presque tous les bus passent par les gares ferroviaire et routière (720 W). Les bus n°1, 1-2, 2, 101 et 102 se rendent à la plage et au parc de Yudal. Sinon, comptez 10 min de marche de la gare ferroviaire à l'est du parc.

PARC NATIONAL DE DADOHAE HAESANG
다도해 해상 국립공원

Composé de plus de 1 700 îles et îlots, le parc national de Dadohae Haesang (archipel marin) couvre la majeure partie de la côte et des eaux côtières du Jeollanam-do. Quelques îles sont habitées par de petites communautés qui vivent de la pêche et du tourisme. D'autres ne sont guère que des rochers qui affleurent occasionnellement.

Mokpo est le principal port du parc. Les touristes coréens apprécient tout particulièrement Hongdo et Heuksando, où la température dépasse rarement 30° en été. Pendant cette saison, il est indispensable de réserver à l'avance ferries et hébergements, surtout à Hongdo.

Pour sortir des sentiers battus, visitez des îles moins connues. Afin de mettre au point votre itinéraire, procurez-vous la brochure récapitulative des horaires nationaux des bus, des bateaux, des trains et des avions (*sigakpyo ; en* coréen uniquement).

Hongdo 홍도

Hongdo ("île rouge" ; 2 300 W), à l'ouest de Mokpo, est l'île la plus courue et la plus belle de l'archipel. Mesurant 6 km de long et 2,5 km de large, elle surgit de l'eau, bordée de falaises abruptes, parsemée de formations rocheuses étranges et de coteaux boisés entaillés de profonds ravins. Entourée d'îlots, elle offre des couchers de soleil spectaculaires par temps clair. Toutefois, cette île se découvre essentiellement en bateau puisque, à l'exception des villages, Hongdo est une réserve naturelle protégée, interdite au public.

Les ferries jettent l'ancre à Ilgu, le plus grand et le plus méridional des deux bourgs de l'île. Les minbak et les yeogwan y sont installés. Comme à Igu, l'autre localité plus au nord, une petite crique abrite les bateaux de pêche. Un bateau relie les deux villages.

Hongdo Subsea Tour (☎ 246 3322 ; adulte/enfant 25 000/15 000 W ; ☼ ttes les heures, si le temps le permet) propose des excursions au départ d'Hongdo sur des bateaux dont les hublots, placés au-dessous de la ligne de flottaison, permettent d'admirer les poissons et les coraux. Il organise aussi des circuits en bateau moins formels : 15 000 W, 2 heures, 2 par jour.

OÙ SE LOGER

Ilgu possède un bon choix de minbak et de yeogwan aux prix habituels (qui peuvent doubler en été).

Royal-jang (☎ 246 3837 ; ch hors/en saison 20 000/35 000 W). À deux pas de la plage, il offre des chambres bien tenues et un karaoké au rez-de-chaussée.

Yuseong-jang (☎ 246 3723 ; ondol hors/en saison 30 000/40 000 W ; ✷). Proche du bureau KT, il dispose uniquement de chambres ondol et peut préparer des repas.

Heuksando 흑산도

Le parc national de Heuksando englobe un petit groupe d'îles à l'est de Hongdo. **Daeheuksando** ("grande Heuksando"), la plus vaste, est également la plus peuplée et la plus facilement accessible que Hongdo. La vue qui se déploie depuis les hauteurs expliquent pourquoi Dadohae Haesang signifie "archipel marin". Daeheuksando compte quelques villages et des fermes sur la côte. Des sentiers relient les bourgs et explorer l'île à pied demande environ 9 heures. Les bus locaux desservent le littoral. L'aller-retour jusqu'au pic **Bonghwadae**, dans la Sangrasan, la montagne de la côte nord, constitue une belle excursion.

Ancien port baleinier, **Yeri**, la plus grande localité, reste un port de pêche actif (Heuksando ne vit pas seulement du tourisme). Il abrite la plupart des hébergements et le débarcadère des ferries. Lorsque la demande est suffisante, des bateaux touristiques font le tour de l'île (13 000 W, 2 heures). **Jinni** est l'autre village important de Daeheuksando.

OÙ SE LOGER ET SE RESTAURER

Les adresses suivantes se situent à Yeri, près de la poste.

Gecheonjang (☎ 275 9154; d 25 000 W; 🔀). Ce yeogwan à la façade en pierre propose des chambres rutilantes, mais rustiques, qui donnent sur le port des petits bateaux.

Daedo Minbak (☎ 275 9340; d 25 000 W; 🔀). Récemment rénové, cet agréable établissement sans prétention ne compte que quelques chambres.

Outre 2 minbak installés à Jinni, l'île possède des campings.

Comme on peut s'y attendre, les produits de la mer abondent, mais les prix sont parfois élevés. La spécialité est le *hung-eo* (raie).

DEPUIS/VERS HONGDO ET HEUKSANDO

Hongdo se trouve à 115 km à l'ouest de Mokpo. De mars à juillet, 4 ferries font la traversée chaque jour (30 200 W, 2 heures 15) ; les départs sont plus nombreux à la fin de l'été et se raréfient en hiver. Tous les ferries qui relient Mokpo à Hongdo font escale à Heuksando (Mokpo–Heuksando 24 800 W, 1 heure 30 ; Heuksando–Hongdo 7 250 W, 30 min) ; ils s'arrêtent à Yeri avant de poursuivre vers Hongdo.

Pour plus d'informations, contactez le **terminal des ferries de Mokpo** (☎ 243 0116) ou le KNTO (www.knto.or.kr).

YEONG-AM 영암

Du VIIe au IXe siècle, cette ville, à l'est de Mokpo, bordait la mer et son sol argileux était d'excellente facture. Cet important centre de céramiques entretenait un commerce florissant avec la Chine et le Japon.

Le village de Gurim abrite l'un des principaux fours, redécouvert en 1986. Le **Centre culturel de la poterie de Yeong-am** (☎ 470 2566; entrée libre; 🕑 9h-18h lun-ven, 9h-17h sam avr-oct, 9h-17h nov-mars) , ouvert en 1999 sur le site, présente cette œuvre unique. Des expositions imaginatives changent plusieurs fois par an, mais les copies de l'ancien four et des autres outils sont visibles tous les jours. Les vernis traditionnels sont de couleur brun-vert ou brun-noir. Quelques pièces portent des mouchetures blanches, traces de l'argile rouge d'origine.

Sur réservation, vous pourrez tourner votre propre poterie (10 000 W) dans un atelier, qui le cuira et vous l'enverra.

À 1 km du centre culturel se situe le **lieu de naissance de Wang-In** (☎ 470 2560; 800 W; 🕑 9h-18h mars-oct, 9h-17h nov-fév), un lettré du VIe siècle qui aurait introduit au Japon l'écriture chinoise et ses méthodes d'enseignement. La visite ne séduira que les férus de culture japonaise. Essayez de le visiter durant le Festival de Wang-In (www.wangin.org), lors de la floraison des cerisiers.

Depuis/vers Mokpo

Des bus partent de Mokpo (2 100 W, 50 min, toutes les 15 min) et de Gwangju (4 400 W, 70 min, toutes les 15 min) pour la gare routière de Yeong-am. Quelques-uns s'arrêtent à Gurim ; à défaut, prenez un bus local à Yeong-am (750 W).

PARC NATIONAL DE WOLCHULSAN
월출산 국립공원

Au sud et à l'est de Yeong-am, **Wolchulsan** (☎ 473 5210; wolchul@npa.or.kr; 2 500 W), le plus petit parc national du pays (42 km²), constitue une belle randonnée d'une journée. Des rochers escarpés, des aiguilles, des escaliers métalliques ponctuent le parcours et un pont d'acier (52 m) enjambe un précipice. Le **Cheonwangbong** (809 m) est le point culminant des diverses formations rocheuses du parc. En moins de 5 heures, vous pouvez aller de l'entrée est à **Dogapsa** (☎ 473 5122; 🕑 7h-19h mars-oct, 8h-18h nov-fév), à l'ouest. Fondé en 661, le temple a accueilli de nombreux maîtres zen. L'ascension, raide et fatigante, suit des chemins bien balisés et des vues splendides récompensent vos efforts. En-dessous de Dogapsa, vous vous désaltérerez d'un thé vert dans l'agréable maison de thé.

Où se loger

Cheonhwangsa, à l'est du parc, dispose d'un camping (3 000 W) ; réservez à l'avance sur le site web du parc pour le week-end et les jours fériés. De nombreux minbak sont installés près des entrées du parc.

Depuis/vers le parc de Wolchulsan

Il faut passer par Yeong-am pour rejoindre le parc. Chaque jour, 6 bus partent de la gare routière de Yeong-am ; la course en taxi coûte de 3 500 à 4 000 W. Un bus direct dessert le parc depuis Gwangju ou Mokpo (1 heure ; voir p. 280). Contactez le KNTO (www.knto.or.kr) pour les horaires.

PARC PROVINCIAL DE DURYUNSAN
두륜산 도립공원

L'un des principaux attrait de ce parc, situé au sud-est de Gangjin, est **Daedunsa** (Daeheungsa ; ☎ 534 5502 ; 2 000 W ; ☽ lever-coucher du soleil), un important centre religieux zen. Il daterait du milieu du Xe siècle, mais resta relativement méconnu jusqu'à ce qu'on l'associe à Seosan, un moine guerrier qui lutta contre les envahisseurs japonais en 1592-1598. Malgré sa célébrité, le temple conserve une atmosphère champêtre. Un **musée** (☽ 8h30-18h mars-oct, 8h30-17h nov-fév, fermé 2e et 4e sam du mois) contient une cloche de la période koryo, quelques trésors bouddhiques et une exposition sur la cérémonie du thé (Seosan était également un maître du thé). Daedunsa se trouve à 40 min de marche de l'arrêt de bus.

Point culminant du parc, le **Duryunbong** (700 m) se détache en toile de fond. Pour le gravir, tournez à gauche après le musée du temple. Comptez 1 heure 30 jusqu'au sommet, qui offre une belle vue sur le littoral sud et, par temps dégagé, sur Jejudo. Revenez par l'autre sentier et tournez à droite à la première intersection (20 min). Il reste 1 heure de marche pour redescendre à Daedunsa, *via* Jinbulam.

Les randonneurs moins vaillants traverseront le parking pour prendre le **téléphérique** (☎ 534-8992 ; aller simple/retour 4 000/ 6 800 W ; ☽ 7h-19h) et découvrir un panorama similaire au sommet du **Gogyebong** (638 m). Lors de notre passage, le téléphérique fonctionnait au-delà de 19h en été.

Où se loger et se restaurer

Près de l'arrêt de bus, un village touristique offre les infrastructures habituelles et les adresses suivantes :

Haenam Youth Hostel (☎ 533-0170 ; dort/ch 6 000/25 000 W). Au-dessus du départ du téléphérique, cette auberge de jeunesse constitue le meilleur choix pour les petits budgets. Les chambres, *ondol* ou avec lit, disposent pour certaines d'une sdb. L'auberge est souvent louée par des groupes scolaires. Renseignez-vous avant de venir.

Yuseongwan (☎ 534 2959 ; d à partir de 30 000 W). Cette charmante auberge traditionnelle, joliment restaurée et meublée avec goût, encercle une cour. Située aux deux tiers du chemin qui mène du parking à Daedunsa, elle propose également une *hanjeongsik* (table d'hôtes pour 4 pers 64 000 W). Réservation indispensable.

Jeonju Sikdang (repas à partir de 6 000 W). Renommé dans tout le pays pour ses plats de champignons, il prépare notamment des *pyogosanjeok* (épaisses crêpes aux champignons) et des *pyogojeongol* (champignons en cocotte). Il se trouve dans le village touristique, du côté de Daedunsa.

Comment s'y rendre et circuler

Le parc est desservi par la ville voisine de Haenam (750 W, 15 min, toutes les 30 min). Un minibus relie parking et Daedunsa (500 W).

Quelques correspondances de bus au départ de Haenam :

Destination	Prix (W)	Durée (h)
Busan	19 500	6
Gwangju	7 300	1¾
Jindo	4 000	1
Mokpo	3 900	1
Wando	4 000	1

WANDO 완도
70 000 habitants

Plus de 150 îles (pour la plupart inhabitées) s'étendent à l'extrême sud-ouest de la péninsule coréenne sur plus de 12 districts. Elles offrent des plages de sable et de rochers, quelques beaux sites culturels et... des algues *(gim)*. À certaines périodes de l'année, celles-ci remplacent sur les séchoirs les calmars ou les poissons.

Une atmosphère paisible et rurale règne à Wando, l'île principale. Sa bourgade la plus importante, Wando-eup (ou Kunnaeri), semble un peu négligée, mais vous ne risquez pas de vous y perdre. Elle abrite le terminal des ferries pour Jeju-do.

À voir

Sur la côte sud de Wando, le village de **Jeongdo-ri** comprend la principale plage rocheuse de l'île, **Gugyedeung** ("Neuf marches" ; ☎ 554 1769 ; 1300 W ; billetterie ☻ 9h-18h mars-oct, 9h-17h nov-fév), classée réserve naturelle. L'endroit se prête aux pique-niques et aux promenades, mais la mer est jugée trop dangereuse pour se baigner. Lors de notre passage, on y construisait un observatoire.

Des bus partent toutes les 40 min de la gare routière (750 W) ou du centre-ville. Descendez à Sajeong-ri, puis parcourez 1 km jusqu'à la plage. Des cafés et des minbak sont installés à l'intérieur et à l'extérieur de la réserve.

La plage de sable de **Myeongsasimri** (Myeongsajang) se trouve dans l'île voisine de Sinjido. Vous devrez prendre un ferry local, qui lève l'ancre quand il a réuni suffisamment de passagers.

Des ferries (400 W, 10 min, toutes les 30 min) partent du terminal des ferries locaux (appelé 1st Pier), à 600 m au nord du principal terminal des ferries de Wando-eup. En été, des bus attendent à Sinjido l'arrivée des bateaux pour emmener les passagers à la plage.

Où se loger et se restaurer

La plupart des établisssements sont installés à Kunnaeri. Les hôtels augmentent généralement leurs prix en été.

Naju Yeoinsuk (☎ 554 3884 ; d/tr 15 000/17 000 W). Ses parties communes ne présentent guère d'attrait, mais les chambres (toutes ondol) possèdent un sol flambant neuf et certaines disposent d'une sdb. Près de l'artère principale.

Jea Il Hotel (☎ 554 3251 ; fax 554 3250 ; d à partir de 30 000 W ; ☻). Au centre-ville. Quelques-unes de ses chambres jouissent d'un balcon qui surplombe le port et l'îlot de Judo.

Sydney Motel (☎ 554 1075 ; d/ondol 35 000/40 000 W ; ☻). Ouvert en 2003, il compte parmi les plus jolis hôtels de la ville. Toutes les chambres comprennent une douche, certaines ont vue sur la mer et les ondol sont plus spacieuses.

Sanho Motel (☎ 552 4004 ; d à partir de 30 000 W ; ☻). Perché sur une colline de la côte sud et apprécié des artistes coréens, le Sanho propose des chambres ondol, dont certaines assez grandes, et quelques chambres avec lit. Un café sert des petits déjeuners coréens et occidentaux et vous pourrez pousser la chansonnette dans la salle à karaoké. Le

WANDO-EUP

0 ——— 200 m
0 ——— 0,1 mile

Vers le continent

Vers Jeju-do

Judo

Vers Jeongdo-ri
et le Sanho Motel

Les routes secondaires ne sont pas indiquées

RENSEIGNEMENTS	
Gwangju Bank 광주은행	1 B2

OÙ SE LOGER 🛏	p. 282
Jea il Hotel 제일호텔	2 B1
Naju Yeoinsuk 나주여인숙	3 B1
Sydney Motel 시드니모텔	4 A1

OÙ SE RESTAURER 🍴	p. 282
BBQ 비비큐	5 B1
Ijosukbulgalbi 이燒숯불갈비	6 B1
Jinmi Hoetjip 진미횟집	7 B1

ACHATS 🛍	
Laon Mart 라온마트	8 B1

TRANSPORT	
1st Pier 제1부두	9 B1
Gare routière 버스터미널	10 A1
Terminal des ferries 여객터미널	11 B1
Arrêt des bus locaux 버스정류장	12 B1

propriétaire peut vous faire visiter la station d'alevinage de l'autre côté de la rue (fermée au public). Le Sanho se situe à 900 m de l'entrée de Gugyedeung. Réservez bien à l'avance.

De nombreux minbak se regroupent près de l'entrée de Gugyedeung. Vous en trouverez également à Bogildo. L'île de Nohwado, à 5 min en ferry (500 W, toutes les 30 min) abrite des yeogwan.

Jinmi Hwetjip (repas 8 000-15 000 W). Le poisson cru est la spécialité de Wando. Vous choisissez dans l'aquarium un poisson que l'on prépare sur le champ (prix du marché). L'établissement borde la rue du marché.

Ijosutbulgalbi (plats 5 000-14 000 W). Laissez-vous tenter par les bonnes odeurs qui s'échappent du lieu et savourez un *dwaeji galbi* (grillade de porc), un *dolsot bibimbap* (5 000 W) ou un *gangjang* (bouillon de bœuf). Les grillades sont servies pour un minimum de 3 convives.

Si vous rêvez d'un burger ou de volaille, le **BBQ** (plats 1 000-9 000 W ; ☻ lun-sam), un établissement sans prétention, propose du poulet frit, grillé ou fumé et des burgers aux crevettes (carte en anglais).

Depuis/vers Wando
BATEAU
Un ferry relie Wando et Jejudo (p. 288).

BUS
Des bus partent de Wando pour les villes suivantes :

Destination	Prix (W)	Durée (h)	Distance
Busan	23 500	6	454 km
Gwangju	10 600	2¾	147 km
Haenam*	4 000	2	54 km
Mokpo	7 800	2	110 km
Yeong-am**	6 100	1½	94 km

* pour le parc provincial de Duryunsan
** pour le parc national de Wolchulsan

Comment circuler
De la gare routière, deux routes sillonnent l'île, l'une vers l'est et le sud, l'autre vers le nord et l'est. Toutes deux s'achèvent au pont qui relie l'île au continent. Pour prendre le ferry qui mène à Bogildo, traversez Wando jusqu'au port de Hwa-heung Pohang (navettes gratuites toutes les heures). Voir les détails ci-après.

BOGILDO 보길도
Trois jolies plages et d'épaisses pinèdes font de cette île, au sud de Wando, une destination appréciée. Les visiteurs préfèrent les plages de sable de **Jung-ri** et **Tong-ri**, mais la plage de galets de **Yesong-ri**, à la pointe sud de l'île, mérite le détour pour sa belle forêt d'arbres à feuillages persistants.

Yun Son-do (1587–1671), un célèbre poète de la dynastie Choson, vécut 10 ans à Bogildo. On raconte qu'il s'y serait abrité lors d'un typhon alors qu'il faisait route vers Jejudo. Impressionné par la beauté de l'île, il revint et, pendant son séjour, aurait construit 25 bâtiments et composé quelques-uns de ses plus beaux poèmes. **Boyongdong**, son jardin ouvert au public, constitue une plaisante excursion.

Des minbak permettent de passer la nuit à Bogildo. Nohwado, une île au nord de Bogildo, compte des yeogwan ; des petits bateaux font la traversée rapide du chenal entre les deux îles.

Depuis/vers Bogildo
Des ferries circulent entre Bogildo et Wando (7 300 W, 1 heure 30, 9 par jour) de 7h à 17h. Les départs sont plus nombreux du 15 juillet au 20 août. Pour rejoindre l'embarcadère, traversez Wando jusqu'au port de Hwa-heung Pohang (navette gratuite toutes les heures). On prévoit de construire un pont entre les deux îles.

JINDO 진도
43 000 habitants
Au sud de Mokpo, cette île longue et large connaît les marées parmi les plus grandes au monde. À marée basse et durant quelques jours au début du mois de mars, un isthme de 2,8 km de long sur 40 m de large émerge entre Jindo à l'îlot de Modo, au sud-est. Quelque 300 000 personnes effectuent la traversée chaque année (bottes de caoutchouc en location, naturellement).

Le phénomène, appelé *Ganjuyuk Gyedo* ("mystérieuse route de mer"), est depuis longtemps célébré par une légende coréenne et le Festival de Yeongdeung (qui coïncide avec la traversée). Avec l'expansion du christianisme en Corée, les dévots viennent en nombre pour ce qui ressemble à la traversée de la mer Rouge relatée dans Bible.

Jindo doit également sa renommée aux *Jindogae*, l'une des deux races canines élevées au rang de monuments nationaux (celui que nous avons vu était tout à fait craquant). Le **centre de recherche du chien Jindo** (☎ 540 3396) se consacre à l'étude et au dressage de ces animaux. Si le temps le permet, on peut assister à leurs performances (10 min) entre 10h et 11h30. Téléphonez au préalable afin de confirmer les horaires. Sinon, vous pourrez voir les chiens dans leurs enclos. Le centre se trouve à 20 min de marche de la gare routière de Jindo.

Comment s'y rendre et circuler
Des bus relient Jindo-eup (la principale agglomération de Jindo) aux villes suivantes :

Destination	Prix (W)	Durée (h)
Busan	23 500	6¾
Gwangju	11 300	2¾
Mokpo	4 400	1¼
Séoul	18 300	6

Une navette gratuite dépose les visiteurs à la "mystérieuse route de mer" durant le festival. Sinon, prenez un bus pour Bbonghalme Dongsan (700 W, toutes les heures).

Jeju-do
제주도

JEJU-DO

Comparée à juste titre au paradis ou à Hawaii, la province de Jeju (Jeju-do) englobe Jejudo (île de Jeju), une grande île subtropicale volcanique à l'extrémité sud de la péninsule coréenne, et les îlots environnants. Essentiellement agricole jusqu'au milieu du XXᵉ siècle, Jejudo tire désormais la majorité de ses ressources d'un tourisme en plein essor. Destination-phare des jeunes mariés coréens – vous les reconnaîtrez à leurs tenues assorties –, l'île est envahie en été par les groupes de touristes.

Bien que le Jeju-do ait rompu avec l'isolement d'antan, la province conserve beaucoup d'attraits, notamment topographiques. Elle abrite le point culminant de la Corée du Sud, le Hallasan, un volcan éteint de près de 2 000 m ; le parc environnant offre des paysages spectaculaires. L'île comprend des plages, plusieurs cascades et le mont volcanique Seongsan, qui plonge à pic dans l'océan. Autre phénomène géologique rare, des coulées de lave se sont solidifiées en surface alors qu'elles continuaient à couler comme une rivière sur le sol, formant ainsi de véritables tunnels. Des formations rocheuses parsèment les côtes ; les habitants les surnomment dragon, tigre, voire ginseng confit, selon leur aspect.

Par beau temps, vous pourrez profiter des nombreuses activités de plein air : randonnée, vélo, golf, snorkeling, plongée, planche à voile, voile, pêche, parapente et promenades à cheval.

En deux mots, Jejudo est un endroit superbe et, si vous évitez les week-ends et l'été, vous la trouverez paradisiaque.

À NE PAS MANQUER

- Admirez les **tunnels de lave** (p. 295) de Manjanggul, le **cratère volcanique** (p. 295) de Sangumburi, le lever de soleil sur le **Seongsan Ilchulbong** (p. 296) ou l'île entière du sommet du **Hallasan**, le point culminant du pays (p. 305)

- Découvrez l'héritage culturel unique de Jejudo dans le **village folklorique de Jeju** (p. 298) ou celui de **Seong-eup** (p. 298)

- Laissez-vous happer par la force de la nature sur le **littoral de Yongmeori** (p. 303) et le pouvoir de la spiritualité à **Sanbanggulsa** (p. 303), le temple bâti sur la montagne proche.

- Détendez-vous dans les somptueux hôtels de **Jungmun** (p. 302), sur la côte sud baignée de soleil.

- Apprenez les secrets du bonsaï (bunjae) au **Bunjae Artpia** (p. 304) et ceux du thé dans la **plantation et le musée O'Sulloc** (p. 304)

- INDICATIF TÉLÉPHONIQUE: 064
- POPULATION : 540 000
- SUPERFICIE : 1847 KM²

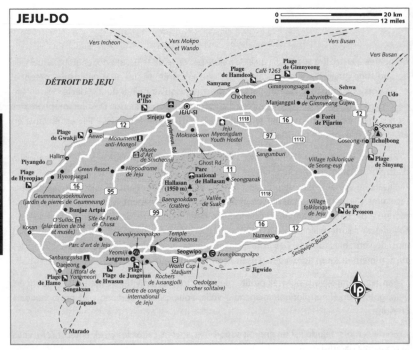

JEJU-DO

0 —— 20 km
0 —— 12 miles

Vers Incheon
Vers Mokpo et Wando
Vers Busan
Vers Busan

DÉTROIT DE JEJU

Plage de Gimnyeong
Café 1263
Plage de Hamdeok
Samyang
Gimnyeongsagul
Sehwa
Chocheon
Manjanggul
Labyrinthe de Gimnyeong
Gujwa
Udo

Plage d'Iho
Sinjeju
JEJU-SI
1118
16
Forêt de Pijarim
12
Seongsan
Ilchulbong

Plage de Gwakji
Aewol
Monument anti-Mongol
Jeju
Mokseokwon
Myeongdam Youth Hostel
97
1112
Goseong-ri
Plage de Sinyang

Piyangdo
Hallim
Musée d'Art
Sin Sincheonji
Ghost Rd
Sangumburi
Village folklorique de Seong-eup

Plage de Hyeopjae
Hyeopjaegul
Green Resort
Hippodrome de Jeju
Parc national de Hallasan
11
Seongpanak
12

Geumneungsoekmulwon (jardin de pierres de Geumneung)
16
95
Hallasan (1950 m)
Baengnokdam (cratère)
Vallée de Suak
1118
Village folklorique de Jeju
Plage de Pyoseon

Bunjae Artpin
99
O'Sullo, plantation de thé et musée
Site de l'exil de Chusa
Cheonjeyeonpokpo
Temple Yakcheonsa
16
12
Namwon

Kosan
Parc d'art de Jeju
Yeomiji
Jungmun
Seogwipo
Jeongbangpokpo
Seogwipo-Busan

Sanbanggulsa
Daejeong
Littoral de Yongmeori
Plage de Jungmun
World Cup Stadium
Jigwido

Plage de Hamo
Songaksan
Plage de Hwasun
Rochers de Jusangjolli
Oedolgae (rocher solitaire)
Centre de congrès international de Jeju

Gapado

Marado

Histoire

Bien qu'à 85 km seulement du continent coréen, Jejudo est restée isolée pendant des siècles et s'est ainsi forgé sa propre histoire, ses traditions, ses tenues vestimentaires, son architecture et son dialecte.

Les archéologues pensent que l'île fut habitée dès le milieu de la période paléolithique, il y a quelque 40 000 ans, lorsqu'elle faisait partie d'un vaste territoire comprenant la Chine, la Corée, Taiwan et le Japon. Les pierres et les pointes de flèche trouvées sur place datent du début du néolithique et ressemblent à celles de la période jômon du Japon (approximativement de 10 000 à 300 av. J.-C.). Les croyances locales, teintées de chamanisme, auraient inspiré la sculpture des *harubang*, ces "grands-pères de pierre" qui sont les monuments les plus connus de Jejudo (voir plus loin l'encadré *Harubang*).

À partir de la période silla, l'île fut appelée Tamra (ou Tamna) ; au début du XIIe siècle, la dynastie Koryo s'en empara et la renomma Jeju-do (province insignifiante et lointaine) au début du siècle suivant. Des bergers mongols débarquèrent en 1276 et contribuèrent au développement d'une tradition équestre et d'un dialecte singulier.

Au fil des ans, Jeju-do développa un style architectural unique. Comme sur le continent, les différentes générations d'une même famille vivaient sous le même toit, mais chacune disposait d'installations séparées pour la cuisine et le chauffage. Les vêtements étaient en chanvre (ou en soie pour la royauté), teint d'une décoction de plaquemines (kakis). Des vêtements de couleur orange sont toujours en vente.

En 1653, un bateau hollandais faisant commerce avec le Japon fit naufrage sur l'île et l'on raconte qu'une fois passée la première frayeur, la population locale accueillit chaleureusement les survivants. Toutefois, ceux-ci furent transférés à Séoul sur ordre du roi de Choson, où ils furent emprisonnés durant 13 ans pour être entrés illégalement en Corée (aujourd'hui encore, les autorités coréennes ne font preuve d'aucune mansuétude envers les étrangers qui violent les lois d'immigration). Les prisonniers réussirent à s'échapper et l'un d'entre eux, Hendrick Hamel, décrivit avec précision ce "royaume ermite".

Plus tard dans la période choson, le Jeju-do fut un lieu d'exil pour quelque 200 intellectuels et politiciens indésirables. Certains d'entre eux transmirent leur savoir aux habitants de l'île et devinrent de grands noms de la culture coréenne.

L'agriculture a toujours joué un grand rôle dans l'économie du Jeju-do. L'île est renommée pour les mandarines, l'orge, les légumes et le thé, tous cultivés sur les plaines côtières. Elle produit également des cactus, utilisés comme plantes décoratives ou préparés en tisane, et la plupart des champignons du pays. À l'intérieur des terres, d'immenses pâturages nourrissent chevaux et bétail.

Durant les dernières décennies, Jejudo s'est profondément transformée et s'appuie désormais plus sur le tourisme que sur la pêche et l'agriculture. La clémence du climat et les restrictions sur les voyages internationaux ont incité les Coréens aisés à passer leurs vacances sur l'île. Dans les années 1970, Jejudo est devenue la destination favorite pour les lunes de miel et le demeure malgré la concurrence récente de Guam.

Climat

Le climat de l'île diffère nettement de celui de la péninsule coréenne, comme en témoignent ses nombreux palmiers. Jejudo est l'endroit le plus pluvieux du pays, mais les pluies sont réparties toute l'année alors que, sur le continent, 60% des précipitations

s'abattent en été (saison des pluies). Les averses sont moins fréquentes en automne.

Le Hallasan délimite le sud subtropical et le nord tempéré. Au sommet du mont, sorte de piège à nuages, les conditions climatiques peuvent changer très rapidement.

Malgré les fortes pluies, l'eau ne stagne pas en surface en raison de la porosité de la roche volcanique. En revanche, les eaux souterraines abondent dans cette île qui se comporte comme une grosse éponge.

Jejudo se trouvant à 33° au nord de l'équateur, une combinaison s'impose pour la baignade, sauf en juillet-août.

Orientation et renseignements

Jejudo forme un long ovale de quelque 200 km de périmètre. On peut la diviser en quatre parties : nord (Jeju-si et ses environs), sud (Seogwipo, Jungmun et leurs environs), ouest et est, avec le parc national de Hallasan au centre. Sites historiques et divertissements sont répartis dans toute l'île, mais le sud offre plus particulièrement l'ambiance détendue d'une station balnéaire.

Jeju-si, la capitale, est la plus grande ville de l'île. Seogwipo, seconde par la taille, constitue le carrefour routier de la côte sud et dessert les hôtels clubs de luxe de Jungmun. De nombreuses routes touristiques relient Jeju-si à diverses destinations et une route côtière fait le tour de l'île.

Essentiellement rocheux, le littoral s'émaille de nombreuses criques et plages

JEJU-DO

LES HARUBANG

De même que l'île de Pâques et Okinawa sont renommées pour leurs statues de pierre d'origine mystérieuse, les *harubang* (alias *dolharubang*, ou statues de "grand-père en pierre") constituent le symbole incontesté de Jejudo et ponctuent les lieux stratégiques de l'île. Des représentations de harubang ornent la moindre brochure touristique et décorent même les flancs de quelques bus locaux.

Loin du mysticisme et de la désolation qui émanent d'autres scuptures anciennes, les harubang semblent plutôt allègres. Taillés dans la roche volcanique, ces personnages massifs, hauts de 3 m, portent un chapeau rond. Dotés de grands yeux et d'un long nez, ils ont les mains posées sur le ventre, l'une plus haute que l'autre.

La raison de leur réalisation reste tout aussi mystérieuse que leur origine. Gardien de village, emblème religieux, symbole de la fertilité ou simple repère topographique ? Les théories ne manquent pas mais aucune n'est avérée. Certains affirment que si l'on touche le nez d'un harubang en faisant un vœu, celui-ci se réalisera.

Jejudo compte 45 harubang d'origine (y compris ceux du village folklorique de Seong-eup, de Meokseokwon et du sanctuaire de Samseonghyeol) et deux autres ornent le palais Gyeongbok à Séoul. Sur place, vous pourrez sans peine acquérir une reproduction de harubang, voire même un modèle de poche !

GASTRONOMIE

L'île est réputée pour cuisiner des ingrédients souvent introuvables dans le reste du pays, comme la viande de cheval. Le poisson est grillé de diverses manières au grand plaisir des insulaires. Le *haemuljeongol* (해물전골, ragoût de fruits de mer) et le *haemuldolsotbap* (해물돌솥밥, fruits de mer et riz dans un pot en pierre) font partie des spécialités appréciées. Dans les nombreux restaurants de poisson cru *(hoe)*, vous goûterez peut-être du poulpe vivant (croquez d'abord les tentacules !), des *jeonbokhoe* (전복회, ormeaux) et du *seonggeguk* (성게국, ragoût d'oursins). Généralement, vous choisirez votre repas dans l'aquarium avant que le chef le prépare.

Lors d'une promenade sur la côte, vous croiserez probablement des *ajumma* (femmes mariées ou plus âgées) qui vendent du poisson cru en sauce épicée, du *kimchi* (légumes fermentés) et parfois du *soju* (alcool distillé, souvent à base de patates douces).

de sable (voir carte p. 286). Les plateaux du centre, plutôt agricoles, s'élèvent vers le mont Hallasan (1 950 m).

Le service d'information touristique de Jeju possède des bureaux à **l'aéroport de Jeju** (☎ 742 8866), au **terminal des ferries de Jeju** (☎ 758 7181) et dans la station balnéaire de **Jungmun** (☎ 738 0326). Des petits kiosques sont installés dans les lieux touristiques de l'île.

Circuits organisés

Le comptoir d'information de l'aéroport de Jeju propose des circuits qui partent tous les jours de l'aéroport entre 9h et 10h et se terminent vers 18h. L'un d'eux couvre la partie ouest de l'île (32 200 W), l'autre, la partie est (29 700 W). Les prix comprennent les entrées aux différents sites. Un groupe important peut bénéficier des services d'un guide anglophone.

De nombreux visiteurs (surtout coréens) choisissent un forfait, qui inclut billet d'avion, hôtels et visites guidées.

Depuis/vers Jejudo
AVION

Korean Air (☎ 752 2000) et **Asiana Airlines** (☎ 743 4000) relient l'aéroport de Jeju (à Jeju-si) à de nombreuses villes coréennes, ainsi qu'à plusieurs villes du Japon.

La principale agence de Korean Air (carte p. 291) fait face au KAL Hotel, dans Jungangno. L'agence d'Asiana Airlines (carte p. 293) se trouve à Sinjeju. Vous pouvez aussi acheter vos billets dans les multiples agences de voyages en ville ou à l'aéroport.

BATEAU

Des ferries naviguent entre Jeju-si et les ports de la péninsule. La mer est souvent agitée dans le détroit qui sépare Jejudo du continent ; si vous n'avez pas le pied marin, préférez un bateau rapide ou l'avion. Renseignez-vous sur les réductions accordées aux étudiants.

Informez-vous sur les horaires, qui varient en fonction des saisons.

Comment circuler
DEPUIS/VERS L'AÉROPORT

Tout proche de Jeju-si (2 000 W en taxi), l'aéroport de Jeju est bien desservi par les bus depuis différents points de la ville et de

FERRIES AU DÉPART DE JEJU-SI

Destination	Nom du bateau	Téléphone	Prix (W)	Durée (h)	Fréquence
Wando	Onbada lines	721 2171	14 850-26 000	5	2/jour
	Hanil Car Ferry n°1	751 5050	16 900	3½	tlj mar-dim
	HanilCar Ferry n°2	751 5050	16 900-21 500	3	tlj lun-sam
Mokpo	Orient Star I	758 4234	18 550-50 100	5½	tlj mar-dim
	Car Ferry Rainbow	758 4234	18 550-50 100	4	tlj mar-dim
	Continental lines	726 9542	21 300-39 500	3¼	3/jour
Yeosu	Namhae Ferry	723 9700	18 500-58 800	7	tlj lun-sam
Busan	Cozy Island	751 0300	à partir de 26 800	11	lun, mer, ven
	Orient Star II	751 1901	à partir de 26 800	11	mar, jeu, sam
Incheon	Ohamana Ferry	721 2173	à partir de 46 000	13	mar, jeu, ven
	Chonghaejin Ferry	721 2173	à partir de 46 000	15	lun, mer, ven

BUS ENTRE L'AÉROPORT ET JEJU-SI

Bus n°	Principales destinations	Tarif (W)	Fréquence
100	rond-point Sinjeju, Jung-angno, terminal des ferries	700	ttes les 8-12 min
200	rond-point Sinjeju, Sinjeju centre, gare routière interurbaine, Gwandeokjeong	700	ttes les 8-12 min
300	rond-point Yongdam, Gwandeokjeong, gare routière interurbaine, rond-point Sinjeju, centre de Sinjeju	700	ttes les 8-12 min
500	Mokseokwon, mairie, Jung-angno, rond-point Yongdam	700	ttes les 8-12 min

BUS ENTRE L'AÉROPORT ET LES AUTRES PARTIES DE L'ÎLE

Bus n°	Principales destinations	Tarif (W)		Fréquence
600	Sinjeju, jardin Yeomiji, Jungmun (grands hôtels)	3 500	(Jungmun)	ttes les 15 min
	Seogwipo (centre-ville et grands hôtels)	4 700	(Seogwipo)	
702	(vers l'ouest) Geumneung, parc Hallim	2 400	(Geumneung)	ttes les 45 min
	(vers l'est) Manjanggul, Gimnyeong, Seongsan	2 100	(Hallim)	
		1 700	(Gimnyeong)	
		3 300	(Seongsan)	

JEJU-DO

l'île. Des bus font la navette entre l'aéroport et Jeju-si toutes les 8 à 12 min (de 6h25 à 22h25 ; voir le tableau ci-dessus).

Deux itinéraires de bus relient l'aéroport à d'autres parties de l'île. Le bus n°600 se dirige vers la côte sud, tandis que le bus n°702 traverse le nord d'est en ouest, s'arrêtant à l'aéroport à mi-parcours (voir le tableau ci-dessus).

VÉLO

Si votre forme physique le permet, vous pourrez faire le tour de l'île (environ 200 km) et visiter les principaux sites touristiques en 3 ou 4 jours. Prévoyez quelques outils, une pompe, des rustines, un antivol et un vêtement de pluie.

La Pable (Promotion Association of Bicycling for a new Life Environment ; ☎ 02-2203 4225 à Séoul) publie la *Jeju Island Cycling Map*, une carte succincte. Jeju-si abrite deux boutiques de location : **Sunkyoung Smart Bicycle** (carte p. 291 ; ☎ 751 2000) et **Samcheonri** (diverses adressess). Vous trouverez également des boutiques de location dans les principales villes de l'île.

BUS

De la gare routière interurbaine de Jeju, des bus desservent toute l'île. Emportez suffisamment de pièces (de 100 et 500 W) et de coupures de 1 000 W. Certains bus rallient une même destination par des itinéraires différents, d'où des écarts de tarifs et de temps de transport. Procurez-vous les horaires actualisés des bus aux offices du tourisme et consultez le tableau p. 290.

VOITURE

Étant donné le caractère rural de l'île (qui s'estompe d'année en année), louer une voiture constitue un bon choix et ne représente pas une dépense excessive. Les principaux inconvénients sont la responsabilité légale de la location et les nombreux contrôles de vitesse (ne dépassez jamais 80 km/h sur Jejudo). Les prix s'échelonnent de 42 000 W les 6 heures à 76 500 W la journée.

La plupart des hôtels de catégorie supérieure disposent d'un comptoir de location de voitures. Vous pouvez aussi appeler directement les agences de location.

Dong-a	☎	743 1515
Green	☎	743 2000
Halla	☎	755 5000
Hanseong	☎	747 2100
Jeju	☎	742 3301
Seongsan	☎	746 3260
VIP (Avis)	☎	747 4422
Woori	☎	752 9600

TAXI

Louer un taxi à la journée revient un peu plus cher qu'une location de voiture, mais vous épargne des tracas et la conduite. C'est une solution idéale si vous partagez les frais à 3 ou 4 personnes. Bien souvent, les chauffeurs sont ravis de jouer les guides touristiques, mais peu d'entre eux parlent anglais.

Comptez environ 80 000 W (négociable) essence comprise, plus le déjeuner. Certains chauffeurs s'attendent à ce que vous les reteniez pour une journée et demie ou 2 jours et proposent un tarif en conséquence.

BUS INTERURBAINS AU DÉPART DE LA GARE ROUTIÈRE DE JEJU-SI

Itinéraire	Destination	Tarif (W)	Durée (h)	Fréquence
Via la route touristique ouest (95)	Parc d'art de Sincheonji	800	20 min	ttes les 20 min
	Hippodrome de Jeju	1 200	30 min	
Via la route touristique est (97)	Cratère de Sangumburi	1 800	25 min	ttes les 20 min
	Village folklorique de Seong-eup	2 200	35 min	
	Village folklorique de Jeju	3 300	1	
Via la voie express de Jungmun (95 et 1118)	Station de Jungmun	2 900	50 min	ttes les 20 min
	Seogwipo	3 600	70 min	
Via la route 1100 (99)	Eorimok (pour Hallasan)	1 900	30 min	ttes les 80 min
	Yeongsil (pour Hallasan)	3 100	50 min	
	Jungmun	4 600	80 min	
Via la route d'Ilju (12) ouest	Hallim	2 100	50 min	ttes les 20 min
	Jungmun	5 500	2½	
	Seogwipo	6 500	2¾	
Via la route d'Ilju (12) est	Gimnyeong (pour Manjanggul)	1 900	50 min	ttes les 20 min
	Goseong (pour Seongsan)	3 400	1½	

Dans ce cas, vous devez prendre en charge l'hébergement du chauffeur. Dissipez tous risques de malentendu avant de partir.

JEJU-SI 제주시
294 000 habitants
Orientation
Jeju-si (Jeju ville), carrefour routier et ville la plus peuplée de l'île, se situe au milieu de la côte nord. Le centre-ville – alias Gujeju, ou vieux Jeju –, à 2 km à peine à l'est de l'aéroport de Jeju, manque de charme, mais il abrite plusieurs bâtiments anciens, des magasins et des restaurants, pour la plupart concentrés entre la rue principale, Gwandeongno, et le front de mer. Chilseongno est la principale rue piétonne du quartier. Sanjicheon constitue une agréable promenade le long de la rivière.

Au sud de l'aéroport, à 10 min de voiture au sud-ouest de Gujeju, Sinjeju date des années 1970. Ce quartier de hauts immeubles comprend quelques hôtels haut de gamme, des commerces et une vie nocturne similaires à ceux des autres villes modernes coréennes.

À voir et à faire
GWANDEOKJEONG & BUREAU MOK
관덕정, 목관아
Ce complexe rassemble deux des plus beaux édifices de Jeju. Trésor national, le pavillon **Gwandeokjeong** (carte p. 291 ; 🕓 24h/24) du XVe siècle, ouvert sur les côtés et peint de couleurs vives, est la plus vieille construction de ce genre sur l'île. On l'utilisait pour la réception des visiteurs officiels et pour l'organisation des banquets. De grandes peintures murales étaient en cours de restauration lors de notre passage. Un harubang d'origine se dresse devant le pavillon.

Le vaste **bureau Mok** (carte p. 291 ; ☎ 702 3081 ; 1 500 W ; 🕓 9h-18h, 9h-17h nov-fév) fut le centre administratif de l'île pendant la dynastie Choson. Les enquêtes sur la maltraitance des citoyens et la protection de l'île contre les pirates japonais figuraient au nombre de ses responsabilités. Joliment peint et restauré, il comprend des salles (fermées par mauvais temps) ornées de peintures évoquant la vie quotidienne à cette époque.

MUSÉE D'HISTOIRE NATURELLE ET FOLKLORIQUE
민속 자연사 박물관
Ce **musée** (carte p. 291 ; ☎ 722 2465 ; 1 470 W ; 🕓 8h30-18h, 8h30-17h nov-fév, fermé lors des festivals de Daobeorum et Juseok), situé dans le parc Sinsan – spectaculaire en avril lors de la floraison des cerisiers –, mérite le détour. À l'intérieur, il présente la réplique d'une maison traditionnelle locale au toit de chaume et des expositions sur l'artisanat local, le folklore, la flore, les insectes et la mer. Excellente signalisation en anglais.

SANCTUAIRE DE SAMSEONGHYEOL 삼성혈
Sanctuaire le plus important de Gujeju, **Samseonghyeol** (carte p. 291 ; ☎ 722 3315 ; 2 500 W ; 🕓 8h-19h, 8h-18h30 déc-jan) occupe un vaste terrain au centre duquel se trouve une cavité, le "berceau de Jeju". Selon la légende, trois demi-dieux (Go, Bu et

GUJEJU

DÉTROIT DE JEJU

0 —— 500 m
0 —— 0,3 mile

Vers Marcello et d'autres restaurants côtiers

Vers l'aéroport et Sinjeju

Vers Sinjeju et Jungmun

Vers Mokseonkwon et Seogwipo

Vers Manjanggul et Seongsan

OÙ SE LOGER	p.292
Chincheol Minbak 친절 민박	11 D1
Ellje Hotel 엘지제중 호텔	12 C1
Han Dam Hotel 한담 호텔	13 C4
Hanil Minbak 한일 민박	14 D1
Hanmi-Jang Yeogwan 한미장 여관	15 C2
Jeju KAL Hotel 제주KAL호텔	16 C3
Jeju Seoul Hotel 제주 서울 호텔	17 B1
Oriental Hotel 제주 오리엔탈 호텔	18 B1
Pacific Hotel 파시픽 호텔	19 B2
Robero Hotel 호텔 로베로	20 B2
Ruby Motel 루비 모델	21 A4
Seaside Hotel 해상 호텔	22 B1

OÙ SE RESTAURER	p.294
Cheong Da Un 정다운	23 A1
Marché Dongmun 동문 시장	24 C2
Donkiss 돈키스	25 C2
E-Mart 이마트	26 B1
Marché aux poissons 어시장	27 C1
Jebudo 제부도	28 C3
Joong Ang Bakery 중앙 양 과	29 B2
Meogbo (Mandu) 먹보 만두	30 C2
Paris Baguette 파리바게뜨	31 B2
Paris Baguette 파리바게뜨	32 C2
Paris Baguette 파리바게뜨	33 B1
Shinra Chobap Restaurant 신라 초밥	34 B2

OÙ PRENDRE UN VERRE	p.295
Doors 도어스	35 B2
Playhouse 플레이하우스	36 B2
Sky Lounge	(see 16)
Quartier des pubs estudiantins	37 C4
Tombstone Pub 톰브스톤	38 B2

OÙ SORTIR	p.295
Akademi Geukjang 아카데미 극장	39 B2

TRANSPORT	
Rond-point Dongmun (arrêt de bus) 동문 로터리	40 C2
Terminal des ferries 제주항 종합 타미널	41 D1
Gare routière interurbaine 시외 버스 타미널	42 A4
Korean Air 대한 항공 제주 지점	43 C3
Sunkyong Smart Bicycle 선경 자전거	44 B1

RENSEIGNEMENTS	
Poste 우체국	1 B2
Woori Bank 우리 은행	2 B2

À VOIR ET À FAIRE	p.290
Mairie 시청	3 C4
École confucéenne 향교	4 A2
Musée d'Histoire naturelle et folklorique 민속 자연사 박물관	5 D3
Gwandeokjeong et bureau Mok 관덕정, 목관	6 B2
Musée national de Jeju 국립 제주 박물관	7 F2
Sanctuaire de Samseonghyeol 삼성혈	8 C3
Galerie marchande souterraine 지하 상가	9 C2
Rocher de Yongduam 용두암	10 A1

JEJU-DO

Yang) en sortirent, porteurs de semences et d'équipements de chasse, et entamèrent le peuplement de l'île (avec l'aide de trois jeunes filles apparues mystérieusement sur le rivage). Décochant des flèches du haut d'une colline, ils partagèrent l'île en trois parties ; chacun reçut le tiers touché par sa flèche et le transmit à ses descendants.

Les 10ᵉ jour d'avril, d'octobre et de décembre, les descendants des trois clans (et d'éminents fonctionnaires locaux) se rassemblent au sanctuaire pour une cérémonie en l'honneur de leurs ancêtres. Remarquez le harubang d'origine près de la porte principale.

MUSÉE NATIONAL DE JEJU
국립 제주 박물관
Ce nouveau **musée** (carte p. 291 ; ☎ 720 8000; 400 W ; ☻ 9h-18h, 9h-17h nov-fév, fermé lun) occupe un bâtiment imposant, un peu à l'écart de Gujeju. Plus raffiné que le musée folklorique, il s'intéresse à d'autres disciplines et expose quelque 1 300 pièces. Très bien présentées et variées, les collections abordent des thèmes aussi différents que l'histoire militaire, le mobilier, la poterie, les peintures et la calligraphie. La boutique de cadeaux vend de charmants bibelots en ébène et en émail.

ROCHER DE YONGDUAM   용두암
Sur le rivage ouest de la ville, le **rocher de Yongduam** ("tête de dragon", carte p. 291) apparaît sur toutes les brochures touristiques. Les visiteurs étrangers resteront perplexes devant cet engouement, mais les jeunes mariés se font systématiquement photographier devant ce rocher.

ÉCOLE CONFUCÉENNE   향교
La **hyanggyo** (école confucéenne ; carte p. 291 ; ☎ 757 0976) de Jeju-si fut construite en 1392, puis rénovée. Son toit de tuiles est inhabituel pour l'époque, où les toits de chaume étaient la norme à Jeju. Une cérémonie a lieu ici au printemps et en automne. Contrairement à de nombreuses écoles confucéennes du pays, celle-ci dispense toujours un enseignement.

OILJANG   오일장
Tradition ancestrale, le marché **Oiljang** ("marché de 5 jours") se tient les jours finissant par 2 ou 7. Il commence tôt le matin et dure toute la journée. Vous y trouverez

des vêtements bon marché, de la nourriture, des plantes de Jejudo, des pots de kimchi traditionnels, des ustensiles de cuisine et des animaux (vivants ou non). Prévoyez du temps pour arpenter ce vaste marché.

MOKSEOKWON   목석원
À 6 km au sud de Gujeju, **Mokseokwon** (carte p. 286 ; ☎ 702 0203; 2 000 W ; ☻ 8h-18h30, 8h-17h déc-jan), à la fois jardin et parc d'art, est un véritable travail amoureux, élaboré au fil des ans par un habitant de Jejudo.

Parmi ces créations en bois et pierre (Mokseokwon signifie "jardin en bois et pierre"), certaines sont fantaisistes, d'autres pleines de sens, quelques-unes simplement belles ou étranges. Toutes sont réalisées à partir d'objets trouvés dans l'île. Recherchez dans une partie du jardin l'histoire apocryphe d'un couple, racontée par des arbres et des rochers. Beaucoup d'œuvres ont été sculptées dans les racines de *jorok* (if), un arbre qui, en Corée, symbolise la longévité et que l'on trouve seulement sur Jejudo. Le jardin contient également nombre de vieux blocs de pierre érodés et l'inévitable harubang.

Prenez le bus urbain en direction de l'université nationale de Jeju. Du centre de Gujeju, comptez 30 min de trajet.

Où se loger
PETIT BUDGET
Les hébergements de cette catégorie se regroupent essentiellement à Gujeju et un écart de 5 000 W fait une grande différence au niveau du confort. Pour 15 000 W, vous trouverez une chambre négligée, sans sdb, dans le quartier peu reluisant du terminal des ferries, alors que, pour 30 000 W, vous pouvez obtenir une chambre assez récente et propre, avec sdb, au centre-ville.

Chincheol Minbak (carte p. 291 ; ☎ 755 5132; d 15 000 W). Probablement le meilleur choix dans cette catégorie, il avoisine le terminal des ferries et l'artère principale. Des voyageurs le recommandent et soulignent que *chincheol* signifie sympathique.

Hanil Minbak (carte p. 291 ; ☎ 757 1598; d 15 000 W). En face du Chincheol Minbak, ses chambres disposent d'un ventil (douches communes). Les hôtes peuvent utiliser la cuisine.

Hanmi-jang Yeogwan (carte p. 291 ; ☎ 756 6555, 756 7272; ch 25 000 W ; ▨). Cet établissement

JEJU-DO •• Jeju-si **293**

est tenu par une charmante et souriante *ajumma* (propriétaire de sexe féminin).

Han Dam Hotel (carte p. 291 ; ☎ 758 3385 ; ch à partir de 30 000 W ; 🔀). Bizarrement situé (au 4ᵉ étage du Sun Office Building), cet hôtel propre et confortable s'agrémente d'un environnement très couleur locale. Quelques membres du personnel parlent anglais.

Ruby Motel (carte p. 291 ; ☎ 755 5565 ; ch 30 000 W ; 🔀). Près de la gare routière interurbaine, cet établissement accueillant propose de grandes chambres et affiche quelques œuvres d'art dans les couloirs. Repérez la façade carrelée bleue.

Jeju Myeongdam Youth Hostel (carte p. 291 ; ☎ 721 8233 ; dort 8 800 W). Mal desservie, cette vaste auberge de jeunesse, souvent occupée par des groupes scolaires, est à 6 km au sud-est du centre de Jeju. Vous devrez prendre un taxi ou disposer d'un véhicule

CATÉGORIE MOYENNE

À partir de 100 000 W la chambre, de nombreux hôtels consentent des réductions hors saison ou si vous réservez par le biais d'une agence de voyages.

Gujeju   carte p. 291

Elije Hotel (☎ 702 3595 ; fax 724 3598 ; d rénovées à partir de 45 000 W). La façade violette ouvre sur une réception lugubre, mais la plupart des chambres ont été récemment rénovées avec goût. L'hôtel loue les autres 35 000 W.

Seaside Hotel (☎ 752 0091 ; ch à partir de 50 000 W ; 🔀). Pas vraiment récent, mais proche du port et d'un petit parc d'attractions, le Seaside comprend deux cafés.

Jeju Seoul Hotel (☎ 752 2211 ; fax 751 1701 ; www.jejuseoul.co.kr ; ch 75 000/100 000 W vue montagne/ mer ; 🔀). À une rue en contrebas du Seaside, il est un peu plus ancien, mais bien tenu.

Robero Hotel (☎ 757 7111 ; www.roberohotel. com ; d à partir de 100 000 W ; 🔀 💻). Dans une petite tour du milieu des années 1990, en face du pavillon Gwandeokjeong, il propose des chambres convenables et des restaurants coréen et occidental. Un accès Internet gratuit est à disposition à l'accueil.

Sinjeju   carte p. 293

Marina Hotel (☎ 746 6161 ; www.marinahotel.co.kr ; d 80 000 W ; 🔀). Bien situé à l'entrée de Sinjeju,

JEJU-DO

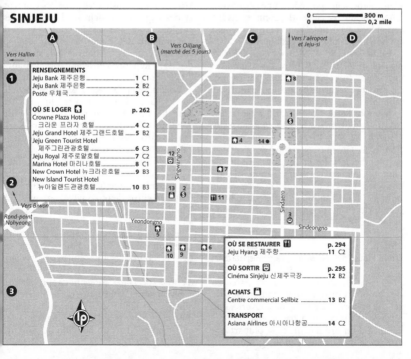

SINJEJU

0 — 300 m
0 — 0,2 mile

Vers Hallim

Vers Oiljang (marché des 5 jours)

Vers l'aéroport et Jeju-si

RENSEIGNEMENTS
Jeju Bank 제주은행 1 C1
Jeju Bank 제주은행 2 B2
Poste 우체국 3 C2

OÙ SE LOGER 🏠   p. 262
Crowne Plaza Hotel
크라운 프라자 호텔 4 C2
Jeju Grand Hotel 제주그랜드호텔 5 B2
Jeju Green Tourist Hotel
제주그린관광호텔 6 C3
Jeju Royal 제주로얄호텔 7 C2
Marina Hotel 마리나호텔 8 C1
New Crown Hotel 뉴크라운호텔 9 B3
New Island Tourist Hotel
뉴아일랜드관광호텔 10 B3

Vers Biwon

Rond-point Nohyeong

Yeondongno

Singwangno

Sindaero

Sindeongno

OÙ SE RESTAURER 🍴   p. 294
Jeju Hyang 제주향 11 C2

OÙ SORTIR 🎭   p. 295
Cinéma Sinjeju 신제주극장 12 B2

ACHATS 🛍
Centre commercial Sellbiz 13 B2

TRANSPORT
Asiana Airlines 아시아나항공 14 C2

il semble un peu austère et étriqué, mais les chambres ont une taille honorable pour le quartier.

New Island Tourist Hotel (☎ 743 0300 W; www.newisland.co.kr ; d et ondol 121 000 W; ⊠ 🖵). Un peu plus âgé que ses voisins, il n'en offre pas moins des chambres plus plaisantes.

New Crown Hotel (☎ 742 1001; fax 742 7466; d à partir de 150 000 W; ⊠). Il occupe un haut immeuble dans un quartier tranquille, au-dessus du centre-ville. Sauna et karaoké font partie des équipement et quelques chambres ont vue sur la mer.

Jeju Green Tourist Hotel (☎ 742 0071; fax 742 0082; d 145 000 W; ⊠). Probablement l'hôtel le plus rutilant de l'île, avec son entrée de marbre noir, il propose des chambres *ondol* (chauffage par le sol) ou avec lits.

CATÉGORIE SUPÉRIEURE
Gujeju   carte p. 291
Oriental Hotel (☎ 752 8222 ; www.oriental.co.kr ; d et lits jum à partir de 160 000 W; ⊠ 🖵). En plein centre-ville, à quelques pas du front de mer et de Chilseongno, il dispose de 313 chambres luxueuses, avec bain à remous. Celles des étages supérieurs possèdent une connexion LAN (Local Area Network ; connexions Internet locales). L'hôtel comprend également un bowling et plusieurs restaurants.

Pacific Hotel (☎ 758 2500 ; www.jejupacific.co.kr ; d à partir de 160 000 W). Il offre des chambres spacieuses (rénovées en 2002), un casino, un sauna et accueille beaucoup de touristes japonais.

Jeju KAL Hotel (☎ 724 2001, n° gratuit 080 200 2001 ; www.kalhotel.co.kr ; s/d à partir de 160 000/ 215 000 W ; ⊠ 🐾). Perchée sur une colline dominant Gujeju, cette tour de 17 étages surplombe la ville et le parc Sinsan. Le club de remise en forme et la piscine couverte (accessibles aux non-résidents pour 17 000 W) méritent le détour. L'hôtel comporte en outre une galerie marchande et un casino.

Sinjeju   carte p. 293
Crown Plaza (☎ 741 8000 ; www.crowneplaza.co.kr ; ch à partir de 170 000 W ; ⊠ 🐾). Dans l'artère principale de Sinjeju (et sur le parcours de nombreux bus), il comprend un club de remise en forme, une piscine couverte, une terrasse et un casino. Chaque chambre est équipée d'un ordinateur, et la plupart ont vue sur la mer ou sur la montagne.

Jeju Royal (☎ 743 2222 ; fax 748 0074 ; d et lits jum 184 500 W ; ⊠). Cette tour, au centre de Sinjeju, borde une rue calme. Outre des chambres lumineuses et gaies, l'hôtel propose des restaurants japonais, coréen et occidental, un night club et des saunas pour hommes et pour femmes.

Jeju Grand Hotel (☎ 747 4900 ; www.oraresort. com ; d et lits jum à partir de 195 000 W ; ⊠ 🐾). Cet hôtel tentaculaire occupe tout un pâté de maisons. Club de remise en forme, jolie pinède, centre d'affaires et golf desservi par une navette gratuite figurent parmi ses atouts, de même que le transfert gratuit à l'aéroport.

Où se restaurer
Cheong Da Un (carte p. 291 ; repas 5 000-15 000 W). Si vous aimez le poisson grillé, vous apprécierez cet endroit détendu qui surplombe le détroit. En été, le *mulhoe* (물회, poisson cru mariné) lui vaut souvent salle comble. Vous pouvez aussi choisir un *godeungeo gui* (고등어구이, maquereau grillé), qui ne dépasse pas 8 000 W.

Shinra Chobap Restaurant (carte p. 291 ; plats 5 000-30 000 W). À juste titre prisé des Coréens et des expatriés de Jeju-si, il mélange les cuisines coréenne et japonaise et sert notamment des *tempura* et du *chobap* (poisson cru préparé dans le style sushi sur du riz). Repérez l'enseigne proclamant : "Welcome to Cheju, the island of Fantasy".

Donkiss (carte p. 291 ; repas 5 000-8500 W). Installé au 1er étage, dans le centre du quartier branché de Chilseongno, il prépare de délicieuses *donkkaseu* (côte de porc poêlée). Sur la carte, les illustrations compensent l'absence de traductions.

Jebudo (carte p. 291 ; repas 4 000-10 000 W). Réputé pour le *haemuldolsotbap*, il propose un énorme *haemuljeongol* (25 000 W), à partager entre deux convives affamés. Le Jebudo avoisine le Jeju KAL Hotel. La salle à l'étage offre la vue sur le centre-ville.

Jeju Hyang (carte p. 263 ; repas 5 500-15 000 W). L'endroit chic de Sinjeju pour savourer un *bulgogi* (bœuf et légumes cuits au barbecue) et un *galbi* (côte de bœuf), du poisson et d'autres spécialités coréennes appréciées.

Biwon (repas 5 000-8 000 W). À la lisière de Sinjeju, cet établissement sans prétention doit sa popularité au *samgyetang* (coquelet entier mijoté dans un bouillon de ginseng, 8 000 W).

Marcello (repas 7 000-30 000 W). Restaurants coréens et occidentaux investissent peu à peu la route côtière, à l'ouest de Yongduam et au nord de l'aéroport. Ainsi, Marcello sert sur 2 étages poissons, poulets, viandes et pâtes cuisinés à l'occidentale. Les plats s'accompagnent d'une soupe, d'une salade et d'un dessert. Dans ce même quartier, vous trouverez des restaurants de poisson cru.

Pour faire vos courses ou manger sur le pouce, rendez-vous au **marché Dongmun** (carte p. 291), derrière l'arrêt de bus Dongmun Rotary (rond-point Dongmun), à Gujeju. Des dizaines d'étals préparent toutes sortes de plats, du *gimbap* (version coréenne des sushi) au poulet frit. Tous les objets nécessaires à la vie quotidienne sont également en vente au marché.

Devant l'entrée du marché, sur le rond-point, **Meogbo Mandu** (carte p. 291; plats 2 000-3 500 W), une échoppe minuscule, propose les traditionnels en-cas bon marché : *mandu* (raviolis), gimbap et *naengmyeon* (pâtes au sarrasin dans un bouillon de bœuf glacé, servies avec des légumes et un demi-œuf).

Nombre de boulangeries et de commerces d'alimentations sont installés à Gujeju et Sinjeju. **Joong Ang Bakery** (carte p. 291), la plus grande boulangerie de Gujeju, dispose de tables où vous pouvez déguster vos pâtisseries en sirotant une tassé de thé ou de café. Chaque quartier semble abriter une succursale de **Paris Baguette** (carte p. 291). Le grand supermarché **E-Mart** (carte p. 291) se situe près du front de mer, à Gujeju.

Dans le centre de Sinjeju, restaurants chinois et rôtisseries de poulet abondent. Les grands magasins comprennent un hall de restauration.

Où prendre un verre

Playhouse (carte p. 291; ☎ 726 9611), apprécié des expatriés, cultive une ambiance internationale. Il affiche des prix raisonnables et accueille souvent des musiciens.

Doors (carte p. 291; ☎ 758 6316), un petit pub en sous-sol, est également agréable pour écouter de la musique. Coréens et étrangers s'y retrouvent et apprécient la fabuleuse collection de CD.

Le **Tombstone Pub** (carte p. 291; ☎ 756 2622), un bar country-and-western installé sur plusieurs étages dans le centre-ville, est renommé pour ses boissons. Flânez dans ce quartier pour découvrir les nombreux *hof* (pubs), les boutiques et la culture de la jeunesse locale.

Pour prendre un verre dans un cadre plus élégant, rendez-vous au **Sky Lounge** (carte p. 291), le restaurant tournant au sommet du Jeju KAL Hotel (les prix des plats sont aussi élevés que l'établissement). Il est renommé pour ses cocktails, comme le Singapore Sling ou le Blue Hawaii. Prenez l'ascenseur vitré afin de profiter de la vue.

À l'inverse en matière de prix, plusieurs petits pubs bordent les ruelles qui font face à la mairie et attirent une clientèle estudiantine, enchantée de tester ses connaissances en anglais.

Où sortir

L'Akademi Geukjang (cinéma Akademi ; carte p. 291) projette des films coréens et étrangers.

EST DE JEJUDO
Sangumburi 산굼부리 분화구

À mi-parcours entre Jeju-si et Seong-eup, ce **cratère volcanique** (carte p. 286 ; ☎ 783 9900 ; 2 000 W ; ☺ 9h-18h) mesure 350 m de diamètre et quelque 100 m de profondeur.

Sangumburi n'est que l'un des 360 cratères secondaires découverts sur Jejudo. Les 359 autres peuvent se visiter gratuitement, mais celui-ci offre l'accès le plus facile. Après une ascension escarpée par un chemin goudronné, des sentiers permettent de faire le tour du cratère. L'intérieur du cratère (interdit au public), verdoyant et tapissé de forêts, abrite plus de 420 espèces végétales et plusieurs espèces animales. Au loin, de l'autre côté des plaines, on distingue les autres montagnes de Jeju.

Les bus qui relient Jeju-si à Seong-eup et Pyoseon passent par l'entrée du cratère et vous déposeront sur demande. Vous ne pouvez pas manquer l'endroit, bordé d'un parking immense et d'un village touristique.

Manjanggul 만장굴

À l'est de Jeju-si et à 2,5 km de la route côtière en venant de la plage de Gimnyeong, ce réseau de **tunnels de lave** (carte p. 286 ; ☎ 783 4818 ; 2 200 W ; ☺ 9h-19h, 9h-17h nov-fév), le plus long au monde, court sur 13,4 km. La

SERPENTS ET VIERGES

Selon une légende ancienne, les tunnels de lave de Jejudo abritaient jadis un énorme serpent qui terrorisait les fermes et les villages alentour.

Pour l'apaiser, la population locale lui livrait chaque année une vierge de 15 ou 16 ans, qui était poussée dans le tunnel. Un jour, un magistrat arriva dans la région et parvint à persuader les villageois de cesser ces sacrifices. Furieux, le serpent sortit de sa tanière. Les villageois le tuèrent et le réduisirent en cendres. Le magistrat tomba inexplicablement malade et mourut peu après, mais le serpent ne réapparut jamais.

hauteur et la largeur varient de 3 à 20 m. Si vous n'avez jamais vu des formations de ce genre, ne manquez pas cette excursion.

Prenez un pull-over ou un coupe-vent et enfilez une bonne paire de chaussures fermées. Dans les tunnels, l'humidité oscille entre 87 et 100% et la température dépasse rarement 9°C. Le tunnel est bien éclairé jusqu'à l'immense colonne de lave (à 1 km de l'entrée), au-delà de laquelle on ne peut continuer sans permis spécial.

Plus proche de l'embranchement sur la grand-route, **Gimnyeongsagul** (김녕사굴), une autre série de tunnels de lave, longe la route qui mène à Manjanggul. Fait exceptionnel, ce réseau se compose de deux tunnels superposés, actuellement fermés au public.

DEPUIS/VERS MANJANGGUL

À Jeju-si, prenez un bus pour Seongsan et descendez à l'embranchement de Gimnyeong (signalé par un panneau indiquant les tunnels). De là, des bus locaux desservent Manjanggul 1 ou 2 fois par heure. Sinon, faites du stop ou marchez.

Labyrinthe de Gimnyeong
김녕 미로 공원

À courte distance des tunnels de Manjanggul, le **labyrinthe végétal de Gimnyeong** (carte p. 286 ; ☎ 782 9266 ; 2 000 W ; ☽ 8h30-18h30) ressemble à ceux que vous connaissez sans doute. La presse coréenne s'est fortement intéressée à son tracé, son histoire et son propriétaire, contribuant ainsi au succès du lieu.

Les dessins formés par le labyrinthe (3 km d'allées sur un terrain de 1,6 ha) reproduisent les caractéristiques de l'île. En vue aérienne (cartes fournies), vous remarquerez les symboles de la culture locale : cheval, bateau, *taeguk* (symbole national de la Corée), etc. Des promeneurs avisés devraient pouvoir en sortir en 20 min.

Le labyrinthe fut créé par Fred Dustin, un Américain qui vint d'abord en tant que soldat durant la guerre de Corée en 1952. Après un bref séjour aux États-Unis à la fin du conflit, il revint en Corée en 1955, où il continue de vivre. Ayant accepté un poste de professeur à Jejudo, il entama, en 1987, l'édification du labyrinthe en plantant des arbustes *leylandii*, des hybrides du cyprès.

La plupart des bénéfices du labyrinthe sont reversés à l'université de Jeju.

Pour vous relaxer devant un café ou un thé (4 000 ou 5 000 W la tasse), installez-vous au **Café 1263**, un étonnant établissement sophistiqué proche de la plage de Gimnyeong, à 6 km de Manjanggul. Il ressemble au salon d'une maison privée, et M. Sung Chang-mo (qui parle un anglais parfait) se dit content de ne servir qu'une dizaine de boissons par jour. Le temps qu'il vous consacre et la paix ambiante valent bien plus que le prix des consommations.

Seongsan Ilchulbong 성산 일출봉
Seongsan-ri ("village de la forteresse montagnarde") est à l'extrême est de Jeju, au pied de l'**Ilchulbong** (pic du lever de soleil ; ☎ 784 0959 ; 2 200 W ; ☽ aube-crépuscule), un superbe volcan éteint. Le sommet (182 m), en forme de coupe, ne contient pas de lac en raison de la porosité de la roche volcanique, mais compte parmi les plus beaux sites de Jejudo.

Escalader l'Ilchulbong pour admirer le lever du soleil est une excursion appréciée de nombreux Coréens ; n'espérez pas trouver la solitude. Cela implique de passer la nuit dans un *yeogwan* (petit hôtel familial) de Seongsan-ri. La plupart des propriétaires vous réveilleront à temps pour assister à l'aube. Le sentier est dégagé, mais vous pouvez emporter une lampe de poche. Si vous préférez faire la grasse matinée, la promenade est également plaisante dans la journée.

Les flancs de la montagne plongent à pic dans les flots. Le long du littoral découpé, vous pourrez apercevoir des *haenyeo*, les célèbres plongeuses de Jejudo à la recherche d'algues, de coquillages et d'oursins (voir l'encadré ci-dessous). Par temps calme et si la demande est suffisante, des bateaux proposent une sortie aux alentours (5 000 W).

OÙ SE LOGER

Seongsan-ri compte plusieurs yeogwan et *minbak* (chambres chez l'habitant), quelconques pour la plupart. Les suivants font exception :

Jeongli Minbak (☎ 782 2169 ; d 20 000 W). Impossible de loger plus près de l'entrée menant à l'Ilchulbong. Les chambres ondol disposent de sanitaires sommaires et la ventilation naturelle compense l'absence de clim.

Jeonmang Joeun Hoetjip (☎ 784 1568 ; d 25 000 W, avec vue sur l'océan 30 000 W). Ce petit minbak, installé au-dessus d'un restaurant de poisson, loue des chambres correctes et fait face à la mer. En bord de mer, d'autres restaurants-minbak offrent des chambres similaires deux fois plus chères.

Yongkung Minbak (☎ 782 2379 ; d 30 000 W ; ▓). Sans doute le plus récent et le plus joli minbak de Seongsan-ri, il se perche sur une petite colline, près du centre-ville. Il loue des chambres de bonne taille, dont certaines jouissent d'une vue saisissante sur la montagne.

DEPUIS/VERS SEONGSAN-RI

De Jeju-si, des bus desservent fréquemment Seongsan-ri (1 heure 30 environ). Vérifiez que votre bus entre bien dans Seongsan-ri et ne vous laisse pas à Goseong-ri, d'où part l'embranchement pour Seongsan-ri. Une marche de 2,5 km sépare Goseong-ri de Seongsan-ri.

Plage de Sinyang 신양해수욕장

Sur la côte est, cette plage en forme de croissant mesure environ 1,5 km de long. La plus abritée de l'île, elle est considérée comme la mieux adaptée à la pratique de la planche à voile ; on peut y louer des voiliers et des planches à voile et apprendre à les utiliser. Elle constitue également une excellente base pour l'ascension de l'Ilchulbong, tout proche.

Sinyang-ri, le village voisin, abrite quelques yeogwan et minbak, mais Seongsan-ri, à 3 km au nord, en offre un plus large choix (voir plus haut *Où se loger*). Comptez 25 000 W.

De Jeju-si, aucun bus ne dessert directement la plage de Sinyang. Prenez un bus pour Goseong-ri, puis une correspondance (2 km, 6 min, toutes les heures). Sinon, empruntez un taxi ou marchez.

En été, des maîtres-nageurs surveillent la plage et des petits stands vendent des boissons, des en-cas, des cartes postales et d'autres babioles touristiques.

Udo 우도

Au nord-est de Seongsan, près de la côte, Udo ("île de la vache") demeure rurale et paisible malgré ses 1 750 habitants, l'augmentation de la circulation et l'affluence touristique. Les vues superbes sur l'Ilchulbong méritent le détour, tout comme les trois **plages**, une de sable blanc, une autre de sable noir et la troisième de corail. Visitez la petite communauté de haenyeo, ces **plongeuses** qui travaillent dans la crique en contrebas du phare (voir l'encadré ci-dessous).

L'île se visite aisément à vélo ; son périmètre de 17 km constitue un beau

---

LES HAENYEO

Des plongeuses, ou *haenyeo*, vivent sur plusieurs îles au large de la Corée. Toutefois, celles de Jejudo sont les plus connues (et les plus nombreuses).

Ce métier demande une grande résistance physique. Les plongeuses n'utilisent pas de bouteilles, peuvent retenir leur respiration pendant 2 min et atteindre une profondeur de 20 m. Leur équipement est pour le moins rudimentaire : palmes, combinaison de plongée, masque, gants, panier et filet.

Dans les années 1950, Jejudo comptait près de 30 000 haenyeo. Trente ans plus tard, elles n'étaient plus que 10 000 et, au début du XXIᵉ siècle, il n'en reste sans doute pas plus de 3 000. La moyenne d'âge des plongeuses s'est accrue et certaines continuent leur activité jusqu'à 75 ans.

Le peu d'engouement des jeunes femmes pour cette profession n'a rien de surprenant. Guère lucratif, ce métier occasionne des maux de tête constants. Et plus que tout, le tourisme pourrait bien être le chant qui attire les haenyeo hors de l'océan.

circuit. Des bus touristiques (4 000 W), souvent bondés, partent de l'embarcadère des ferries ; on peut descendre ou monter à volonté.

Pour profiter du calme de l'île, passez la nuit dans l'un des nombreux minbak et yeogwan (à partir de 20 000 W).

L'**Udo Hoetjim** (repas 6 000 W), réputé dans tout le pays, est à la diagonale de la place qui fait face à l'embarcadère des ferries. Le *hoedeupbap* (poisson cru servi dans un bol de riz, avec des légumes et une sauce épicée), la *maeuntang* (soupe de poisson relevée) et le *seonggeguk* (성게국, ragoût d'oursins) figurent parmi les plats favoris.

DEPUIS/VERS UDO

Des ferries desservent fréquemment Udo depuis le port de Seongsan (2 000 W, taxe pour un aller simple 1 000 W, bicyclette 500 W). En haute saison, les horaires des bateaux varient en fonction de la demande et les rotations peuvent fortement s'accélérer. La **billetterie** (☎ 782 5671) et l'embarcadère sont à 15 min de marche du centre de Seongsan. Avant d'embarquer, vous devrez indiquer sur un formulaire votre nom et votre numéro de passeport (on ne vous demandera pas votre passeport). Le passage d'une voiture coûte 8 800 W, mais vous devrez sûrement faire la queue.

Village folklorique de Seong-eup
성읍 민속 마을

Un court trajet en bus au nord de Pyoseon mène à Seong-eup, l'ancienne capitale fondée sous la dynastie koryo. Elle devint le siège de l'administration provinciale en 1423, durant le règne du roi Sejong, et le resta jusqu'en 1914, date à laquelle l'unité administrative fut abolie. À la différence d'autres villages folkloriques, Seong-eup abrite une véritable communauté, qui a préservé l'architecture traditionnelle avec l'aide du gouvernement (1 000 000 W par an et par maison). Hormis les boutiques de souvenirs, les parkings et les restaurants touristiques, le village semble incroyablement ancien.

Prenez le temps de découvrir les nombreux secteurs de Seong-eup. À votre arrivée, vous serez peut-être abordé par un habitant qui vous proposera une visite guidée gratuite (en coréen). Le but inavoué est de vous inciter à quelques achats dans

les boutiques de souvenirs. Le thé aux 5 parfums compte parmi les principales productions locales (30 000 W le pot).

Vous pouvez aussi flâner dans les ruelles étroites et découvrir l'endroit par vous-même. N'oubliez pas que la plupart des maisons sont habitées.

Village folklorique de Jeju
제주 민속촌

Près de Pyoseon et de sa jolie plage, le **village folklorique de Jeju** (☎ 787 4501 ; 6 000 W ; 🕙 8h30-18h, 8h30-17h oct-mars) est plus une reconstitution qu'une conservation, mais se révèle plus pédagogique que Seong-eup. Les différents quartiers présentent la culture ancestrale de Jejudo, telle qu'on peut la découvrir dans les villages de montagne ou de pêcheurs, du chamanisme à la bureaucratie. Certaines maisons, vieilles de 200 à 300 ans, proviennent d'autres endroits de l'île. Les bâtiments modernes ont été construits dans le respect du style ancestral.

Le village présente la flore et la faune de Jejudo, ainsi que des spectacles de chants et de danses traditionnelles.

L'audioguide en anglais (3 000 W) compense la rareté de la signalisation en anglais.

Le village compte plusieurs bons restaurants.

Plage de Pyoseon 표선 해수욕장

Cette vaste plage, tout au sud de la côte est, comprend un bon camping et quelques

---

PAS DE VISITE INTEMPESTIVE !

Dans les villages folkloriques de Jeju, devant les maisons, 2 piliers de pierre, percés chacun de 3 trous verticalement alignés, remplacent souvent les portails. Il s'agit d'un antique système de communication par lequel les insulaires informaient leurs éventuels visiteurs. La disposition et le nombre de baguettes de bois reliant les trous donnaient la clé du message. Trois baguettes disposées en travers signifiaient "nous ne sommes pas là, n'essayez pas d'entrer". Si une extrémité de la baguette supérieure était dans son trou et l'autre bout sur le sol, cela voulait dire "nous revenons bientôt". Les 3 baguettes disposées sur le sol invitaient à entrer.

hébergements à proximité. Elle est célèbre pour le bassin qui se forme à marée haute.

SUD DE JEJUDO
Seogwipo 서귀포
84 300 habitants

Nichée au milieu des mandariniers sur les contreforts du Hallasan, Seogwipo, deuxième ville de Jejudo, s'enorgueillit d'un cadre spectaculaire. Comparée à Jeju-si, elle jouit de températures plus élevées, d'un climat plus tropical et d'une ambiance plus détendue. Le centre-ville, sur une colline escarpée qui surplombe le port, jouxte quelques *pokpo* (chutes d'eau – l'un des rares endroits de l'île où l'eau n'est pas immédiatement absorbée par la roche poreuse). Le premier président de la Corée, Syngman Rhee, se retira à l'est de la ville.

À VOIR ET À FAIRE
Jeongbangpokpo 정방 폭포

Ces **chutes** (☎ 733 1530 ; 2 000 W ; ☼ 7h30-18h30, 7h30-17h30 en hiver) de 23 m de haut seraient, à en croire les brochures touristiques, les seules d'Asie à se jeter directement dans la mer (ce que certains contestent). Quoi qu'il en soit, elles offrent un spectacle impressionnant après les pluies. Gare aux éclaboussures, même si vous vous tenez à plusieurs mètres ! Elles se situent à une dizaine de minutes de marche du centre-ville, en bas d'un escalier escarpé.

Cheonjiyeonpokpo 천지연 폭포

Cette **chute** (☎ 733 1528 ; 2 200 W ; ☼ 7h-23h) se trouve de l'autre côté de la ville, sur la route du port de plaisance. De la billetterie, comptez 20 min de marche le long d'un sentier qui traverse une gorge profonde, joliment boisée. Ce filet d'eau ne mérite le nom de chute qu'après de fortes pluies.

Oedolgae 외돌개

À 2 km à l'ouest de Seogwipo, le pilier en basalte d'**Oedolgae** ("rocher solitaire"), de 20 m de haut, surgit de l'océan et, comme nombre d'autres rochers semblables, une légende lui est associée. Sous un certain angle, vous discernerez un noyé au ventre gonflé, alors que le pilier représenterait son épouse priant pour sa vie. Oedolgae constitue une jolie promenade à travers les pinèdes jusqu'à beau point de vue sur la falaise.

Mémorial de Syngman Rhee
이승만 기념관

L'un des personnages politiques les plus importants du pays au XXe siècle, Syngman Rhee (1875-1965) se retira dans cette maison, désormais tranformée en un **musée** intéressant (☎ 763 2100 ; 2 000 W ; ☼ 10h-19h, 9h-18h nov-avr), qui retrace sa vie. Respecté pour son inlassable campagne en faveur de l'indépendance de la Corée, Rhee devint le premier président de la République de Corée en 1948. Cet internationaliste convaincu avait fait ses études aux États-Unis et avait épousé une Autrichienne. Le site, derrière le Seogwipo Paradise Hotel, est bordé de sentiers de promenade qui offrent des vues superbes sur la côte et vous pourrez faire halte dans un charmant café.

Circuits en bateau et en sous-marin
해상유람, 대국 해저 유람

La **Daekuk Subsea Company** (☎ 732 6060 ; adulte/enfant 51 000/30 200 W) organise des circuits en sous-marin qui permettent d'observer la faune et la flore jusqu'à 30 m de profondeur. Les prix sont élevés, mais incluent le transfert depuis Seogwipo.

À côté, des **bateaux** (☎ 732 1717), dotés de hublots en dessous de la ligne de flottaison, proposent une *Romantic Cruise* ("croisière romantique" ; adulte/enfant 23 000/9 500 W) ; des plongeurs vous montrent des gros plans de la vie sous-marine à l'aide de caméras. La *Paradise Cruise* ("croisière paradisiaque"" ; adulte/enfant 16 500/8500 W) est une croisière traditionnelle, sans aperçu des fonds sous-marins.

Tous ces bateaux partent plusieurs fois par jour, si le temps le permet. En haute saison, mieux vaut réserver à la billetterie des Submarine and Harbour Cruises.

Plongée 다이빙 클럽

Si vous préférez explorer les fonds marins par vos propres moyens, contactez **Manta Dive School** (☎ 763 2264) ou **Poseidon Diving** (☎ 733 1294) à Seogwipo.

OÙ SE LOGER

Plusieurs hébergements bon marché se regroupent près du terminal des ferries. Les hôtels de catégorie moyenne sont pour la plupart installés au centre-ville, tandis que ceux de catégorie supérieure bordent la côte, en dehors de la ville.

JEJU-DO

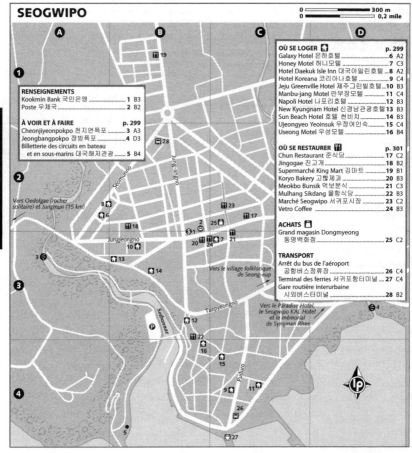

SEOGWIPO

0 — 300 m
0 — 0,2 mile

RENSEIGNEMENTS
Kookmin Bank 국민은행 **1** B3
Poste 우체국 **2** B2

À VOIR ET À FAIRE p. 299
Cheonjiyeonpokpo 천지연폭포 **3** A3
Jeongbangpokpo 정방폭포 **4** D3
Billetterie des circuits en bateau
et en sous-marins 대국해저관광 **5** B4

OÙ SE LOGER p. 299
Galaxy Hotel 은하호텔 **6** A2
Honey Motel 허니모텔 **7** C3
Hotel Daekuk Isle Inn 대국아일린호텔 **8** A2
Hotel Koreana 코리아나호텔 **9** C4
Jeju Greenville Hotel 제주그린빌호텔 **10** B3
Manbu-jang Motel 만부장모텔 **11** C4
Napoli Hotel 나포리호텔 **12** B3
New Kyungnam Hotel 신경남관광호텔 **13** B3
Sun Beach Hotel 호텔 썬비치 **14** B3
Ujeongyeo Yeoinsuk 우정여인숙 **15** C4
Useong Motel 우성모텔 **16** B4

OÙ SE RESTAURER p. 301
Chun Restaurant 준식당 **17** C2
Jingogae 진고개 **18** B2
Supermarché King Mart 킹마트 **19** B1
Koryo Bakery 고협제과 **20** B3
Meokbo Bunsik 먹보분식 **21** C3
Mulhang Sikdang 물항식당 **22** B3
Marché Seogwipo 서귀포시장 **23** C2
Vetro Coffee **24** B3

ACHATS
Grand magasin Dongmyeong
동명백화점 **25** C2

TRANSPORT
Arrêt du bus de l'aéroport
공항버스정류장 **26** C4
Terminal des ferries 서귀포항터미널 **27** C4
Gare routière interurbaine
시외버스터미널 **28** B2

Vers Oedolgae (rocher
solitaire) et Jungmun (15 km)

Jungjeongno

Jung-angno

Seomundo

Seohunae

Taepyeongno

Paduro

Vers le village folklorique
de Seong-eup

Vers le Paradise Hotel,
le Seogwipo KAL Hotel
et le mémorial
de Syngman Rhee

Pour ces derniers, renseignez-vous sur les possibilités de réduction (ou réservez par l'intermédiaire d'une agence de voyages). N'oubliez pas que les prix augmentent en été et les jours fériés.

Petit budget

Ujeongyeo Yeoinsuk (☎ 762 7484; d 15 000 W). Dans le quartier du port, cet établissement sans prétention conviendra aux voyageurs peu fortunés.

Manbu-jang Motel (☎ 733 1315; ch 25 000 W). De l'autre côté de la rue, en face de la mer, il loue des petites chambres.

Useong Motel (☎ 732 5700 W; fax 732 5702; ch 30 000 W; ☒). Simple et superbement entretenu, il surplombe le port et offre un excellent rapport qualité/prix. Quelques chambres donnent sur la mer.

Galaxy Hotel (Eunha Hotel; ☎ 733 6678; d 30 000 W; ☒). Cette nouvelle adresse jouxte l'Hotel Daekuk Isle Inn, au centre-ville. Bien tenu et accueillant, il dispose de chambres lumineuses et aérées dans les étages supérieurs.

Honey Motel (☎ 763 6677; fax 733 5655; d 30 000 W; ☒). Environné de bars et de restaurants, cet hôtel de plusieurs étages n'a rien d'extraordinaire, mais ses installations sont en très bon état.

Catégorie moyenne

Hotel Koreana (☎ 733 7007; fax 733 1114; d à partir de 40 000 W). Dans cet hôtel vieillot aux poutres apparentes, plein de recoins, vous aurez peut-être la chance d'obtenir une chambre spacieuse, avec un beau mobilier en bois exotique. C'est la seule adresse correcte dans cette gamme de prix, près du port.

Napoli Hotel (☎ 733 4701 ; fax 733 4802 ; d 60 000/40 000 W haute/basse saison). Correct pour le prix, il se situe à un carrefour important. Bien tenues, certaines de ses chambres jouissent d'une belle vue sur le port de Seogwipo.

Jeju Greenville Hotel (☎ 732 8311; d 70 000 W ; 🍴 🖥). Proche du centre-ville et récemment rénové, il offre des chambres superbes, dotées pour la plupart d'un petit balcon. Celles des étages supérieurs disposent d'un terminal Internet.

Sun Beach Hotel (☎ 763 3600 ; fax 732 0096 ; d/lits jum à partir de 100 000/120 000 W). Nombre de ses chambres, claires et agréables, s'ouvrent sur l'océan. Celles de l'annexe sont plus récentes et plus spacieuses. L'hôtel comprend un karaoké et une boîte de nuit.

Hotel Daekuk Isle Inn (☎ 763 0002 ; fax 763 0055 ; isleinn@isleinnhotel.co.kr ; d à partir de 120 000 W). Calme, lumineux et confortable, cet hôtel de 7 étages accueille de nombreux clients japonais dans une ambiance européenne.

New Kyungnam Hotel (☎ 733 2121 ; fax 733 2129 ; d et lits jum à partir de 121 000 W). Installé dans un immeuble élevé, il propose des chambres ondol avec vue sur la mer ou la montagne, des restaurants, un sauna et un karaoké.

Catégorie supérieure

Seogwipo KAL Hotel (☎ 733 2001 ; www.kalhotel.co.kr ; d 236 500/280 500 W vue montagne/océan ; 🍴). Cette tour, à l'est de la ville, sur un immense terrain avec vue sur l'océan, comprend 225 chambres, plusieurs restaurants, des piscines couverte et de plein air, des courts de tennis, un sauna et un élevage de truites arc-en-ciel.

Paradise Hotel (☎ 763 2100 W ; www.paradsehoteljeju.co.kr ; d à partir de 275 000 W ; 🍴). Près de la retraite de Sygnman Rhee (entrée libre pour les clients de l'hôtel), le Paradise, avec son style colonial espagnol, semble plus intime que le précédent. Les chambres sont décorées selon différents thèmes : coréen, américain, européen, méditerranéen, scandinave et africain. Restaurants, clubs de remise en forme-saunas pour hommes et pour femmes, galerie marchande et agréable piscine en plein air figurent parmi les prestations offertes.

OÙ SE RESTAURER ET PRENDRE UN VERRE

Mulhang Sikdang (repas 4 000-15 000 W). Au-dessus du port, cet endroit sans prétention sert des produits de la mer et du terroir à prix raisonnables. La jolie vue ajoute à son agrément.

Jingogae (repas 3 000-25 000 W). Proche du centre-ville, on l'apprécie pour ses plats coréens classiques, comme le bulgogi (10 000 W), le naengmyeon (5 000 W) et le *dolsotbibimbap* (riz, œuf, viande et légumes, servis avec une sauce épicée dans un pot en pierre ; 5 000 W).

Chun Restaurant (repas 6 000-15 000 W). En descendant au sous-sol, vous découvrirez un salle assez inattendue, qui ressemble à un bar avec sa rampe de cuivre. Vous aurez le choix entre des plats coréens ou occidentaux (comme les steaks et le saumon grillé).

La **Koryo Bakery** vous servira un petit déjeuner tout simple dans le centre de Seogwipo. Pour un café au lait glacé, installez-vous au confortable **Vetro Coffee**, voisin.

COUPE DU MONDE : MOITIÉ VIDE OU MOITIÉ PLEINE ?

Seogwipo a accueilli quelques matchs de la Coupe du monde de football de 2002. Une chance ? Pas vraiment, car l'événement devait drainer de nombreux supporters à Seogwipo, qui avait construit pour l'occasion, à l'est du centre-ville, un stade futuriste de plus de 42 000 places. Le Jeju World Cup Stadium, qui ressemble, selon la perspective, à un cratère volcanique ou à un bateau de pêche traditionnel, n'a finalement vu se dérouler que 3 matchs. Sur les 4 pays concernés (Allemagne, Brésil, Chine et Paraguay), 3 étaient bien trop lointains pour espérer voir des foules débarquer. Comme un malheur n'arrive jamais seul, le gigantesque typhon d'août 2002 a arraché une partie du toit du stade, heureusement sans faire de victime. Toutefois, la popularité du football continue à croître en Corée et Seogwipo espère abriter un jour une équipe professionnelle.

Pour faire vos courses, explorez les nombreux étals du **marché Seogwipo**, installé dans une ruelle du centre-ville. Sinon, l'immense **supermarché King Mart** se trouve à la lisière nord de la ville. Pour un en-cas bon marché, essayez le minuscule **Meokbo Bunsik**, au sud du marché Seogwipo, qui propose des raviolis à partir de 2 000 W.

Un grand nombre de bars, de karaokés et de hof jalonnent le centre-ville.

Yakcheonsa 약천사

Ce **temple bouddhique** (☎ 738 5000 ; entrée libre ; 🕐 24h/24 ; demandez l'autorisation en fin d'après-midi), construit entre 1987 et 1997 (entièrement en bois), compte parmi les bâtiments les plus imposants de Jejudo. La salle principale (4 niveaux) est couverte de fresques saisissantes décrivant les enseignements du Bouddha. Montez au 2e étage pour découvrir les 18 000 minuscules figurines bouddhiques enfermées dans des vitrines (photos au flash interdites).

En dessous du temple, les vergers de mandariniers s'étendent jusqu'à la mer.

Rochers de Jusangjolli 주상절리

À moins de 1 km au sud de Yakcheonsa, cette bande côtière spectaculaire de 2 km doit sa réputation aux colonnes rocheuses hexagonales, qui semblent découpées à l'emporte-pièce. Ces étranges formations résultent d'un rapide refroidissement et de la contraction de la lave alors qu'elle se jette dans la mer.

Vous pouvez admirer Jusangjolli du haut des falaises qui surplombent la mer.

Centre de congrès international de Jeju
제주국제컨벤션센터

Ne présentant guère d'intérêt pour les touristes, ce centre de congrès espère attirer des hommes d'affaires de tout horizon. Situé à l'ouest de Jusangjolli et à proximité de la station balnéaire de Jungmun, le cylindre de verre (achevé en 2003) donne sur l'océan. Son restaurant occidental serait le plus raisonnable en termes de prix de la région de Jungmun.

Yeomiji et ses alentours 여미지

Présenté comme le plus grand jardin botanique d'Asie, **Yeomiji** (☎ 738 3828 ; 6 000 W) se targue de posséder l'une des plus grandes serres au monde. Parmi les jardins figurent des sections italienne et japonaise et la serre comprend une forêt tropicale et un désert. Quelque 800 espèces végétales s'épanouissent sur le domaine et 1 200 dans les serres. Profitez des jolies pelouses pour pique-niquer.

Autre attraction majeure, **Cheonjeyeonpokpo** (☎ 738 1529 ; 2700 W ; 🕐 lever-coucher du soleil) se niche au cœur des montagnes. Cette cascade n'est visible que d'une passerelle qui enjambe une gorge impressionnante. Le site comprend également un grand parc. Attention : ne pas confondre avec Cheonjiyeonpokpo à Seogwipo.

En descendant vers l'océan, vous rejoindrez **Pacific Land**, où les **spectacles de dauphins** (☎ 738 2888 ; adulte/enfant 10 000/5 000 W) réjouiront les enfants, même si le complexe semble avoir connu des jours meilleurs. Les représentations ont lieu 4 à 5 fois par jour.

Jungmun 중문

Les hôtels clubs luxueux contituent le principal attrait de cette ville, à l'ouest de Seogwipo. Si vous aimez paresser au bord d'une piscine, visiter un site culturel en voiture et dépenser sans compter, vous apprécierez Jungmun et sa clientèle fortunée ! L'**office du tourisme de Jungmun** (☎ 738 0326) vous aidera à organiser votre séjour.

OÙ SE LOGER
Catégorie moyenne
Hanguk Condominium (☎ 738 4000 ; rhdfyd79@ hanmail.net ; ch 120 000 W, 220 000 W juil-août ; 🗙 💻). Bonne adresse pour un long séjour, il offre des chambres (ondol ou avec lits) qui peuvent accueillir jusqu'à 5 personnes et comprennent une cuisine. Une boulangerie et un café sont installés sur place.

Jeju Hotel Hana (☎ 595 7070 ; fax 537 0116 ; d/t à partir de 100 000/120 000 W ; 🗙). Cet hôtel, au hall ouvert et lumineux, propose des petites chambres sans prétention qui, pour la plupart, jouissent d'une belle vue sur… les autres hôtels. Il accorde souvent d'importantes réductions.

Catégorie supérieure
Les prix semblent vertigineux, mais on peut obtenir des rabais substantiels en réservant par le biais des agences de voyages.

Hyatt Regency Cheju (☎ 733 1234 ; www.cheju.regency.hyatt.com ; d à partir de 290 000 W ; 🗙 💻 🐾). Premier hôtel de luxe de Jungmun, ce bâtiment en forme de ruche encercle un atrium majestueux et a été récemment rénové dans le style des années 1950. Le plus proche de la plage, il possède un superbe club de remise en forme et un spa.

Shilla Cheju (☎ 738 4466, n° vert 1588 1142 ; fax 735 5415 ; ch à partir de 295 000 W ; 🖥 📺). Avec ses lignes pures et élégantes, ses couleurs sourdes et ses volumes généreux sous un toit de tuiles rouges à l'espagnole, il ne déparerait pas la côte californienne. Les chambres spacieuses se teintent de bleu, de blanc et de brun clair et disposent d'une jolie sdb. L'hôtel comprend un casino, un club de remise en forme, un spa-sauna, des tables de billard et des courts de tennis.

Lotte Hotel Jeju (☎ 738 7301 ; www. lottehotel.com ; d à partir de 320 000 W ; 🖥📺). Ce complexe tentaculaire, aux chambres immenses, s'agrémente de cours d'eau où canoter et se baigner, de jardins superbes et, comble de l'incongruité, d'un moulin-à-vent hollandais qui abrite un restaurant. À cela s'ajoutent une salle d'aérobic, un sauna et des piscines couverte et en plein air. En soirée, le spectacle de volcan dans l'esprit Las Vegas est ouvert aux non-résidents (48 000 W buffet compris, 20h30 tous les soirs, sauf en cas de fortes pluies, réservation recommandée).

Sanbanggulsa et Yongmeori
산방굴사, 용머리 해안
À mi-hauteur du flanc sud du Sanbangsan (395 m) qui surplombe l'océan, une grotte naturelle fut transformée en temple par un moine bouddhiste pendant la période koryo. De belles vues récompensent la rude grimpée jusqu'à **Sanbanggulsa** (☎ 794 2940 ; 2 200 W ; 🕐 24h/24, bureau 8h30-19h) et l'eau qui coule du plafond de la grotte aurait des vertus curatives. Plus bas, près de l'entrée, se dressent deux temples colorés de construction récente. La vénération qui entoure cette montagne interdit de monter jusqu'au sommet, raison pour laquelle Sangbanggulsa se situe à mi-chemin.

De l'autre côté de la route, des sentiers descendent vers le littoral de **Yongmeori**, une promenade le long de hautes falaises, fouettées par les embruns. Des vendeuses de poisson cru et de soju guettent le promeneur affamé. Sachez que Yongmeori ferme lorsque la mer est déchaînée. Le billet d'entrée à Sangbanggulsa donne accès à ce parcours.

Près du chemin, vers Yongmeori, le **monument Hamel**, une simple plaque réalisée par les gouvernements coréen et hollandais, commémore le naufrage d'un navire marchand batave en 1653 (voir la rubrique *Histoire*, p. 26).

Parc d'art de Jeju 제주 조각 공원
Sur une immense prairie de 430 000 m², près de Sanbangsan, le **parc d'art de Jeju** (☎ 794 9680 ; 3 000 W ; 🕐 9h-19h, 9h-17h nov-mars) présente plus de 180 sculptures modernes parmi des bassins et des sentiers.

Gapado et Marado 가파도, 마라도
À l'extrémité sud-ouest de Jejudo se dressent les îles Gapado et Marado (cette dernière marque la limite sud du pays). Gapado, la plus proche et la plus grande, plate et presque sans arbres, protège ses cultures des vents violents par des murets de pierre. Nombre de ses habitants vivent de la pêche.

Marado, quant à elle, surgit abruptement de la mer et ses pâturages permettent l'élevage du bétail. Deux fois moins grande que sa voisine, elle abrite une vingtaine de familles. Trente minutes de marche suffisent pour faire le tour de l'île, renommée pour ses restaurants de nouilles et de poisson cru.

DEPUIS/VERS GAPADO ET MARADO
Des ferries desservent les deux îles à partir du port de Daejeong. L'embarcadère de Songaksan offre des départs plus fréquents pour Marado. Près du port de Songaksan, une colline offre un beau panorama.

FERRIES DEPUIS/VERS GAPADO ET MARADO

Destination	Départ de	Téléphone	Tarif A/R (W)	Durée (aller)	Fréquence
Gapado	Daejeong	794 3500	6 400	30 min	2/jour
Marado	Daejeong	794 3500	9 600	50 min	2/jour
Marado	Songaksan	794 6661	15 000	45 min	7/jour

JEJU-DO

Site de l'exil de Chusa 추사 적거지

Ceux qui s'intéressent aux arts coréens visiteront le lieu d'exil de Kim Jeong-hi (nom de plume Chusa ; 1786–1856), l'un des plus grands calligraphes du pays, éminent artiste et érudit confucéen. À l'instar de nombreux intellectuels de l'ère choson, Chusa fut exilé à cet endroit durant 9 ans et enseigna les textes classiques et la cérémonie du thé à la population locale. Compte tenu du respect que les Coréens témoignent à leurs professeurs, il n'est pas surprenant que cette révérence perdure. L'art de Chusa est célèbre pour la combinaison de la peinture et de la calligraphie. Le **site de l'exil de Chusa** (☎ 794 3089 ; 500 W ; ☒ 8h30-18h, 8h30-17h déc-jan) comprend quelques maisons traditionnelles en pierre, terre et chaume. La salle d'exposition présente des copies de ses œuvres les plus célèbres.

Musée du thé O'Sulloc
오'설록차 박물관

Sur les 52 ha de la plantation O'Sulloc, l'un des plus grands producteurs nationaux de *nokcha* (thé vert – également fabrique de cosmétiques), ce **musée** (☎ 794 5312 ; entrée libre ; ☒ 10h-17h), en forme de tasse à thé, offre des vues superbes sur les champs de théiers et projette une vidéo très détaillée sur le précieux arbuste. Il expose une belle collection d'ustensiles à thé anciens et quelques céramiques datant du IIIᵉ siècle.

Les visiteurs peuvent flâner dans les champs et entrer dans la boutique pour déguster une tasse de thé vert (2 000 W), un gâteau ou une glace au thé vert (3 000 ou 2 000 W). Le 3ᵉ samedi du mois, une introduction à la cérémonie du thé a lieu 3 fois dans la journée.

DES ESPRITS CHASSÉS AU PIPEAU ?

On dit que les premiers habitants de Marado arrivèrent en 1883, fuyant des dettes de jeux. Ce choix fut considéré comme particulièrement courageux car l'île avait la réputation d'être hantée. Un certain M. Kim, joueur de flûte talentueux, aurait chassé les mauvais esprits d'un air de pipeau, permettant aux insulaires de vivre en toute quiétude.

OUEST DE JEJUDO
Bunjae Artpia 분재 예술원

Ce **parc de bonsaïs** (*bunjae* en coréen ; ☎ 772 3701 ; 7 000 W ; ☒ 8h-18h30, 8h-22h de fin juil à mi-août) apporte des explications sur leur culture et contient quelques spécimens stupéfiants. M. Sung Bum-Young, originaire du Gyeonggi-do, a dédié sa vie à l'édification de ce parc, ouvert en 1992. Le Bunjae Artpia a, depuis, accueilli des personnalités du monde entier.

M. Sung l'a peuplé de centaines d'arbres, dont le plus vieux aurait 500 ans ! Des commentaires, traduits en anglais, expriment sa philosophie (par exemple : "embellir la nature en utilisant le sens esthétique et la personnalité du cultivateur"). Des conseils permettent de mieux apprécier ces arbres nains, comme s'accroupir pour les regarder du bas vers le haut. Essayez d'ignorer la musique d'ambiance et amusez-vous à nourrir les poissons voraces qui frétillent dans les bassins (500 W le sac de nourriture), puis calmez votre propre faim au déjeuner-buffet coréen bien approvisionné (6 000 W).

Une visite rapide dure 20 min, mais la véritable découverte du parc et des bonsaïs demande facilement 1 heure 30.

Spectacle équestre

Les spectacles équestres du **Green Resort** (제주그린리조트 ; ☎ 792 6102 ; 12 000 W ; ☒ 4/jour, horaires variables), à courte distance de la route touristique n°95, rendent hommage aux bergers mongols qui introduisirent les chevaux dans l'île. Dans un manège couvert, ces représentations de 1 heure mêlent acrobaties du cirque chinois et voltiges équestres mongoles.

Le prix peut sembler élevé, mais les artistes sont nombreux et les prouesses, stupéfiantes. Ne complimentez pas les acrobates en coréen, essayez plutôt le chinois.

L'**hippodrome de Jeju** (제주경마장 ; ☒ week-end seulement), sur la route de Jeju-si, organise des courses de *jorangmal*, des petits poneys endémiques de Jejudo.

Site historique de Hangmong
항몽유적지

Jejudo fut le dernier bastion d'une faction de l'armée de Koryo lors de l'invasion mongole au XIIIᵉ siècle (voir la rubrique *Histoire*, p. 26). Les soldats avaient décidé de résister aux envahisseurs en dépit de la paix signée avec les Mongols et le retour du roi Wonjong dans sa capitale, Gaesong. En 1273, une troupe militaire d'élite construisit une forteresse à double enceinte de 6 km de long près de l'actuelle ville d'Aewol, sur la côte nord-ouest, mais les Mongols massacrèrent les défenseurs jusqu'au dernier. Malgré la défaite, les insulaires célébrèrent la bravoure de leurs ancêtres en érigeant un **monument anti-Mongol** (☎ 713 1968) sur le champ de bataille.

Une pagode de pierre à 5 niveaux constitue le dernier vestige du temple Wondangsa, construit par les Mongols.

Musée d'Art de Shincheonji
신천지 미술관

Ce **parc d'art en plein air** (☎ 748 2137 ; 3 000 W ; ⊙ 9h-18h, 9h-18h30 juin-août, 9h-17h30 déc-fév) présente, sur fond de musique classique, des centaines d'œuvres de jeunes sculpteurs coréens. Une section contient des sculptures animalières, une autre, des harubang. Installé sur un vaste domaine (99 000 m²) à flanc de coteau, il est sillonné de chemins et se révèle particulièrement plaisant lors de la floraison des fleurs sauvages.

Parc Hallim 한림 공원

Si vous n'avez pas le temps de découvrir la totalité de l'île, le **parc Hallim** (☎ 796 0001 ; 5 000 W ; ⊙ 8h30-17h30) rassemble en un seul endroit les principales curiosités de Jeju.

Outre de belles plantations et un jardin botanique rempli d'espèces locales, il comprend un mini-village folklorique, un jardin de bonsaïs et un tunnel de lave.

Le tunnel, Hyeopchaegul, n'a été découvert qu'en 1981 ; c'est l'un des rares à abriter des stalagmites et des stalactites, qui proviennent de coquillages brisés et déposés par le vent depuis des millénaires dans le sol au-dessus du tunnel. La roche est si poreuse qu'il peut pleuvoir à l'intérieur de la cavité. Deux autres tunnels de lave avoisinent Hyeopchaegul, mais ils sont fermés au public.

La musique d'ambiance et l'afflux de touristes gâchent un peu la visite.

L'entrée du parc Hallim se situe en face d'une jolie **plage** qui surplombe Piyangdo, l'îlot le plus récent du Jeju-do (environ 1 000 ans). Une soixantaine d'autres îlots ponctuent les côtes de Jejudo. La plage de Hyeopjae, également fréquentée, se trouve à courte distance en bus en direction de Gosan.

Geumneungseokmulwon 금능석물원

Non loin du parc Hallim et moins visité, le **Geumneungseokmulwon** ("jardin de pierre de Geumneung" ; ☎ 796 1361 ; entrée libre ; ⊙ 9h-18h) semble plus authentique. Des artistes contemporains ont réalisé des sculptures de toute taille sur le thème des harubang. Des petites sculptures de pierre décrivent la vie traditionnelle de Jeju et les mauvais sujets pourront emprunter la route pavée de l'enfer.

Routes mystérieuse et hantée
신비의 도로, 도깨비 도로

Rendez-vous en voiture au crépuscule sur l'un de ces deux tronçons de route, éteignez le moteur, mettez-vous au point mort et la voiture semblera remonter la pente. Si vous versez de l'eau ou faites rouler une balle sur la chaussée, vous constaterez le même phénomène. Il s'agit d'une illusion d'optique particulièrement troublante, due au décalage entre l'angle de la route et la ligne d'horizon. Prenez garde aux autres véhicules, occupés à tester le même phénomène !

Premier tronçon découvert (semble-t-il par un chauffeur de taxi au repos), **Sinbiui Dolo** ("route mystérieuse") se situe dans les collines, à 7 km au sud de l'aéroport. **Dokkaebi Dolo** ("route hantée") se trouve à l'est. Il y en aurait beaucoup d'autres, mais leur emplacement reste, bien évidemment, mystérieux.

Parc national de Hallasan
한라산국립공원

Grimper jusqu'au sommet du **parc national de Hallasan** (☎ 742 3084 ; 1 300 W ; 🏃) constitue l'une des plus belles excursionss de Jejudo. Lors de notre passage, le pic était fermé au public pour sa préservation, mais devrait avoir rouvert lorsque vous serez sur place. La promenade reste superbe, même sans accès au sommet (parking 1800 W).

Partez tôt le matin car le sommet se couvre souvent de nuages en début d'après-midi, quand il faut entamer la descente. Toute personne en forme peut effectuer cette randonnée, qui ne nécessite aucun équipement particulier. Enfilez une

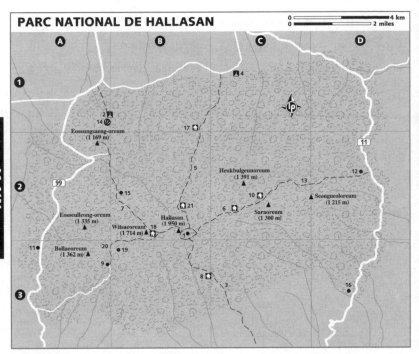

PARC NATIONAL DE HALLASAN

bonne paire de chaussures et emportez un vêtement chaud (le sommet est froid et venteux). Prévoyez aussi une protection contre la pluie car le temps change vite. En hiver, le Hallasan et ses contreforts se couvrent parfois de neige, alors qu'il fait chaud sur la côte.

Sur le versant ouest de la montagne, deux chemins plus courts mènent au sommet, le Yeongsil (3,7 km) et l'Orimok (4,7 km). Par l'un ou l'autre, comptez en moyenne 2 heures 30 pour la montée et 2 heures pour la descente. Le chemin de Gwaneumsa (8,7 km), qui part du nord, et celui de Seongpan-ak (9,6 km), qui part de l'est, demandent de 4 à 5 heures de marche jusqu'au sommet. Des échoppes de boissons, d'en-cas et de souvenirs sont installées au début des chemins et près des billetteries.

Le temple bouddhique **Gwaneumsa** borde le chemin du même nom.

Au sommet, vous découvrirez un lac de cratère, le seul de Jejudo.

Jeollabuk-do
전라북도

La province occidentale de Jeollabuk (Jeollabuk-do) (www.provin.jeonbuk.kr) est avant tout une région agricole dominée par la culture du riz. Toutefois, de nombreux parcs nationaux, provinciaux ou cantonaux s'étendent sur les zones plus montagneuses, offrant de superbes circuits de randonnée et des paysages splendides. Difficile de faire un choix, mais ne manquez pas les parcs de Maisan, Seonunsan et Naejangsan. La ville de Jeonju est réputée pour sa cuisine et ses alcools, ainsi que pour ses traditions culturelles : musées, maisons *hanok* et boutiques d'artisanat d'art. Le *pansori*, opéra exécuté par un chanteur et un percussionniste, est tout particulièrement associé à la région. Le *hanji*, papier élaboré à partir d'écorces de mûrier broyées, et les éventails figurent parmi les achats les plus appréciés. La province fait l'objet de deux grandes polémiques environnementales : le projet d'assèchement de la zone humide de Saemangeum et le stockage à long terme de déchets nucléaires sur l'île de Wido, au large de Gyeokpo. Pour en savoir plus, reportez-vous p. 70.

À NE PAS MANQUER

- Passez une journée dans le fascinant **quartier hanok**, chargé d'histoire, de Jeonju (p. 309)
- Escaladez la montagne aux "oreilles de cheval" et admirez le jardin de sculptures de pierre du **parc provincial de Maisan** (p. 314)
- Embarquez à Gunsan pour **Seonyudo** (p. 320), île célèbre pour sa plage, ou **Eocheongdo** (p. 320), île réputée pour ses oiseaux
- Découvrez la forteresse du **parc national de Deogyusan** (p. 314), où vous pourrez aussi faire du ski et des randonnées
- Empruntez le téléphérique jusqu'à la ligne d'horizon dans le **parc national de Naejangsan** (p. 317)
- Promenez-vous dans le **Seonunsan** (p. 318), le plus beau parc du pays, et admirez un antique bouddha sculpté dans la roche

- INDICATIF TÉLÉPHONIQUE : 063
- POPULATION : 2 MILLIONS
- SUPERFICIE : 8 050 KM²

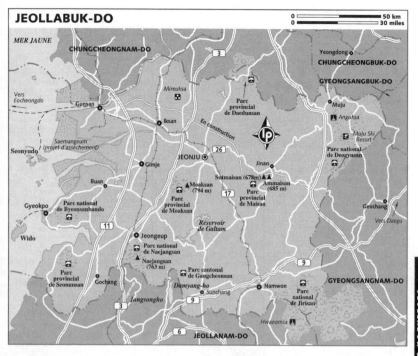

JEONJU 전주
622 000 habitants

Capitale du Jeollabuk-do, Jeonju est renommée pour être le berceau de la dynastie Choson et du *bibimbap*, plat de riz, de viande et de légumes, accompagné d'une sauce épicée. Située au centre, la ville est le point de départ idéal pour visiter l'ensemble de la région grâce à un réseau de bus qui dessert toute la province. La vieille-ville comprend de nombreuses maisons *hanok*, ouvertes aux touristes. Ces demeures anciennes, en bois et couvertes de tuiles, ont été largement démolies partout ailleurs et remplacées par des immeubles et des centres commerciaux en béton. Goûtez les deux spécialités de Jeonju, le bibimbap et le *kongnamulgukbap* (soupe de riz et de germes de haricots épicée, cuite dans une marmite en grès).

Renseignements

Le principal **centre d'information touristique de Jeonju** (☎ 281 2939 ; www.jeonju.go.kr ; ⏱ 9h-18h) est installé devant la gare des bus express, tandis que le **centre d'information touristique du Jeolla-buk-do** (☎ 063 1330 ; ⏱ 9h-18h), qui propose un accès Internet gratuit, se tient à deux pas de l'hôtel de ville. Un autre **centre d'information touristique** (☎ 281 2024 ; ⏱ 9h-18h) se trouve à la gare ferroviaire et un quatrième (☎ 232 6293 ; ⏱ 9h-18h), devant Gyeonggijeon.

À voir
VILLAGE HANOK DE JEONJU
전주 한옥 마을

Vous pouvez consacrer une journée à la visite de ce village historique, en plein cœur de la ville. Demandez au centre d'information touristique son excellente brochure *Invitation to our Tradition*, qui comprend une carte détaillée.

Le **musée traditionnel du Vin** (☎ 287 6305 ; entrée libre ; ⏱ mar-dim 10h-18h) expose des *gosori*, alambics traditionnels pour distiller le vin de riz fermenté, et vend de l'alcool. Toutefois, l'ancien bâtiment, superbe, constitue la principale attraction du musée. Certaines boissons contiennent de curieux ingrédients ; ainsi le *guahaju* (un vin de riz fermenté), fait à partir de ginseng, de feuilles de bambou, de riz glutineux,

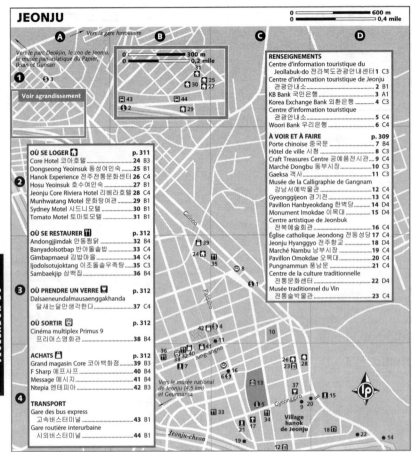

JEONJU

0 ————— 600 m
0 ————— 0,4 mile

Ⓐ — *Vers la gare ferroviaire* — Ⓑ   Ⓒ   Ⓓ

*Vers le parc Deokjin, le zoo de Jeonju,
le musée pan-asiatique du Papier,
Iksan et Gunsan*

Ⓞ 3

0 ————— 300 m
0 ————— 0,2 mile

Voir agrandissement

🏨 43   🏨 44
Ⓞ 2   🏨 29

RENSEIGNEMENTS
Centre d'information touristique du
Jeollabuk-do 전라북도관광안내센터 **1** C3
Centre d'information touristique de Jeonju
관광안내소 **2** B1
KB Bank 국민은행 **3** A1
Korea Exchange Bank 외환은행 **4** C3
Centre d'information touristique
관광안내소 **5** C4
Woori Bank 우리은행 **6** C4

À VOIR ET À FAIRE   p. 309
Porte chinoise 중국문 **7** B4
Hôtel de ville 시청 **8** C4
Craft Treasures Centre 공예품전시관 ... **9** C4
Marché Dongbu 동부시장 **10** C3
Gaeksa 객사 **11** C3
Musée de la Calligraphie de Gangnam
강남서예박물관 **12** C4
Gyeonggijeon 경기전 **13** C4
Pavillon Hanbyeokdang 한벽당 **14** D4
Monument Imokdae 이목대 **15** D4
Centre artistique de Jeonbuk
전북예술회관 **16** C4
Église catholique Jeondong 전동성당 **17** C4
Jeonju Hyanggyo 전주향교 **18** D4
Marché Nambu 남부시장 **19** C4
Pavillon Omokdae 오목대 **20** C4
Pungnammun 풍남문 **21** C4
Centre de la culture traditionnelle
전통문화센터 **22** D4
Musée traditionnel du Vin
전통술박물관 **23** C4

OÙ SE LOGER   p. 311
Core Hotel 코아호텔 **24** B3
Dongseong Yeoinsuk 동성여인숙 **25** B1
Hanok Experience 전주전통문화센터 **26** C4
Hosu Yeoinsuk 호수여인숙 **27** B1
Jeonju Core Riviera Hotel 리베라호텔 **28** C4
Munhwatang Motel 문화탕여관 **29** B1
Sydney Motel 시드니모텔 **30** B1
Tomato Motel 토마토모텔 **31** B1

OÙ SE RESTAURER   p. 312
Andongjjimdak 안동찜닭 **32** B4
Banyadolsotbap 반야돌솥밥 **33** C4
Gimbapmaeul 김밥마을 **34** C4
Ijodolsotujoktang 이조돌솥우족탕 **35** C3
Sambaekjip 삼백집 **36** B4

OÙ PRENDRE UN VERRE   p. 312
Dalsaeneundalmausaenggakhanda
달새는달안생각한다 **37** C4

OÙ SORTIR   p. 312
Cinéma multiplex Primus 9
프리머스영화관 **38** B4

ACHATS   p. 312
Grand magasin Core 코아백화점 **39** B3
F Sharp 에프샤프 **40** B4
Message 메시지 **41** B4
Ntepia 엔테피아 **42** B3

TRANSPORT
Gare des bus express
고속버스터미널 **43** B1
Gare routière interurbaine
시외버스터미널 **44** B1

Cintho

Paldalo

🏨 39
24 🏨
35 🏛

Ⓧ 8

Ⓞ 1

42 🏨 Ⓢ 4
10
36 🏛 41 ● 11
🏛 38 32 🏛 40 *Jung-angno*
🏛 7
26 🏨 🏨 28
23 🏛
Ⓧ 16
6 Ⓢ

*Vers le musée national
de Jeonju (4,5 km)
et Geumsansa*

🏛 13
37 🏨
Ⓑ 15
🏨 5   9 20

🏛 33   🏨 34
🏨 17   Village
hanok
de Jeonju
18 🏛
Ⓧ 22 ● ● 14

Jeonju-cheon
19 ●
12 🏛

---

d'aiguilles de pin, de châtaignes, de petits
pois et de malt de soja.

Construit en 1410, **Gyeonggijeon** (☎ 281
2790 ; entrée libre ; 🕘 9h-18h) renferme un
portrait de Yi Songgye, le fondateur de
la dynastie Choson, dont la famille était
originaire de Jeonju. Des portraits de
5 autres monarques choson et quelques
palanquins sont également exposés. Les
ancêtres de Yi Songgye furent désignés
rois à titre posthume, afin de légitimer le
renversement de la dynastie Koryo en 1392.
Un sanctuaire (Jogyeongmyo) dédié à ces
ancêtres a été édifié derrière Gyeonggijeon,
mais il est fermé au public. Une stupa du
XVIe siècle, contenant le placenta du roi
Yejong, se dresse dans le jardin.

L'**église catholique Jeondong** (☎ 284 322 ;
entrée libre) fut bâtie à l'endroit même où des
martyrs catholiques coréens furent exécutés
en 1781 et 1801. Construite entre 1908 et
1914, son architecture mêle des influences
asiatique, byzantine et romane. L'intérieur,
également intéressant, est éclairé de vitraux
représentant les premiers martyrs. Entrez
par la porte latérale.

Le **musée de la Calligraphie de Gangnam**
(☎ 285 7442 ; entrée libre ; 🕘 10h-17h) présente
l'œuvre et la collection de Song Sung-yong,
un calligraphe renommé du XXe siècle, qui
signait ses œuvres du nom de Gangnam.

Jeonju Hanggyo (☎ 288 4548 ; entrée libre), une
école confucéenne fondée en 1603, abrite
les tombes de 18 érudits coréens et 7 autres

d'origine chinoise. Dans ce type d'école, les garçons *yangban* (issus de l'aristocratie) vivaient dans des dortoirs. On leur enseignait les idéogrammes chinois et les classiques confucéens. Malheureusement, l'école est fermée au public (voir l'encadré *Hanggyo et Seowon*).

Le **centre de la culture traditionnelle** (☎ 280 7000 ; www.jtculture.or.kr ; ⏰ 10h-18h) comprend un théâtre, une salle de cours, un **restaurant** (galbi 15 000 W, bibimbap ou samgyetang 9 000 W), une salle des mariages, une **maison de thé** (thés 3 000-6 000 W) et un terrain pour les jeux traditionnels.

Juste après le centre-ville, passez sous un pont pour rejoindre le **pavillon Hanbyeokdang**, construit en 1404 sur un rocher qui surplombe le fleuve. Jadis, il inspira des poètes et incita des voyageurs à faire une halte, mais, aujourd'hui, la circulation automobile trouble la quiétude du lieu. En été, vous apercevrez des hérons, des aigrettes et des hirondelles.

Le **centre des trésors d'artisanat** (☎ 285 4403 ; entrée libre ; ⏰ 10h-18h) propose des démonstrations de fabrication de poterie, des collections de broderies, ainsi qu'une exposition sur la confection du papier hanji. La boutique de hanji vend des lanternes, des boîtes et des plateaux en papier et des poupées en papier mâché. Des grandes feuilles calligraphiées de caractères chinois ne coûtent que 500 W. La cour est un endroit agréable pour se reposer. Sur la colline proche, visitez l'**Omokdae**, un pavillon où Yi Songgye célébra une victoire sur des pirates japonais en 1380. Traversez le pont pour découvrir le petit pavillon **Imokdae**.

Pungnammun, une porte imposante, est le seul vestige des remparts de Jeonju et de ses 4 portes. Construite en 1398, elle a connu, depuis, plusieurs restaurations. Point de repère en bordure du quartier hanok, elle marque l'entrée du **marché Nambu**.

AUTRES CURIOSITÉS

Le **parc Deokjin** (☎ 281 2436 ; entrée libre ; ⏰ 4h-1h, nov-fév 5h-23h) ne manque pas de romantisme, avec ses pavillons, ses barques et ses nénuphars flottant sur le lac. À deux pas, le **zoo de Jeonju** (☎ 281 2713 ; 500 W ; ⏰ 9h-19h, nov-fév 9h-18h) héberge 100 espèces animales et un parc d'attractions.

Le **Musée national de Jeonju** (☎ 223 5051 ; adulte/enfant 400/200 W ; ⏰ mar-dim 9h-17h) se trouve au sud de la ville. Dans le **musée pan-asiatique du Papier** (☎ 210 8103 ; entrée libre ; ⏰ mar-dim 9h-17h), vous pourrez créer votre propre feuille de papier hanji. La course en taxi depuis le Core Hotel revient à 4 500 W. Sinon, prenez le bus n°70-1, 77-1, 78-4 ou 82 (700 W). Le **centre artistique de Jeonbuk** (entrée libre) abrite trois galeries d'art et un théâtre à l'étage supérieur.

Où se loger

Beaucoup de *yeoinsuk* (hébergement à prix modique, avec sanitaires communs) et de motels se regroupent autour des gares routières.

Dongseong Yeoinsuk (☎ 274 2829 ; ondol 10 000 W). Les chambres exiguës, dont certaines sans fenêtre, possèdent ventil et TV.

Hosu Yeoinsuk (☎ 277 3827 ; ondol 10 000 W). Les chambres, minuscules et sans ventil, sont dotées d'une TV (sdb communes avec seau et cuvette).

Munhwatang Motel (☎ 251 5435 ; s et d 20 000 W ; 🍴). Ce *yeogwan* (motel aux petites chambres bien équipées, avec sdb) désuet propose des chambres bon marché, avec TV sat. Un **sauna** le jouxte (3 300 W).

HANGGYO ET SEOWON

Les hanggyo étaient des écoles de quartier créées par des *yangban* (aristocrates), afin de préparer leurs fils aux *seowon* (académies confucéennes) qui, à leur tour, formaient les élèves reçus des diplômes d'État. Fondées à l'origine au XIVe siècle, les seowon furent bientôt des centres d'instruction recherchés. Leurs diplômés étaient les lettrés confucéens qui devenaient fonctionnaires et disputaient aux rois choson le pouvoir suprême. Au cours du XVIIe siècle, le pays comptait plus de 600 seowon, soit plus qu'en Chine. Dans les années 1860, le régent Heungseon Daewongun en ferma la plupart afin de raffermir l'autorité du pouvoir royal. Ces différentes écoles et académies ne sont plus actives aujourd'hui, mais certains bâtiments, encore debout, symbolisent la passion des Coréens pour la culture.

Sydney Motel (☎ 255 3311 ; s et d 30 000 W ; 🞲). L'un des nombreux motels de qualité. Le propriétaire parle un peu anglais.

Tomato Motel (☎ 278 8703 ; s et d 30 000 W, ven-sam 35 000 W ; 🞲). Les nombreux équipements (dont boissons sans alcool, brosses à dents et dentifrice gratuits) apportent une touche de luxe à ces chambres modernes et confortables.

Hanok Experience (☎ 287 6300 ; www.saehwagwan.com ; s et d 50 000 W, avec sdb 80 000-100 000 W ; 🞲 🖳). Séjournez au cœur du quartier hanok dans une maison yangban, à la fois traditionnelle et moderne. Bâtie autour d'une cour, elle offre des chambres *ondol* (chauffées par le sol) avec *yo* (matelas de style futon). Petit déjeuner et prêt d'une bicyclette compris. Les chambres les moins chères disposent d'un réfrigérateur. Vous pourrez suivre des cours de musique ou de cérémonie du thé.

Jeonju Core Riviera Hotel (☎ 232 7000 ; fax 232 7100 ; s, d et lits jum 169 000 W taxes et service compris ; 🞲). Proche du quartier hanok, cet hôtel confortable comprend 3 restaurants et un bar. Le sauna mixte et la salle de gymnastique sont ouverts aux non-résidents moyennant 6 600 et 5 000 W respectivement.

Core Hotel (☎ 285 1100 ; fax 285 5707 ; s, d et lits jum 150 000 W taxes et service compris ; 🞲 🖳). Cet hôtel de luxe du centre-ville comporte 3 restaurants, un café, un bar, une discothèque et un **sauna** (non-résidents 6 000 W ; ⏰ 6h30-21h30) réservé aux hommes.

Où se restaurer et prendre un verre

Banyadolsotbap (repas 6 000-10 000 W). Il prépare un *dolsotbap* particulier (6 000 W), composé de riz, de légumes, d'œuf, de laitue et de racines de *deodeok*, que l'on mélange avec de la ciboulette et une sauce épicée pour confectionner un délicieux ragoût. Le plat est servi avec une soupe de germes de haricot et du *mulkimchi* (soupe froide de kimchi). Raclez le riz brûlé au fond du bol et mélangez-le à de l'eau chaude pour obtenir une boisson originale, puis terminez par un café. Un petit bol de *moju* sucré maison, à base de plantes médicinales, coûte 1 500 W.

Sambaekjip (repas 3 500 W). Établi depuis 50 ans, il se spécialise dans le kongnamulgukbap (3 500 W avec les plats d'accompagnement). Un bol de moju chaud au gingembre vaut 1 500 W. Le *seonjigukbap* s'accompagne de sang séché.

Ijodolsotujoktang (repas 6 000-12 000 W). Dans un immense chaudron, il concocte un *galbitang* (soupe de côtes de bœuf ; 6 000 W le bol). Comptez le même prix pour les autres soupes ou le *dolsotbibimbap*.

Andongjjimdak (repas 4 500 W). À côté du cinéma multiplex Primus 9, ce restaurant propose un *jjimdak* à prix doux : 9000 W pour 2 personnes. Une sauce noire de type *jjajangmyeon* nappe les morceaux de poulet, les nouilles transparentes et les pommes de terres, généreusement épicés de chili rouge. Une soupe froide mulkimchi apaisera le feu du piment. Vous devrez attendre un peu car les plats sont cuisinés jau fur et à mesure des commandes.

Gimbapmaeul (repas 2 500 W). Ce petit établissement bien tenu offre une belle diversité de *gimbap* (sushi à la coréenne) fraîchement confectionnés, à 2 500 W les 12. Goûtez ceux au poulpe ou au kimchi, plus surprenants que ceux aux œufs, aux carottes ou aux concombres.

Dalsaeneundalmausaenggakhanda ("L'oiseau de nuit ne chante que pour la lune" ; thés 4 500 W), une maison de thé minuscule sert un délicieux *yujacha* (thé au citron) avec une crêpe sucrée.

Achat

Le grand magasin Core avoisine l'hôtel du même nom. Le marché Nambu s'étend de Pungnammun au fleuve. Cependant, le quartier commerçant animé, particulièrement fréquenté par les jeunes, se situe derrière Gaeksa, dans un quartier peu encombré par les voitures ; il regroupe des centres commerciaux de mode, des centaines de petites boutiques et une rue bordée de cinémas.

Depuis/vers Jeonju
BUS

Quelques destinations au départ de la gare des bus express :

Destination	Prix (W)	Durée (h)	Fréquence
Daegu	9 900	3½	ttes les heures
Daejeon	4 100	1½	ttes les 30 min
Gwangju	4 800	1¼	ttes les 30 min
Incheon	10 300	3	ttes les heures
Séoul (Gangnam)	9 400	3¼	ttes les 10 min
Séoul (Nambu)	10 200	3¼	ttes les 10 min

Quelques destinations au départ de la gare routière interurbaine :

Destination	Prix (W)	Durée (h)	Fréquence
Buan	3 300	1	ttes les 15 min
Daedunsan	4 100	1¼	8/jour
Gangcheonsan	5 000	1	4/jour
Gochang	4 600	1½	ttes les heures
Gunsan	3 600	1	ttes les 15 min
Gurye (Jirisan)	6 700	2	ttes les 45 min
Gyeokpo	5 700	2	12/jour
Jeongeup	2 800	1	ttes les 15 min
Jinan	2 900	50 min	ttes les 15 min
Muju	6 200	1½	ttes les heures
Sunchang	4 300	1	ttes les 30 min

TRAIN
Quatre trains *saemaeul* (20 900 W) et 14 trains *mugunghwa* (14 200 W) rallient la gare de Séoul (3 heures 30 environ). Le voyage est beaucoup plus confortable qu'en bus. Vous devrez probablement prendre un taxi (1 500 W) pour rejoindre ou quitter la gare ferroviaire de Jeonju. Des trains desservent aussi le sud de la province.

Comment circuler
Des bus relient très fréquemment le quartier de la gare routière et le centre-ville. Des motels proches des gares, vous pouvez vous rendre à pied au restaurant de l'université de Chonbuk et au quartier de loisirs. Dans l'artère principale, sautez dans n'importe quel bus pour aller dans le centre. Les taxis sont nombreux et peu chers (prise en charge 1 500 W).

PARC PROVINCIAL DE MOAKSAN
모악산 도립공원
À 40 min de Jeonju, ce **parc** (☎ 548 1734 ; adulte/jeune/enfant 2 600/1 700/1 000 W ; 🕐8h-19h), apprécié des randonneurs le week-end, englobe le Moaksan (794 m). Le **Geumsansa**, un temple qui date de 599, en est le principal attrait. La salle Maitreya, extraordinaire et impressionnante, est le seul temple en bois à trois niveaux du pays. Érigée en 1635, elle conserve un aspect antique. Une route monte jusqu'au temple, puis vers Janggundae et longe la crête du mont Moaksan. Comptez 3 heures aller-retour pour cette randonnée relativement facile.

Où se loger et se restaurer
Un camping gratuit est installé à 300 m de la billetterie. De nombreux *minbak* (maisons privées avec des chambres à louer) et yeogwan se regroupent près de l'arrêt de bus.

Moaksan Youth Hostel (☎ 548 4401 ; fax 548 4403 ; dort/d/f 15 000/25 000/45 000 W ; 🍴). Dans un bâtiment de style traditionnel à l'entrée du parc, elle propose des chambres familiales avec TV, clim et sdb.

Hwarimhoegwan (repas 4 000-10 000 W). Dans ce restaurant qui domine le parking, le *samgyeopsal* au porc noir de Jinan vaut 15 000 W (600 g, soit assez pour 2 ou 3 personnes). Le *geumsansongju* (금산송주), la bière locale aux aiguilles de pin (5 000 W la bouteille), a meilleur goût mélangée à de l'eau.

Jangsaganeungil (thés 3 000-6 000 W). Goûtez le *dawonbulpaecha* (다원불패차, 6 000 W), un thé noir sucré maison, parfumé de plusieurs fruits à écale.

Depuis/vers Moaksan
Des bus relient Jeonju à Moaksan. Les bus locaux n°79-1, 79-2 et 887 (1 200 W, 40 min, toutes les 10 min) marquent plusieurs arrêts dans la rue principale, entre le Core Hotel et le centre artistique de Chonbuk. Ne prenez pas le bus n°77-2, qui va à l'autre bout du parc de Moaksan. Renseignez-vous pour Geumsansa.

PARC PROVINCIAL DE DAEDUNSAN
대둔산 도립공원
Autre parc superbe malgré ses dimensions modestes, le **Daedunsan** (☎ 263 9949 ; adulte/jeune/enfant 1 300/600/300 W ; 🕐 aube-crépuscule) offre des sommets escarpés et des panoramas spectaculaires sur la campagne environnante. C'est l'une des plus belles régions montagneuses du pays.

Outre les vues exceptionnelles, l'escalade du Daedunsan (878 m), par des sentiers pentus et caillouteux, est déjà une aventure à elle seule. Pour les nombreux randonneurs, la principale curiosité est un pont suspendu de 50 m de long, qui se balance entre deux pics rocheux, suivi d'un long escalier raide en câble d'acier. Les personnes sujettes au vertige s'en tiendront au chemin jonché de grosses pierres !

Un trajet de 5 min en **téléphérique** (aller/aller-retour 2 500/4 500 W) épargnera aux moins sportifs 1 heure de rude grimpée. Le parc est très fréquenté le week-end par les Coréens.

Où se loger et se restaurer

Daedunsan Tourist Hotel (☎ 263 1260; fax 263 8069; s et d 65 000 W, lits jum 75 000 W; ✂ ▣). Seul établissement luxueux du parc. Vous pourrez détendre vos muscles et vos pieds endoloris dans le **bain d'une source chaude** (clients/non-résidents 3 000/5 000 W).

Nadeulmoksanjang (☎ 262 7170; s et d 25 000 W, ven-sam 30 000 W). L'un des yeogwan installés à l'entrée du parc.

La plupart des restaurants servent du *sanchae bibimbap* (légumes sauvages mélangés à du riz et à une sauce épicée) et la cuisine provinciale habituelle. Parmi les en-cas figurent des *beondegi* (larves de vers à soie bouillies) et des *mettugi* (sauterelles frites) ou, pour les moins téméraires, les glaces.

Depuis/vers Daedunsan

De Jeonju, des bus desservent Daedunsan (4 100 W, 70 min, 8 par jour; départs à 6h20, 7h36, 8h52, 10h46, 12h45, 14h34, 15h50 et 18h12).

PARC PROVINCIAL DE MAISAN
마이산 도립공원

Ne manquez pas ce **parc** (☎ 433 3313; adulte/jeune/enfant 2 000/1 500/900 W; ✲ aube-crépuscule), dont le nom, Maisan, signifie "montagne aux oreilles de cheval", une expression qui décrit parfaitement la silhouette de ces pics rocheux lorsqu'on arrive de la ville de Jinan. Le pic oriental, Sutmaisan (678 m), est considéré comme masculin, tandis que le pic occidental, Ammaisan, légèrement plus élevé (685 m), est tenu pour féminin. Phénomène inhabituel en Corée, les deux "oreilles" sont constituées d'un conglomérat rocheux. Seul le sommet féminin peut être escaladé par un sentier abrupt (30 min). Ne tenez pas compte du panneau précisant: "L'escalade est interdite aux personnes âgées ou malades, aux femmes, aux enfants et à ceux en état d'ivresse".

Tapsa (temple pagode), niché au pied de l'oreille femelle, possède un jardin étonnant où se dressent 80 tours ou pinacles de pierre, édifiés par Yi Kap-myong, un mystique bouddhiste (1860–1957). Mesurant jusqu'à 15 m de haut, elles symbolisent des représentations religieuses de l'univers et tiennent miraculeusement debout, malgré l'absence de ciment. Ces tours étranges évoquent un monde perdu.

À proximité, **Unsusa**, un autre temple, renferme un sanctuaire consacré à Tangun, un poirier pluricentenaire, de jolis jardins et plusieurs jarres de kimchi. Vous pourrez frapper sur le grand tambour!

Une randonnée facile de 1 heure 30 (1,7 km) jusqu'au sommet de l'Ammaisan vous permettra de découvrir une vue splendide sur des paysages toujours changeants. Elle part de Tapsa et se termine au parking proche de l'entrée. Au printemps, les cerisiers au bord du lac voisin constituent une attraction appréciée.

Où se restaurer et prendre un verre

Le **Baekjejoegwan** (repas 5 000-10 000 W) sert du *pyogodeopbap* (ragoût de champignons, de concombre, d'œuf et de riz) avec de nombreux plats d'accompagnement.

Parmi les étals du marché proche de Tapsa, l'un vend du *haeryonggak*, une boisson bénéfique à base d'algues, au goût plus séduisant que son aspect!

Depuis/vers Maisan

De Jeonju, des bus desservent fréquemment la petite ville de Jinan (2 900 W, 50 min, toutes les 15 min). L'itinéraire suit une belle route de montagne. De Jinan, des bus rejoignent l'entrée du parc (700 W, 5 min, toutes les heures).

PARC NATIONAL DE DEOGYUSAN
덕유산 국립공원

Une ancienne forteresse, une station de ski et de golf et une randonnée dans la vallée de Gucheon-Dong constituent les principaux atouts de ce **parc** (☎ 322 3174; adulte/jeune/enfant 2 600/1 200/600 W; ✲ aube-crépuscule).

Jeoksangsanseong, une forteresse reconstruite et agrandie aux XIVe et XVIIe siècles, se situe au nord-ouest du parc. Un mur de 8 km de long entoure les ruines d'un centre d'archives de la dynastie Choson, un réservoir et Anguksa, un temple édifié dans les années 1860. Une route relie la ville de Muju à la forteresse et fait le tour du réservoir. Les bus n'empruntent que la route principale jusqu'à Gucheon-dong: descendez à l'embranchement d'une des routes d'accès et marchez sur 2 ou 4 km, selon l'endroit où vous avez quitté le bus. Vous pouvez également sortir de la forteresse par la porte Ouest (Seomun) et descendre un sentier escarpé jusqu'au village, où des bus desservent la ville de Muju. Inaugurée en 1990, la **Muju Ski Resort** (☎ 322 9000 ; www.mujuresort.com) a accueilli les Universiades d'hiver de 1997. Devenue en peu de temps une station populaire, elle attire skieurs et amateurs de snowboard, aussi bien étrangers que coréens. Bien qu'elle soit la station de ski la plus méridionale (et la plus chaude) de la péninsule, elle dispose d'excellentes installations et utilise, au besoin, des canons à neige. Elle possède 13 remontées mécaniques et 26 pistes de ski de difficultés variées. On peut y pratiquer la luge, le ski de nuit, acrobatique et de fond. Comptez au moins 50 000 W pour un forfait journalier comprenant l'accès aux remontées et la location de skis et de chaussures. Les moniteurs de l'école de ski parlent anglais. La station comprend des patinoires et un centre de remise en forme. Le soir, spectacles et discothèques accueillent les couche-tard.

La plus belle randonnée part du principal village touristique de **Gucheon-dong** et suit un chemin pavé le long d'une vallée fluviale jusqu'au Baengnyeonsa, un petit temple (6 km, 1 heure 45). Vingt sites superbes jalonnent le parcours – cascades, rochers massifs, bassins et petites chutes d'eau. Des fées glisseraient le long des arcs-en-ciel pour se baigner dans les bassins ! La vallée est un enchantement, quelle que soit la saison. Après Baengnyeonsa, le chemin monte en pente raide jusqu'au sommet du **Hyangjeokbong** (1 614 m), l'un des pics les plus élevés du pays. La vue des ifs, des azalées et des fleurs alpines récompense cette ascension exténuante (1 heure 30). Hyangjeokbong désigne le pic, tandis que Deogyusan fait référence à l'ensemble du massif montagneux ; vous verrez les deux appellations sur les panneaux indicateurs.

Où se loger et se restaurer

Tirol Hotel (☎ 320 7617, fax 320 7609 ; s et d/lits jum dim-jeu 150 000/180 000 W, ven-sam 200 000/230 000 W, saison de ski 220 000/250 000 W ; ⊠ ▢ ⛾). Ce splendide hôtel de style autrichien, doté de 3 restaurants et d'un sauna, domine la station.

PARC NATIONAL DE DEOGYUSAN

0 —————— 4 km
0 —————— 2 miles

À VOIR ET À FAIRE	p. 314
Anguksa 안국사	1 A2
Baengnyeonsa 백련사	2 B3
Bukmun 북문	3 A1
Rapides de Gucheon 구천폭	4 B3
Village de Jimok 지목	5 A2
Point de vue 전망대	6 B3
Muju Ski Resort	7 B3
Nammun 남문	8 A2
Seomun 서문	9 A1
Source 약수	10 B3
Pavillon Wolhatan 월하탄	11 B3
Rapides de Yeonhwa 연화폭	12 B3

OÙ SE LOGER	p. 315
Camping de Deokyudae 덕유대야영장	13 B3
Refuge de Hyangjeokbong 향적봉대피소	14 B3
Quartier des minbak 민박	15 B2
Tirol Hotel 티롤호텔	16 B2

TRANSPORT	
Arrêt de bus 버스정류장	17 B2
Arrêt de bus 버스정류장	18 A1

Muju Resort (☎ 320 7830 ; s et d dim-jeu 60 000 W, ven-sam 80 000 W, saison de ski 190 000 W ; 🟏 🖳). Moins cher, il dispose d'une source chaude en plein air.

À 2 km en contrebas de la station, le Muju Resort Village abrite des boutiques, des restaurants, des yeogwan et des minbak. Attendez-vous à payer de 50 000 à 60 000 W en saison et de 20 000 à 30 000 W le reste de l'année. Si les hôtels affichent complet, prenez la navette gratuite jusqu'à Gucheon-dong, à 2 km, qui pratique des prix similaires.

Le vaste **terrain de camping** (1 000-2 200 W) de Gucheon-dong est très fréquenté en été. Comptez 3 000 W la nuit dans le refuge de Hyangjeokbong.

Depuis/vers Deogyusan

La ville de Muju, porte d'entrée du parc national de Deogyusan, est reliée par bus à Séoul, Daegu, Daejeon et Yeongdong. De Jeonju, des bus desservent Muju (6 200 W, 1 heure 30, toutes les heures) et 2 bus (à 9h25 et 14h55) continuent jusqu'à Muju Ski Resort et Gucheon-dong. Sinon, prenez le bus qui relie la ville de Muju à

Gucheon-dong (1 700 W, 45 min, toutes les 30 min). Des navettes gratuites, jaunes, partent derrière la gare routière de Muju pour Muju Ski Resort et Gucheon-dong à 8h, 10h30, 14h et 17h (plus fréquemment en août et pendant la saison de ski).

PARC CANTONAL DE GANGCHEONSAN
강천산 군립공원

Proche de la frontière sud du Jeollabuk-do, ce joli **parc** (☎ 650 1533 ; adulte/enfant 1 000/400 W ; 🌜 aube-crépuscule) offre une randonnée assez facile le long d'un ravin rocheux, agrémenté de cascades et de lacs. Après 20 min de marche, vous arrivez devant le **Gangcheonsa**, où une petite pagode en pierre endommagée par un boulet de canon rappelle que le temple a été détruit au cours de la guerre de Corée.

Du temple, 15 min de marche conduisent à un pont suspendu et à un petit barrage. De là, une montée ardue de 45 min mène à **Kumsongsanseong**, un rempart de 6 km de long qui serpente le long d'une crête. Datant de la nuit des temps, il fut reconstruit au XVIIe siècle. Sérieusement endommagée durant la rébellion du Tonghak en 1894,

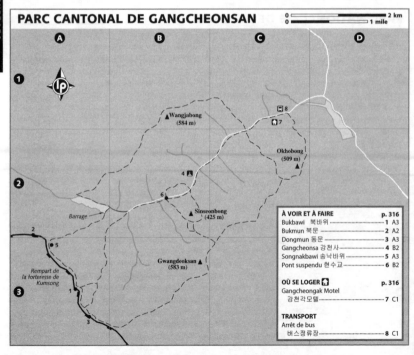

PARC CANTONAL DE GANGCHEONSAN

À VOIR ET À FAIRE	p. 316
Bukbawi 북바위	1 A3
Bukmun 북문	2 A2
Dongmun 동문	3 A3
Gangcheonsa 강천사	4 B2
Songnakbawi 송낙바위	5 A3
Pont suspendu 현수교	6 B2

OÙ SE LOGER 🏠	p. 316
Gangcheongak Motel 강천각모텔	7 C1

TRANSPORT	
Arrêt de bus 버스정류장	8 C1

Wangjabong (584 m)

Okhobong (509 m)

Barrage

Sinseonbong (425 m)

Gwangdeoksan ▲ (583 m)

Rempart de la forteresse de Kumsong

puis de nouveau pendant la guerre de Corée en 1950, la forteresse était en cours de restauration lors de notre passage.

Gangcheongak Motel (☎ 652 9920 ; s et d 25 000 W sept-juin, 35 000 W juil-août ; 🍴) est l'une des possibilités d'hébergement dans le village touristique, à l'entrée du parc.

Depuis/vers Gangcheonsan

La petite ville de Sunchang, desservie par des bus en provenance de Jeonju (4 300 W, 1 heure, toutes les 30 min), donne accès à Gangcheonsan. De Suchang, des bus rallient le parc (750 W, 10 min, toutes les heures). Quelques bus relient directement Jeonju à Gangcheonsan (5 000 W, 1 heure, 4 par jour à 9h07, 14h09, 15h30 et 16h24).

PARC NATIONAL DE NAEJANGSAN
내장산 국립공원

Les montagnes de ce **parc** (☎ 538 7875 ; adulte/jeune/enfant 2 600/1 300/700 W ; 🌙 aube-crépuscule) forment un superbe amphithéâtre. Un lacis de sentiers mène jusqu'à la ligne de crête, mais le **téléphérique** (adulte/enfant aller 2 500/1 500 W, aller-retour 3 500/2 000 W) vous

y conduit plus rapidement. Il parcourt la majeure partie du trajet vers le Yeonjabong, puis vous devrez marcher jusqu'au sommet. La promenade autour de la crête est fatigante, mais permet de découvrir des vues superbes. Le sentier, en montagnes russes, escalade et redescend six pics élevés et d'autres plus modestes avant de parvenir

JEOLLABUK-DO

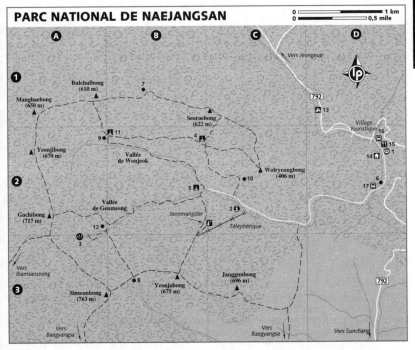

PARC NATIONAL DE NAEJANGSAN

0 — 1 km
0 — 0,5 mile

Vers Jeongeup

Bulchulbong (610 m)

Manghaebong (650 m)

7

792

13

Seoraebong (622 m)

Village touristique 16

15
1

9 11

Yeonjibong (670 m)

4

Vallée de Wonjeok

14

Wolryeongbong (406 m)

10

6

5

17

2

Gachibong (717 m)

Vallée de Geumsong

Jeonmangdae

Téléphérique

12

3

Vers Ibamsanseong

8

Yeonjabong (675 m)

Janggunbong (696 m)

792

Sinseonbong (763 m)

Vers Baegyangsa

Vers Baegyangsa

Vers Sunchang

à Seoraebong, d'où vous descendrez vers la route principale.

Échelles, ponts et rampes métalliques vous aideront à franchir les sections rocheuses. Comptez 4 heures pour grimper et faire le tour de l'amphithéâtre, avec 1 heure pour les pauses et le pique-nique. Si la randonnée vous semble trop difficile, tournez à droite et suivez l'un des nombreux chemins qui descendent à Naejangsa.

Une marche de 2 km, facile et pittoresque, part de Naejangsa et suit la vallée de Geumsong qui se transforme en un ravin encaissé. Le sentier mène ensuite à une grotte, une arche rocheuse naturelle et une chute d'eau.

Un grand village touristique jouxte l'entrée du parc. Une navette (800 W) relie la billetterie à Naejangsa, épargnant ainsi une marche de 30 min (2,5 km).

Un **camping** (3 000-6 000 W) est installé devant le parc.

Le **Sarangbang Motel** (☎ 538 8186; s et d 30 000 W, oct 40 000 W; 🗶) est l'un des meilleurs motels du lieu.

Depuis/vers Naejangsan

Prenez un bus de Jeonju à Jeongeup (2 800 W, 1 heure, toutes les 15 min). De là, des bus desservent Naejangsan (950 W, 20 min, toutes les heures).

PARC PROVINCIAL DE SEONUNSAN
선운산 도립공원

Selon un voyageur, **Seonunsan** (☎ 563 3450; adulte/jeune/enfant 2 600/1 700/1 200 W; 🕒 aube-crépuscule) est le plus bel endroit de Corée, voire du monde ! Ce commentaire est sans doute exagéré, mais l'endroit a inspiré des poètes comme Sa Chong-ju :

Chaque printemps, je me rends à Seonunsa
Pour contempler les fleurs de camélia.
Mais cette année, elles n'ont pas encore éclos,
Alors je pense à ma visite de l'an dernier
Et au chant rauque d'une hôtesse de bar.

Une marche de 20 min le long d'une rivière bordée d'arbres mène à **Seonunsa**. Derrière le temple, admirez le bosquet de camélias, en fleur vers la fin avril. Marchez encore pendant 30 min pour arriver à Dosolam, où un bouddha de 13 m de haut, sculpté sur une falaise, date probablement de la dynastie Paekche ; sa dimension et son an-

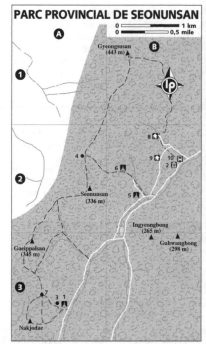

À VOIR ET À FAIRE	p. 318
Dosolam 도솔암	1 A3
Musée folklorique	
민속박물관	2 B2
Bouddha sculpté dans la roche	
마애불상	3 A3
Maijae 마이재	4 A2
Seonunsa 선운사	5 B2
Soksangsa 석상사	6 B2
Yongmungul 용문굴	7 A3

OÙ SE LOGER 🏠	p. 318
Village de minbak 민박촌	8 B2
Seonunsan Youth Hostel	
선운산유스호스텔	9 B2

TRANSPORT	
Arrêt de bus 버스정류장	10 B2

cienneté impressionnent plus que sa valeur artistique. De là, grimpez jusqu'à Nakjodae et poursuivez en direction de Gaeippalsan et Seonunsan, où vous dominerez la mer Jaune. Redescendez ensuite vers Seonunsa.

Un petit **Musée folklorique** (entrée libre) avoisine l'entrée.

À l'entrée du parc, l'habituel village touristique comprend des restaurants, des yeogwan, des minbak et la grande **Seonunsan Youth Hostel** (☎ 561 3333; fax 561 3448; dort/f 12 000/44 000 W).

Depuis/vers Seonunsan

Gochang, reliée à Jeonju (4 600 W, 1 heure 30, toutes les heures) donne accès au parc. De Gochang, des bus rallient Seonunsa (1 800 W, 35 min, toutes les 30 min). À Gochang, faites le tour du **rempart de la forteresse** (500 W), qui s'étend sur 1,6 km. Érigé au XVᵉ siècle et bien préservé, il a conservé ses portes et d'autres bâtiments. Il se trouve à 10 min de marche de la gare routière. Des bus en provenance de Jeongeup desservent également Seonunsan (2 300 W, 50 min, 4 par jour).

PARC NATIONAL DE BYEONSANBANDO
변산 반도 국립공원

Ce **parc** côtier (☎ 582 7808 ; adulte/jeune/enfant 2 600/1 300/700 W ; ☽aube-crépuscule) offre des temples, une cascade et une randonnée facile, appréciée des groupes scolaires. **Naesosa** n'a pas subi de rénovation trop importante et ses bâtiments conservent un air ancien, sans surcharge de peinture. Regardez attentivement la salle principale, en particulier les portes treillissées, la peinture derrière les statues de Bouddha et le plafond sculpté, peint d'instruments de musique, de fleurs et de dragons. Quelques moines vivent encore ici.

Montez la piste jusqu'à Cheongneonam (20 min) pour la vue sur la mer et continuez 15 min pour parvenir à la crête où vous tournerez à gauche vers Gwaneumbong. Du sommet, suivez pendant 1 heure le sentier sinueux, qui monte et descend, jusqu'à **Jiksopokpo**, une cascade de 30 m de haut qui se jette dans un grand bassin, remplit de baigneurs en été. **Sonyotang** ("bassin de l'ange") est un autre bel endroit. De là, une piste longe les ruines de Silsangsa, détruit pendant la guerre de Corée. Vous devrez peut-être faire du stop car les bus sont peu fréquents. Pour une randonnée plus sportive, allez jusqu'au **Nakjodae**, renommé pour ses couchers de soleil.

Les plages côtières attirent les foules en été. La **plage de Gyeokpo** possède des falaises spectaculaires, des grottes de roche stratifiée et des restaurants de poisson. On peut s'y baigner sans danger, mais la mer disparaît complètement à marée basse. Gyeokpo est aussi le point de départ des ferries pour **Wido**, une petite île dotée d'une vaste plage de sable, très animée en été. Dans le village de pêcheurs de Jinli, chaque maison est un restaurant-minbak. Le village comprend un supermarché, un hôpital et une salle de billard. Un projet de stockage de déchets nucléaires, actuellement à l'étude, pourrait ne jamais aboutir.

Naesosa et les plages proposent yeogwan et minbak. En juillet-août, vous pouvez camper sur les plages.

Depuis/vers Byeonsanbando

Prenez un bus de Jeonju à Buan (3 300 W, 1 heure, toutes les 15 min), puis un bus local jusqu'à Naesosa (1 800 W, 1 heure, toutes les 20 min). Des bus circulent aussi entre Naesosa et Gyeokpo (1 500 W, 40 min, 8 par jour). En revanche, les services sont rares à partir de Shilsangsaji ; préparez-vous à faire du stop. Des bus directs relient Jeonju à Gyeokpo (5 700 W, 2 heures, toutes les heures).

Des ferries desservent Wido (6 500 W aller, 40 min, 3 par jour, 6 par jour en juillet-août) à partir du **terminal de Gyeokpo** (☎ 581 0023).

GUNSAN 군산
280 000 habitants

Gunsan, port important et ville industrielle, possède un aéroport et héberge une base aérienne américaine dans ses faubourgs. On vient essentiellement à Gunsan pour prendre un bateau à destination de Seonyudo, Eocheongdo, Jejudo ou la Chine. Si vous devez passer la nuit sur place, le **Jeiljang** (☎ 446 3227 ; s et d 25 000 W), derrière la gare routière, propose des chambres convenables. À deux pas, plusieurs bars-restaurants sous tente (*bojangmacha*) servent des produits de la mer et du *soju* (vodka coréenne).

Depuis/vers Gunsan
BATEAU

Des ferries (adulte 60 000 W aller) desservent Jejudo 2 fois par jour.

Des bateaux (1ʳᵉ classe/VIP 189 000/ 540 000 W aller-retour) partent vers Qingdao (Chine) les lundis, mercredis et samedis à 17h du **terminal international** (☎ 467 2227), installé dans la zone industrielle (7 000 W en taxi).

BUS

Des bus relient Gunsan aux villes suivantes :

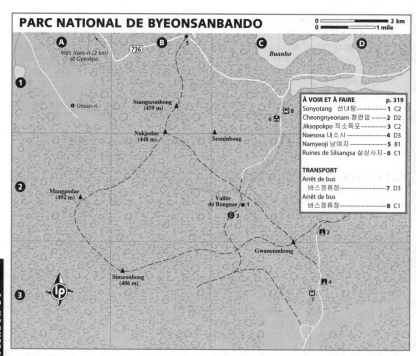

PARC NATIONAL DE BYEONSANBANDO

Destination	Prix (W)	Durée (h)	Fréquence
Daejeon	6 500	1½	ttes les heures
Jeonju	3 600	1	ttes les 15 min
Séoul (Gangnam)	10 600	3	ttes les 20 min

SEONYUDO 선유도
De Gunsan, une traversée de 43 km mène à la belle île de Seonyudo, entourée de 24 îlots pour la plupart inhabités. Son atmosphère détendue et sa jolie plage de sable blanc constituent ses principaux atouts. Vous pouvez aussi escalader le **Mangjubong,** le plus haut sommet, et découvrir une vue superbe sur la mer et les îles environnantes. À 10 min de marche de l'embarcadère, le principal village de pêcheurs comporte des boutiques, des restaurants, des yeogwan et des minbak. Faites le tour de l'île à pied ou louez un bateau de pêche pour la journée, une option abordable à plusieurs (10 000W par personne).

Des ponts relient Seonyudo aux îles voisines de Munyeodo et Jangjado. Malheureusement, toutes ces îles risquent bientôt d'être rattachées au continent si le pharaonique projet d'assèchement de la zone humide de Saemangeum voit le jour.

Où se loger
Seohae Minbak (서해민박 ; ☎ 465 8787 ; s et d 20 000 W dim-jeu, 25 000 W ven-sam ; ✕). Il offre des installations dignes d'un motel, mais augmente ses prix jusqu'à 35 000 et 40 000 W en juillet-août.

Jungang Minbak (중앙민박 ; ☎ 465 3450 ; s et d 30 000 W sept-juin, 40 000 W juil-août ; ✕). Négociez pour obtenir une réduction.

Depuis/vers Seonyudo
Des ferries (11 700 W aller, 2 heures, 2 par jour) partent du **terminal des ferries de Gunsan** (☎ 446 7171) pour Seonyudo, à 11h et 14h.

EOCHEONGDO 어청도
Cette petite île est de plus en plus réputée auprès des amateurs d'ornithologie (consultez le site www.wbkenglish.com). Des ferries partent tous les jours de Gunsan, vers 8h et 15h30, pour Eocheongdo (21 800 W aller). Les horaires varient en fonction de la marée – demandez l'horaire mensuel des traversées au centre d'information touristique de Jeonju.

Chungcheongnam-do
충청남도

La province du Chungcheongnam (ou Chungcheongnam-do ; www.chungnam.net) abrita deux capitales de l'ancien royaume de Paekche. Musées, tombeaux et forteresses regorgent de trésors culturels de cette époque. Temples et somptueux paysages montagneux parsèment la province. En été, les plages relativement préservées de la côte ouest attirent les visiteurs, notamment celle de Daecheon, célèbre pour son Festival de la boue. Le Chungcheongnam-do pourrait connaître un développement plus rapide, car le gouvernement projette de transférer certains services de Séoul à Daejeon.

À NE PAS MANQUER

- Admirez les trésors de la dynastie Paekche découverts dans le tombeau du roi Muryeong, à **Gongju** (p. 329)

- Découvrez les vestiges de **Buyeo** (p. 331), la dernière capitale paekche,

- Détendez-vous sur la **plage de Daecheon** (p. 335) et sur les îles du **parc maritime national de Taean Haean** (p. 337)

- Revivez la lutte contre l'occupation japonaise dans le **hall de l'Indépendance de Corée** (p. 338)

- Faites le tour à vélo de **Magoksa** (p. 331), un temple superbe

- Évadez-vous dans le **parc national de Gyeryongsan** (p. 327)

■ INDICATIF TÉLÉPHONIQUE : 041 ■ POPULATION : 1,9 MILLION ■ SUPERFICIE : 8 586 KM²

CHUNGCHEONGNAM-DO

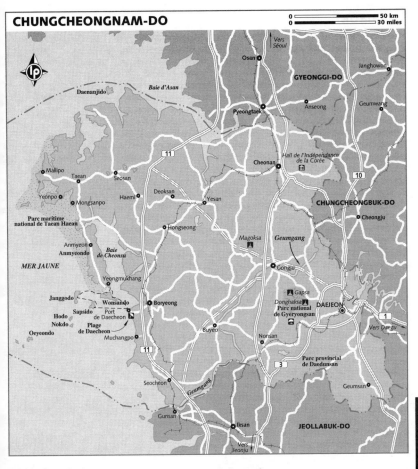

MER JAUNE

GYEONGGI-DO

CHUNGCHEONGBUK-DO

DAEJEON

JEOLLABUK-DO

Vers Séoul

Osan

Janghowon

Daenanjido

Baie d'Asan

Geumwang

Anseong

Pyeongtaek

Hall de l'Indépendance de la Corée

Mallipo

Cheonan

Taean

Seosan

Deoksan

Yesan

Cheongju

Yeonpo

Haemi

Mongsanpo

Hongseong

Magoksa

Geumgang

Parc maritime national de Taean Haean

Anmyeon

Anmyeondo

Baie de Cheonsú

Gongju

Yeongmukhang

Gapsa

Janggodo

Wonsando

Donghaksa
Parc national de Gyeryongsan

Hodo

Sapsido   Port de Daecheon

Boryeong

Nokdo

Oeyeondo

Plage de Daecheon

Muchangpo

Buyeo

Nonsan

Vers Daegu

Parc provincial de Daedunsan

Seocheon

Geumgang

Geumsan

Gunsan

Iksan

Vers Jeonju

DAEJEON 대전

☎ 042 / 1,5 million d'habitants / 539 km²

Promue capitale scientifique et technologique de la Corée, Daejeon a accueilli l'Expo 93, dont les pavillons, désormais un peu négligés, se dressent dans l'Expo Park. La ville est aussi un important carrefour de transports : elle se situe à la jonction de la voie ferrée et de l'autoroute nord-sud et de leurs branches sud-ouest et sud-est. L'ouverture récente (mars 2004) de la ligne de TGV entre Daejeon et Séoul (qui doit se prolonger jusqu'à Busan) et la mise en service du métro (peut-être en 2006) devraient apporter de grands changements.

La municipalité de Daejeon est indépendante du Chungcheongnam-do et possède son propre indicatif téléphonique.

Orientation

Les magasins et les marchés se regroupent autour de la gare ferroviaire de Daejeon, tandis que le quartier de Dunsandong voit surgir bars et restaurants. Les meilleurs motels se trouvent dans le quartier des gares routières express/ Dongbu. Yuseong, à l'ouest, abrite hôtels et restaurants près des sources chaudes. D'agréables promenades permettent d'explorer les collines environnantes, comme Bomunsan.

Renseignements

Consultez le site www.daejeonweb.com réalisé par un expatrié.

Centre d'information touristique (☺ 9h-18h ;

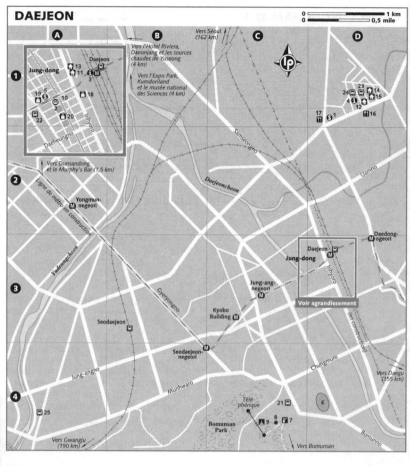

DAEJEON

☎ 632 1388 ; www.metro.daejeon.kr ; gare des bus express ; ☎ 221 1905 ; gare ferroviaire).

À voir
QUARTIER DE L'EXPO PARK
엑스포 과학공원

Deux pavillons de l'**Expo Park** (adulte/jeune/enfant 3 000/2 000/1 000 W, attraction 2 500/2 000/1 500 W ; ⊙ 9h30-18h) peuvent se visiter et projettent des films IMAX et en 3-D.

Kumdoriland (adulte/jeune/enfant 3 500/3 000/ 2 500 W, Big 3 10 000/8 000/6000 W, forfait journalier 18 000/14 000/11 000 W ; ⊙ 10h-20h), tout proche, propose des manèges à sensations fortes. Le Big 3 permet d'en expérimenter trois. Le forfait journalier donne accès à toutes les distractions.

Relié par une passerelle à l'Expo Park, le **musée national des Sciences** (☎ 601 7979 ; www.science.go.kr ; adulte/enfant 1 000/500 W ; ⊙ mardim 9h30-17h30 mars-oct, 9h30-16h30 nov-fév) aborde tous les thèmes, des dinosaures à Internet. Il projette des **films IMAX** (adulte/enfant 1 000/500 W) et en **3-D** (adulte/enfant 1 000/500 W) dans des salles spacieuses. Bien que principalement destiné aux enfants, il séduira aussi les adultes.

Le bus n°103 (1 300 W, 30 min, toutes les 15 min) part devant la gare des bus express. Descendez au musée.

SOURCES CHAUDES DE YUSEONG
유성 온천

À l'ouest de Daejeon, près du World Cup Stadium, Yuseong comprend 20 sources chaudes qui naissent à 350 m de profondeur depuis la période paekche. Une série d'hôtels dispose de bains chauds thérapeutiques couverts, accessibles aux non-résidents pour moins de 5 000 W.

Le bus n°103 (1 300 W, 45 min, toutes les 15 min) part de la gare des bus express pour Yuseong. Descendez au Riviera Hotel.

BOMUNSAN 보문산

Autour de Daejeon, un cercle de montagnes forme un cadre superbe. Bomunsan (457 m), au sud de la ville, est la plus accessible. Choisissez un jour paisible pour grimper jusqu'à **Bomunsanseong**, une petite forteresse de l'époque paekche de 280 m de long qui encercle le sommet. En chemin, observez les oiseaux qui volettent parmi les grands arbres. En été, vous profiterez de la piscine découverte et des petits parcs d'attractions. Le **téléphérique** (adulte/enfant aller 1 500/1 000 W) fonctionne irrégulièrement. Une **source d'eau** potable et un **observatoire** qui offre un panorama sur la ville figurent parmi les atouts du site.

Prenez le bus n°724 (700 W, 20 min, toutes les 20 min) dans la grande rue devant la gare des bus express ou devant la gare ferroviaire centrale. Il vous déposera près de la route d'accès, bordée d'arbres.

Circuits organisés
Visites de la ville (☎ 253 5960 ; 6 000-10 000 W ; ☺ 10h-16h). Elles partent de la petite billetterie, devant Dongbang Mart, et empruntent 4 itinéraires différents, qui comprennent tous les principaux sites.

Où se loger
De nombreux motels à prix raisonnables, récents et confortables, se regroupent autour des gares routières express et Dongbu.

Mannyeon Motel (☎ 633 7887 ; s et d dim-ven 25 000 W, sam 30 000 W ; ✖). Chambres modernes et assez luxueuses, parfois dotées de lits circulaires.

Ègalement recommandés, le **Hwangtobang Park** (☎ 622 7500 ; s et d dim-ven 25 000 W, sam 30 000 W ; ✖) et le **Daejeon Park** (☎ 631 2728 ; s et d dim-ven 25 000 W, sam 30 000 W ; ✖ 🖥) offrent des chambres avec ordinateur pour 5 000 W de plus.

Les hébergements aux alentours de la gare ferroviaire ne sont pas très chers, mais guère séduisants. Dans une rue tranquille, à droite en sortant de la gare, vous trouverez :

Daejeon Yeoinsuk (☎ 252 7058 ; s et d 10 000 W). Il propose des chambres minuscules, avec *yo* (matelas de type futon sur le sol) et TV (sanitaires communs).

Chowonjang (☎ 255 6423 ; s et d 25 000 W ; ✖). Chambres un peu défraîchies, acceptables à ce prix.

Le quartier des sources chaudes de Yuseong dispose essentiellement d'établissements de catégories moyenne et supérieure.

Daeonjang (대온장 ; ☎ 822 0011 ; s et d 33 000 W ; ✖). Bon choix pour les petits budgets, il facture le bain dans une source chaude 2 000/4 000 W (résidents/non-résidents). Utilisez plutôt ceux des hôtels Riviera ou Yuseong.

Riviera Hotel (호텔 리베라 ; ☎ 823 2111 ; fax 822 0071 ; s, d, lits jum et ondol 193 600 W taxes et service compris ; ✖ 🖥). Cet hôtel de luxe, doté d'un spa et d'une boîte de nuit, offre 30% de réduction en semaine. Les bassins alimentés par les sources chaudes sont ouverts aux non-résidents pour 4 500 W. Comptez 9 000 W pour le sauna.

Où se restaurer et prendre un verre
Dunsandong est un nouveau quartier de bars et de restaurants ; beaucoup se

regroupent autour des gares routières express et Dongbu.

Jung-ang Sijang (marché central) offre un nombre incalculable de produits, des pattes de poulet aux plantes médicinales. Les restaurants et les stands de rue offrent de bons plats à prix doux. Dongbang Mart comprend un supermarché au rez-de-chaussée et un hall de restaurantion au 1er étage. Vous pourrez également faire vos courses à l'Agricultural Cooperative Supermarket.

Pungjeon (repas 5 000-7 000 W). Ce restaurant animé, doté d'une salle et d'une terrasse, sert un *samgyetang* avec le riz dans la soupe et non pas dans le poulet. La salade et les concombres d'accompagnement sont délicieu. Daejeon est rénommée pour le *dotorimuk* (gelée de gland, 5 000 W).

Murphy's Bar (Dunsandong ; 🕐 18h30-3h). Il accueille des musiciens à 21h et 23h, du lundi au samedi (Guinness 13 000 W). Prenez le bus n°513 ou un taxi.

Achats

Un vaste marché, ainsi que les grands magasins Galleria et Lotte font face à la gare ferroviaire centrale.

Depuis/vers Daejeon
AVION

L'aéroport le plus proche est celui de Cheongju, à 60 km au nord de Daejeon, dans le Chungcheongbuk-do. Un bus le relie à Daejeon (3 100 W, 45 min, 5 par jour).

BUS

Daejeon compte trois gares routières : la gare routière interurbaine de Seobu (ouest), la gare routière interurbaine de Dongbu (est) et le *gosok teomineol* (gare des bus express). Voisines, les deux dernières se trouvent à la périphérie est de la ville et sont les plus utilisées par les voyageurs.

La gare des bus express dessert :

Destination	Prix (W)	Durée (h)	Fréquence
Busan	12 500	3¾	ttes les heures
Cheonan	3 300	1	ttes les 20 min
Daegu	6 800	2	ttes les 30 min
Dong-Séoul	7 600	2	ttes les 30 min
Gwangju	8 200	3	ttes les 30 min
Séoul Gangnam	7 000	2	ttes les 10 min

La gare routière interurbaine de Dongbu offre des liaisons vers :

Destination	Prix (W)	Durée (h)	Fréquence
Cheonan	3 300	1	ttes les 30 min
Geumsan	2 700	50 min	ttes les 10 min
Gongju	2 800	1	ttes les 45 min
Gunsan	6 500	1½	ttes les heures
Jeonju	4 100	1½	ttes les 30 min
Taean	12 200	3½	ttes les 20 min

La gare routière interurbaine de Seobu relie :

Destination	Prix (W)	Durée (h)	Fréquence
Boryeong	7 700	3	ttes les 15 min
Buyeo	4 500	1¼	ttes les 10 min
Gongju	2 800	1	ttes les 10 min

TRAIN

Daejeon possède deux gares ferroviaires. La gare de Daejeon, au centre-ville, dessert la ligne principale entre Séoul et Busan. Quelle que soit leur destination finale, tous les trains circulant sur cette ligne s'arrêtent ici. La gare de Seodaejeon, à l'ouest de la ville, se trouve sur la ligne de Mokpo, *via* Ilsan et Jeongeup. Si vous allez à Gwangju, vous devrez changer à Yeongsanpo.

Des trains *saemaeul* (12 600 W, 1 heure 45, toutes les heures) relient Séoul et Daejeon, tout comme les trains *mugunghwa* (8 600 W, 2 heures, toutes les 15 min). Pour Busan, comptez 14 300 W et 3 heures 45.

Comment circuler
BUS

De la gare ferroviaire centrale, le bus n°841 dessert la gare routière de Seobu, tandis que les bus n°851 et 860 rallie la gare routière de Dongbu et celle des bus express. Le bus n°102 se dirige vers les sources chaudes de Yuseong. Le bus n°513 relie le quartier des bars et des restaurants de Dunsandong.

Le bus n°724 (700 W, toutes les 20 min) circule entre la gare routière de Dongbu, la gare ferroviaire centrale et Bomunsan. Pratique, le bus n°103 (700 W, toutes les 15 min) va de la gare routière de Dongbu à l'Expo Park, aux sources chaudes de Yuseong et au parc national de Gyeryongsan.

TRAIN
Un réseau souterrain, actuellement en cours de construction, devrait relier le centre-ville à Yuseong en 2006.

ENVIRONS DE DAEJEON
Geumsan 금산
65 000 habitants
C'est dans le bourg de Geumsan (www.geumsan.chungnam.kr) qu'est récolté et commercialisé 80% de l'*insam* (ginseng) du pays. Chaque jour, 128 t de ginseng et 66 t de plantes médicinales sont achetées et vendues pour des sommes faramineuses. Biscuits, bonbons, chocolat et vin, tout ce qui est à base de cette plante remporte un vif succès. Vous pouvez même expérimenter un sauna au ginseng. Visitez le Geumsan Insam Gukje Sijang (marché international du ginseng de Geumsan) et le Geumsan Hanyak Sijang (marché des plantes médicinales de Geumsan). Le marché principal se tient les 2, 7, 12, 22 et 27 de chaque mois et les grands marchés, le 2 du mois. Bien évidemment, les plats à base de ginseng sont la spécialité des stands de rue et des restaurants de la ville. La *samgyetang* (soupe de pois chiches au ginseng) et une variante à base de plantes médicinales comptent parmi les favorites.

DEPUIS/VERS GEUMSAN
Le moyen le plus simple de rejoindre Geumsan consiste à prendre un bus à la gare routière interurbaine de Dongbu, à Daejeon (2 700 W, 50 min, toutes les 10 min).

Parc national de Gyeryongsan
계룡산 국립공원
L'entrée est du **parc national de Gyeryongsan** (☎ 825 3003 ; adulte/jeune/enfant 2 600/1 200/600 W ; ⊙6h-19h) se trouve à 18 km de Daejeon. Ce joli petit parc abrite 2 temples célèbres et des montagnes boisées, qui se transforment en falaises abruptes à proximité des sommets. Gyeryongsan signifie "montagne du dragon à tête de coq" (ce que sa forme évoque pour certains habitants). **Donghaksa** (un monastère) se dresse à 1 km de l'entrée du parc. De là, un sentier escarpé mène à l'autre temple, Gyemyeongjeongsa, puis aux pics Sambulbong et Gwaneumbong avant de revenir à Donghaksa *via* Eunseonpokpo (cascade d'Eunseon).

Gapsa, un temple situé à l'entrée ouest du parc, est plus facilement accessible depuis Gongju. Un circuit passe par plusieurs sommets et ermitages. Vous pouvez aussi traverser le parc d'un bout à l'autre en 4 heures, sans presser le pas. Une carte de randonnée en anglais est en cours d'élaboration.

OÙ SE LOGER ET SE RESTAURER
Le bus qui dessert l'entrée est du parc s'arrête près d'un grand village touristique, qui possède des boutiques de souvenirs, une poste, des commerces d'alimentation, des restaurants, des *minbak* (maisons privées qui louent des chambres rudimentaires), des *yeogwan* (motels offrant des petites chambres bien équipées avec sdb) ; des stands vendent des châtaignes grillées en saison et une version locale du *dongdongju* (vin de riz fermenté). Des petits terrains de camping sont installés aux deux entrées. L'**Eunseon Sanjang** (lits 3 000 W), un simple refuge, comprend 20 lits.

Agnes Park Motel (☎ 825 8211 ; s et d dim-ven 33 000 W, sam 50 000 W ; ✿) : l'un des meilleurs yeogwan, proche de l'entrée est du parc.

Gyerong Youth Hostel (☎ 856 4666 ; dort/f 10 900/33 000 W). À proximité de l'entrée ouest, cet établissement est le moins cher pour les voyageurs indépendants. De nombreux yeogwan et minbak sont installés alentour.

Mushroom (repas 5 000-12 000 W). Ce restaurant en forme de champignon sert du *beoseo ssambap* (12 000 W) et beaucoup d'autres spécialités. Ambiance musicale assurée.

DEPUIS/VERS GYERYONGSAN
Le bus n°103 (1 300 W, 1 heure, toutes les 15 min) part devant la gare des bus express de Daejeon et dessert l'extrémité orientale du parc, en passant par le musée national des Sciences et les sources chaudes de Yuseong. Le bus n°102 part de la gare ferroviaire.

À Gongju, prenez le bus local n°2 (830 W, 40 min, toutes les 30 min) jusqu'à l'entrée ouest du parc.

GONGJU 공주
140 000 habitants
Autrefois dénommée Ungjin, Gongju devint la deuxième capitale du royaume de Paekche en 475, après l'abandon de la

PARC NATIONAL DE GYERONGSAN

première capitale, Hanseong. Elle conserva ce titre 63 ans, jusqu'à ce que le roi Seong se retire vers le sud en 538 et déplace la capitale à Sabiseong (Buyeo).

Dans le district de Songsan, une douzaine de grands tombeaux datent du royaume de Paekche. En 1971, des archéologues découvrirent par hasard les tombes du roi Muryeong et de son épouse. Elles renfermaient un trésor inestimable de 3 000 objets, qui témoignent du raffinement de la culture et des techniques de cette époque. Le roi Muryeong, 25e monarque de la dynastie, régna de 501 jusqu'à sa mort en 523, à l'âge de 62 ans. Son épouse décéda 3 ans plus tard. Leurs sépultures, scellées en 529, restèrent intactes 1 442 ans.

Aujourd'hui, Gongju est une petite ville de province et un centre d'éducation. Chaque année impaire, au début d'octobre, elle célèbre son bref âge d'or à travers le Festival paekche. Grande parade haute en couleurs dans l'artère principale, feux d'artifice, danses, jeux et sports traditionnels ponctuent ces jours de fête. Le festival a lieu à Buyeo les années paires.

Orientation
Hôtels et restaurants sont installés dans Ungjinno, l'artère principale, et alentour, dans le quartier touristique, au sud du fleuve. Les tombeaux se trouvent à 2 km à l'ouest. Gongsanseong et le musée sont dans la partie est de la ville.

Renseignements
Centre d'information touristique (☎ 850 4548 ; www.gongju.go.kr ; ☾ mars-oct 9h-18h, nov-fév 9h-17h). À l'entrée de la tombe du roi Muryeong ; personnel anglophone.
Centre d'information touristique (☎ 856 7700 ; ☾ mars-oct 9h-18h, nov-fév 9h-17h). À l'entrée de Gongsanseong.

À voir
MUSÉE NATIONAL DE GONGJU
공주국립 박물관

Ce **musée** (☎ 852 7714 ; adulte/étudiant 300/150 W ; ✆ mar-dim 9h-18h mars-oct, 9h-17h nov-fév) abrite la plus précieuse collection d'objets paekche du pays, dont 2 couronnes en or, des bibelots en or, en jade et en argent, des miroirs et des ustensiles en bronze, ainsi que des bols en porcelaine blanche. Les rois et les reines portaient alors de grandes boucles d'oreilles en or et un bracelet en argent orné d'un dragon, témoignant du grand talent des artistes de l'époque. Certains motifs révèlent des influences mongoles, bouddhistes et chinoises. La porcelaine de Chine et les cercueils, dont le bois provient d'un arbre poussant exclusivement au Japon, prouvent que cette dynastie commerçait avec les deux nations. La plupart des objets exposés proviennent des tombes du roi Muryeong et de son épouse. Lors de notre passage, le musée devait déménager dans un nouveau bâtiment situé derrière les tombes, à Songsan-ri.

TOMBEAU DU ROI MURYEONG
무령왕릉

Les tombeaux paekche se regroupent sur une colline, près de Songsan-ri, à 2 km du centre-ville (25 min de marche). Les chambres mortuaires, inaccessibles, ont été scellées en 1997 afin de les protéger de l'air chaud et humide, qui détériorait les motifs intérieurs, en brique et en pierre.

À droite de l'entrée, la **salle d'exposition** (☎ 850 4548 ; adulte/jeune/enfant 1 000/700/500 W ; ✆ mars-oct 9h-18h, nov-fév 9h-17h) présente des copies de quelques tombes, ainsi qu'un film documentaire sur l'ouverture du tombeau du roi Muryeong en 1971. L'une des maquettes est construite en briques ornées de fleurs de lotus, symbole du paradis bouddhiste. Une autre est décorée de fresques représentant un dragon, un tigre, une tortue-serpent et un phénix.

De la salle d'exposition, vous pouvez marcher jusqu'aux tumuli funéraires et voir l'entrée de certaines tombes.

Les bus n°25, 25-1 et 30 (850 W, 10 min, toutes les 15 min) desservent le site depuis la gare routière locale.

GONGSANSEONG 공산성

À flanc de montagne, cette **forteresse** (adulte/jeune/enfant 800/600/400 W ; ✆ mars-oct 9h-18h, nov-fév 9h-17h), chargée d'histoire, est un bel endroit pour se promener sous les châtaigniers et les plaqueminiers. Du pavillon Gongbungnu, vous découvrirez une belle vue sur le fleuve. Le mur de 2,4 km de long qui entoure le sommet du Gongsan fut érigé en terre sous le royaume de Paekche. Les pierres ont été ajoutées au XVIIᵉ siècle.

Petit temple datant du royaume de Silla unifié, Yeonunsa hébergea des moines guerriers qui combattirent les Japonais dans les années 1590. Face au temple, à l'extérieur du mur, se trouve un grand puits à marches, structure très rare en Corée. À proximité, des lotus s'épanouissent dans un bassin profond, bordé de pierres.

À l'entrée du site, la **relève de la garde paekche** a lieu toutes les heures, de 14h à 20h, le samedi et le dimanche, d'avril à juin et en septembre-octobre. Vous pouvez vous déguiser en guerrier paekche et tester votre adresse au tir à l'arc.

MUSÉE D'ART DRAMATIQUE POPULAIRE
DE CORÉE 판소리 박물관

Ce **musée** (☎ 855 4933 ; adulte 1 500 W ; www.folkdrama.net ; ✆ mar-dim 10h-18h mars-oct, 10h-17h nov-fév) expose une impressionnante collection de marionnettes, poupées, masques, objets chamanistes et instruments de musique coréens et d'autres pays asiatiques.

Des bus s'arrêtent près du musée, mais mieux vaut prendre un taxi ; du centre-ville, la course dure 10 min (3 000 W).

Circuits organisés

Un **circuit en bus** (☎ 856 7700 ; gratuit) d'une journée part à 10h tous les dimanches, d'avril à octobre, du parking de la forteresse. Il permet de visiter les principaux sites.

Où se loger

En face de l'entrée de la forteresse, des grands motels offrent des chambres agréables pour 25 000 W. Nous vous recommandons le **Minarijang** (☎ 853 1130 ; s et d 25 000 W ; ✖) et le **Mongnyeonjang** (☎ 856 7631 ; s et d 25 000 W ; ✖).

Où se restaurer et prendre un verre

La région de Gongju produit 8% des châtaignes du pays, une douceur que vous pourrez déguster en automne.

Pungmidang (repas 2 000-5 000 W ; ✆ 9h30-3h). Ce restaurant sert de bons plats à prix doux jusque tard dans la nuit. *Bibimbap*, *manduguk*,

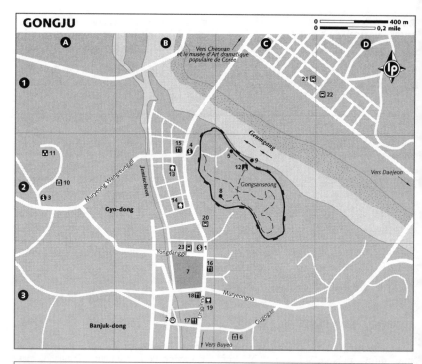

RENSEIGNEMENTS

| Korea First Bank 제일은행 | **1** B3 |
| Poste 우체국 | **2** B3 |
| Centre d'information touristique |
| 관광안내소 | **3** A2 |
| Centre d'information touristique |
| 관광안내소 | **4** B2 |

À VOIR ET À FAIRE p. 329

| Pavillon Gongbungnu 공북루 | **5** C2 |
| Musée national de Gongju |
공주국립박물관	**6** C3
Marché Sanseong 산성시장	**7** B3
Ssangsujeong 쌍수정	**8** C2
Puits à marches 연지	**9** C2

| Salle d'exposition du tombeau du roi Muryeong |
| 무령왕릉모형관 | **10** A2 |
| Tombeau du roi Muryeong |
| 백제무령왕릉 | **11** A2 |
| Yeongeunsa 영은사 | **12** C2 |

OÙ SE LOGER p. 329

| Minarijang 미나리장 | **13** B2 |
| Mongnyeonjang 목련장 | **14** B2 |

OÙ SE RESTAURER p. 329

| Gomanaru 고마나루 | **15** B2 |
| Myeongseong Bulgogi 명성불고기 | **16** B2 |
| Nonttureongbattureong |
| 논뚜렁밭뚜렁 | **17** B3 |

| Pungmidang 풍미당 | **18** B3 |

OÙ PRENDRE UN VERRE p. 329

| World Beer House |
| 따따봇따 | **19** B3 |

TRANSPORT

| Arrêt des bus pour Séoul et Daejeon |
| 버스정류장 | **20** B2 |
| Gare des bus express |
| 고속버스터미널 | **21** C1 |
| Gare routière interurbaine |
| 시외버스터미널 | **22** D1 |
| Gare des bus locaux |
| 시내버스터미널 | **23** B3 |

kalguksu et *sundubu* (tofu accompagné d'une sauce relevée) coûtent moins de 4 000 W et le *samgyetang*, seulement 5 000 W.

Gomanaru (repas 5 000-10 000 W). En face de la forteresse, dans un décor délibérément désuet, il offre un *ssambapjeongsik* (riz, plats d'accompagnement et feuilles de verdure) à 5 000 W – ou 10 000 W avec du *bulgogi* sur plaque chauffante et 2 ou 3 plats supplémentaires. Une grande variété de feuilles vertes permettent d'envelopper les bouchées.

Myeongseong Bulgogi (repas 6 000-12 000 W). Dans ce petit restaurant du centre-ville, un copieux bulgogi revient à 8 000 W. Le *dwaejigalbi* (côtes de porc au barbecue)

ou le *samgyeopsal* (sorte de bacon grillé) coûtent 6 000 W.

Nonttureongbattureong (repas 5 000 W). Dans le cadre rustique d'une chaumière en pisé, savourez la spécialité locale, le *bamnaengmyeon* (*naengmyeon* aux châtaignes ; 4 000 W), agréable lorsqu'il fait chaud. Les châtaignes, indétectables, entrent dans la composition des nouilles. La carte offre peu d'autres choix.

La **World Beer House** sert des bières du monde entier. Comptez 10 000 W pour une Guinness, 6 000 W pour les autres bières étrangères et 3 000 W pour les bières locales .

Depuis/vers Gongju

La gare des bus express et la gare routière interurbaine se trouvent au nord du fleuve, mais la plupart des bus vous déposeront au centre-ville. La course en taxi du centre aux gares routières revient à 2 000 W. Les bus qui circulent entre Daejeon et Séoul font halte à l'arrêt signalé sur la carte p. 324.

Des bus express rejoignent la gare routière de Nambu, à Séoul (5 900 W, 2 heures 30, toutes les 20 min), et Séoul Gangnam (5 900 W, 2 heures, toutes les 20 min).

Les bus interurbains desservent notamment les destinations suivantes :

Destination	Prix (W)	Durée (h)	Fréquence
Boryeong	4 800	1¾	ttes les 30 min
Buyeo	2 800	45 min	ttes les 30 min
Cheonan	3 500	1	ttes les 20 min
Daejeon	2 800	1	ttes les 10 min
Taean	10 000	3	4/jour

Comment circuler

Des bus partent de la gare routière locale pour l'entrée ouest du parc national de Gyeryongsan (830 W, 40 min, toutes les 30 min) et son entrée est (830 W, 20 min, 5 par jour). Le bus n°7 rallie Magoksa (830 W, 45 min, toutes les 35 min).

ENVIRONS DE GONGJU

Au nord-ouest de Gongju, près de la route principale, **Magoksa** (마곡사 ; adulte/jeune/enfant 2 000/1 500/1 000 W ; ☯ 6h-18h30), un temple ancien isolé, fut bâti par le maître seon (zen) Jajangyulsa sous le règne de Seondeok, la première reine de Silla (vers 632–647). Cette bouddhiste fervente favorisa la culture chinoise Tang en Corée.

Traversez le "pont qui purifie l'esprit" jusqu'à la salle principale **Daegwangbojeon**, reconstruite pour la dernière fois en 1813. Soutenu par d'immenses piliers et d'énormes poutres, son plafond est abondamment décoré et sculpté. Derrière, une salle de prière inhabituelle à 2 étages, **Daeungbojeon**, fut construite en 1651. Autre merveille, **Yeongsanjeon** contient un millier de minuscules statuettes blanches, toutes légèrement différentes.

Un râtelier de **vélos** (☯ mars-oct 9h-18h, nov-fév 9h-17h) avoisine le parking ; vous pouvez emprunter gratuitement un engin et vous promener sur les chemins vallonnés aux alentours du temple. Repérez l'enseigne "마곡사 관광지 관리 사무소" sur la gauche. Vous devrez laisser votre passeport ou une autre pièce d'identité.

Trois **circuits de randonnée** commencent derrière Magoksa. Le parcours le plus long (5 km, 2 heures 30) passe par deux sommets, Nabalbong (417 m) et Hwalinbong (423 m). Les autres itinéraires, de 2,5 km et 4 km, demandent respectivement 1 heure 30 et 2 heures ; en chemin, vous découvrirez des petits ermitages disséminés dans les montagnes boisées.

Le village touristique comprend quelques bons restaurants. Le **Chueokuisamhak** (repas 10 000-20 000 W) sert du *metdwaejigogi* (sanglier, 10 000 W), de l'*ureongtang* (soupe d'escargot, 20 000 W) et du *hanbang oribaeksuk* (canard et riz dans une soupe d'herbes médicinales, 35 000 W). Cette soupe est si copieuse qu'elle peut nourrir 3 personnes. La bière locale, Gongju Albaminsamsul, est parfumée aux aiguilles de pin, aux châtaignes et au ginseng (4 000 W la bouteille d'1,2 l). Cherchez l'enseigne "민박" pour trouver deux minbak.

De la gare routière locale de Gongju, le bus n°7 dessert Magoksa (830 W, 40 min, toutes les 45 min).

BUYEO 부여
95 000 habitants

Buyeo est le site de la dernière capitale du royaume de Paekche, Sabi, qui remplaça Gongju en 538. Six rois régnèrent sous cette dynastie florissante, jusqu'à ce qu'elle succombe sous les attaques conjuguées de Silla et des Tang (de Chine) en 660. Le général Gyebaek et ses soldats périrent en défendant leur pays. Le roi Uija, le prince héritier et 700 autres personnes furent emmenés en Chine et retenus en otages.

Entourée de collines boisées et de rizières, Buyeo est aujourd'hui une paisible ville de province à l'ambiance détendue. Ses habitants se montrent amicaux et respectueux des traditions. Il ne reste pas grand-chose de la période paekche : quelques tumuli funéraires à la sortie de la ville, une pagode en pierre à 5 niveaux et une falaise historique. Les plus beaux vestiges du royaume sont exposés dans le Musée national de Buyeo, au sud-est du site de Jeongnimsa.

CHUNGCHEONGNAM-DO

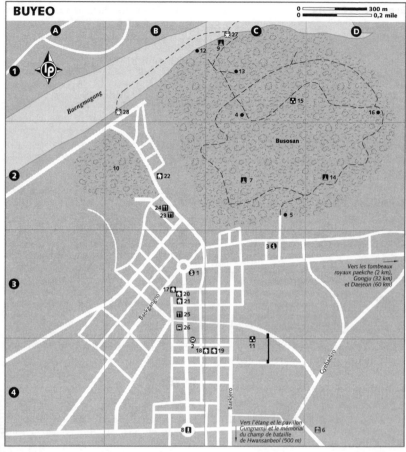

BUYEO

0   300 m
0   0,2 mile

Baengmagang

Busosan

*Vers les tombeaux
royaux paekche (2 km),
Gongju (32 km)
et Daejeon (60 km)*

Backgangno

Backjero

Gyebaekro

*Vers l'étang et le pavillon
Gungnamji et le mémorial
du champ de bataille
de Hwansanbeol (500 m)*

RENSEIGNEMENTS	
Hana Bank하나은행	**1** B3
Poste 우체국	**2** B4
Centre d'information touristique	
관광안내소	**3** C3

À VOIR ET À FAIRE	p. 332
Banwolru 반월루	**4** C1
Entrée du Busosan 부소산입구	**5** C2
Musée national de Buyeo	
부여국립박물관	**6** D4
Chungnyeongs 충녕사	**7** C2
Statue du général Gyebaek	
계백장군동상	**8** B4
Goransa 고란사	**9** C1

Parc de sculptures Gudurae	
구두래공원	**10** B2
Jeongnimsa 정림사지	**11** C4
Nakhwaam 낙화암	**12** B1
Sajaru 사자루	**13** C1
Samchungsa 삼충사	**14** D2
Suhyeolbyeongyeongji 수혈병영지	**15** C1
Yeong-ilru 영일루	**16** D1

OÙ SE LOGER 🏠	p. 334
Damyeongjang 다명장	**17** B3
Geumhwa Yeoinsuk 금화여인숙	**18** C4
Motel Sky 모텔스카이	**19** C4
Myeongseongjang 명성장	**20** B3
New World Park 뉴월드파크	**21** B3

Samjung Buyeo Youth Hostel	
부여유스호스텔	**22** B2

OÙ SE RESTAURER 🍴	p. 334
Daega 대가	**23** B2
Gudurae Dolssambap	
구두래돌쌈밥	**24** B2
Sinsedaebunsikjangteo	
신세대분식장터	**25** B3

TRANSPORT	
Gare routière de Buyeo	
부여버스터미널	**26** B3
Ferry 선착장	**27** C1
Ferry 선착장	**28** B1

CHUNGCHEONGNAM-DO (vertical side tab)

Renseignements

Des kiosques d'information touristique sont installés près des tombes paekche et devant Jeongnimsa. Le principal **centre d'information touristique** (☎ 830 2523 ; ⏰ 9h-18h), très utile, se trouve devant l'entrée de Busosan.

À voir

MUSÉE NATIONAL DE BUYEO
부여 국립 박물관

Inauguré en 1993, ce **musée** (adulte/jeune et enfant 200 W/gratuit ; ⏰ mars-oct 9h-18h, nov-fév 9h-17h) abrite l'une des plus belles collections d'objets paekche du pays. Il retrace aussi l'histoire de la péninsule aux âges du fer et du bronze, lorsque ses habitants cultivaient la terre et vivaient dans des maisons troglodytiques. Ils enterraient leurs morts dans des dolmens, des jarres et des cercueils en bois et fabriquaient des poteries raffinées et des armures en fer. L'objet le plus extraordinaire est un célèbre brûle-parfum paekche en métal, remarquablement travaillé. Les décors des ustensiles domestiques – marmites ornées de visages humains et pots de chambre en forme d'animal – contrastent fortement avec les objets indiquant le statut social – couronnes en or pour les rois et les reines, en bronze doré ou en argent pour les hauts dignitaires. Plusieurs vestiges en pierre intéressants – stèles, bains, lanternes et sculptures de bouddhas – sont conservés dans le jardin du musée.

BUSOSAN 부소산

Ce **parc** (adulte/jeune/enfant 2 000/1 100/1 000 W ; ☉ mars-oct 7h-19h, nov-fév 8h-17h) s'étend sur la montagne boisée de Buosan (106 m), où se dressait jadis le dernier bastion des rois Paekche. Vous verrez les ruines de l'ancien rempart en terre. Jadis jardin du palais, le parc, habité d'écureuils et d'oiseaux, est l'occasion d'une agréable promenade.

Des temples, des pavillons et des sanctuaires témoignent de la période paekche ; on a retrouvé des traces d'aliments carbonisés dans un ancien entrepôt. On a reconstruit une maison troglodytique au toit de chaume. Un sanctuaire est consacré au général Gyebaek et à deux ministres paekche, dont les avertissements furent ignorés par le dernier souverain, le roi Uija (vers 641–660). Voir l'encadré ci-dessus.

Un large fleuve, le Baengmagang, protège la partie nord de la forteresse. La falaise qui la surplombe fut le théâtre de l'une des pires tragédies de l'histoire des Trois Royaumes. La légende raconte que 3 000 dames de cour se seraient jetées dans le fleuve du haut d'un gros rocher qui surmonte cette falaise. Elles auraient préféré se donner la mort plutôt qu'êtres réduites en esclavage après la défaite des troupes paekche en 660. Plus tard, le rocher fut appelé Nakhwaam, "rocher des fleurs qui tombent", en hommage à celles qui choisirent la mort plutôt que le déshonneur.

LA DERNIÈRE BATAILLE DU GÉNÉRAL GYEBAEK

Après avoir remporté de nombreuses victoires, le général Gyebaek sentit le vent de la défaite en 660, lorsqu'il apprit l'importance des armées silla et chinoises avançant sur le royaume. Souhaitant éviter à sa famille les souffrances et le déshonneur de l'esclavage, il tua sa femme et ses enfants. Ensuite, à la tête de sa petite armée de 5 000 hommes, il marcha au-devant de l'ennemi, dont les troupes étaient dix fois plus nombreuses. Le général et ses soldats parvinrent à repousser quatre attaques dans les plaines de Hwansanbeol, mais ils périrent tous au cours du cinquième assaut. Si cette défaite signifia la fin du royaume de Paekche, le général et ses hommes en symbolisent l'esprit martial inflexible. Une statue du général à cheval se dresse au centre de Buyeo et un mémorial retraçant sa dernière bataille a été érigé près de l'étang Gungnamji.

Un petit temple, Goransa, se dresse au pied de la falaise. Derrière jaillit une source qui fournissait l'eau potable favorite des rois Paekche ; à côté pousse une plante inconnue ailleurs. Les esclaves qui venaient chercher l'eau mettaient une feuille dans le récipient pour prouver qu'elle provenait bien de la source.

De Goransa, des **ferries** (adulte/enfant aller 2 300/1 100 W) rallient en 10 min le parc de sculptures de Gudurae. Ils font la navette tous les jours, de l'aube au crépuscule. Du parc de Gudurae, une marche de 15 min vous ramènera au centre-ville, en passant devant d'excellents restaurants.

JEONGNIMSA 정림사

Au centre ville, à l'emplacement d'un ancien **sanctuaire** (adulte/jeune/enfant 1 000/600/400 W ; ☉ mars-oct 7h-19h, nov-fév 8h-17h), vous pourrez admirer une pagode en pierre à 5 niveaux de la période paekche, l'une des rares qui soient parvenues jusqu'à nous. Le bouddhisme fut introduit en Corée au IVe siècle, sous les Paekche ; simples bâtiments orientés nord-sud, les temples d'alors comportaient une porte de bois, une salle principale couverte de tuiles et une pagode. Dragons, monstres et fleurs de lotus ornaient fréquemment les tuiles et les dalles. La plus grande pagode encore debout se trouve à Mireuksa, près d'Iksan dans le Jeollabuk-do.

ÉTANG ET PAVILLON GUNGNAMJI
궁남지
À 15 min de marche de Jeongnimsa, un pavillon fut édifié par un roi Paekche pour servir de jardin d'agrément aux dames de la cour. Des saules et des rizières entourent l'étang aux nénuphars, au centre duquel se dresse le pavillon. À proximité, un grand mémorial rappelle la dernière bataille du général Gyebaek et de ses 5000 soldats.

TOMBEAUX ROYAUX PAEKCHE
백제 왕릉
Sept **tombes royales** (adulte/jeune/enfant 1 000/600/400 W ; ☼ mars-oct 7h-19h, nov-fév 8h-17h), datant de 538 à 660, sont édifiées à flanc de colline, à 4 km de Buyeo, le long de la route de Nonsan. Elles sont fermées au public, mais une **salle d'exposition** présente des maquettes de certaines d'entre elles.

Le site du temple de Neungsan-ri avoisine les tombeaux. C'est ici que fut découvert, en 1993, le superbe brûle-parfum en métal, aujourd'hui exposé au musée. Les tombes se trouvent à l'extérieur des hauts remparts de terre qui protégeaient la cité. Assez larges pour que l'on puisse les parcourir à cheval, ils s'étendaient à l'origine sur 8 km. Vous en verrez quelques vestiges, sur lesquels des faisans se promènent aujourd'hui.

Pour accéder au site depuis la gare routière ou la route de Nonsan (논산), prenez l'un des bus locaux qui desservent fréquemment cette ville (850 W) ou un taxi (4 000 W).

Où se loger
Trois motels confortables et bon marché sont installés au nord de la gare routière.

Myeongseongjang (☎ 833 8855 ; s et d 25 000 W ; ⊠). Le meilleur et le moins cher, il propose des grandes chambres propres, décorées de jolies photos. Dans le hall, admirez le décor composé d'eau et d'orchidées.

Damyeongjang (☎ 835 3377 ; s et d 30 000 W ; ⊠). Sa réception ressemble à celle du Lotte Hotel, à Séoul.

New World Park (☎ 832 1755 ; s et d à partir de 25 000 W ; ⊠). Une autre bonne adresse.

Au sud de la gare routière, vous trouverez un autre motel agréable et un *yeoinsuk*

(hôtel familial doté de petites chambres avec sdb communes).

Motel Sky (☎ 835 3331 ; s, d et ondol 25 000 W ; ⊠). Façade de galets et mobilier extravagant.

Geumhwa Yeoinsuk (☎ 835 2936 ; s et d 10 000 W). Les chambres minuscules, avec TV, donnent toutes sur une cour. Dans la sdb commune, vous puiserez de l'eau dans un grand baquet en plastique. Mais les tarifs sont imbattables.

Samjeong Buyeo Youth Hostel (☎ 835 3791 ; dort/f membres 11 000/30 000 W, non-membres 16 000/43 000 W ; ⊠ ⌨). Plus proche du centre-ville que la plupart des autres auberges de jeunesse, celle-ci dispose d'une cuisine, d'une piscine pour enfants (ouverte en juillet-août), d'un restaurant et d'une boutique.

Où se restaurer
Des bons restaurants bordent la route qui mène à l'embarcadère.

Gudurae Dolssambap (repas 5 000-10 000 W). Ce restaurant populaire propose *dolssambap* et bibimbap.

Daega (repas 10 000 W). Il prépare un succulent canard rôti. Commandez le *hunjejeongsik* (30 000 W, plus cher avec une soupe de canard), assez copieux pour 3 personnes – un délicieux repas avec des sauces aux plantes médicinales et à l'ail, d'excellents plats d'accompagnement, un gruau de riz, des condiments et des feuilles de laitue pour envelopper les bouchées.

Sinsedaebunsikjangteo (repas 1 000-4 000 W). Dans l'artère principale, cet établissement bien tenu pratique des prix très doux. Il vous servira au choix *gimbap, kalguksu, mandu, donkkaseu* et *seolleongtang.*

Depuis/vers Buyeo
De la gare routière de Buyeo, les bus interurbains desservent les destinations suivantes :

Destination	Prix (W)	Durée (h)	Fréquence
Boryeong	3 300	1	ttes les 45 min
Daejeon	4 500	1¼	ttes les 10 min
Gongju	2 800	45 min	ttes les 30 min
Séoul (Nambu)	10 000	2¾	ttes les 20 min

BORYEONG 보령
122 000 habitants
Boryeong est la porte d'accès à la plage et au port de Daecheon, d'où des ferries

partent pour 9 îles proches. La gare routière, qui dessert les bus express, interurbains et locaux, se trouve à 5 min de marche de la gare ferroviaire. Tournez à gauche à la sortie de cette dernière. Le **centre d'information touristique** (☎ 932 2023 ; www.boryeong.chungnam.kr ; ☺ mars-oct 9h-18h, nov-fév 9h-17h) est installé dans la gare ferroviaire. Très serviable, le personnel parle un peu anglais.

Depuis/vers Boryeong
BUS
Quelques destinations au départ de Boryeong :

Destination	Prix (W)	Durée (h)	Fréquence
Buyeo	3 300	1	ttes les 45 min
Cheonan	7 400	2	ttes les 30 min
Daejeon	7 700	2½	ttes les 15 min
Dong-Séoul	12 400	2½	9/jour
Gongju	4 800	1½	ttes les 30 min
Gunsan	4 600	1½	ttes les heures
Hongseong	2 700	¾h	ttes les 30 min
Jeonju	8 200	2½	8/jour
Séoul (Nambu)	13 000	2½	ttes les 30 min

TRAIN
Trois trains saemaeul (14 500 W), 13 mugunghwa (9 900 W) et 3 *tongil* (5 500 W) circulent tous les jours depuis/vers Séoul. Les trains les plus rapides font le trajet en 2 heures 30. Faites attention : la gare de Boryeong s'appelle "gare de Daecheon".

PLAGE DE DAECHEON 대천 해수욕장
À 10 km à l'ouest de Boryeong, la plus belle plage de la côte ouest s'enorgueillit de son sable blanc et de sa propreté. Malgré 3,5 km de longueur et 100 m de largeur, elle est noire de monde le week-end en été. La mer est peu profonde et calme. Le coucher de soleil attire la foule, qui lance des feux d'artifices.

Daecheon est devenue une véritable station balnéaire, avec des parcs d'attractions et d'innombrables motels flambants neufs, à prix modérés. Devant certains, des palmiers de plastique éclairés au néon illuminent la nuit. Minbak, *noraebang*, bars, boîtes de nuit, cafés, boutiques et restaurants de poisson (particulièrement appréciés) abondent. Par contre, vous ne trouverez pas de banque. Les sports nautiques connaissent un franc succès, ainsi que le Festival annuel de la boue.

Les bateaux de pêche se pressent dans le port de Daecheon, à 2 km. Il abrite également le terminal des ferries qui desservent les îles préservées des environs, où ne vivent que des pêcheurs.

Renseignements
Le **centre d'information touristique** (☎ 932 2023 ; ☺ 9h-17h) est installé sur le front de mer, près de la principale route d'accès. Le personnel ne parle pas anglais.

À faire
En juillet-août, vous aurez le choix entre le ski nautique, le canoë, la planche à voile, les promenades en calèche le long de la plage, le hors-bord, le banana-boat et le jet-ski.

Mud House (보령 머드하우스 ; ☎ 931 2930 ; www.mudhouse.co.kr ; ☺ 10h-3h). La boue locale est riche en minéraux bienfaisants. Cette "maison de la boue" propose un masque de beauté et un massage du visage pour 20 000 W (40 min). Pour 5 000 W de plus, votre corps profitera d'un enveloppement de boue. Vous pourrez acheter des produits de beauté à base d'argile, comme le savon (2 000 W) et le shampooing (6 000 W).

Fêtes et festivals
La folie qui s'empare de la région au milieu de l'été atteint son apogée avec le célèbre Festival de la boue de Boryeong. Parmi les manifestations qui se déroulent pendant 6 jours, fin juillet, figurent une baignoire pleine de boue, un toboggan de boue, une compétition de *ssireum* (lutte) dans la boue, du softball dans la boue et l'élection d'un M. Boue et d'une Miss Boue !

Où se loger
Près de la plage de Daecheon, des centaines de grands motels modernes, équipés d'ascenseurs, proposent des chambres assez luxueuses à 30 000 W (50 000 W en juillet-août). Les yeogwan plus anciens pratiquent des prix moins élevés, après négociation. Vous pouvez aussi camper toute l'année derrière la Mud House ; gratuit de septembre à juin, le camping demande de 2 000 à 4 000 W en juillet-août (douche 1 000 W).

CHUNGCHEONGNAM-DO

Daecheon Hyatt Motel (대천 하얏트 모
텔 ; ☎ 934 9007 ; s et d 30 000 W, ven-sam 50 000 W,
juil-août 60 000 W ; ☒). Sur la principale route
d'accès, près de la plage, il propose des
chambres agréables.

Daedong Motel (대동 모텔 ; ☎ 931
5950 ; s et d 30 000 W ; ☒). Cet élégant motel,
typiquement coréen, se situe au bout de
la principale route d'accès, sur la gauche,
près la plage. Certaines chambres offrent
une vue fugitive sur la mer ; dans la sdb,
vous apprécierez le sol chauffé.

Où se restaurer

Les restaurants de poisson bordent le front
de mer ; nombre d'entre eux possèdent des
aquariums à l'extérieur, où nagent poissons, anguilles, crabes bleus, mollusques
et concombres de mer. Si vous n'aimez pas
le poisson cru ni le *haemultang* (soupe de
fruits de mer) épicé, choisissez des crevettes ou un crabe, à la vapeur ou grillés.
Le *soju* (vodka coréenne) accompagne
souvent les repas.

Yeonggwangsikdang (영광 식당 ; repas
5 000-20 000 W). Proche de la principale route
d'accès, il sert un délicieux *saeugui* (새우
구이), 30 grosses crevettes cuites dans le
sel à votre table sur une plaque chauffante.
Un régal ! Il s'accompagne de petits plats,
d'une *hwangtae* (soupe de poisson séché)
et d'un café en libre-service.

Nyumasanhoetjip (뉴마산 횟집 ; repas
7 000-25 000 W). Restaurant typique du front
de mer, il propose des *kkotgejjim* (꽃게
찜), de succulents crabes bleus à la vapeur.
Comptez 50 000 W pour 2 personnes,
avec les plats d'accompagnement, comme
des pétoncles, du poisson, des céréales,
des champignons et une soupe d'algues.
Vous pouvez aussi commander du riz
(1 000 W).

Depuis/vers la plage de Daecheon

Des bus ordinaires (850 W) et de luxe
(1 200 W) relient Boryeong, la plage de
Daecheon (10 km) et le port de Daecheon
(12 km) toutes les demi-heures. Le trajet
dure 25 min. Repérez le panneau "대천
해수욕장" (Daecheonhaesuyokjang) et
"대천항" (Daecheonhang) sur les bus
qui partent devant la gare ferroviaire.
Descendez au premier arrêt à la plage de
Daecheon pour rejoindre la principale
route d'accès à la plage.

MUCHANGPO 무창포

À 10 km au sud de Boryeong, cette plage
devient un site touristique très fréquenté
pendant 4 ou 5 jours chaque mois, lorsqu'une marée basse de grande amplitude
dévoile une chaussée naturelle de 1,5 km
entre la plage et l'îlot de Sokdaedo. Plus
que la reproduction d'un épisode biblique,
la perspective de ramasser coquillages et
crustacés attire les foules. On patauge
alors plus dans la boue que dans le sable.
Hôtels et restaurants bordent le front
de mer. Comptez de 50 000 à 70 000 W
pour du poisson cru et 60 000 W pour
1 kg d'*ureok* (우럭). On vous proposera
parfois des *kijogae* (키조개, couteaux) et
des *garibi* (가리비, pétoncles).

À la gare routière de Boryeong, prenez
un bus local jusqu'à Muchangpo (850 W,
1 heure, 9 par jour) – sortez de la gare
ferroviaire et tournez à droite en direction
de l'arrêt de bus. Les bus passent par
Ungcheon ; repérez le panneau "무창포
" sur le bus.

SAPSIDO 삽시도

À 13 km du port de Daecheon, cette île
paisible compte moins de 300 habitants et
offre de belles vues sur la mer et les plages
de sable. Parsemée d'innombrables \$iles,
habitées ou non, la mer est habituellement
aussi lisse que la soie d'un *hanbok*.

Comptez 40 min de marche pour
traverser Sapsido, où ne roulent que
quelques voitures privées. Minbak,
huttes, bungalows et boutiques (difficiles
à repérer, car souvent installées dans
le salon d'un habitant) sont disséminés
dans toute l'île. Au nord, la **plage de
Geomeolneomeo** est bordée de pins et de
quelques bungalows hors de prix – même
les meilleurs, à 40 000 W hors saison, ne
sont que des pièces vides, avec toilettes
et douche. Des huttes et des minbak se
regroupent près de la **plage de Bamseom,**
au sud. L'**Uenhae Minbak Bungalows** (☎ 935
1082 ; bungalows sept-juin 40 000 W, juil-août 50 000 W)
n'offre rien d'extravagant et des sanitaires
communs. Dans la soirée, vous apercevrez
peut-être des huîtriers pies à bec rouge à
la recherche de nourriture et des canards
sauvages.

Suwon Minbak (☎ 933 1617 ; s et d 35 000 W).
Près du port de Suldong, au nord, il ouvre
toute l'année et loue les habituelles cham-

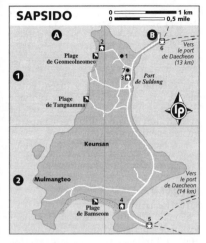

bres spartiates, avec un matelas yo sur le sol. Parmi ses installations figurent une machine à laver, une cuisine, une salle de TV et des sanitaires communs modernes. Le propriétaire parle un peu anglais et propose des plats maison, comme le *baekban*, qui comprend un poisson local (5 000 W). Vous pouvvez aussi acheter du poisson et le cuisiner vous-même.

Depuis/vers Sapsido
De vieux car-ferries partent du **port de Daecheon** (☎ 934 8772) pour Sapsido et d'autres îles proches ; les départs sont plus nombreux en juillet-août. Les passagers doivent s'asseoir sur le pont. Les bateaux quittent Daecheon à 7h30 et 12h40 (40 min, 7 800 W). À 16h, un ferry se rend à Sapsido (10 450 W,1 heure 40), *via* Anmyeondo (6 900 W, 35 min), Godaedo (8 650 W, 55 min) et Janggodo (9 900 W, 70 min). Les enfants paient moitié prix.

D'autres bateaux vont à Wonsando (3 800 W, 15 min), qui possède une belle plage de sable et pourrait devenir un complexe touristique, Hwojado (4 100 W, 25 min), Hodo (9 050 W, 1 heure), Nokdo (11 100 W, 1 heure, 20 min) et Oeyeondo (15 600 W, 1 heure 30). Même si leurs horaires varient un peu, les ferries partent toujours 2 fois par jour, vers 7h30 et 16h.

De la gare ferroviaire de Daecheon, à Boryeong, des bus démarrent toutes les 20 min, de 7h à 22h30, pour la plage et le port de Daecheon (1 200/850 W aller, 25 min). Demandez Daecheonhang ou repérez le panneau "대천항" sur le bus.

PARC MARITIME NATIONAL DE TAEAN HAEAN
태안 해안 국립공원
Créé en 1978, ce **parc maritime** (☎ 672 9737 ; adulte/jeune/enfant 2 000/1 500/700 W ; ☾ aube-crépuscule) s'étend sur 329 km² de terre et de mer. Il comprend quelque 130 îles et îlots, ainsi que 33 plages de sable, comme Mallipo, Yeonpo et Mongsanpo (ou l'on peut camper en juillet-août pour 3 000 à 6 000 W). Parc national doté de plages le plus proche de Séoul, il attire les foules, en particulier les week-ends d'été.

Anmyeondo 안면도
13 000 habitants
Cette grande île, la plus vaste du parc (87 km²), compte de nombreuses plages sur sa côte ouest. Des ferries relient la plage de Daecheon, Sapsido et **Yeong-mukhang**, à la pointe sud de l'île. Des bus inconfortables (1 400 W, 1 heure, toutes les heures) cahotent sur les pistes étroites, qui serpentent entre les hameaux, entourés de champs d'ails et de marais salants, et rejoignent la principale bourgade, **Anmyeon**. De la gare routière d'Anmyeon, des bus (1 900 W, 30 min, toutes les heures) traversent le pont jusqu'à la ville de Taean, sur le continent. D'autres bus relient aussi Anmyeon à la gare routière de Nambu, à Séoul (11 500 W, 3 heures 30, toutes les heures).

Taean 태안
25 500 habitants
Taean est la principale porte d'entrée du parc maritime. Des bus desservent notamment les destinations suivantes :

Destination	Prix (W)	Durée (h)	Fréquence
Anmyeon	1 900	30 min	ttes les heures
Cheonan	8 200	3	ttes les 15 min
Daejeon	12 200	3½	ttes les 20 min
Haemi	2 200	50 min	ttes les 30 min
Mallipo	1 300	35 min	ttes les heures
Séoul (Nambu)	9 100	2½	ttes les 20 min

Plage de Mallipo 만리포

La superbe plage de Mallipo s'étend entre un promontoire rocheux et un petit port de pêche. À 18 km de Taean, elle est beaucoup moins touristique que Daecheon, mais possède néamoins de nombreux restaurants de poisson et quelques hébergements.

À 2,5 km de la route, l'**arboretum de Cheollipo** (천리포 수목원 ; ☎ 672 9310 ; carte de membre 60 000 W), un vaste jardin botanique privé, abrite des plantes et des arbres du monde entier. Réservé aux membres, on peut acheter la carte sur place.

Le **Midong Park** (미동 파크 ; ☎ 672 9050 ; s et d 30 000 W), installé en bord de mer, s'agrémente de balcons meublés de fauteuils ; tournez à gauche une fois arrivé à la plage. Hébergement le plus plaisant, l'élégante **Pension Waltzheim** (펜션 월츠하임 ; ☎ 672 1371 ; www.waltzheim.co.kr ; s et d 50 000 W ; 🍴) se situe derrière le Midong Park. Elle offre la vue sur la mer et le soleil couchant depuis les derniers étages.

Le **Mujinjanghoetjip** (무진장 횟집 ; repas 10 000-20 000 W), un restaurant apprécié, se trouve sur la gauche de la route d'accès. Goûtez l'*ureok* (poisson cru, 50 000 W), les coquillages (30 000 W) ou le poulpe (25 000 W). Les plus téméraires commanderont une *haemultang* (soupe de poisson très relevée, 40 000 W). Si vous redoutez les épices, choisissez un *hoedeopbap* (10 000 W), du riz aux fruits de mer. La plupart des plats se partagent à plusieurs.

Une navette locale et des bus express (1 300 W, 35 min, toutes les heures) relient Taean à Mallipo (parfois écrit "Manripo"). Des bus desservent Mallipo depuis la gare routière de Nambu, à Séoul (10 400 W, 2 heures 45, 9 par jour), et depuis Daejeon (7 par jour).

HAEMI 해미

9 600 habitants

Cette petite ville mérite le détour pour sa **forteresse** (entrée libre), à 5 min de marche de la gare routière. Ses remparts, longs de 1,4 km, furent bâtis en 1418 afin de protéger les habitants des incursions fréquentes des pirates japonais. Plus tard, une prison fut construite à l'intérieur des murs, mais il n'en reste que les fondations. Des catholiques coréens y furent enfermés et torturés et, en 1866, une centaine d'entre eux furent exécutés. La forteresse entoure une petite colline et comprend quelques édifices de style choson.

Des bus en provenance de Hongseong, Cheonan et Taean traversent fréquemment Haemi.

CHEONAN 천안

403 000 habitants

Cheonan est un passage obligé pour visiter le plus grand musée de Corée, le Hall de l'Indépendance de la Corée (ou Dongnipginyeomgwan), à 14 km à l'est de la ville.

Hall de l'Indépendance de Corée 독립 기념관

Le plus grand **musée** de la nation (www.independence.or.kr ; adulte/jeune/enfant 2 000/1 100/700 W ; 🕒 mar-dim 9h30-18h mars-oct, 9h30-17h nov-fév) mérite vraiment la visite. Il retrace la lutte de la Corée pour son indépendance face à la colonisation japonaise, des années 1870 à 1945. Cette version diffère grandement de celle présentée dans les livres scolaires d'histoire japonais. De grandes dimensions, le musée comprend sept salles d'exposition et quelques commentaires en anglais. La collaboration active avec les Japonais, pratiquée à tous les niveaux de la société – du policier ordinaire à l'élite yangban – n'est pas abordée. Une exposition affirme que "toute la population coréenne participa au Mouvement du 1er mars". Même si ce mouvement d'opposition était très suivi, tous les Coréens ne s'y engagèrent pas.

Le théâtre Circle Vision possède 9 appareils de projection et 24 haut-parleurs. Utilisant les techniques audiovisuelles les plus modernes, il présente des films sur les beautés naturelles, les traditions, les coutumes et le développement économique du pays.

Un agréable parc ombragé entoure le musée. Vous pouvez y pique-niquer ou manger dans le restaurant du musée (repas

5 000 W environ). Des stands d'alimentation vendent des en-cas.

De Cheonan, des bus urbains desservent le musée (800 W, 20 min, toutes les 10 min). Ils partent devant la gare des bus express et la gare ferroviaire.

Depuis/vers Cheonan

La gare routière interurbaine de Cheonan se trouve au sous-sol du grand magasin Galleria, à 150 m au nord de la gare des bus express, au nord de la ville. De là, des bus partent notamment pour Gongju (3 500 W, 1 heure, toutes les 20 min) et Taean (8 200 W, 3 heures, toutes les 15 min). La gare des bus express offre des services pour la gare routière de Nambu, à Séoul (3 800 W, 1 heure, toutes les 20 min), et Daejeon (2 800 W, 1 heure, toutes les 15 min).

Chungcheongbuk-do
충청북도

Parsemé de bourgades, de lacs, de montagnes, de sources chaudes et de forêts, le Chungcheongbuk-do est la province la plus rurale de la Corée du Sud et la seule sans ouverture sur la mer. Trois parcs nationaux (Songnisan, Woraksan et Sobaeksan) marquent sa frontière sud-ouest avec le Gyeongsangbuk-do. Ne manquez pas les sources chaudes de Suanbo ni la jolie station de Danyang en bord de lac, environnée de grottes, de massifs et de temples. Une promenade en bateau de 2 heures sur le lac Chungju fait aussi partie des agréments de la province. Paisible et détendu en semaine, le Chungcheongbuk-do voit affluer le week-end les habitants de Séoul et des autres grandes villes.

À NE PAS MANQUER

- Embarquez pour une superbe croisière sur le **lac Chungju** (p. 348)

- Séjournez à **Danyang** (p. 351) et découvrez ses alentours, en particulier Guinsa, siège d'une secte bouddhiste hors du temps

- Détendez-vous dans les **sources chaudes de Suanbo** (p. 348), régalez-vous de faisan et faites une promenade à pied ou une descente à ski

- Appréciez les sites et l'ambiance studieuse de **Cheongju** (p. 342)

- Tentez d'apercevoir un goral dans le **parc national de Woraksan** (p. 349)

- Visitez le **parc national de Songnisan** (p. 346), Beopjusa et son gigantesque bouddha

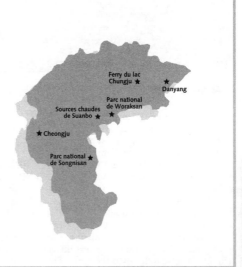

- Ferry du lac Chungju ★
- Danyang ★
- Parc national de Woraksan ★
- Sources chaudes de Suanbo ★
- ★ Cheongju
- Parc national de Songnisan ★

CHUNGCHEONGBUK-DO

- INDICATIF TÉLÉPHONIQUE : 043
- POPULATION : 1,5 MILLION
- SUPERFICIE : 7 432 KM^2

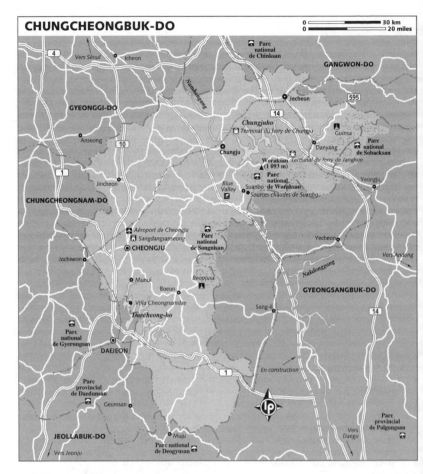

CHUNGCHEONGBUK-DO

0 ——————— 30 km
0 ——————— 20 miles

CHEONGJU 청주
579 000 habitants

Capitale provinciale du Chungcheong-buk-do desservie par un aéroport international, Cheongju est un centre universitaire et la porte d'entrée du parc national de Songnisan (à 1 heure 45 en bus). Ne la confondez pas avec Chungju, à 70 km à l'est, ni avec Jeonju, dans le Jeollabuk-do. Cheongju possède quelques sites touristiques, ainsi qu'un quartier de restaurants et de distractions nocturnes à prix raisonnables – Jungmun. Ce dernier vise essentiellement la clientèle estudiantine. Des restaurants plus élégants et plus chers, sont installés à l'intérieur de l'ancienne forteresse, Sangdangsanseong. Près des gares routières, de nouveaux motels, qui ressemblent à des châteaux de contes de fées, offrent un hébergement de qualité à prix raisonnables.

Orientation et renseignements

Des bus locaux passent fréquemment dans Sajikro, l'artère principale de la cité, et desservent le quartier estudiantin de Jungmun, le marché et le principal quartier commerçant, de l'autre côté du pont.

Le **centre d'information touristique** (☎ 233 8431 ; ⏱ 8h30-19h), bien documenté, se situe devant la gare routière interurbaine, où se regroupent des motels récents.

À voir

MUSÉE DE L'IMPRIMERIE ANCIENNE
고인쇄박물관

Ce petit **musée** moderne (☎ 269 0556; adulte/jeune/enfant 800/600/400 W; ☺ 9h-18h mar-dim, 9h-17h nov-fév) répondra à toutes vos questions sur le *Jikji*, un ouvrage d'adages bouddhistes et le premier livre imprimé avec des caractères métalliques mobiles. Acheté par un fonctionnaire français en 1853, le *Jikji* est conservé à la Bibliothèque nationale de France. Il fut imprimé en 1377 à Heungdeoksa, le temple qui se dressait sur le site de l'actuel musée, mais son ancienneté n'a pu être déterminée que récemment. La discipline était stricte à cette époque : une faute d'impression était punie de 30 coups de fouet et 5 erreurs signifiaient le renvoi.

Prenez l'un des bus urbains qui circulent dans la rue principale, descendez au stade et marchez pendant 10 min.

MUSÉE DE L'ARTISANAT CORÉEN
한국 공예관

Proche du musée de l'Imprimerie ancienne, ce **musée** (☎ 268 0255; entrée libre; 9h-19h mar-dim) expose des poteries et d'autres objets artisanaux.

HAMPE MÉTALLIQUE DE YONGDUSAJI
용두사지 철당간

Bizarrement installée devant un centre commercial moderne, cette ancienne hampe de drapeau en métal mesure 13 m de haut. Selon l'inscription apposée à la base, elle fut érigée en 962 sous la dynastie koryo. À l'origine, elle se dressait à côté d'un temple qui hissait un drapeau à l'occasion d'événements particuliers, comme l'anniversaire de Bouddha ; elle était alors constituée de 30 boîtes de fer, dont seules 20 subsistent.

SANGDANGSANSEONG 상당 산성

Cette vaste forteresse se situe à 4 km au nord-est de Cheongju. Les remparts, restaurés au XVIIIe siècle, s'étendent sur 4,2 km autour de montagnes boisées. Les portes et les pavillons ont également été restaurés. Faites le tour du site (1 heure 30) afin de vous mettre en appétit, puis déjeunez dans l'un des excellents restaurants traditionnels qui bordent un grand étang. Ils proposent du canard farci au riz et aux plantes médicinales, du lapin, du faisan et du poulet noir, élevé dans la région. Voir plus loin la rubrique *Où se restaurer et prendre un verre*.

Les bus n°231, 232, 233 et 590 (800 W, 45 min, toutes les 30 min) partent de la gare routière de Cheongju. Le dernier bus revient vers 21h.

Où se loger

Sting Motel (☎ 235 6668; s et d 30 000 W; ☒). Cet élégant motel-château, doté d'un ascenseur, dispose de grandes chambres modernes tout confort, avec TV grand écran, café, eau potable, brosses à dents, dentifrice et préservatifs gratuits.

Hilton Motel (☎ 236 3400; s et d 30 000 W; ☒ ▣). Il offre des chambres à prix raisonnables dans un cadre qui évoque Disneyland.

Baekje Tourist Hotel (☎ 236 7979; fax 236 0979; d/lits jum/ste 85 000/105 000/140 000 W taxes et service compris; ☒ ▣). La plupart des chambres disposent d'un ordinateur et l'hôtel comprend un restaurant coréen, un bar et un café.

Hotel Royal (☎ 221 1300; fax 221 1319; s/d 72 000/75 000 W, lits jum et ondol 86 000 W, ste 120 000 W taxes et service compris; ☒). Au centre-ville, près du quartier commerçant piétonnier, cet établissement de catégorie moyenne borde une rue spécialisée dans la quincaillerie. Comptez 7 000 W pour le petit déjeuner continental.

Où se restaurer et prendre un verre
JUNGMUN

Dans le quartier de Jungmun, près de l'université Chungbuk, des restaurants et des stands pratiquent des prix très modérés. Des restaurants proposent plus de 40 menus entre 2 000 et 4 000 W et l'un d'entre eux offre un *bibimbap* (riz, œuf, viande et légumes dans une sauce épicée) à 2 000 W. Les stands, abrités sous une tente, préparent des *gimbap* (sushi à la coréenne) et des *tteokbokki* (gâteaux de riz en sauce relevée) à 1 000 W. Une épicerie a installé des canapés en terrasse, sur lesquels on peut savourer paisiblement la boisson achetée dans la boutique.

Gongpoui (공포의 ; repas 3 000-5 000 W). Régalez-vous d'un excellent *samgyeopsal* (sorte de bacon au barbecue), à 3 000 W

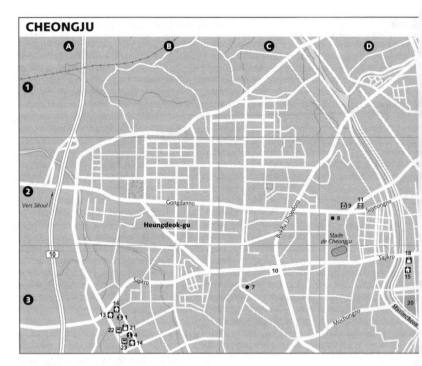

CHEONGJU

seulement, ou découvrez le *gochujang bulgogi* – porc, *ramyeon* (nouilles) et sauce cuits dans une feuille d'aluminium, accompagnés d'un mélange de riz, de laitue et d'algues séchées.

Lakota (라코타) offre un menu composé d'un *donkkaseu* (porc avec riz et légumes) et d'un dessert à 3 000 W.

Ce quartier abrite également des bars, des *noraebang* (salles de karaoké), des cybercafés, des salles DVD, des cafés dotés de jeux de société et mille autres distractions.

Woodstock (우드스탁), dans un décor de graffitis, offre des bières à 2 500 W. Le barman parle anglais, adore Jimi Hendrix et passe, à la demande, l'un des 1 800 disques de sa collection.

O Bar (오바 ; ☯ 18h-2h dim-jeu, 18h-6h ven et sam). Ce bar rock possède une table de billard, des balcons et accueille des musiciens deux fois par mois (bière 3 000 W). Les expatriés s'y pressent le week-end.

Pearl Jam (펄잼) privilégie également le rock, mais des groupes très divers viennent jouer le vendredi à 23h (bière 3 500 W).

Pour rejoindre Jungmun, prenez un bus urbain dans l'artère principale jusqu'au carrefour Sachang.

SANGDANGSANSEONG
Sangdangjip (상당집 ; repas 10 000 W). Sur la carte (en anglais), choisissez l'excellent poulet noir *(ogolgye)*, à la chair et aux os noirs, élevé dans une ferme voisine. Il est cuisiné dans un bouillon d'écorces, de racines et de clous de girofle et servi avec un *bindaetteok* (crêpe de haricot mung), du riz et des plats d'accompagnement. Une bière locale à base de dattes rouges, la *daechusul* (5 000 W), complètera ce repas. Un *tokkitang* (soupe de lapin, 33 000 W) suffit à rassasier 3 ou 4 convives, tout comme le *hanbang oribaeksuk* (28 000 W), un canard farci au riz et aux herbes. Plat d'accompagnement, l'*ureongmuchim* (escargots d'eau douce) vaut 10 000 W.

Achats
Le marché couvert est l'un des nombreux marchés aux abords de l'Hotel Royal.

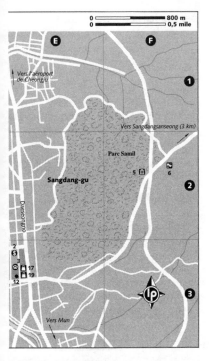

Carrefour (☽ 10h-24h), vaste galerie marchande, comprend un grand supermarché. Ce quartier piétonnier attire une clientèle jeune et abrite également le grand magasin Cheongju, le centre commercial APM et le Lotte Mart.

Depuis/vers Cheongju
AVION

L'aéroport de Cheongju dessert Jejudo et la Chine.

BUS

Quelques destinations au départ de la gare des bus express :

Destination	Prix (W)	Durée (h)	Fréquence
Busan	14 100	4¼	ttes les heures
Daegu	9 200	2¾	ttes les heures
Dong-Séoul	6 100	1½	ttes les heures
Gwangju	9 500	2¾	ttes les heures
Séoul (Gangnam)	5 600	1¾	ttes les 30 min

Quelques destinations au départ de la gare routière interurbaine :

Destination	Prix (W)	Durée (h)	Fréquence
Chuncheon	12 300	3½	ttes les heures
Chungju	5 700	1¼	ttes les 20 min
Daejeon	2 800	½	ttes les 15 min
Danyang	11 300	3½	ttes les 30 min
Gyeongju	14 000	3	6/jour
Séoul (Nambu)	5 600	1½	ttes les 20 min
Songnisan	5 500	1¾	ttes les 20 min

ENVIRONS DE CHEONGJU
Cheongnamdae 청남대

La **villa de vacances** (☎ 220 4999) des présidents sud-coréens, construite par le président Chun Doo-hwan en 1983, domine Daecheongho (lac Daecheong). Une visite guidée (en coréen) gratuite de 2 heures permet de découvrir le vaste jardin et la maison, au décor modeste et désuet de bois naturel et de tons pastel.

Le président Chun aimait patiner sur le lac gelé. Grand amateur de golf, le président Roh Tae-woo jouait sur le parcours à 5 trous et régalait ses employés de bœuf chaque fois qu'il était satisfait de son jeu. Le président Kim Young-sam désapprouvait le golf à cause de la corruption associée à ce sport et le terrain de golf n'a pas été utilisé au cours des dernières années. Le président Kim Dae-jung planta le chèvrefeuille (dont le nom en coréen signifie "qui surmonte les épreuves", ce qui était le surnom du président) et construisit le pavillon au toit de chaume qui contient des souvernirs de sa ville natale dans le Jeollanam-do. Le président Roh Moo-hyun a ouvert la résidence au public en 2003.

Réservez à l'avance pour la visite guidée car la villa n'est pas toujours ouverte aux touristes : demandez à un ami coréen de téléphoner ou contactez le centre d'information touristique de Cheongju (voir p. 342). N'oubliez pas votre passeport pour la vérification d'identité.

Le **centre culturel de Munui** (문의 문화재 단지 ; entrée libre ; ☼ 9h-18h mar-dim, 9h-17h nov-fév), un petit village folklorique, comprend des maisons traditionnelles, un musée, une forge en activité, une porte de forteresse et offre une belle vue sur le lac. Il se situe à 10 min de marche du parking où se gare la navette de Cheongnamdae.

DEPUIS/VERS CHEONGNAMDAE

Devant la gare routière interurbaine de Cheongju, prenez le bus local n°300, 301 ou 302 (1 140 W, 50 min, toutes les heures) jusqu'à Munui, à 15 km au sud de Cheongju. Sortez du dépôt de bus, tournez à gauche et, en quelques minutes, vous rejoindrez le parking et la billetterie de la visite guidée de Cheongnamdae. Les navettes partent toutes les 20 min entre 9h40 et 16h, mais offrent un nombre de places limité (réservation indispensable). Ces circuits, récemment mis en place, risquent d'être modifiés.

PARC NATIONAL DE SONGNISAN
속리산 국립공원

Ce **parc** (☎ 542 5267 ; adulte/jeune/enfant 3 200/ 1 500/1 000 W ; ☼ 5h-20h) englobe l'une des plus belles régions du centre du pays, avec ses montagnes boisées et ses affleurements granitiques. Son nom signifie "montagne éloignée du monde ordinaire" en référence au célèbre temple de Beopjusa (voir plus loin). Un **centre d'information touristique** (☎ 542 5267 ; ☼ 9h-18h) est installée dans la

PARC NATIONAL DE SONGNISAN

RENSEIGNEMENTS	
Poste 우체국	1 A3
Billetterie 매표소	2 B3
Centre d'information touristique	3 A3

À VOIR ET À FAIRE	p. 346
Beopjusa 법주사	4 A2
Bokcheonam 복천암	5 B2
Jungsajaam 중사자암	6 B1
Sanghwanam 상환암	7 B2
Seongbulsa 성불사	8 C1
Spring 샘	9 B1
Yeojeokam 여적암	10 A1

OÙ SE LOGER	p. 347
Birosanjang 비로 산장	11 B2
Terrain de camping 야영장	12 B3
Terrain de camping 야영장	13 A3

Hwasingjang 화신장	14 A3
Lake Hills Hotel	
레이크 힐스 호텔	15 A3
Songnisan Park Hotel	
속리산 파크 호텔	16 A3

OÙ SE RESTAURER	p. 347
Sanchaeseonmun 산채선문	17 A3

TRANSPORT	
Arrêt de bus	
버스 정류장	18 D1
Arrêt de bus	
버스 정류장	19 D2
Arrêt de bus	
버스 정류장	20 D1
Gare routière	
버스 터미널	(voir 3)

gare routière du parc ; lors de notre passage, il préparait une carte de Songnisan en anglais.

Beopjusa, un vaste ensemble de temples, date de 553. Entièrement brûlé en 1592 lors de l'invasion japonaise, il fut rebâti en 1624 et depuis rénové à plusieurs reprises. **Daeungbojeon**, avec ses grandes statues en or de Bouddha, et **Palsangjeon**, une exceptionnelle pagode en bois à 5 niveaux, constituent ses éléments les plus remarquables. Achevé en 1990, le gigantesque **bouddha debout en bronze**, de 33 m de haut, pèse 160 tonnes.

Parmi les vestiges des siècles passés, admirez des lanternes en pierre, une cloche massive, un élégant bouddha assis, sculpté dans le roc à l'époque du Silla unifié, et un énorme chaudron en fer, fondu en 720, dans lequel on cuisait le riz pour les milliers de moines qui vivaient alors à Beopjusa.

Derrière le temple, des **chemins de randonnée** s'étirent jusqu'à une série de pics de 1 000 m de haut. Manjangdae (1 033 m), au sommet duquel le roi Sejo fut porté en palanquin en 1464, s'escalade assez facilement. Comptez 3 heures pour la montée et 2 heures pour la descente. S'il vous reste assez d'énergie une fois arrivé au sommet, continuez vers Munsubong, Sinseondae, Ipseokdae et Birobong. Cheonhwangbong, le point culminant (1 058 m), est un peu trop éloigné.

Où se loger

À l'entrée du parc, un grand village touristique comprend des *yeogwan* (motels avec des petites chambres bien équipées, dotées de sdb), des restaurants, des boutiques de souvenirs, des échoppes et une poste. Les deux campings (gratuits) ouvrent en juillet et août.

Birosanjang (☎ 543 4782 ; s et d 30 000 W dim-jeu, 40 000 W ven-sam). Établissement privé situé dans la montagne, il propose des chambres de style yeogwan. Vous pouvez vous y rendre à pied (1 heure) ou demander aux propriétaires de venir vous chercher à l'entrée du parc.

Hwasingjang (☎ 543 6241 ; s et d 20 000 W). Ses petites chambres ondol, bien tenues, s'agrémentent d'une sdb.

Songnisan Park Hotel (☎ 542 3900 ; s et d 39 000 W ; 🍴). Vous pouvez habituellement

négocier le prix de ses chambres, ondol ou avec lits, propres et confortables.

Lake Hills Hotel (☎ 542 5281 ; www.lakehills.co.kr ; s, d, lits jum et ondol à partir de 129 000 W taxes et service compris ; 🍴 🖥). Outre des chambres élégantes, agrémentées de vues superbes sur la forêt, il possède un restaurant, un café et un centre d'affaires. Les prix baissent de 20% en semaine hors saison, mais augmentent en pleine saison

Où se restaurer

À l'entrée du parc, des centaines de restaurants proposent les plats classiques des villages touristiques, comme le *bulgogijeongsik* (bœuf et légumes grillés avec des plats d'accompagnement, 15 000 W), le *sanchaejeongsik* (petit banquet de légumes de montagne, 12 000 W), le *beoseot jeongsik* (15 000 W) et le *sanchaebibimbap* (riz et légumes de montagne avec une sauce épicée), qui comportent souvent des *pyogo* (champignons). Parmi les en-cas, citons les habituels biscuits de riz (1 000 W le paquet) et les caramels au sésame et aux fruits secs (1 000 W). Le *dongdongju*, parfumé aux dattes rouges, est conservé dans de grandes jarres.

Sanchaeseonmun (repas 7 000 W). Il sert du *sanchaebibimbap* (6 000 W) ou du *pyogodeopbap* (7 000 W), cuit à la chinoise et surmonté d'un œuf au plat. Le service est lent mais les plats sont préparés à la commande.

Depuis/vers le parc national de Songnisan

De Songnisan, des bus desservent les destinations suivantes :

Destination	Prix (W)	Durée (h)	Fréquence
Cheongju	5 500	1¾	ttes les 20 min
Daejeon	5 100	1½	ttes les 20 min
Dong-Séoul	11 600	3½	12/jour
Séoul (Nambu)	11 100	3½	7/jour

CHUNGJU 충주

220 000 habitants

Chungju (www.chungju.chungbuk.kr) permet d'accéder au Chungjuho (lac Chungju), au parc national de Woraksan et aux sources chaudes de Suanbo. Si vous souhaitez séjourner dans la région, choisissez plutôt Suando, à 21 km de Chungju. En automne, le festival mondial des Arts martiaux attire pendant une semaine des sportifs coréens et étrangers.

Lac Chungju 충주호

La **croisière** (☎ 851 6771 ; adulte/enfant moins de 12 ans 16 000/8000 W ; 2 heures) de 52 km, de Danyang à Chungju, permet d'admirer les paysages changeant de ce vaste lac artificiel. Les jours de brume, on peut se croire dans un tableau de la période choson. De nombreux bateaux sillonnent le lac, mais certains naviguent en fonction du niveau de l'eau.

De Danyang, un bateau rallie en 30 min le terminal des ferries de Janghoe, où les falaises rocheuses sont particulièrement spectaculaires. Si vous débarquez à cet endroit, tournez à droite et marchez sur 200 m pour arriver à la billetterie de la partie occidentale du **parc national de Woraksan** (adulte/jeune/enfant 1300/600/300 W), où vous pourrez faire une agréable randonnée de 1,8 km jusqu'à la vallée d'Eoreungol.

Comptez une demi-heure de Janghoe à l'embarcadère suivant, Cheongpung, proche d'un village folklorique ; de l'autre côté du pont, un complexe touristique propose le saut à l'élastique et nombre de prestations. Une heure de navigation supplémentaire mène au terminal des ferries de Chungju. De là, des bus partent 9 fois par jour pour la gare routière de Chungju (850 W, 30 min). La course en taxi coûte 12 000 W.

Du terminal des ferries de Chungju, des bateaux desservent le terminal des ferries de Woraksan (carte p. 350, 7 000 W aller-retour, 1 heure), Cheongpung (8 000 W), Janghoe (11 000 W) et Danyang (16 000 W).

Depuis/vers Chungju

La gare routière flambant neuve de Chungju, bien située au centre-ville, abrite un Lotte Mart et une clinique. Des bus locaux partent de l'autre côté de la rue. Le bus n°240 rallie les sources chaudes de Suanbo (900 W, 35 min, 20 par jour). Des bus locaux desservent deux endroits dans le parc de Woraksan : Songgye (2 fois par jour) et Naesongye (8 fois par jour). Des bus (850 W, 30 min, 9 par jour) se rendent aussi à l'embarcadère de Chungjuho ; voir ci-dessus pour cette excursion chaudement recommandée.

Quelques destinations au départ de la gare routière :

Destination	Prix (W)	Durée (h)	Fréquence
Cheongju	5 700	1¾	ttes les 10 min
Daejeon	7 400	2¼	13/jour
Danyang	5 600	1½	ttes les heures
Dong-Séoul	6 100	2	ttes les 20 min
Séoul (Gangnam)	8 100	2¼	ttes les 30 min

SOURCES CHAUDES DE SUANBO
수안보

À 21 km au sud-est de Chungju, Suanbo, une station thermale touristique, s'explore facilement à pied. Proche du parc national de Woraksan et d'une station de sports d'hiver équipée d'un golf, la ville jouit d'une atmosphère détendue. Lapin, canard et faisan figurent sur la carte des restaurants. Le centre d'information touristique se situe près d'une pagode de pierre et d'une statue, probablement de la période koryo, qui échappa de justesse à l'exil (la capitulation du Japon empêcha un policier nippon de ramener ce souvenir !). À l'extrémité de la ville, un jardin botanique comprend un zoo et un aquarium (entrée libre).

Renseignements

Le **centre d'information touristique** (☎ 845 7829 ; ⏰ 9h-18h), se trouve dans l'artère principale, près de la gare routière. Son personnel, très serviable, parle anglais.

Où se loger

Sinheung Hotel (☎ 846 3711 ; fax 846 1760 ; s et d petite/moyenne/grande 30 000/50 000/70 000 W ; ❄). Cet établissement désuet est à deux pas du centre d'information touristique. Les chambres les moins chères sont un peu défraîchies. L'*oncheon* (bassin alimenté par la source chaude), en sous-sol, est gratuit pour les clients et ouvre de 6h à 20h. L'eau de source contient de nombreux minéraux, tous excellents pour la santé.

Suanbo Sangrok Hotel (☎ 845 3500 ; fax 845 7878 ; s, d, lits jum et ondol 98 000 W taxes et service compris ; ❄ 💻). Cet hôtel élégant du centre-ville possède un sauna et un oncheon (3 000 W pour les clients) excellents. Comptez 40 000 W pour un massage.

Où se restaurer

Nombre de restaurants mitonnent des ragoût de faisan (*kkwongdoritang*, 꿩도리탕), de canard (*oritang*, 오리탕) et de lapin

UN REPAS INOUBLIABLE

Le menu de 7 plats (45 000 W) du restaurant Satgatchon rassasie 3 ou 4 convives. Pour trouver l'établissement, suivez jusqu'au bout la route qui passe devant le Suanbo Sangnok Hotel et tournez à gauche. Couvert d'un toit de tuiles traditionnel, il se situe sur la droite.

Plat n°1
Généreuse portion de légumes frais (ciboulette, champignons, carottes, épinards) avec des morceaux de faisan, cuisinés devant vous sur une plaque chauffante

Plat n°2
Mandu (raviolis) de faisan

Plat n°3
Petites brochettes de faisan et de légumes, avec une noix de gingko

Plat n°4
Fondue de faisan : trempez quelques secondes les fines tranches de blanc de faisan dans un bouillon de champignons et de légumes et mangez-les avec des champignons, après les avoir plongés dans une sauce au soja et au wasabi

Plat n°5
Boulettes de faisan frites

Plat n°6
Faisan cru et poire en sauce piquante

Plat n°7
Soupe de champignons, de faisan et de gâteau de riz maison.

Le restaurant ne sert du lapin qu'en hiver, lorsqu'il peut se procurer des garennes.

(*tokkidoritang*, 토끼도리탕), à partager à 2 ou 3 convives (de 30 000 à 40 000 W). Reportez-vous à l'encadré *Un repas inoubliable* ci-dessus pour vous mettre en appétit. Les végétariens choisiront l'autre spécialité de la région, le *sundubu* (tofu en sauce épicée, 4 000 W). Les kakis séchés font partie des en-cas locaux.

Depuis/vers Getting Suanbo

Depuis la gare routière de Suanbo, des bus interurbains desservent notamment Cheongju (6 700 W, 2 heures, toutes les heures) et Dong-Séoul (9 200 W, 2 heures 30, toutes les heures).

ENVIRONS DES SOURCES CHAUDES DE SUANBO
Blue Valley Ski Resort
블루 밸리 스키 리조트
À 2 km des sources chaudes de Suanbo, cette **station de ski** (☎ 846 0750 ; fax 846 1789) possède un domaine skiable modeste. Elle dispose de 7 pistes, de 3 remontées mécaniques, de boutiques de location d'équipement et l'on peut y skier de nuit. Une auberge de jeunesse est installée près des pistes, mais mieux vaut séjourner à Suanbo et emprunter la navette gratuite qui circule pendant la saison.

PARC NATIONAL DE WORAKSAN
월악산 국립공원
En coréen, Woraksan signifie les "montagnes des falaises de la lune". Selon les critères coréens, ce **parc** (☎ 653 3250 ; adulte/jeune/enfant 1 300/600/300 W ; ☼ lever-coucher du soleil) reçoit peu de visiteurs. Malgré l'absence d'aiguilles et d'à-pics granitiques spectaculaires, il offre de superbes randonnées à travers de belles forêts, au cours desquelles vous apercevrez peut-être un goral (voir l'encadré ci-dessous).

Une route traverse le parc sur toute la longueur et facilite ainsi son accès. Le village touristique de Mireuk-ri, à l'entrée sud du parc, se trouve à 11 km au sud-est des sources chaudes de Suanbo. Aux alentours du village, **Mireuksaji** regroupe les vestiges de Mireuksa, un temple bâti à la fin de la période silla ou au début de l'ère koryo. Deux pagodes et un beau bouddha de pierre constituent les principales curiosités du site ; toutefois, un nouveau temple était en construction lors de notre passage. Le **parcours de randonnée** le plus apprécié part de l'autre petit village touristique plus à l'intérieur du parc, **Deokju**, qui possède un terrain de camping. Suivez le chemin jusqu'à Dong-mun, la porte orientale d'une ancienne **forteresse** de la dynastie koryo, dont les remparts s'étiraient sur 10 km. Lors de notre visite, des travaux de rénovation étaient en cours. Continuez jusqu'au temple Deokjusa, puis allez vers la gauche jusqu'au 960 m-bong, un sommet au nom guère inspiré. Poursuivez jusqu'à Woraksan (1 093 m) et redescendez la pente escarpée jusqu'à la route d'accès et Songgye-ri, un autre village touristique à

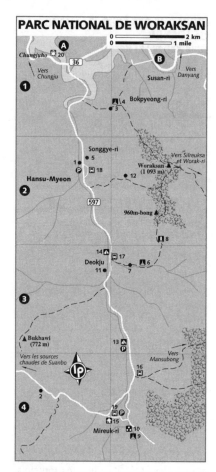

PARC NATIONAL DE WORAKSAN

SAUVONS LE GORAL !

Espèce protégée en Corée du Sud depuis 1967, les antilopes goral ont vu leur nombre décliner ces dernières années. Les quelque 700 individus sauvages vivent principalement dans le parc national de Seoraksan ou dans la DMZ. Les zoos en abritent moins de 20. Toutefois, le parc national de Woraksan constitue un habitat idéal pour ces animaux au pelage brun-gris, dotés de petites cornes et ressemblant à des chèvres. Dix antilopes goral évoluent dans le parc : six y ont été lâchées et quatre y sont nées. Certaines d'entre elles portent des émetteurs et, à l'inverse des. ours introduits dans le parc national de Jirisan, les goral n'ont causé aucun dégât. Si vous partez en randonnée dans le parc, vous aurez peut-être la chance d'apercevoir un de ces animaux timides.

l'entrée nord du parc. Comptez environ 6 heures pour cette randonnée de 10 km.

Amarrés à Worak, les ferries de Chungjuho constituent un autre moyen de visiter le parc. L'embarcadère se situe à 4 km de Songgye-ri, à parcourir à pied ou en stop.

Où se loger et se restaurer

Outre deux campings (de 3 000 à 6 000 W la nuit), Songgye-ri, Deokju et Mireuk-ri abritent des boutiques, des restaurants et des *minbak* (maisons privées louant des chambres ; à partir de 20 000 W).

Depuis/vers le parc national de Woraksan

D'un arrêt de bus situé dans l'artère principale de Suanbo, des bus locaux (900 W, 10 min, 7 par jour) desservent Mireuk-ri et traversent le parc jusqu'à Songgye-ri.

JECHEON 제천
148 000 habitants

Jecheon constitue un autre carrefour pratique dans le nord du Chungcheongbuk-do.

De la gare des bus express de Dongbu, à Jecheon, des bus desservent Séoul Gangnam (7 200 W, 2 heures 15, toutes les 40 min). De la gare routière interurbaine, des bus rallient Cheongju (9 000 W, 3 heures, toutes les 20 min), Chungju (3 300 W, 1 heure, toutes les 15 min), Danyang (2 300 W, 45 min, 6 par jour), Dong-Séoul (8 700 W,

2 heures, toutes les 30 min) et Jeongseon (5 900 W, 3 heures, 7 par jour).

Douze trains *mugunghwa* relient quotidiennent Jecheon et et la gare ferroviaire de Cheongnyangni à Séoul (10 000 W, 3 heures).

DANYANG 단양
41 000 habitants

Charmante station touristique nichée dans les montagnes au bord d'un lac artificiel (Chungjuho), Danyang est à 50 km de trois parcs nationaux. Le lac, qui baigne la région, est l'un des plus beaux du pays et une croisière sur le Chungjuho vous laissera un souvenir impérissable. Séjournez 2 ou 3 jours dans l'un des nombreux motels confortables, à prix modérés, qui s'égrènent le long des rives pour explorer les alentours. Visitez au moins une grotte calcaire et ne manquez pas Guinsa, un extraordinaire ensemble de temples. La ville de Danyang est moderne, la vieille ville ayant été partiellement submergée en 1986 sous les eaux du lac. La gare ferroviaire, desservie par des bus et des taxis, se situe dans le vieux Danyang, à 3 km de la ville nouvelle.

Partout dans Danyang, vous verrez l'effigie d'un homme aux sourcils broussailleux. Il s'agit d'Ondal, un simplet qui vécut à l'époque des Trois Royaumes. Malgré ce handicap, il épousa une princesse qui en fit un guerrier éduqué et habile. Il devint général, mais fut tué par des soldats de Silla. Ainsi, l'éducation et une épouse dévouée transformèrent un benêt en héros respecté !

De l'autre côté du pont, le **centre d'information touristique** (☎ 422 1146 ; ☽ 9h-18h) pourra vous renseigner en anglais.

Où se loger

Hoseong Yeoinsuk (☎ 422 1674 ; s, d et ondol 10 000 W). Le moins cher de la ville, il propose des chambres avec *yo* et TV (sanitaires communs). Adressez-vous au propriétaire pour obtenir de l'eau chaude – *tteugeounmul* (뜨거운 물).

Cinderella Motel (☎ 423 3018 ; s et d 30 000 W ; ⚄). Il fait partie des tout nouveaux motels installés près du lac.

Seongsujang (☎ 421 2345 ; s et d 30 000 W ; ⚄). Récent, il offre d'élégantes petites chambres bien tenues. La chambre 208 possède un balcon qui donne sur le lac.

Rivertel (☎ 422 2619 ; www.erivertel.com ; s, d et ondol 30 000 W ; ⚄ ▯). Il loue des chambres confortables, avec sdb et TV câblée. Le propriétaire parle un peu anglais.

Pascal (☎ 646 9933 ; s et d 45 000 W dim-jeu, 55 000 W ven-sam ; ⚄). Un établissement élégant et récent au bord du lac.

Danyang Tourist Hotel (☎ 423 9911 ; s et d 99 000 W taxes et service compris ; ⚄ ▯). Cet hôtel haut de gamme, installé en dehors de la ville, comprend un sauna, un salon de massage, un restaurant et un night club. Vous pouvez obtenir 20% de réduction du dimanche au jeudi.

Où se restaurer

Jangdarisikdang (repas 10 000 W). Capable de cuisiner jusqu'à 24 ragoûts à la fois dans son auto-cuiseur électronique, il a fait du *ondal* (riz à l'ail) sa spécialité et le sert avec 18 plats d'accompagnement, dont un *kimchi* d'ail très relevé. Le bulgogi constitue un autre choix.

Yeongyangilbeonga (repas 6 000-10 000 W). Goûtez le *chueotang* (soupe de poisson émincé), un plat roboratif qui inclut des champignons, des pommes de terre et des gâteaux de riz. La soupe est préparée à votre table dans une grande marmite (6 000 W pour 2 personnes au minimum). Évitez le ragoût de chèvre et n'oubliez pas que *yeongyangtang* (영양탕), ou "soupe diététique", est un euphémisme pour *bosintang*, ou soupe de viande de chien.

Depuis/vers Danyang
BATEAU

Le terminal des ferries du lac Chungju se trouve en plein centre-ville, au bord du lac. La traversée dure 2 heures et coûte 16 000 W (8 000 W pour les enfants de moins de 12 ans).

BUS

Des bus relient Danyang aux villes suivantes :

Destination	Prix (W)	Durée (h)	Fréquence
Chungju	5 600	1½	ttes les heures
Daejeon	13 000	3	5/jour
Dong-Séoul	11 000	3½	ttes les heures
Guinsa	2 300	30 min	ttes les heures
Jecheon	2 300	45 min	6/jour

STATION DE DANYANG ET PARC NATIONAL DE SOBAEKSAN

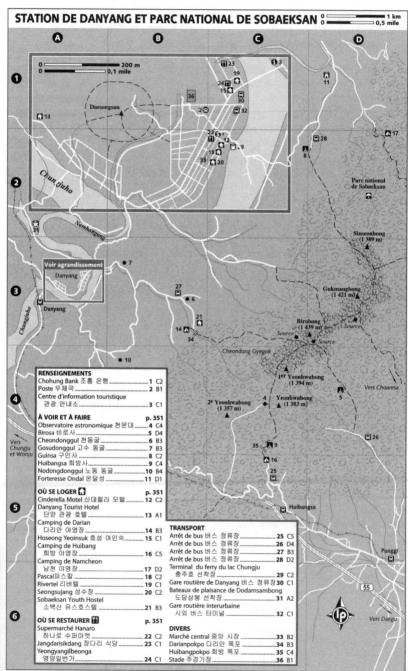

RENSEIGNEMENTS
Chohung Bank 조홍 은행 1 C2
Poste 우체국 2 B1
Centre d'information touristique
관광 안내소 3 C1

À VOIR ET À FAIRE p. 351
Observatoire astronomique 천문대 4 C4
Birosa 비로사 5 D4
Cheondonggul 천동굴 6 B3
Gosudonggul 고수 동굴 7 B3
Guinsa 구인사 8 C2
Huibangsa 희방사 9 C4
Nodongdonggul 노동 동굴 10 B4
Forteresse Ondal 온달성 11 D1

OÙ SE LOGER 🏠
Cinderella Motel 신데렐라 모텔 12 C2
Danyang Tourist Hotel
단양 관광 호텔 13 A1
Camping de Darian
다리안 야영장 14 B3
Hoseong Yeoinsuk 호성 여인숙 15 C1
Camping de Huibang
희방 야영장 16 C5
Camping de Namcheon
남천 야영장 17 D2
Pascal 파스칼 18 C2
Rivertel 리버텔 19 C1
Seongsujang 성수장 20 C2
Sobaeksan Youth Hostel
소백산 유스호스텔 21 B3

OÙ SE RESTAURER 🍴 p. 351
Supermarché Hanaro
하나로 수퍼마켓 22 B2
Jangdarisikdang 장다리 식당 23 C1
Yeongyangilbeonga
영양일번가 24 C1

TRANSPORT
Arrêt de bus 버스 정류장 25 C5
Arrêt de bus 버스 정류장 26 D4
Arrêt de bus 버스 정류장 27 B3
Arrêt de bus 버스 정류장 28 D2
Terminal du ferry du lac Chungju
충주호 선착장 29 C2
Gare routière de Danyang 버스 정류장 30 C1
Bateaux de plaisance de Dodamsambong
도담삼봉 선착장 31 A2
Gare routière interurbaine
시외 버스 터미널 32 C1

DIVERS
Marché central 중앙 시장 33 B2
Darianpokpo 다리안 폭포 34 B3
Huibangpokpo 희방 폭포 35 C4
Stade 주경기장 36 B1

TRAIN

Des trains relient Danyang à la gare de Séoul (14 000 W) et à la gare de Cheongnyangni à Séoul (9 200 W).

ENVIRONS DE DANYANG
Daesongsan 대송산

Derrière Danyang, un réseau de chemins de randonnée, très accessibles, sillonne cette montagne boisée.

Gosudonggul 고수 동굴

Cette spectaculaire **grotte calcaire** (☎ 422 3072 ; adulte/jeune/enfant 4 000/2 500/1 500 W ; 9h20-17h20) est l'une des plus renommées du pays. D'interminables passerelles métalliques et des escaliers en colimaçon permettent d'admirer de près les diverses concrétions, mises en valeur par une lumière tamisée. Découverte dans les années 1970, la grotte s'étend sur 1,7 km et la visite demande au moins 1 heure. Avec un peu de chance et d'attention, vous apercevrez des représentants des 24 espèces animales qui peuplent Gosudonggul. Sachant que les stalagmites grandissent de 1 cm tous les 5 à 10 ans, essayez d'évaluer leur âge.

L'habituel village touristique est installé près de l'entrée. Achetez du miel local (10 000 W le petit pot) ou goûtez un jus de *ma* (1 000 W le verre), qui ressemble au lait de noix de coco et fait du bien à l'estomac.

La grotte est à 10 min de marche de Danyang : traversez le pont et tournez à droite.

Nodongdonggul 노동 동굴

Moins vaste et moins visitée que Gosudonggul, cette **grotte** (adulte/jeune/enfant 4 000/2 500/1 500 W ; 9h20-17h20) abrite également de multiples concrétions, qui se sont lentement édifiées au fil des siècles. Escaliers et passerelles métalliques en facilitent l'approche.

Nodongdonggul est mal desservie par les transports publics : des bus locaux (750 W) partent devant la gare routière de Danyang à 9h25 et 14h et reviennent à 14h30 et 17h50.

Cheondonggul 천동굴

Explorer cette autre **grotte** (☎ 422 2972 ; adulte/jeune/enfant 4 000/2 500/1 500 W ; 9h20-17h20) demande plus d'efforts physiques car il faut se faufiler dans d'étroites fissures et ramper dans des tunnels bas. Découverte en 1977, elle mesure 470 m de long. Les boutiques et les stands qui entourent l'entrée vendent du *jinesul*, une boisson alcoolisée insolite qui contient un mille-pattes, sans doute excellente pour les douleurs de dos ou de jambes !

La grotte se situe à 10 min de marche de l'arrêt de bus le plus proche et à 15 min de l'entrée du parc national de Sobaeksan. Des bus (750 W, 10 min, 14 par jour) relient la gare routière de Danyang à Cheondong-ri.

PARC NATIONAL DE SOBAEKSAN
소백산 국립공원

Sobaeksan signifie "petite montagne blanche". Ce **parc** (☎ 423 0708 ; adulte/jeune/enfant 1 300/600/300 W ; 8h-18h), l'un des plus étendus du pays, n'offre pas de paysages aussi spectaculaires que celui de Seoraksan, mais il abrite une flore très diversifiée et ses agréables chemins de randonnée traversent d'épaisses forêts. Les escalades ne sont pas particulièrement escarpées ou périlleuses, mais peuvent être fatigantes. Quelques gorgées de *dongdongju* (vin de riz fermenté) vous redonneront de l'énergie !

De Cheondong-ri, au nord-ouest du Sobaeksan, comptez 3 heures pour monter au sommet du **Birobong** (1 439 m), le point culminant du parc, et 2 heures pour redescendre. Cet itinéraire longe la belle vallée de Cheondong sur 6,5 km. Le mont est réputé pour ses azalées, qui fleurissent vers la fin mai.

Guinsa 구인사

L'imposant siège de la secte bouddhiste Cheontae s'est installé loin de tout, au cœur des montagnes. L'ordre, qui s'appuie sur l'interprétation du sutra du Lotus de Jija Daesa, un moine chinois des temps anciens, fut de nouveau fondé par Sangwol Wongak en 1945. **Guinsa** (entrée libre) comprend plus de 30 bâtiments en béton à plusieurs étages, établis le long d'une route étroite et reliés entre eux par des passerelles surélevées. Les édifices se blottissent dans une vallée boisée et encaissée. L'opulence de la secte ne fait aucun doute, d'autant que les travaux de construction se poursuivent à un rythme effréné. Passez devant les bâtiments pour parvenir à la tombe du fondateur.

CHUNGCHEONGBUK-DO

Le temple évoque une société utopique : tout est d'une propreté scrupuleuse, les jardins sont splendides et les moines, les nonnes et les laïcs sont vêtus d'amples chemises et pantalons gris. Les adeptes de cette secte semblent tous calmes, polis et obéissants. Trois fois par jour, la cuisine commune sert des repas végétariens simples et gratuits et accueille volontiers les visiteurs.

Où se loger

Cheondong-ri, Namcheon-ri et Huibang disposent d'un camping. De nombreux minbak sont installés près des entrées du parc et facturent leurs chambres à partir de 20 000 W. Le parc ne compte aucun refuge.

Sobaeksan Youth Hostel (☎ 421 5555 ; f 50 000 W ; ☒). Près de l'entrée du parc à Cheondong-ri, cette auberge de jeunesse ne possède pas de dortoir, mais s'agrémente d'une piscine découverte (ouverte en juillet et août).

Depuis/vers le parc national de Sobaeksan

Devant la gare routière de Danyang, des bus partent pour Cheondong-ri (750 W, 10 min, 14 par jour). Des bus express relient la gare routière de Danyang à Guinsa (2 300 W, 30 min, toutes les heures). De Dong-Séoul, des bus directs desservent Guinsa (12 200 W, 3 heures 40 min, toutes les heures). Devant la gare routière de Danyang, des bus locaux rejoignent les autres entrées du parc.

Corée du Nord

TONY WHEELER

Corée du Nord

Depuis 1953, la Corée du Nord fait face à la Corée du Sud de part et d'autre du 38ᵉ parallèle, et vit dans une situation de guerre froide. Délaissée par ses anciens alliés chinois et russes, la Corée du Nord, la pire dictature du monde, est totalement isolée sur la scène internationale où son seul atout demeure sa capacité de nuisance, notamment par la voie choisie de la prolifération nucléaire. Dernier des bastions du totalitarisme communiste, la Corée du Nord est certainement le pays le plus fermé du monde. Connaissez-vous un autre pays qui exige que ses visiteurs soient escortés par deux guides dès qu'ils franchissent le seuil de leur hôtel et qui interdit l'usage des téléphones mobiles et d'Internet ? Ici, mythes et réalité se confondent à loisir : le mystérieux dictateur Kim Jong Il contrôle, dit-on, le temps qu'il fait, tandis que son père, quoique mort depuis 10 ans, est "Président éternel".

Cet État communiste, transformé en royaume féodal par la dynastie des Kim, autorise chaque année un nombre limité de voyageurs à découvrir quelques-unes de ses fascinantes villes-vitrines et de ses superbes stations de sports d'hiver. La Corée du Nord se visite uniquement selon les souhaits du gouvernement, qui a ainsi l'occasion de promouvoir la dynastie au pouvoir auprès d'étrangers impressionnables et de procurer des devises à une nation en plein marasme économique. Un voyage en République démocratique populaire de Corée – son nom officiel – vous permettra de vous forger votre propre opinion du pays, du moins de ce que vous en verrez. Il ne sera ni facile (aucune liberté de déplacement), ni bon marché, et ne vous laissera pas indemne. Ce pays dont les habitants meurent de faim est, par ailleurs, magnifique. Terre d'origine des grandes dynasties koguryo et koryo, la Corée du Nord abrite notamment les montagnes Geumgangsan et Paekdusan, qui sont parmi les plus belles du monde.

À NE PAS MANQUER

- Ouvrez de grands yeux devant la richesse architecturale de **Pyongyang** (p. 376)
- Éprouvez pleinement les tensions de la Guerre froide grâce à une visite à **Panmunjeom,** dans la zone démilitarisée (p. 383)
- Parcourez les sentiers montagnards sauvages de la merveilleuse station de **Kumgangsan** (p. 385)
- Revisitez le passé dans l'ancienne capitale coréenne de **Kaesong** (p. 382)
- Explorez le Grand Nord, le point culminant de la Corée et la montagne sacrée de **Paekdusan** (p. 386)

CORÉE DU NORD

EN BREF :

- Superficie : 120 540 km^2
- Population : 23 millions
- Monnaie : won nord-coréen (170 KPW = 1 €) au marché noir
- Pourcentage du PNB consacré à l'armée : 31,3%
- Nombre de films que Kim Jong Il possède : 20 000
- Service militaire minimum pour les hommes : 6 ans
- Pourcentage du pays occupé par des montagnes inhabitables : 80%
- Nombre de cafés Internet : 1

AVANT LE DÉPART

Pour partir en Corée du Nord, il faut une bourse bien remplie et un visa (voir p. 392).

Une fois sur place, en revanche, le voyage se déroule d'ordinaire sans anicroche. Deux guides vous accompagneront dès que vous sortirez de votre hôtel. Ils surveilleront ce que vous voyez et les explications que vous recevez. Prévoir son programme à l'avance est indispensable car presque toutes les visites nécessitent une autorisation préalable, et les arrangements de dernière minute inquiètent les guides, qui deviennent moins aimables. Cette escorte est obligatoire et on ne saurait trop recommander aux voyageurs peu disposés à être surveillés tout au long de leur séjour d'éviter ce pays. Si vous gardez vos critiques pour vous et vous montrez amical envers vos guides, ils vous aideront à profiter pleinement de votre voyage.

Quand partir

Tout comme la Corée du Sud, la Corée du Nord connaît quatre saisons bien distinctes. Les hivers sont secs, mais plus froids qu'au Sud, et les étés, humides et souvent pluvieux. Les circuits s'effectuant généralement sur un rythme assez soutenu, les voyageurs qui souffrent de la chaleur éviteront les mois de juillet-août. En général, le pays n'accueille pas les touristes en décembre ni au début du mois de janvier, et tant que la crise de l'énergie perdure, nous vous recommandons d'éviter le plus fort de l'hiver, même s'il paraît très improbable que les hôtels ouverts aux étrangers subissent des coupures de courant.

Tâchez de programmer votre séjour lors des Jeux de masse d'Arirang à Pyongyang ou d'une fête nationale, afin d'assister en direct à ces spectacles époustouflants répétés pendant des mois par des milliers de personnes. Les billets de train et d'avion étant plus difficiles à obtenir à ces dates, veillez à réserver les vôtres assez longtemps en avance. En général, les mois les plus agréables sont avril, mai, juin, septembre et octobre.

Coût de la vie

La Corée du Nord n'a rien d'une destination touristique pour petits budgets. Inutile d'espérer faire des économies en logeant dans des auberges de jeunesse : il n'y en a pas. En plus de votre hébergement et de vos repas, à régler avant le départ, vous devrez aussi payer les services de deux guides et d'un chauffeur, si bien que voyager en groupe est l'une des rares solutions qui s'impose pour réduire vos frais.

Les voyageurs individuels débourseront environ 170 € par jour pour les guides

NE PARTEZ PAS SANS...

... les produits quotidiens comme des analgésiques, des tampons, des préservatifs et du savon, ainsi que le matériel électrique dont vous pourriez avoir besoin. Mieux vaut également emporter pellicules et piles pour votre appareil-photo – vous en trouverez sur place, mais pas forcément de même qualité, et peut-être plus cher. Comme la plupart des voyages n'excèdent pas une semaine, envisagez d'acheter en Chine des fruits à grignoter entre deux visites – un simple sac de pommes est un article de luxe à Pyongyang. Pensez à des cadeaux symboliques pour vos guides – stylos, cartes postales de votre ville ou chocolats sont toujours appréciés. Et surtout, n'oubliez pas votre sens de l'humour et votre ouverture d'esprit – les deux sont indispensables pour apprécier la Corée du Nord.

Tout aussi important : ce qu'il ne faut pas emporter car les règles sont très strictes. Laissez téléphones mobiles et ordinateurs portables à la maison.

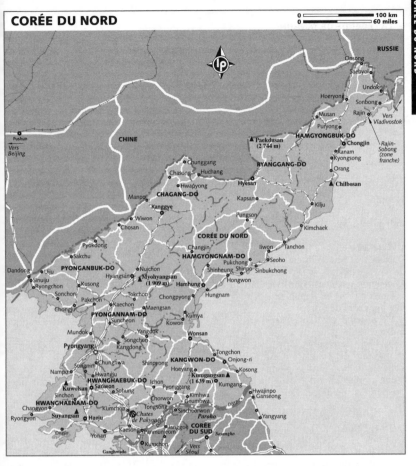

et l'hôtel en pension complète. Ce prix s'abaisse entre 85 et 125 € par jour si vous faites partie d'un groupe, voire moins s'il s'agit d'un groupe important. Pour les visiteurs, toutes les transactions se font en euros (voir p. 389).

Sur place, vos plus grosses dépenses concerneront les souvenirs et autres cadeaux en vente dans les sites touristiques. Hormis les boissons et les appels téléphoniques ou les fax, vous n'aurez guère d'autres occasions d'ouvrir votre porte-monnaie.

Circuits organisés

Les visiteurs venant en Corée du Nord doivent réserver tous leurs hébergements, guides et transports auprès de l'agence gouvernementale Ryohaengsa (la version nord-coréenne de l'Intourist de la Russie d'avant la perestroïka). S'adresser à un agent de voyages revient à lui déléguer les tractations avec cet organisme, mais présente un avantage : les agences de voyages sont affiliées à l'IATA (International Air Transport Association) et, à l'inverse de Ryohaengsa, vous rembourseront en cas d'annulation – ce qui peut toujours se produire avec la Corée du Nord. Vous trouverez p. 395 la liste des rares opérateurs qui proposent des circuits dans ce pays. Le bureau principal de **Ryohaengsa** (☎ 86-10-6437 6666/3133 ; fax 6436 9089 ; Korean International Travel Company, 1er étage, Yanxiang, n° A2 Jiangtai Rd, Chaoyang District, Qionghua-

LA LÉGENDE DE TANGUN

On raconte qu'un ours et un tigre, qui rêvaient de devenir humains, adressèrent une supplique au "Roi divin Hwanung", fils du Ciel, qui gouvernait les hommes. Celui-ci leur donna des fagots d'ail et de l'armoise et leur dit de les manger (le tout premier *kimchi* !) et de rester à l'abri de la lumière du soleil pendant 100 jours. Le tigre n'y parvint pas, mais l'ours réussit et ressortit de la grotte sous la forme d'une jeune femme. Elle s'unit à Hwanung et donna le jour à un fils nommé Tangun, qui créa en 2333 av. J.-C l'Ancien Choson, le premier royaume de la péninsule coréenne.

ting) à Beijing (Pékin) est le plus habitué aux voyageurs individuels. Ryohaengsa dispose aussi de succursales (toujours en Chine) à Dandong, dans la province de Liaoning et à Yanji, dans le Jilin.

Pour plus d'informations sur les voyages individuels, voir *Voyager en solo* (p. 393).

Littérature

Il existe très peu de littérature ou de récits de voyage relatifs à la Corée du Nord. Cependant quelques bons livres offrent un aperçu de la vie en République démocratique populaire de Corée :

Déconseillé aux âmes sensibles, mais indispensable pour ceux qui aspirent à une vision d'ensemble, *Les Aquariums de Pyongyang*, de Kang Chol-hwan (Robert Laffont, 2000), décrit la plongée en enfer d'une famille enfermée dans un camp de prisonniers politiques au royaume des Kim.

Ici, c'est le paradis !, de Hyok Kang (Michel Lafon, 2004), raconte une enfance en Corée du Nord alors que la famine frappe le pays.

Ces deux ouvrages, écrits par des transfuges, sont des témoignages bouleversants sur les conditions de vie dans ce bastion du communisme.

Famine en Corée du Nord, de Jasper Becker (L'Esprit frappeur, 1998), dénonce ce drame qui a commencé en 1995 et tente d'alerter les autres nations.

Ceux qui lisent l'anglais pourront consulter les ouvrages suivants sur la Corée du Nord.

North Korea Through the Looking Glass (Kong Dan Oh, Ralph C. Hassig, Kongdan Oh) fait figure d'étude classique de la politique et de la société de la République démocratique populaire de Corée, même s'il se heurte aux barrières que rencontrent ceux qui se penchent sur

l'un des gouvernements les plus secrets du monde : beaucoup de conjectures sans preuves accessibles à l'appui. Il demeure malgré tout une fascinante introduction à ce pays.

On doit à Bruce Cummings plus d'une douzaine d'ouvrages sur la Corée, la division de la péninsule et son avenir. Parmi les plus recommandés : *War and Television*, qui relate les interviews qu'il a menées en Corée du Nord pour un documentaire sur la guerre de Corée, et *Korea's Place in the Sun*, dont un chapitre offre une analyse impressionnante de la culture politique de la République démocratique populaire de Corée.

The Two Koreas, de Don Oberdorfer, étudie dans un style très lisible les relations Nord-Sud depuis 1948. Il considère la politique de chacun des deux États dans le contexte des efforts constants accomplis par chacun des gouvernements pour réunifier la péninsule, dans une démarche de paix ou pas.

Pyongyang: The Hidden History of the Hidden Capital, de Chris Springer, est un guide récent de la ville, truffé de photos et d'informations. On y découvre les secrets des mystérieux édifices, monuments et ministères de la capitale. C'est de loin le plus détaillé des guides disponibles sur Pyongyang. Il existe également une foule de guides publiés en Corée du Nord.

Sites Internet

Une large communauté d'internautes traquent et diffusent des informations sur la Corée du Nord, allant de la production annuelle de céréales aux plaisanteries sur Kim Jong Il. Gardez du recul en consultant les sites, leurs auteurs ayant difficilement un regard objectif sur la Corée du Nord... Nous recommandons les sites suivants (en anglais) :

www.pyongyangsquare.com. Un des meilleurs sites pour connaître nouvelles et points de vue nord-coréens, même s'il se révèle un peu aride. Un survol simple et intelligent de toutes les évolutions économiques, politiques et diplomatiques au nord de la DMZ.

www.korea-np.co.jp. La voix du gouvernement nord-coréen au Japon : éloges du Grand Leader, diatribes anti-américaines, mais aussi intéressantes archives de presse et informations, notamment la version officielle des événements internationaux. Une bonne introduction au monde vu depuis Pyongyang.

www.chosunjournal.com. Principalement soutenu par des Coréens établis ou étudiant aux États-Unis, il se concentre sur les violations des droits de l'homme et sur les injustices quotidiennes en Corée du Nord – une lecture incontournable.

www.stat.ualberta.ca/people/schmu/nk.html. Donne la liste des meilleurs guides de voyage en Corée du Nord sur le Web. Deux sont récents et de qualité : celui d'Arne Eilers et de Scott Fisher, résident sud-coréen plein d'humour.

INSTANTANÉ

Après plusieurs décennies de blocage total, le Nord et le Sud ont semblé franchir un grand pas vers la réunification en juin 2000, quand le président sud-coréen de l'époque, Kim Dae-jung, s'est rendu à Pyongyang

---

UNE VISITE EN CORÉE DU NORD *par Tony Wheeler, l'un des fondateurs des guides Lonely Planet*

Je suis fasciné par les villes et les pays qui sont si différents de ce que nous connaissons. Dans le monde d'aujourd'hui, la Corée du Nord occupe une place vraiment à part, et quand George W Bush décréta qu'elle faisait partie de son "axe du mal", j'ai compris que je devais y aller.

Malheureusement, visiter en solo le "royaume ermite" est impossible. On doit obligatoirement intégrer un circuit organisé. Mais il m'a suffi d'un seul regard sur le groupe rassemblé sous l'œil vigilant de Nicholas Bonner, dans la gare ferroviaire de Beijing, pour pressentir qu'il ne s'agirait pas d'un voyage en groupe ordinaire.

1er jour – Notre train de nuit a atteint la ville-frontière chinoise de Dondang tôt le matin. Chose surprenante, une statue géante de Mao se dresse encore sur la place devant la gare ferroviaire. Le soir (le train est très lent), nous arrivons à Pyongyang et allons immédiatement rendre hommage à la statue du Grand Leader de Mansudae.

2e jour – À l'exception de notre petit groupe, l'aéroport international de Pyongyang est désert. Nous nous envolons vers le nord-ouest du pays, avant de longer, en bus, la superbe côte menant aux montagnes boisées du Chilbo extérieur.

3e jour – Un autre avion nous emmène dans la région de Paekdu, où les eaux glacées du lac Chon s'étendent jusqu'en Chine. Kim Jong-Il serait né là, dit-on.

4e jour – De retour à Pyongyang, nous assistons aux Jeux de masse d'Arirang, assis parmi les 150 000 sièges du Stade du 1er mai, le plus vaste du monde. Dans les gradins en face de nous, 20 000 enfants ouvrent simultané-ment des petits livres d'images cartonnés dont ils tournent les pages avec une synchronisation époustouflante, afin de donner à voir une succession d'images géantes. Pendant ce temps, des dizaines de milliers d'autres enfants, des femmes, des hommes et des soldats dansent sur la pelouse du stade. Si l'issue d'une guerre dépend un jour du talent chorégraphique d'une armée, les Nord-Coréens remporteront toutes les victoires !

5e jour – Nous allons visiter le musée de la Guerre de libération de la patrie (et apprendre comment la Corée du Nord a vaincu les Japonais presque à elle seule pendant la Seconde Guerre mondiale), le Grand hall d'étude du peuple et le navire-espion américain *Pueblo*. La soirée s'achève à l'Egypt Palace Karaoke Bar, au sous-sol de l'hôtel. Pour moi, le clou de la journée restera les 45 min pendant lesquelles j'ai pu arpenter seul le Department Store n° 1.

6e jour – Un bus nous fait traverser la péninsule jusqu'à la ville portuaire de Wonsan. À l'hôtel, le personnel du restaurant a installé des paravents entre notre table et un groupe de Chinois ivres qui braillent des chansons. Nicholas Bonner bondit de son siège, écarte les paravents en hurlant en chinois "Pas de divisions, ici !". Un cri approbateur s'élève, et les Chinois nous invitent à interpréter nos propres chansons à boire.

7e jour – Après avoir visité une ferme collective et un temple au cœur d'un parc, nous retraversons la péninsule vers Pyongyang. Nous avons tous tellement apprécié les Jeux de masse que nous y retournons.

8e jour – Nous fonçons sur l'autoroute à 6 voies (déserte) vers la DMZ, au nom peu approprié car elle n'a rien de démilitarisé. En regagnant Pyongyang, nous faisons une trop brève halte dans la cité provinciale de Kaesong et devant les superbes mausolées Kongmin à flanc de colline, en bordure de la ville.

9e jour – L'aéroport est un peu plus animé aujourd'hui, date de notre retour à Shenyang, en Chine. Incroyable : un avion de Korean Air venu de Séoul vient se garer juste derrière nous ; des sacs en provenance du Nord et du Sud se mêlent sur le carrousel à bagages.

pour un sommet de 3 jours avec son homologue, Kim Jong Il, tandis que des familles des deux Corée se retrouvaient. Objectif affirmé des deux gouvernements depuis la partition de la péninsule en 1953, la réunification demeure aujourd'hui en suspens car les changements politiques survenus depuis lors à Séoul et à Washington ont mis un point d'arrêt à ce processus, instaurant un nouveau blocage.

Les réformes économiques de 2002 permettent cependant d'envisager une libéralisation possible de l'économie, sinon du système politique, dans un avenir plus ou moins proche. Les salaires ont augmenté de façon importante, mais, dans le même temps, pour la première fois dans l'histoire du pays, les prix des loyers et de l'électricité se sont alignés sur ceux du marché. Ces réformes voient aussi l'État se retirer du système de distribution de la nourriture, augmentant la part, déjà importante, de l'initiative privée. Tout laisse supposer que la Corée du Nord s'inspire de la Chine de Deng Xiaoping, qui introduisit des réformes du marché tout en maintenant un contrôle absolu de la société. Dans ce type de contexte, l'inflation est un souci évident : six mois après les réformes, le prix du riz avait augmenté de 4 000% ! Tous les commentateurs semblent toutefois s'accorder pour dire que les choses pourraient difficilement être pires : des diplomates en poste à Pyongyang estiment que l'industrie nord-coréenne tourne à environ 10-15% de sa capacité. Pour Kim Jong Il, la libéralisation de l'économie pourrait représenter l'ultime chance de sauver son régime isolé.

La propagande est omniprésente en Corée du Nord, et la seule réponse à toutes les questions qui se posent, que vous parliez à un passant ou lisiez n'importe quelle publication. On vous expliquera ainsi que les États-Unis sont responsables de la guerre de Corée, que la Corée du Sud est un régime fantoche, infesté par la vermine, et que c'est en Occident qu'on ment à tout le monde. Pour preuve de la dépravation qui règne en Corée du Sud, on évoquera pêle-mêle la pornographie en vente libre et les femmes qui fument en public.

La Corée du Nord est le pays le plus militarisé de la planète. Vous verrez partout des hommes et des femmes en uniforme, surtout à Pyongyang. Les citoyens des deux sexes sont soumis à plusieurs années de service militaire et l'armée constitue le sujet principal de la plupart des films, chansons, livres et œuvres d'art. Sous le règne Kim Jong Il, le rôle des militaires au sein du gouvernement s'est accru, et son pouvoir en tant que Commandant suprême des forces armées du peuple est immense.

Aucun réseau de dissidents n'a survécu à 50 ans de répression totale. Le Nord-Coréen appartient à une société très hiérarchisée, et sa vie est profondément marquée par l'obligation d'assister, presque chaque soir, aux réunions d'éducation politique. Les rares autres soirées se passent devant la TV ou la radio à écouter des travailleurs en liesse, parce qu'ils ont dépassé leurs quotas de production, ou la dernière proclamation du Grand Leader. Bien souvent dans les villes, les rues se vident à la tombée de la nuit, car l'électricité manque souvent pour faire fonctionner les réverbères et, surtout, il n'y a rien à faire.

HISTOIRE

La barrière géopolitique qui scinde la péninsule coréenne depuis la fin de la Seconde Guerre mondiale reflète curieusement les disparités historiques entre le Nord et le Sud. Même si la population coréenne s'avère homogène sur le plan ethnique, les habitants du Nord furent les parents pauvres de ceux du Sud bien avant les événements tragiques du XXᵉ siècle.

En 668, le royaume de Silla, à l'extrême sud-est, allié à la Chine des Tang, conquit le royaume de Koguryo, plus moderne et septentrional, lequel englobait la moitié nord de la péninsule et l'essentiel de la Mandchourie. La plupart des anciens territoires Koguryo revint à la Chine. Du point de vue des gens du Nord, ce fut la première d'une longue série de trahisons de la part du Sud, pour qui la nation passait après leurs intérêts propres, quitte à vendre les leurs à une puissance étrangère. Et, dans la partie du Koguryo qu'il conserva, le Silla instaura 250 ans d'oppression, générateurs d'un ressentiment encore vivace aujourd'hui.

La dynastie Koryo (918–1392), qui succéda à celle de Silla, fut fondée par un général originaire du Centre-Nord. Mais si quelques familles du Nord gagnèrent en importance au sein du gouvernement, les clans du Sud conservèrent globalement leur domination socio-économique.

LE *GENERAL SHERMAN* ET LE NAVIRE-ESPION AMERICAIN *PUEBLO*

L'un des premiers Occidentaux à pénétrer dans le nord de la Corée fut le capitaine du navire américain *General Sherman* qui cherchait à remonter la Taedong à la voile jusqu'à Pyongyang, en 1866. Il ignora avec arrogance les ordres de rebrousser chemin et insista pour engager des négociations commerciales. Lorsqu'il s'échoua sur un banc de sable juste en aval de Pyongyang, les habitants de la ville y mirent le feu et tuèrent tout l'équipage, composé de Chinois et de Malais, ainsi qu'un missionnaire gallois présent à bord. Plus tard, une expédition militaire américaine exigea du gouvernement de Séoul des réparations, puis l'incident tomba dans l'oubli dans le sud du pays. Mais les gens du Nord sont fiers d'avoir remporté ce qu'ils considèrent comme la première des nombreuses batailles victorieuses menées contre l'ennemi impérialiste yankee, honni.

Autre motif de grande fierté pour les Nord-Coréens : L'arrière arrière-grand-père du Grand Leader aurait non seulement participé à l'incendie du navire, mais aussi joué un rôle décisif dans la défaite des Yankees à Pyongyang. Aujourd'hui, il ne reste du *General Sherman* qu'une plaque. Un autre bateau a pris sa place sur le site : le *Pueblo*, un vaisseau de surveillance américain pris par les Nord-Coréens au large de la côte orientale de la Corée en janvier 1968, au plus fort des tensions entre le Nord et le Sud. Moyennant un droit d'entrée, vous pourrez monter à son bord et entendre un nouveau sermon sur les violations de l'accord de cessez-le-feu par les États-Unis.

Le mécontentement des Coréens du Nord devait atteindre son apogée sous la dynastie Choson (1392–1910), marquée par la prédominance d'un clan du Jeolla-do et de ses amis (pour la plupart originaires du Sud) et par une soumission officielle à la Chine. Les chances des habitants du Nord de parvenir au pouvoir étaient minces, et ils subissaient de fréquentes invasions mandchoues : autant dire qu'ils ne gagnaient pas grand chose en contrepartie de leurs lourds impôts.

L'économie coréenne reposant sur le riz, le Sud, moins montagneux, plus chaud et mieux arrosé, était naturellement plus riche. Les gouvernements successifs ne firent jamais de gros efforts pour compenser ce déséquilibre, ni pour porter assistance aux populations septentrionales subissant de fréquentes famines. En fait, on ne semblait reconnaître la valeur de ces montagnards plus grands, plus forts et plus solides que lorsque le besoin de soldats (pour repousser une nouvelle incursion de "barbares") se faisait sentir.

À la fin de la dynastie Choson, après l'ouverture de la Corée aux étrangers, les Occidentaux investirent dans l'exploitation d'une grande mine d'or au nord de Pyongyang, qui fournit aux travailleurs du Nord des emplois difficiles, dangereux, très mal payés, et dont tous les bénéfices allaient à Séoul ou hors du pays. Pour ceux du Nord, cette mine devint le symbole même du pillage de leurs ressources par les étrangers, et ce avec la bénédiction du Sud.

Les missionnaires chrétiens américains venus en Corée trouvèrent au Nord un sol (spirituel) fertile, et multiplièrent les conversions en exploitant le ressentiment de sa malheureuse population envers la culture corrompue, rigide et confucéenne de Séoul.

L'occupation japonaise

L'occupation de la péninsule coréenne par les Japonais entre 1910 et 1945 figure parmi les périodes les plus sombres de l'histoire coréenne. Les forces japonaises réduisirent presque en esclavage les Coréens dans les usines, les mines et l'industrie lourde – surtout dans le Nord. L'utilisation de jeunes Coréennes comme "femmes de réconfort" pour les soldats japonais – euphémisme pour une prostitution forcée – alimente un ressentiment très fort.

Pour le Nord, les dirigeants corrompus de Séoul vendait leur pays aux Japonais. L'essentiel de la guérilla contre la police et l'armée japonaises se fit dans les provinces du Nord et en Mandchourie voisine, et les Coréens du Nord demeurent fiers de leur part prépondérante dans l'action contre l'envahisseur.

Les livres d'histoire publiés à Pyongyang expliquent que Kim Il Sung vainquit les Japonais presque tout seul (avec un peu d'aide des valeureux camarades et de son fils, encore bébé). Même si l'on a clairement exagéré son rôle, Kim Il Sung fut un grand leader de la résistance. L'honneur de chasser les Japonais de Corée devait revenir à l'Armée rouge qui, tout à la fin de la Seconde Guerre mondiale, pénétra en Mandchourie et dans le nord de la Corée, tandis que les forces japonaises battaient en retraite. Le 15 août 1945, à la chute du Japon, la Corée fut libérée de 35 ans d'occupation. Les États-Unis prirent alors conscience de l'importance stratégique de la péninsule, beaucoup trop grande pour qu'on l'abandonne aux Soviétiques. Les Alliés étaient convenus à Yalta de placer la Corée sous le contrôle tripartite de l'URSS des États-Unis et de la Chine, mais aucune mesure concrète n'avait été définie. Le Département d'État américain confia alors la tâche à deux jeunes officiers qui, avec l'aide d'une carte du *National Geographic*, coupèrent la Corée en deux le long du 38e parallèle.

Les forces américaines, basées au Japon, pénétrèrent peu à peu en Corée, tandis que les Soviétiques campaient le long de la ligne de séparation. Le projet d'organiser des élections démocratiques dans toute la péninsule fut rapidement victime des tensions de la Guerre froide. Lorsque le Nord refusa de laisser des inspecteurs de l'ONU franchir le 38e parallèle, la République de Corée fut proclamée au Sud, le 15 août 1948. Trois semaines plus tard, le 9 septembre 1948, le Nord instaurait la République démocratique populaire de Corée.

La République populaire

On dit que Staline choisit personnellement Kim Il Sung, alors âgé de 33 ans, pour diriger le nouvel État. Pourtant, Kim ne cachait ni son ambition ni son nationalisme passionné ; Staline l'aurait sélectionné pour sa jeunesse. Il ne pouvait imaginer que son poulain non seulement lui survivrait (ainsi qu'à Mao Zedong), mais survivrait aussi au communisme lui-même, pour battre tous les records de longévité à la tête d'un État. À peine installé aux commandes de la Corée du Nord, Kim demanda à Staline l'autorisation d'envahir le Sud. Le maître de l'URSS refusa par deux fois en 1949. Toutefois, peut-être encouragé par la victoire de Mao sur les nationalistes en Chine et par les dangereux succès de son propre programme atomique, il lui donna le feu vert l'année suivante.

L'absurde et brutale guerre de Corée (1950-1953) débuta par une incroyable avancée nord-coréenne qui repoussa les forces américaines presque jusque dans la mer, suivie d'une contre-attaque tout aussi impressionnante des États-Unis et des Nations unies, qui réussirent à occuper la majeure partie de la Corée du Nord. Kim envisagea alors de se replier dans les collines pour mener une action de guérilla contre le Sud : il ignorait que Mao Zedong avait décidé d'aider secrètement la Corée du Nord en lui envoyant des "volontaires". L'entrée en scène de l'armée chinoise modifia l'équilibre des forces et le Nord repoussa le front jusqu'à son point de départ du 38e parallèle : après 2 millions de morts, retour au *statu quo ante*. Les accords d'armistice obligèrent les parties à reculer à 2 000 m de part et d'autre de la ligne de cessez-le-feu, créant une vaste zone démilitarisée, ou DMZ, qui existe encore aujourd'hui.

QUELQUES REPÈRES

1392 Avènement de la dynastie Choson, peu favorable aux gens du Nord

1866 Le *General Sherman* s'échoue sur la Taedong ; tout l'équipage est tué

1910 Début de l'occupation japonaise

1948 Proclamation de la République démocratique populaire de Corée par Kim Il Sung

1950 Invasion de la Corée du Sud par la Corée du Nord

1953 La guerre de Corée entérine la partition de la péninsule de part et d'autre du 38e parallèle

1980 Kim Jong Il est nommé "Cher Leader" et successeur de son père

1983 Une bombe nord-coréenne tue de nombreux membres du gouvernement sud-coréen à Rangoon (Yangon, au Myanmar)

1994 Mort de Kim Il Sung

1995 Des inondations dévastent la Corée du Nord

2000 Kim Dae-jung et Kim Jong Il se rencontrent lors d'un sommet sans précédent à Pyongyang

2002 Le président américain George W. Bush décrète que la Corée du Nord fait partie de son "axe du mal"

Les Chinois, qui avaient pris la direction des opérations militaires (à la grande fureur de Kim Il Sung), demeurèrent en Corée du Nord pour l'aider à rebâtir un pays presque rasé par les bombardements.

Kim Il Sung entamait par ailleurs un processus de consolidation de sa position politique et de répression brutale. Il fit ainsi exécuter son ministre des Affaires étrangères et tous ceux qu'il considérait comme une menace, afin de prendre le contrôle total du Parti coréen des travailleurs. Après la dénonciation par Khrouchtchev, en 1956, du culte de la personnalité instauré par Staline, un membre du Comité Central appelé Yun Kong-hum accusa Kim de dérive similaire. On n'entendit plus jamais parler de lui. Son intervention fut le chant du cygne de la démocratie nord-coréenne.

À la différence d'autres dirigeants communistes, Kim n'a pas attendu pour créer un culte de la personnalité. Le surnom de *suryong*, ou "Grand Leader", s'utilisa au quotidien au Nord dès les années 1960 – et les belles déclarations préalables qui prônaient la démocratie et des élections fondées sur le multipartisme furent vite oubliées.

La première décennie du "règne" de Kim Il Sung vit une immense amélioration sur le plan matériel de l'existence des travailleurs et des paysans : alphabétisation, soins médicaux, puis accès à une éducation plus poussée. Vint ensuite la militarisation de l'État. Mais dès les années 1970, la Corée du Nord sombra dans la récession pour ne plus en sortir. Durant cette période au cours de laquelle Kim Il Sung fut élevé au rang de divinité de la société nord-coréenne, une *entité mystérieuse*, appelée en langage officiel "le centre du parti", commença à se distinguer au sein de l'entourage de Kim. Le Congrès du parti de 1980 révéla que cette figure énigmatique, à laquelle on attribuait mille brillants succès, n'était autre que le fils du Grand Leader, Kim Jong Il. On lui confia alors plusieurs charges publiques importantes, dont un siège au politburo et on lui décerna même le titre honorifique de "Cher Leader". Junior fut, en outre, désigné comme héritier du Grand Leader et, en 1991, nommé commandant en chef de l'armée coréenne, bien que n'ayant jamais servi en son sein. De 1989 à 1994, père et fils figurèrent côte à côte sur la plupart des portraits officiels. On chantait les louanges

du tandem et tout concourait à montrer qu'ils travaillaient main dans la main. Bref, on prépara le peuple nord-coréen à une dynastie héréditaire bien plus conforme au confucianisme qu'au communisme.

Après la perestroïka

C'est à la fin des années 1980, avec les bouleversements survenus en Europe de l'Est, que le parcours de la Corée du Nord commença à s'écarter nettement de celui des autres États communistes. Et lorsque l'Union soviétique se désintégra, en 1991, la Corée du Nord se trouva privé des subsides du "grand frère" qui lui permettaient jusqu'alors de préserver sa façade autarcique.

Habituée à jouer sur les différends opposant la Chine et l'URSS, la Corée du Nord se tourna vers les Chinois, qui jouent bon gré mal gré les parrains à son égard depuis lors, ce qui peut paraître paradoxal étant données les orientations récentes des héritiers de Mao. La Chine entretient par ailleurs des rapports de plus en plus étroits avec la Corée du Sud et le Japon.

Pourtant, Beijing demeure l'unique allié du Nord, même si elle a, à plusieurs reprises depuis le début des années 1990, vertement tancé Pyongyang, allant jusqu'à interrompre ses livraisons de pétrole pour souligner son mécontentement face à la propension du Nord à danser sur la corde raide.

Cette politique jusqu'au-boutiste porta toutefois ses fruits en 1994, lorsque la Corée du Nord négocia un accord avec l'administration Clinton, aux termes duquel elle acceptait de mettre un terme à son (très controversé) programme nucléaire contre la fourniture d'énergie par les États-Unis. Ce qui se concrétisa par la construction par un consortium international de deux réacteurs destinés à pourvoir à long terme aux besoins énergétiques nord-coréens. Une belle victoire diplomatique pour le Nord, qui avait négocié d'égal à égal avec les États-Unis.

Au beau milieu de ces négociations, Kim Il Sung, le père fondateur de la Corée du Nord, succomba à une crise cardiaque.

Le décès du Grand Leader affaiblit le Nord et rendit celui-ci plus imprévisible encore que par le passé. Les observateurs les plus optimistes, parmi lesquels de nombreux membres du gouvernement de Séoul, prédirent une chute imminente du régime privé de son dirigeant charismatique. D'où une décision lourde de conséquences pour l'avenir du processus de réunification : le gouvernement de Kim Young-sam s'abstint d'envoyer des condoléances à son voisin du Nord – alors que même le président Clinton s'était exécuté – ce qui fut perçu comme un affront fait à la mémoire d'un homme considéré (officiellement, tout au moins) comme un dieu vivant. Cette erreur stratégique figea la situation pour 5 ans.

Si l'effondrement attendu ne se produisit pas, on ne percevait pas non plus de signe visible d'intronisation du Cher Leader. La Corée du Nord devint plus mystérieuse que jamais et pendant les 3 années suivant le décès de Kim Il Sung, la rumeur courut qu'une faction militaire avait pris le pouvoir à Pyongyang et que tant que durerait la lutte opposant celle-ci à Kim Jong Il, la Corée du Nord resterait privée de dirigeant.

Kim Jong Il succéda officiellement à son père en octobre 1997, à l'issue d'une période de deuil de 3 ans. Détail incongru : feu Kim Il Sung conserva son titre de président, devenant l'unique chef d'État décédé du monde et celui dont le règne fut le plus long – 56 ans à ce jour – devant Fidel Castro ou la reine Elizabeth II. En tant que commandant suprême des forces armées et président de la Commission de défense nationale, Kim Jong Il détient la haute main sur l'une des entités les plus puissantes du pays.

L'accession au pouvoir de Kim Jong Il se fit dans un contexte catastrophique. L'économie nord-coréenne battait de l'aile depuis que les subsides et les fournitures soviétiques indispensables à la survie de ses infrastructures industrielles s'étaient taris au début des années 1990 ; avec les terribles inondations de 1995, la situation vira au désastre. Rompant avec sa tradition stricte d'autosuffisance (toute théorique, bien entendu, puisque le pays recevait de longue date un soutien secret de ses deux alliés communistes – elle avait même reçu des fonds de Corée du Sud deux mois plus tôt), la Corée du Nord sollicita une aide alimentaire d'urgence des Nations unies et de la communauté internationale.

La gravité de la situation était telle que le régime de Kim autorisa l'accès à tout le pays aux envoyés de l'ONU, fait jusque-là impensable en Corée du Nord. Les spécialistes de l'aide humanitaire furent horrifiés par ce qu'ils découvrirent : une malnutrition omniprésente et les débuts d'une famine qui allait faire plusieurs millions de morts au cours des années suivantes.

À quand la réunification ?

Le pragmatisme de Kim Jong Il et sa relative ouverture au changement se concrétisèrent par une série d'initiatives en vue de réconcilier le Sud et les États-Unis. Celles-ci culminèrent avec le sommet de Pyongyang qui réunit le président de Corée du Sud, Kim Dae-jung, et le Cher Leader en juin 2000 – la première rencontre de ce type entre les deux pays. Bien que chacune de leurs armées soit à tout instant prête à réduire l'autre Corée en cendres, les deux chefs d'État se serrèrent la main dans la limousine qui les conduisait de l'aéroport à leur résidence, en un geste sans précédent. Ce sommet ouvrit la voie à la visite à Pyongyang du Secrétaire d'État américain, Madeleine Albright, quelques mois plus tard. Kim Jong Il espérait qu'une visite du président américain lui-même légitimerait son pays, mais le second mandat de Bill Clinton s'acheva, et l'arrivée au pouvoir de George W. Bush modifia rapidement le climat politique.

Dans son discours sur l'État de l'Union de 2002, ce dernier stigmatisa la Corée du Nord comme l'un des éléments d'un "axe du mal" – une expression passée depuis dans le langage courant et destinée à hanter le leader nord-coréen. L'année suivante devait encore accroître l'isolement diplomatique du pays.

Le creux de la vague fut atteint quand la Corée du Nord reprit son programme nucléaire, affirmant que l'interruption des livraisons américaines de pétrole et des travaux de ces réacteurs promis ne lui laissait pas d'autre choix. Depuis, le Sud est revenu à une politique visant à "contenir" le Nord.

En dépit de toutes les prophéties, la Corée du Nord a survécu à la fin de la Guerre froide et le régime de Kim semble contrôler pleinement le pays – faisant une fois de plus mentir la plupart des observateurs. Impossible de prévoir combien de temps ce *statu quo* pourra durer, mais le fait que Kim Jong Il ait guidé son pays à travers la pire famine qu'il ait connue, l'isolation totale de la Corée du Nord sur le plan international et les crises d'énergie récurrentes permettent de supposer que la dissolution de cette dictature n'est pas pour demain.

KIM JONG IL ET SA SUCCESSION

Kim Jong Il a suscité mille conjectures, mythes et rumeurs. Plusieurs proches de son entourage qui ont fui la Corée du Nord dans les années 1980 et 1990 ont témoignés de la personnalité de cet homme reclus, vivant dans le luxe.

Il passa ses premières années à l'abri de la réalité dans le palais paternel. Sa mère mourut lors de sa naissance et son frère cadet se noya enfant. Dans les années 1970, devenu adulte, Kim mena une existence de play-boy. On dit qu'il roulait en Harley Davidson, courait les filles et buvait, ce qui ne l'empêcha pas, quelques années plus tard, de participer à la gestion quotidienne de la Corée du Nord. Quand il fut nommé successeur de son père, en 1980, Kim Jong Il fut placé à la tête des services d'espionnage, et donc, des réseaux terroristes. On pense qu'il donna personnellement ses instructions pour l'assassinat de ministres sud-coréens à Rangoon, en 1983, et pour détruire un avion sud-coréen en 1987.

Son directeur d'études à l'université, Hwang Jang Yop, passé au Sud en 1997, parla ainsi de ce tyran : "Il a été vénéré par son peuple, mais sans jamais subir l'autorité de quiconque (…), ce qui a fait de lui un homme impatient doté d'un caractère violent (…). Il considère le parti et l'armée comme ses possessions propres et se moque complètement de l'économie nationale."

Sa discrétion légendaire (la seule phrase qu'il ait jamais prononcée en public, lors d'une parade en 1992, fut : "Gloire à l'héroïque armée du peuple") contribue au mystère qui l'entoure. Personne ne le connaît et il est craint de tous.

Sa campagne diplomatique de 2000-2001 surprit d'autant plus les autres dirigeants mondiaux, qui durent admettre qu'ils se trouvaient confrontés à un homme vif, de bonne humeur et flexible, même s'il tenait son pays sous un contrôle absolu. Sa fille adoptive Lee Nam-ok, qui s'enfuit elle aussi en 1997, décrit le Cher Leader comme un homme calme et aimant, qu'elle n'a jamais vu en colère ou ivre.

La grande question qui se pose à présent est : qui prendra la suite de Kim Jong Il ? Comme il a dépassé la soixantaine, on peut supposer que la question successorale sera prochainement réglée. Les deux principaux candidats sont ses fils, les demi-frères Kim Jong-Nam et Kim Jong-Chol.

Kim Jong-Nam a connu une enfance similaire à celle de son père – tenu à l'écart, apparemment parce que Kim Il Sung n'appréciait pas sa mère (une actrice) et n'a jamais reconnu son petit-fils.

Jusqu'à une date récente, on considérait que Kim Jong-Nam était le favori. Toutefois, cela a changé en 2001, quand un homme affirmant être Kim Jong-Nam et ressemblant de façon frappante au Cher Leader, fut arrêté au Japon pour avoir voyagé avec un faux passeport dominicain. Il aurait dit à la police qu'il souhaitait voir Tokyo et Disneyland. Kim Jong-Nam n'a jamais regagné Pyongyang ; on pense qu'il vit en Russie.

Depuis, à Pyongyang, l'actuelle épouse de Kim Jong Il, Ko Yong-Hee, est devenue une personnalité politique importante. Ko est la mère du second fils du Cher Leader, Kim Jong-Chol qui semble presque certainement destiné à devenir le prochain *suryong*, ou Grand Leader. On sait encore peu de chose de ce jeune homme d'une vingtaine d'années, ce qui paraît presque une condition nécessaire pour accéder au pouvoir en Corée du Nord.

CULTURE ET SOCIÉTÉ
La société nord-coréenne

Les Nord-Coréens affichent un nationalisme et une fierté farouches. La plupart des réfugiés confirment que le peuple vouait à Kim Il Sung une affection largement sincère, tandis que Kim junior n'aurait pas su gagner le cœur de son peuple de la même façon. Si les Nord-Coréens se montrent toujours polis envers les étrangers, une vive antipathie subsiste vis-à-vis des Américains et des Japonais. La propagande et l'isolation bien réelle sur le plan international leur donnent le sentiment de vivre entourés d'ennemis : leur voisin du Sud, les États-Unis et le Japon. Les changements survenus au cours de la dernière décennie en Chine comme en Russie suscitent également des inquiétudes puisque ces deux grands frères, qui garantissaient jusqu'alors leur sécurité et leur indépendance, ont tous deux amorcé un rapprochement avec la Corée du Sud.

Sur un plan plus personnel, les Coréens sont aimables, hospitaliers et socialement conservateurs – résultat de la combinaison de siècles de confucianisme et de décennies de communisme. Souriez et saluez les gens que vous croisez dans la rue, car ils ont reçu pour instruction d'accueillir chaleureusement les étrangers, mais n'envisagez pas de les photographier sans leur permission explicite et celle de votre guide. De même, comme vos cadeaux peuvent entraîner des conséquences très déplaisantes pour eux, demandez toujours conseil à votre guide avant d'en offrir.

Les enfants, particulièrement amicaux, s'adressent des signes et des sourires ravis aux groupes de touristes. Cela dit, n'escomptez pas nouer de relation d'amitié avec des Nord-Coréens qui ne sont ni vos guides ni des contacts professionnels. Rappelons aux hommes que les contacts physiques entre les sexes sont rares. Serrer la main d'une Coréenne est à la rigueur acceptable, mais ne la saluez surtout pas d'une bise à l'européenne !

La société conserve une structure très patriarcale : malgré l'égalité des sexes proclamée par l'idéologie, celle-ci n'a pas cours au quotidien.

Mode de vie

On la dit, et ce n'est pas exagéré : la Corée du Nord est le pays le plus fermé et le plus secret de la planète. Faits réels et rumeurs s'entremêlent, brouillant la réalité d'un pays qui a connu plus d'un demi-siècle de stalinisme. Comment dès lors savoir à quoi ressemble vraiment le quotidien des Nord-Coréens ? On sait que les coupures de courant et les pénuries alimentaires sont des événements quotidiens, et que le régime incite les habitants à attribuer ces problèmes à l'impérialisme américain – d'où la tradition burlesque de crier : "À bas l'Amérique !" lors des coupures d'électricité. Les titres des campagnes gouvernementales – en 1992 : "Mangeons deux repas par jour" – donnent froid dans le dos… et un bon aperçu de la compétence du Parti coréen des travailleurs en matière alimentaire.

Le système d'apartheid politique en vigueur en Corée du Nord a donné naissance à une société à 3 étages. Toute la population est regroupée par *taedo*, un étrange système de castes post-féodal qui distingue ceux qui sont jugés loyaux, neutres ou hostiles au régime. Ces derniers sont privés de tout et atterrissent souvent par familles entières dans des camps de travail, parfois au simple motif qu'ils possèdent des cousins sud-

coréens ou qu'un membre de la famille s'est fait arrêter en tentant de passer en Chine. Les "neutres" ne sont guère mieux lotis sur le plan matériel, mais ils ne subissent pas de persécution, tandis que les sujets loyaux cumulent les avantages, depuis le droit de résider à Pyongyang et d'obtenir des emplois de bureau (en bas de l'échelle sociale) jusqu'à la carte du Parti et aux privilèges de la nomenklatura. Au sommet de la pyramide, la dynastie des Kim et son large entourage de courtisans, de gardes du corps, de personnel et d'autres satellites, baignent dans la fortune et le luxe.

La Corée du Nord possède la cinquième armée du monde (mais le nombre de militaires par rapport à la population civile est le plus important au monde) et celle-ci est prioritaire dans tous les domaines. Porter l'uniforme confère un statut social très élevé ; et plus un individu montre qu'il joue un rôle actif dans la survie du régime, plus ses rations alimentaires sont élevées.

La Corée du Nord est aussi austère qu'on l'imagine ; la semaine de 6 jours et les cours d'éducation politique obligatoires le soir épuisent la population. Les dimanches, les Coréens apprécient alors visiblement de se détendre, de pique-niquer, de chanter et de boire en petit groupe. Il suffit d'un coup d'œil aux boutiques et grands magasins-vitrines de Pyongyang pour constater combien sont rares les biens importés accessibles à la population. Les quelques chanceux admis dans les boutiques spéciales du parti peuvent s'y approvisionner en produits de luxe étrangers. Des témoignages de Nord-Coréens réfugiés en Chine dépeignent la vie quotidienne dans les régions rurales du nord du pays – nombre d'entre eux ont perdu leurs cheveux à cause de la malnutrition et racontent avoir survécu en se nourrissant d'herbe et de rats.

Si pendant les 20 années suivant la guerre de Corée, on a pu réellement affirmer que le gouvernement de Kim Il Sung avait énormément amélioré le niveau de vie des Nord-Coréens, apportant l'alphabétisation et des soins médicaux à toutes les régions du pays, la régression survenue depuis la chute du communisme dans le reste du monde a été tout aussi spectaculaire et les gens sont aujourd'hui tout aussi misérables que leurs grands-parents au début des années 1950. En dehors de Pyongyang, les conditions de vie sont pires encore et visibles dans les rues, même si les circuits sont soigneusement calculés pour tenir les touristes à l'écart de la misère trop manifeste.

Population

Aucune information fiable n'existe sur la population actuelle de la Corée du Nord. Officiellement, elle compte 23 millions d'habitants, mais ce chiffre ne tient pas compte des méfaits de la famine de la fin des années 1990. Le gouvernement nord-coréen a choqué la planète entière en admettant, en 1999, que 3 millions de personnes environ étaient mortes de faim depuis 1995. Comment savoir s'il dit vrai ? Certains dissidents établis en Chine avancent le chiffre terrifiant de 15 millions de victimes au cours des 10 dernières années.

Les 2,2 millions d'habitants de Pyongyang sont tous issus de milieux réputés loyaux au régime de Kim et comme nul ne peut se déplacer librement dans le pays (aucun citoyen ne peut quitter sa ville de résidence sans permission spéciale), les visiteurs ne peuvent croiser de personnes hostiles au régime car ceux qui le sont travaillent en tant que prisonniers dans de rudes camps de travail isolés de tout. Depuis 1970, tous les Nord-Coréens doivent porter un badge de "loyauté" à l'effigie de Kim Il Sung. Les années 1980 ont vu apparaître des badges de Kim Jong Il. Une personne qui n'en porte pas est forcément étrangère.

Sports

La Corée du Nord, étouffée par la jalousie quand Séoul accueillit les Jeux olympiques de 1988, poussa l'esprit antisportif jusqu'à abattre un avion sud-coréen pour effrayer les visiteurs. Elle réussit cependant à oublier pour un temps la rancœur suscitée par la popularité de son voisin du Sud auprès du reste du monde pour laisser ses sportifs défiler sous une bannière pan-péninsulaire lors des jeux de Sydney.

Le football demeure le sport favori des spectateurs nord-coréens, et assister à un match à Pyongyang est généralement possible, ce qui offre une occasion unique pour les visiteurs de côtoyer des citoyens ordinaires. Les équipes nationales nord et sud-coréen-

---

QUELQUES PARTICULARITÉS DU LANGAGE NORD-CORÉEN

Connaître quelques termes ou expressions clés propres à la Corée du Nord peut s'avérer utile, même si votre guide au zèle indéfectible se montrera ravi de combler toutes les lacunes idéologiques que vous pourriez manifester.

Vitesse Chollima Que vous le vouliez ou non, vous aussi serez ébloui et fasciné lorsqu'on vous présentera les divers édifices, usines ou monuments en précisant le temps incroyablement court (la "vitesse Chollima") consacré à leur construction. Chollima est un ancien mythe coréen, qui met en scène un Pégase capable de parcourir 1000 *ri*, soit 400 km, en une journée et qu'aucun cavalier ne pouvait dompter. Le mouvement Chollima, enclenché dans la mouvance du tout aussi désastreux Grand bond en avant des Chinois, encourageait la population à s'efforcer de dépasser des objectifs de production déjà ridiculement ambitieux. Les résultats se révélèrent impressionnants sur le papier, mais la réalité était, bien entendu, assez différente. Le mythe ancien comme le mythe moderne demeurent bien vivaces, et si vous voulez vraiment faire plaisir à votre guide, dites-lui : "*Jongmal Chollima soktoimnida*" ("Ça, c'est vraiment une vitesse de Chollima").

Juche Prononciation "jou-chay". Il s'agit de l'idéologie nord-coréenne, incarnée par la tour de l'Idée Juche dessinée par le Cher Leader en personne. Juche met surtout l'accent sur la confiance en soi et sur le rôle de l'individu dans la construction de sa destinée, même si ces qualités sont accueillies plutôt fraîchement à l'entrée des camps de concentration ! Encore une fois, vos guides apprécieront vos progrès idéologiques si vous leur dites : "*Igosun Juchejog-imnida*" ("Cela relève de l'idéologie Juche").

Le Grand Leader Ce terme universellement employé désigne Kim Il Sung (1912-94), fondateur de la République démocratique populaire de Corée, au pouvoir pendant plus de cinq décennies, et qui chercha à se présenter, et à présenter son fils, comme un surhomme.

Le Cher Leader Ce titre honorifique est celui-ci de Kim Jong Il, premier chef d'État communiste arrivé au pouvoir par primogéniture. Pour compliquer encore les choses, depuis la mort de son père, on l'appelle parfois aussi "Grand Leader". Pour illuminer la journée de vos guides, essayez de placer la phrase : "*Widaehan ryongdoja Kim Jong Il tongji-ui mansumugang-ul samga chugwon hamnida*" dans la conversation ("Je souhaite au Grand Leader le camarade Kim Jong Il une longue vie en pleine santé.").

nes se sont affrontées pour la première fois depuis plus d'une décennie en 2002, à Séoul. Avec un tact tout diplomatique, cette "rencontre de la réunification" s'acheva sur un match nul ! Les succès de la Corée du Sud lors de la Coupe du monde de 2002 furent brièvement rapportés par les médias du Nord, rare exemple de nationalisme supplantant les divergences politiques.

La grande victoire sportive de la Corée du Nord remonte à la Coupe du monde de 1966, jouée en Angleterre, lorsque son équipe éblouit la planète en battant l'Italie avant de s'incliner devant le Portugal en quart de finale. L'histoire de cette épopée fait l'objet d'un documentaire étonnamment touchant intitulé *The Game of Their Lives*, l'un des rares jamais tournés dans le pays par une équipe occidentale (voir www.thegameoftheirlives.com).

L'haltérophilie et les arts martiaux sont les seules autres disciplines dans lesquelles la Corée du Nord se distingue sur le plan international. Ne manquez cependant pas, si vous en avez l'occasion le sport local phénoménal (faute de terme plus juste) des Jeux de masse d'Arirang, qui se tiennent chaque année dans le stade le plus vaste du monde, le Stade du 1er mai de Pyongyang. Durant ces gigantesques démonstrations de gymnastique auxquelles participent plus de 100 000 soldats, enfants et étudiants sont munis de panneaux colorés avec lesquels ils forment d'énormes fresques à la gloire de la Corée du Nord – un spectacle réellement renversant.

Religion

En accord avec les théories marxistes, toutes les religions traditionnelles sont perçues en Corée du Nord comme l'expression d'une "mentalité féodale" et considérées comme des superstitions obsolètes entravant la marche de la révolution politique, de la libération sociale, du développement économique et de l'indépendance nationale. Elles sont donc officiellement proscrites depuis les années 1950. Toutefois, la propagande officielle contre les religions organisées s'amenuisit à mesure que le régime de Kim se déifiait, dans les années 1990.

LE MOUVEMENT DES UN MILLION

À la fin de la dynastie Choson, la région de Pyongyang et plusieurs autres zones de Corée septentrionale comptaient parmi les plus grandes zones d'influence des missionnaires protestants américains. Pyongyang fut l'épicentre de la "Grande Renaissance" de 1907 et le point d'origine du "Mouvement des un million" qui devait s'étendre à tout le pays. Ces flambées évangéliques traduisaient un sentiment très fort face à la capitulation de la souveraineté coréenne au profit du Japon, à compter de 1905. Quelle qu'en soit la cause, il en résulta une forte concentration de chrétiens dans le nord du pays.

Du moins jusqu'à l'arrivée au pouvoir de Kim Il Sung. La suppression presque totale de la religion et des coutumes traditionnelles qu'il imposa en 1946 provoqua un exode massif de chrétiens vers le sud (en particulier des prêtres, des religieux, etc.) avant et pendant la guerre de Corée. Une bonne partie de ceux qui ont refusé de s'enfuir ou qui n'ont pas été en mesure de le faire furent exécutés ou périrent dans les camps de travail.

RELIGIONS TRADITIONNELLES

Le chamanisme nord-coréen est surtout individuel, tandis qu'en Corée du Sud, il est basé sur des rituels communautaires réguliers. Pour autant qu'on sache, on ne pratique plus aujourd'hui aucune activité chamanique en Corée du Nord. Nombre de chamans du Nord furent chassés avec les chrétiens vers le Sud, où leurs services (la voyance, par exemple) restent appréciés. Si bien que, paradoxalement, on ne peut plus découvrir le chamanisme du nord de la Corée qu'en Corée du Sud !

Le nord de la Corée abrita d'importants centres du bouddhisme coréen du IIIe siècle jusqu'à l'occupation japonaise. Les régions montagneuses de Kumgangsan et de Myohyangsan, en particulier, comprenaient de vastes temples d'orientation zen (Jogye) datant de la dynastie Koryo. Sous le communisme, le bouddhisme (tout comme le confucianisme ou le chamanisme) subit un sort identique à celui du christianisme.

Quelques temples et sanctuaires bouddhiques importants sur le plan historique subsistent cependant, pour la plupart dans des zones rurales ou montagneuses. Parmi les principaux figurent les temples Pyohon, à Kumgangsan, et Pohyon à Myohyangsan, ainsi que le sanctuaire confucéen du collège néo-confucéen Songgyungwan, à côté de Kaesong (p. 382).

Arts

Kim Jong Il étant un inconditionnel du 7e art, l'industrie cinématographique nord-coréenne bénéficia de larges subventions dès la création du pays. Non content de financer cette industrie, le Grand Leader figure comme producteur exécutif de nombreux films et on pense qu'il comptait acteurs, actrices et réalisateurs parmi ses courtisans.

Le seul film nord-coréen aisément visible en Occident est *Pulgasari*, une version socialiste étrange de *Godzilla* tournée par Shin Sang-Ok, un réalisateur sud-coréen enlevé par la Corée du Nord, qui réussit à regagner le Sud en 1986 (voir *Kidnappés*, p. 384). À ce jour, 56 des 100 films prévus pour les séries *Nation* et *Destiny* ont été réalisés. Nettement plus intéressant, le film épique de 1999 *Forever in Our Memory* aborde, chose surprenante, la famine massive du milieu des années 1990. Durant la scène la plus impressionnante, une inondation géante menace la récolte et soldats et paysans se rassemblent sur un barrage afin de le renforcer avec leurs corps, tout en criant "Longue vie à Kim-Il Sung" et en brandissant le drapeau nord-coréen. Vous pouvez demander à visiter les studios cinématographiques de Pyongyang en réservant votre circuit – avec un peu de chance, vous assisterez au tournage d'un classique de la propagande.

En revanche, la dynastie des Kim n'a guère favorisé la littérature et n'encourage pas les œuvres originales. Le débat artistique initié dans les années 1950 n'a pas tardé à s'éteindre à mesure que toutes les formes d'expression non contrôlées par le parti étaient réprimées.

Farouchement nationaliste, Kim Il Sung, ne cessait de chanter la supériorité de la culture coréenne. Les voyageurs intéressés par les arts traditionnels pourront assister à des représentations de musique, de chants et de danses traditionnelles. Certains prétendent même qu'en matière de culture traditionnelle, le Nord représente la "vraie Corée", non contaminée par l'américanisation qui règne au Sud. Des expositions de poterie, de sculpture, de peinture et d'architecture traditionnelle ou moderne se visitent sur demande. Nous vous recommandons vivement de prévoir un spectacle de cinéma, de théâtre ou d'opéra. Si aucun n'a été prévu, votre guide devrait pouvoir organiser quelque chose moyennant un supplément symbolique, pourvu que vous le préveniez assez à l'avance.

Mêmes si ses spectacles sont rarement d'avant-garde (ou même intelligibles pour qui ne parle pas coréen), sachez que Pyongyang compte un petit opéra et quelques théâtres. Là encore, arrangez-vous avec vos guides ou, mieux, avant votre départ avec votre agent de voyages ; il est parfois possible de passer la soirée dans un des instituts culturels de la capitale.

ENVIRONNEMENT

Un voyage en Corée du Nord permet d'intéressantes comparaisons avec la Corée du Sud. Alors que cette dernière souffre de sérieux problèmes environnementaux, vous ne verrez guère de pollution au Nord. Une des choses qui frappent la plupart des visiteurs est l'extrême propreté de la Corée du Nord. Cela ne résulte pas uniquement du manque de biens de consommation et de leurs emballages, mais aussi de politiques strictes de protection de la nature. Les rues sont lavées deux fois par semaine et balayées chaque matin avant l'aube. Malgré l'absence de poubelles, on aperçoit rarement le moindre papier sur la chaussée. Même à la campagne, des habitants se voient assigner au nettoyage quotidien d'un tronçon de route.

La Corée du Nord possède une flore et une faune variées. La diversité des zones climatiques lui vaut d'abriter des espèces de plantes et d'arbres subarctiques, alpines et même subtropicales. L'essentiel de la faune est regroupé dans les réserves naturelles proches des régions montagneuses, la plupart des plaines étant vouées à l'agriculture. Un programme énergique de reboisement a été mené après la guerre de Corée, afin de remplacer les forêts détruites par les tapis de bombes. Exception notable : la zone située au nord de la DMZ, où l'on recourt aux défoliants afin d'éliminer la végétation pour raisons de sécurité. Le peuplement relativement faible a préservé la plupart des régions montagneuses.

Ce n'est que récemment que la communauté internationale s'est préoccupée d'aider la Corée du Nord à évaluer et à surveiller la biodiversité du pays. L'accent est mis sur trois zones : la DMZ, les marais de la rivière Tumen et les montagnes de

Paekdusan. Pour les visiteurs soucieux de découvrir la flore et la faune de Corée du Nord au cours de leur voyage, il est possible d'organiser un itinéraire adapté. Les formules les plus populaires permettent d'observer les oiseaux migrateurs des marécages. Ces circuits entraînent généralement des dépenses supplémentaires, surtout quand ils comportent un déplacement aérien.

Les deux espèces végétales particulières qui fascinent le plus les Nord-Coréens ne sont pas endémiques. En 1965, le président Soekarno baptisa une nouvelle orchidée *kimilsungia*, d'après Kim Il Sung. Après les protestations d'usage, le Grand Leader accepta cet honneur sous les acclamations populaires. À l'occasion de son 46e anniversaire, Kim Jong Il reçut à son tour son homonyme, le *kimjongilia*, un bégonia créé par un horticulteur japonais. La floraison de ces deux plantes est annoncée chaque année en hommage aux deux leaders ; vous remarquerez leur omniprésence sur les sites touristiques officiels.

Écologie

Les principaux défis environnementaux sont plus difficiles à apprécier. Les inondations dévastatrices et la récession économique des années 1990 n'ont pas seulement mis en péril la population, comme la propriété et les sols agricoles, mais la nature tout entière. Les champs ayant été dépouillés de leur couche fertile et l'engrais manquant, les autorités durent étendre les surfaces cultivées. Des terrains instables à flanc de colline comme les bords des rivières et des routes furent mis en culture, ce qui ne fit qu'aggraver l'érosion, la déforestation, la contamination des terrains et des cours d'eau par les engrais et la vulnérabilité des récoltes.

La politique isolationniste du pays a préservé dans les montagnes une nature vierge de toute exploitation commerciale ou de tourisme de masse. La famine a néanmoins entraîné une déforestation substantielle. On sert couramment des feuilles frites dans les campagnes nord-coréennes, et certains réfugiés ont raconté que leur plus grande surprise, lorsqu'ils avaient finalement réussi à passer au Sud, fut de découvrir des collines verdoyantes. Les pénuries de nourriture et de carburant ont engendré des pillages dans plusieurs régions de la république démocratique populaire de Corée.

LA CUISINE
Ingrédients de base et spécialités

Même si les touristes sont somptueusement nourris par rapport à la population, les menus standard vous sembleront médiocres : sachez qu'ils dépendent de la situation alimentaire du moment. Aucun risque de souffrir de la faim pour les étrangers, qui bien souvent se voient servis automatiquement des mets occidentaux, sauf s'ils précisent leur préférence pour un menu coréen – un choix recommandé.

Boissons

Initiative surprenante venant d'un pays qui compte des millions d'enfants mal nourris, la Corée du Nord a acquis en 2000 la brasserie Ushers de Trowbridge en Angleterre, pour la démonter, l'expédier à Nampo et la rebâtir à la périphérie de Pyongyang. Les Nord-Coréens amateurs de bière ont sans nul doute apprécié à sa juste valeur cette dépense de 2 millions de dollars ! Les marques préférées sont la Pyongyang et la Taedonggang.

On vous servira aussi un bon choix de jus de fruits et de sodas nationaux ou locaux, et on trouve désormais du Coca et du Fanta dans quelques hôtels de Pyongyang, ainsi que des bières japonaises d'importation.

Le *soju*, l'alcool de riz coréen classique – assez fort – accompagne les dîners. Les visiteurs lui préféreront peut-être le vin de myrtilles local, le meilleur provenant apparemment des myrtilles du mont Paekdu. Il en existe deux variétés, l'une légèrement alcoolisée qui ressemble à un breuvage sucré, et l'autre, plus forte, qui saoulerait un éléphant !

Selon plusieurs sites Web anti-Kim Jong Il, le Cher Leader affiche une prédilection pour le whisky Hennessey à 500 € la bouteille.

PYONGYANG

☎ 02 / 2 741 260 habitants / 200 km²

Pyongyang, giron de toutes les décisions politiques, est une ville extraordinaire faite de marbre, de bronze et de béton, une sorte de ville-vitrine à la gloire du réalisme socialiste et dont le style architectural s'inspire largement du modèle soviétique. La frénésie, l'animation, et tout ce qui fait l'âme d'une capitale et sa spécificité n'existent pas à Pyongyang, qui se distingue par ses rues étrangement calmes.

Tous les circuits organisés débutent et s'achèvent dans la capitale, où les étrangers suscitent les curiosités mais ne font pas figure d'extraterrestres, comme dans le reste de la Corée du Nord. Vos guides se mettront en quatre pour vous montrer monuments, tours, statues et édifices qui illustrent la philosophie Juche (voir p. 369) et servent la propagande du régime des Kim, fier de ses réalisations. On pourra notamment admirer la tour de l'Idée Juche, la statue de Chollima et le Grand Monument de Mansudae, représentation géante en bronze du Grand Leader devant laquelle chaque visiteur doit déposer une offrande florale.

Mais le véritable charme de Pyongyang ne réside pas dans ces constructions impressionnantes, presque surréelles ; vous goûterez mieux à la capitale dans les moments plus paisibles qui vous offriront un aperçu du quotidien des Coréens. Suggérez à vos guides de marcher si possible d'un site à l'autre, plutôt que d'effectuer les trajets en voiture (qu'ils préfèrent). Une balade sur la tranquille colline de Moran, par exemple, vous permettra d'observer les habitants de Pyongyang qui pique-niquent, jouent de la musique et paressent si le temps le permet. Malgré tous les efforts du Parti coréen des travailleurs pour cacher la réalité, un semblant de normalité subsiste dans la capitale.

HISTOIRE

Aussi incroyable que cela puisse paraître, Pyongyang est une ville ancienne, dont les origines remontent à la dynastie Koguryo, en 427. Au VIIe siècle, le royaume de Koguryo était en plein déclin suite aux attaques massives et répétées de la Chine des Sui et des Tang. Le royaume de Silla, au sud de la péninsule, s'entendit avec les empereurs Tang afin de conquérir le Koguryo en 668, donnant naissance à la première Corée unifiée.

Plus tard, sous la dynastie Koryo, Pyongyang devint la capitale secondaire du royaume. Elle fut entièrement détruite par les Japonais en 1592, puis à nouveau par les Mandchous, au début du XVIIe siècle. Pyongyang s'endormit alors jusqu'à l'arrivée de missionnaires étrangers, qui édifièrent plus de 100 églises dans ses murs. Rasée une fois encore lors du conflit sino-japonais de 1894-1895, Pyongyang ne

---

À NE PAS MANQUER À PYONGYANG

- Prenez l'ascenseur express jusqu'au sommet de la **tour de l'Idée Juche** (p. 376) pour admirer la vue spectaculaire par temps clair

- Faites un trajet dans le **métro de Pyongyang** (p. 379), au design imposant et aux rames désertes

- Au **Palais du mémorial de Kumsusan** (p. 376), passez devant la dépouille de Kim Il Sung en grand apparat (sur invitation uniquement), à côté duquel le mausolée de Lénine semble bien modeste

- Visitez l'époustouflante **Grande maison d'étude du peuple** (p. 377) et plongez-vous dans l'un de ses 30 millions d'ouvrages qui arrivera automatiquement sur votre bureau

- Fuyez l'implacable grandeur du centre-ville pour arpenter la **colline de Moran** (p. 378)

---

reprit vie que lorsque l'occupant japonais développa l'industrie de sa région.

Les bombes américaines rayèrent pratiquement la ville de la carte entre 1950 et 1953. Pourtant, devenue capitale de la République démocratique populaire de Corée de Kim Il Sung, la Pyongyang moderne fut reconstruite avec une inimitable "vitesse Chollima" (voir l'encadré, p. 369). Peu d'édifices historiques subsistent, mais vous remarquerez notamment quelques temples et pavillons, la porte Taedong et quelques tronçons des murs d'enceinte de l'intérieur et du nord de la ville, datant de l'époque du royaume de Koguryo.

ORIENTATION

La plus grande partie de la ville s'élève sur la rive nord de la Taedong, qui serpente gracieusement jusqu'à la ville de Mangyongdae, à l'ouest. La capitale fut construite autour de Kim Il Sung Square, qui fait face à la tour de l'Idée Juche, de l'autre côté de la rivière. Tous les hôtels logeant les étrangers jouissent d'une situation centrale, à quelques minutes en voiture des principaux sites de la ville. Les voyageurs arrivant en train descendront à la gare de Pyongyang, dans Yokjon St, en plein

PYONGYANG

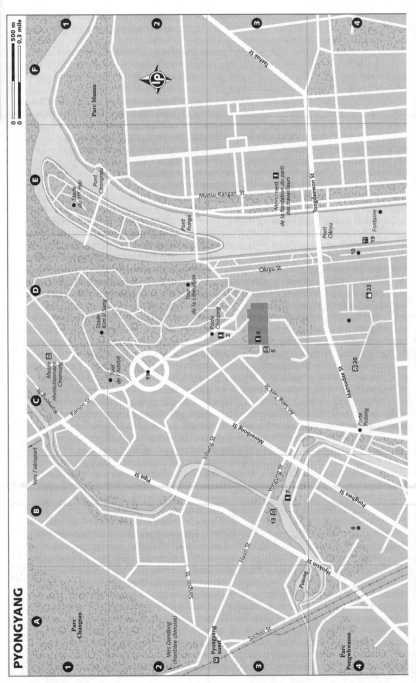

0   500 m
0   0,3 mile

Parc Changsan

Vers l'aéroport

Vers Dandong (frontière chinoise)

Pyongyang ouest

Parc Ponghwasan

Sochon St

Sangsin St

Hasin St

Pipa St

Inhung St

Kumsong St

Kaeson St

Musée révolutionnaire Chonsung

Tour de l'Amitié

Stade Kim Il-sung

Porte Chilsong

Tour de la Libération

Stade du 1er mai

Parc Munsu

Pont Chongnyu

Pont Rungra

Okryu St

Munsu-Kangan St

Taehak St

Monument de la fondation du parti des travailleurs

Tongdaewon St

Pont Okryu

Fontaine

Morandong St

An Sang-taek St

Tongheung St

Hyoksin St

Ponghwa St

Mansudae St

Porte Potong

Potong

11

2
6
5

7
13

8

10
19

23

20

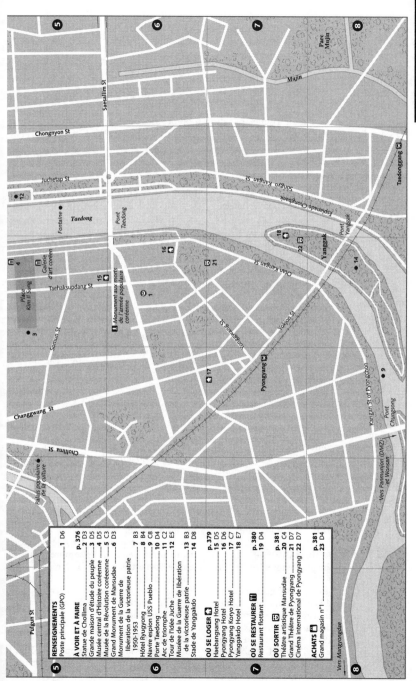

Chongnyon St

Juchetap St

Chongnyon St

Saesallim St

Mujin

Parc
Mujin

Taedong

Place
Kim il Song

Taehaksupdang St

Galerie
d'art coréen

Fontaine

Pont
Taedong

Songyo Kangan St

Esplanade Changbaek

Somun St

Monument aux morts
de l'armée populaire
coréenne

Olan Kangan St

Pont
Yanggak

Yanggak

Changgwang St

Cholima St

Cholima St

Pujŏn St

Palais populaire
de la culture

Vers Mangyongdae

Pyongyang

Yŏyon St

Kangan St of Pyongchon

Pont
Chungsong

Vers Panmunjon (DMZ)
et Wonsan

Taedonggang

RENSEIGNEMENTS
Poste principale (GPO) **1** D6

À VOIR ET À FAIRE   **p.376**
Statue de Chollima **2** D3
Grande maison d'étude du peuple **3** D5
Musée central d'Histoire coréenne **4** D5
Musée de la Révolution coréenne **5** C3
Grand Monument de Mansudae **6** D3
Monument de la Guerre de
    libération de la victorieuse patrie
    1950-1953 .... **7** B3
Hôtel Ryugyong **8** B4
Navire espion USS Pueblo **9** C8
Porte Taedong **10** D4
Arc de triomphe **11** C2
Tour de l'Idée Juche **12** E5
Musée de la Guerre de libération de
    la victorieuse patrie **13** B3
Stade de Yanggakdo **14** D8

OÙ SE LOGER   **p.379**
Haebangsang Hotel **15** D5
Pyongyang Hotel **16** D6
Pyongyang Koryo Hotel **17** C7
Yanggakdo Hotel **18** E7

OÙ SE RESTAURER   **p.380**
Restaurant flottant **19** D4

OÙ SORTIR   **p.381**
Théâtre artistique Mansudae **20** C4
Grand Théâtre de Pyongyang **21** D7
Cinéma international de Pyongyang **22** D7

ACHATS   **p.381**
Grand magasin n°1 .... **23** D4

centre-ville. De l'aéroport de Sunan, situé au nord de la ville, vous mettrez environ 20 min pour gagner le centre.

Cartes

Sans doute par peur des espions, les plans de Pyongyang sont peu détaillés et rarement mis à jour. Mais comme vos guides vous accompagneront partout, vous ne risquez pas de vous perdre. Les plans simplifiés fournis par les hôtels, ainsi que les plans de métro, vous suffiront amplement pour vous repérer.

RENSEIGNEMENTS

Pyongyang ne comporte pas d'office du tourisme. De nombreuses publications en anglais destinées aux visiteurs décrivent en détail les divers aspects de la vie des Nord-Coréens. Le *Pyongyang Times*, journal en langue anglaise, n'est guère lu par les résidents étrangers qui séjournent dans la capitale, mais peut être un souvenir original à rapporter.

Les hôtels, seuls endroits où les autorités apprécient que les visiteurs s'attardent, offrent tous les services habituels auxquels on peut s'attendre. Comme les séjours n'excèdent pas une semaine (en général), le blanchissage du linge n'est pas un souci, mais, en cas de besoin, sachez que tous les hôtels de Pyongyang assurent ce service. La plupart d'entre eux disposent, en outre, d'un médecin disponible 24h/24.

À VOIR

On peut choisir de s'intéresser à l'impressionnante prolifération de statues, de monuments et autres édifices à la gloire du duo Kim, de l'Idée Juche et de l'armée nord-coréenne, ou, plus passionnant, chercher à approcher le quotidien des habitants en effectuant des excursions dans les parcs d'attractions, ou en fréquentant les cinémas, les transports publics et les parcs.

Grand Monument de Mansudae

Première étape obligée de tous les circuits (avant même l'installation à l'hôtel, bien souvent) : la statue de bronze géante qui représente le Grand Leader semblant donner une poignée de main au ciel. Ce monument fut élevé à l'occasion du 60ᵉ anniversaire de Kim Il Sung en 1972. À l'origine, la statue était dorée à la feuille, mais il semble que les Chinois qui finançaient à l'époque l'économie nord-coréenne aient jugé ce luxe excessif, et exigé que la dorure laisse la place au bronze que l'on voit aujourd'hui.

Il s'agit là de l'épicentre du culte voué à Kim. Ne sous-estimez pas le sérieux avec lequel les Nord-Coréens – officiellement du moins – considèrent ce monument, ni le respect qu'ils attendent des étrangers à son égard. Chaque groupe ou visiteur individuel doit déposer des fleurs au pied de la statue. Certains les apportent de Chine, mais la plupart les achètent sur place à 10 € le bouquet, un bouquet par groupe étant jugé suffisant. (Certains visiteurs racontent que les fleurs sont revendues à plusieurs reprises). Une fois que vous aurez écouté les récits évoquant la grandeur de Kim Il Sung (il n'est pas rare de voir des Nord-Coréens verser des larmes pendant la visite), vous aurez accompli votre unique acte d'allégeance obligatoire au Grand Leader. Vous subirez, certes, d'autres heures d'éloges à son égard, mais nul n'escomptera plus que vous sacrifiiez d'aucune manière à ce culte – sauf si vous avez la chance de décrocher une invitation au Palais du Mémorial de Kumsusan.

Palais du mémorial de Kumsusan

Résidence de Kim Il Sung de son vivant, Kumsusan le reste après son décès. Il règne dans ce palais une atmosphère étrange : les fenêtres sont murées et l'immense place devant l'entrée du palais est vide. À l'inverse des mausolées de Mao et de Lénine, celui-ci n'est pas ouvert au grand public et l'on n'y accède que sur invitation. Les privilégiés peuvent se recueillir devant le corps embaumé du Grand Leader, qui repose en grand apparat à l'étage supérieur. L'ambiance est funèbre et les invités doivent s'habiller comme elles le feraient pour un enterrement ; les personnes capables de pleurer sur commande feront particulièrement bonne impression. Les tapis roulants qui vous transportent dans les couloirs détonent un peu dans ce sombre palais. La **tour de l'Immortalité**, dont la Corée du Nord compte plusieurs centaines de répliques et sous laquelle on passe pour aller au palais, porte l'inscription "Kim Il Sung sera toujours auprès de nous".

Tour de l'Idée Juche

Sur la rive de la Taedong opposée à Kim Il Sung Square, cette tour rend hommage à l'idéologie Juche de Kim Il Sung (voir l'encadré p. 369, *Juche* signifiant autonomie). Cette "autonomie" est le principe de base du régime de Kim Il sung. Selon la Juche, la Corée du Nord doit régler ses propres problèmes conformément à sa réalité intérieure. Du sommet de cette tour, sorte d'obélisque géant de 170 m (ascenseur 10 €), on jouit par temps clair d'une vue magnifique sur la capitale. Une statue au pied de la tour représente un trio de travailleurs soutenant l'emblème de la République démocratique. De la rivière qui coule juste devant la tour partent deux jets d'eau qui s'élèvent à 150 m, les rares fois où ils fonctionnent.

Statue de Chollima

Cette représentation en bronze du Pégase coréen, le destrier Chollima, est moins imposante que les monuments précédents. Elle offre un exemple intéressant des efforts du régime des Kim pour s'approprier les mythes traditionnels coréens afin qu'ils servent le régime. D'après la légende, Chollima pouvait parcourir plusieurs centaines de kilomètres par jour et était indomptable (voir l'encadré p. 369). Kim Il Sung s'empara de ce mythe pendant la phase de reconstruction qui succéda à la guerre de Corée (de 1950). Il qualifia de "vitesse de Chollima" le zèle manifesté par les ouvriers nord-coréens pour rebâtir leur nation en ruines et édifier des monuments immenses dédiés aux dirigeants. Quand la Corée du Nord parvint en quart de finale de la Coupe du monde de football en 1966, ce fut grâce à Kim senior, qui les avait incités à adopter un "jeu Chollima".

Arc de triomphe

Vos guides vous expliqueront avec une satisfaction à peine masquée que leur Arc de triomphe mesure 3 m de plus que son cousin parisien, ce qui fait de lui le plus grand du monde. De la même façon, on a agrandi Kim Il Sung Square de façon à ce que sa superficie excède celle de la Place Rouge de Moscou.

Cet arc marque l'emplacement à partir duquel Kim Il Sung s'adressa pour la première fois à ses compatriotes délivrés du joug japonais, en 1945. Le récit officiel omet de préciser que Pyongyang dut sa libération aux Soviétiques et non aux partisans de Kim Il Sung, qui à l'époque avaient salué le succès de l'Armée Rouge.

Place Kim Il Sung

Cette vaste place au centre de Pyongyang, qui grouillerait d'animation dans toute autre capitale, surprend par sa nudité. Son étendue déserte est réhaussée par les édifices massifs qui l'entourent. La **Grande maison d'étude du peuple** – la plus grande bibliothèque du pays et le centre national d'études Juche – est particulièrement impressionnante par son mariage des styles : l'architecture typique du réalisme socialiste se mêle à l'architecture coréenne traditionnelle.

Trouver son bonheur parmi plus de 30 millions de livres requiert une certaine organisation et l'on vous montrera fièrement le prodigieux système de tapis roulants qui apportent les ouvrages jusque sur les bureaux. Les publications étrangères, quelles qu'elles soient, ne sont consultables que sur permission spéciale. La lecture de littérature nord-coréenne remontant à plus de 15 ans est, elle, proscrite, afin de cacher les preuves qui montrent que l'histoire a été réécrite.

La Pyongyang historique

Rares sont les vestiges de la Pyongyang d'avant la guerre de Corée. La **porte Taedong**, datant du VIe siècle, était la porte orientale de la première Pyongyang, lorsqu'elle était une cité fortifiée, mais celle que vous verrez fut rebâtie en 1635. Elle compte cependant parmi les plus anciens édifices de la ville, rappelant que Pyongyang fut une cité asiatique traditionnelle avant de devenir ce monolithe post-soviétique. Deux autres sites historiques se trouvent à proximité : la **cloche de Pyongyang**, fondue dans le bronze en 1726, qui permettait d'annoncer incendies et invasions, et le superbe **pavillon Ryongwang**, érigé à l'origine en 1111 et reconstruit en 1670.

Palais des enfants de Mangyongdae

Ce centre consacré aux activités récréatives – depuis les arts martiaux jusqu'à l'apprentissage des instruments de musique traditionnels – mérite un détour. Ne manquez pas, à l'entrée, la maquette de navette spatiale "nord-coréenne", réplique du *Buran soviétique*. La visite du palais comporte des démonstrations réalisées par des adeptes des arts martiaux, des gymnastes et des musiciens, tous exceptionnellement talentueux et souriants. Le clou du circuit est, en général, un spectacle parfait donné par des jeunes soigneusement embrigadés dans le vaste auditorium principal. Il s'achève normalement par un chant exprimant leur loyauté envers Kim Jong Il.

Colline de Moran

Voici l'endroit où le peuple de Pyongyang vient se détendre. Des couples déambulent pendant que des familles pique-niquent ; certains jouent même de la musique dans cette zone hors normes de la capitale. L'endroit est particulièrement animé le dimanche. C'est un cadre agréable pour se promener et découvrir un pan du quotidien des citoyens de la ville.

Métro de Pyongyang

Un trajet à bord de l'impressionnant **métro** figure bien souvent au programme des visites de la ville. Assurez-vous que tel est bien le cas, car l'endroit mérite d'être vu (voir l'encadré p. 378).

Musées

Nul ne s'étonnera d'apprendre que les musées de Pyongyang exposent une version de l'histoire revue et corrigée par le régime. Si une ou deux visites peuvent fasciner par le regard incongru porté sur les événements, cette révision systématique des faits historiques finit par lasser. La plupart des itinéraires comportent une étape au **musée de la Révolution coréenne**, consacré à la lutte contre les Japonais, qui présente de nombreuses reproductions des batailles les plus rudes.

Le **musée de la Création du Parti**, sur le versant sud de la colline de Haebang, fut longtemps le siège du Comité central du Parti coréen des travailleurs, ainsi que le bureau de Kim Il Sung, à partir duquel il "mena l'édification d'une nouvelle Corée démocratique". Juste à côté se trouve la demeure ostensiblement modeste du Grand Leader, qu'il occupa après son accession au pouvoir, et ce probablement jusqu'à ce que les masses exigent qu'il se construise de nombreux palais.

Le **musée central d'Histoire coréenne** s'avère plutôt assommant, avec ses nombreuses vitrines qui dépeignent la lutte du Nord contre l'impérialisme et l'oppression. Le **musée de la Guerre de libération de la victorieuse**

patrie est, en revanche, fascinant. Des dioramas narrent les batailles-clés de la guerre de Corée, et l'on peut voir, grandeur nature toute l'artillerie militaire, allant des chars aux avions endommagés lors des combats, jusqu'aux lance-torpilles utilisés par les deux camps. Ceux-ci furent tout d'abord installés dans les fondations puis l'on construisit le musée tout autour.

Sur la rive opposée du Potong, un petit affluent de la Taedong, se dresse l'imposant **monument de la Guerre de libération de la victorieuse patrie 1950-1953**, inauguré en 1993 à l'occasion du 40e anniversaire de la fin de la guerre de Corée. Ses sculptures évoquent les différentes batailles.

Tombeau de Tangun

L'histoire continue d'évoluer en Corée du Nord, au rythme des nouvelles "découvertes révolutionnaires" faites chaque année. Si le gouvernement a annoncé dès 1993 que ses archéologues avaient mis au jour le tombeau de Tangun, fondateur du premier royaume coréen (voir l'encadré p. 360), ce n'est que récemment que les historiens nord-coréens ont fait cette incroyable découverte : Tangun appartenait au clan Kim !

Pendant la phase communiste "plus rationnelle", le gouvernement et la plupart des spécialistes de l'histoire coréenne s'accordaient à dire que Tangun était une figure mythique et que – s'il avait existé –, son royaume de KoChoson (l'ancienne Corée), avec ses capitales de Pyongyang et d'Asadal, se serait situé au nord-est de la Chine.

Mais on a récemment "découvert" que le KoChoson occupait la Corée septentrionale, que sa capitale se trouvait exactement à l'emplacement de l'actuelle Pyongyang, que Tangun avait réellement existé et que c'était un Kim ; on a même retrouvé ses ossements.

Ceux-ci (et ceux attribués à son épouse) sont exposés dans le tombeau monumental édifié à la périphérie de Pyongyang. Un petit musée installé à proximité abrite des objets censément trouvés dans la tombe ou dans ses environs.

Mangyongdae

La Corée du Nord possède un "Kim Il Sungland" dans la banlieue de Mangyongdae, qui est une des nombreuses industries créées pour asseoir le culte de la personnalité tou-

LE MÉTRO DE PYONGYANG

Cette réalisation illustre bien l'importance considérable du secteur militaro-industriel dans le régime des Kim. Ce réseau serait capable de résister à un bombardement américain. Depuis son ouverture, en 1973, chaque station fait aussi office d'abri anti-atomique. Si deux lignes seulement sont ouvertes aux civils, on pense que plusieurs lignes réservées au gouvernement relient les principaux ministères et les installations militaires. Pyongyang connaît régulièrement des exercices de réaction à une attaque aérienne, au cours desquels les habitants de la capitale doivent se réfugier dans les stations à l'abri des triples portes anti-explosion.

Pour les touristes, la visite du métro de Pyongyang comprend un trajet d'une station entre les stations de Puhung (Réhabilitation) et de Yongwang (Gloire). Tous les visiteurs officiels, de la Secrétaire d'État américaine Madeleine Albright à l'ancien président sud-coréen Kim Dae-jung, ont suivi le même parcours imposé, ce qui a suscité une rumeur selon laquelle les coupures de courant et une maintenance inefficaces auraient rendu le reste du réseau inutilisable au quotidien. (Cela paraît improbable dans une ville sevrée de moyens de transport : aux heures de pointe, les rames sont apparemment bondées). D'autres voyageurs racontent que les Coréens "ordinaires" qu'ils ont croisés dans le métro étaient vêtus élégamment et semblaient circuler sans but, comme s'il s'agissait d'acteurs payés par le gouvernement.

La construction du système tout entier fut supervisée par le Grand Leader, qui prodiguait à chacun ses conseils. Le guide du métro rapporte le beau discours qu'il prononça lors de l'inauguration du nouveau réseau, en 1973 :

"Le Grand Leader président à déclaré aux officiels sur un ton pensif : "Je pense qu'il est difficile de construire un métro, mais pas de couper le ruban." À ces mots, qui saluaient les efforts des ouvriers du bâtiment, tous les participants à la cérémonie sentirent une boule dans leur gorge et poussèrent des hourras enthousiastes tout en agitant des gerbes de fleurs."

Le métro fait partie des nombreuses énigmes de ce pays, mais il mérite le détour. C'est l'un des métros les plus profondément enfouis dans le sol, et il jouit en outre d'un décor des plus élaborés : plates-formes en marbre, énormes chandeliers et fresques impressionnantes exaltant les vertus de la Juche et relatant en détail de nouveaux épisodes héroïques de la carrière de... devinez qui ?

jours grandissant des Grands Leaders 1 et 2. Par son emplacement idyllique au creux des petites collines au confluent de la Sunhwa et de la Taedong, Mangyongdae, à 12 km du centre de Pyongyang, compte parmi les destinations prisées des habitants de la capitale. Cette banlieue abrite aujourd'hui un site censé être le lieu de naissance de Kim Il Sung. Dans ce cadre charmant, la visite est intéressante pour les attractions qui s'y trouvent et afin d'observer les habitants de Pyongyang venus s'y détendre ou le culte toujours vivace dédié au Grand Leader.

Le **lieu de naissance de Kim Il Sung** est un ensemble de petites maisons paysannes coréennes typiques, en terre battue et aux toits de chaume, comprenant des quartiers d'habitation et une petite grange. L'accent est mis sur les origines modestes du président, mais en réalité, on ignore si Kim Il Sung y est vraiment né. Le tout proche **Musée révolutionnaire de Mangyongdae**, consacré également à l'enfance du Grand Leader, précise que tous les membres de sa famille

étaient des patriotes révolutionnaires coréens de la plus humble extraction.

Peut-être aurez-vous la chance de visiter l'**école révolutionnaire de Mangyongdae**, où étudient les enfants de l'élite de Pyongyang. Le tour des salles de classe et des gymnases, sous l'œil éberlué des élèves, se révèle assez drôle. Pour vous remettre de cette overdose de propagande, nous vous recommandons la **foire de Mangyongdae**, agréable oasis apolitique encerclant la colline de Song, où vous pourrez vous détendre en compagnie d'excursionnistes venus de la capitale. Les guides affirment que ce parc accueille 100 000 visiteurs par jour le week-end, mais il semble en permanence agréablement désert !

OÙ SE LOGER

Pyongyang dispose, évidemment, du plus grand choix d'hôtels de Corée du Nord. Comme la plupart des édifices de la ville, ils sont conçus pour impressionner, si bien que leurs façades souvent éblouissantes cachent, en général, un intérieur banal.

Ainsi, la fabuleuse structure pyramidale du Ryugyong Hotel, conçu dans les années 1980 pour devenir le plus grand hôtel de luxe du monde, domine les toits. En vous en approchant, vous constaterez qu'il est dépourvu de fenêtres et que l'intérieur est vide. Les fonds ayant manqué pour mener à bien ce projet, sa vaste structure n'est plus que le symbole, en ruine certes, d'une planification centrale trop ambitieuse. Les plus luxueux des hôtels de Pyongyang existants sont :

Le **Yanggakdo Hotel** (☎ 381 2134 ; fax 381 2930/1 ; s/d 175/290 € ; 🏊 🖥), nouvel établissement de 44 étages sur l'îlot de Yanggak, aujourd'hui destination par défaut des groupes. Si les photos anti-américaines exposées dans le hall ne sont pas très accueillantes, en revanche les chambres sont spacieuses, confortables et souvent dotées d'une belle vue sur la ville. Outre une piscine et un sauna, l'hôtel comporte un bowling, trois tables de billard et une discothèque réservée aux étrangers. Le personnel, essentiellement chinois…, est probablement confiné sur l'îlot.

Pyongyang Koryo Hotel (☎ 381 4397 ; fax 318 4422 ; s/d 175/290 € ; 🏊 🖥). Dans cet édifice en bronze orangé bâti en 1985, sans doute le plus luxueux de la capitale nord-coréenne, sont logés d'ordinaire les fonctionnaires de l'ONU et les hommes d'affaires. Chacune de ses tours jumelles est coiffé d'un restaurant tournant et l'hôtel jouit d'une situation plus agréable que le Yanggakdo, sur Changgwang St (relativement animée), à deux pas de la gare ferroviaire.

Le **Potonggang Hotel** (☎ 381 2229 ; fax 381 4428) est le seul hôtel de Corée du Nord qui capte CNN. Il appartient au révérend Moon, chef de l'église de l'Unification, qui en négocia l'acquisition directement avec Kim Il Sung, en 1991. L'hôtel surplombe la Pothong, à environ 4 km du centre-ville.

Le Sosan Hotel, de catégorie supérieure, a ouvert ses portes en 1989 ; le Pyongyang Hotel, de moyenne catégorie, en face du Grand Théâtre de Pyongyang, semble remporter les suffrages des voyageurs moins fortunés. Parmi les autres hôtels, tous de qualité équivalente, citons le Ryanggang, en forme de pyramide, et le gratte-ciel du Chongnyon (Jeunesse).

Le Haebangsan Hotel (petit budget), dans Sungni St, est le moins cher, mais il arrive que les employés de Ryohaengsa rechignent à y loger des étrangers.

OÙ SE RESTAURER ET PRENDRE UN VERRE

Pyongyang regroupe de loin les meilleures tables du pays, où variété rime avec qualité, pour qui connaît les bonnes adresses. Sauf requête contraire, vous dînerez dans votre hôtel. Il est également possible de dîner dehors en groupe, pour changer. Tous les restaurants que l'on vous montrera accueillent exclusivement les visiteurs étrangers et l'élite du parti. Il semble qu'il n'existe pas de restaurants ouverts aux Coréens "ordinaires".

L'immense **Okryu Restaurant**, qui surplombe la Taedong, figure parmi les plus populaires. Sa spécialité, les nouilles froides, est le mets traditionnel de Pyongyang. Le **Chongryu Restaurant**, étrange structure bétonnée évoquant un navire géant, est, quant à lui, réputé pour ses barbecues.

Pour les voyageurs aventureux qui désirent goûter à la viande de chien, nous recommandons le célèbre **Dangogo Gukjib** (Tongil St), où un chien "de la cervelle à la queue" vous coûtera 30 €. On s'attendra à ce que vous dégustiez même le pénis de l'animal et l'on vous réservera la cervelle du pauvre toutou pour le dessert !

Pour votre dernier soir, vous bénéficierez le plus souvent d'un dîner d'adieu à base de succulent canard au barbecue : un régal à ne pas manquer.

Parmi les autres restaurants conseillés, on mentionnera le **restaurant chinois** installé au sous-sol du Yanggakdo Hotel. Il n'offre pas de vue, mais propose des légumes fraîchement importés de Chine. L'élégant **Mokran Restaurant** du Pottonggang Hotel, appartient à des Japonais, récolte en général des avis favorables. Le rez-de-chaussée du **Pottonggang** comporte aussi un café-pâtisserie apprécié qui sert de savoureuses crêpes. Le **Pyongyang Boat Restaurant**, ancré au bord de Kim Il Sung Square, effectue des croisières sur la Taedong aux heures des repas, moyennant environ 25 € par personne. C'est une excursion très agréable par beau temps.

La vie nocturne est quasi inexistante à Pyongyang, même si la présence de diplomates et d'ONG contraint le gouvernement à mettre à leur disposition quelques clubs privés où ceux-ci peuvent se détendre sans avoir à subir les restrictions imposées au quotidien dans la capitale. Le **Diplomatic**

Club (le "diplo" pour les initiés) et le Random Access Club (RAC) sont tous deux situés dans Munsudong, le quartier des diplomates. On ne vous en refuserait pas l'entrée puisque vous êtes étranger, mais il est improbable que votre guide accepte de vous y emmener. Le RAC, dont les membres travaillent pour des ONG, est installé dans l'immeuble du Programme alimentaire mondial (World Food Program). Les touristes et les diplomates n'y sont admis que sur invitation.

Vous rencontrerez facilement des résidents étrangers dans la salle de billard située au 1ᵉʳ étage du Koryo Hotel, fréquentée par les hommes d'affaires, les diplomates et les journalistes. Il existe aussi une discothèque chic mais chère au sous-sol du Yanggakdo Hotel, ainsi qu'un casino.

OÙ SORTIR

Vos contacts avec les Nord-Coréens étant strictement limités, profitez de votre séjour à Pyongyang pour découvrir leurs divertissements. Bien sûr, ce que vous verrez dépendra de vos guides. Tâchez de leur faire part de vos requêtes le plus à l'avance possible et, cela va sans dire, de conserver leurs bonnes grâces. Ils peuvent vous demander un supplément symbolique de 10 € pour les activités vespérales hors programme.

Le Cirque de Pyongyang est très apprécié des visiteurs. Sa troupe est essentiellement humaine, et l'on vous racontera peut-être que pendant la famine, beaucoup des animaux du cirque ont fini... en rôti ! Le Zoo de Pyongyang est, en revanche, un lieu déprimant à éviter.

Le stand de tir de Pyongyang, près de Chongchun St, offre des distractions à la hauteur d'un régime où l'armée est omniprésente. Il est situé dans un lieu où sont condensées toutes les installations récréatives types de la capitale. Comptez 1 € pour 3 balles avec une carabine ou un pistolet de 2,2 mm. Une soirée dépaysante pour les voyageurs originaires de pays non militarisés.

Vous pouvez également goûter au cinéma, au théâtre ou à l'opéra, et même si vous ne verrez probablement aucune œuvre poignante, c'est une fois encore l'expérience qui compte. Les principaux théâtres sont le Grand Théâtre de Pyongyang, le Grand Théâtre de l'Est de Pyongyang et le Théâtre artistique Mansudae, qui tous produisent des spectacles similaires. Les "classiques" musicaux comme *The Flower Girl* et *A Daughter of the Party* sont joués en permanence.

Voir un film nord-coréen en salle est une expérience unique : les sujets étant riches en émotions (en grand majorité des films de guerre dépeignant l'occupation japonaise ou l'impérialisme américain), les spectateurs coréens sifflent ou battent des pieds. Le Cinéma international de Pyongyang est un complexe de six salles établi sur l'îlot de Yanggak, à côté du Yanggakdo Hotel. Le Festival du Film de Pyongyang s'y tient en septembre les années paires. Parmi les autres salles, on citera le Taedongmun (Sungri St) et le Cinéma Kaeson, près de l'arc de triomphe.

Assister à un match de football, un des sports les plus populaires dans ce pays, est également un bon moyen de passer une soirée parmi des Coréens ordinaires. Cherchez à savoir si des matches se disputent au Yanggakdo Football Stadium pendant votre séjour. Vous pouvez aussi vous rendre sur le parcours de golf de Pyongyang (18 trous), ce qui vous permettra d'épater vos amis une fois de retour chez vous. Car qui d'autre pourra se vanter d'avoir joué au golf en Corée du Nord ? La pratique d'autres sports est possible sous réserve d'arrangements préalables. La piscine olympique, installée dans l'un des imposants centres sportifs de Chongchun St, est ouverte aux étrangers le samedi.

Vos guides préféreront certainement que vous passiez vos soirées au karaoké ou au sauna ; la plupart des hôtels disposent des deux. Mais ne vous méprenez pas : le sauna chinois du Yanggakdo offre des "services spéciaux" aux businessmen fatigués.

ACHATS

Les principaux sites touristiques regorgent de magasins de souvenirs qui alimenteront vos conversations à votre retour. Vous pouvez vous procurer des livres et des vidéocassettes consacrées aux réalisations immortelles de Juche, ainsi que du Grand et/ou du Cher Leader.

Immédiatement au sud du Pyongyang Koryo Hotel, une boutique vend des timbres (enseigne en anglais) ; faites-y une halte car les timbres-poste nord-coréens sont des œuvres de propagande étonnantes.

De nombreux voyageurs expriment le souhait d'acheter le badge métallique à l'effigie du Grand Leader que tous les Nord-Coréens arborent, mais celui-ci n'est pas à vendre.

L'*insam*, le ginseng, est vendu dans presque tous les hôtels, mais à des tarifs ridiculement élevés. On vous dira qu'il provient de Paekdusan, le meilleur terroir selon les Coréens. Vous en trouverez sans doute à meilleur prix à Kaesong ; faites-vous conseiller par votre guide. Sachez toutefois, que toutes les qualités d'insam sont bien moins chères en Corée du Sud.

COMMENT CIRCULER

En théorie, vous êtes libre d'emprunter à votre guise bus, tramways et métro, pourvu que vos guides vous escortent. Ces derniers renâcleront si vous leur demandez de vous montrer autre chose que les deux stations de métro homologuées. Et, puisque vous disposez d'une voiture ou d'un bus, ils se demanderont sincèrement pourquoi vous tenez à affronter la foule des transports publics. S'ils cèdent finalement, sachez qu'un ticket de métro coûte 2 KPW.

La ville dispose d'un bon réseau de bus et de tramways, mais ceux-ci s'avèrent bondés et lents. Le métro, rapide et pratique, dessert malheureusement peu de destinations. Et même si le gouvernement a clairement affirmé son intention de prolonger les lignes, rien ne permet de supposer que cela se produira dans un avenir proche.

En cas de besoin, des taxis attendent habituellement devant chaque hôtel. Si tel n'est pas le cas, la réception peut vous en appeler un. À l'inverse des Chinois, les Nord-Coréens circulent peu à bicyclette.

AILLEURS EN CORÉE DU NORD

Les villes nord-coréennes sont tour à tour "ouvertes" ou "fermées" au tourisme, souvent sans raison claire. Certaines, comme les ports stratégiques de Nampo et de Wonsan, changent fréquemment de statut, tandis que d'autres, telles Panmunjeom, Myohyangsan ou Kumgangsan sont presque toujours accessibles aux visiteurs. De toute manière, seules celles dotées d'hôtels se visitent, puis-

qu'il n'est pas question pour vous de loger ailleurs. Pour les autres, on peut parfois organiser une excursion d'une journée.

KAESONG
330 000 habitants
Appelée Koryo au temps de sa splendeur, lorsqu'elle était la capitale de la dynastie du même nom, Kaesong, à 2 heures de route de Pyongyang par la voie express, mérite un détour. Sa visite est habituellement combinée avec celle de **Panmunjeom** et de la DMZ, toute frétillante d'activité militaire. Ces derniers temps, les circuits tendent à écourter le plus possible la visite de Kaesong, mais on ignore pourquoi. Dommage, car l'ancienne capitale du Koryo, important centre bouddhique (jusqu'à l'arrivée de Kim Il Sung), présente un intérêt certain. (On dit aussi que les femmes de Kaesong sont les plus belles de Corée).

Peu de vestiges antiques subsistent : trois guerres et des décennies d'abandon n'ont presque laissé que des gravats. Le **collège néo-confucéen Songgyungwan**, bâti à l'origine en 992 et reconstruit après sa destruction lors de l'invasion japonaise de 1592, abrite aujourd'hui le **musée Koryo** de céladons et de reliques bouddhiques. Occasionnellement, ce dernier organise des reconstitutions de cérémonies confucéennes. Les bâtiments entourent une large cour parsemée de vieux arbres et l'enceinte permet de jolies promenades. Le collège se trouve au nord-est de la ville, à une courte distance en voiture.

La visite de Kaesong sera peut-être votre unique chance de voir un authentique tombeau royal coréen durant votre voyage en Corée du Nord. Le plus intéressant est sans conteste le **tombeau du roi Kongmin** (le 31e souverain koryo, qui régna de 1352 à 1374) et de son épouse. Richement décoré avec une façade de granit et une des sculptures traditionnelles, il occupe un site isolé à 13 km environ à l'ouest du centre-ville. Sur place, plusieurs points de vue offrent de splendides panoramas sur les collines boisées avoisinantes.

Troisième grande attraction touristique de Kaesong, les **chutes de Pakyon**, hautes de 37 m, comptent parmi les trois plus célèbres de Corée du Nord. Elles se nichent dans un superbe cadre naturel, à environ 24 km au nord de la ville. Si vous y êtes autorisé, vous pourrez faire de belles promenades dans les environs, allant des chutes à la **forteresse de Taehungsan**, puis du **temple de Kwanum** (proche d'une grotte), datant du milieu de la période koryo, au **temple de Taehung**.

Kaesong en elle-même – ville moderne aux larges rues – présente peu d'intérêt, hormis son quartier ancien, aux maisons traditionnelles recouvertes de tuiles, coincé entre la rivière et la rue principale. Elle compte tout de même quelques sites : le **pont de Sonjuk**, petit pont construit en 1216, auquel fait face le **monument de Songin**, qui rend hommage au héros néo-confucéen Chong Mong-ju. Vous pourrez aussi voir la **Nammun** (Porte Sud), qui date du XIVᵉ siècle et comporte une cloche bouddhique ancienne, la **Sungyang Seowon** (académie confucéenne) et le **Chanamsan**, au sommet duquel se dresse une statue en bronze massif de… devinez qui ?

Si vous séjournez à Kaesong, vous logerez soit au **Chanamsan Hotel**, près du pont de Sonjuk, soit au **Kaesong Minsok Hotel**. Si on vous laisse le choix, optez pour ce dernier, qui respecte l'architecture traditionnelle des *yeogwan* (motels dotés de petites chambres bien équipées, avec sdb) et qui est traversé par un charmant cours d'eau. Tous deux sont des établissements pour petits budgets.

PANMUNJEOM

Pour beaucoup de visiteurs, le 38ᵉ parallèle représente le clou du voyage. Les amateurs d'histoire militaire et tous ceux qui s'intéressent à la Guerre froide ne manqueront pas d'être fascinés par l'étrangeté du lieu, où la sanglante guerre de Corée s'acheva sur un accord bancal. Le découvrir depuis le côté nord, avec les troupes américaines en face, offre une occasion unique de considérer les choses du point de vue des "autres".

Les six voies étrangement désertes de l'autoroute de la Réunification vous donneront un avant-goût de ce qui vous attend – pas âme qui vive hormis aux points de contrôle militaires. Le panneau "Séoul 70 km", juste avant la sortie vers la DMZ, donne le frisson. L'armée nord-coréenne demande, paraît-il, aux voyageurs jusqu'à 25 € par personne pour la visite du site, qui vaut bien qu'on débourse cette somme.

À votre arrivée, après vous avoir rappelé le règlement concernant les photos et l'obligation de rester en groupe, des soldats vous

escorteront jusqu'à la zone frontière. Se retrouver ici au beau milieu du plus grand face-à-face militaire du monde est une sensation très forte. On sent une tension dans l'air, mais tout est si calme que l'idée d'éventuels combats paraît absurde. Les soldats sud-coréens et américains fixent leurs collègues nord-coréens comme ils le font chaque jour depuis 1953. Ne vous laissez pas abuser par le calme ambiant : toute tentative de votre part pour même approcher de la frontière proprement dite susciterait des tirs immédiats, et ce des deux côtés à la fois. Dans les années 1980, un touriste soviétique choisit cette façon originale pour fuir le bloc communiste et réussit à gagner la Corée du Sud sous les tirs croisés des deux camps. Mais, même si vous êtes très très pressé, évitez cet itinéraire pour vous rendre à Séoul…

Vous visiterez ensuite les cahutes bleues dévolues aux négociations (sauf si celles-ci sont occupées), puis le bâtiment principal du site, lequel abrite une exposition qui donne la version nord-coréenne des événements des cinquante dernières années. L'inscription en rouge qui figure sur une plaque à côté de la DMZ résume le cessez-le-feu à la mode nord-coréenne :

C'est en ce lieu que, le 27 juillet 1953, les impérialistes américains durent s'agenouiller devant l'héroïque peuple chosun pour signer l'accord de cessez-le-feu mettant fin à la guerre qu'ils avaient déclenchée le 25 juin 1950.

Le ressentiment envers les forces impérialistes américaines est particulièrement prononcé à Panmunjeom, bien que l'on s'empresse d'ajouter que le peuple coréen hait l'armée des États-Unis, et non ses citoyens.

Pendant les années 1970 et 1980, les Nord-Coréens creusèrent plusieurs tunnels sous la DMZ pour pénétrer en territoire sud-coréen. Le plus grand tunnel, qui fut découvert en 1975, aurait permis, d'après les experts militaire américains, le passage de 10 000 hommes par heure ! On n'a plus découvert de nouveau tunnel depuis 1990, mais le phénomène a suscité une telle psychose au Pentagone que celui-ci aurait même embauché des voyants pour aider l'armée à déceler les tunnels.

KIDNAPPÉS

Nul ne peut accuser le gouvernement nord-coréen de manquer de pragmatisme. Besoin d'enseigner le japonais à des espions ? Quoi de plus simple que d'enlever des civils japonais et de les employer pour ce faire ! La Corée du Nord a fini par admettre en 2002 avoir kidnappé entre 1977 et 1983 treize citoyens japonais, dont des couples effectuant des balades romantiques sur des plages désertes, et même des touristes visitant l'Europe.

Le gouvernement japonais ne risque guère de normaliser ses relations avec la Corée du Nord et de verser des milliards de dollars en compensation de son joug colonial sur la péninsule, tant que la République démocratique ne fournira pas un état complet et fiable sur les victimes de ces enlèvements. Outre les ressortissants japonais, la Corée du Nord a kidnappé plus de 400 Sud-coréens, en majorité des pêcheurs. On ignore ce qu'ils sont devenus.

L'enlèvement le plus spectaculaire fut orchestré par Kim Jong Il en personne. Cet amoureux du 7e art, désespéré par l'état de la production cinématographique du Nord, ordonna qu'on enlevât le metteur en scène sud-coréen Shin Sang-ok et son épouse l'actrice vedette Choi Eun-hee, afin qu'ils viennent faire des films pour lui. Après avoir survécu à quatre ans de goulag pour tentative d'évasion, Shin et Choi furent amenés devant Kim Jong Il, qui les accueillit comme de vieux amis, leur expliquant combien il avait besoin d'eux. Doté de fonds illimités et du niveau de vie réservé à l'élite de l'entourage du Cher Leader, Shin réalisa 7 films avant de réussir à s'échapper avec Choi lors d'un voyage à Vienne. Son autobiographie, *Kingdom of Kim*, dresse un tableau effarant de la sombre Corée du Nord.

Impressionnant également, le **mur coréen**, une barrière antichars de construction américaine qui borde les 248 km de frontière. Le Nord en a fait un outil de propagande, le comparant depuis 1989 au Mur de Berlin. L'argument a également suscité une certaine émotion en Corée du Sud, où des étudiants demandent son démantèlement.

MYOHYANGSAN

Cette petite station à 150 km au nord de Pyongyang est souvent pour les visiteurs leur premier contact avec la superbe nature nord-coréenne, qui n'a pas subi les dommages du tourisme. Le mont Myohyang et les collines, les sentiers et les cascades qui l'entourent offrent un moment délicieux. Et si la propagande incessante de Pyongyang venait à vous manquer, l'**International Friendship Exhibition** (IFE) vous rappellera que vous vous trouvez toujours bien en Corée du Nord.

Myohyangsan signifie "montagne aux parfums mystérieux" et l'endroit mérite bien son nom, puisqu'il se couvre de fleurs aux mille senteurs durant l'été. Tous les circuits vous mèneront aux deux grands sanctuaires qui constituent l'IFE. Le premier renferme tous les cadeaux offerts à l'"éternel président" Kim Il Sung. Avant de pénétrer dans ce vaste édifice de style traditionnel, vous devrez enfiler des chaussons protecteurs tout à fait en phase avec l'attitude révérencieuse manifestée par les visiteurs. Peut-être un membre de votre groupe aura-t-il l'honneur d'ouvrir les énormes portes qui mènent aux salles d'exposition, non sans avoir au préalable chaussé des gants de cérémonie destinés à protéger la poignée bien astiquée.

La galerie de cadeaux de Kim Il Sung s'avère impressionnante. Vous verrez notamment un superbe wagon blindé offert par Mao Zedong et une limousine envoyée par Staline. Les articles sont classés par ordre géographique, mais, fort heureusement, vous ne verrez que les plus spectaculaires des quelque 100 000 cadeaux répartis dans 120 salles ! Les dons de chefs d'État sont exposés sur un tissu rouge, ceux des autres personnages officiels sur fond bleu et les autres sur fond brun. Le clou de l'exposition est sans conteste un crocodile portant un plateau garni de gobelets en bois, offrande des sandinistes au Grand Leader.

La visite se déroule sur un ton sévère et compassé ; résistez donc à la tentation bien réelle de faire des glissades en chaussons sur les sols ultra cirés. Une atmosphère encore plus religieuse, presque surréelle, imprègne la dernière salle, où une statue de cire grandeur nature du Grand Leader vous accueille avec un sourire radieux.

Vous êtes supposé vous incliner devant elle avant de vous retirer respectueusement. L'œuvre elle-même est apparemment un cadeau des Chinois. Kim Il Sung se tient devant un paysage bucolique en 3D, agrémenté de chants d'oiseaux, d'une douce brise et d'une musique d'ambiance. On atteint-là un tel degré d'étrangeté qu'il vous faudra vous concentrer pour éviter le fou rire, surtout devant le sérieux de la présentation effectuée par le guide.

À côté se trouve l'entrepôt tout aussi spectaculaire de Kim Jong Il. Depuis qu'il a pris la succession de son père, le Cher Leader s'est vu couvrir de cadeaux variés exposés dans un coffre creusé dans le mur d'une grotte, qui évoque assez le repaire secret du méchant d'un film de James Bond. Point de grandes offrandes fraternelles venant de collègues dictateurs communistes, comme chez Kim Il Sung. Le butin de Kim Jong Il parle plutôt des accords marchands et politiques qui caractérisent largement son règne depuis 1994. Kim senior percevait des cadeaux de Ceausescu et d'Honecker, Kim junior, lui, en reçoit de Hyundai et de CNN. Sont mis en évidence aussi bien un petit mot de Jimmy Carter lui souhaitant bonne chance que le ballon de basket offert par Madeleine Albright. Certaines parties de l'exposition évoquent un magasin de produits électroniques haut de gamme, avec leurs rangées de télévisions à écran géant et d'équipements stéréo offerts par des industriels.

Le clou de l'exposition est l'une des rares statues du Cher Leader. Il vous reçoit assis, un sourire bonhomme aux lèvres, doucement éclairé par une lumière rose.

Ces deux expositions visitées, laissez-vous aller à parcourir les superbes sentiers qui sillonnent la montagne. La vallée de Sangwon, le lieu de promenade le plus apprécié, se trouve immédiatement au nord-est de l'IFE. Un chemin bien tracé suivi de marches de pierre et d'une passerelle piétonne vous permettra de grimper jusqu'aux **chutes d'eau de Kumgang**, de **Taeha**, de **Ryongyon** et de **Cheonsin** (celle de **Sanju**, sur votre droite, est en option). Après avoir dépassé l'humble **ermitage de Sangwon**, vous atteindrez le charmant **pavillon Cheonsin**. De là, vous pourrez redescendre par le même chemin ou poursuivre vers l'est et le **pavillon Oseon**, avant de revenir vers la

civilisation *via* l'**ermitage de Pulyong**, le **pic de Ryongju** et l'**ermitage de Poyun**. Si vous n'êtes pas fatigué de marcher et qu'il fait encore jour, vous trouverez 3 km au-dessus du pavillon Cheonsin, l'**ermitage de Nungin** puis le **pic de Peobwang**, qui offre un superbe panorama sur toute la région.

En tout cas, ne manquez pas le **temple de Pohyon**, le temple bouddhique le plus important sur le plan historique de l'ouest de la Corée du Nord, situé à deux pas de l'IFE, à l'orée de la vallée de Sangwon. Créé en 1044, il a subi de nombreuses rénovations au fil des siècles. Il comporte plusieurs petites pagodes et un vaste hall qui abrite des représentations du Bouddha, ainsi qu'un musée riche d'une collection de tablettes de bois aux écritures bouddhiques appartenant au *Tripitaka Koreana* (plus de 80 000 tablettes xylographiques dont les textes remontent au XIIIe siècle).

Les circuits comprennent souvent une étape à la **grande grotte de Ryongmun**, avant ou après la visite de Myohyangsan. Cette grotte calcaire longue de 6 km comprend d'énormes salles et des stalactites. Vous découvrirez le "Bassin de la Lutte populaire anti-impérialiste", la "Caverne de Juche" et le "Pic montagneux du Grand Leader".

Où se loger

Les touristes logent habituellement dans l'Hyangsan Hotel, un bâtiment anciennement luxueux de forme pyramidale de 14 étages, aujourd'hui plutôt décati. Il est, en revanche, bien situé : juste en deçà de l'IFE et à courte distance à pied des sentiers de montagne. Dans la bonne tradition hôtelière nord-coréenne, le dernier étage est un restaurant tournant aux vitres garnies de rideaux de dentelle, d'où l'on ne voit absolument rien le soir, puisque l'établissement est isolé dans la montagne. Autre option : le Chongchon Hotel, petit hôtel de style traditionnel de catégorie moyenne, mais nous ne savons pas s'il héberge des groupes d'étrangers.

KUMGANGSAN

C'est au sud de la ville portuaire de Wonsan, sur le flanc oriental de la péninsule coréenne, que vous découvrirez les paysages les plus spectaculaires du pays. Depuis des siècles, les "montagnes de diamant" (Kumgangsan) fascinent les hommes. Ce site touristique époustouflant, situé immédiatement au nord du 38ᵉ parallèle, a été développé par Hyundai pour accueillir un tourisme sud-coréen étroitement contrôlé (voir p. 399).

Le massif de Kumgangsan se divise en 3 parties : le Kumgang intérieur, le Kumgang extérieur et le Kumgang maritime. Les principales activités touristiques (du moins en théorie) sont la marche à pied, l'escalade, le bateau et la découverte des sites. La région est riche d'anciens temples et ermitages bouddhiques, de cascades et de sources thermales. Elle comporte aussi un joli lagon et un petit musée. Les gardiens du parc vous fourniront des cartes afin de vous aider à sélectionner quelques sites à explorer, tous plus superbes les uns que les autres.

Si vous ne restez pas longtemps, donnez la priorité, dans le Kumgang extérieur, au **lagon de Samil** (tâchez de louer un bateau, puis reposez-vous au Tanpung Restaurant), la **région de Manmulsang** (promontoires rocheux aux silhouettes fantastiques) et les **chutes d'eau de Kuryong** et **de Pibong** (à 4,5 km à pied au départ du Mongnan Restaurant). Dans le Kumgang intérieur, ne manquez pas le **temple de Pyohon**, l'un des plus importants monastères zen de l'ancienne Corée (fondé en 670 et reconstruit avec talent). Promenez-vous dans les vallées avoisinant le temple, et où vous voulez, car toute balade dans le parc est un enchantement. Inutile d'emporter de l'eau, mais prévoyez beaucoup de pellicules photo. Le **Pirobong** (1 639 m), point culminant du massif, domine au moins une centaine d'autres pics.

Depuis/vers Kumgansan

On se rend habituellement à Kumgangsan en voiture depuis Pyongyang ; la nouvelle autoroute vous conduira jusqu'à Onjong-ri *via* Wonsan (environ 315 km, 4 heures). En chemin pour Wonsan, les voitures et les bus font étape dans une maison de thé au bord du lac Sinpyeong. Après Wonsan, la route longe peu ou prou la côte vers le sud, offrant des aperçus de la double barrière électrifiée qui borde toute la côte orientale. Parfois, on marque aussi une pause thé au bord du lac Shijung.

Votre destination est le village d'**Onjong-ri** et le **Kumgangsan Hotel** (catégorie supérieure). Assez étendu, l'établissement comporte un bâtiment principal entouré de dépendances : des chalets, une boutique, un dancing et des bains alimentés par une source chaude. Les repas sont savoureux avec une mention particulière pour les plats à base de légumes de montagne sauvages.

PAEKDUSAN

Le **mont Paekdu**, un des sites les plus impressionnants de la péninsule coréenne, culmine à 2 744 m et se trouve à cheval sur la frontière sino-coréenne, à l'extrême nord-est de la Corée du Nord.

La plupart des circuits font l'impasse sur Paekdusan car il faut prendre un vol intérieur jusqu'à Chongjin, continuer en voiture dans les montagnes. Si vous disposez du temps et du budget nécessaire pour faire ce crochet, vous ne le regretterez pas.

La beauté naturelle du volcan éteint, dont le cratère contient l'un des lacs les plus profonds du monde, est encore rehaussée par la mythologie qui entoure le site.

La légende veut que Hwanung, le maître des Cieux, soit descendu sur le Paekdu, en 2333 av. J-C, afin de créer la nation de Choson – "le Pays du matin calme", la Corée antique. Il paraît donc tout à fait logique que Kim Jong Il ait vu le jour en ce lieu, quelque quatre millénaires plus tard – "et l'on vit des chevaux blancs voler dans le ciel", ajoutent les biographes officiels. En réalité, Kim Jong Il est plus probablement né à Khabarovsk, en Russie, où son père vivait en exil à l'époque, mais le mythe Kim n'a que faire de tels détails agaçants.

Un peu comme Myohyangsan, la région, d'une spectaculaire splendeur naturelle, a été encore embellie par des "sites" révolutionnaires comme le **pic Jong-Il** ou le **Camp secret** depuis lequel Kim Il Sung est censé avoir orchestré quelques-unes des batailles clés des campagnes antijaponaises de la Seconde guerre mondiale – bien qu'aucun historien hors de Corée du Nord n'ait jamais eut vent de combats dans la région. L'histoire officielle affirme aussi que le futur Grand Leader établit le PC de ses forces de guérilla à Paekdusan dans les années 1920, et que c'est à partir de cette base qu'il vainquit les Japonais. À l'appui de cette thèse, on vous montrera des déclarations gravées sur les arbres par le Grand Leader et ses compagnons. Chaque année, on découvre de nouveaux "arbres à slogan", certains si lisibles que l'inscription semble dater de la veille… L'ouvrage nord-coréen *Kim Jong Il in His Young Days* décrit l'enfance difficile du Cher Leader pendant cette période de combats incessants à Paekdusan :

> Son enfance fut riche en épreuves. Installé dans le camp secret de l'Armée populaire révolutionnaire coréenne, en pleine forêt vierge, il avait pour seuls jouets des ceintures de munitions et des magazines. Les hurlements du blizzard et les tirs d'armes à feu furent les premiers sons auxquels il s'accoutuma. Presque chaque jour, les combats faisaient rage, entrecoupés de sessions d'entraînement militaire et d'éducation politique. Et comme, sur un champ de bataille, on ne trouve pas d'édredon pour envelopper douillettement un enfant, chacune des combattantes déchira un morceau de son uniforme de coton afin qu'on puisse confectionner un couvre-pied en patchwork pour le jeune Kim.

On visite également le camp secret au pied du pic Jong-Il, où le Cher Leader est censé avoir vu le jour. Il comprend une cabane de rondins et une kyrielle de monuments à la gloire des combattants de la patrie et de leurs victoires. Tout cela ne parvient pas à gâcher le plaisir que l'on éprouve au contact de la nature de cette région. Les forêts inviolées hébergent une faune abondante ; des promontoires granitiques désolés surplombent des sources cristallines, des torrents murmurants et de spectaculaires cascades. Les plus courageux se plieront à la rude, et parfois dangereuse, ascension du fascinant **pic Jong-Il**, où le ciel vous semblera réellement plus proche et le monde des hommes bien lointain. Le prix élevé de cette excursion explique le peu de visiteurs étrangers.

Où se loger

Parmi les hôtels de cette région, citons le **Pegaebong Hotel** (catégorie moyenne), situé en pleine forêt dans le district de Samjiyon, une sorte de pension agréable destiné aux

alpinistes. Vous pouvez aussi vous installer un peu plus loin dans la ville de Hyesan, au **Hyesan Hotel** (catégorie moyenne).

Depuis/vers Paekdusan

Paekdusan n'est accessible que de la fin juin à la mi-septembre environ ; le reste de l'année, son climat glacial et ses tempêtes découragent les visiteurs. On s'y rend exclusivement en avion, et l'on parcourt les kilomètres restants en voiture. Un vol charter pouvant emmener jusqu'à 30 passagers revient à 4 600 € l'aller-retour. Le tarif de 150 € par personne n'est alors pas excessif. Ce vol assure, pour l'heure, l'unique liaison pour Paekdusan.

La montagne et le lac de cratère se visitent aussi depuis le versant chinois – une solution souvent choisie par les voyageurs sud-coréens. Un circuit de 5 jours (425 €) quitte le port sud-coréen de Sokcho, dans le Gangwon-do, pour gagner le port russe de Zarubino. On voyage ensuite par voie terrestre jusqu'à Hunchun, Yanji et enfin Paekdusan, sans jamais sortir du territoire chinois. En chinois, Paekdusan se dit Changbaishan et son lac s'appelle le Tianchi (lac du Ciel). Pour plus de renseignements, contactez la **Dongchun Ferry Company** (☎ 02-720 0101 ; fax 734 7474), à Séoul.

WONSAN
300 000 habitants

Le port de Wonsan, sur la mer du Japon, n'offre pas d'attrait particulier, mais il représente une étape intéressante sur la route du massif de Kumgangsan. Comme ce n'est pas normalement une destination touristique, il reflète assez bien la réalité nord-coréenne. Outres ses activités portuaires, Wonsan est aussi un centre intellectuel comptant 10 universités, et une villégiature prisée des Nord-Coréens qui apprécient les plages des **lacs Sijung** et **Tongjong**, tout proches. Y passer la nuit peut se révéler une bonne idée.

Cette ville, à 200 km à l'est de Pyongyang, est entourée de montagnes verdoyantes. En dépit de son architecture moderne et de ses gratte-ciel, elle conserve un certain charme, surtout pendant les mois d'été. Ses deux principaux hôtels sont le **Songdowon Tourist Hotel** et le **Tomgmyong Hotel**, tous deux de catégorie moyenne.

Ne manquez pas la banlieue de Songdowon sur la côte nord-ouest, qui possède

REFUGIÉS NORD-CORÉENS EN CHINE

Depuis le début des années 1990, un nombre croissant de Nord-Coréens s'enfuient par la frontière chinoise, pourtant sévèrement gardée. Ils obéissent principalement à des motivations économiques car travailler pendant quelques mois en Chine rapporte assez d'argent pour permettre à une famille nord-coréenne de subsister l'hiver en se fournissant en nourriture sur les marchés privés. Certains réfugiés regagnent d'ailleurs la Corée du Nord une fois qu'ils ont amassé un pécule suffisant en Chine.

En 2000, sous la pression du gouvernement nord-coréen, les autorités chinoises ont lancé leur campagne "Frapper fort", dans le but de rapatrier de force les Nord-Coréens réfugiés dans le nord de la Chine. Ceci revient à renvoyer des individus déjà en état de malnutrition dans leur pays où ils seront au mieux emprisonnés, au pire exécutés. Ceux qui ont la chance de ne pas se faire prendre tombent souvent entre les mains de trafiquants d'être humains, qui contraignent les femmes à la prostitution ou au mariage forcé.

Ceux qui réussissent à gagner la Corée du Sud forment des réseaux d'aide aux réfugiés tels que Life Funds for North-Korean Refugees (www.northkoreanrefugees.com). Ces derniers apportent un soutien financier et affectif à ceux qui ont réussi à fuir le "paradis des travailleurs". Pour un récit de première main, lisez (en anglais) la stupéfiante autobiographie de Soon Ok-Lee sur www.soonoklee.com.

une plage sablonneuse, propre et bordée de pins, à l'endroit où la petite Jokchon se jette dans la mer du Japon, ainsi qu'un modeste **zoo** et un **jardin botanique** – deux lieux de promenade agréables.

NAMPO

730 000 habitants

Cette ville implantée dans le delta de la Taedong, à 55 km au sud-ouest de Pyongyang, est à la fois le premier port et le premier centre industriel de Corée du Nord. On dit de Nampo qu'elle fut le "berceau du mouvement Chollima" (voir p. 369). Les ouvriers d'une aciérie locale auraient "pris l'initiative d'apporter une impulsion nouvelle à la construction socialiste", nous racontent les dépliants touristiques.

Le gigantesque **barrage de la mer Jaune**, qui s'étend sur les 8 km de l'estuaire de la Taedong, vous impressionnera sans doute davantage. Sa construction a permis de résoudre les problèmes d'irrigation et d'adduction d'eau potable dans la région. La ville en elle-même manque d'intérêt, mais vous trouverez de belles plages à environ 20 km, de l'autre côté du barrage, où la population locale va nager et jouer au volley-ball. On passe rarement la nuit à Nampo, sauf si l'on y vient pour affaires ou pour prendre un ferry pour la Chine. Les touristes peuvent cependant séjourner au **Hanggu Hotel** (catégorie moyenne) à proximité de l'îlot de Wau.

CARNET PRATIQUE

ACCÈS INTERNET

Il est illégal d'apporter un modem, et donc la plupart des ordinateurs portables, en Corée du Nord. La communauté étrangère de Pyongyang jouit d'un certain accès au Web par satellite, mais à prix d'or. L'accès Internet du Programme alimentaire mondial coûte 45 € l'heure ; une offre spéciale le proposait récemment à 8 € l'heure. Autant dire qu'il s'agit d'une solution réservée aux cas d'urgence. Dans le cas contraire, il paraît improbable que votre guide accepte de vous conduire dans le quartier des diplomates.

AMBASSADES ET CONSULATS

Malgré les décennies d'isolement diplomatique au cours desquelles la Corée du Nord n'entretenait de rapports qu'avec ses alliés communistes et quelques États africains, les progrès accomplis au cours des dernières années ont vu l'ouverture de plusieurs ambassades d'importance à Pyongyang. La Corée du Nord entretient aujourd'hui des relations diplomatiques normales avec tous les pays membres de l'UE hormis la France et l'Irlande, même si tous ne possèdent pas encore d'ambassade sur place. Les ambassades nord-coréennes à l'étranger sont de peu d'utilité pour le touriste moyen, même si elles peuvent théoriquement se charger des visas. En outre, comme elles tiennent souvent à conserver un prudent anonymat – peut-être pour tenir les militants des droits de l'homme à l'écart –, il est souvent presque impossible d'en obtenir les coordonnées. Celle de Beijing demeure la plus utile et la seule habituée à accueillir des touristes.

Ambassades et consulats nord-coréens

Allemagne (Chancellerie diplomatique ;
☎ 49 30 22 93 189, fax 49 30 22 93 191 ;
Glinkastrasse 5-7, D-10117 Berlin).

Canada (☎ 613 232 1715 ; 151 Slater St,
6ᵉ étage, Ottawa K1P5H3)

Chine (☎ 10-6532 1186/1189, section des visas
☎ 6532 4148/6639 ; fax 6532 6056 ; Ritan Beilu,
Jianguomenwai, Chaoyang District, Beijing). La plus
intéressante de la liste. Vous trouverez en général un
employé de Ryohaengsa (☎ 6532 4862) au service
consulaire et des visas. L'entrée du service consulaire se
trouve sur le côté est de l'immeuble, à l'extrémité nord des
étals de fruits et de légumes.

France (☎ 0147475385 ; fax 0147476141 ;
47 rue du Chaveau, 92200 Neuilly-sur-Seine)

Hong Kong (☎ 2803 4447 ; Consulate General of
DPRK, 20/F Chinachem Century Tower, 178 Gloucester Rd,
Wanchai). Peut parfois fournir des visas nord-coréens et
organiser des circuits touristiques.

Russie Moscou (☎ 95-143 6249/9063 ;
ulitsa Mosfilmovskaya 72, RF-117192) ;
consulat de Nakhodka (☎ 423-665 5210 ;
ulitsa Vladivostokskaya 1)

Suisse (☎ 31 951 6621 ; Pourtalèstrasse 43,
3074 Muri bei Bern)

Ambassades et consulats en Corée du Nord :

Voici la liste de quelques ambassades susceptibles de se révéler utiles aux voyageurs. Celle du Royaume-Uni représente les intérêts des Canadiens, des Américains, des Australiens, des Néo-zélandais et des ressortissants de l'UE dont le pays d'origine ne possède pas de légation à Pyongyang. Elles se trouvent, pour la plupart, dans le quartier diplomatique de Munsudong.

Chine (☎ 390 274)

Royaume-Uni (☎ 382 7980, en dehors des heures
d'ouverture ☎ 381 7993)

Russie (☎ 381 3101)

Suisse (Swiss Cooperation Office SDC,
☎ 381 76 45/46, fax 381 76 43, Daedonggang District,
Munhundong, Yubo Street No. 3, Pyongyang)

Le Canada a récemment rétabli ses relations diplomatiques avec Pyongyang, mais lors de la rédaction de ce guide, il opérait *via* son ambassade basée à Beijing, dont les coordonnées sont :

Canada (☎ 10-6532 3536 ; www.canada.org.hk ;
19 Dongzhimenwai Dajie, Chaoyang District,
Beijing 100600)

ARGENT

La monnaie locale est le won nord-coréen (KPW) qui, depuis les réformes économiques de 2002, vaut environ 125 KPW pour 1 €. Il existe des billets de 1, 5, 10, 50, 100, 500, 1 000 et 5 000 KPW. Les visiteurs n'utilisent toutefois guère le won – même s'il leur arrive de recourir aux Certificats de change délivrés pendant les périodes de (relative) affluence touristique, comme les Jeux de masse. Vos transactions s'effectueront normalement en euros. Dispensez-vous donc d'emmener d'autres monnaies, afin de ne pas vous exposer à des taux de change désavantageux. On vous rendra parfois la monnaie en renminbi chinois, en yen japonais ou même en chewing-gum ! Vous ne verrez probablement pas de won, mais vos guides vous en donneront peut-être quelques-uns en souvenir (bien que leur exportation soit officiellement illégale).

Les cartes de crédit ne provenant pas de banques américaines pourront vous servir à régler votre hôtels et à effectuer des retraits à Pyongyang. Mais comme cette politique peut changer d'un moment à l'autre, mieux vaut emporter des euros en espèces. Des chèques de voyage vous compliqueraient l'existence.

CARTES

Des plans de toutes les villes sont disponibles dans les hôtels, mais vous n'aurez guère l'occasion de partir seul à l'aventure... On trouve quelques cartes de Corée du Nord de bonne qualité hors de ce pays, la meilleure étant la carte générale de Corée éditée par Nelles Maps.

DANGERS ET DÉSAGRÉMENTS

De nombreux lecteurs nous ont rapporté que la petite criminalité s'accroît à mesure que la situation économique se dégrade. Cela dit, la surveillance stalinienne dont pâtit la population fait sans nul doute de la Corée du Nord l'un des endroits les plus sûrs de la planète.

CORÉE DU NORD

Les étrangers ne passent pas, bien entendu, inaperçus et sont incomparablement plus fortunés que le Nord-Coréen moyen. Montrez-vous donc vigilant comme vous le feriez partout ailleurs, mais sachez que le risque de vol est très faible. Il semble cependant que les petits larcins se multiplient à l'aéroport Sunan de Pyongyang.

Beaucoup plus réels sont les dangers encourus par les visiteurs écervelés qui s'autorisent à critiquer ouvertement le régime pendant leur séjour. On raconte qu'en 2002, un membre d'une mission humanitaire américaine écopa de 2 mois d'incarcération pour avoir demandé pourquoi Kim Jong Il était si dodu alors que les Nord-Coréens ordinaires étaient si maigres. Nous espérons que nos lecteurs auront le bon sens de conserver pour eux de telles remarques. En cas de doute, taisez-vous – même chose au téléphone, sur vos fax et dans votre chambre d'hôtel, communications et endroits susceptibles d'être surveillés.

Ne mettez pas non plus en péril vos guides ou les rares Nord-Coréens avec lesquels vous serez en contact. Leur statut de représentants officiels d'un régime stalinien brutal ne les met pas à l'abri d'éventuelles persécutions. Si vous leur faussez compagnie, leur désobéissez ou insistez pour faire un détour gênant, cela peut se révéler beaucoup plus dangereux pour eux que pour vous. Pliez-vous donc à leurs recommandations, demandez l'autorisation avant de prendre des photos, ne leur donnez pas de cadeaux qui pourraient les faire accuser de collusion avec les impérialistes et, en règle générale, procédez prudemment.

DOUANE

Les formalités douanières nord-coréennes peuvent aller de questions d'ordre général polies à la fouille complète. La précédente édition de ce guide fut parfois confisquée à la frontière, mais ce n'était pas systématique. Il existe cependant des règles très strictes sur ce que l'on peut ou non apporter dans ce pays. Parmi les objets interdits figurent les modems et les téléphones mobiles. Si vous comptez pénétrer en Corée du Nord et en repartir par le même poste-frontière, vous pourrez les déposer à l'aller et les récupérer au retour – une procédure apparemment sans risque. Voici la liste des objets officiellement interdits :

■ télescopes et jumelles permettant un agrandissement supérieur à x6
■ appareils sans fil et leurs composants, dont les téléphones mobiles, les caméras numériques ou vidéo et les radios
■ graines de tabac, feuilles de tabac et autres semences
■ publications, vidéocassettes, enregistrements, films, photos et tous autres documents hostiles au système socialiste nord-coréen ou néfastes pour le développement politique, économique et culturel de la Corée du Nord et/ou de nature à troubler l'ordre public

Sachez que les douaniers prennent cette dernière mesure très au sérieux et qu'ils peuvent décider de bannir à ce titre toute publication étrangère relative à l'une ou l'autre des deux Corées.

ENFANTS

Bien que les Nord-Coréens adorent les enfants et gâtent souvent les leurs à l'excès, les voyages en Corée du Nord ne conviennent pas aux petits. Ils ne résisteront pas aux longues journées et aux visites sans fin, déjà épuisantes pour le plus enthousiaste des "Kimophiles". Même les étrangers qui résident en Corée du Nord hésitent à faire du tourisme en famille car les aménagements spécifiques pour les enfants sont inexistants.

FÊTES ET FESTIVALS

Les principaux jours fériés sont :
Nouvel An 1er janvier
Anniversaire de Kim Jong Il 16 février
Anniversaire de Kim Il Sung 15 avril
Jour des forces armées 25 avril
1er mai
Mort de Kim Il Sung 8 juillet
Victoire dans la guerre de Libération de la patrie 27 juillet
Jour de la Libération nationale (du joug japonais) 15 août
Jour de la création de la Nation 9 septembre
Jour de la fondation du Parti coréen des travailleurs 10 octobre
Jour de la Constitution 27 décembre

Vous remarquerez que la Corée du Nord ne célèbre ni Noël, ni le Nouvel An lunaire, et s'abstient de fêter les principales grandes fêtes traditionnelles de Corée du Sud.

Sauf invitation spéciale, les étrangers ne sont pas les bienvenus autour des anniversaires des Kim (16 février et 15 avril). Essayez, en revanche, de vous trouver à Pyongyang pour le 1er mai ou le jour de la Libération, tous deux célébrés par des cérémonies monstres appelées Jeux de masse, combiné de parades de style militaire et de spectacles de gymnastique synchronisée accomplie par une multitude de personnes de tous âges. Vous en garderez un souvenir inoubliable.

HÉBERGEMENT

En Corée du Nord, les hébergements sont répartis entre quatre catégories –luxe, supérieure, catégorie moyenne et petit budget. La catégorie luxe correspond peu ou prou à un quatre-étoiles, la catégorie supérieure à un trois-étoiles, etc. On encourage toujours les visiteurs à opter pour les établissements hauts de gamme, mais l'on peut aussi descendre dans des hôtels meilleur marché de catégorie moyenne ou petit budget, surtout lorsqu'on s'écarte des sentiers battus et qu'il n'existe pas d'hébergements luxueux. Les hôtels s'avèrent en général propres et confortables. Si vous trouvez la baignoire pleine d'eau à votre arrivée, c'est qu'il faut vous attendre à des coupures régulières ; songez donc à cette tactique de stockage. De la même façon, on vous laissera parfois un seau d'eau en guise de chasse d'eau.

Tenez toujours pour acquis que votre chambre comporte des micros et que les lignes téléphoniques sont sur écoute ; l'exaspération que vous inspire le culte des Kim une fois revenu dans votre chambre ; cela pourrait avoir de fâcheuses conséquences.

HEURE LOCALE

L'heure locale en Corée est GMT plus 9 heures. Quand il est 12h en Corée, il est 3h à Londres, 4h à Paris et 22h la veille à New York.

Vous verrez aussi des références à des années telles que Juche 8 (1919) ou Juche 93 (2004). Trois ans après le décès de Kim Il Sung, le gouvernement a en effet adopté un nouveau système de calcul à partir de l'année de naissance du Grand Leader, 1912, rebaptisée Juche 1.

PHOTO ET VIDÉO
Pellicules et matériel

Vous trouverez des pellicules couleur à prix raisonnable dans les magasins acceptant les paiements en devises, mais tout le reste étant hors de prix, apportez tout le matériel nécessaire. Au 1er étage du Koryo Hotel sont installés des studios de développement, mais mieux vaut attendre de revenir en Chine ou chez vous.

Restrictions

Demandez toujours la permission de prendre une photo et respectez la réponse reçue. Les Nord-Coréens détestent que les étrangers les immortalisent à leur insu. Tout d'abord par timidité, et aussi parce qu'ils connaissent l'impact de l'image dans la presse occidentale. Vos guides savent que des photos prises par un touriste peuvent parfaitement paraître dans un journal en illustration d'un article anti-Corée du Nord. Un tel impair peut avoir pour eux de lourdes répercussions, ainsi que pour le tour-opérateur responsable de votre voyage.

Évitez aussi de photographier des soldats ou des installations militaires.

Vidéo

Si on vous a laissé entrer dans le pays avec votre caméra vidéo, sachez que son utilisation est soumise aux mêmes restrictions que les appareils photo. Mais depuis que plusieurs journalistes ont réalisé des documentaires vidéo sur la Corée du Nord sous couvert de simplement filmer les sites touristiques, les guides et les douaniers se montrent beaucoup plus stricts et confisquent de plus en plus fréquemment les caméras vidéo à la frontière.

POSTE

Comme tous les autres moyens de communication, la poste est surveillée. Ce qui ne l'empêche pas de se révéler fiable dans l'ensemble, et les timbres colorés aux motifs variés à l'effigie du Grand Leader ou à celle de la princesse Diana, font de beaux souvenirs. Le tarif pour les cartes postales à destination du monde entier s'élève à 0,80 €. Certains prétendent qu'elles arrivent plus vite puisque la censure n'a pas besoin de les ouvrir. Comme toujours, gardez pour vous vos impressions négatives sur le pays si vous voulez que votre courrier atteigne son destinataire. Il n'existe pas de service de poste restante et, étant donné la quasi-impossibilité d'accéder à Internet, le téléphone et le fax demeurent les meilleurs moyens de communication.

PROBLÈMES JURIDIQUES

Les touristes n'ont pas de raison d'entrer en contact avec les autorités nord-coréennes. Pour que la police intervienne, il faut une sérieuse transgression des lois de la république, comme des propos diffamatoires à l'encontre du Grand Leader. Si vous vous trouvez dans cette situation, quelle qu'en soit la raison, restez calme et demandez à parler au représentant diplomatique de votre pays en Corée du Nord. En général, les visiteurs qui enfreignent la loi sont immédiatement reconduits à la frontière, mais le régime est trop imprévisible pour qu'on puisse tenir cela pour acquis.

TÉLÉPHONE ET FAX

Certains réfugiés ont affirmé que les Nord-Coréens n'ont pas le droit de posséder une ligne de téléphone privée. Si vous avez besoin d'appeler depuis la Corée du Nord, votre guide s'en chargera. Les numéros de téléphone nord-coréens commencent soit par 381 (numéros internationaux), soit par 382 (numéros locaux). Il est impossible d'appeler un numéro en 381 depuis un numéro en 382 et vice-versa. Le tarif minimum des appels internationaux est de 1,50 € par min pour la Chine et de 4 € par min pour l'Europe. Pour téléphoner en Corée du Nord, composez l'indicatif 850.

Les appels internationaux passés depuis les hôtels sont très chers, sauf peut-être vers la Chine. Les téléphones mobiles sont illégaux, mais il existe un réseau à Pyongyang pour l'élite du parti. Veillez à laisser le vôtre en Chine ou à la frontière.

La télécopie reste populaire dans ce pays sans e-mail. Les fax ne sont pas très bon marché dans les hôtels de Pyongyang : comptez 4,50 € par page pour la Chine et 13 € pour l'Europe ! Le tarif est légèrement dégressif.

TOILETTES

À Pyongyang dans les sites touristiques fréquentés, les toilettes sont rudimentaires mais propres. L'eau est régulièrement coupée en dehors de la capitale et vous trouverez souvent un seau d'eau dans votre chambre d'hôtel, au cas où. Les excréments humains servant d'engrais dans une bonne partie du pays, les toilettes hors des sentiers battus ne sont guère engageantes – des cahutes en bois surélevées d'environ 30 cm permettant la récolte des déchets pour l'agriculture. Vous trouverez du papier hygiénique dans les hôtels, mais nous vous recommandons vivement d'emporter des mouchoirs en papier en cas d'urgence, d'autant que la diarrhée frappe couramment les visiteurs.

VISAS

Obtenir un visa pour la Corée du Nord n'est pas aisé. De plus, les conditions d'entrée, liées à l'actualité politique du pays, sont susceptibles de changer d'un jour à l'autre. Dans le cas d'un voyage organisé, adressez-vous à votre agence de voyage qui se chargera de l'obtention de votre visa. Si vous voyagez en indépendant, renseignez-vous auprès de votre ambassade (voir la rubrique *Ambassade et consulats* p. 388) et demandez conseil à votre agent de voyage.

On ne délivre pas de visa pour la Corée du Nord aux ressortissants américains ou sud-coréens (sauf s'ils voyagent dans le cadre du programme Hyundai, voir p. 399). Les journalistes doivent demander un visa spécial. Ils n'ont pas le droit de voyager avec un visa touristique ordinaire, bien que certains aient réussi à le faire dans le passé.

Tous les visas devant être approuvés par Pyongyang, pensez à en faire la demande suffisamment à l'avance (de préférence au moins 2 mois avant le départ prévu). L'ambassade demande en général un CV d'une page décrivant le contenu de vos études et de votre carrière professionnelle ; il arrive qu'elle contacte votre employeur pour vérifier votre statut actuel.

Pour les circuits partant de la capitale chinoise, les groupes reçoivent d'ordinaire leurs visas à Beijing la veille du départ seulement. Il n'est pas rare de s'entendre dire à son arrivée dans la ville que le voyage a été annulé (souvent à cause de conflits politiques internes ou d'autres tracas diplomatiques) – mieux vaut donc prévoir une bonne assurance et un plan de secours en Chine.

L'ambassade facture les frais de visa entre 30 et 80 € (rien ne semble expliquer ces variations). Pour ne pas vous poser de problèmes lors de voyages ultérieurs en Corée du Sud ou aux États-Unis, les visas nord-coréens ne sont pas apposés sur les passeports, mais sur un document à part, que l'on vous reprend à votre sortie du pays. Si vous désirez garder un souvenir, faites-en une photocopie.

VOYAGER EN SOLO
Le concept du "voyage en solo" en Corée du Nord n'a guère de sens, puisque vous n'êtes jamais seul. En raison du vilipendage systématique de tout ce qui est occidental ou capitaliste et de la déification du Grand Leader et du Cher Leader, vous pourriez vous lasser facilement, sans compter que voyager en individuel est bien plus cher. Si toutefois vous désirez un itinéraire sur mesure ou devez vous rendre en Corée du Nord à un moment où aucun circuit n'est prévu, voyager en indépendant est néanmoins possible. La plupart des agences de voyages qui proposent des circuits en groupe, comme celles dont la liste figure p. 395 se feront un plaisir de vous élaborer un itinéraire individuel par l'intermédiaire de Ryohaengsa.

VOYAGER SEULE
Même si l'idéologie communiste affirme l'égalité des sexes, celle-ci est loin d'être acquise au quotidien dans cette société traditionnellement patriarcale. Les voyageuses ne rencontreront toutefois aucun problème dans ce pays, car nul Nord-Coréen ne serait assez inconscient pour s'attirer des ennuis en important une étrangère. Ryohaengsa emploie de plus en plus de guides de sexe féminin et vous pouvez en faire la demande si vous voyagez seule.

VOYAGEURS HANDICAPÉS
La culture nord-coréenne accorde une grande importance aux handicapés, notamment parce que la guerre de Corée en a laissé beaucoup parmi les jeunes recrues. Des chansons populaires comme *"J'aime un soldat célibataire handicapé"* tendent à encourager les jeunes femmes à épouser les mutilés de guerre. De ce fait, les visiteurs handicapés rencontrent la plus grande compréhension. Les équipements sont rudimentaires, mais corrects, et quand l'accès à un lieu s'avère délicat, vos guides trouveront souvent quelques habitants pour les aider.

TRANSPORTS

DEPUIS/VERS LA CORÉE DU NORD
Beijing est actuellement la seule ville qui offre des liaisons aériennes et ferroviaires régulières avec Pyongyang et la Corée du Nord. Les voyageurs arrivant par la Russie *via* Vladivostok – ce qui reste en théorie possible – se font rares. Les visas étant souvent délivrés à Beijing, les autres trajets deviennent impossibles.

Entrer en Corée du Nord
Les services de l'immigration se montrent assez sévères, mais directs. La principale difficulté consiste à obtenir un visa. Vos guides garderont votre passeport pendant toute la durée de votre séjour en Corée du Nord. Il s'agit-là d'une formalité de routine ; ne vous inquiétez pas : il ne court aucun risque d'être perdu.

AVION
Les vieux Tupolev et Ilyouchine soviétiques de la compagnie nationale Koryo Air desservent Beijing, Shenyang, Moscou, Berlin, Vladivostok, Macao et Bangkok. La ligne la plus pratique part de Beijing, avec à peine plus d'une heure de vol jusqu'à Pyongyang. Deux vols hebdomadaires sont assurés le mardi et le samedi dans les deux sens et l'aller-retour coûte 330 €. Leurs codes internationaux sont JS151 et JS152. Au second rang vient le vol hebdomadaire Vladivostok-Pyongyang, tous les jeudis dans les deux sens. Le code de l'aéroport de Pyongyang est FNJ.

Le **bureau de Koryo Air** (☎ 10-6501 1557/1559 ; fax 6501 2591), à Beijing, est installé dans l'immeuble du Swissotel, Hong Kong–Macau Center, Dongsi Shitau Lijiao, Beijing 100027. L'entrée se fait par l'arrière. Vous devez disposer d'un visa avant de retirer votre billet. La Korea International Travel Company (KITC) peut se charger de le récupérer pour vous, moyennant une commission de 10%.

Koryo Air assure également des vols depuis/vers Shenyang, dans la province de Liaoning (jeudi et samedi). Comptez 80 € pour un aller simple.

Lors de la rédaction de ce guide, China Northern Airlines avait suspendu sa liaison Beijing–Dalian–Pyongyang.

Aeroflot et Air China ne desservent plus Pyongyang, mais ces deux compagnies proposent de temps à autre des vols charters.

TRAIN

Quatre trains circulent chaque semaine dans les deux sens entre Beijing et Pyongyang *via* Tianjin, Tangshan, Jinxi, Dandong et Sinuiju, le lundi, le mercredi, le jeudi et le samedi. Chaque jour, le train n°27 quitte Beijing à 17h48 et arrive à Pyongyang le lendemain à 18h05 (environ 23 heures). En sens inverse, le train n°26 part de Pyongyang à 10h10 pour atteindre Beijing à 9h. L'aller simple revient à 75 € pour une bonne couchette. À l'inverse des règles en vigueur pour les avions, on peut retirer son billet de train pour Pyongyang sans montrer de visa.

Le train nord-coréen se résume en réalité à deux wagons attachés au train Beijing-Dandong, lesquels sont détachés à Dandong (côté chinois), puis conduits à Sinuiju, de l'autre côté du pont sur le Yalu (en Corée), où d'autres wagons sont rajoutés pour les voyageurs locaux. Les non-Coréens demeurent dans leurs wagons d'origine.

Les trains passent environ 4 heures à la frontière pour les formalités douanières et d'immigration – 2 heures à Dandong et 2 autres à Sinuiju. Vous pouvez vous promener dans les gares et prendre des photos, mais demandez auparavant la permission, et respectez les panneaux et les directives des officiels pour sortir de la gare.

La gare de Sinuiju sera votre premier contact avec la Corée du Nord et vous ne tarderez pas à remarquer le contraste avec la Chine. Tout est briqué, et nul vendeur ne vous sollicite. Un portrait du Grand Leader vous observe du toit de la gare comme de celui des toutes les autres gares ferroviaires de Corée du Nord.

Peu après votre départ de Sinuiju, on vous apportera le menu (avec photos en couleur) du dîner. Les mets sont excellents et le service parfait. Veillez à vous munir de petites coupures d'euros pour régler votre repas (environ 5 €), qui n'est généralement pas compris dans le prix du circuit. Il n'existe pas de bureau de change à Sinuiju, ni à bord du train. Le wagon-restaurant est exclusivement réservé aux non-Coréens.

Votre guide vous accueillera à votre arrivée à la gare ferroviaire de Pyongyang pour vous accompagner à votre hôtel. De la même façon, quand vous quitterez la Corée du Nord, il viendra vous dire adieu sur le quai ou à l'aéroport, après quoi vous voyagerez seul jusqu'en Chine.

En repartant de Corée du Nord, vous pouvez rattraper le *Transsibérien* à Dandong, en Chine. Pour effectuer cette correspondance, vous devrez réserver vos billets à l'avance auprès de la CITS (Chine International Travel Company) ou de la KITC, à Beijing. Il existe également des liaisons directes Corée du Nord-Russie par le nord-est *via* Hasan, où l'on emprunte ensuite le *Transsibérien* jusqu'à Moscou. La KITC vous dira si la chose est possible.

Quitter la Corée du Nord

Si vous ne voyagez pas avec un groupe, vous devez réserver votre départ de Corée du Nord avant votre arrivée. L'agence touristique gouvernementale Ryohaengsa (p. 394) s'en chargera pour vous, si vous l'en informiez à l'avance. Veillez à faire reconfirmer vos réservations par votre guide.

Si vous repartez en avion, votre guide vous accompagnera au bureau de la compagnie aérienne pour acheter votre billet ou confirmer votre vol de retour, si vous avez déjà acheté votre billet. Vous devrez régler une taxe de départ de 15 € à l'aéroport (pas de taxe pour les départs en train).

COMMENT CIRCULER

Tous les hébergements, les guides et les transports se réservent par l'intermédiaire de Ryohaengsa. Vous pouvez aussi passer par un agent de voyages, qui traitera ensuite avec Ryohaengsa pour vous. Le bureau principal de **Ryohaengsa** (☎ 86-10-6437 6666/3133 ; fax 6436 9089 ; Korean International Travel Company, 1er étage, Yanxiang, n° A2 Jiangtai Rd, Chaoyang District, Qionghuating) se trouve à Beijing ; il possède des succursales à Dandong, dans la province de Liaoning et à Yanji, dans le Jilin.

Voici quelques tour-opérateurs :

Chollima Group (☎ 020-7243 3829 ; www.chollima-group.com ; 86 Ralph Ct, Queensway, London W2 5HU). Cette compagnie britannique créée en 2002 semble entretenir (à en croire son impressionnant site Web) des liens étroits avec les autorités de République démocratique populaire de Corée. Elle propose aussi en VPC des produits nord-coréens, depuis les œuvres de Kim Il Sung jusqu'à des vidéocassettes et des CD. Chollima Group suggère un bon choix d'hôtels pour tous les budgets en Corée du Nord et son circuit standard d'une semaine revient à 1 500 € tout compris au départ de Beijing.

Hyundai Asan (☎ 02-3669 3000) propose des excursions de trois jours au mont Kumgangsan, avec une traversée en ferry jusqu'au nord de la Corée du Sud. Comptez entre 300 000 et 350 000 W sud-coréens. Durant ces circuits, les voyageurs sont dûment embrigadés et n'ont jamais aucun contact avec le véritable Nord. Ces voyages sont conçus à l'origine pour les Sud-Coréens désireux de visiter la Corée du Nord, mais les organisateurs ont déjà accepté des étrangers. Pour plus de détails, voir p. 399.

Koryo Group (☎ 10-6416 7544 ; www.koryogroup .com ; Room 43, Red House Hotel, 10 Tai Ping Zhuang, Chun Xiao Lu, Chun Xiu Lu, Dong Zhi Men Wai, Chao Yang District, 100027 Beijing). Sans doute meilleure spécialiste de la Corée du Nord, la compagnie de Nick Bonner est basée à Beijing. Elle organise des circuits en Corée du Nord depuis plus de 10 ans et entretient d'excellents rapports avec Ryohaengsa. Ses tours peuvent s'adapter aux *desiderata* les plus précis ; elle peut aussi arranger des voyages individuels. Son site Web est un excellent point de départ pour s'informer sur la Corée du Nord. Le circuit standard de 5 nuits en Corée du Nord coûte 1 275 € tout compris au départ de Beijing.

Maison de la Chine (☎ 01 40 51 95 00 ; www.maisondelachine.fr ; 76 rue Bonaparte 75006 Paris) propose un circuit en Corée du Nord (9 jours) et un séjour à Pyongyang (4 jours) ainsi qu'un voyage incluant le Sud et le Nord de 16 jours, dont la moitié en Corée du Nord.

Office national du tourisme coréen (☎ 01 45 38 71 23, fax 01 45 38 74 71, www.tour2korea.com, Tour Maine Montparnasse, BP 169, 4e étage, 75755 Paris). Il propose des excursions de 5 jours en Corée du Nord depuis la Corée du Sud. L'un des circuits comprend la découverte du mont Geumgangsan. Durant ces circuits, les voyageurs sont dûment embrigadés et n'ont jamais aucun contact avec le véritable Nord. Ces voyages sont conçus à l'origine pour les Sud-Coréens désireux de visiter la Corée du Nord, mais les organisateurs ont déjà accepté des étrangers, même des Américains. Pour plus de détails, consultez le site http://french.tour2korea.com/sightseeing/main.asp.

Regent Holidays (☎ 20-2921 1711 ; www.regent -holidays.co.uk ; 15 John St, Bristol BS1 2HR), spécialisé dans les destinations originales, emmène des groupes en Corée du Nord depuis la fin des années 1980. Un circuit de 8 nuits tout compris revient à 1 110 £ (au départ de Beijing). Cet agent propose aussi un intéressant périple de 18 jours en Corée du Nord et du Sud – avec traversée en ferry de Dandong, en Chine, à Inchon. Au départ de Londres, comptez 2 450 £.

VNC Travel (☎ 030-231 15 00l ; www.vnc.nl ; Catharijnesingel 70, Postbus 79, 3500 AB Utrecht). Cette compagnie néerlandaise, spécialiste de l'Asie, organise des circuits en groupe et en individuel en Corée du Nord. Ses tarifs sont inférieurs à ceux de Koryo, mais elle n'a pas la même connaissance du pays. Un voyage de 14 jours depuis Amsterdam, avec 4 nuits à Beijing, revient à 2 595 €.

Parmi les autres opérateurs qui proposent des circuits en Corée du Nord figurent **Infohub** (www.infohub.com ; 38764 Buckboard Common, Fremont, CA 94536), **Marco Polo Reisen** (☎ 089-1500190 ; www.marco-polo-reisen.com ; Riesstrasse 25, D-80992 Munich) et **Tin Bo Travel Services** (☎ 613 238 7093 ; www.tinboholidays.com ; 1er étage, 725 Somerset St W, Ottawa, Ontario K1R 6P7). Aucun d'entre eux n'est spécialiste de ce pays, mais tous entretiennent de bons contacts avec Ryohaengsa.

Carnet pratique

Consultez la p. 15 pour les adresses de sites web utiles.

SOMMAIRE

ACCÈS INTERNET

Avant votre départ, vous pouvez vous créer une adresse gratuite auprès d'un portail. Il vous suffira de vous connecter sur ce site, depuis un cybercafé par exemple, pour envoyer ou recevoir vos e-mails.

Des cybercafés avec connexions à haut débit existent dans tout le pays (environ 1 000 W l'heure). Repérez les enseignes "PC 방". Les hôtels de luxe comme certains centres d'information touristique, cafés et autres établissements permettent un accès gratuit à Internet. Des fournisseurs d'accès offrent parfois des connexions illimitées pour quelque 35 000 W par mois.

ACTIVITÉS SPORTIVES
Billard

Vous trouverez des salles de billard partout (environ 6 000 W l'heure), facilement repérables à leurs enseignes. Elles disposent souvent d'un billard américain – surnommé "balle de poche" par les Coréens – et de billards français, à quatre balles.

Plongée

La plongée n'est pas une activité très répandue en Corée. Consultez le site www.scubainkorea.com pour des informations générales et www.bigblue33.co.kr pour des renseignements détaillés sur la société de plongée de Seogwipo, sur la côte sud de Jeju-do. C'est probablement le plus beau

---

RENSEIGNEMENTS PRATIQUES

- Le *Korea Herald* publie des articles politiques et économiques basés sur des rapports d'agences de presse. Dans l'édition du samedi, consultez la rubrique "Weekender".

- Radio Gugak diffuse de la musique traditionnelle à Séoul sur 99.1FM. Consultez aussi le site www.gugakfm.co.kr.

- KBS1, KBS2, MBC, SBC et EBS sont les cinq chaînes de télévision en coréen.

- NTSC est la norme vidéo en vigueur – la location de cassettes vidéo est très bon marché et les films sont habituellement en version originale.

- L'électricité fonctionne en 220 V, 60 Hz. Les prises électriques ont deux broches rondes sans mise à la terre ; cependant, quelques anciens *yeogwan* (motels) fonctionnent encore en 110 V avec des prises à deux broches plates.

- Bien que le système métrique soit en vigueur, les biens immobiliers sont toujours mesurés en *pyeong* (3,3 m^2) et les marchés utilisent encore des mesures en bois.

site de plongée du pays – voir p. 299. Une plongée deux bouteilles coûte 60 000 W.

Randonnée

Explorer à pied les épaisses forêts des parcs nationaux, rencontrer des moines vivants dans des ermitages isolés et grimper au sommet des montagnes font partie des moments inoubliables d'un voyage en Corée. Avec leurs sentiers bien balisés, leurs paysages vierges de toute pollution, leurs cascades, leurs couleurs automnales et leurs torrents, les nombreux parcs sont magnifiques. Des bus fiables et fréquents les rendent facilement accessibles.

Ski

Ses hivers rigoureux et ses régions montagneuses font de la Corée un pays idéal pour les sports d'hiver. La haute saison dure de décembre à février. Les tarifs sont modérés et un nombre croissant de stations de ski offrent une multitude d'infrastructures. La gamme des hébergements va des auberges de jeunesse et des *minbak* (chambres chez l'habitant) aux appartements meublés et aux hôtels de luxe. La plupart des stations se trouvent dans le Gyeonggi-do ou le Gangwon-do. La station la plus méridionale du pays se situe dans le Jeollabuk-do, près de Muju. On trouve facilement des vêtements et des équipements de ski à louer, ainsi que des moniteurs qui parlent anglais. Attendez-vous à payer environ 40 000 W par jour pour les remonte-pentes, 25 000 W pour la location de skis et 35 000 W pour un snowboard. Les forfaits au départ de Séoul commencent à 75 000 W. En règle générale, on peut faire du snowboard et du ski de nuit. Les stations sont décrites dans les chapitres régionaux. Consultez le site www.visitseoul.net et contactez le **KNTO** (☎ 757 0086 ; www.knto.or.kr) ou une agence de voyages.

Sources thermales et saunas

Ne manquez pas les effets bienfaisants d'un bain dans une source chaude. Si vous êtes à Séoul, prenez le bus jusqu'à Icheon (p. 154), à 50 km au sud-est, pour plonger dans un *oncheon* – un bain alimenté par une source chaude chargée en minéraux. Ou bien, empruntez le métro vers l'ouest jusqu'à Incheon, puis un ferry pour Yeongjongdo (p. 160) où vous prendrez un bain d'eau de mer chaud sur la côte. Yuseong (p. 324),

Suanbo (p. 348), Osaek (p. 180) et Busan (p. 242) vantent les vertus thérapeutiques de leurs sources chaudes. Tout en restant raisonnables, les tarifs varient en fonction du standing des installations.

Toutes les villes possèdent des bains publics avec eau chaude, appelés *tang*. Le même symbole que celui des *yeogwan* les désignent, ce qui est source de confusion. Plutôt spartiates, les tang facturent environ 4 000 W, soit deux fois moins que les installations plus luxueuses de certains hôtels et des tous récents *jjimjilbang* (d'élégants saunas modernes).

Déshabillez-vous dans les vestiaires et prenez une douche : vous devez vous laver soigneusement avant d'entrer dans le bain. On vous fournira savon, shampooing, brosse à dents et dentifrice. Ce nettoyage minutieux fait partie intégrante du bain. Dans le vestiaire des femmes, des sèche-cheveux, des rouleaux masseurs pour les pieds et toute sortes de produits de beauté et de parfums sont à la disposition des clientes, qui peuvent même se faire couper les cheveux.

Dans les grands bains publics, la température de l'eau est chaude, voire brûlante, mais ils comprennent parfois un bain froid (avec douche sous une "cascade").

La plupart des tang possèdent également des saunas – en bois ou en pierre –, aussi brûlants qu'un four. Si vous voulez souffrir un peu plus, faites-vous pétrir par un masseur. Renseignez-vous d'abord sur le prix de ce service, habituellement onéreux. Beaucoup de baigneurs font un petit somme, allongés sur le sol en bois, la tête posée sur un oreiller de bois. Certains établissements vous permettront de rester toute la nuit.

Essayez de dénicher un oncheon avec une section à ciel ouvert, véritable paradis pour se relaxer après une randonnée en montagne.

Taekwondo, sunmudo et gicheon

Les arts martiaux coréens deviennent de plus en plus populaires à travers le monde. Reportez-vous à la p. 117 pour des informations sur le *taekwondo* et à la rubrique *Golgulsa* (p. 213) pour en savoir plus sur le *sunmudo*. Le *gicheon* est un autre art martial originaire de Corée (consultez le site www24.brinkster.com/ thefringe). Vous pouvez contactez Lee Kitae, un moniteur de gicheon (☎ 016-420 0509, gicheonmaster@yahoo.com).

ALIMENTATION

Parmi les nombreux plaisirs glanés au fil d'un voyage en Corée figure la découverte d'une cuisine unique en son genre (voir p. 72). Vous pourrez aussi vous régaler de cuisines occidentale, japonaise et chinoise. Voici quelques fourchettes de prix correspondant aux différentes catégories répertoriées dans ce guide :

Petit budget – repas à moins de 7 000 W.
Catégorie moyenne – repas de 7 000 à 18 000 W.
Catégorie supérieure – repas à plus de 18 000 W.

AMBASSADES ET CONSULATS
Ambassades et consulats de Corée du Sud

Belgique (☎ 2 675 57 77, fax 2 675 52 21 ; 175, chaussée de la Hulpe, B-1170 Bruxelles)
Canada (☎ 613-244 5010 ; www.emb-korea.ottawa.on.ca ; 150 Boteler St, Ottawa, ON K1N 5A6)
Chine (☎ 10-6532 0290 ; 4th Ave East, Sanlitun, Chaoyang District, Pékin 100600)
France (☎ 01 47 53 01 01 ; www.amb-coreesud.fr ; 125 rue de Grenelle, 75007 Paris)
Hong Kong (☎ 2529 4141 ; 4ᵉ étage, Far East Finance Centre, 16 Harcourt Rd, Central)
Japon (☎ 03-3452 7611 ; 1-2-5 Minami-Azabu, 1-chome, Minato-ku, Tokyo 106-0047)

VOTRE AMBASSADE

Si vous troublez l'ordre public, il est important de savoir ce que peut faire ou non votre propre ambassade. En règle générale, elle ne vous sera pas d'une grande aide si vous êtes responsable des difficultés auxquelles vous êtes confronté. N'oubliez pas que vous devez respecter les lois du pays que vous visitez. Votre ambassade ne vous témoignera aucune compassion si vous êtes en prison après avoir transgressé la loi, même si cet acte n'est pas considéré comme un délit dans votre pays d'origine.

En cas de véritable urgence, vous obtiendrez éventuellement de l'aide, mais seulement après avoir épuisé tout autre recours. Si vous devez retourner dans votre pays sans délai, n'espérez pas un billet gratuit – votre ambassade s'attend à ce que vous ayiez une assurance couvrant ce risque. Si l'on vous a volé tous vos papiers et votre argent, elle vous aidera à obtenir un nouveau passeport, mais ne vous prêtera pas d'argent pour continuer votre voyage.

Fédération de Russie (☎ 095-956 1474 ; ulitsa Spiridonobka Dom 14, Moscou)
Singapour (☎ 65-6256 1188 ; 47 Scotts Rd, 08-00 Goldbell Towers, Singapour 228233)
Suisse (☎ 031 356 24 44, fax 356 24 50 ; Kalcheggweg 38, Case postale 28, 3000 Berne 15)
Taïwan (bureau des visas ☎ 02-2758 8320 ; bureau 1506, 333 Keelung Rd, Section 1, Taipei)
Thaïlande (☎ 0-2247 7537 ; 23 Thirmruammit Rd, Ratchadapisek, Huay Kwang, Bangkok 10320)

Ambassades et consulats étrangers en Corée du Sud

Connectez-vous au site www.embassyworld.com, par exemple, pour des informations détaillées sur les ambassades du monde entier. Les ambassades suivantes sont notamment représentées à Séoul :

Belgique (☎ 2749 0381 ; www.belgium.or.kr ; 1-94 Dongbinggo-dong ; Yongsan-gu)
Canada (carte p. 100 ; ☎ 3455 6000 ; www.korea.gc.ca ; 8ᵉ étage, Kolon Bldg, 45 Mugyo-dong, Jung-gu)
Chine (carte p. 96 ; ☎ 738 1193 ; www.chinaemb.or.kr ; 8ᵉ étage, Kyobo Bldg, Jongno 1-ga, Jongno-gu)
France (carte p. 94 ; ☎ 01 31 49 43 00 ; www.ambafrance-kr.org ; 30 Hap-dong, Sodaemun-ku)
Japon (carte p. 96 ; ☎ 2170 5200 ; www.kr.emb-japan.go.jp ; 18-11 Junghak-dong, Jongno-gu)
Fédération de Russie (carte p. 106 ; ☎ 552 7096 ; 1001-13 Daechi-dong, Gangnam-gu)
Singapour (carte p. 100 ; ☎ 744 2464 ; 18ᵉ étage, Samsung Taepyeongno Bldg, 310 Taepyeongno 2-ga, Jung-gu)
Suisse (☎ 739 9511/12/13/14, fax 737 9392 ; 32-10 Songwol-dong, Jongno-gu)
Taïwan (carte p. 96 ; ☎ 399 2767 ; 5ᵉ étage, Gwanghwamun Bldg, Jongno-gu)

ARGENT

La monnaie sud-coréenne est le won (W) et se décline en pièces de 10, 50, 100 et 500 W et en billets de 1 000, 5 000 et 10 000 W. Selon le taux de change actuel, le plus gros billet vaut moins de 10 \$US. Par conséquent, préparez-vous à transporter de grosses liasses. Reportez-vous à la p. 14 pour le coût de la vie. En deuxième de couverture du guide, nous indiquons les taux de change en vigueur à la date d'impression. Consultez le site www.oanda.com pour connaître les taux de change les plus récents.

Les banques installées dans les artères principales offrent toutes un service de change, parfois un peu lent. Les boutiques pour touristes et les hôtels pratiquent également le change, mais comparez leurs commissions et leurs taux avec ceux des banques avant de faire appel à leurs services. Les dollars américains sont la devise la plus facile à changer, mais les principales monnaies étrangères sont acceptées. La Korea Exchange Bank accepte 49 devises en espèces et 28 en chèques de voyage. Ces derniers bénéficient d'un taux légèrement plus élevé que les espèces. Le marché noir se pratique à Busan, à vos risques et dépens. Avant de quitter le pays, n'oubliez pas de convertir le reste de votre argent coréen, car il est souvent impossible de changer des won à l'étranger. Si vous changez une somme en won supérieure à 2 000 $US à l'aéroport d'Incheon, vous devrez présenter les reçus bancaires prouvant que vous avez changé des devises.

Cartes de crédit

Dans les villes et les régions touristiques, un nombre croissant d'hôtels, de boutiques et de restaurants acceptent les cartes de crédit étrangères. Cependant, beaucoup de yeogwan, de restaurants et de petites échoppes les refusent. Prévoyez de transporter beaucoup d'espèces, surtout si vous voyagez dans les campagnes.

Distributeurs automatiques de billets (DAB)

Les DAB coréens sont particuliers : si vous avez une carte de crédit étrangère, vous devez trouver un DAB portant la mention "Global" et le logo de votre carte. Certains DAB Global n'affichent les instructions qu'en coréen et vous aurez sans doute besoin d'aide. Des DAB sont installés à l'extérieur des banques et des bureaux de poste, dans les hôtels de luxe, les stations de métro, les commerces et les grands magasins. Selon les machines, la quantité d'argent que l'on peut retirer chaque jour varie de 100 000 ou 300 000 W à 700 000 W. La plupart des DAB fonctionnent entre 9h et 22h. Passée cette heure, voire en dehors des heures d'ouverture des banques, vous devrez acquitter une commission plus élevée. Dans la station de métro Itaewon (carte p. 99 ; ligne 6), un DAB Global affiche des instructions en anglais et limite les retraits à 300 000 W.

ASSURANCE

Nous vous recommandons fortement de souscrire une assurance couvrant le vol, la perte, les frais médicaux et une indemnisation en cas d'annulation ou de retard de votre voyage. En cas de perte ou de vol de vos affaires, faites immédiatement une déclaration à la police et demandez une copie de la plainte pour obtenir le remboursement auprès de votre assureur. Il existe une grande diversité de contrats d'assurance ; lisez soigneusement les clauses en petits caractères. Reportez-vous à la p. 419 pour en savoir plus sur l'assurance maladie et à la p. 416 pour l'assurance de votre véhicule.

CARTES

La Korean National Tourism Organisation (KNTO ; Organisation nationale du tourisme de Corée) et les centres d'information touristique de chaque province fournissent des cartes gratuites, assez détaillées pour la plupart des activités. Demandez des cartes de randonnée aux billetteries des parcs nationaux et régionaux ; elles comportent quelques indications en anglais et ne coûtent que 1 000 W. Vous ne trouverez pas de cartes très détaillées en anglais dans le pays.

CARTES DE RÉDUCTION

Prenez votre carte d'étudiant ou senior. Une carte de membre des auberges de jeunesse permet de bénéficier de quelques réductions. Certains sites touristiques gérés par le gouvernement proposent des entrées à tarif réduit, voire gratuites, pour les plus de 65 ans. Certains organismes limitent les réductions aux habitants du pays, mais tentez votre chance.

CIRCUITS ORGANISÉS

Hyundai Asan (☎ 02 3669 3000 ; voir p. 395) organise des circuits en bateau à Geumgangsan en Corée du Nord, à partir de Sokcho dans le Gangwon-do. Il vous en coûtera de 450 000 à 600 000 W pour 3 jours/2 nuits, mais une aide gouvernementale permet éventuellement de réduire les frais. Geumgangsan, orthographié "Kumgangsan" en Corée du Nord, est une région célèbre pour ses pics montagneux, ses aiguilles de granit et ses cascades (voir p. 385). Réservez 10 jours à l'avance pour avoir une place sur un bateau ou sur un hôtel flottant. Randonnée, bain dans une source chaude (12 $US), spectacle de cirque (25 $) et shopping ponctuent le circuit.

En février 2003, ce tour-opérateur a organisé des circuits moins chers en bus, à travers la DMZ jusqu'à Geumgangsan, mais la Corée du Nord les a suspendus presque immédiatement. Cela n'a pas empêché Hyundai Asan de recommencer un peu plus tard dans l'année. Aucun visa n'est exigé. Le circuit de 3 jours/2 nuits revient à 230 000 W avec logement en dortoir (6 lits) et à 350 000 W par personne en chambre double à l'Haegeumgang Hotel. Les activités et les sites explorés sont identiques à ceux prévus pour le circuit en bateau.

Pour en savoir plus, contactez Hyundai Asan, connectez-vous au site www.knto.or.kr (cliquez sur "sightseeing", "theme tours" et "North Korea Tours") ou trouvez une agence de voyages qui propose ces circuits. D'autres circuits en Corée du Nord, limités et placés sous étroite surveillance, seront sans doute bientôt disponibles. Sachez que tout votre argent ira dans les caisses du gouvernement.

Reportez-vous à la p. 120 pour de plus amples renseignements sur les circuits organisés en Corée du Sud.

CLIMAT

La Corée connaît quatre saisons bien distinctes : le printemps, de mi-mars à fin mai, l'été, de juin à août, l'automne, de septembre à novembre et l'hiver, de décembre à mi-mars. Les températures varient fortement entre le milieu de l'été et le milieu de l'hiver, surtout dans la moitié nord du pays. L'hiver est plus rigoureux à Séoul qu'à Busan ou dans le Jeju-do, plus au sud. Dans le nord, les précipitations se produisent généralement au cours de la mousson estivale (de fin juin à août), tandis que dans le Jeju-do, elles sont réparties de manière plus uniforme tout au long de l'année. Reportez-vous à la p. X pour des conseils sur la meilleure saison pour visiter le pays.

COURS

Si vous souhaitez suivre des cours de cuisine ou de coréen à Séoul, reportez-vous p. 119. Les cours de langue sont dispensés dans l'ensemble du pays. Consultez aussi le site www.knto.or.kr pour de plus amples informations.

DOUANE

Vous devez déclarer toutes les plantes, fruits et légumes frais que vous importez. Vous n'êtes pas autorisé à apporter de la viande. Si vous disposez de plus de

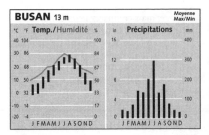

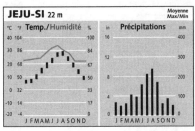

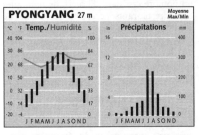

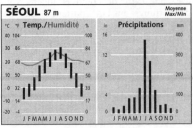

10 000 $US en espèces ou en chèques de voyage, vous devrez remplir un formulaire pour les déclarer, de même que les cadeaux d'une valeur supérieure à 400 $US.

En quittant le pays, vous pourrez emporter 1 litre d'alcool, 200 cigarettes et 59 ml de parfum sans payer de taxe. Les antiquités considérées d'importance nationale sont interdites à l'exportation ; par conséquent, si vous pensez avoir acheté, très cher, une pièce ancienne, adressez-vous au **Cultural Properties Appraisal Office** (Bureau des biens culturels ; ☎ 662 0106). Consultez le site www.customs.go.kr pour en savoir plus.

ENFANTS

Nous vous recommandons la lecture du guide *Travel with Children*, publié en anglais par Lonely Planet. Les Coréens n'ont pas l'habitude de voir des étrangers voyageant avec de jeunes enfants mais, une fois l'effet de surprise dissipé, ils se montreront à la fois serviables et intrigués. Consultez le site ww w.travelwithyourkids.com pour des conseils d'ordre général et la liste des équipements destinés aux enfants que propose Séoul.

À voir et à faire

La plupart des villes possèdent zoos, fêtes foraines et parcs d'attraction, cinémas, salles DVD, cybercafés, galeries de jeux vidéo, bowlings, *noraebang* (salles de karaoké) et cafés de jeux de société. À chaque coin de rue, les enfants pourront déguster une glace ou grignoter un hamburger. En hiver, ils feront du ski, du snowboard ou de la luge et en été, iront à la plage. La région de Séoul propose un large éventail d'amusements destinés aux enfants (voir p. 119). Busan

---

FÊTES INSOLITES

Voici une liste de festivals plus originaux auxquels vous aurez peut-être envie d'assister :

- **Fête de la Seiche** de Gangneung – avec notamment un concours de pêche de seiche à la main

- **Fête de la Pâte de soja** de Chodang – particulièrement intéressant pour les végétariens

- **Festival de Combats de taureaux** de Jeong-eup (mai) – plus une bousculade qu'un combat

- **Fête des Lucioles** de Muju (août) – une fête dont la vedette est cet insecte minuscule

- **Fête de l'Horizon** de Gimje (octobre) – parce que tous les autres thèmes étaient déjà pris

Contactez le KNTO (www.knto.or.kr) pour les dates de ces manifestations.

---

possède un aquarium (p. 245) sur la plage de Haeundae. Pour Bugok Hawaii, près de Busan, reportez-vous à la p. 254.

Renseignements pratiques

Seuls les hôtels de luxe sont susceptibles de disposer d'un lit d'enfant, mais les tout petits peuvent dormir sur un matelas yo par terre. Emportez votre siège auto et vos casques de vélo, difficiles à trouver sur place. Peu de restaurants possèdent des chaises hautes. Les tables à langer sont assez répandues dans les toilettes à Séoul mais plus rares dans les provinces. Emportez des petits pots d'aliments pour bébés à moins que vous ne sachiez déchiffrer les étiquettes en *hangeul*. Les services de baby-sitting sont quasiment inexistants, sauf au Lotte World Hotel à Séoul, qui les facture 9 $US l'heure. Allaiter en public ne fait pas partie des coutumes locales, même si vous apercevez de temps à autre une Coréenne nourrissant son bébé dans un parc.

FÊTES ET FESTIVALS

Les dates des fêtes changent constamment – vérifiez-les avant de partir.

Fête de la Neige (janvier) – à Taebaeksan (p. 192) et dans d'autres régions montagneuses. Sculptures de glace géantes, parties de luge et restaurants-igloos.

Floraison des cerisiers (avril) – la date de la floraison varie selon le climat et la région, mais dans tout le pays vous pourrez admirer les arbres en fleur dans des rues et des parcs.

Procession de l'Anniversaire de Bouddha (mai) – à Séoul (p. 121), il s'agit de la plus grande procession du pays.

Festival de Danse contemporaine (mai) – dans Daehangno, à Séoul.

Festival international de Mime (mai) – à Chuncheon, la ville des lacs (p. 170).

Festival de Dano (11 juin 2005, 31 mai 2006, 19 juin 2007, 8 juin 2008) – à une date fixée selon le calendrier lunaire, ce festival traditionnel s'accompagne de rituels chamaniques, de danses masquées et d'un marché ; Gangneung (p. 182) est le meilleur endroit pour y assister.

Fête de la Boue (juillet) – sur la plage de Daecheon, jeux et glissades dans la boue (p. 325).

Biennale de Gwangju (habituellement en automne) – les années paires, un festival de 2 mois, consacré à l'art contemporain (http://gwangju-biennale.org, voir p. 268).

Biennale mondiale de la Céramique (automne) – les années impaires à Icheon.

Festival mondial des Arts martiaux (septembre à octobre) – à Chungju (p. 347), berceau du *taekgyeon* (forme originale du taekwondo).

Festival des Danses masquées (septembre à octobre) – un festival de 10 jours à Andong (p. 221), où se produisent plus de 20 troupes de danses traditionnelles.

Festival de Paekche (octobre) – organisé depuis 1955 à Buyeo les années paires et à Gongju (p. 327) les années impaires.

Festival international du Film de Pusan (octobre) – ce festival de cinéma incontournable (www.piff.org) se déroule à Busan (p. 246). Ne vous laissez pas abuser par Pusan/Busan : il a conservé l'ancienne orthographe de la ville !

HANDICAPÉS

L'APF (Association des paralysés de France, 17 bd Blanqui, 75013 Paris, ☎ 01 40 78 69 00, fax 01 45 89 40 57, www.apf.asso.fr) peut vous fournir d'utiles informations sur les voyages accessibles.

Deux sites Internet dédiés aux personnes handicapées comportent une rubrique consacrée au voyage et diffusent d'utiles informations. Il s'agit de Yanous (www.yanous.com/pratique/tourisme/tourisme030613.html) et de Handica (www.handica.com).

Autrefois, la Corée ne se souciait pas des voyageurs handicapés, peu nombreux à visiter le pays, d'autant que les Coréens handicapés ne bougeaient guère de chez eux. Néanmoins, les choses évoluent à Séoul et dans d'autres villes. La plupart des stations de métro de la capitale comprennent des escaliers roulants, des ascenseurs et des toilettes avec mains courantes, accessibles aux fauteuils roulants. Les sites touristiques, notamment ceux gérés par le gouvernement, offrent des réductions substantielles, voire des entrées gratuites, aux personnes handicapées et à leur accompagnateur. Le KNTO publie une carte fort utile intitulée *Accessible Seoul*. Pour plus de renseignements, consultez le site www.easyaccess.or.kr.

HÉBERGEMENT

Les pensions se situent presque toutes à Séoul et 50 auberges de jeunesse sont réparties à travers le pays, à proximité des parcs nationaux et des autres sites touristiques ; elles louent les lits en dortoir entre 7 000 et 15 000 W. Autre type de logement peu coûteux en ville (de 10 000 à 25 000 W), les *yeoinsuk*, des hôtels familiaux, proposent de petites chambres avec sdb communes et installations sommaires. À la campagne et sur le littoral, les *minbak* (chambres dans une maison privée), simples et bon marché (de 20 000 à 25 000 W), disposent de sanitaires communs. Les établissements à petits prix ne fournissent généralement qu'une couverture ; prévoyez une paire de draps. Toutes les villes de Corée possèdent des *yeogwan*, des motels peu coûteux aux petites chambres bien équipées, avec sdb. Regroupés généralement autour des gares routières et ferroviaires, ils sont d'un bon rapport qualité-prix (de 25 000 à 35 000 W). Leurs propriétaires parlent rarement anglais et certains établissements font aussi office de "love hotel" (voir plus loin la rubrique *Yeogwan et motels*). Les hôtels de moyenne catégorie sont rares. En revanche, les motels récents fournissent des prestations de qualité à des prix très attractifs. Toutes les grandes villes comptent des hôtels de luxe et Séoul en offre un choix particulièrement vaste.

L'hébergement est invariablement facturé à la chambre, sans réduction pour ceux qui voyagent seuls. Les chambres sont dotées d'un lit ou du système traditionnel du *yo* (matelas semblable à un futon) disposé sur un sol *ondol*, chauffé par-dessous en hiver. Une troisième personne peut habituellement dormir dans la pièce, moyennant un faible supplément. Les prix ont tendance à augmenter les vendredis et les samedis, ainsi qu'en juillet-août sur le littoral, en été et en automne près des parcs nationaux.

Dans la catégorie petit budget, les chambres ne coûtent pas plus de 39 000 W. Dans la catégorie moyenne, prévoyez de 40 000 à 150 000 W ; quant à la catégorie supérieure, elle facture au minimum 150 000 W.

Auberges de jeunesse

Cinquante grandes auberges de jeunesse sont réparties sur l'ensemble du territoire, mais elles ne sont pas toujours bien desservies par les transports publics. Rarement fréquentées par les étrangers, elles constituent une option intéressante pour les voyageurs individuels, car les lits en dortoir coûtent de 7 000 à 15 000 W (22 000 W à Séoul). Comptez de 35 000 à 55 000 W (70 000 W à Séoul) pour une chambre familiale, mais mieux vaut alors choisir un motel. La carte de membre vaut 20 000 W – voir le site www.kyha.or.kr pour de plus amples informations.

Campings et chalets de montagne

Dotés d'équipements sommaires (eau, toilettes et, parfois, douches froides), les terrains de camping se situent à l'entrée des parcs nationaux et régionaux, et n'ouvrent généralement qu'en juillet-août. Les plages fréquentées possèdent parfois des campings officiels. Les tarifs sont très raisonnables (3 000 W la tente de 3 personnes dans les parcs nationaux), mais les installations, rustiques. Les randonneurs peuvent loger dans des chalets de montagne, installés dans la plupart des parcs nationaux. Leur équipement est également rudimentaire (3 000/5 000 W la nuit dans les chalets anciens/récents). Les campings et les chalets sont souvent complets les week-ends et pendant la haute saison ; réservez sur le site www.npa.or.kr.

Chambres chez l'habitant

Certaines familles coréennes proposent aux voyageurs des chambres dans leur appartement ou leur maison. Le lit et le petit déjeuner reviennent à 30/50 $US par personne/couple. Les prix baissent fortement si vous séjournez un mois. Ce mode d'hébergement est particulièrement avantageux pour les voyageurs en solo, mais des familles rechignent à accueillir des hommes seuls. Il offre la possibilité de découvrir la cuisine, les coutumes et la vie familiale. Les hôtes sont souvent traités comme des rois, et de vraies relations d'amitié se nouent parfois. Pour obtenir une chambre, réservez par Internet au moins 2 semaines avant votre arrivée. Les frais de réservation s'élèvent habituellement à 30 $US. Pour plus d'informations, consultez les sites suivants : www.labostay.or.kr, www.komestay.com, www.seoulhomestay.co.kr ou www.korea homestay.com.

Hanok

Dans ces petites maisons traditionnelles, couvertes de tuiles et entièrement en bois, vous vivrez une expérience unique. Des petites chambres sont réparties autour d'une cour et l'on dort sur un matelas yo, posé sur un sol chauffé par le système ondol. Certaines chambres, décorées de meubles et de peintures, vous permettront d'expérimenter le mode de vie *yangban* (aristocratique).

Hôtels

Les hôtels haut de gamme se font rares en dehors des grandes villes et les petites localités ne comptent pas toujours d'établissements de catégorie moyenne. On négocie facilement les prix de ces hôtels et de nombreux sites web proposent d'importantes réductions : essayez www.koreahotels.net, www.khrc.com ou www.hotelwide.net.

Les hôtels de luxe offrent habituellement une demi-douzaine de restaurants, un bar, un night-club, un sauna et un centre de remise en forme, une piscine couverte, un café, un bar à karaoké et l'accès à Internet. Les chambres et le mobilier répondent aux standards internationaux. Les meilleurs hôtels de catégorie moyenne disposent d'un restaurant, d'un café, d'un bar et, parfois, d'un sauna. Ils souffrent de la concurrence des motels récents, qui proposent des chambres petites, mais luxueuses, à des prix nettement inférieurs. Les hôtels de catégories supérieure et moyenne ajoutent à la note 21% de taxes et de service. Toutefois, depuis peu, ils affichent des prix tout compris.

Location

La plupart des expatriés logent dans des appartements fournis par leurs employeurs, mais quelques-uns habitent dans une pension, chez l'habitant ou dans un yeogwan et négocient un tarif au mois. À Séoul, la colocation est une autre possibilité, mais trouver un logement avec plusieurs pièces n'est pas facile. Consultez les petites annonces des sites web du gouvernement ou des quotidiens, comme www.koreaherald.co.kr ou http://english.metro.seoul.kr.

Les systèmes de paiement traditionnels compliquent encore la location. Selon le premier système, *chunsee*, vous prêtez au bailleur de 100 à 300 millions de won (70% de la valeur de la propriété), qu'il vous rendra dans son intégralité à la fin du bail. Dans le système *wolse*, vous versez une caution moins importante et remboursable, de 3 à 10 millions de won (soit une année de location), plus un loyer mensuel. Quelques appartements se louent aussi aux étrangers selon le système occidental : une petite caution remboursable et un loyer mensuel.

Sachez que les biens fonciers se mesurent en *pyeong* (1 pyeong équivaut à 3,3 m²). Un appartement de superficie moyenne mesure environ 30 pyeong, mais on trouve facilement des logements de 15 à 20 pyeong.

Minbak et yeoinsuk

Les *minbak* fournissent un logement de base (et habituellement les repas) sur les îles, près des stations de ski, dans les régions

CARNET PRATIQUE

rurales, à proximité des plages et des parcs nationaux. Comptez jusqu'à 25 000 W pour une chambre, et le double en haute saison. Vous ne trouverez dans la chambre qu'un matelas yo posé sur un sol ondol, une TV, un radiateur ou un ventilateur. Les autres installations sont communes et plusieurs personnes peuvent partager la même chambre (5 000 W par personne supplémentaire). En général, le panorama compense le confort sommaire.

Les *yeoinsuk* ont disparu de Séoul, mais on en trouve dans les autres villes. Une chambre peut ne pas dépasser 10 000 W, mais elle sera exiguë et ne comprendra que des matelas yo et une TV, les autres installations étant communes. La décoration et la propreté laissent souvent à désirer. Les meilleures chambres coûtent jusqu'à 25 000 W, mais la modicité du prix constitue leur seul intérêt.

Pensions

Séoul abrite une dizaine de pensions qui visent la clientèle des étrangers à petit budget. Elles offrent des lits en dortoir (15 000 W la nuit) et des chambres doubles (35 000 W), avec la mise à disposition d'une machine à laver, le petit déjeuner et l'accès à Internet gratuits. Elles disposent d'un salon TV et vidéo, d'une cuisine et, en règle générale, de toilettes et de douches communes. Gérées par un personnel avenant et anglophone, ces pensions sont idéales pour rencontrer d'autres voyageurs.

Séjour dans un monastère

Ce type de séjour a été inauguré pendant la Coupe du monde de football de 2002 et l'expérience se poursuit. La nuitée vaut environ 50 000 W et le séjour dure habituellement de 16h à 10h le lendemain matin.

PRIÈRE BOUDDHISTE AVANT UN REPAS

Maintenant, nous prenons notre repas qui n'a causé aucun mal aux êtres doués de sensations.

Laisse-nous méditer si notre comportement nous a fait mériter ce repas.

Laisse-nous cultiver notre âme loin de la cupidité, de la colère et de la bêtise.

Manger ce repas rendra notre esprit plus éclairé.

Les visiteurs portent la robe bouddhique et dorment dans des dortoirs non-mixtes, sur des courtepointes matelassées à même le sol. Ne vous couchez pas tard, car vous devrez vous lever à 3h pour participer à la prière des moines.

Balayer les allées, décalquer les sculptures sur pierre, se promener en montagne figurent parfois au programme, de même que la méditation, les repas au temple et la cérémonie du thé. Séjourner dans un temple constitue une expérience enrichissante, qui permet de mieux comprendre le mode de vie et les croyances des moines coréens. Pour plus de détails, contactez le **KNTO** (Organisation Nationale du Tourisme de Corée ; carte p. 96 ; ☎ 02-757 0086 ; www.knto.or.kr ; ☯ 9h-20h), à Séoul.

Pour plus de détails, reportez-vous au chapitre *Le bouddhisme coréen*, p. 51.

Yeogwan et motels

Les chambres peuvent être petites, mais elles possèdent une sdb et tout le confort : TV, magnétoscope, réfrigérateur, téléphone, eau potable, climatisation, chauffage, voire même brosses à dents, shampooing et sèche-cheveux. Elles sont dotées de lits doubles ou de matelas yo posé sur un sol de type ondol. Si vous préférez des lits jumeaux, précisez-le lors de la réservation. Sachez que les chambres simples sont souvent des chambres doubles louées sans réduction. Les propriétaires parlent rarement anglais et les établissements ne disposent pas de restaurant, de bar, de cuisine ou de buanderie. Vous n'obtiendrez qu'une chambre et, éventuellement, vous pourrez emprunter quelques vidéocassettes gratuitement (le choix se limite souvent aux films d'action ou classés X). Les yeogwan, les *jang* (auberges) et les motels sont similaires et ne facturent ni taxe ni service. Ils sont identifiés par le symbole suivant :

Le même symbole désigne les bains publics et les saunas, ce qui prête à confusion !

Si vous recherchez une chambre bon marché, optez pour un yeogwan dans un immeuble ancien. Toutefois, les yeogwan installés dans des bâtiments plus récents proposent de meilleures chambres pour seulement 5 000 W ou 10 000 W de plus. Si vous tombez sur un château de conte de fées, sachez qu'il s'agit d'un "love hotel", où des couples louent des chambres pour quelques heures. Les "love hotels" acceptent aussi les clients classiques et constituent un bon choix si vous aimez dormir dans un lit rond, tendu de draps de satin, sous un plafond constellé d'étoiles.

HEURE LOCALE

La Corée du Sud est à GMT plus 9. Lorsqu'il est 12h à Séoul, il est 4h à Paris. Consultez la carte des fuseaux horaires p. 432. La Corée ne pratique pas l'heure d'été.

HEURES D'OUVERTURE

La plupart des administrations et des bureaux du secteur privé ouvrent du lundi au vendredi de 9h à 18h et le samedi de 9h à 13h. Les administrations ferment habituellement une heure plus tôt entre novembre et février. Toutefois, la semaine de 5 jours s'installe graduellement et de moins en moins de bureaux ouvrent le samedis matin. Les offices du tourisme ouvrent habituellement tous les jours de 9h à17h et les parcs nationaux, tous les jours du lever au coucher du soleil.

Les banques ouvrent de 9h30 à 16h du lundi au vendredi. Les bureaux de poste sont ouverts du lundi au vendredi, de 9h à 18h de mars à octobre et de 9h à 17h de novembre à février. Ils ouvrent également un samedi sur deux de 9h à 12h, mais cela devrait bientôt changer.

Traditionnellement, les grands magasins ouvrent 6 jours par semaine de 10h30 à 17h30 ; le jour de fermeture varie selon les magasins. Actuellement, certains ouvrent tous les jours et quelques-uns restent ouverts jusque tard le soir. Les nouveaux centres commerciaux, qui visent une clientèle jeune, restent ouverts jusqu'à 22h. Les petites épiceries accueillent souvent les clients jusqu'à minuit, même dans les quartiers résidentiels, tandis que de nombreux commerces de proximité ouvrent 24h/24. Les boutiques ouvrent généralement tous les jours de 10h à 21h. Les agences de voyage sont fermées le dimanche.

Habituellement, les restaurants servent de 10h à 22h tous les jours. Dans les cinémas, la première séance a lieu à 11h et la dernière se termine à 23h. Quelques-uns proposent des séances plus tardives.

Les pubs et les bars ouvrent tous les jours de 18h à 24h (parfois dès 12h) et ferment plus tard les vendredis et les samedis.

Les villes coréennes connaissent une vie nocturne animée : saunas, cybercafés, salles vidéo, commerces de proximité, bars et discothèques vous accueillent toute la nuit. À Séoul, certains marchés, centres commerciaux, cinémas et restaurants font de même.

HOMOSEXUALITÉ

Bien que la Corée n'ait jamais voté de loi ouvertement discriminatoire envers les homosexuels, elle ne les accepte pas pour autant. Si la législation ne mentionne pas l'homosexualité, c'est que celle-ci est jugée tellement étrange et contraire à la nature qu'il est inconcevable d'en parler en public. Beaucoup de Coréens âgés affirment qu'il n'y a pas d'homosexuels en Corée. Les récentes tentatives de gays ou de lesbiennes pour affirmer leur préférence ont suscité des réactions hostiles, mais la situation s'améliore car les jeunes ont moins de préjugés que leurs aînés.

La plupart des Coréens homosexuels ne révèlent pas leur homosexualité à leur famille, leurs collègues de travail ou leurs amis. Les grandes villes possèdent plusieurs clubs, bars et saunas gays, mais ils restent discrets. Malgré le débat qui s'amorce, le sujet reste tabou, notamment chez les personnées âgées. Les voyageurs qui feront état de leur homosexualité susciteront des réactions de rejet et d'hostilité.

Le site www.utopia-asia.com se fait l'écho des questions gays et lesbiennes et répertorie les bars et les manifestations des grandes villes coréennes. Consultez la p. 134 pour en savoir plus sur les adresses gays du quartier Itaewon, à Séoul.

INFORMATIONS TOURISTIQUES

À Paris, l'**office national du tourisme coréen** (☎ 01 45 38 71 23, fax 01 45 38 74 71 ; www.tour2korea.com ; Tour Maine Montparnasse, BP 169, 4ᵉ étage, 75755 Paris Cedex 15) est une mine d'informations. Le personnel est accueillant et efficace et des brochures, des cartes et des calendriers des manifestations culturelles sont disponibles sur place.

À Séoul, le KNTO gère un excellent **centre d'information touristique** (carte pp. 96 ; ☎ 757 0086 ; www.knto.or.kr ; ⏰9h-18h, 9h-17h nov-fév), où un personnel serviable et bien informé vous fournira d'innombrables brochures sur chaque région. Il peut vous réserver des chambres d'hôtel et vous conseiller sur tous les sujets.

Un utile **numéro de téléphone touristique** (☎ 1330), vous relie au bureau du KTNO de Séoul. Si vous avez un téléphone portable ou si vous vous trouvez hors de Séoul, composez le ☎ 02-1330. Si vous souhaitez contacter un centre d'information touristique ailleurs, composez d'abord l'indicatif de la province/ville – par exemple, pour des informations sur le Gangwon-do, tapez le ☎ 033-1330. Comme de nombreuses régions possèdent leurs propres centres d'information touristique, vous n'aurez aucun problème pour en contacter un.

Pour en savoir plus sur les provinces et les villes, connectez-vous aux sites web suivants :

Busan – www.pusanweb.com
Chungcheongbuk-do – www.cb21.net
Chungcheongnam-do – www.chungnam.net
Daegu – www.thedaeguguide.com
Daejeon – www.metro.daejeon.kr
Gangwon-do – www.gangwon.to
Gwangju – www.gwangju.go.kr
Gyeongsangbuk-do – www.gyeongbuk.go.kr
Gyeonggi-do – www.gyeonggi.go.kr
Gyeongsangnam-do – www.gsnd.net
Incheon – www.incheon.go.kr
Jeju-do – www.cheju.go.kr
Jeollabuk-do – www.provin.jeonbuk.kr
Jeollanam-do – www.jeonnam.go.kr
Séoul – www.seoul.go.kr
Ulsan – www.ulsan.go.kr et www.theulsanweb.com

Goodwill Guides (www.goodwillguide.com) est un organisme qui fournit des guides bénévoles pour les touristes étrangers. Faites-en la demande au moins 2 semaines à l'avance. Vous ne payerez que les frais du guide, comme le transport, les billets d'entrée et les repas. Cet organisme recense 3 000 guides et c'est un excellent moyen de rencontrer un Coréen parlant français.

JOURS FÉRIÉS

Neuf jours fériés sont accordés en fonction du calendrier solaire et trois autres en fonction du calendrier lunaire ; par conséquent, tous tombent des jours différents chaque année. Du fait de l'introduction de la semaine de travail de 5 jours, le gouvernement pourrait réduire le nombre de jours fériés (en déplaçant la Fête des Enfants et le Jour de l'Arbre au samedi). Cette mesure entraînera une fréquentation accrue des sites touristiques le week-end. Les vacances scolaires ne perturbent en rien les déplacements des touristes.

Nouvel An (1er janvier) – les cloches sonnent à minuit.
Nouvel An lunaire (9 février 2005, 30 janvier 2006, 18 février 2007, 7 février 2008) – pendant les 3 jours que dure cette fête, le pays tourne au ralenti : tout le monde se rend dans sa ville natale, visite sa famille, s'incline devant ses ancêtres et savoure des gâteaux de riz et autres gourmandises. Trains et avions sont réservés plusieurs mois à l'avance et les autoroutes sont complètement embouteillées.
Jour du Mouvement d'Indépendance (1er mars) – anniversaire du soulèvement des Coréens contre le gouvernement japonais en 1919.
Jour de l'Arbre (5 avril) – plantation d'arbres pour embellir le pays.
Jour des Enfants (5 mai) – jour de fête pour les enfants qui reçoivent des monceaux de cadeaux.
Anniversaire de Bouddha (15 mai 2005, 5 mai 2006, 24 mai 2007, 12 mai 2008) – des lampions colorés décorent tous les temples bouddhiques.
Jour commémoratif des morts au champ d'honneur (6 juin) – hommage à ceux qui sont morts pour la patrie.
Jour de la Constitution (17 juillet) – commémore l'adoption de la Constitution de la République de Corée en 1948.
Jour de la Libération (15 août) – célèbre le jour de la capitulation des Japonais face aux Alliés en 1945, marquant la fin de 35 ans d'occupation.
Chuseok (fête de la Moisson ; 28 septembre 2004, 18 septembre 2005, 6 octobre 2006, 25 septembre 2007, 14 septembre 2008) – 3 jours de congé pendant lesquels les familles se réunissent, dégustent des gâteaux de riz en forme de croissant et se rendent sur la tombe de leurs ancêtres. Évitez de voyager à cette époque.
Jour de la Fondation de la Nation (3 octobre) – anniversaire de la fondation du pays (en 2333 av. J.C.) par le légendaire Tangun.
Noël (25 décembre) – le Père Noël distribue des cadeaux.

PHOTO ET VIDÉO

Les principales marques de pellicules sont vendues 4 000 W environ (36 poses, 100 ISO). Les développements, d'excellente qualité et rapides, coûtent quelque 1 000 W, plus 200 W par tirage. Peu demandées, les pellicules pour diapositives ne sont pas faciles à dénicher. Vous trouverez sans peine toutes les grandes marques d'appareils photo et vidéo, y compris les marques coréennes comme Samsung, qui concurrencent les fabricants japonais. À Séoul, Yongsan Electronics Market et Techno Mart sont les meilleurs endroits pour acheter du matériel photo et vidéo dernier cri (voir p. 139).

À part les commerçants des marchés, la police anti-émeute et les moines, la plupart des Coréens semblent se moquer d'être photographié. Toutefois, mieux vaut toujours demander avant de prendre un cliché. Ne photographiez jamais une cérémonie chamanique sans avoir obtenu l'autorisation. Dans la DMZ (zone démilitarisée), vous pouvez prendre des photos, mais suivez les conseils de votre guide pour ne pas déclencher d'incident.

POSTE

Les services postaux coréens (www.koreapost.go.kr) sont fiables et plutôt bon marché. Pour les envois nationaux, les tarifs s'élèvent à 160 W pour une carte postale, 190 W pour une lettre, 1 170 W pour une lettre en recommandé et 1 500 W pour un colis de moins de 2 kg. En temps normal, le courrier est distribué en 2 jours dans l'ensemble du pays, mais il faut compter 1 ou 2 jours de plus si l'adresse est rédigée en anglais. À l'international, quel que soit le pays, on paie 350 W pour une carte postale et 400 W pour un aérogramme. En revanche, les tarifs des lettres et des colis internationaux varient selon la destination. Les lettres par avion (10 g) valent 580 W pour la zone 3 : Amérique du Nord, Europe, Australie et Nouvelle-Zélande. Pour cette même zone, un paquet de 2 kg par avion coûtera 18 000 W. Un colis de 10 kg vaudra 86 200 W par avion et 28 000 W par bateau. Ne fermez pas votre colis si vous voulez profiter du tarif réduit qui s'appliquent aux documents imprimés. Les grands bureaux de poste disposent d'un service d'emballage (2 000 à 5 500 W) et offrent parfois un accès Internet gratuit. Séoul et les grandes villes possèdent des services de poste restante ; n'y comptez pas trop ailleurs dans le pays.

PROBLÈMES JURIDIQUES

En règle générale, la police est assez accommodante avec les voyageurs étrangers. La plupart des problèmes juridiques concernent des infractions en matière de

---

ÂGES LÉGAUX

Les femmes peuvent se marier à 16 ans et les hommes, à 18 ans. L'âge de consentement pour les relations sexuelles hors mariage est fixé à 18 ans. Pour conduire un véhicule ou voter, il faut être âgé de 20 ans, mais il est question d'accorder le droit de vote aux jeunes âgés de 18 ou 19 ans. Toute personne de moins de 20 ans ne peut ni acheter ni boire d'alcool, ni acheter ou fumer des cigarettes.

---

visa ou de drogue. En cas d'infraction de visa, la sanction se traduit normalement par une amende et une éventuelle expulsion du pays. En ce qui concerne la consommation ou la vente de drogues, réfléchissez-y à deux fois : vous risquez de passer quelques années déplaisantes dans les prisons sud-coréennes.

TÉLÉPHONE ET FAX
Cartes de téléphone

Disponibles dans les commerces de proximité et dans de nombreuses échoppes, les cartes de téléphone offrent généralement 10% de temps supplémentaire. Il existe deux types de cartes et si la vôtre ne fonctionne pas, essayez une cabine d'un autre opérateur. Quelques téléphones acceptent les cartes de crédit.

Pour les appels internationaux depuis la Corée, composez le numéro de KT (☎ 001), Dacom (☎ 002) ou Onse (☎ 008). De nombreuses cabines permettent d'appeler à l'étranger. D'autres opérateurs proposent des tarifs internationaux bien plus bas ; leurs cartes avec système de rappel sont notamment en vente à Itaewon.

Fax

Si vous souhaitez envoyer un fax, adressez-vous d'abord à votre pension, votre yeogwan ou votre hôtel. Sinon, rendez-vous à la papeterie ou à la boutique de photocopies la plus proche.

Indicatifs téléphoniques

Les 9 provinces et les 7 plus grandes villes disposent de leur propre indicatif local. Le code de la Corée du Sud est le ☎ 82. Ne composez pas le 0 des indicatifs régionaux si vous appelez de l'étranger.

Province/Ville	Code
Busan	☎ 051
Chungcheongbuk-do	☎ 043
Chungcheongnam-do	☎ 041
Daegu	☎ 053
Daejeon	☎ 042
Gangwon-do	☎ 033
Gwangju	☎ 062
Gyeonggi-do	☎ 031
Gyeongsangbuk-do	☎ 054
Gyeongsangnam-do	☎ 055
Incheon	☎ 032
Jeju-do	☎ 064
Jeollabuk-do	☎ 063
Jeollanam-do	☎ 061
Séoul	☎ 02
Ulsan	☎ 052

Téléphones portables

Si vous souhaitez utiliser votre téléphone portable, vérifiez auprès de votre opérateur si la Corée fait partie de la couverture du réseau.

On peut louer un téléphone portable à l'aéroport international d'Incheon (20 000 W de location initiale, plus de 2 000 à 4 000 W par jour). Les appels entrants sont gratuits et les appels nationaux sortants coûtent actuellement 350 W/min.

TOILETTES

Les toilettes publiques s'améliorent ; elles sont de plus en plus propres, modernes et bien indiquées. Pratiquement toutes gratuites, certaines sont décorées de fleurs et de photographies. En règle générale, l'entretien est irréprochable. Tous les sites touristiques, les parcs, les stations de métro, les gares ferroviaires et routières en possèdent. Vous en dénicherez même en montagne ! Les toilettes à la turque restent largement répandues. Emportez toujours avec vous du papier toilette, qui n'est pas systématiquement à disposition.

TRAVAILLER EN CORÉE

Vous aurez peut-être la chance de trouver un emploi d'enseignant de votre langue maternelle en Corée du Sud.

La plupart des professeurs travaillent dans une *hagwon* (école de langues privée), mais certains sont engagés par des universités ou des écoles publiques. Cours particuliers privés, cours en entreprises ou

même enseignement par téléphone sont également possibles. Dans une hagwon, vous dispensez généralement 30 heures d'enseignement par semaine, plus les cours du soir et du samedi. Si vous le souhaitez, vous pouvez aussi faire des heures supplémentaires. Toutefois, ces postes sont plus facile à trouver si vous êtes anglophone.

Si l'anglais est votre langue maternelle, vous pouvez postuler avec un diplôme obtenu dans n'importe quelle discipline. Cependant, un certificat d'enseignement vous ouvrira davantage de portes pour trouver un meilleur emploi.

Suivez les mises en garde des sites web ci-dessous avant de vous engager. N'oubliez pas que changer d'employeur implique la délivrance d'un nouveau visa de travail, qui vous obligera à quitter le pays pour le retirer au Japon.

Vous trouverez de nombreuses offres d'emploi sur Internet, notamment sur les sites suivants :

www.englishspectrum.com Propose des offres d'emploi, des informations sur le mode de vie et les conditions de travail en Corée ainsi qu'une rubrique avec des solutions d'hébergement.

www.eslcafe.com Propose un grand nombre d'offres d'emploi en Corée et d'innombrables autres annonces relatives à l'enseignement.

www.eslhub.com Présente des postes de professeurs et d'autres petites annonces.

www.eslunderground.com Propose des offres d'emploi, des petites annonces et des liens vers d'autres sites.

www.pusanweb.com Offre des emplois à Busan et dans le reste du pays – cliquez sur "community classifieds".

Bénévolat

Willing Workers on Organic Farms (WWOOF ; ☎ 723 4458 ; www.wwoofkorea.com ; KPO Box 1516, Seoul 110-601). Cette organisation répertorie environ 40 fermes et jardins maraîchers biologiques. Les bénévoles, nourris et logés, travaillent 4 à 5 heures par jour. Ils restent quelques jours ou plus longtemps, après accord de leur hôte. Pour 15 000 W, vous recevrez une liste de fermes et de vergers où vous pourrez proposer vos services. Certains agriculteurs ne parlent pas du tout anglais.

Des professeurs bénévoles sont aussi recherchés pour enseigner l'anglais 2 ou 3 heures par semaine à quelques-uns des 26 000 orphelins coréens. Consultez le site www.yheesun.com. Le simple fait de rencontrer un étranger apporte un peu de gaieté à ces enfants.

VISAS

À leur arrivée, les ressortissants de presque tous les pays occidentaux et d'une trentaine d'autres pays reçoivent une autorisation de séjour de 90 jours, s'ils sont en possession d'un billet de continuation confirmé vers une autre destination. Les ressortissants français, belges et suisses ne sont pas tenus d'obtenir un visa pour un séjour en Corée du Sud n'excédant pas 3 mois. Ils doivent néanmoins présenter un passeport en cours de validité 6 mois après la date de retour. Les Canadiens bénéficient d'un permis de séjour de 180 jours et doivent être en possession d'un passeport valide encore 6 mois après la date de retour.

Les citoyens d'une trentaine de pays, dont la Fédération de Russie, la Chine, l'Inde, les Philippines et le Nigeria, doivent faire une demande de visa de tourisme qui les autorisera à séjourner dans le pays pendant 90 jours.

À quelques rares exceptions près, comme une urgence médicale, il est impossible de prolonger son séjour au-delà de 90 jours. Si vous dépassez ce délai, vous devrez payer une amende d'au moins 100 000 W. Consultez le site www.moj.go.kr ou www.mofat.go.kr pour en savoir plus.

Les demandes de visa de travail peuvent se faire en Corée et sont traitées en une semaine. Cependant, vous devez quitter le pays pour retirer le visa. La plupart des demandeurs prennent l'avion ou le ferry à Busan jusqu'à Fukuoka, au Japon, où il faut habituellement 2 jours pour obtenir le visa. Vous pouvez aussi demander un visa de travail d'un an avant d'entrer sur le territoire coréen, mais le traitement risque de prendre quelques semaines. Sachez que les autorités voudront examiner les originaux de vos diplômes et non pas leurs photocopies.

Tant que vous travaillez pour le même employeur, vous n'avez pas besoin de quitter la Corée pour renouveler votre visa. Si vous changez d'entreprise, vous devrez refaire une demande de visa et le retirer à l'étranger.

Avant d'entreprendre un quelconque voyage hors de la Corée du Sud, vous devez obtenir un permis de ré-entrée auprès du service d'immigration local pour ne pas perdre votre visa de travail ou d'étude. Un permis de ré-entrée simple coûte 30 000 W et 50 000 W pour des entrées multiples. Ils sont gratuits pour certaines nationalités.

Si vous possédez un visa de longue durée pour travailler ou étudier en Corée, vous devrez, dans les 90 jours suivant votre arrivée, demander une carte de résident étranger qui vous coûtera 10 000 W. Elle sera établie par le service d'immigration local, qui prendra vos empreintes digitales.

VOYAGER EN SOLO

Les voyageurs solitaires sont désavantagés, car peu d'hôtels disposent de chambres simples et aucun motel n'en propose. Ils doivent s'attendre à payer autant qu'un couple, ou presque. Si votre budget est serré, mieux vaut séjourner dans les dortoirs des auberges de jeunesse, bien qu'elles ne soient pas toujours bien situées.

Un autre problème attend le voyageur en solo : de nombreux repas traditionnels, conçus pour être partagés, ne sont pas servis en portion individuelle. Trouvez un compagnon si vous souhaitez déguster un *hanjeongsik* (banquet à la mode coréenne), un *bulgogi* (bœuf mariné au barbecue), un *galbi* (côte de bœuf grillée), un *samgyeopsal* (poitrine de porc au barbecue enveloppée de laitue) ou un *jjimdak* (poulet cuit à la vapeur dans une sauce épicée).

VOYAGER SEULE

Même si la Corée est un pays sûr pour tous, y compris pour les femmes, il convient de prendre les précautions habituelles. Le culte du mâle domine la société coréenne et les visiteuses étrangères peuvent s'attendre à des débats intéressants sur l'égalité des sexes. Autre héritage du passé, on exige des femmes un comportement plus digne que celui des hommes. Ainsi, il est mal vu pour une femme de fumer, crier, afficher ses sentiments ou révéler un peu trop son anatomie. Le conservatisme et la pudibonderie du pays rappellent des temps révolus pour les Occidentaux.

Transports

DEPUIS/VERS LA CORÉE DU SUD

ENTRER EN CORÉE DU SUD

Arriver en Corée ne pose aucun problème. Vous devrez seulement remplir un formulaire si vous êtes en possession de plus de 10 000 \$US en espèces ou en chèques de voyage (voir également p. 398).

Passeport

Aucune restriction particulière ne régit l'entrée des citoyens étrangers en Corée. La plupart des visiteurs n'ont pas besoin de visa (voir la rubrique *Visas* p. 409).

VOIE AÉRIENNE
Aéroports et compagnies aériennes

L'aéroport international d'Incheon gère la majeure partie du trafic aérien international, mais le pays possède aussi 6 aéroports régionaux qui accueillent des vols internationaux, essentiellement à destination de la Chine et du Japon. Consultez le site www.airport.co.kr pour en savoir plus sur les aéroports coréens.

Korean Air et Asiana Airlines sont les compagnies aériennes nationales. Nombre d'autres compagnies desservent le pays, dont :

Aeroflot (☎ 02-551 0321, aéroport 032-744 8672 ; www.aeroflot.com
Air Canada (☎ 02-3788 0100, aéroport 032-744 0898 ; www.aircanada.ca
Air China (☎ 02-774 6886, aéroport 032-744 3256 ; www.air-china.com)
Air France (☎ 02-318 3788, aéroport 032-744 4900 ; www.airfrance.com
All Nippon Airways (☎ 02-752 5500, aéroport 032-744 3200 ; www.fly-ana.com
Asiana Airlines (☎ 02-1588 8000, aéroport 032-744 2134 ; www.flyasiana.com
Cathay Pacific Airways (☎ 02-311 2800, aéroport 032-744 6777 ; www.cathaypacific.com
China Eastern Airlines (☎ 02-518 0330, aéroport 032-744 3780 ; www.ce-air.com
China Southern Airlines (☎ 02-3455 1600, aéroport 032-744 3270 ; www.cs-air.com
Japan Airlines (☎ 02-757 1711, aéroport 032-744 3601 ; www.japanair.com
KLM Royal Dutch Airlines (☎ 02-2011 5500, aéroport 032-744 6700 ; www.klm.nl
Korean Air (☎ 02-1588 2001, aéroport 032-744 5132 ; www.koreanair.com

Lufthansa Airlines (☎ 02-3420 0400, aéroport 032-744 3400 ; www.lufthansa.com
Northwest Airlines (☎ 02-7321 2700, aéroport 032-744 6300 ; www.nwa.com
United Airlines (☎ 02-757 1691, aéroport 032-744 6666 ; www.ual.com

Billets

Étudiez attentivement les différentes propositions des compagnies aériennes et comparez leurs tarifs sur Internet afin de faire le bon choix.

Vérifiez avec votre agence de voyages si les taxes d'aéroport au départ de la Corée sont comprises dans le prix du billet, car ce point n'est pas toujours clair. Au départ de l'aéroport international d'Incheon International, la taxe, normalement incluse dans le prix du billet, s'élève à 17 000 W pour les ressortissants étrangers et à 27 000 W pour les Coréens. Les autres aéroports internationaux du pays sont moins chers, par exemple 12 000 W à Gimhae (Busan).

Les prix de billets listés ci-dessous correspondent aux tarifs de basse saison. Les tarifs au départ de la Corée peuvent augmenter de 30 à 40% en juillet-août et les promotions sont rares en haute saison.

Depuis la Belgique

Quelques adresses utiles :
Airstop (☎ 07/023 31 88 ; fax 09/268 85 49 ; www.airstop.be ; 28 rue du Fossé-aux-Loups, Bruxelles 1000).
Connections Le spécialiste belge du voyage pour les jeunes et les étudiants. Bruxelles (☎ 02/550 01 00 ; fax 02/512 94 47 ; 19-21 rue du Midi, Bruxelles 1000) ; Bruxelles (☎ 02/647 06 05 ; fax 02/647 05 64 ; 78 av. Adolphe-Buyllan, Bruxelles 1050) ; Gand (☎ 09/223 90 20 ; fax 09/233 29 13 ; 120 Nederkouter, Gand 9000) ; Liège (☎ 04/223 03 75 ; fax 04/223 08 82 ; www.connections.be; 7 rue Sœurs-de-Hasque , Liège 4000).
Éole (☎ 02/227 57 81 ; fax 2 219 90 73 ; 43 chaussée de Haecht, Bruxelles 1210).

Depuis le Canada

Le vol aller-retour Toronto-Séoul coûte un peu plus de 2 000 $C, mais des promotions l'offrent à 1 600 $C, voire moins. Adressez-vous à United Airlines ou à Air Canada. Le vol au départ de Vancouver est moins cher (environ 1 500 $C) et peut descendre à 1 200 $C.

Travel Cuts (☎ 1-866-2469762 ; www.travelcuts.com) compte parmi les plus grandes agences de voyages à prix réduits et possède des bureaux dans plus de 10 villes canadiennes. Leurs coordonnées figurent sur son site Internet.

Le vol aller-retour Séoul-Toronto coûte au minimum 850 000 W et le Séoul-Vancouver, au moins 720 000 W.

Depuis la France

Les tarifs les plus avantageux pour des vols aller-retour entre l'Europe continentale et Séoul se situent généralement autour de 750 € ; cependant, ces offres correspondent à des vols avec escale. Pour un vol direct (Air France ou Korean Air), comptez plutôt de 800 à 1 000 €.

Voici quelques adresses d'agences ou de transporteurs :
Air France (☎ 0 820 820 820 ; www.airfrance.fr ; 119 av. des Champs-Élysées, 75008 Paris)
Aeroflot (☎ 01 42 25 31 92 ; 33 av. des Champs-Élysées, 75008 Paris)
Cathay Pacific (☎ 01 41 43 75 75 ; 8 rue de l'Hôtel-de-Ville 92522 Neuilly-sur-Seine cedex)
Japan Airlines (☎ 0 810 747 700 ; www.jal.com/en/).
Korean Air (☎ 0 800 91 6000 ; 9 bd de la Madeleine, 75001 Paris)
Lufthansa (☎ 0 820 020 030)
Nouvelles Frontières (☎ 0 825 000 747 ; www.nouvelles-frontieres.fr ; nombreuses agences en France et dans les pays francophones)
Roots Travel (☎ 01 42 74 07 07, fax 01 42 74 01 01 ; www.rootstravel.com; 85 rue de la Verrerie, 75004 Paris)
Singapour Airlines (☎ 01 53 65 79 01 pour Paris ; 0 810 00 41 36 pour la province)
Voyageurs Associés Marseille (☎ 04 91 47 49 40 ; fax 04 91 47 27 68 ; 39 rue des Trois-Frères-Barthélémy, 13006 Marseille) ; Strasbourg (☎ 03 90 23 67 00 ; 7 rue de Bonnes-Gens, 67000 Strasbourg)
Voyageurs du Monde (☎ 01 42 86 16 00 ; fax 01 42 86 17 88 en indiquant votre destination ; www.vdm.com ; 55 rue Sainte-Anne, 75002 Paris)

Plusieurs agences s'adressent plus spécifiquement aux jeunes et aux étudiants :
OTU (☎ 0 820 817 817 ou 01 44 41 38 50 ; www.otu.fr ; 39 av. Georges-Bernanos, 75005 Paris)
Usit Connections (☎ 01 44 55 32 60 ; n° Indigo : 0 892 888 888 ; fax 01 44 55 32 61 ; www.usitconnections.fr ; www.usitworld.com ; 14 rue Vivienne, 75002 Paris) ; (☎ 01 42 34 56 90 ; fax 01 42 34 56 97 ; 6 rue de Vaugirard, 75006 Paris)

TRANSPORTS

TRANSPORTS

Wasteels (☎ 0 825 88 70 04 ; fax 01 43 25 46 25 ; www.voyages-wasteels.fr ; 3615 Wasteels ; 11 rue Dupuytren, 75006 Paris)

Vous pouvez aussi réserver auprès d'une agence Internet :
www.anyway.fr
www.lastminute.fr
www.ebookers.fr
www.travelprice.fr
www.sncf.com
(propose des vols et des circuits, en partenariat avec Expedia)
www.karavel.com

Depuis la Grande-Bretagne

Les agences de voyages spécialisées dans les prix réduits offrent des vols aller-retour Séoul-Londres entre 400 et 450 £. Pour cela, contactez la Lufthansa.

Londres regorge d'agences de voyages vendant des billets au rabais, dont **Trailfinders** (☎ 020-7938 3939 ; www.trailfinders.co.uk), présente dans 9 villes, et **STA Travel** (☎ 0870 160 0599 ; www.statravel.co.uk). Consultez aussi les tarifs de **WorldPlus** (www.worldplus.co.uk), une agence consacrée à l'Extrême-Orient.

Les vols aller-retour Séoul-Londres coûtent au minimum 750 000 W.

Depuis la Suisse

Quelques adresses utiles :
Jerrycan (☎ 022/346 92 82 ; fax 022/789 43 63 ; www.jerrycan-travel.ch ; 11 rue Sautter, Genève 1205)
STA Travel propose des vols à prix négociés pour les étudiants jusqu'à 26 ans et des vols charters pour tous. Lausanne (☎ 021/617 56 27 ; fax 021/616 50 77 ; 20 bd de Grancy, Lausanne 1006) ;
Genève (☎ 022/329 97 33 ; fax 022/329 50 62 ; 3 rue Vigner, Genève 1205) ;
Genève (☎ 022/818 02 00 ; fax 022/818 02 10 ; www.statravel.ch ; 10 rue de Rive, Genève 1204)
Swiss (☎ 0848 85 2000 ; www.swiss.com)

Depuis la Chine

Les vols aller-retour Beijing-Séoul commencent à 5 700 RMB et les Shanghai-Séoul, à 5 500 RMB. Des vols desservent également la Corée au départ de Shenyang, Dalian, Guangzhou, Qingdao, Yantai et Tianjin. Les 7 aéroports de Corée du Sud accueillant des vols internationaux offrent des liaisons avec des villes chinoises.

L'aller-retour Séoul-Beijing ou Shanghai commence à 390 000 W.

Depuis Hong Kong

L'aller-retour Hong Kong-Séoul vaut environ 3 500 $HK, mais des promotions peuvent le faire chuter à 2 600 $HK ; contactez Thai Airways.

Pour réserver, adressez-vous à **Phoenix Travel Services** (☎ 2722 7378 ; fax 2369 8884), dans le quartier Tsimshatsui, à Hong Kong. Elle bénéficie de bonnes critiques de la part des voyageurs.

L'aller-retour Séoul-Hong Kong commence à 300 000 W.

Depuis le Japon

Parmi les touristes étrangers en Corée, les Japonais sont les plus nombreux ; par ailleurs, un nombre croissant de Coréens se rendent au Japon, parfois juste pour le week-end. Des vols directs relient Séoul à 19 villes japonaises, mais les vols à partir de Tokyo sont habituellement les moins chers (à partir de 32 000 ¥ avec Northwest ou United Airlines). Les tarifs varient selon les saisons. Lors de la "Semaine en or" en août, ils peuvent doubler par rapport à ceux pratiqués en basse saison. Des liaisons existent également entre le Japon et les aéroports de Busan, Daegu et Jejudo.

Across Traveller's Bureau (☎ 03-3374 8721), **STA Travel** (☎ 03-5391 2922 ; www.statravel.co.jp) et **Just Travel** (☎ 03-3207 8311) disposent d'un personnel parlant anglais qui vous aidera à dénicher les meilleurs tarifs.

Les vols aller-retour Séoul-Tokyo et Séoul-Osaka coûtent au moins 250 000 W mais peuvent descendre jusqu'à 200 000 W.

VOIE MARITIME

Si vous voyagez dans le nord de l'Asie, les ferries internationaux peuvent constituer une option intéressante : depuis plusieurs ports chinois, vous pouvez prendre un ferry jusqu'à Incheon, en Corée du Sud, visiter le pays, puis embarquer sur un ferry rapide à Busan pour rejoindre le Japon. Un autre trajet en ferry permet de voyager depuis/vers la Russie *via* Sokcho, dans le Gangwon-do. Voir plus bas les détails sur les billets combinés train-ferry pour le trajet Chine-Corée du Sud-Japon.

Depuis/vers la Chine

De nombreux ferries partent de différents ports chinois pour Incheon. Même bondés, ils constituent une alternative intéressante à l'avion. Les billets les moins chers donnent droit à un mince matelas sur le sol, tandis que les plus élevés correspondent à une petite cabine, avec TV. Les enfants paient, en général, moitié prix. Certaines compagnies offrent 20% de réduction aux étudiants. Au départ d'Incheon, la taxe portuaire et la taxe de départ s'élèvent à 1 000 W chacune ; elles sont parfois comprises dans le prix du billet. Les tarifs indiqués dans le tableau ci-dessous correspondent à un aller simple. Les horaires peuvent varier. La plupart des ferries quittent Incheon depuis l'embarcadère Yeon-an, mais les bateaux plus imposants partent de l'International Ferry Terminal 2. Consultez le site www.knto.or.kr pour plus d'informations sur les ferries entre la Chine et la Corée du Sud.

Vous pouvez opter pour un forfait ferry-train entre des villes coréennes et Beijing, Shanghai, Hangzhou ou Shenyang, en Chine, *via* le ferry Incheon–Tianjin (consultez www.korail.go.kr pour plus d'informations). De Chine, des ferries desservent Gunsan, dans le Jeollabuk-do, et Mokpo, dans le Jeollanam-do, mais ils sont moins fréquents et moins pratiques.

Depuis/vers le Japon

Plusieurs lignes maritimes relient le Japon au terminal international des ferries de Busan, proche de la station de métro Jungang. Les billets combinés ferry-train coûtent 292 900 W pour le parcours Séoul–Busan–Shimonoseki–Tokyo (consultez le site www.korail.go.kr). À Busan, la taxe de départ s'élève à 1 100 W (non comprise dans le prix des billets).

Deux fois par jour, le *Beetle Jetfoil* relie Busan au quai Chuo Futoh, à Hakata (Fukuoka) en 3 heures (85 000 W depuis Busan, 13 000 ¥ depuis Hakata). Un lent ferry de nuit fait quotidiennement la traversée (14 heures 30, 75 000 W).

Voici quelques tarifs d'un aller simple sur d'autres ferries au départ de Busan :

Destination	Prix (W)	Durée (h)
Hiroshima	95 000	17
Hitakatsu	55 000	2½
Izuhara	55 000	2½
Kokura	80 000	4
Osaka	110 000	18
Shimonoseki	75 000	14

Depuis/vers la Russie

Dongchun (☎ 033-639 2632) propose 2 traversées hebdomadaires entre Zarubino, en Russie, et Sokcho, dans le Gangwon-do (18 heures). Les billets les moins chers (de 156 000 à 204 000 W l'aller simple et de 265 000 à 346 000 W l'aller-retour) donnent droit à dormir sur le sol et à utiliser des sanitaires communs. Les plus coûteux (de 216 000 à 300 000 W l'aller simple et de 367 000 à 510 000 W l'aller-retour) correspondent à une cabine à 2 ou 4 lits, avec TV et sdb. Vous pouvez ensuite prendre le Transsibérien. Toutefois, la majorité des passagers sont en voyage organisé jusqu'à Paekdusan, à la frontière chinoise/nord-coréenne. Ce forfait coûte au moins 299 000 W pour 6 nuits (1ᵉʳ mars-31 mai) ou 489 000 W pour 5 nuits (1ᵉʳ juin-30 septembre).

VOIE TERRESTRE

Avec la Corée du Nord pour voisine, la Corée du Sud est presque devenue une île. Cependant, si le Nord assouplissait sa politique isolationniste, on pourrait rejoindre le Sud par le rail et par la route, en passant parla Russie et le nord de la Chine. Une perspective malheureusement irréaliste dans l'immédiat !

VOYAGES ORGANISÉS

Plusieurs tour-opérateurs, souvent spécialisés sur l'Asie ou dans les voyages culturels, proposent des circuits en Corée du Sud. La plupart offre la possibilité de séjours à la carte, avec chauffeur et guide. Qu'il s'agisse de formules en groupe ou en individuel, les prix sont généralement élevés et descendent rarement en-dessous de 3 000 € par personne pour un séjour de 8 à 10 jours. Le catalogue d'Adeo, spécialisé dans les voyages aventures, comprend un circuit de 19 jours, relativement raisonnable, avec logement en auberges de jeunesse ou petits hôtels. Certains voyagistes se distinguent en incluant la Corée du Nord, comme la Maison de la Chine, qui propose un circuit de 16 jours sur le thème de la montagne, au Nord comme au Sud (en passant par Beijing). À noter également : Arts et vie, un voyagiste culturel, organise chaque année un départ pour le Festival du thé de Boseung, en mai. De façon générale, soyez vigilant en parcourant les brochures, car certains circuits n'incluent pas le vol international

TRANSPORTS

TRANSPORTS

ni les repas. On remarque également que peu de formules comprennent une escale sur l'île de Jeju.

Parmi les principaux tour-opérateurs proposant des circuits :
Adeo (☎ 01 43 72 80 20 ; www.adeo-voyages.com ; 11 rue Pache 75011 Paris)
Asia (☎ 01 56 88 66 00 ; www.asia.fr ; 34 rue de Lisbonne 75008 Paris)
Ariane Tours (☎ 01 45 86 88 66 ; www.ariane-tours.com ; 5 square Dunois 75013 Paris)
Arts et vie (☎ 01 40 43 20 21 ; www.artsvie.asso.fr ; 39 rue Favorite 75015 Paris)
Assinter (☎ 01 53 04 89 69 ; www.assinter.fr ; 56 rue de Londres 75009 Paris)
Hallo Japon (☎ 01 43 12 87 65 ; www.hallojapon.com ; 3 rue Scribe 75009 Paris)
Globe d'Or (☎ 01 45 88 67 87 ; www.globe-d-or.fr ; 163 rue de Tolbiac 75013 Paris)
Maison de la Chine (☎ 01 40 51 95 00 ; www.maisondelachine.fr ; 76 rue Bonaparte 75006 Paris)
Yoketai (☎ 01 45 56 58 20 ; www.atlv.net ; 15 rue Chevert 75007 Paris)
Jalpac (☎ 01 44 55 15 00 ; www.jalpak.fr ; 4 rue Ventadour 75001 Paris).

COMMENT CIRCULER

Paradis du voyageur, la Corée du Sud possède un réseau de transports publics très développé, à prix raisonnables ; avions, trains et bus express desservent les grandes villes, tandis que bus locaux, métros et taxis permettent de circuler aisément dans les cités. Les bus longue distance et locaux rallient les parcs nationaux et les villages. Les ferries empruntent de multiples itinéraires pour relier des îles.

De Séoul à Busan (444 km), le trajet revient à 18 400 W en bus ordinaire, à 27 500 W en bus de luxe et dure 5 heures 30. En train *mugunghwa* (express), comptez 22 900 W (5 heures) et en avion, 65 500 W (1 heure, mais ajoutez 1 heure 30 de l'aéroport à la ville).

AVION
Compagnies aériennes en Corée
La Corée du Sud possède 2 compagnies nationales : **Korean Air** (☎ 1588 2001 ; www.koreanair.com) et **Asiana Airlines** (☎ 1588 8000 ; www.flyasiana.com), dont les tarifs sont quasiment identiques et très abordables. Korean Air dispose du réseau le plus développé, tandis qu'Asiana assure en exclusivité la liaison Jejudo-Pohang. Les tarifs sont moins élevés du lundi au jeudi, en raison d'une fréquentation moindre. En revanche, pendant les vacances scolaires, attendez-vous à des vols plus chers et souvent complets. Enfants et étudiants bénéficient de réductions. Les étrangers doivent présenter leur passeport sur les vols intérieurs. La taxe de départ, habituellement comprise dans le prix du billet, s'élève à 4 000 W dans les aéroports nationaux (5 000 W à Incheon). Consultez la carte *Tarifs aériens nationaux en Corée du Sud*, page suivante.

Jejudo, une île méridionale très fréquentée pendant les vacances, est desservie par une douzaine d'aéroports (de 46 000 à 78 900 W, 1 heure de vol au maximum).

FERRIES ENTRE LA CORÉE DU SUD ET LA CHINE

Ferries au départ de l'embarcadère Yeon-an, à Incheon :

Destination	Téléphone	Prix (W)	Départs	Durée (h)
Dalian	032 891 7100	115 000-230 000	16h30 mar et jeu, 18h sam	17
Dandong	032 891 3222	115 000-210 000	17h lun, mer et ven	16
Shidao	032 891 8877	84 000-200 000	18h lun, mer et ven	12
Yantai	032 891 8880	110 000-336 000	18h mar, jeu et sam	14
Yingkou	032 891 5555	115 000-220 000	19h mar, 12h sam, 11h dim, 18h mer	23

Ferries au départ de l'International Ferry Terminal 2, à Incheon :

Destination	Téléphone	Prix (W)	Départs	Durée (h)
Qingdao	032 777 0490	120 000-160 000	13h lun, mer et jeu	20
Tianjin	032 863 9181	115 000-250 000	13h mar, 19h ven	24
Weihai	032 777 0490	110 000-160 000	19h mar, jeu et sam	14

TARIFS AÉRIENS NATIONAUX EN CORÉE DU SUD

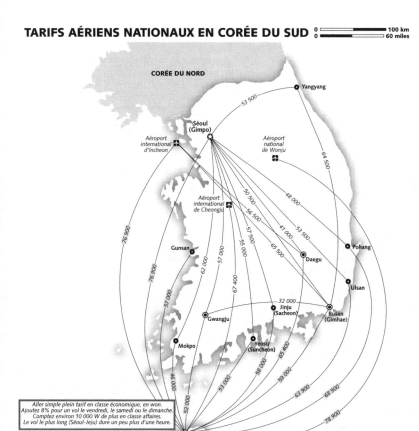

Aller simple plein tarif en classe économique, en won.
Ajoutez 8% pour un vol le vendredi, le samedi ou le dimanche.
Comptez environ 10 000 W de plus en classe affaires.
Le vol le plus long (Séoul-Jeju) dure un peu plus d'une heure.

TRANSPORTS

BATEAU

La Corée du Sud possède un excellent réseau de ferries, qui relie des centaines d'îles au continent. Pour rejoindre la grande île de Jeju, au sud, vous pouvez partir de Mokpo (à partir de 18 550 W, de 3 heures 15 à 5 heures 30), Yeosu (à partir de 18 500 W, 7 heures), Wando (à partir de 14 850 W, de 3 à 5 heures), Busan (à partir de 26 800 W, 11 heures) et Incheon (à partir de 46 000 W, de 13 à 15 heures). Sur la côte ouest, des ferries partent de l'embarcadère Yeon-an, à Incheon, vers une douzaine d'îles proches de la côte ou plus au large. D'autres îles plus méridionales sont desservies à partir de Daecheon, Gunsan et Gyeokpo. De Mokpo, Wando, Yeosu et Busan, vous accéderez aux nombreuses îles éparpillées le long de la côte sud. Ulleungdo, au large de la côte est, est accessible depuis Pohang (à partir de 51 100 W, 3 heures) et Mukho-Donghae (à partir de 42 000 W, tous les jours de mars à octobre). Des ferries sillonnent aussi deux grands lacs majestueux, Soyangho, dans le Gangwon-do, et Chungjuho, dans le Chungcheongbuk-do. Reportez-vous aux chapitres régionaux pour de plus amples informations sur ces excursions.

BICYCLETTE

Les habitudes de conduite des habitants n'incitent guère à circuler à vélo dans ce pays montagneux. Néanmoins, louer une bicyclette pour rouler sur des pistes cyclables ou effectuer un court trajet sur une route peu fréquentée reste une bonne idée (voir la rubrique *Bicyclette* de chaque ville ou région). La location d'un vélo revient à 2 000 W l'heure, mais vous pouvez obtenir une réduction si vous le louez pour la journée. Vous devrez laisser votre passeport ou une autre pièce d'identité et, à défaut, une caution. Les casques à vélo sont introuvables et nous vous conseillons d'emporter un cadenas. Faire le tour de Jejudo sera sans doute votre plus longue promenade à vélo (voir p. 289).

BUS

Des milliers de bus longue distance filent à toute allure (parfois dangereusement) jusque dans les moindres recoins du pays.

Similaires, les bus express et interurbains utilisent souvent des gares routières différentes, mais voisine. Sur les autoroutes, une voie est réservée aux bus le week-end afin de faciliter la circulation. Les bus sont toujours très ponctuels et desservent plus de destinations que les trains. Cependant ils ne sont ni aussi sûrs, ni aussi confortables. Pour un long trajet, privilégiez le train.

Si vous empruntez les bus locaux, écrivez votre destination sur un carton en grands caractères *hangeul* car les chauffeurs ont souvent du mal à comprendre la prononciation des étrangers.

Classes

Les bus de catégorie supérieure possèdent 3 sièges par rangée au lieu de 4, coûtent 50% plus cher que les bus ordinaires et sont de plus en plus répandus. Les bus qui circulent après 22h appartiennent généralement à cette catégorie et appliquent une surtaxe de 10%.

Tarifs

Reportez-vous à la p. 141 pour des exemples de tarifs.

Réservations

Les bus sont tellement fréquents qu'il est inutile d'acheter son billet à l'avance, sauf peut-être pendant les vacances et les week-ends. Vous pouvez réserver à la gare routière de départ.

VOITURE ET MOTO
Transport de véhicule

Contactez les douanes (www.customs.go.kr) pour vous renseigner sur les formalités d'importation de votre véhicule, mais attendez-vous à des difficultés pour obtenir des renseignements précis, car ce cas se présente rarement. Presque toutes les voitures qui circulent dans le pays sont de fabrication coréenne, à l'exception de quelques véhicules de luxe. Réparer et trouver des pièces détachées pour une voiture importée est quasiment impossible . En revanche, vous n'aurez aucun problème pour remplir votre réservoir.

Permis de conduire

Les conducteurs doivent être en possession d'un permis de conduire international, à se procurer avant le départ. Au bout d'un an dans le pays, on peut obtenir un permis coréen.

Location

Les voyageurs qui souhaitent louer une voiture doivent être âgés de 21 ans au moins et posséder un permis de conduire international. Comptez au minimum 35 000 W pour une Tico, 46 000 W pour une Accent et 55 000 W pour une Sonata. Certaines voitures peuvent se louer pour 6 heures. On peut aussi louer une voiture avec chauffeur pour 144 000 W par jour (10 heures). Des comptoirs de location de voiture sont installés à l'aéroport international d'Incheon. Consultez les offres de Kumho-Hertz sur le site www.kumhorent.com. Vous ne trouverez pas de moto à louer.

Assurance

L'assurance, obligatoire, est comprise dans les contrats de location. Les risques d'accident restent élevés ; prenez le plus de garanties possibles.

État des routes

La Corée détient un triste record en matière d'accidents de la route. Dans les grandes villes, les conducteurs étrangers risquent de passer une bonne partie de leur temps à chercher leur route ou une place de parking, à moins d'être bloqués dans les embouteillages. Impatients et peu attentifs, les conducteurs coréens sont plutôt dangereux. Rouler dans les régions rurales ou sur l'île de Jeju se révèle plus agréable. Toutefois, les transports publics sont tellement bien développés que peu de visiteurs prennent le volant.

Code de la route

La circulation se fait à droite. Le conducteur et les passagers doivent boucler leur ceinture de sécurité. Une forte amende sanctionne la conduite en état d'ivresse et les radars sont aussi répandus que le *kimchi*. Les victimes d'accidents de la route sont souvent grassement indemnisés par les conducteurs, qui ne souhaitent pas passer devant un tribunal.

EN STOP

Quel que soit le pays, accepter de monter dans une voiture en stop comporte toujours un risque. Par ailleurs, ce mode de locomotion ne fait pas partie des coutumes locales et il n'existe aucun panneau particulier pour le signaler. La Corée étant un pays relativement sûr, vous pouvez cependant lever le pouce au bord de la route si jamais vous êtes bloqué dans un endroit isolé. Il y a de fortes chances que quelqu'un s'arrête et fasse même un détour pour vous aider. En temps normal, les bus, très abordables, sont suffisamment fréquents (même à la campagne) pour vous éviter de recourir au stop.

TRANSPORTS LOCAUX
Bus

Les bus urbains sont nombreux et peu chers. Moins fréquents, ceux qui desservent les campagnes circulent toutes les demi-heures ou toutes les heures. Le problème consiste plutôt à prendre le bon bus, car les horaires, les destinations sur les véhicules et les noms des arrêts sont rarement inscrits en anglais. Écrire sa destination sur un carton en grands caractères hangeul peut être à la fois utile et amusant. Les centres d'information touristique locaux disposent souvent d'un personnel anglophone et sont les meilleurs endroits pour se renseigner sur les itinéraires des bus.

Dans un bus ordinaire, avec peu de sièges (et beaucoup de places debout), le billet vaut environ 800 W, tandis que dans les bus dités de rangées de sièges confortables, qui marquent moins d'arrêts, vous paierez environ 1 400 W. Les prix sont fixes, quelle que soit la distance parcourue. Déposez l'argent dans la boîte en verre située à côté du conducteur. Munissez-vous de billets de 1 000 W car les machines ne rendent que des pièces. Si vous ne disposez que d'un billet de 10 000 W, tentez de l'échanger auprès des autres passagers.

Métro

Séoul, Busan, Daegu et Incheon possèdent un réseau de métro. Gwangju et Daejeon ouvriront le leur prochainement. Bon marché et pratiques, les métros disposent d'indications en coréen et en anglais.

Taxi

Nombreux presque partout dans le pays, les taxis sont souvent moins chers que les bus pour un court trajet si vous partagez la course à deux. D'une région à l'autre, les tarifs varient légèrement. En ville, ils sont équipés d'un compteur et le pourboire ne fait pas partie des coutumes locales ; certains chauffeurs insistent même pour rendre la monnaie.

Pour les deux premiers kilomètres, les taxis ordinaires *(ilban)* facturent environ 1 600 W, tandis que les taxis de luxe *(mobeom)*, noirs avec une bande jaune, coûtent environ 4 000 W pour les trois premiers kilomètres. Sachez que les compteurs fonctionnent sur une base de temps lorsque le véhicule est bloqué dans les embouteillages. Après minuit, les taxis ordinaires appliquent une majoration de 20%, contrairement aux taxis de luxe. Comme peu de chauffeurs parlent anglais, il vaut mieux écrire votre destination en caractères hangeul. Les péages d'autoroute s'ajoutent au prix de la course. À la campagne, entendez-vous d'abord sur le prix, car les taxis locaux imposent parfois des suppléments ou un tarif fixe pour des lieux isolés, où ils ne trouveront pas de client pour le trajet retour. Quelques taxis, surnommés "taxis éclairs" *(chongal)* car les chauffeurs roulent à toute vitesse, stationnent dans les sites touristiques reculés ou près des gares routières, lorsque les bus ont terminé leur service. Négociez le prix avant de partir.

TRAIN

La Corée du Sud possède un excellent réseau ferroviaire, géré par par la **Korea National Railroad** (☎ 1544 7788 ; www.korail.go.kr). Les trains sont propres, sûrs, ponctuels et peu chers. Chaque gare est indiquée en coréen et en anglais. On ne peut pas fumer dans les compartiments, mais on peut griller une cigarette au bout du wagon. Parfaits pour un long trajet, les trains *mugunghwa* coûtent moins chers que les bus de luxe. Une ligne de TGV reliant Séoul à Daejeon a été mise en service début 2004 ; elle doit être prolongée

TRANSPORTS

jusqu'à Busan d'ici 2008, réduisant ainsi de moitié le temps de trajet. Comme en France, le TGV peut circuler à plus de 300 km/h. Des pourparlers sur la réouverture des lignes ferroviaires entre la Corée du Nord et la Corée du Sud sont entamés ou interrompus au fil des incidents, diplomatiques ou autres, qui froissent ou satisfont le gouvernement nord-coréen. Si la ligne était remise en service, on pourrait se rendre en train de Paris à Séoul – mais ce n'est actuellement qu'un rêve lointain !

Catégories

Il existe 3 catégories de trains : les plus rapides et les plus luxueux sont les *saemaeul*, qui ne desservent que les grandes villes. Les *mugunghwa*, presque aussi confortables et rapides, marquent plus d'arrêts. Les *tongil*, les moins chers, s'arrêtent à toutes les gares. Peu fréquents, ils circulent uniquement sur certains itinéraires et tendent à disparaître. Les saemaeul disposent d'une voiture-restaurant. Dans les mugunghwa, un vendeur ambulant propose des *gimbap* (sushi à la mode coréenne), des paniers-repas et des en-cas.

Tarifs

Le saemaeul coûte presque 50% de plus que le mugunghwa, lui-même 80% plus cher que le tongil. Un billet de 1re classe (inexistante dans les tongil) est majoré de 30%. Du mardi au jeudi, les prix baissent de 15% et les billets sans réservation

(ipseokpyo) sont réduits de 15 à 30% selon la longueur du voyage. Avec ce type de billet, vous pouvez vous asseoir à n'importe quelle place inoccupée. Les enfants voyagent à moitié prix. Reportez-vous à la p. 141 pour quelques exemples de tarifs.

Réservations

Le système de réservation ferroviaire est informatisé, ce qui permet d'acheter son billet jusqu'à un mois à l'avance dans une agence de voyages ou une gare. Les trains étant moins nombreux que les bus, mieux vaut réserver, surtout pour le week-end, les vacances et les jours fériés.

Forfaits ferroviaires

Sachant que l'on peut traverser le pays pour quelque 20 $US, à moins de vouloir passer toutes ses vacances dans le train, acheter un forfait ne présente pas grand intérêt. Mieux vaut utiliser les différents modes de transport.

Les étrangers peuvent se procurer un KR Pass auprès des agences de voyages de leur pays, notamment STA Travel, ou sur le site Internet de Korea National Railroads (www.korail.go.kr). Il offre des trajets illimités pendant 3/5/7/10 jours consécutifs pour 47/70/89/102 $US. Vous pouvez aussi sélectionner des jours sur une période d'un mois. Les couples ou les groupes bénéficient d'une réduction de 10%. Les étudiants de moins de 25 ans se voient accorder 20% de remise.

Santé

Un guide sur la santé peut s'avérer utile. *Les Maladies en voyage*, du Dr Éric Caumes (Points Planète), *Voyages internationaux et santé*, de l'Organisation mondiale de la santé (OMS), et *Saisons et climats*, de Jean-Noël Darde (Balland) sont d'excellentes références.

Ceux qui lisent l'anglais pourront se procurer *Healthy Travel Asia & India*, de Lonely Planet Publications. Mine d'informations pratiques, cet ouvrage renseigne sur la conduite à tenir en matière de santé en voyage.

AVANT LE DÉPART

ASSURANCES ET SERVICES MÉDICAUX

Il est conseillé de souscrire à une police d'assurance qui vous couvrira en cas d'annulation de votre voyage, de vol, de perte de vos affaires, de maladie ou encore d'accident. Les assurances internationales pour étudiants sont en général d'un bon rapport qualité/prix. Lisez avec la plus grande attention les clauses en petits caractères : c'est là que se cachent les restrictions.

Vérifiez notamment que les "sports à risques", comme la plongée, la moto ou même la randonnée ne sont pas exclus de votre contrat, ou encore que le rapatriement médical d'urgence, en ambulance ou en avion, est couvert. De même, le fait d'acquérir un véhicule dans un autre pays ne signifie pas nécessairement que vous serez protégé par votre propre assurance.

Vous pouvez contracter une assurance qui réglera directement les hôpitaux et les médecins, vous évitant ainsi d'avancer des sommes qui ne vous seront remboursées qu'à votre retour. Dans ce cas, conservez avec vous tous les documents nécessaires.

Attention ! Avant de souscrire une police d'assurance, vérifiez bien que vous ne bénéficiez pas déjà d'une assistance par votre carte de crédit, votre mutuelle ou votre assurance automobile.

Quelques conseils

Assurez-vous que vous êtes en bonne santé avant de partir. Si vous prévoyez un long voyage, faites contrôler l'état de vos dents. Nombreux sont les endroits où l'on ne souhaiterait pas une visite chez le dentiste à son pire ennemi.

Si vous suivez un traitement de façon régulière, n'oubliez pas votre ordonnance (avec le nom du principe actif plutôt que la marque du médicament, afin de pouvoir trouver un équivalent local, le cas échéant. De plus, l'ordonnance vous permettra de prouver que le traitement est légalement prescrit, des médicaments en vente libre dans certains pays ne l'étant pas dans d'autres.

Attention aux dates limites d'utilisation et aux conditions de stockage, parfois mauvaises. Il arrive également que l'on trouve, dans des pays en développement, des produits interdits en Occident.

VACCINS

Plus vous vous éloignez des circuits classiques, plus il faut prendre vos précautions. Il est important de faire la différence entre les vaccins recommandés lorsque l'on voyage dans certains pays et ceux obligatoires. Au cours des dix dernières années, le nombre de vaccins inscrits au registre du Règlement sanitaire international a beaucoup diminué. Seul le vaccin contre la fièvre jaune peut encore être exigé pour passer une frontière, parfois seulement pour les voyageurs qui viennent de régions contaminées. Faites inscrire vos vaccinations dans un carnet international de vaccination que vous vous procurerez auprès de votre médecin ou d'un centre.

SANTÉ

SANTÉ

VACCINS RECOMMANDÉS

Aucun vaccin n'est obligatoire en Corée ; les suivants sont cependant recommandés :

Maladie	Durée du vaccin	Précautions
Encéphalite japonaise	2 ans	Recommandé pour un long séjour en Corée
Hépatite virale A	5 ans (environ)	Il existe un vaccin combiné hépatite A et B qui s'administre en 3 injections. La durée effective de ce vaccin ne sera pas connue avant quelques années.
Hépatite virale B	10 ans (environ)	
Méningite	4 ans (environ)	En cas d'épidémie en Corée du Nord
Rage	sans	Non indiquée pour le voyageur ordinaire
Rougeole	toute la vie	Indispensable chez l'enfant
Tétanos et poliomyélite	10 ans	Fortement recommandé
Tuberculose	toute la vie	Recommandé pour la Corée du Nord
Typhoïde	3 ans	Recommandé si vous voyagez dans des conditions d'hygiène médiocres

---

Planifiez vos vaccinations à l'avance (au moins 6 semaines avant le départ), car certaines demandent des rappels ou sont incompatibles entre elles. Même si vous avez été vacciné contre plusieurs maladies dans votre enfance, votre médecin vous recommandera peut-être des rappels contre le tétanos ou la poliomyélite. Les vaccins ont des durées d'efficacité très variables ; certains sont contre-indiqués pour les femmes enceintes.

Voici les coordonnées de quelques centres de vaccination à Paris :

Hôtel-Dieu Vaccins obligatoires en France : centre gratuit de l'Assistance publique (☎ 01 42 34 84 84), 1 parvis Notre-Dame, 75004 Paris. Vaccins pour les voyageurs : centre payant (☎ 01 45 82 90 26), 15-17 rue Charles Bertheau, 75013 Paris.

Assistance publique voyages, service payant de l'hôpital de la Pitié-Salpêtrière (☎ 01 45 85 90 21), 47 bd de l'Hôpital, 75013 Paris.

Institut Pasteur (☎ 01 45 68 81 98), 209 rue de Vaugirard, 75015 Paris.

Air France, centre de vaccination (☎ 01 43 17 22 00), aérogare des Invalides, 2 rue Robert Esnault Pelterie, 75007 Paris.

Il existe de nombreux centres en province, en général liés à un hôpital ou un service de santé municipal. Pour en obtenir la liste en France, connectez-vous sur le site Internet www.dfae.diplomatie.fr, du ministère des Affaires étrangères.

SANTÉ SUR INTERNET

Il existe de très bons sites Internet consacrés à la santé en voyage. Avant de partir, consultez les conseils en ligne du ministère des Affaires étrangères (http://www.france.diplomatie.fr/voyageurs/etrangers/avis/conseils/default2.asp) ou le site très complet du ministère de la Santé (www.sante.gouv.fr). Pour les maladies rares, vous trouverez des informations sur le site www.orpha.net, une encyclopédie en ligne rédigée par des experts européens. Le site de Lonely Planet (www.lonelyplanet.fr) offre plusieurs liens à la rubrique *Ressources*.

PENDANT LE VOYAGE

THROMBOSES VEINEUSES PROFONDES

Les trajets en avion, principalement du fait d'une immobilité prolongée, favorisent parfois la formation de caillots sanguins dans les jambes (thrombose veineuse profonde, ou TVP). Le risque est d'autant plus élevé que le vol est long. Ces caillots se résorbent le plus souvent sans autre incident, mais il arrive qu'ils se rompent et migrent à travers les vaisseaux sanguins jusqu'aux poumons, risquant alors de provoquer de graves complications.

Généralement, le principal symptôme est un gonflement ou une douleur du pied, de la cheville ou du mollet d'un seul côté, mais pas toujours. La migration d'un caillot vers les poumons se traduit éventuellement par une douleur à la poitrine et des difficultés respiratoires. Tout voyageur qui remarque l'un de ces symptômes doit aussitôt réclamer une assistance médicale.

Pour prévenir le développement de thrombose veineuse profonde durant un vol long-courrier, buvez en abondance des boissons non alcoolisées, évitez de fumer, pratiquez des compressions isométriques sur les muscles des jambes (c'est-à-dire faites jouer les muscles de vos jambes lorsque vous êtes assis) et levez-vous de temps à autre pour marcher dans la cabine. Portez à la rigueur des chaussettes de contention.

MAL DES TRANSPORTS

Pour réduire les risques, mangez légèrement avant et pendant le voyage. Si vous êtes sujet à ces malaises, essayez de trouver un siège dans une partie du véhicule où les oscillations sont moindres : près de l'aile dans un avion, au centre sur un bateau et dans un bus. Évitez de lire et de fumer. Tout médicament doit être pris avant le départ ; une fois que vous vous sentez mal, il est trop tard.

EN CORÉE

SERVICES MÉDICAUX

La Corée du Sud est un pays plutôt bien développé, ce que reflète la qualité des soins prodigués. Excellents à Séoul, les services médicaux n'atteignent cependant pas les standards occidentaux dans les régions rurales.

Accablée par la misère, la Corée du Nord possède une infrastructure médicale insuffisante dans tout le pays, y compris à Pyongyang. Les pénuries de médicaments courants et de denrées alimentaires sont un problème récurrent.

À Séoul, nous recommandons le **Samsung Medical Center and International Health Service** (☎ 822-3410 0200 ; 50 Ilwon-Dong, Kangnam-Ku), un hôpital public.

MÉDECINE TRADITIONNELLE ET POPULAIRE

La médecine traditionnelle coréenne, dite orientale, s'inspire de la médecine traditionnelle chinoise. Malgré cette forte influence, elle a développé ses propres méthodes de diagnostic et de traitement. L'acupuncture et les herbes médicinales sont largement utilisées.

SANTÉ

DÉCALAGE HORAIRE

Les malaises liés au voyage en avion apparaissent généralement après la traversée de trois fuseaux horaires (chaque zone correspond à un décalage d'une heure). Plusieurs fonctions de notre organisme – dont la régulation thermique, les pulsations cardiaques, le travail de la vessie et des intestins – obéissent en effet à des cycles internes de 24 heures, qu'on appelle rythmes circadiens. Lorsque nous effectuons un long parcours en avion, le corps met un certain temps à s'adapter à la "nouvelle" heure de notre lieu de destination – ce qui se traduit souvent par des sensations d'épuisement, de confusion, d'anxiété, accompagnées d'insomnie et de perte d'appétit. Ces symptômes disparaissent généralement au bout de quelques jours, mais on peut en atténuer les effets moyennant quelques précautions :

▓ Efforcez-vous de partir reposé. Autrement dit, organisez-vous : pas d'affolement de dernière minute, pas de courses échevelées pour récupérer passeport ou chèques de voyage. Évitez aussi les soirées prolongées avant d'entreprendre un long voyage aérien, et si vous le pouvez, essayez de vous préparer en vous mettant progressivement au rythme du pays.

▓ À bord, évitez les repas trop copieux (ils gonflent l'estomac !) et l'alcool (qui déshydrate). Veillez à boire beaucoup – des boissons non gazeuses, non alcoolisées, comme l'eau et les jus de fruits.

▓ Abstenez-vous de fumer pour ne pas appauvrir les réserves d'oxygène ; ce serait un facteur de fatigue supplémentaire.

▓ Portez des vêtements amples, dans lesquels vous vous sentez à l'aise ; un masque oculaire et des bouchons d'oreille vous aideront peut-être à dormir.

SANTÉ

AVERTISSEMENT

La santé en voyage dépend du soin avec lequel on prépare le départ et, sur place, de l'observance d'un minimum de règles quotidiennes. Les risques sanitaires sont généralement faibles si une prévention minimale et les précautions élémentaires d'usage ont été envisagées avant le départ.

La médecine *sasang*, spécifiquement coréenne, classe les individus en quatre groupes (*taeyangin, taeumin, soyangin* et *soeumin*), selon leur constitution physique, et les traite différemment. La "médecine fusion", qui associe médecines traditionnelle et occidentale, rencontre un succès croissant auprès des Coréens. À Séoul, l'Organisation mondiale de la santé possède plusieurs laboratoires de recherche spécialisés dans la médecine traditionnelle.

Attention, "naturel" ne signifie pas forcément "sans danger". Il peut y avoir des interactions médicamenteuses entre les herbes médicinales et les médicaments occidentaux. Si vous avez recours aux deux systèmes, informez chaque praticien des prescriptions de son confrère.

PRÉCAUTIONS ÉLÉMENTAIRES

Faire attention à ce que l'on mange et à ce que l'on boit est la première des précautions. Les troubles gastriques et intestinaux sont fréquents, même si la plupart du temps ils restent sans gravité. Ne soyez cependant pas paranoïaque et ne vous privez pas de goûter la cuisine locale, cela fait partie du voyage. N'hésitez pas également à vous laver les mains fréquemment.

Brossez-vous les dents avec de l'eau traitée. On peut attraper des vers en marchant pieds nus ou se couper dangereusement sur du corail. Demandez conseil aux habitants du pays où vous vous trouvez : s'ils vous disent qu'il ne faut pas se baigner à cause des méduses, des crocodiles ou de la bilharziose, suivez leur avis.

Eau

En dehors des grandes villes, évitez l'eau du robinet (même sous forme de glaçons). Préférez les eaux minérales et les boissons gazeuses, tout en vous assurant que les bouteilles sont décapsulées devant vous.

Évitez les jus de fruits, souvent allongés à l'eau. Attention au lait, rarement pasteurisé. Pas de problème pour le lait bouilli et les yaourts. Thé et café, en principe, sont sûrs, puisque l'eau doit bouillir.

Pour stériliser l'eau, la meilleure solution est de la faire bouillir durant 15 min. N'oubliez pas qu'à haute altitude elle bout à une température plus basse et que les germes ont plus de chance de survivre.

Un simple filtrage peut être très efficace mais n'éliminera pas tous les micro-organismes dangereux. Aussi, si vous ne pouvez faire bouillir l'eau, traitez-la chimiquement. Le Micropur (vendu en pharmacie), on son équivalent, tuera la plupart des germes pathogènes.

Problèmes de santé et traitement

Les éventuels ennuis de santé se répartissent en plusieurs catégories. Tout d'abord, les problèmes liés au climat, à la géographie, aux températures extrêmes, à l'altitude ou aux transports ; puis les maladies dues au manque d'hygiène ; celles véhiculées par les animaux ou les hommes ; enfin, les celles transmises par les insectes. De simples coupures, morsures ou égratignures sont parfois source de problèmes.

L'autodiagnostic et l'autotraitement sont risqués ; aussi, chaque fois que cela est possible, adressez-vous à un médecin. Ambassades et consulats pourront en général vous en recommander un. Les hôtels cinq-étoiles également, mais les honoraires risquent aussi d'être cinq-étoiles (utilisez votre assurance).

AFFECTIONS LIÉES À L'ENVIRONNEMENT
Coup de chaleur

Cet état grave, parfois mortel, survient quand le mécanisme de régulation thermique du corps ne fonctionne plus : la température s'élève alors de façon dangereuse. De longues périodes d'exposition à des températures élevées peuvent vous rendre vulnérable au coup de chaleur. Évitez l'alcool et les activités fatigantes lorsque vous arrivez dans une région à climat chaud.

Symptômes : malaise général, transpiration faible ou inexistante et forte fièvre (39 à 41°C). Là où la transpiration a cessé, la peau devient rouge. La personne qui souffre d'un coup de chaleur est atteinte d'une céphalée lancinante et éprouve des difficultés à coordonner ses mouvements ; elle peut aussi donner des signes de confusion mentale ou d'agressivité. Enfin, elle délire et est en proie à des convulsions. Il faut absolument hospitaliser le malade. En attendant les secours, installez-le à l'ombre, ôtez-lui ses vêtements, couvrez-le d'un drap ou d'une serviette mouillés et éventez-le continuellement.

Coup de soleil

Si vous vous exposez au soleil, utilisez un écran solaire et pensez à couvrir les endroits habituellement protégés, les pieds par exemple. Si les chapeaux fournissent une bonne protection, n'hésitez pas à appliquer également un écran total sur le nez et les lèvres. Les lunettes de soleil s'avèrent souvent indispensables.

Froid

L'excès de froid est aussi dangereux que l'excès de chaleur, surtout lorsqu'il provoque une hypothermie. Si vous faites une randonnée en haute altitude ou, plus simplement, un trajet de nuit en bus dans la montagne, prenez vos précautions. Pensez à toujours être équipé contre le froid, le vent et la pluie, même pour une promenade.

L'hypothermie a lieu lorsque le corps perd de la chaleur plus vite qu'il n'en produit et que sa température baisse. Le passage d'une sensation de grand froid à un état dangereusement froid est étonnamment rapide quand vent, vêtements humides, fatigue et faim se combinent, même si la température extérieure est supérieure à zéro. Le mieux est de s'habiller par couches : soie, laine et certaines fibres synthétiques nouvelles sont tous de bons isolants. N'oubliez pas de prendre un chapeau, car on perd beaucoup de chaleur par la tête. La couche supérieure de vêtements doit être solide et imperméable, car il est vital de rester au sec. Emportez du ravitaillement de base comprenant des sucres rapides, qui génèrent rapidement des calories, et des boissons en abondance.

Symptômes : fatigue, engourdissement, en particulier des extrémités (doigts et orteils), grelottements, élocution difficile, comportement incohérent ou violent, léthargie, démarche trébuchante, vertiges,

TROUSSE MÉDICALE DE VOYAGE

Veillez à emporter avec vous une petite trousse à pharmacie (nous vous conseillons de la placer en soute) contenant quelques produits indispensables. Certains objets et remède ne sont délivrés que sur ordonnance médicale.

- des **antibiotiques**, à utiliser uniquement aux doses et périodes prescrites, même si vous avez l'impression d'être guéri avant. Chaque antibiotique soigne une affection précise : ne les utilisez pas au hasard. Cessez immédiatement le traitement en cas de réactions graves

- un **antidiarrhéique** et un **réhydratant**, en cas de forte diarrhée, surtout si vous voyagez avec des enfants

- un **antihistaminique** en cas de rhumes, allergies, piqûres d'insectes, mal des transports – évitez de boire de l'alcool

- un **antiseptique** ou un désinfectant pour les coupures, les égratignures superficielles et les brûlures, ainsi que des pansements gras pour les brûlures

- de l'**aspirine** ou du **paracétamol** (douleurs, fièvre)

- une **bande Velpeau** et des **pansements** pour les petites blessures

- une **paire de lunettes de secours** (si vous portez des lunettes ou des lentilles de contact) et la copie de votre ordonnance

- un **produit contre les moustiques**, un **écran total**, une **pommade** pour les piqûres et les coupures et des **comprimés pour stériliser l'eau**

- une **paire de ciseaux** à bouts ronds, une **pince à épiler** et un **thermomètre à alcool**

- une petite trousse de **matériel stérile** comprenant une seringue, des aiguilles, du fil à suture, une lame de scalpel et des compresses

- des **préservatifs**

crampes musculaires et explosions soudaines d'énergie. La personne atteinte d'hypothermie peut déraisonner au point de prétendre qu'elle a chaud et de se dévêtir.

SANTÉ

Pour soigner l'hypothermie, protégez le malade du vent et de la pluie, enlevez-lui ses vêtements s'ils sont humides et habillez-le chaudement. Donnez-lui une boisson chaude (pas d'alcool) et de la nourriture très calorique, facile à digérer. Cela devrait suffire pour les premiers stades de l'affection. Néanmoins, si l'état s'aggrave, couchez le malade dans un sac de couchage chaud. Il ne faut ni le frictionner, ni le placer près d'un feu ni lui changer ses vêtements dans le vent. Si possible, faites-lui prendre un bain chaud (pas brûlant).

Insolation

Une exposition prolongée au soleil peut provoquer une insolation. Symptômes : nausées, peau chaude, maux de tête. Dans ce cas, il faut rester dans le noir, appliquer une compresse d'eau froide sur les yeux et prendre de l'aspirine.

Pollution atmosphérique

La pollution atmosphérique, en particulier celle causée par les gaz d'échappement, est un problème de plus en plus préoccupant à Séoul. Si vous souffrez d'une grave insuffisance respiratoire, consultez votre médecin avant de vous rendre dans des métropoles à l'air fortement pollué. Cette pollution peut provoquer des problèmes respiratoires bénins, une sinusite, la gorge sèche ou une irritation des yeux. En cas de gêne, quittez la ville quelques jours pour aller respirer un air plus pur.

Maladies infectieuses et parasitaires
BILHARZIOSES

Les bilharzioses sont des maladies dues à des vers qui vivent dans les vaisseaux sanguins et dont les femelles viennent pondre leurs œufs à travers la paroi des intestins ou de la vessie.

On se contamine en se baignant dans les eaux douces (rivières, ruisseaux, lacs et retenues de barrage) où vivent les mollusques qui hébergent la forme larvaire des bilharzies. Juste après le bain infestant, on peut noter des picotements ou une légère éruption cutanée à l'endroit où le parasite est passé à travers la peau. Quatre à douze semaines plus tard, apparaissent une fièvre et des manifestations allergiques. En phase chronique, les symptômes principaux sont des douleurs abdominales et une diarrhée, ou la présence de sang dans les urines.

Si par mégarde ou par accident, vous vous baignez dans une eau infectée (même les eaux douces profondes peuvent l'être), séchez-vous vite et séchez aussi vos vêtements. Consultez un médecin si vous êtes inquiet. Les premiers symptômes de la bilharziose peuvent être confondus avec ceux du paludisme ou de la typhoïde.

DIARRHÉE

De 10 à 20 % des touristes qui visitent la Corée du Sud souffrent à un moment d'une diarrhée. Ce pourcentage atteint de 40 à 60 % en Corée du Nord. Le changement de nourriture, d'eau ou de climat suffit à la provoquer ; si elle est causée par des aliments ou de l'eau contaminés, le problème est plus grave. En dépit de toutes vos précautions, vous aurez peut-être la "turista", mais quelques visites aux toilettes sans aucun autre symptôme n'ont rien d'alarmant. La déshydratation est le danger principal lié à toute diarrhée, particulièrement chez les enfants. Ainsi le premier traitement consiste à boire beaucoup : idéalement, il faut mélanger huit cuillerées à café de sucre et une de sel dans un litre d'eau. Sinon, du thé noir léger, peu sucré, des boissons gazeuses qu'on laisse se dégazéifier et qu'on dilue à 50% avec de l'eau purifiée, sont à recommander. En cas de forte diarrhée, il faut prendre une solution réhydratante pour remplacer les sels minéraux. Quand vous irez mieux, continuez à manger légèrement. Les antibiotiques peuvent être utiles dans le traitement de diarrhées très fortes, en particulier si elles sont accompagnées de nausées, de vomissements, de crampes d'estomac ou d'une fièvre légère. Trois jours de traitement sont généralement suffisants, et on constate normalement une amélioration dans les 24 heures. Toutefois, lorsque la diarrhée persiste au-delà de 48 heures ou s'il y a présence de sang dans les selles, il est préférable de consulter un médecin.

DIPHTÉRIE

Rarissime en Corée du Sud, elle prend deux formes : celle d'une infection cutanée ou celle d'une infection de la gorge, plus dangereuse. On l'attrape au contact de poussière contaminée, ou en inhalant des postillons d'éternuements ou de toux de personnes contaminées. Pour prévenir l'infection cutanée, il faut se laver souvent et bien sécher la peau. Il existe un vaccin contre l'infection de la gorge.

DYSENTERIE

Affection grave, due à des aliments ou de l'eau contaminés, la dysenterie se manifeste par une violente diarrhée, souvent accompagnée de sang ou de mucus dans les selles. On distingue deux types de dysenterie : la dysenterie bacillaire se caractérise par une forte fièvre et une évolution rapide ; maux de tête et d'estomac, ainsi que vomissements en sont les symptômes ; elle dure rarement plus d'une semaine mais elle est très contagieuse. La dysenterie amibienne, quant à elle, évolue plus graduellement, sans fièvre ni vomissements, mais elle est plus grave : elle dure tant qu'elle n'est pas traitée, peut réapparaître et causer des problèmes de santé à long terme. Une analyse des selles est indispensable pour diagnostiquer le type de dysenterie. Il faut donc consulter rapidement.

GIARDIASE

Rare en Corée du Sud, ce parasite intestinal est présent dans l'eau souillée ou dans les aliments souillés par l'eau. Symptômes : crampes d'estomac, nausées, estomac ballonné, selles très liquides et nauséabondes, et gaz fréquents. La giardiase peut n'apparaître que plusieurs semaines après la contamination. Les symptômes peuvent disparaître pendant quelques jours puis réapparaître, et ceci pendant plusieurs semaines.

HÉPATITES

L'hépatite est un terme général qui désigne une inflammation du foie. Elle est le plus souvent due à un virus. Dans les formes les plus discrètes, le patient n'a aucun symptôme. Les formes les plus habituelles se manifestent par une fièvre, une fatigue qui peut être intense, des douleurs abdominales, des nausées, des vomissements, associés à la présence d'urines très foncées et de selles décolorées presque blanches. La peau et le blanc des yeux prennent une teinte jaune (ictère). L'hépatite peut parfois se résumer à un simple épisode de fatigue sur quelques jours ou semaines.

Hépatite A. C'est la plus répandue et la contamination est alimentaire. Il n'y a pas de traitement médical ; il faut simplement se reposer, boire beaucoup, manger légèrement en évitant les graisses et s'abstenir totalement de toute boisson alcoolisée pendant au moins 6 mois. L'hépatite A se transmet par l'eau, les coquillages et, d'une manière générale, tous les produits manipulés à mains nues. En faisant attention à la nourriture et à la boisson, vous préviendrez le virus. La vaccination est recommandée aux voyageurs se rendant en Corée.

Hépatite B. Elle est très répandue, puisqu'il existe environ 300 millions de porteurs chroniques dans le monde. Elle se transmet par voie sexuelle ou sanguine (piqûre, transfusion). Évitez de vous faire percer les oreilles, tatouer, raser ou de vous faire soigner par piqûres si vous avez des doutes quant à l'hygiène des lieux. Dans un faible pourcentage de cas, l'hépatite B peut évoluer vers des formes chroniques dont, dans des cas extrêmes, le cancer du foie. La vaccination est très efficace.

Hépatite C. Ce virus se transmet par voie sanguine (transfusion ou utilisation de seringues usagées) et semble donner assez souvent des hépatites chroniques. La seule prévention est d'éviter tout contact sanguin, car il n'existe pour le moment aucun vaccin contre cette hépatite.

Hépatite D. On sait encore peu de choses sur ce virus, sinon qu'il apparaît chez des sujets atteints de l'hépatite B et qu'il se transmet par voie sanguine. Il n'existe pas de vaccin mais le risque de contamination est, pour l'instant, limité.

Hépatite E. Il semblerait que cette souche soit assez fréquente dans certains pays en développement, bien que l'on ne dispose pas de beaucoup d'éléments actuellement. Similaire à l'hépatite A, elle se contracte de la même manière, généralement par l'eau. De forme bénigne, elle peut néanmoins être dangereuse pour les femmes enceintes. À l'heure actuelle, il n'existe pas de vaccin.

SANTÉ

SANTÉ

PARASITES

Parmi les diverses formes de douves (vers plats parasites), la plus commune est la *Clonorchis sinensis*. L'infection se transmet après avoir mangé du poisson d'eau douce, qu'il soit cru, mariné, fumé ou séché. En règle générale, les infections bénignes sont asymptomatiques ; en revanche, les infections plus aiguës peuvent provoquer des maladies du foie. Dans certaines régions, plus de 20% de la population est contaminée par ce parasite.

TYPHOÏDE

La fièvre typhoïde est une infection du tube digestif, particulièrement dangereuse. Bien que le vaccin ne soit pas efficace à 100%, il est recommandée pour tous les voyageurs séjournant plus d'une semaine en Corée et qui se déplacent en dehors de Séoul.

Premiers symptômes : les mêmes que ceux d'un mauvais rhume ou d'une grippe, mal de tête et de gorge, fièvre qui augmente régulièrement pour atteindre 40°C ou plus. Le pouls est souvent lent par rapport à la température élevée et ralentit à mesure que la fièvre augmente. Ces symptômes peuvent être accompagnés de vomissements, de diarrhée ou de constipation.

La deuxième semaine, quelques petites taches roses peuvent apparaître sur le corps. Autres symptômes : tremblements, délire, faiblesse, perte de poids et déshydratation. S'il n'y a pas d'autres complications, la fièvre et les autres symptômes disparaissent peu à peu la troisième semaine. Cependant, un suivi médical est indispensable, car les complications sont fréquentes, en particulier la pneumonie (infection aiguë des poumons) et la péritonite (éclatement de l'appendice). De plus, la typhoïde est très contagieuse.

Mieux vaut garder le malade dans une pièce fraîche et veiller à ce qu'il ne se déshydrate pas.

VERS

Fréquents en zones rurales tropicales, on les trouve dans les légumes non lavés ou la viande trop peu cuite. Ils se logent également sous la peau quand on marche pieds nus (ankylostome). Souvent, l'infection ne se déclare qu'au bout de plusieurs semaines. Bien que bénigne en général, elle doit être traitée sous peine de complications sérieuses. Une analyse des selles est nécessaire.

VIH/SIDA

L'infection à VIH (virus de l'immunodéficience humaine), agent causal du sida (syndrome d'immunodéficience acquise) est présente dans pratiquement tous les pays et épidémique dans nombre d'entre eux. La transmission de cette infection se fait : par rapport sexuel (hétérosexuel ou homosexuel – anal, vaginal ou oral), d'où l'impérieuse nécessité d'utiliser des préservatifs à titre préventif ; par le sang, les produits sanguins et les aiguilles contaminées. Il est impossible de détecter la présence du VIH chez un individu apparemment en parfaite santé sans procéder à un examen sanguin.

Il faut éviter tout échange d'aiguilles. S'ils ne sont pas stérilisés, tous les instruments de chirurgie, les aiguilles d'acupuncture et de tatouage, les instruments utilisés pour percer les oreilles ou le nez peuvent transmettre l'infection. Il est fortement conseillé d'acheter seringues et aiguilles avant de partir.

Toute demande de certificat attestant la séronégativité pour le VIH (certificat d'absence de sida) est contraire au Règlement sanitaire international (article 81).

Affections transmises par les insectes

Voir également plus loin le paragraphe *Affections moins fréquentes*.

ENCÉPHALITE JAPONAISE

Il y a quelques années, cette maladie virale était pratiquement inconnue. Longtemps endémique en Asie tropicale (ainsi qu'en Chine, en Corée et au Japon), de récentes épidémies ont éclaté pendant la saison des pluies en Thaïlande du Nord et au Vietnam. Un moustique nocturne, le *Culex*, est responsable de sa transmission, surtout dans les zones rurales près des élevages de cochons ou des rizières, car les porcs et certains oiseaux nichant dans les rizières servent de réservoirs au virus.

Symptômes : fièvre soudaine, frissons et maux de tête, suivis de vomissements et de délire, aversion marquée pour la lumière vive et douleurs aux articulations et aux muscles. Les cas les plus graves provoquent des convulsions et un coma. Chez la plupart des individus qui contractent le virus, aucun symptôme n'apparaît.

Les personnes les plus en danger sont celles qui doivent passer de longues périodes en zone rurale pendant la saison des pluies (de juillet à octobre). Si c'est votre cas, il faudra peut-être vous faire vacciner.

MALADIE DE LYME
Identifiée en 1975, cette maladie est due à une bactérie appelée *Borrélia*, transmise par des morsures de tiques.

Aujourd'hui encore, elle n'est pas toujours diagnostiquée, car elle peut présenter des symptômes très divers. Consultez un médecin si, dans les 30 jours qui suivent la piqûre, vous observez une petite bosse rouge entourée d'une zone enflammée. À ce stade, les antibiotiques constitueront un traitement simple et efficace. Certains symptômes ultérieurs peuvent se produire, comme par exemple une sorte d'arthrite gagnant les genoux.

Le meilleur moyen d'éviter ce type de complications est de prendre ses précautions lorsque vous traversez des zones forestières. Emmitouflez-vous le plus possible dans vos vêtements, utilisez un produit répulsif contenant un di-éthyl-toluamide, ou un substitut plus léger pour vos enfants. À la fin de chaque journée, vérifiez que ni vous, ni vos enfants, ni votre animal familier n'avez attrapé de tiques. La plupart des tiques ne sont pas porteuses de la bactérie.

PALUDISME
Le paludisme, ou malaria, est transmis par un moustique, l'anophèle, dont la femelle pique surtout la nuit, entre le coucher et le lever du soleil. Un faible risque de contracter la maladie existe dans certaines régions frontalières entre la Corée du Nord et la Corée du Sud, et seulement pendant le printemps et l'automne.

La transmission du paludisme a disparu en zone tempérée, régressé en zone subtropicale mais reste incontrôlée en zone tropicale.

Le paludisme survient généralement dans le mois suivant le retour de la zone d'endémie. Symptômes : maux de tête, fièvre et troubles digestifs. Non traité, il peut avoir des suites graves, parfois mortelles. Il existe différentes espèces de paludisme, dont celui à *Plasmodium falciparum* pour lequel le traitement devient de plus en plus difficile à mesure que la résistance du parasite aux médicaments gagne en intensité.

Les médicaments antipaludéens n'empêchent pas la contamination mais ils suppriment les symptômes de la maladie. Si vous voyagez dans des régions où la maladie est endémique, il faut absolument suivre un traitement préventif. Renseignez-vous impérativement auprès d'un médecin spécialisé, car le traitement n'est pas toujours le même à l'intérieur d'un même pays.

Tout voyageur atteint de fièvre ou montrant les symptômes de la grippe doit se faire examiner. Il suffit d'une analyse de sang pour établir le diagnostic. Contrairement à certaines croyances, une crise de paludisme ne signifie pas que l'on est touché à vie.

Coupures, piqûres et morsures
Même si les insectes provoquent quelques maladies, ils ne représentent pas un problème majeur en Corée.

LA PRÉVENTION ANTIPALUDIQUE

Le soir, dès le coucher du soleil, quand les moustiques sont en pleine activité, couvrez vos bras et surtout vos chevilles, mettez de la crème antimoustiques. Les anophèles sont parfois attirés par le parfum ou l'après-rasage.

En dehors du port de vêtements longs, l'utilisation d'insecticides (diffuseur électrique,bombe ou tortillon fumigène) ou de répulsifs sur les parties découvertes du corps est à recommander. La durée d'action de ces répulsifs est généralement de 3 à 6 heures. Les moustiquaires constituent en outre une protection efficace, à condition qu'elles soient imprégnées d'insecticide (non nocif pour l'homme). L'Organisation mondiale de la santé (OMS) préconise fortement ce mode de prévention. De plus, cet équipement est radical contre tout insecte à sang froid (puces, punaises, etc.) et éloigne serpents et scorpions.

Il existe désormais des moustiquaires imprégnées synthétiques très légères (environ 350 g) que l'on peut trouver en pharmacie. À titre indicatif, vous pouvez vous en procurer par correspondance auprès du Service médical international (SMI) 29, avenue de la Gare, Coignières, BP 125, 78312 Maurepas Cedex (☎ 01 30 05 05 40 ; fax 01 30 05 05 41).

Notez enfin que, d'une manière générale, le risque de contamination est plus élevé en zone rurale et pendant la saison des pluies.

COUPURES ET ÉGRATIGNURES

Les blessures s'infectent très facilement dans les climats chauds et cicatrisent difficilement. Coupures et égratignures doivent être traitées avec un antiseptique et du désinfectant cutané. Évitez si possible bandages et pansements, qui empêchent la plaie de sécher.

MÉDUSES

Les conseils des habitants vous éviteront de rencontrer des méduses et leurs tentacules urticants. Certaines espèces peuvent être mortelles mais, en général, la piqûre est seulement douloureuse. Des antihistaminiques et des analgésiques limiteront la réaction et la douleur.

PIQÛRES

Les piqûres de guêpe ou d'abeille sont rarement dangereuses. Une lotion apaisante ou des glaçons soulageront la douleur et empêcheront la piqûre de trop gonfler. Certaines araignées sont dangereuses mais il existe en général des antivenins. Les piqûres de scorpions sont très douloureuses et parfois mortelles. Inspectez vos vêtements ou chaussures avant de les enfiler.

PUNAISES ET POUX

Les punaises affectionnent la literie douteuse. Si vous repérez de petites taches de sang sur les draps ou les murs autour du lit, cherchez un autre hôtel. Les piqûres de punaises forment des alignements réguliers. Une pommade calmante apaisera la démangeaison.

Les poux provoquent des démangeaisons. Ils élisent domicile dans les cheveux, les vêtements ou les poils pubiens. On en attrape par contact direct avec des personnes infestées ou en utilisant leur peigne, leurs vêtements, etc. Poudres et shampooings détruisent poux et lentes ; il faut également laver les vêtements à l'eau très chaude.

SANGSUES ET TIQUES

Les sangsues, présentes dans les régions de forêts humides, se collent à la peau et sucent le sang. Les randonneurs en retrouvent souvent sur leurs jambes ou dans leurs bottes. Du sel ou le contact d'une cigarette allumée les feront tomber. Ne les arrachez pas, car la morsure s'infecterait plus facilement. Une crème répulsive peut les maintenir éloignées. Utilisez de l'alcool, de l'éther, de la vaseline ou de l'huile pour vous en débarrasser. Vérifiez toujours que vous n'avez pas attrapé de tiques dans une région infestée : elles peuvent transmettre le typhus (voir également plus haut *Maladie de Lyme*).

SERPENTS

Portez toujours bottes, chaussettes et pantalons longs pour marcher dans la végétation à risque. Ne hasardez pas la main dans les trous et les anfractuosités, et faites attention lorsque vous ramassez du bois pour faire du feu. Les morsures de serpent ne provoquent pas instantanément la mort, et il existe généralement des antivenins. Il faut calmer la victime, lui interdire de bouger, bander étroitement le membre comme pour une foulure et l'immobiliser avec une attelle. Trouvez ensuite un médecin, et essayez de lui apporter le serpent mort. N'essayez en aucun cas d'attraper le serpent s'il y a le moindre risque qu'il pique à nouveau. On sait désormais qu'il ne faut absolument pas sucer le venin ou poser un garrot.

Affections moins fréquentes
CHOLÉRA

Les cas de choléra sont généralement signalés à grande échelle dans les médias, ce qui permet d'éviter les régions concernées. La protection conférée par le vaccin n'étant pas fiable, celui-ci n'est pas recommandé. Prenez donc toutes les précautions alimentaires nécessaires. Symptômes : diarrhée soudaine, selles très liquides et claires, vomissements, crampes musculaires et extrême faiblesse. Il faut consulter un médecin ou aller à l'hôpital au plus vite, mais on peut commencer à lutter immédiatement contre la déshydratation qui peut être très forte (voir le paragraphe *Diarrhée*, p. 424, pour les remèdes contre la déshydratation).

DENGUE

Il n'existe pas de traitement prophylactique contre cette maladie propagée par les moustiques. Poussée de fièvre, maux de tête, douleurs articulaires et musculaires précèdent une éruption cutanée sur le tronc qui s'étend ensuite aux membres puis au visage. Au bout de quelques jours, la fièvre régresse, et la convalescence commence. Les complications graves sont rares.

FILARIOSES

Assez répandue dans les rizières du sud-ouest de la Corée, ces maladies parasitaires sont transmises par des piqûres d'insectes. Les symptômes varient en fonction de la filaire concernée : fièvre, ganglions et inflammation des zones de drainage lymphatique ; œdème (gonflement) au niveau d'un membre ou du visage ; démangeaisons et troubles visuels. Un traitement permet de se débarrasser des parasites, mais certains dommages causés sont parfois irréversibles. Si vous soupçonnez une possible infection, il vous faut rapidement consulter un médecin.

HANTAVIROSE

Cette infection se contracte en inhalant des particules virales contenues dans les urines ou les excréments de rat ou de souris infectés. Très rare chez les voyageurs, elle provoque fièvre, maux de tête, douleurs de ventre et de dos et étourdissements. Elle est diagnostiquée grâce à des analyses sanguines.

LEISHMANIOSES

Il s'agit d'un groupe de maladies parasitaires qui existent sous trois formes : la leishmaniose viscérale (kala-azar), la leishmaniose cutanée et la leishmaniose cutanéo-muqueuse (espundia ; inconnue en Asie).

La leishmaniose viscérale sévit à l'état endémique en Asie (Inde, Chine), en Amérique du Sud, en Afrique et sur le pourtour méditerranéen. La durée d'incubation va de 1 à 6 mois. La maladie se caractérise par des accès de fièvre irréguliers, une altération importante de l'état général, une augmentation de volume de la rate et du foie et une anémie. La maladie est mortelle sans traitement.

Les leishmanioses cutanées sévissent sur plusieurs continents et notamment en Asie. L'incubation dure d'une semaine à un an. La forme sèche de la maladie se caractérise par des rougeurs sur la peau qui s'ulcèrent et se recouvrent d'une croûte. Dans la forme humide, l'ulcère est généralement plus important et la surinfection plus fréquente.

Les leishmanioses sont transmises par des insectes (phlébotomes) qui se sont contaminés en piquant un homme ou un animal malade. La meilleure précaution consiste à éviter de se faire piquer en se couvrant et en appliquant une lotion antimoustique. Ces insectes sont surtout actifs à l'aube et au crépuscule. Les piqûres ne sont généralement pas douloureuses, mais provoquent des démangeaisons. Si vous pensez souffrir de la leishmaniose, consultez un médecin, des analyses en laboratoire étant nécessaires pour poser un diagnostic et décider d'un traitement.

LEPTOSPIROSE

Cette maladie infectieuse, due à une bactérie (le leptospire) qui se développe dans les mares et les ruisseaux, se transmet par des animaux comme le rat et la mangouste.

On peut attraper cette maladie en se baignant dans des nappes d'eau douce, contaminées par de l'urine animale. La bactérie pénètre dans le corps humain par le nez, les yeux, la bouche ou les petites coupures cutanées. Les symptômes, similaires à ceux de la grippe, peuvent survenir 2 à 20 jours suivant la date d'exposition : fièvre, frissons, sudation, maux de tête, douleurs musculaires, vomissements et diarrhées en sont les plus courants. Du sang dans les urines ou une jaunisse peuvent apparaître dans les cas les plus sévères. Les symptômes durent habituellement quelques jours voire quelques semaines. La maladie est rarement mortelle.

Évitez de nager et de vous baigner dans tout plan d'eau douce, notamment si vous avez des plaies ouvertes ou des coupures.

MÉNINGITE À MÉNINGOCOQUES

Cette maladie très grave attaque le cerveau et peut être mortelle. Postillons et éternuements suffisent à propager le germe.

Symptômes : taches disséminées sur le corps, fièvre, trouble de la conscience, fort mal de tête, hypersensibilité à la lumière et raideur du cou. La mort peut survenir en quelques heures. Il faut se faire soigner immédiatement. Le vaccin est efficace pendant plus de 4 ans, mais renseignez-vous quand même sur les épidémies.

OPISTHORCHIOSE

Cette maladie parasitaire se contracte en consommant des poissons d'eau douce, crus ou insuffisamment cuits.

Le risque d'attraper cette maladie reste toutefois assez faible. L'intensité des symptômes dépend du nombre de parasites ayant pénétré dans l'organisme. À des niveaux faibles, on ne remarque

SANTÉ

pratiquement rien. Quand la contamination est importante, on souffre d'une fatigue générale, d'une fièvre légère, d'un gonflement ou d'une sensibilité du foie ou de douleurs abdominales générales. En cas de doute, il faut faire analyser ses selles par un médecin.

RAGE

Très répandue, cette maladie est transmise par un animal contaminé : chien, singe et chat principalement. Morsures, griffures ou même simples coups de langue d'un mammifère doivent être nettoyés immédiatement et à fond. Frottez avec du savon et de l'eau courante, puis nettoyez avec de l'alcool. S'il y a le moindre risque que l'animal soit contaminé, allez immédiatement voir un médecin. Même si l'animal n'est pas enragé, toutes les morsures doivent être surveillées de près pour éviter les risques d'infection et de tétanos. Le vaccin antirabique ne s'adresse qu'à ceux qui envisagent de travailler avec des animaux. Cependant, il ne dispense pas du traitement antirabique immédiatement après un contact avec un animal enragé ou dont le comportement semble suspect.

RICKETTSIOSES

Les rickettsioses sont des maladies transmises par des acariens (dont les tiques) ou des poux. La plus connue est le typhus. Elle commence comme un mauvais rhume, suivi de fièvre, de frissons, de migraines, de douleurs musculaires et d'une éruption cutanée. Une plaie douloureuse se forme autour de la piqûre et les ganglions lymphatiques voisins sont enflés et douloureux.

Le typhus des broussailles, transmis par des acariens, se rencontre dans les régions de maquis de Corée. Soyez prudent et protégez-vous des insectes si vous faites de la randonnée dans des zones broussailleuses.

TÉTANOS

Cette maladie parfois mortelle se rencontre partout. Difficile à soigner, elle se prévient par vaccination. Le bacille du tétanos se développe dans les plaies. Il est donc indispensable de bien nettoyer coupures et morsures. Premiers symptômes : difficulté à avaler ou raideur de

---

SANTÉ AU JOUR LE JOUR

La température normale du corps est de 37°C ; deux degrés de plus représentent une forte fièvre. Le pouls normal d'un adulte est de 60 à 80 pulsations par minute (celui d'un enfant est de 80 à 100 pulsations ; celui d'un bébé de 100 à 140 pulsations). En général, le pouls augmente d'environ 20 pulsations à la minute avec chaque degré de fièvre.

La respiration est aussi un bon indicateur en cas de maladie. Comptez le nombre d'inspirations par minute : entre 12 et 20 chez un adulte, jusqu'à 30 pour un jeune enfant et jusqu'à 40 pour un bébé, elle est normale. Les personnes qui ont une forte fièvre ou qui sont atteintes d'une maladie respiratoire grave respirent plus rapidement. Plus de 40 inspirations faibles par minute indiquent en général une pneumonie.

---

la mâchoire ou du cou. Puis suivent des convulsions douloureuses de la mâchoire et du corps tout entier.

TUBERCULOSE

Seule la Corée du Nord présente un fort risque de contamination. Rarement contractée par les voyageurs, la maladie exige des précautions de la part du personnel médical, des employés d'organisations humanitaires et des voyageurs effectuant de longs séjours en contact régulier avec la population locale. Les enfants de moins de 12 ans sont plus exposés que les adultes. Il est donc conseillé de les vacciner s'ils voyagent dans des régions où la maladie est endémique. La tuberculose se propage par la toux ou par des produits laitiers non pasteurisés, faits avec du lait de vaches tuberculeuses. On peut boire du lait bouilli et manger yaourts ou fromages (l'acidification du lait dans le processus de fabrication élimine les bacilles) sans courir de risques.

TYPHUS

Voir plus haut *Rickettsioses*.

Santé au féminin
GROSSESSE

La plupart des fausses couches ont lieu pendant les trois premiers mois de la grossesse. C'est donc la période la plus risquée pour voyager. Pendant les trois derniers mois, il vaut mieux rester à distance raisonnable de bonnes infrastructures médicales, en cas de problèmes. Les femmes enceintes doivent éviter de prendre inutilement des médicaments. Cependant, certains vaccins et traitements préventifs contre le paludisme restent nécessaires. Mieux vaut consulter un médecin avant de prendre quoi que ce soit.

Pensez à consommer des fruits secs, des agrumes, des lentilles et des viandes cuites accompagnées de légumes.

PROBLÈMES GYNÉCOLOGIQUES

Dans les régions les plus développées de Corée, vous trouverez facilement des produits hygiéniques. En revanche, les différents modes de contraception peuvent être limités ; mieux vaut emporter vos moyens de contraception habituels. Une nourriture pauvre, une résistance amoindrie par l'utilisation d'antibiotiques contre des problèmes intestinaux peuvent favoriser les infections vaginales lorsqu'on voyage dans des pays à climat chaud. Respectez une hygiène intime scrupuleuse, et portez jupes ou pantalons amples et sous-vêtements en coton.

Les champignons, caractérisés par une éruption cutanée, des démangeaisons et des pertes, peuvent se soigner facilement. En revanche, les trichomonas sont plus graves ; pertes blanches et sensation de brûlure lors de la miction en sont les symptômes. Le partenaire masculin doit également être soigné.

Il n'est pas rare que le cycle menstruel soit perturbé lors d'un voyage.

SANTÉ

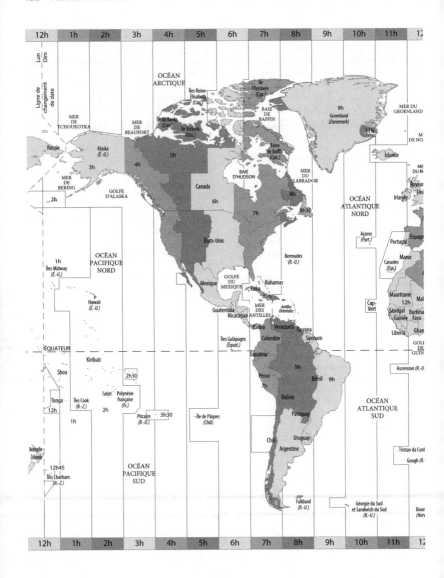

| 12h | 1h | 2h | 3h | 4h | 5h | 6h | 7h | 8h | 9h | 10h | 11h | 12 |

Lun
Dim

Ligne de changement de date

OCÉAN
ARCTIQUE

MER
DE
TCHOUKOTKA

MER
DE
BEAUFORT

Îles Reine-
Élisabeth
(Can.)

Île Ellesmere
(Can.)

BAIE
DE
BAFFIN

9h

Groenland
(Danemark)

MER DU
GROENLAND

11h

Russie

Alaska
(É.-U.)

Île de Banks
(Can.)

Île Victoria
(Can.)

5h

Terre
de Baffin
(Can.)

MER
DE NO

M
DE NO

Islande

3h

4h

MER
DE
BERING

2h

GOLFE
D'ALASKA

Canada

6h

BAIE
D'HUDSON

MER
DU
LABRADOR

8h

8h30

ME
DU R

Royou
Uni

Irlande

OCÉAN
ATLANTIQUE
NORD

États-Unis

7h

Açores
(Port.)

Portugal

Espagn

1h
Îles Midway
(É.-U.)

OCÉAN
PACIFIQUE
NORD

Bermudes
(R.-U.)

Maroc

Canaries
(Esp.)

Hawaii
(É.-U.)

Mexique

GOLFE
DU
MEXIQUE

Cuba

Bahamas

Haïti

Mauritanie
12h

Mal

Cap-
Vert

Sénégal
Guinée

Burkina
Faso

Guatemala

Nicaragua

MER
DES
ANTILLES

Antilles
Orientales

Liberia

Ghan

Îles Galápagos
(Équat.)

Panha

Venezuela

Colombie

Guyana

Surinam

GOLF
DE
GUIN

ÉQUATEUR

Kiribati

Équateur

Ascension (R.-U.

Shoa

Pérou
7h

5h

Brésil
9h

2h30

Tahiti

Polynésie
française
(Fr.)

Bolivie

Tonga
12h

Îles Cook
(N.-Z.)

2h

Paraguay

OCÉAN
ATLANTIQUE
SUD

1h

Pitcairn
(R.-U.)

3h30

Île de Pâques
(Chili)

Chili

Uruguay

Nouvelle-
Zélande

Argentine

Tristan da Cunl

Gough (R.-

12h45
Îles Chatham
(N.-Z.)

OCÉAN
PACIFIQUE
SUD

Falkland
(R.-U.)

Géorgie du Sud
et Sandwich du Sud
(R.-U.)

Bouv
(Nor

| 12h | 1h | 2h | 3h | 4h | 5h | 6h | 7h | 8h | 9h | 10h | 11h | 12 |

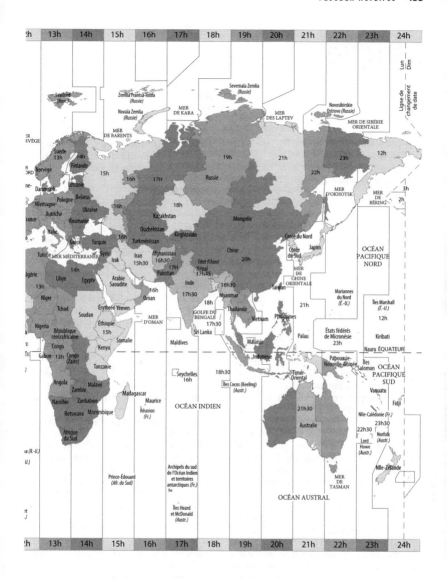

13h 14h 15h 16h 17h 18h 19h 20h 21h 22h 23h 24h

Lun
Dim

Ligne de
changement
de date

Svalbard
(Norv.)

Zemlia Frantsa-Iosifa
(Russie)

Severnaïa Zemlia
(Russie)

Novosibirskie
Ostrovo (Russie)

Novaïa Zemlia
(Russie)

MER
DE KARA

MER
DES LAPTEV

MER DE SIBÉRIE
ORIENTALE

ER
RVÈGE

MER
DE BARENTS

Suède
13h 14h
Finlande
15h

Russie 19h 21h 23h 12h

22h

MER
D'OKHOTSK

MER
DE
BÉRING

3h
2h

R
ORD

Norvège
Lettonie
16h 17H

Danemark
Pologne Belarus

Allemagne Ukraine
Autriche 16h
Roumanie
Italie

18h

Kazakhstan

Mongolie

OCÉAN
PACIFIQUE
NORD

ance

Grèce
Turquie 16h
Tunisie MER MÉDITERRANÉE Syrie
Irak Iran
15h30
Afghanistan
16h30
17H
Pakistan
17h45

Ouzbékistan

Kirghizstan

Turkménistan

Corée du Nord

Corée
du Sud
Japon

gérie

Libye
Égypte

Arabie
Saoudite

Tibet (Chine)
Népal

Chine 20h

MER
DE
CHINE
ORIENTALE

Mariannes
du Nord
(É.-U.)

Îles Marshall
(É.-U.)

14h

Niger

13h

Tchad

Érythrée Yémen

Oman
16h

Inde
17h30

18h30
Myanmar

Taïwan

21h

12h

Soudan

Éthiopie
15h

MER
D'OMAN

18h
GOLFE DU
BENGALE
17h30

Thaïlande

Vietnam
Philippines

États fédérés
de Micronésie
23h

Kiribati

Nigeria
République
centrafricaine

Somalie

Sri Lanka

Malaisie

Palau

Nauru ÉQUATEUR

E
ÉE

Congo
Gabon 13h Congo
(Zaïre)

Kenya

Maldives

Indonésie

Papouasie-
Nouvelle-Guinée

Îles
Salomon
OCÉAN
PACIFIQUE
SUD

Angola

Tanzanie

Malawi

Seychelles
16h

18h30
Timor-
Oriental

Vanuatu

Zambie
Namibie Zimbabwe
Botswana Mozambique

Madagascar

Maurice
Réunion
(Fr.)

Îles Cocos (Keeling)
(Austr.)

OCÉAN INDIEN

Australie
21h30

Nlle-Calédonie (Fr.)

23h30
22h30 Norfolk
Lord (Austr.)
Howe
(Austr.)

Fidji

Afrique
du Sud

a (R.-U.)

U.)

Prince-Édouard
(Afr. du Sud)

Archipels du sud
de l'Océan Indien
et territoires
antarctiques (Fr.)
Îles

Nlle-Zélande

MER
DE
TASMAN

st
)

Îles Heard
et McDonald
(Austr.)

OCÉAN AUSTRAL

3h 13h 14h 15h 16h 17h 18h 19h 20h 21h 22h 23h 24h

Langue

L'origine de la langue coréenne est un mystère pour les linguistes qui ont avancé différentes hypothèses : selon la théorie la plus largement admise, le coréen fait partie de la famille des langues ouralo-altaïques, à laquelle appartiennent aussi le turc et le mongol. En réalité, la grammaire coréenne a beaucoup plus de points communs avec le japonais qu'elle n'en partage avec le turc et le mongol. En outre, près de 70% du vocabulaire coréen est issu de la Chine voisine. Aujourd'hui, de nombreux mots anglais sont passé dans l'usage courant.

Traditionnellement, les caractères chinois *(hanja)* sont utilisés exclusivement sur les cartes, les documents officiels, les noms des sociétés et dans les journaux. Le plus souvent, le coréen est écrit en *hangeul*, alphabet mis au point sous le règne du Roi Sejong au XVᵉ siècle. Selon de nombreux linguistes, l'alphabet coréen compte aujourd'hui parmi les systèmes d'écriture les plus intelligents et les plus cohérents sur le plan phonétique.

Le hangeul est composé de 24 caractères, peu difficiles à apprendre. La complexité de la langue tient plus à la formation des mots, très différente de l'élaboration des termes dans les langues occidentales. Le coréen met l'accent sur la construction d'une syllabe et ressemble, de ce fait, aux idéogrammes chinois. Par exemple, la première syllabe du mot *hangeul* (한) est formée par un "h" (ㅎ) en haut à gauche, par un "a" (ㅏ) en haut à droite et par un "n" (ㄴ) en bas, l'ensemble formant ainsi une "boîte" syllabique. Ces "boîtes" sont ensuite attachées les unes aux autres pour créer des mots.

ROMANISATION

En juillet 2000, le gouvernement coréen a adopté une nouvelle méthode de romanisation de la langue. Il a, malgré tout, retenu la majeure partie de l'ancien système tout en apportant quelques changements qui assuraient une plus grande cohérence orthographique en Corée et à l'étranger. Voici les principales modifications apportées :

■ la brève diacritique (ŏ ou ŭ) a été abandonnée et remplacée par la lettre **e** placée devant le **o** ou le **u** ; par exemple, Inch'ŏn et Chŏngŭp sont devenus Incheon et Jeongeup.

■ la lettre ㅈ a été translittérée en **j** ; les consonnes ㄱ/ㄷ/ㅂ ont été translittérées respectivement en **g**, **d** et **b** lorsqu'elles apparaissent devant une voyelle (par exemple Pusan et Kwangju sont devenus Busan et Gwangju), et en **k**, **t** et **p** lorsqu'elles sont placées en fin de mot ou suivies par une autre consonne.

■ les consonnes sourdes ㅋ/ㅌ/ㅍ/ㅊ restent translittérées en **k/t/p/ch** mais perdent l'apostrophe. Auparavant, les consonnes sourdes ou aspirées (émises en soufflant) étaient signalées par une apostrophe, comme dans P'ohang ou Ch'ungju. Avec le nouveau système, ces deux termes seront écrits Pohang et Chungju.

■ le caractère ㅅㅣ n'est plus orthographié "shi" mais simplement "si" : Shinch'on devient par exemple Sinchon.

■ les noms officiels de personnes et de sociétés ne sont pas modifiés ; en revanche, le nouveau système de romanisation sera utilisé pour tous les nouveaux noms.

■ les traits d'union sont rarement employés, sauf si deux syllabes peuvent être confondues : par exemple Chungangno est devenu Jung-angno. Cependant, on les a gardés pour les appellations administratives, par exemple Gyeonggi-do et Suncheon-si.

Même si le gouvernement et les offices du tourisme ont énergiquement diffusé le nouveau système, il faudra beaucoup de temps pour que l'ensemble du pays s'y conforme. Les autorités locales ont jusqu'en 2005 pour changer tous les panneaux routiers. Par ailleurs, le gouvernement central encourage également l'adoption du nouveau système à l'étranger.

Pendant les quelques années de transition, les voyageurs devront donc être attentifs à la romanisation. Lonely Planet a adopté le nouveau système dans ce guide mais une fois dans le pays, vous rencontrerez de nombreuses variantes orthographiques. Pour éviter toute confusion, il vaut donc mieux se reporter à l'ancienne transcription du coréen. En fait, cela vaut la peine de consacrer quelques heures à l'apprentissage de l'alphabet. Pour faciliter votre voyage, nous avons ajouté la graphie coréenne à sa transcription romanisée pour les références cartographiques et les termes utiles.

Une fois que vous vous serez familiarisé avec le hangeul, écoutez la prononciation des noms de lieux par les Coréens et efforcez-vous de la répéter ; cette étape est indispensable pour maîtriser la langue.

PRONONCIATION

Dans les mots et les phrases de ce chapitre, l'utilisation des phonèmes **ga/i, reul/eul** et **ro/euro** varie selon que la lettre précédente est une voyelle ou une consonne.

Voyelles

ㅏ	**a**	comme dans "art"'
ㅑ	**ya**	comme dans "yack"
ㅓ	**eo**	comme le "o" de "porte"
ㅕ	**yeo**	comme le "you" de "youyou"
ㅗ	**o**	comme dans "pot"
ㅛ	**yo**	comme dans "yoga"
ㅜ	**u**	comme dans "goutte"
ㅠ	**yu**	comme dans le "youyou"
ㅡ	**eu**	comme le "ou" de "poutre"
ㅣ	**i**	comme le "i" de "frise"

Combinaisons de voyelles

ㅐ	**ae**	comme le "a" de "chat"
ㅒ	**yae**	comme le "ya" de "yack"
ㅔ	**e**	comme dans "peine"
ㅖ	**ye**	comme dans "yen"
ㅘ	**wa**	comme dans "ouater"
ㅙ	**wae**	comme le "oua" de "ouate"
ㅚ	**oe**	comme le "we" de "Wellington"
ㅝ	**wo**	comme dans "won"
ㅞ	**we**	comme dans "oued"
ㅟ	**wi**	comme le mot "oui"
ㅢ	**ui**	comme "huit"

Consonnes

Pour ceux qui ne parlent pas le coréen, un **k** non aspiré ressemble à un "g", un **t** non aspiré à un "d" et un **p** non aspiré à un "b".

La prononciation des consonnes dépend de la place qu'elles occupent dans le mot. Les règles à ce sujet sont trop complexes pour être abordées en détail ici ; les tableaux ci-dessous vous montreront toutefois les différentes prononciations possibles.

Consonnes simples

La lettre ㅅ se prononce "sh" si elle est suivie de la voyelle ㅣ et ce, même si elle est translittérée par la syllabe **si**.

Au milieu d'un mot, le caractère ㄹ se prononce "n" s'il est placé derrière ㅁ (**m**) ou ㅇ (**ng**). Cependant, lorsqu'il suit ㄴ (**n**), il se transforme en un double "l" (**ll**). Lorsqu'un seul ㄹ est suivi d'une voyelle, il est translittéré en **r**.

ㄱ	**g/k**
ㄴ	**n**
ㄷ	**d/t**
ㄹ	**r/l/n**
ㅁ	**m**
ㅂ	**b/p**
ㅅ	**s/t**
ㅇ	**–/ng**
ㅈ	**j/t**
ㅊ	**ch/t**
ㅋ	**k**
ㅌ	**t**
ㅍ	**p**
ㅎ	**h/ng**

Consonnes doubles

Les consonnes doubles sont prononcées de manière plus accentuée que les simples.

ㄲ	**kk**
ㄸ	**tt**
ㅃ	**pp**
ㅆ	**ss/t**
ㅉ	**jj**

Consonnes complexes

Ce type de consonnes est uniquement présent en milieu ou en fin de mot.

ㄱㅅ –/ksk/–
ㄴㅈ –/nj/n
ㄴㅎ –/nh/n
ㄹㄱ –/lg/k
ㄹㅁ –/lm/m
ㄹㅂ –/lb/p
ㄹㅅ –/ls/l
ㄹㅌ –/lt/l
ㄹㅍ –/lp/p
ㄹㅎ –/lh/l
ㅂㅅ –/ps/p

POLITESSE

La société coréenne étant fortement hiérarchisée, la grammaire a codifié divers degrés de politesse. Aujourd'hui, les jeunes Coréens utilisent beaucoup moins les formules très polies que leurs aînés. Cependant, si vous n'êtes pas sûr de vous pour demander quelque chose, il vaut toujours mieux employer une formule de politesse. Les phrases proposées intègrent toutes des formules polies.

HÉBERGEMENT

Je cherche ...
... reul/eul chatgo isseoyo ...를/을 찾고 있어요
une pension
yeogwan/minbak jip 여관/민박집
un hôtel
hotel 호텔
une auberge de jeunesse
yuseu hoseutel 유스호스텔

Où puis-je trouver un hôtel peu cher ?
ssan hoteri eodi isseoyo?
싼 호텔이 어디 있어요?
Quelle est son adresse ?
jusoga eotteoke dwaeyo?
주소가 어떻게 돼요?
Pourriez-vous écrire l'adresse, s'il vous plaît ?
juso jom jeogeo juseyo?
주소 좀 적어 주세요?
Avez-vous des chambres libres ?
bang isseoyo?
방 있어요?

J'aimerais ...
... ro/euro juseyo ...로/으로 주세요
un lit
chimdae 침대

un lit à une place
singgeul chimdae 싱글 침대
un lit à deux places
deobeul chimdae 더블 침대
des lits jumeaux
chimdae dugae 침대 두개
une chambre avec salle de bains
yoksil inneun bang juseyo 욕실있는 방 주세요
partager une chambre
gachi sseuneun bang 같이 쓰는 방
une chambre à l'occidentale
chimdae bang juseyo 침대 방 주세요
une chambre avec matelas de sol
ondol bang juseyo 온돌 방 주세요

Combien cela coûte-t-il ... ?
e ... eolma eyo? 에...얼마에요?
  par nuit
  harutbam 하룻밤
  par personne
  han saram 한사람

Puis-je la voir ?
  bang jom bolsu 방 좀 볼수
  isseoyo? 있어요?
Où se trouve la salle de bains ?
  yoksiri eodi-e 욕실이 어디에
  isseoyo? 있어요?
Je pars/Nous partons aujourd'hui.
  jigeum tteonayo 지금 떠나요

Effectuer une réservation

(pour des demandes écrites ou par téléphone)

De ...	*e-ge ...*	에게...
À ...	*buteo ...*	부터...
Date	*naljja*	날짜

Je souhaiterais réserver ...
(voir plus haut la liste des options de lits et de chambres)
  ... yeyak haryeogo haneundeyo ...
  예약 하려고 하는데요...
au nom de ...
  ireum euro ... 이름으로...
pour la(les) nuit(s) de ...
  naljjalro ... 날짜로...
carte de crédit ...
  sinyong kadeu ... 신용 카드...
  numéro
  beonho 번호
  date d'expiration
  manryo il 만료일

Veuillez confirmer vos disponibilités et vos tarifs.
sayonghal su inneunji wa gagyeok hwaginhae juseyo

사용할 수 있는지 와 가격 확인해
주세요

CONVERSATION ET MOTS ESSENTIELS

Bonjour (formule polie)
annyeong hasimnikka
안녕 하십니까

Salut (formule informelle)
annyeong haseyo
안녕 하세요

Au revoir (à une personne qui s'en va)
annyeong-hi gaseyo
안녕히 가세요

Au revoir (à une personne qui reste)
annyeong-hi gyeseyo
안녕히 계세요

Oui
ye/ne 예/네
Non
aniyo 아니요
S'il vous plaît
juseyo 주세요
Merci
gamsa hamnida 감사 합니다
Très bien/Je vous en prie
gwaenchan seumnida 괜찮습니다
Excusez-moi
sillye hamnida 실례 합니다
Désolé (pardonnez-moi)
mian hamnida 미안 합니다
À bientôt
tto mannayo/najung-e 또 만나요/나중에
bwayo 봐요
Comment allez-vous ?
annyeong haseyo? 안녕 하세요?
(Je vais) Bien, merci
ne, jo-ayo 네 좋아요
Puis-je vous demander comment vous vous appelez ?
ireumeul yeojjwobwado 이름을 여쭤봐도
doelkkayo 될까요?
Je m'appelle ...
je ireumeun ... imnida 제 이름은...입니다
D'où venez-vous ?
eodiseo oseosseoyo? 어디서 오셨어요?
Je viens de ...
jeoneun ... e-seo 저는...에서
wasseumnida 왔습니다
J'aime/Je n'aime pas ...
jeoneun ... jo-a hey/ 저는...좋아해요/
... jo-a haji anhayo ...좋아하지 않아요
Un instant, s'il vous plaît.
jamkkan manyo 잠깐만요

DIRECTIONS

Où se trouve ... ?
... i/ga eodi isseoyo? ...이/가 어디 있어요?
Allez tout droit
ttokbaro gaseyo 똑바로 가세요
Tournez à gauche
oenjjogeuro gaseyo 왼쪽으로 가세요
Tournez à droite
oreunjjogeuro gaseyo 오른쪽으로 가세요
au prochain carrefour
da eum motungi e-seo 다음 모퉁이에서
au niveau des feux de circulation
sinhodeung e-seo 신호등에서

derrière ...	*... dwi-e*	...뒤에
devant ...	*... ap-e*	...앞에
loin	*meolli*	멀리
près	*gakka-i*	가까이
en face	*bandae pyeon-e*	반대편에
plage	*haesu yokjang*	해수욕장
	haebyeon	해변
pont	*dari*	다리
château	*seong*	성
cathédrale	*seongdang*	성당
île	*do*	도

(utilisé avec un nom propre)
seom 섬
(utilisé en tant que substantif)

PANNEAUX

입구 *ipgu*	**Entrée**
출구 *chulgu*	**Sortie**
안내 *annae*	**Informations**
영업중 *yeong eop jung*	**Ouvert**
휴업중 *hyu eop jung*	**Fermé**
금지 *gumji*	**Interdit**
방있음 *bang isseum*	**Chambres libres**
방없음 *bang eopseum*	**Complet**
경찰서 *gyeoungchalseo*	**Poste de police**
화장실 *hwajangsil*	**Toilettes**
신사용 *sinsayong*	**Hommes**
숙녀용 *sungnyeoyong*	**Femmes**

LANGUE

marché	*sijang*	시장
palais	*gung*	궁
ruines	*yetteo*	옛터
mer	*bada*	바다
tour	*ta-wo/tap*	타워/탑

SANTÉ

Je suis malade.
jeon apayo   저 아파요
J'ai mal là.
yeogiga apayo   여기가 아파요

je suis ...	... *isseoyo*	...있어요
asthmatique	*cheonsik*	천식
diabétique	*dangnyo byeong-i*	당뇨병이
épileptique	*ganjil byeong-i*	간질병이

Je suis allergique ...
... allereugiga isseoyo
...알레르기가있어요

aux antibiotiques	*hangsaengje*	항생제
à l'aspirine	*aseupirin*	아스피린
à la pénicilline	*penisillin*	페니실린
aux piqûres d'abeilles		
	beol	벌
aux fruits à écale (noix, etc.)		
	ttang kkong	땅꽁

antiseptique	*sodong yak*	소독약
préservatifs	*kondom*	콘돔
contraceptif	*pi imyak*	피임약
diarrhée	*seolsa*	설사
hôpital	*byeongwon*	병원
médicament	*yak*	약
écran total	*seon keurim*	선크림
tampons	*tampon*	탐폰

URGENCES

Au secours !
saram sallyeo!   사람살려!
Un accident vient de se produire.
sago nasseoyo   사고 났어요
Je suis perdu.
gireul ireosseoyo   길을 잃었어요
Allez-vous en !
jeori ga!   저리가!

Appelez ... !
... bulleo juseyo!
...불러 주세요!

un médecin	*ui-sareul*	의사를
la police	*gyeongchareul*	경찰을
une ambulance	*gugeupcha jom*	구급차좀

DIFFICULTÉS LINGUISTIQUES

Parlez-vous anglais ?
yeong-eo haseyo?
영어 하세요?
Est-ce que quelqu'un parle anglais ici ?
yeong-eo hasineunbun gyeseyo?
영어 하시는 분계세요?
Comment dites-vous ... en coréen ?
... eul/reul hangug-euro eotteoke malhaeyo?
...을 한국어로 어떻게 말해요?
Que signifie ... ?
... ga/i museun
tteusieyo?
...가/이무슨
뜻 이에요?
Je comprends.
algeseoyo
알겠어요
Je ne comprends pas.
jalmoreugenneun deyo 잘 모르겠는데요
Pouvez-vous l'écrire, s'il vous plaît ?
jeogeo jusillaeyo   적어 주실래요
Pouvez-vous me montrer (sur la carte) ?
boyeo jusillaeyo   보여 주실래요?

CHIFFRES

La Corée utilise deux systèmes de calcul, l'un d'origine chinoise avec une prononciation coréenne, l'autre d'origine coréenne. Celui-ci qui ne va que jusqu'à 99, et est utilisé pour compter des objets, dire son âge et l'heure. Dans ce système, les nombres sont toujours écrits en hangeul ou en chiffres, mais jamais en caractères chinois. Les nombres sino-coréens sont employés pour exprimer les minutes, les dates, les mois, les kilomètres, l'argent, les étages des immeubles, et pour compter au-delà de 99. Ils peuvent également être écrits en caractères chinois. Pour dénombrer les jours, les deux systèmes de calcul peuvent être utilisés.

	Sino-coréen		Coréen	
1	*il*	일	*hana*	하나
2	*i*	이	*dul*	둘
3	*sam*	삼	*set*	셋
4	*sa*	사	*net*	넷
5	*o*	오	*daseot*	다섯
6	*yuk*	육	*yeoseot*	여섯
7	*chil*	칠	*ilgop*	일곱
8	*pal*	팔	*yeodeol*	여덟
9	*gu*	구	*ahop*	아홉
10	*sip*	십	*yeol*	열

Combinaison

11	*sibil*	십일
12	*sibi*	십이

13	sipsam	십삼
14	sipsa	십사
15	sibo	십오
16	simnyuk	십육
17	sipchil	십칠
18	sippal	십팔
19	sipgu	십구
20	isip	이십
21	isibil	이십일
22	isibi	이십이
30	samsip	삼십
40	sasip	사십
50	osip	오십
60	yuksip	육십
70	chilsip	칠십
80	palsip	팔십
90	gusip	구십
100	baek	백
1000	cheon	천

DOCUMENTS OFFICIELS

nom	ireum/	이름/
	seongmyeong	성명'
nationalité	guk jeok	국적
date de naissance	saengnyeon woril/	생년월일/
	saeng-il	생일
lieu de naissance	chulsaengji	출생지
sexe (genre)	seongbyeol	성별
passeport	yeogwon	여권
visa	bija	비자

PRONOMS INTERROGATIFS

Qui ? (comme sujet)	nugu	누구
Quoi ? (comme sujet)	mu-eot	무엇
Quand ?	eonje	언제
Où ?	eodi	어디
Comment ?	eotteoke	어떻게

ACHATS ET SERVICES

J'aimerais acheter ...
... reul/eul sago sipeoyo ...를/을 사고 싶어요
Combien cela coûte-t-il ?
eolma yeyo? 얼마예요?
Je n'aime pas cela.
byeollo mam-e 별로 맘에
andeuneyo 안드네요
Puis-je le(la) regarder ?
boyeo jusillaeyo? 보여 주실래요?
Je ne fais que regarder.
geunyang gugyeong 그냥 구경
haneungeo-eyo 하는 거에요
Ce n'est pas cher.
ssa-neyo 싸네요
C'est trop cher.
neomu bissayo 너무 비싸요

Je le(la) prends.
igeoro haraeyo 이걸로 할래요

Acceptez-vous ... ?
... jibul haedo dwaeyo? ...지불해도 돼요?
　les cartes de crédit
　keurediteu kadeu-ro 크레디트 카드로
　les chèques de voyage
　yeohaengja supyo 여행자 수표
plus *deo* 더
moins *deol* 덜
plus petit *deo jageun* 더작은
plus grand *deo keun* 더큰

Je cherche ...
... reul/eul chatgo isseoyo
...를/을 찾고 있어요
　une banque
　eunhaeng 은행
　une église
　gyohoe 교회
　le centre-ville
　sinae jung simga 시내 중심가
　l'ambassade de ...
　dae sigwan 대사관
　le marché
　sijang 시장
　le musée
　bangmulgwan 박물관
　le bureau de poste
　uche-guk 우체국
　des toilettes publiques
　hwajangsil 화장실
　le centre téléphonique
　jeonhwa guk 전화국
　l'office du tourisme
　gwan gwang annaeso 관광 안내소

Je voudrais changer ...
... reul/eul bakku ryeogo haneun deyo
...를/을 바꾸려고 하는데요
　de l'argent
　don 돈
　des chèques de voyage
　yeohaengja supyo 여행자 수표

HEURE ET DATE

Quelle heure est-il ?
jigeum myeot si-eyo? 지금 몇시 에요?
Il est (10 heures).
(yeol) siyo (열)시요

du matin	achim-e	아침에
de l'après-midi	ohu-e	오후에
du soir	jeonyeok-e	저녁에

Quand ?	eonje	언제
aujourd'hui	o-neul	오늘
demain	nae-il	내일
hier	eo-je	어제

Lundi	woryoil	월요일
Mardi	hwayoil	화요일
Mercredi	suyoil	수요일
Jeudi	mogyoil	목요일
Vendredi	geumyoil	금요일
Samedi	toyoil	토요일
Dimanche	iryoil	일요일

Janvier	irwol	일월
Février	iwol	이월
Mars	samwol	삼월
Avril	sawol	사월
Mai	owol	오월
Juin	yu-gwol	육월
Juillet	chirwol	칠월
Août	parwol	팔월
Septembre	guwol	구월
Octobre	siwol	시월
Novembre	sibirwol	십일월
Décembre	sibiwol	십이월

TRANSPORT
Transports en commun
À quelle heure le ... part-il/arrive-t-il ?

... i/ga (eonje tteonayo/eonje dochak-haeyo)?
…이/가 언제 떠나요/언제 도착해요?

le bus d'aéroport	gonghang beoseu	공항버스
le bateau (ferry)	yeogaekseon	여객선
le bus	beoseu	버스
le bus de ville	sinae beoseu	시내버스
le bus interurbain	si-oe beoseu	시외버스
l'avion	bihaeng-gi	비행기
le train	gicha	기차

Il existe deux autres types de bus interurbains :

gosok beoseu	고속 버스

(bus express très fréquent)

u-deung beoseu	우등 버스

(moins fréquent, plus confortable et un petit peu plus cher)

J'aimerais un billet ...

... hanjang juseyo
…한장 주세요

aller	pyeondo pyo	편도표
aller-retour	wangbok pyo	왕복표
1ᵉ classe	il-deung seok	일등석
2ᵉ classe	i-deung seok	이등석

Je voudrais aller à ...

... e gago sipseumnida
…에 가고 싶습니다

Le train a été (retardé).

gichaga (yeonchak) doe-eosseumnida
기차가(연착) 되었습니다

Le train a été (annulé).

gichaga (chwiso) doe-eosseumnida
기차가 (취소) 되었습니다

le premier		
cheot		첫
le dernier		
maji mak		마지막
arrêt de bus		
beoseu jeongnyu jang		버스정류장
numéro de quai		
peuraetpom beonho		플랫폼번호
station de métro		
jihacheol yeok		지하철역
guichet		
pyo paneun got		표 파는곳
billetterie automatique		
pyo japangi		표 자판기
horaire		
sigan pyo		시간표
gare ferroviaire		
gicha yeok		기차역

Transports privés
J'aimerais louer un/une ...

... reul/eul billi-go sipeoyo
…를/을 빌리고 싶어요

voiture		
jadongcha		자동차
(ou simplement cha, 차)		
4x4		
jipeu cha		지프차
moto		
otoba-i/moteo sai-keul		오토바이/모터사이클
bicyclette		
jajeongeo		자전거

C'est bien la route de ... ?

i-gil daragamyeon ... e galsu isseoyo?
이길 따라가면…에갈수 있어요?

Où puis-je trouver une station-service ?

annae soga eodi isseoyo?
안내소가 어디있어요?

Je voudrais le plein, s'il vous plaît.

gadeuk chaewo juseyo
가득 채워 주세요

Je prendrai (30) litres.

(samsip) liteo neo-eo juseyo
(삼십)리터 넣어 주세요

PANNEAUX ROUTIERS

우회로 *uhwoe-ro*	**Déviation**
길없음 *gil-eupseum*	**Entrée interdite**
추월금지 *chuwol geumji*	**Dépassement interdit**
주차금지 *jucha geumji*	**Stationnement interdit**
입구 *ipgu*	**Entrée**
접근금지 *jeopgeun geumji*	**Ne pas obstruer**
통행료 *tonghaeng-ryo*	**Péage**
톨게이트 *tol geiteu*	**Barrière de péage**
위험 *wi heom*	**Danger**
서행 *seo haeng*	**Ralentissez**
일방통행 *il-bang tonghaeng*	**Sens unique**
나가는길 *naganeun gil*	**Sortie d'autoroute**

gasole	*dijel*	디젤
essence avec plomb		
	gayeon	가연
essence sans plomb		
	muyeon hwi baryu	무연휘발유

(Combien de temps) puis-je stationner ici ?
eolmana jucha halsu isseoyo?
얼마나 주차 할수 있어요?

Où puis-je payer ?
eodiseo jibul hamnikka?
어디서 지불합니까?

J'ai besoin d'un garagiste.
jeongbi gong-i biryo haeyo
정비공이 필요해요

La voiture/moto est tombée en panne (à ...)
... eseo chaga/otoba-i ga gojang nasseoyo
...에서차가/오토바이가 고장 났어요

La voiture/moto ne démarre pas.
chaga/otoba-i ga sidong-i geolli-ji annayo
차가/오토바이가 시동이 걸리지
않아요

J'ai un pneu dégonflé.
taieo-e peongkeu nasseoyo
타이어에펑크났어요

Je suis en panne d'essence.
gireumi tteoreo jeosseoyo
기름이 떨어졌어요

J'ai eu un accident.
sago nasseoyo
사고 났어요

VOYAGER AVEC DES ENFANTS

Y a-t-il un(une) ...
... isseoyo?   ...있어요?
J'ai besoin d'un(une) ...
piryo haeyo   ...필요해요
  local avec table à langer
  gijeogwi galgosi   기저귀 갈 곳이
  siège auto
  yu-a jadongcha   유아자동차안전의자
  anjeon uija
  service de garde d'enfants
  agi bwajuneun seobiseu 아기봐주는 서비스
  menu enfant
  eorini menyu   어린이 메뉴
  couches (jetables)
  ilhoeyong gijeogwi   일회용 기저귀
  lait maternisé
  bunyu   분유
  baby-sitter (parlant anglais)
  agi bwajuneun saram   아기 봐주는 사람
  chaise haute
  agi uija   아기의자
  pot de bébé
  agi byeon-gi   아기변기
  poussette
  yu-mocha   유모차

Est-ce que cela vous ennuie si j'allaite mon bébé ici ?
yeogi-seo agi jeotmeok yeodo doenayo?
여기서 아기 젖먹여도 되나요?

Les enfants sont-ils admis ?
eorinido doennikka?   어린이도됩니까?

Glossaire

A
ajumma – une femme mariée ou plus âgée ; terme respectueux pour une gérante d'hôtel, de restaurant ou autre commerce
am – ermitage
anju – en-cas servis avec un alcool ; parfois coûteux dans une boîte de nuit

B
bang – pièce ; un *PC bang* est un cybercafé et un *DVD bang*, une salle où l'on regarde des DVD
bawi – gros rocher
bong – pic
buk – nord
buncheong – poterie de la période choson, ornée de motifs populaires simples

C
cha – thé
chaebol – grand conglomérat géré par une famille
cheon – petit ruisseau

D
da bang – salon de thé
dae – grand, important
DMZ – Zone démilitarisée ; située le long du 38ᵉ parallèle, elle sépare le nord et le sud du pays
-do – province
do – île
-dong – quartier
dong – est
donggul – grotte

E
-eup – ville

G
-ga – section d'une grande rue
gang – rivière
geobukseon – "bateaux tortues" ; cuirassés construits à la fin du XVIᵉ siècle
gil – ruelle
-gu – district urbain
gugak – musique coréenne traditionnelle
gun – comté
gung – palais
gyotongkadeu – carte d'abonnement de métro et de bus

H
hae – mer
haenyo – femme plongeuse de Jejudo
hagwon – école privée où l'on étudie après l'école ou le travail
hanbok – costume coréen traditionnel
hangeul – alphabet phonétique coréen
hanji – papier traditionnel fait main
hanok – maison de bois traditionnelle à un étage, avec un toit en tuiles
harubang – "grands-pères de pierre" : statues de Jejudo évoquant celles de l'île de Pâques
ho – lac
hof – pub

I
insam – ginseng

J
jeon – hall d'un temple
jeong – pavillon
Juche – doctrine nord-coréenne d'autosuffisance

K
KNTO – Korean National Tourist Organisation (Organisation nationale du tourisme coréen)

M
minbak – maison privée proposant des chambres à louer
mobeom – taxi de luxe
mugunghwa – train express qui marque de nombreux arrêts
mun – porte
-myeon – municipalité
myo – sanctuaire

N
nam – sud
neung – tombe
no – grande artère, boulevard
noraebang – salle où l'on chante, accompagné d'une bande sonore
nyeong – col de montagne

O
oncheon – bain thermal
ondol – système de chauffage par le sol

P
pansori – opéra coréen traditionnel chanté par un seul interprète
pokpo – cascade
pyeong – unité de mesure équivalente à 3,3 m^2

R
reung – tombe
-ri – village
ro – grande artère, boulevard
ROK – Republic of Korea (République de Corée ; Corée-du-Sud)
ru – pavillon
ryeong – col de montagne

S
sa – temple
saemaeul – train express de luxe
san – montagne
sanjang – chalet de montagne
sanseong – forteresse de montagne
seo – ouest

Seon – version coréenne du bouddhisme zen
seong – forteresse
seowon – académie ou école confucéenne
si – ville
ssireum – lutte coréenne traditionnelle

T
taekwondo – art martial coréen
tang – bain public comprenant habituellement un sauna
Tangun – fondateur légendaire de la Corée
tap – pagode
tongil – train local lent

Y
yangban – aristocrate
yeogwan – motel doté de petites chambres bien équipées, avec sdb
yeoinsuk – petit hôtel familial à prix modérés, avec sanitaires communs
yo – sorte de matelas futon disposé sur le sol

En coulisses

À PROPOS DE CET OUVRAGE

La première édition anglaise *Korea* a été publiée en 1988. L'édition précédente de ce guide a été rédigée par Robert Storey et Eunkyong Park. Cette 6e édition en anglais a été mise à jour par Martin Robinson, Andrew Bender et Rob McWhyte. Didier Férat a écrit le chapitre *Bouddhisme coréen*. Le chapitre *Santé*, rédigé par le Dr Trish Batchelor, a été adapté en français par Cécile Bertolissio et complété par le Dr Luc Paris.

Cette première édition française a été coordonnée, revue, relookée et retravaillée par Chantal Duquénoy, avec l'aide précieuse de Cécile Bertolissio, Michel McLeod et Didier Férat, sans oublier Bénédicte Houdré pour ses indications et son flair d'éditrice avisée. David Guittet a réalisé la maquette avec une patience toute zen. Nous remercions Stéphane Lazarevic pour son travail sur le texte, tout comme Chantal Guérin et Juliette Stephens. Les cartes originales ont été crées par Hunor Csutoros et son équipe, et elles ont été moulinées en français par Christian Deloye. La couverture, concue par Maria Vallianos, a été adaptée par Soph Rivoire.

Merci à Hélène Cody pour sa participation efficace et constante, à Benoît Delplanque qui a su rallier l'équipe à la cause coréenne grâce à sa persévérance et à son enthousiasme, ainsi qu'à Christophe Corbel pour ses recherches et ses apports bibliographiques.

Toute notre gratitude va à Graham Imeson et Debra Herrman, du bureau australien, et à l'équipe de la LPI pour leur collaboration avec le bureau français.

Nous remercions enfin l'Office national du tourisme coréen à Paris, et particulièrement M. Chong-Bae Kim, directeur général, M. Jae Soek Park, directeur adjoint, sans oublier Mme Kette Amoruso, pour leur aide et leur soutien chaleureux.

Traduction Anne Lavédrine, Aurélie Buron et Laurence Séguin.

UN MOT DES AUTEURS

Martin Robinson Merci au KNTO, à Ji Il-hyun, Yi Sang-woo, Park Young-hee, Jang Young-bok, Hank Kim, Han Joon-yeob, Park Seok-jin, Jang Kyung-hee, Han Sang-hoon, Park So-young, Lee Jin-hyeong, Park Soon-kap, Hong Seok-chun, Kim Young-ja, Timothy Lee, Antony Stokes, Hong Jae-sun, Hwang Geum-joo, M. Jang, mes co-auteurs, Michael Day (commissioning editor) et tout ceux qui m'ont aidé. Un grand merci à M. B.J. Song et à mon père et tout particulièrement à ma femme, Marie.

Andrew Bender Tout d'abord merci à toute l'équipe du KNTO à Los Angeles (MM. Kim, Jo et Hong, Monica Poling et Aliza Rosenberg), pour leur assistance sans laquelle rien de ceci n'aurait été possible. Toute ma gratitude à ceux qui m'ont aidé et à mes nouveaux amis coréens, en particulier

---

LES GUIDES LONELY PLANET

Tout commence par un long voyage : en 1972, Tony et Maureen Wheeler rallient l'Australie après avoir traversé l'Europe et l'Asie. À l'époque, on ne disposait d'aucune information pratique pour mener à bien ce type d'aventure. Pour répondre à une demande croissante, ils rédigent le premier guide Lonely Planet, écrit sur le coin d'une table.

Depuis, Lonely Planet est devenu le plus grand éditeur indépendant de guides de voyage dans le monde et dispose de bureaux à Melbourne (Australie), Oakland (États-Unis), Londres (Royaume-Uni) et Paris (France).

La collection couvre désormais le monde entier et ne cesse de s'étoffer. L'information est aujourd'hui présentée sur différents supports, mais notre objectif reste constant : donner des clés au voyageur pour qu'il comprenne mieux les pays qu'il visite.

L'équipe de Lonely Planet est convaincue que les voyageurs peuvent avoir un impact positif sur les pays qu'ils visitent, pour peu qu'ils fassent preuve d'une attitude responsable. Depuis 1986, nous reversons un pourcentage de nos bénéfices à des actions humanitaires, à des campagnes en faveur des droits de l'homme, et plus récemment, à la défense de l'environnement.

VOS RÉACTIONS ?

Vos commentaires nous sont très précieux et nous permettent d'améliorer constamment nos guides. Notre équipe lit toutes vos lettres avec la plus grande attention. Nous ne pouvons pas répondre individuellement à tous ceux qui nous écrivent, mais vos commentaires sont transmis aux auteurs concernés. Tous les lecteurs qui prennent la peine de nous communiquer des informations sont remerciés dans l'édition suivante, et ceux qui nous fournissent les renseignements les plus utiles se voient offrir un guide.

Pour nous faire part de vos réactions, prendre connaissance de notre catalogue ou vous abonner à *Comète*, notre lettre d'information électronique, connectez-vous à notre site web : **www.lonelyplanet.fr**.

Nous reprenons parfois des extraits de votre courrier pour les publier dans nos produits, guides ou sites web. Si vous ne souhaitez pas que vos commentaires soient repris ou que votre nom apparaisse, merci de nous le préciser. Pour connaître notre politique en matière de confidentialité, connectez-vous à www.lonelyplanet.fr/privee/index.htm.

Kim Hee-A à Jejudo, Joseph Kim et M. Kim Jin-don à Daegu, Sophie Park dans le Gyeongsanbuk-do, Mme Kim Bog-hee à Gwangju et Sharon Park dans le Jeollanam-do, ainsi qu'à M. Lee, toujours professionnel et souriant. Merci à Diana Rosen pour ses connaissances sur le thé et à tous les moines, guichetiers de billetterie, réceptionnistes, chefs, serveurs et serveuses qui ont subi mes questions incessantes. Enfin, mes remerciements à Michael Day, Martin Robinson, et Emma Koch, qui ont transformé ce travail en plaisir.

Rob Whyte Un grand merci à ma femme, Kyoung-mi, pour sa patience et son talent à relire avec empressement mon mauvais coréen. À ma fille Genieve qui, à l'age tendre de 7 ans, s'est révélée une parfaite traductrice du coréen en anglais. Sur la route, merci à Ian Pringle (expert de Baekseju), Kim Yong-young, So Eun-young, Park Mi-ja, Kim Ohk-bin, Lee Ha-jin, Moon Jeong-ee, Kim Eun-mi (pour ses adresses de restaurants de poisson cru) et Lee Koum-sook, un des meilleurs guides de l'île de Geoje. Enfin, merci au Dr Bruce Hocking, guérisseur, humaniste et source d'inspiration sur les routes peu fréquentées.

Didier Férat Un grand merci à M. Jae Soek Park, de l'Office national du tourisme coréen à Paris, ainsi qu'à Mme Huh Huhnju, guide hors pair qui m'a beaucoup aidé au cours de mon voyage.

Index

Les références des cartes sont en **gras**

Les références des cartes sont en **gras**

Les références des cartes sont en **gras**

Les références des cartes sont en **gras**

LÉGENDE DES CARTES

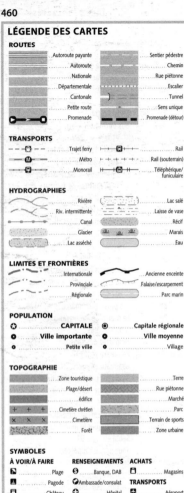

ROUTES

Autoroute payante	Sentier pédestre
Autoroute	Chemin
Nationale	Rue piétonne
Départementale	Escalier
Cantonale	Tunnel
Petite route	Sens unique
Promenade	Promenade (détour)

TRANSPORTS

Trajet ferry	Rail
Métro	Rail (souterrain)
Monorail	Téléphérique/funiculaire

HYDROGRAPHIES

Rivière	Lac salé
Riv. intermittente	Laisse de vase
Canal	Récif
Glacier	Marais
Lac asséché	Eau

LIMITES ET FRONTIÈRES

Internationale	Ancienne enceinte
Provinciale	Falaise/escarpement
Régionale	Parc marin

POPULATION

✪ **CAPITALE**	◉ Capitale régionale
● **Ville importante**	● **Ville moyenne**
○ Petite ville	○ Village

TOPOGRAPHIE

Zone touristique	Terre
Plage/désert	Rue piétonne
édifice	Marché
Cimetière chrétien	Parc
Cimetière	Terrain de sports
Forêt	Zone urbaine

SYMBOLES

À VOIR/À FAIRE

🏖	Plage
	Pagode
	Château
	Cathédrale
	Culte confucéen
	Site de plongée
	Temple hindouiste
	Mosquée
	Temple jaïna
	Synagogue
	Monument
	Musée
	Pique-nique
●	Centre d'intérêt
	Ruine
	Culte shinto
	Temple sikh
	Ski
	Culte taoïste
	Vignoble
	Zoo, ornithologie

RENSEIGNEMENTS

🏦	Banque, DAB
	Ambassade/consulat
	Hôpital
	Renseignements
@	Cybercafé
P	Parking
	Station-service
	Police
	Poste
	Téléphone
	Toilette

SE LOGER

	Hôtel
	Camping

SE RESTAURER

	Restauration

BOIRE UN VERRE

	Bar
	Café

SORTIR

	Spectacle

ACHATS

	Magasins

TRANSPORTS

	Aéroport
	Poste frontière
	Arrêt de bus
	Piste cyclable
	Transports
	Taxi
	Chemin de randonnée

TOPOGRAPHIE

A	Danger
	Phare
	Point de vue
▲	Montagne, volcan
	Parc national
	Oasis
) (	Col
→	Sens du courant
	Gîte d'étape
+	Point culminant
	Rapide

Note : tous les symboles ne sont pas utilisés dans cet ouvrage

BUREAUX LONELY PLANET

Australie
Locked Bag 1, Footscray, Victoria 3011
☎ 03 8379 8000, fax 03 8379 8111
talk2us@lonelyplanet.com.au

USA
150 Linden St, Oakland, CA 94607
☎ 510 893 8555, toll free 800 275 8555
fax 510 893 8572, info@lonelyplanet.com

Royaume-Uni et Irlande
72–82 Rosebery Ave,
Clerkenwell, London EC1R 4RW
☎ 020 7841 9000, fax 020 7841 9001
go@lonelyplanet.co.uk

France
1 rue du Dahomey, 75011 Paris
☎ 01 55 25 33 00, fax 01 55 25 33 01
bip@lonelyplanet.fr, www.lonelyplanet.fr

Publié par Lonely Planet Publications
1, rue du Dahomey, 75011 Paris
Dépôt légal : Novembre 2004

ISBN 2 84070-428-5

ISSN 1242-9244